Ami

El pre:
22ª edición ~~de la Guía Michelin~~
España Portugal,
ha sido realizado con la máxima
imparcialidad.

Su selección de hoteles y restaurantes
es fruto de las investigaciones
de sus inspectores,
que completan las cartas y los comentarios
que Vds. nos envían.

Pensando siempre en su actualidad
y utilidad,
la Guía prepara ya su próxima edición.

Sólo la Guía del año merece así su confianza.

Piense en renovarla.

Buen viaje con Michelin

Sumario

La elección
de un hotel, de un restaurante

Esta guía propone una selección de hoteles y restaurantes para uso de los automovilistas. Los establecimientos, clasificados según su confort, se citan por orden de preferencia dentro de cada categoría.

CATEGORÍAS

🏰	Gran lujo y tradición	XXXXX
🏨	Gran confort	XXXX
🏨	Muy confortable	XXX
🏠	Bastante confortable	XX
🏠	Confortable	X
🏠	Sencillo pero correcto	
sin rest	El hotel no dispone de restaurante	sem rest
con hab	El restaurante tiene habitaciones	com qto

ATRACTIVO Y TRANQUILIDAD

Ciertos establecimientos se distinguen en la guía por los símbolos en rojo que indicamos a continuación. La estancia en estos hoteles es especialmente agradable o tranquila.
Esto puede deberse a las características del edificio, a la decoración original, al emplazamiento, a la recepción y a los servicios que ofrece, o también a la tranquilidad del lugar.

🏰 a 🏠	Hoteles agradables
XXXXX a X	Restaurantes agradables
« Parque »	Elemento particularmente agradable
🐾	Hotel muy tranquilo, o aislado y tranquilo
🐾	Hotel tranquilo
← mar	Vista excepcional
←	Vista interesante o extensa

Las localidades que poseen establecimientos agradables o muy tranquilos están señaladas en los mapas de las páginas 59 a 67, 480 y 481.
Consúltenos para la preparación de sus viajes y envíenos sus impresiones a su regreso. Así nos ayudará en nuestras averiguaciones.

La instalación

Las habitaciones de los hoteles que recomendamos poseen, en general, cuarto de baño completo. No obstante puede suceder que en las categorías 🏨, 🏢 y 🎋 algunas habitaciones carezcan de él.

30 hab **30 qto**	Número de habitaciones
🛗	Ascensor
🗖	Aire acondicionado
TV	Televisión en la habitación
☏	Teléfono en la habitación a través de centralita
☎	Teléfono en la habitación directo con el exterior
♿	Habitaciones de fácil acceso para minusválidos
🌳	Comidas servidas en el jardín o en la terraza
🏋	Fitness club (gimnasio, sauna...)
⚓ 🏊	Piscina : al aire libre – cubierta
🏖 🌿	Playa equipada – Jardín
🎾 ⛳	Tenis – Golf y número de hoyos
🏛 25/150	Salas de conferencias : capacidad de las salas
🚗	Garaje en el hotel (generalmente de pago)
🅿	Aparcamiento reservado a la clientela
🐕	Prohibidos los perros (en todo o en parte del establecimiento)
Fax	Transmisión de documentos por telefax
mayo-octubre	Período de apertura comunicado por el hotelero
temp.	Apertura probable en temporada sin precisar fechas. Sin mención, el establecimiento está abierto todo el año
✉ 28 012 ✉ 1 200	Código postal

La mesa

LAS ESTRELLAS

Algunos establecimientos merecen ser destacados por la calidad de su cocina. Los distinguimos con **las estrellas de buena mesa.**

En estos casos indicamos tres especialidades culinarias que pueden orientarles en su elección.

❀❀❀ | **Una de las mejores mesas, justifica el viaje**
Mesa exquisita, grandes vinos, servicio impecable, marco elegante... Precio en consonancia.

❀❀ | **Mesa excelente, vale la pena desviarse**
Especialidades y vinos selectos... Cuente con un gasto en proporción.

❀ | **Muy buena mesa en su categoria**
La estrella indica una buena etapa en su itinerario.
Pero no compare la estrella de un establecimiento de lujo, de precios altos, con la de un establecimiento más sencillo en el que, a precios razonables, se sirve también una cocina de calidad.

BUENAS COMIDAS A PRECIOS MODERADOS

Hemos realizado una selección de restaurantes que ofrecen, con una acertada relación calidad-precio, una buena comida, generalmente de tipo regional, para cuando Vd. desee encontrar establecimientos más sencillos a precios moderados.

Estos restaurantes se señalan con Comida en el texto y C en el mapa (España), y Refeição en el texto y R en el mapa (Portugal). Ej. Comida 2800/3500, Refeição 2200/3000.

Consulte los mapas de las localidades que poseen establecimientos con estrella C o R, páginas 59 a 67, 480 y 481.

Los vinos : ver página 57

Los precios

Los precios que indicamos en esta guía nos fueron proporcionados en otoño de 1993. Pueden producirse modificaciones debidas a variaciones de los precios de bienes y servicios. El servicio está incluido. En España el I.V.A. se añadirá al total de la factura (6 o 15 %), salvo en Andorra (exento), Canarias (4 % I.G.I.C. ya incluído), y Ceuta y Melilla (4 % I.T.E.). En Portugal (5 o 16 %) ya está incluído.

En algunas ciudades y con motivo de ciertas manifestaciones comerciales o turísticas (ferias, fiestas religiosas o patronales...), los precios indicados por los hoteleros pueden sufrir importantes aumentos.

Los hoteles y restaurantes figuran en negrita cuando los hoteleros nos han señalado todos sus precios comprometiéndose, bajo su responsabilidad, a respetarlos ante los turistas de paso portadores de nuestra guía.

Entre en el hotel o en el restaurante con su guía en la mano, demostrando, así, que ésta le conduce allí con confianza.

Los precios se indican en pesetas o en escudos.

COMIDAS

Com 2 000 Ref 1 800	**Menú a precio fijo.** Almuerzo o cena servido a las horas habituales
Carta 2 450 a 3 800 Lista 1 800 a 2 550	**Comida a la carta.** El primer precio corresponde a una comida normal que comprende : entrada, plato fuerte del día y postre. El 2° precio se refiere a una comida más completa (con especialidad de la casa) que comprende : dos platos y postre
☕ 325	Precio del desayuno

HABITACIONES

hab. 4 500/6 700	Precio de una habitación individual / precio de una habitación doble, en temporada alta
hab ☕ 4 800/7 000 **qto** ☕ 4 400/6 300	Precio de la habitación con desayuno incluido

PENSIÓN

PA 3 600	Precio de la pensión alimenticia (desayuno, comida y cena). El precio de la pensión completa por persona y por día se obtendrá añadiendo al importe de la habitación individual el de la pensión alimenticia. Conviene concretar de antemano los precios con el hotelero.

Algunos hoteleros... ...Se trata
de un depósito-g... ...hotelero
como al cliente. ... ...áusulas
de esta garantía...

Peseta/£1 = 200
Escudo/£1 = 250

AE ⓞ E VISA JCB ... ...ecimiento

Las curiosidades

GRADO DE INTERÉS

★★★	De interés excepcional
★★	Muy interesante
★	Interesante

SITUACIÓN DE LAS CURIOSIDADES

Ver	En la población
Alred. Arred.	En los alrededores de la población
Excurs.	Excursión en la región
N, S, E, O	La curiosidad está situada al Norte, al Sur, al Este, al Oeste
①, ④	Salir por la salida ① o ④, localizada por el mismo signo en el plano
6 km	Distancia en kilómetros

9

Las poblaciones

2200	Código postal
✉ 7800 Beja	Código postal y Oficina de Correos distribuidora
✆ 918	Indicativo telefónico provincial (para las llamadas desde fuera de España, no se debe marcar el 9, tampoco el 0 para Portugal)
ℙ	Capital de Provincia
445 M 27	Mapa Michelin y coordenadas
24 000 h.	Población
alt. 175	Altitud de la localidad
⛷ 3	Número de teleféricos o telecabinas
⛷ 7	Número de telesquíes o telesillas
AX A	Letras para localizar un emplazamiento en el plano
⛳18	Golf y número de hoyos
❋ ≼	Panorama, vista
✈	Aeropuerto
🚗 ✆ 22 98 36	Localidad con servicio Auto-Expreso. Información en el número indicado
⛴	Transportes marítimos
🛈	Información turística

Los planos

Hoteles

Restaurantes

Curiosidades

Edificio interesante y entrada principal

Edificio religioso interesante :
   Catedral, iglesia o capilla

Características de las calles

Autopista, autovía
   acceso, completo, parcial, número

Vía importante de circulación

Sentido único – Calle impracticable, reglamentada

Calle peatonal – Tranvía

Colón   Calle comercial – Aparcamiento

Puerta – Pasaje cubierto – Túnel

Estación y línea férrea

Funicular – Teleférico, telecabina

Puente móvil – Barcaza para coches

Signos diversos

Oficina de Información de Turismo

Mezquita – Sinagoga

Torre – Ruinas – Molino de viento – Depósito de agua

Jardín, parque, bosque – Cementerio – Crucero

Estadio – Golf – Hipódromo

Piscina al aire libre, cubierta

Vista – Panorama

Monumento – Fuente – Fábrica – Centro comercial

Puerto deportivo – Faro

Aeropuerto – Boca de metro – Estación de autobuses

Transporte por barco :
   pasajeros y vehículos, pasajeros solamente

③   Referencia común a los planos y a los mapas detallados
Michelin

Oficina central de lista de correos – Teléfonos

Hospital – Mercado cubierto

Edificio público localizado con letra :

D   H   G   Diputación – Ayuntamiento – Gobierno civil

J   Palacio de Justicia

M   T   Museo – Teatro

U   Universidad, Escuela Superior

POL   Policía (en las grandes ciudades : Jefatura)

Pida en la librería el catálogo de mapas y guías
Michelin.

El coche, los neumáticos

TALLERES DE REPARACIÓN
PROVEEDORES DE NEUMÁTICOS MICHELIN

A continuación indicamos los números de teléfono del Servicio 24 horas de las principales marcas de automóviles en España capacitadas para efectuar cualquier clase de reparación en sus propios talleres :

ALFA ROMEO 900.10.10.06	MERCEDES BENZ . 91/431.95.96
BMW 900.10.04.82	NISSAN MOTOR
CITROEN 91/519.13.14	IBERICA 900.20.00.94
FIAT 91/519.16.16	PEUGEOT-TALBOT . 900.44.24.24
LANCIA 91/519.10.22	RENAULT 91/556.39.99
FORD 900.14.51.45	SEAT 900.11.22.22
OPEL 900.14.21.42	VOLVO 91/555.81.00
GENEREL MOTORS 91/597.21.25	

Cuando un agente de neumáticos carezca del artículo que Vd necesite, diríjase a la División Comercial Michelin en **Madrid** o en cualquiera de sus Sucursales en las poblaciones siguientes : Montcada i Reixac (Barcelona), Lasarte, Coslada (Madrid), León, Santiago de Compostela, Sevilla, Valencia, Zaragoza. En **Portugal**, diríjase a la Dirección Comercial Michelin en Sacavém (Lisboa).

Las direcciones y números de teléfono de las Sucursales Michelin figuran en el texto de estas localidades.

Nuestras sucursales tienen mucho gusto en dar a nuestros clientes todos los consejos necesarios para la mejor utilización de sus neumáticos.

Ver también las páginas con borde azul.

LOS "AUTOMÓVIL CLUB"

RACE	Real Automóvil Club de España
RACC	Real Automóvil Club de Cataluña
RACVN	Real Automóvil Club Vasco Navarro
RACV	Real Automóvil Club de Valencia
ACP	Automóvel Clube de Portugal

Ver las direcciones y los números de teléfono en el texto de las localidades correspondientes.

Amigo Leitor

Este volume constitui a 22.ª edição do Guia Michelin Espanha Portugal.

Elaborada com a maior imparcialidade, a selecção dos hotéis e restaurantes do Guia é o produto de um estudo feito pelos seus inspectores e posteriormente completado pelas suas preciosas cartas e comentários.

Cioso de actualidade e de utilidade, o Guia prepara já a sua próxima edição.

Deste modo, apenas o Guia de cada ano merece a sua confiança.

Pense na sua renovação...

Boa viagem com Michelin

Sumário

A escolha
de um hotel, de um restaurante

A nossa classificação está estabelecida para servir os automobilistas de passagem. Em cada categoria, os estabelecimentos são classificados por ordem de preferência.

CLASSE E CONFORTO

🏨	Grande luxo e tradição	XXXXX
🏨	Grande conforto	XXXX
🏨	Muito confortável	XXX
🏨	Bastante confortável	XX
🏠	Confortável	X
☂	Simples, mas aceitáveis	
sin rest	O hotel não tem restaurante	sem rest
con hab	O restaurante tem quartos	com qto

ATRACTIVOS

A estadia em certos hotéis torna-se por vezes particularmente agradável ou repousante.

Isto pode dar-se, por um lado pelas características do edifício, pela decoração original, pela localização, pelo acolhimento e pelos serviços prestados, e por outro lado pela tranquilidade dos locais.

Tais estabelecimentos distinguem-se no Guia pelos símbolos a vermelho que abaixo se indicam.

🏨 … 🏠	Hotéis agradáveis
XXXXX … X	Restaurantes agradáveis
« Parque »	Elemento particularmente agradável
🌳	Hotel muito tranquilo, ou isolado e tranquilo
🌳	Hotel tranquilo
≤ mar	Vista excepcional
≤	Vista interessante ou ampla

As localidades que possuem hotéis e restaurantes agradáveis ou muito tranquilos encontram-se nos mapas páginas 59 a 67, 480 e 481.

Consulte-as para a preparação das suas viagens e dê-nos as suas impressões no seu regresso. Assim facilitará os nossos inquéritos.

A instalação

Os quartos dos hotéis que lhe recomendamos têm em geral quarto de banho completo.
No entanto pode acontecer que certos quartos, na categoria 🏨, 🏠 e ⌂, o não tenham.

30 hab **30 qto**	Número de quartos
🛗	Elevador
▤	Ar condicionado
TV	Televisão no quarto
☏	Telefone no quarto, através de central
☎	Telefone no quarto, directo com o exterior
♿	Quartos de fácil acesso para deficientes físicos
⛱	Refeições servidas no jardim ou no terraço
⌘	Fitness club
⚲ ⛆	Piscina ao ar livre ou coberta
⛱ ⚘	Praia equipada – Jardim de repouso
✗	Ténis
⛳₁₈	Golfe e número de buracos
🚹 25/150	Salas de conferências : capacidade mínima e máxima das salas
🚗	Garagem (geralmente a pagar)
Ⓟ	Parque de estacionamento reservado aos clientes
🐕	Proibidos os cães : em todo o parte do estabelecimento
Fax	Transmissão de documentos por telecopias
maio-outubro	Período de abertura comunicado pelo hoteleiro
temp.	Abertura provável na estação, mas sem datas precisas Os estabelecimentos abertos todo o ano são os que não têm qualquer menção
✉ 28 012 ✉ 1 200	Código postal

15

A mesa

AS ESTRELAS

Entre os numerosos estabelecimentos recomendados neste guia, alguns merecem ser assinalados à sua atenção pela qualidade de cozinha. Nós classificamo-los por **estrelas**. Indicamos, para esses estabelecimentos, três especialidades culinárias que poderão orientar-vos na escolha.

❀❀❀ | **Uma das melhores mesas, vale a viagem**
Óptima mesa, vinhos de marca, serviço impecável, ambiente elegante... Preços em conformidade.

❀❀ | **Uma mesa excelente, merece um desvio**
Especialidades e vinhos seleccionados; deve estar preparado para uma despesa em concordância.

❀ | **Uma muito boa mesa na sua categoria**
A estrela marca uma boa etapa no seu itinerário.
Mas não compare a estrela dum estabelecimento de luxo com preços elevados com a estrela duma casa mais simples onde, com preços moderados, se serve também uma cozinha de qualidade.

REFEIÇÕES CUIDADAS A PREÇOS MODERADOS

Deseja por vezes encontrar mesas mais simples a preços moderados. É por isso que nós selecionamos restaurantes propondo por um lado uma relação qualidade-preço particularmente favorável, por outro uma refeição cuidada frequentemente de tipo regional. Estes restaurantes estão sinalizados por Comida (Espanha) ou Refeição (Portugal). Exemplo : Comida 2800/3500, Refeição 2200/3000.

Consulte os mapas das localidades que possuam estabelecimentos de estrelas, Comida *ou* Refeição *páginas 59 a 67, 480 e 481.*

Os vinhos : ver pág. 57

Os preços

Os preços indicados neste Guia foram estabelecidos no Outono de 1993. Podem portanto ser modificados, nomeadamente se se verificarem alterações no custo de vida ou nos preços dos bens e serviços. Em Espanha o I.V.A. será aplicado à totalidade da factura (6 ou 15 %), salvo em Andorra (exento), Canarias (4 % I.G.I.C. já-incluido) e Ceuta e Melilla (4 % I.T.E.). Em Portugal (5 ou 16 %) já está incluido.

Em algumas cidades, por ocasião de manifestações comerciais ou turísticas os preços pedidos pelos hotéis são passíveis de serem aumentados consideràvelmente.

Os hotéis e restaurantes figuram em caracteres destacados, sempre que os hoteleiros nos deram todos os seus preços e se comprometeram sob a sua própria responsabilidade, a aplicá-los aos turistas de passagem, portadores do nosso Guia.

Entre no hotel ou no restaurante com o guia na mão e assim mostrará que ele o conduziu com confiança.

Os preços indicados em pesetas ou em escudos, incluem o serviço.

REFEIÇÕES

Com 2 000 Ref 1 800	**Preço fixo** – Preço da refeição servida às horas normais
Carta 2 450 a 3 800 Lista 1 800 a 2 550	**Refeições à lista** – O primeiro preço corresponde a uma refeição simples, mas esmerada, compreendendo : entrada, prato do dia guarnecido e sobremesa O segundo preço, refere-se a uma refeição mais completa (com especialidade), compreendendo : dois pratos e sobremesa
☕ 325	Preço do pequeno almoço

QUARTOS

hab. 4 500/6 700	Preço para um quarto de uma pessoa / preço para um quarto de duas pessoas em plena estação
hab ☕ 4 800/7 000 **qto** ☕ 4 400/6 300	O preço do pequeno almoço está incluído no preço do quarto

PENSÃO

PA 3 600	Preço das refeições (almoço e jantar). Este preço deve juntar-se ao preço do quarto individual para se obter o custo de pensão completa por pessoa e por dia. É indispensável um contacto antecipado com o hotel para se obter o custo definitivo.

O SINAL – CARTÕES DE CRÉDITO

Alguns hoteleiros pedem por vezes o pagamento de um sinal. Trata-se de um depósito de garantia que compromete tanto o hoteleiro como o cliente.

AE ① E VISA JCB | Principais cartões de crédito aceites no estabelecimento

As curiosidades

INTERESSES

★★★	De interesse excepcional
★★	Muito interessante
★	Interessante

LOCALIZAÇÃO

Ver	Na cidade
Alred. Arred.	Nos arredores da cidade
Excurs.	Excursões pela região
N, S, E, O	A curiosidade está situada no Norte, no Sul, no Este, no Oeste
①, ④	Chega-se lá pela saída ① ou ④, assinalada pelo mesmo sinal sobre o plano
6 km	Distância em quilómetros

As cidades

2200	Código postal
✉ 7800 Beja	Código postal e nome do Centro de Distribuição Postal
✆ 918	Indicativo telefónico provincial (nas chamadas inter-urbanas para Espanha deve marcar o 9, assim como o 0 para Portugal)
P	Capital de distrito
🅰🅱🅲 M 27	Mapa Michelin e quadrícula
24 000 h.	População
alt. 175	Altitude da localidade
🚠 3	Número de teleféricos ou telecabinas
🚡 7	Número de teleskis e telecadeiras
AX A	Letras determinando um local no plano
🏌18	Golfe e número de buracos
❄ ≼	Panorama, vista
✈	Aeroporto
🚗 ✆ 22 98 36	Localidade com serviço de transporte de viaturas em caminho-de-ferro. Informações pelo número de telefone indicado
⛴	Transportes marítimos
🛈	Informação turística

Planos

□ ●		**Hotéis**
▣ ●		**Restaurantes**

Curiosidades

Edifício interessante e entrada principal

Edifício religioso interessante :
  Sé, igreja ou capela

Vias de circulação

Auto-estrada, estrada com faixas de rodagem separadas
  acesso : completo, parcial, número

Grande via de circulação

Sentido único – Rua impraticável, regulamentada

Via reservada aos peões – Eléctrico

Colón Rua comercial – Parque de estacionamento

Porta – Passagem sob arco – Túnel

Estação e via férrea

Funicular – Teleférico, telecabine

Ponte móvel – Barcaça para automóveis

Diversos símbolos

Centro de Turismo

Mesquita – Sinagoga

Torre – Ruínas – Moinho de vento – Mãe de água

Jardim, parque, bosque – Cemitério – Cruzeiro

Estádio – Golfe – Hipódromo

Piscina ao ar livre, coberta

Vista – Panorama

Monumento – Fonte – Fábrica – Centro Comercial

Porto de abrigo – Farol

Aeroporto – Estação de metro – Estação de autocarros

Transporte por barco :
  passageiros e automóveis, só de passageiros

Referência comum aos planos e aos mapas Michelin
detalhados

Correio com posta-restante principal – Telefone

Hospital – Mercado coberto

Edifício público indicado por letra :

D H G Conselho provincial – Câmara municipal – Governo civil

J Tribunal

M T Museu – Teatro

U Universidade, grande escola

POL Polícia (nas cidades principais : comissariado central)

Peça na sua livraria o catálogo dos mapas e guias Michelin.

O automóvel, os pneus

OFICINAS DE REPARAÇÃO
E VENDA DE PNEUS MICHELIN

Abaixo indicámos os numeros de telefone do Serviço 24 h das principais marcas de viaturas em Espanha com possibilidades de reparar automóveis nas suas próprias oficinas :

ALFA ROMEO 900.10.10.06	MERCEDES BENZ . 91/431.95.96
BMW 900.10.04.82	NISSAN MOTOR
CITROEN 91/519.13.14	IBERICA 900.20.00.94
FIAT 91/519.16.16	PEUGEOT-TALBOT . 900.44.24.24
LANCIA 91/519.10.22	RENAULT 91/556.39.99
FORD 900.14.51.45	SEAT 900.11.22.22
OPEL 900.14.21.42	VOLVO 91/555.81.00
GENERAL MOTORS 91/597.21.25	

Desde que um agente de pneus não tenha o artigo de que necessita, dirija – se : em **Espanha**, à Divisão Comercial Michelin, em Madrid, ou à Sucursal da Michelin de qualquer das seguintes cidades : Montcada i Reixac (Barcelona), Lasarte, Coslada (Madrid), León, Santiago de Compostela, Sevilla, Valencia, Zaragoza. Em **Portugal** : à Direcção Comercial Michelin em Sacavém (Lisboa).

As direcções e os números de telefone das agências Michelin figuram no texto das localidades correspondentes.

Ver também as páginas marginadas a azul.

AUTOMÓVEL CLUBES

RACE	Real Automóvil Club de España
RACC	Real Automóvil Club de Cataluña
RACVN	Real Automóvil Club Vasco Navarro
RACV	Real Automóvil Club de Valencia
ACP	Automóvel Clube de Portugal

Ver no texto da maior parte das grandes cidades, a morada e o número de telefone de cada um dos Clubes Automóvel.

Ami lecteur

Le présent volume représente la 22ᵉ édition du Guide Michelin España Portugal.

Réalisée en toute indépendance, sa sélection d'hôtels et de restaurants est le fruit des recherches de ses inspecteurs, que complètent vos précieux courriers et commentaires.

Soucieux d'actualité et de service, le Guide prépare déjà sa prochaine édition.

Seul le Guide de l'année mérite ainsi votre confiance. Pensez à le renouveler...

Bon voyage avec Michelin

Sommaire

Le choix
d'un hôtel, d'un restaurant

Ce guide vous propose une sélection d'hôtels et restaurants établie à l'usage de l'automobiliste de passage. Les établissements, classés selon leur confort, sont cités par ordre de préférence dans chaque catégorie.

CATÉGORIES

	Grand luxe et tradition	
	Grand confort	
	Très confortable	
	De bon confort	
	Assez confortable	
	Simple mais convenable	
sin rest	L'hôtel n'a pas de restaurant	sem rest
con hab	Le restaurant possède des chambres	com qto

AGRÉMENT ET TRANQUILLITÉ

Certains établissements se distinguent dans le guide par les symboles rouges indiqués ci-après. Le séjour dans ces hôtels se révèle particulièrement agréable ou reposant.
Cela peut tenir d'une part au caractère de l'édifice, au décor original, au site, à l'accueil et aux services qui sont proposés, d'autre part à la tranquillité des lieux.

à	Hôtels agréables
à	Restaurants agréables
« Parque »	Élément particulièrement agréable
	Hôtel très tranquille ou isolé et tranquille
	Hôtel tranquille
mar	Vue exceptionnelle
	Vue intéressante ou étendue.

Les localités possédant des établissements agréables ou très tranquilles sont repérées sur les cartes pages 59 à 67, 480 et 481.
Consultez-les pour la préparation de vos voyages et donnez-nous vos appréciations à votre retour, vous faciliterez ainsi nos enquêtes.

L'installation

Les chambres des hôtels que nous recommandons possèdent, en général, des installations sanitaires complètes. Il est toutefois possible que dans les catégories 🏠, 🏠 et 🏠, certaines chambres en soient dépourvues.

30 hab **30 qto**	Nombre de chambres
🛗	Ascenseur
🗔	Air conditionné
TV	Télévision dans la chambre
☏	Téléphone dans la chambre relié par standard
☎	Téléphone dans la chambre, direct avec l'extérieur
ⓖ	Chambres accessibles aux handicapés physiques
☂	Repas servis au jardin ou en terrasse
⅃᷂	Salle de remise en forme
⌇ ⌇	Piscine : de plein air ou couverte
⚓ ⌇	Plage aménagée – Jardin de repos
✗ ⌇₉	Tennis – Golf et nombre de trous
⚙ 25/150	Salles de conférences : capacité des salles
⬯	Garage dans l'hôtel (généralement payant)
Ⓟ	Parking réservé à la clientèle
✗	Accès interdit aux chiens (dans tout ou partie de l'établissement)
Fax	Transmission de documents par télécopie
mayo- *octubre*	Période d'ouverture, communiquée par l'hôtelier
temp.	Ouverture probable en saison mais dates non précisées. En l'absence de mention, l'établissement est ouvert toute l'année.
✉ 28 012 ✉ 1 200	Code postal

La table

LES ÉTOILES

Certains établissements méritent d'être signalés à votre attention pour la qualité de leur cuisine. Nous les distinguons par **les étoiles de bonne table.**

Nous indiquons, pour ces établissements, trois spécialités culinaires qui pourront orienter votre choix.

❀❀❀ | **Une des meilleures tables, vaut le voyage**
Table merveilleuse, grands vins, service impeccable, cadre élégant... Prix en conséquence.

❀❀ | **Table excellente, mérite un détour**
Spécialités et vins de choix... Attendez-vous à une dépense en rapport.

❀ | **Une très bonne table dans sa catégorie**
L'étoile marque une bonne étape sur votre itinéraire.
Mais ne comparez pas l'étoile d'un établissement de luxe à prix élevés avec celle d'une petite maison où à prix raisonnables, on sert également une cuisine de qualité.

REPAS SOIGNÉS A PRIX MODÉRÉS

Vous souhaitez parfois trouver des tables plus simples, à prix modérés ; c'est pourquoi nous avons sélectionné des restaurants proposant, pour un rapport qualité-prix particulièrement favorable, un repas soigné, souvent de type régional. Ces restaurants sont signalés par Comida (Espagne) ou Refeição (Portugal) ; Ex. Comida 2800/3500, Refeição 2200/3000.

Consultez les cartes des localités possédant des établissements à étoiles, Comida *ou* Refeição *pages 59 à 67, 480 et 481.*

Les vins : voir p. 57

Les prix

Les prix que nous indiquons dans ce guide ont été établis en automne 1993. Ils sont susceptibles de modifications, notamment en cas de variations des prix des biens et services. Ils s'entendent services compris.

En Espagne la T.V.A. (I.V.A.) sera ajoutée à la note (6 ou 15 %), sauf en Andorre (pas de T.V.A.), aux Canaries (4 % I.G.I.C. comprise), Ceuta et Melilla (4 % I.T.E.). Au Portugal (5 ou 16 %) elle est comprise dans les prix.

Dans certaines villes, à l'occasion de manifestations commerciales ou touristiques, les prix demandés par les hôteliers risquent d'être considérablement majorés.

Les hôtels et restaurants figurent en gros caractères lorsque les hôteliers nous ont donné tous leurs prix et se sont engagés, sous leur propre responsabilité, à les appliquer aux touristes de passage porteurs de notre guide.

Entrez à l'hôtel le Guide à la main, vous montrerez ainsi qu'il vous conduit là en confiance.

Les prix sont indiqués en pesetas ou en escudos.

REPAS

Com 2 000 Ref 1 800	**Menu à prix fixe** : Prix du menu servi aux heures normales
Carta 2 450 a 3 800 Lista 1 800 a 2 550	**Repas à la carte** – Le premier prix correspond à un repas normal comprenant : hors-d'œuvre, plat garni et dessert. Le 2e prix concerne un repas plus complet (avec spécialité) comprenant : deux plats et dessert
⊊ 325	Prix du petit déjeuner

CHAMBRES

hab 4 500/6 700	Prix pour une chambre d'une personne / prix pour une chambre de deux personnes en haute saison
hab ⊊ 4 800/7 000 **qto** ⊊ 4 400/6 300	Prix des chambres petit déjeuner compris

PENSION

PA 3 600	Prix de la « Pensión Alimenticia » (petit déjeuner et les deux repas), à ajouter à celui de la chambre individuelle pour obtenir le prix de la pension complète par personne et par jour. Il est indispensable de s'entendre par avance avec l'hôtelier pour conclure un arrangement définitif.

LES ARRHES – CARTES DE CRÉDIT

Certains hôteliers demandent le versement d'arrhes. Il s'agit d'un dépôt-garantie qui engage l'hôtelier comme le client. Bien faire préciser les dispositions de cette garantie.

🆎 ⓘ Ⓔ 𝗩𝗜𝗦𝗔 ᴶᶜᴮ | Cartes de crédit acceptées par l'établissement

Les curiosités

INTÉRÊT

★★★	Vaut le voyage
★★	Mérite un détour
★	Intéressant

SITUATION

Ver	Dans la ville
Alred. Arred.	Aux environs de la ville
Excurs.	Excursions dans la région
N, S, E, O	La curiosité est située : au Nord, au Sud, à l'Est, à l'Ouest
①, ④	On s'y rend par la sortie ① ou ④ repérée par le même signe sur le plan du Guide et sur la carte
6 km	Distance en kilomètres

Les villes

2200	Numéro de code postal
⊠ 7800 Beja	Numéro de code postal et nom du bureau distributeur du courrier
✆ 918	Indicatif téléphonique interprovincial (pour les appels de l'étranger vers l'Espagne, ne pas composer le 9, vers le Portugal le 0)
ℙ	Capitale de Province
445 M 27	Numéro de la Carte Michelin et carroyage
24 000 h.	Population
alt. 175	Altitude de la localité
🚠 3	Nombre de téléphériques ou télécabines
🎿 7	Nombre de remonte-pentes et télésièges
AX A	Lettres repérant un emplacement sur le plan
⛳₁₈	Golf et nombre de trous
❉ ≼	Panorama, point de vue
✈	Aéroport
🚗 ✆ 22 98 36	Localité desservie par train-auto. Renseignements au numéro de téléphone indiqué
⛴	Transports maritimes
🛈	Information touristique

Les plans

□ ●		**Hôtels**
▣ ●		**Restaurants**

Curiosités

Bâtiment intéressant et entrée principale

Édifice religieux intéressant :
  Cathédrale, église ou chapelle

Voirie

Autoroute, route à chaussées séparées
  échangeur : complet, partiel, numéro

Grande voie de circulation

Sens unique – Rue impraticable, réglementée

Rue piétonne – Tramway

Colón Rue commerçante – Parc de stationnement

Porte – Passage sous voûte – Tunnel

Gare et voie ferrée

Funiculaire – Téléphérique, télécabine

Pont mobile – Bac pour autos

Signes divers

Information touristique

Mosquée – Synagogue

Tour – Ruines – Moulin à vent – Château d'eau

Jardin, parc, bois – Cimetière – Calvaire

Stade – Golf – Hippodrome

Piscine de plein air, couverte

Vue – Panorama

Monument – Fontaine – Usine – Centre commercial

Port de plaisance – Phare

Aéroport – Station de métro – gare routière

Transport par bateau :
  passagers et voitures, passagers seulement

③ Repère commun aux plans et aux cartes Michelin
détaillées

Bureau principal de poste restante – Téléphone

Hôpital – Marché couvert

Bâtiment public repéré par une lettre :

D   H   G   Conseil provincial – Hôtel de ville – Préfecture

J   Palais de justice

M   T   Musée – Théâtre

U   Université, grande école

POL.   Police (commissariat central)

Les plans de villes sont disposés le Nord en haut.

La voiture, les pneus

ASSISTANCE DÉPANNAGE, FOURNISSEURS DE PNEUS MICHELIN

Nous avons indiqué ci-dessous les numéros de téléphone du service Assistance 24/24 h. des principales marques de voitures en mesure d'effectuer en Espagne dépannage et réparations dans leurs propres ateliers.

ALFA ROMEO	900.10.10.06	MERCEDES BENZ	91/431.95.96
BMW	900.10.04.82	NISSAN MOTOR	
CITROEN	91/519.13.14	IBERICA	900.20.00.94
FIAT	91/519.16.16	PEUGEOT-TALBOT	900.44.24.24
LANCIA	91/519.10.22	RENAULT	91/556.39.99
FORD	900.14.51.45	SEAT	900.11.22.22
OPEL	900.14.21.42	VOLVO	91/555.81.00
GENERAL MOTORS	91/597.21.25		

Lorsqu'un agent de pneus n'a pas l'article dont vous avez besoin, adressez-vous : en **Espagne** à la Division Commerciale Michelin à Madrid ou à la Succursale Michelin de l'une des villes suivantes : Montcada i Reixac (Barcelone), Lasarte, Coslada (Madrid), León, Santiago de Compostela, Sevilla, Valencia, Zaragoza. Au **Portugal**, à la Direction Commerciale à Sacavém (Lisbonne).

Les adresses et les numéros de téléphone des agences Michelin figurent au texte des localités correspondantes.

Dans nos agences, nous nous faisons un plaisir de donner à nos clients tous conseils pour la meilleure utilisation de leurs pneus.

Voir aussi les pages bordées de bleu.

AUTOMOBILE CLUBS

RACE	Real Automóvil Club de España
RACC	Real Automóvil Club de Cataluña
RACVN	Real Automóvil Club Vasco Navarro
RACV	Real Automóvil Club de Valencia
ACP	Automóvel Clube de Portugal

Voir au texte de la plupart des grandes villes, l'adresse et le numéro de téléphone de ces différents Automobile Clubs.

Amico Lettore

Questo volume rappresenta la 22^{esima} edizione della Guida Michelin España Portugal.

La sua selezione di alberghi e ristoranti, realizzata in assoluta indipendenza, è il risultato delle indagini dei suoi ispettori, che completano le vostre preziose informazioni e giudizi.

Desiderosa di mantenersi sempre aggiornata per fornire un buon servizio, la Guida sta già preparando la sua prossima edizione.

Soltanto la Guida dell'anno merita perciò la vostra fiducia. Pensate a rinnovarla...

Buon viaggio con Michelin

Sommario

La scelta
di un albergo, di un ristorante

Questa guida Vi propone una selezione di alberghi e ristoranti stabilita ad uso dell'automobilista di passaggio. Gli esercizi, classificati in base al confort che offrono, vengono citati in ordine di preferenza per ogni categoria.

CATEGORIE

🏨	Gran lusso e tradizione	XXXXX
🏨	Gran confort	XXXX
🏨	Molto confortevole	XXX
🏨	Di buon confort	XX
🏠	Abbastanza confortevole	X
🏠	Semplice, ma conveniente	
sin rest	L'albergo non ha ristorante	sem rest
con hab	Il ristorante dispone di camere	com qto

AMENITÀ E TRANQUILLITÀ

Alcuni esercizi sono evidenziati nella guida dai simboli rossi indicati qui di seguito. Il soggiorno in questi alberghi dovrebbe rivelarsi particolarmente ameno o riposante.
Ciò può dipendere sia dalle caratteristiche dell'edifico, dalle decorazioni non comuni, dalla sua posizione e dal servizio offerto, sia dalla tranquillità dei luoghi.

🏨 a 🏠	Alberghi ameni
XXXXX a X	Ristoranti ameni
« Parque »	Un particolare piacevole
🦢	Albergo molto tranquillo o isolato e tranquillo
🦢	Albergo tranquillo
≤ mar	Vista eccezionale
≤	Vista interessante o estesa

Le località che possiedono degli esercizi ameni o molto tranquilli sono riportate sulle carte da pagina 59 a 67, 480 e 481. Consultatele per la preparazione dei Vostri viaggi e, al ritorno, inviateci i Vostri pareri; in tal modo agevolerete le nostre inchieste.

Installazioni

Le camere degli alberghi che raccomandiamo possiedono, generalmente, delle installazioni sanitarie complete. È possibile tuttavia che nelle categorie 🏨, 🏠 e 🎋 alcune camere ne siano sprovviste.

30 hab **30 qto**	Numero di camere
🛗	Ascensore
🖳	Aria condizionata
TV	Televisione in camera
🕾	Telefono in camera collegato con il centralino
☎	Telefono in camera comunicante direttamente con l'esterno
♿	Camere di agevole accesso per i minorati fisici
🏖	Pasti serviti in giardino o in terrazza
⅃ᴓ	Palestra
🏊 ⊠	Piscina : all'aperto – coperta
🏖 🌿	Spiaggia attrezzata – Giardino da riposo
✗ ⌐9	Tennis – Golf e numero di buche
🏛 25/150	Sale per conferenze : capienza minima e massima delle sale
🚗	Garage nell'albergo (generalmente a pagamento)
Ⓟ	Parcheggio riservato alla clientela
🐕	Accesso vietato ai cani (in tutto o in parte dell'esercizio)
Fax	Trasmissione telefonica di documenti
mayo-octubre	Periodo di apertura, comunicato dall'albergatore
temp.	Probabile apertura in stagione, ma periodo non precisato. Gli esercizi senza tali menzioni sono aperti tutto l'anno.
✉ 28 012 ✉ 1 200	Codice postale

La tavola

LE STELLE

Alcuni esercizi meritano di essere segnalati alla Vostra attenzione per la qualità tutta particolare della loro cucina. Noi li evidenziamo con le « **stelle di ottima tavola** ».
Per questi ristoranti indichiamo tre specialità culinarie che potranno aiutarVi nella scelta.

❀❀❀ | **Una delle migliori tavole, vale il viaggio**
| Tavola meravigliosa, grandi vini, servizio impeccabile, ambientazione accurata... Prezzi conformi.

❀❀ | **Tavola eccellente, merita una deviazione**
| Specialità e vini scelti... AspettateVi una spesa in proporzione.

❀ | **Un'ottima tavola nella sua categoria**
| La stella indica una tappa gastronomica sul Vostro itinerario. Non mettete però a confronto la stella di un esercizio di lusso, dai prezzi elevati, con quella di un piccolo esercizio dove, a prezzi ragionevoli, viene offerta una cucina di qualità.

PASTI ACCURATI A PREZZI CONTENUTI

Talvolta desiderate trovare delle tavole più semplici a prezzi contenuti. Per questo motivo abbiamo selezionato dei ristoranti che, per un rapporto qualità-prezzo particolarmente favorevole, offrono un pasto accurato spesso a carattere tipicamente regionale. Questi ristoranti sono evidenziati nel testo con la parola Comida (Spagna) o Refeição (Portogallo), davanti ai prezzi dei menu, es Comida 2800/3500, Refeição 2200/3000.

Consultate le carte delle località con stelle, Comida o Refeição, pagine 59 a 67, 480 e 481.

I vini : vedere p. 57

I prezzi

I prezzi che indichiamo in questa guida sono stati stabiliti nell' autunno 1993. Potranno pertanto subire delle variazioni in relazione ai cambiamenti dei prezzi di beni e servizi. Essi s'intendono comprensivi del servizio. In Spagna l'I.V.A. sarà aggiunta al conto (6 o 15 %) salvo in Andorra (non c'è l'I.V.A.), Canárie (4 % I.G.I.C. già compresa), Ceuta e Melilla (4 % I.T.E.). In Portogallo (5 o 16 %) è già comprésa.

In alcune città, in occasione di manifestazioni turistiche o commerciali, i prezzi richiesti dagli albergatori possono risultar considerevolmente più alti.

Gli alberghi e i ristoranti vengono menzionati in carattere grassetto quando gli albergatori ci hanno comunicato tutti i loro prezzi e si sono impegnati, sotto la propria responsabilità, ad applicarli ai turisti di passaggio, in possesso della nostra guida.

Entrate nell'albergo o nel ristorante con la guida alla mano, dimostrando in tal modo la fiducia in chi vi ha indirizzato.

I prezzi sono indicati in pesetas, o in escudos.

PASTI

Com 2 000 Ref 1 800	**Menu a prezzo fisso** – Prezzo del menu servito ad ore normali
Carta 2 450 a 3 800 Lista 1 800 a 2 550	**Pasto alla carta** – Il primo prezzo corrisponde ad un pasto semplice comprendente : antipasto, piatto con contorno e dessert. Il secondo prezzo corrisponde ad un pasto più completo (con specialità) comprendente : due piatti e dessert.
⌑ 325	Prezzo della prima colazione

CAMERE

hab 4 500/6 700	Prezzo per una camera singola / prezzo per una camera per due persone in alta stagione.
hab ⌑ 4 800/7 000 **qto** ⌑ 4 400/6 300	Prezzo della camera compresa la prima colazione

PENSIONE

PA 3 600	Prezzo della « Pension Alimenticia » (prima colazione più due pasti) da sommare a quello della camera per una persona per ottenere il prezzo della pensione completa per persona e per giorno. E' tuttavia indispensabile prendere accordi preventivi con l'albergatore per stabilire le condizioni definitive.

LA CAPARRA – CARTE DI CREDITO

Alcuni albergatori chiedono il versamento di una caparra. Si tratta di un deposito-garanzia che impegna tanto l'albergatore che il cliente. Vi raccomandiamo di farVi precisare le norme riguardanti la reciproca garanzia di tale caparra.

AE ⓪ E VISA JCB | Carte di credito accettate dall'esercizio.

Le curiosità

GRADO DI INTERESSE

★★★	Vale il viaggio
★★	Merita una deviazione
★	Interessante

UBICAZIONE

Ver	Nella città
Alred. Arred.	Nei dintorni della città
Excurs.	Nella regione
N, S, E, O	La curiosità è situata : a Nord, a Sud, a Est, a Ovest
①, ④	Ci si va dall'uscita ① o ④ indicata con lo stesso segno sulla pianta della guida e sulla carta stradale
6 km	Distanza chilometrica

Le città

2200	Codice di avviamento postale
⊠ 7800 Beja	Numero di codice e sede dell'Ufficio Postale
✿ 918	Prefisso telefonico interprovinciale (per le chiamate dall'estero alla Spagna, non formare il 9, per il Portogallo, lo 0)
ℙ	Capoluogo di Provincia
🄸🄸🄸 M 27	Numero della carta Michelin e del riquadro
24 000 h.	Popolazione
alt. 175	Altitudine della località
⛷ 3	Numero di funivie o cabinovie
⛷ 7	Numero di sciovie e seggiovie
AX A	Lettere indicanti l'ubicazione sulla pianta
🏌	Golf e numero di buche
☀ ≼	Panorama, punto di vista
✈	Aeroporto
🚗 ✆ 22 98 36	Località con servizio auto su treno. Informarsi al numero di telefono indicato
⛴	Trasporti marittimi
🛈	Ufficio informazioni turistiche

Le piante

□	●	**Alberghi**
▣	●	**Ristoranti**

Curiosità

Edificio interessante ed entrata principale

Costruzione religiosa interessante :
    Cattedrale, chiesa o cappella

Viabilità

Autostrada, strada a carreggiate separate
svincolo : completo, parziale, numero

Grande via di circolazione

Senso unico – Via impraticabile,
    a circolazione regolamentata

Via pedonale – Tranvia

Colón **P** **P**   Via commerciale – Parcheggio

Porta – Sottopassaggio – Galleria

Stazione e ferrovia

Funicolare – Funivia, Cabinovia

Ponte mobile – Battello per auto

Simboli vari

Ufficio informazioni turistiche

Moschea – Sinagoga

Torre – Ruderi – Mulino a vento – Torre idrica

Giardino, parco, bosco – Cimitero – Calvario

Stadio – Golf – Ippodromo

Piscina : all'aperto, coperta

Vista – Panorama

Monumento – Fontana – Fabbrica – Centro commerciale

Porto per imbarcazioni da diporto – Faro

Aeroporto – Stazione della Metropolitana – Autostazione

Trasporto con traghetto :
    passeggeri ed autovetture, solo passeggeri

③   Simbolo di riferimento comune alle piante ed alle carte
Michelin particolareggiate

Ufficio centrale di fermo posta e telefono

Ospedale – Mercato coperto

Edificio pubblico indicato con lettera :

D   H   G   Sede del Governo della Provincia – Municipio – Prefettura

J   Palazzo di Giustizia

M   T   Museo – Teatro

U   Università, grande scuola

POL.   Polizia (Questura, nelle grandi città)

Le piante topografiche sono orientate col Nord in alto.

L'automobile, i pneumatici

SERVIZIO RIPARAZIONI D'EMERGENZA, RIVENDITORI DI PNEUMATICI MICHELIN

Abbiamo indicato qui sotto i numeri telefonici del Servizio Assistenza 24/24 h. delle principali case automobilistiche in grado di effettuare in Spagna il servizio e le riparazioni nelle proprie officine :

ALFA ROMEO 900.10.10.06	MERCEDES BENZ . 91/431.95.96
BMW 900.10.04.82	NISSAN MOTOR
CITROEN 91/519.13.14	IBERICA 900.20.00.94
FIAT 91/519.16.16	PEUGEOT-TALBOT . 900.44.24.24
LANCIA 91/519.10.22	RENAULT 91/556.39.99
FORD 900.14.51.45	SEAT 900.11.22.22
OPEL 900.14.21.42	VOLVO 91/555.81.00
GENERAL MOTORS 91/597.21.25	

Se vi occorre rintracciare un rivenditore di pneumatici potete rivolgervi : in **Spagna** alla Divisione Commerciale Michelin di Madrid o alla Succursale Michelin di una delle seguenti città : Montcada i Reixac (Barcelona), Lasarte, Coslada (Madrid), León, Santiago de Compostela, Sevilla, Valencia, Zaragoza. Per il **Portogallo**, potete rivolgervi alla Direzione Commerciale Michelin di Sacavém (Lisboa).

Gli indirizzi ed i numeri telefonici delle Succursali Michelin figurano nel testo delle relative località.

Le nostre Succursali sono in grado di dare ai nostri clienti tutti i consigli relativi alla migliore utilizzazione dei pneumatici.

Vedere anche le pagine bordate di blu.

AUTOMOBILE CLUBS

RACE	Real Automóvil Club de España
RACC	Real Automóvil Club de Cataluña
RACVN	Real Automóvil Club Vasco Navarro
RACV	Real Automóvil Club de Valencia
ACP	Automóvel Clube de Portugal

Troverete l'indirizzo e il numero di telefono di questi Automobile Clubs al testo della maggior parte delle grandi città.

Lieber Leser

Der Rote Michelin-Führer España Portugal liegt nun schon in der 22. Ausgabe vor.

Er bringt eine in voller Unabhängigkeit getroffene, bewußt begrenzte Auswahl an Hotels und Restaurants. Sie basiert auf den regelmäßigen Überprüfungen durch unsere Inspektoren, komplettiert durch die zahlreichen Zuschriften und Erfahrungsberichte unserer Leser.

Wir sind stets um die Aktualität unserer Informationen bemüht und bereiten schon jetzt den Führer des nächsten Jahres vor. Nur die neueste Ausgabe ist wirklich zuverlässig – denken Sie bitte daran, wenn der nächste Rote Michelin-Führer España Portugal erscheint.

Gute Reise mit Michelin!

Inhaltsverzeichnis

Wahl
eines Hotels, eines Restaurants

Die Auswahl der in diesem Führer aufgeführten Hotels und Restaurants ist für Durchreisende gedacht. In jeder Kategorie drückt die Reihenfolge der Betriebe (sie sind nach ihrem Komfort klassifiziert) eine weitere Rangordnung aus.

KATEGORIEN

	Großer Luxus und Tradition	
	Großer Komfort	
	Sehr komfortabel	
	Mit gutem Komfort	
	Mit ausreichendem Komfort	
	Bürgerlich	
sin rest	Hotel ohne Restaurant	sem rest
con hab	Restaurant vermietet auch Zimmer	com qto

ANNEHMLICHKEITEN

Manche Häuser sind im Führer durch rote Symbole gekennzeichnet (s. unten.) Der Aufenthalt in diesen Hotels ist wegen der schönen, ruhigen Lage, der nicht alltäglichen Einrichtung und Atmosphäre und dem gebotenen Service besonders angenehm und erholsam.

bis	Angenehme Hotels
bis	Angenehme Restaurants
« Parque»	Besondere Annehmlichkeit
	Sehr ruhiges, oder abgelegenes und ruhiges Hotel
	Ruhiges Hotel
← mar	Reizvolle Aussicht
←	Interessante oder weite Sicht

Die Übersichtskarten S. 59 – S. 67, 480 und 481, auf denen die Orte mit besonders angenehmen oder sehr ruhigen Häusern eingezeichnet sind, helfen Ihnen bei der Reisevorbereitung. Teilen Sie uns bitte nach der Reise Ihre Erfahrungen und Meinungen mit. Sie helfen uns damit, den Führer weiter zu verbessern.

Einrichtung

Die meisten der empfohlenen Hotels verfügen über Zimmer, die alle oder doch zum größten Teil mit Bad oder Dusche ausgestattet sind. In den Häusern der Kategorien 🏨, 🏠 und 🟡 kann diese jedoch in einigen Zimmern fehlen.

30 hab **30 qto**	Anzahl der Zimmer
🛗	Fahrstuhl
▤	Klimaanlage
TV	Fernsehen im Zimmer
☎	Zimmertelefon mit Außenverbindung über Telefonzentrale
☎	Zimmertelefon mit direkter Außenverbindung
♿	Für Körperbehinderte leicht zugängliche Zimmer
🌳	Garten-, Terrassenrestaurant
⅃ఈ	Fitneßraum
⅃ 🏊	Freibad – Hallenbad
⛺ 🌴	Strandbad – Liegewiese, Garten
✂ 🏌	Tennisplatz – Golfplatz und Lochzahl
🧗 25/150	Konferenzräume : Mindest- und Höchstkapazität
🚗	Hotelgarage (wird gewöhnlich berechnet)
P	Parkplatz reserviert für Gäste
🐕	Hunde sind unerwünscht (im ganzen Haus bzw. in den Zimmern oder im Restaurant)
Fax	Telefonische Dokumentenübermittlung
mayo-octubre	Öffnungszeit, vom Hotelier mitgeteilt
temp.	Unbestimmte Öffnungszeit eines Saisonhotels. Fettgedruckte Häuser ohne Angabe von Schließungszeiten sind ganzjährig geöffnet.
✉ 28 012 ✉ 1 200	Postleitzahl

Küche

DIE STERNE

Einige Häuser verdienen wegen ihrer überdurchschnittlich guten Küche Ihre besondere Beachtung. Auf diese Häuser weisen die Sterne hin.

Bei den mit « **Stern** » ausgezeichneten Betrieben nennen wir drei kulinarische Spezialitäten, die Sie probieren sollten.

❀❀❀ | **Eine der besten Küchen : eine Reise wert**
Ein denkwürdiges Essen, edle Weine, tadelloser Service, gepflegte Atmosphäre... entsprechende Preise.

❀❀ | **Eine hervorragende Küche : verdient einen Umweg**
Ausgesuchte Menus und Weine... angemessene Preise.

❀ | **Eine sehr gute Küche : verdient Ihre besondere Beachtung**
Der Stern bedeutet eine angenehme Unterbrechung Ihrer Reise. Vergleichen Sie aber bitte nicht den Stern eines sehr teuren Luxusrestaurants mit dem Stern eines kleineren oder mittleren Hauses, wo man Ihnen zu einem annehmbaren Preis eine ebenfalls vorzügliche Mahlzeit reicht.

SORGFÄLTIG ZUBEREITETE, PREISWERTE MAHLZEITEN

Für Sie wird es interessant sein, auch solche Häuser kennenzulernen, die eine sehr gute, vorzugsweise regionale Küche zu einem besonders günstigen Preis/Leistungs-Verhältnis bieten. Im Text sind die betreffenden Restaurants durch das Wort Comida (Spanien) Refeição (Portugal) vor dem Menupreis kenntlich gemacht, z. B. Comida 2800/3500, Refeição 2200/3000.

Siehe Karten der Orte mit « Stern », Comida oder Refeição S. 59 bis S. 67, 480 und 481.

Weine : siehe S. 57

Preise

Die in diesem Führer genannten Preise wurden uns im Herbst 1993 angegeben. Sie können sich mit den Preisen von Waren und Dienstleistungen ändern. Sie enthalten das Bedienungsgeld ; in Spanien, die MWSt. (I.V.A.) wird der Rechnung hinzugefügt (6 oder 15 %), mit Ausnahme von Andorra (keine MWSt), Kanarische Inseln (4 % inkl.), Ceuta und Melilla (4 %). In Portugal sind die angegebenen Preise Inklusivpreise (MWSt 5 oder 16 %).

In einigen Städten werden bei kommerziellen oder touristischen Veranstaltungen von den Hotels beträchtlich erhöhte Preise verlangt.

Die Namen der Hotels und Restaurants, die ihre Preise genannt haben, sind fettgedruckt. Gleichzeitig haben sich diese Häuser verpflichtet, die von den Hoteliers selbst angegebenen Preise den Benutzern des Michelin-Führers zu berechnen.

Halten Sie beim Betreten des Hotels den Führer in der Hand. Sie zeigen damit, daß Sie aufgrund dieser Empfehlung gekommen sind.

Die Preise sind in Pesetas oder Escudos angegeben.

MAHLZEITEN

Com 2 000 Ref 1 800	**Feste Menupreise** : Preis für ein Menu, das zu den normalen Tischzeiten serviert wird
Carta 2 450 a 3 800 Lista 1 800 a 2 550	**Mahlzeiten « à la carte »** – Der erste Preis entspricht einer einfachen Mahlzeit und umfaßt Vorspeise, Tagesgericht mit Beilage, Dessert. Der zweite Preis entspricht einer reichlicheren Mahlzeit (mit Spezialgericht) bestehend aus zwei Hauptgängen und Dessert
⌑ 325	Preis des Frühstücks

ZIMMER

hab 4 500/6 700	Preis für ein Einzelzimmer / Preis für ein Doppelzimmer während der Hauptsaison
hab ⌑ 4 800/7 000 **qto** ⌑ 4 400/6 300	Zimmerpreis inkl. Frühstück

PENSION

PA 3 600	Preis der « Pensión Alimenticia » (= Frühstück und zwei Hauptmahlzeiten). Die Addition des Einzelzimmerpreises und des Preises der « Pensión Alimenticia » ergibt den Vollpensionspreis pro Person und Tag. Es ist unerläßlich, sich im voraus mit dem Hotelier über den definitiven Endpreis zu verständigen.

ANZAHLUNG – KREDITKARTEN

Einige Hoteliers verlangen eine Anzahlung. Diese ist als Garantie sowohl für den Hotelier als auch für den Gast anzusehen. Es ist ratsam, sich beim Hotelier nach den genauen Bestimmungen zu erkundigen.

AE ⓪ E VISA JCB │ Vom Haus akzeptierte Kreditkarten

Sehenswürdigkeiten

BEWERTUNG

★★★	Eine Reise wert
★★	Verdient einen Umweg
★	Sehenswert

LAGE

Ver	In der Stadt
Alred. Arred.	In der Umgebung der Stadt
Excurs.	Ausflugsziele
N, S, E, O	Im Norden (N), Süden (S), Osten (E), Westen (O) der Stadt
①, ④	Zu erreichen über die Ausfallstraße ① bzw. ④, die auf dem Stadtplan und auf der Michelin-Karte identisch gekennzeichnet sind
6 km	Entfernung in Kilometern

Städte

2200	Postleitzahl
✉ 7800 Beja	Postleitzahl und Name des Verteilerpostamtes
✆ 918	Vorwahlnummer (bei Gesprächen vom Ausland aus wird für Spanien die 9, für Portugal die 0 weggelassen)
P	Provinzhauptstadt
445 M 27	Nummer der Michelin-Karte und Koordinaten des Planquadrats
24 000 h.	Einwohnerzahl
alt. 175	Höhe
⛷ 3	Anzahl der Kabinenbahnen
⛷ 7	Anzahl der Schlepp- oder Sessellifts
AX A	Markierung auf dem Stadtplan
⛳18	Golfplatz und Lochzahl
✻ ≼	Rundblick – Aussichtspunkt
✈	Flughafen
🚗 ✆ 22 98 36	Ladestelle für Autoreisezüge – Nähere Auskunft unter der angegebenen Telefonnummer
⛴	Autofähre
🛈	Informationsstelle

46

Stadtpläne

□ ●		**Hotels**
▣ ●		**Restaurants**

Sehenswürdigkeiten

Sehenswertes Gebäude mit Haupteingang

Sehenswerter Sakralbau
    Kathedrale, Kirche oder Kapelle

Straßen

Autobahn, Schnellstraße
    Anschlußstelle : Autobahneinfahrt und/oder -ausfahrt, Nummer

Hauptverkehrsstraße

Einbahnstraße – Gesperrte Straße, mit Verkehrsbeschränkungen

Fußgängerzone – Straßenbahn

Colón   Einkaufsstraße – Parkplatz

Tor – Passage – Tunnel

Bahnhof und Bahnlinie

Standseilbahn – Seilschwebebahn

Bewegliche Brücke – Autofähre

Sonstige Zeichen

Informationsstelle

Moschee – Synagoge

Turm – Ruine – Windmühle – Wasserturm

Garten, Park, Wäldchen – Friedhof – Bildstock

Stadion – Golfplatz – Pferderennbahn

Freibad – Hallenbad

Aussicht – Rundblick

Denkmal – Brunnen – Fabrik – Einkaufszentrum

Jachthafen – Leuchtturm

Flughafen – U-Bahnstation – Autobusbahnhof

Schiffsverbindungen :
    Autofähre – Personenfähre

③   Straßenkennzeichnung (identisch auf Michelin Stadt- plänen und -Abschnittskarten)

Hauptpostamt (postlagernde Sendungen), Telefon

Krankenhaus – Markthalle

Öffentliches Gebäude, durch einen Buchstaben gekennzeichnet :

D	H	G	Sitz der Landesregierung – Rathaus – Präfektur
J			Gerichtsgebäude
M	T		Museum – Theater
U			Universität, Hochschule
POL			Polizei (in größeren Städten Polizeipräsidium)

Die Stadtpläne sind eingenordet (Norden = oben).

Das Auto, die Reifen

PANNENHILFE
LIEFERANTEN VON MICHELIN-REIFEN

In Spanien gibt es einen 24 Stunden Pannenhilfsdienst. Die Telefonnummern, der wichtigsten Automarken die Ihnen durch ihre eigenen Werkstätten Abschleppdienst und Reparaturen bieten, sind unten angegeben :

ALFA ROMEO	900.10.10.06	MERCEDES BENZ	91/431.95.99
BMW	900.10.04.82	NISSAN MOTOR	
CITROEN	91/519.13.14	IBERICA	900.20.00.94
FIAT	91/519.10.22	PEUGEOT-TALBOT	900.44.24.24
LANCIA	91/519.11.13	RENAULT	91/556.39.99
FORD	900.14.51.45	SEAT	900.11.22.22
OPEL	900.14.21.42	VOLVO	91/555.81.00
GENERAL MOTORS	91/597.21.25		

Sollte ein Reifenhändler den von lhnen benötigten Artikel nicht vorrätig haben, wenden Sie sich bitte in **Spanien** an die Michelin-Hauptverwaltung in Madrid, oder an eine der Michelin-Niederlassungen in den Städten : Montcada i Reixac (Barcelona), Lasarte, Coslada (Madrid), León, Santiago de Compostela, Sevilla, Valencia, Zaragoza. In **Portugal** können Sie sich an die Michelin-Hauptverwaltung in Sacavém (Lissabon).

Die Anschriften und Telefonnummern der Michelin-Niederlassungen sind jeweils bei den entsprechenden Orten vermerkt.

In unseren Depots geben wir unseren Kunden gerne Auskunft über alle Reifenfragen.

Siehe auch die blau umrandeten Seiten.

AUTOMOBIL-CLUBS

RACE	Real Automóvil Club de España
RACC	Real Automóvil Club de Cataluña
RACVN	Real Automóvil Club Vasco Navarro
RACV	Real Automóvil Club de Valencia
ACP	Automóvel Clube de Portugal

Im Ortstext der meisten großen Städte sind Adresse und Telefonnummer der einzelnen Automobil-Clubs angegeben.

Dear Reader

The present volume is the 22nd edition of the Michelin Guide España Portugal.

The unbiased and independent selection of hotels and restaurants is the result of local visits and enquiries by our inspectors. In addition we receive considerable help from our readers' invaluable letters and comments.

It is our purpose to provide up-to-date information and thus render a service to our readers. The next edition is already in preparation.

Therefore, only the guide of the year merits your complete confidence, so please remember to use the latest edition.

Bon voyage !

Contents

Choosing
a hotel or restaurant

This guide offers a selection of hotels and restaurants to help the motorist on his travels. In each category establishments are listed in order of preference according to the degree of comfort they offer.

CATEGORIES

🏨	Luxury in the traditional style	XXXXX
🏨	Top class comfort	XXXX
🏨	Very comfortable	XXX
🏨	Comfortable	XX
🏠	Quite comfortable	X
🛖	Simple comfort	
sin rest	The hotel has no restaurant	sem rest
con hab	The restaurant also offers accommodation	com qto

PEACEFUL ATMOSPHERE AND SETTING

Certain establishments are distinguished in the guide by the red symbols shown below.
Your stay in such hotels will be particularly pleasant or restful, owing to the character of the building, its decor, the setting, the welcome and services offered, or simply the peace and quiet to be enjoyed there.

🏨 to 🏠	Pleasant hotels
XXXXX to X	Pleasant restaurants
« Parque »	Particularly attractive feature
🦢	Very quiet or quiet, secluded hotel
🦢	Quiet hotel
≤ mar	Exceptional view
≤	Interesting or extensive view

The maps on pages 59 to 67, 480 and 481 indicate places with such peaceful, pleasant hotels and restaurants.
By consulting them before setting out and sending us your comments on your return you can help us with our enquiries.

Hotel facilities

In general the hotels we recommend have full bathroom and toilet facilities in each room. However, this may not be the case for certain rooms in categories 🏨, 🏠 and 🏠.

30 hab **30 qto**	Number of rooms
|$| Lift (elevator)
🖥	Air conditioning
TV	Television in room
☎	Telephone in room : outside calls connected by the operator
☎	Direct-dial phone in room
♿	Rooms accessible to disabled people
🍴	Meals served in garden or on terrace
⅃ಽ	Exercise room
⅃ ⅂	Outdoor or indoor swimming pool
🏖 🌳	Beach with bathing facilities – Garden
🎾 ⅂₉	Tennis court – Golf course and number of holes
🏛 25/150	Equipped conference hall (minimum and maximum capacity)
🚗	Hotel garage (additional charge in most cases)
Ⓟ	Car park for customers only
🐕	Dogs are not allowed in all or part of the hotel
Fax	Telephone document transmission
mayo- *octuber*	Dates when open, as indicated by the hotelier
temp.	Probably open for the season – precise dates not available. Where no date or season is shown, establishments are open all year round.
✉ 28 012 ✉ 1 200	Postal number

Cuisine

STARS

Certain establishments deserve to be brought to your attention for the particularly fine quality of their cooking. **Michelin stars** are awarded for the standard of meals served.

For each of these restaurants we indicate three culinary specialities to assist you in your choice.

✿✿✿	**Exceptional cuisine, worth a special journey** Superb food, fine wines, faultless service, elegant surroundings. One will pay accordingly !
✿✿	**Excellent cooking, worth a detour** Specialities and wines of first class quality. This will be reflected in the price.
✿	**A very good restaurant in its category** The star indicates a good place to stop on your journey. But beware of comparing the star given to an expensive « de luxe » establishment to that of a simple restaurant where you can appreciate fine cuisine at a reasonable price.

GOOD FOOD AT MODERATE PRICES

You may also like to know of other restaurants with less elaborate, moderately priced menus that offer good value for money and serve carefully prepared meals, often of regional cooking.

In the guide such establishments bear Comida (Spain) or Refeição (Portugal) just before the price of the menu, for example Comida 2800/3500, Refeição 2200/3000.

Please refer to the map of star-rated restaurants and good food at moderate prices Comida or Refeição, on pp 59 to 67, 480 and 481.

Wines : see page 57

Prices

Prices quoted are valid for autumn 1993. Changes may arise if goods and service costs are revised. The rates include service charge. In Spain the V.A.T. (I.V.A.) will be added to the bill (6 or 15 %), except in Andorra (no V.A.T.), Canary Islands (4 % incl.), Ceuta and Melilla (4 %). In Portugal, the V.A.T. (5 or 16 %) is already included.

In some towns, when commercial or tourist events are taking place, the hotel rates are likely to be considerably higher. Hotels and restaurants in bold type have supplied details of all their rates and have assumed responsability for maintaining them for all travellers in possession of this guide.

Your recommendation is self-evident if you always walk into a hotel, Guide in hand.

Prices are given in pesetas or in escudos.

MEALS

Com 2 000 Ref 1 800	**Set meals** – Price for set meal served at normal hours
Carta 2 450 a 3 800 Lista 1 800 a 2 550	**« A la carte » meals** – The first figure is for a plain meal and includes hors-d'œuvre, main dish of the day with vegetables and dessert The second figure is for a fuller meal (with speciality) and includes two main courses and dessert
☕ 325	Price of continental breakfast

ROOMS

hab 4 500/6 700	Price for a single room / price for a double in the season
hab ☕ 4 800/7 000 **qto** ☕ 4 400/6 300	Price includes breakfast

FULL-BOARD

PA 3 600	Price of the « Pensión Alimenticia » (breakfast, lunch and dinner). Add the charge for the « Pensión Alimenticia » to the room rate to give you the price for full board per person and per day. To avoid any risk of confusion it is essential to make a firm arrangement in advance with the hotel.

DEPOSITS – CREDIT CARDS

Some hotels will require a deposit, which confirms the commitment of customer and hotelier alike. Make sure the terms of the agreement are clear.

AE ① E VISA JCB | Credit cards accepted by the establishment

Sights

STAR-RATING

★★★	Worth a journey
★★	Worth a detour
★	Interesting

LOCATION

Ver	Sights in town
Alred. **Arred.**	On the outskirts
Excurs.	In the surrounding area
N, S, E, O	The sight lies north, south, east or west of the town
①, ④	Sign on town plan and on the Michelin road map indicating the road leading to a place of interest
6 km	Distance in kilometres

Towns

2200	Postal number
⊠ 7800 Beja	Postal number and name of the post office serving the town
❂ 918	Telephone dialling code (when dialling from outside Spain omit the 9, from outside Portugal omit the first 0)
Ⓟ	Provincial capital
445 M 27	Michelin map number and co-ordinates
24 000 h.	Population
alt. 175	Altitude (in metres)
〼 3	Number of cable-cars
⚲ 7	Number of ski and chair-lifts
AX A	Letters giving the location of a place on the town plan
⛳	Golf course and number of holes
✳ ≼	Panoramic view, viewpoint
✈	Airport
🚗 ℰ 22 98 36	Place with a motorail connection; further information from telephone number listed
🚢	Shipping line
🛈	Tourist Information Centre

Town plans

Hotels

Restaurants

Sights

Place of interest and its main entrance

Interesting place of worship:
  Cathedral, church or chapel

Roads

Motorway, dual carriageway
  Interchange: complete, limited, number

Major through route

One-way street – Unsuitable for traffic, street subject
  to restrictions

Pedestrian street – Tramway

Colón   Shopping street – Car park

Gateway – Street passing under arch – Tunnel

Station and railway

Funicular – Cable-car

Lever bridge – Car ferry

Various signs

Tourist Information Centre

Mosque – Synagogue

Tower – Ruins – Windmill – Water tower

Garden, park, wood – Cemetery – Cross

Stadium – Golf course – Racecourse

Outdoor or indoor swimming pool

View – Panorama

Monument – Fountain – Factory – Shopping centre

Pleasure boat harbour – Lighthouse

Airport – Underground station – Coach station

Ferry services:
  passengers and cars, passengers only

Reference number common to town plans and Michelin
maps

Main post office with poste restante and telephone

Hospital – Covered market

Public buildings located by letter:

D   H   G   Provincial Government Office – Town Hall – Prefecture

J   Law Courts

M   T   Museum – Theatre

U   University, College

POL.   Police (in large towns police headquarters)

North is at the top on all town plans.

Car, tyres

BREAKDOWN ASSISTANCE, MICHELIN TYRE SUPPLIERS

We have indicated below the telephone numbers of the 24 h rescue services for the main makes of car who are able to provide a repair service, in Spain, on their own premises :

ALFA ROMEO	900.10.10.06	MERCEDES BENZ	91/431.95.96
BMW	900.10.04.82	NISSAN MOTOR	
CITROEN	91/519.13.14	IBERICA	900.20.00.94
FIAT	91/519.16.16	PEUGEOT-TALBOT	900.44.24.24
LANCIA	91/519.10.22	RENAULT	91/556.39.99
FORD	900.14.51.45	SEAT	900.11.22.22
OPEL	900.14.21.42	VOLVO	91/555.81.00
GENERAL MOTORS	91/597.21.25		

When a tyre dealer is unable to supply your needs, get in touch : in **Spain** with the Michelin Head Office in Madrid or with the Michelin Branch in one of the following towns : Montcada i Reixac (Barcelona), Lasarte, Coslada (Madrid), León, Santiago de Compostela, Sevilla, Valencia, Zaragoza. In **Portugal** with the Michelin Head Office in Sacavém (Lisbon).

Addresses and phone numbers of Michelin Agencies are listed in the text of the towns concerned.

The staff at our depots will be pleased to give advice on the best way to look after your tyres.

See also the pages bordered in blue

MOTORING ORGANISATIONS

RACE	Real Automóvil Club de España
RACC	Real Automóvil Club de Cataluña
RACVN	Real Automóvil Club Vasco Navarro
RACV	Real Automóvil Club de Valencia
ACP	Automóvel Clube de Portugal

The address and telephone number of the various motoring organisations are given in the text concerning most of the large towns.

LOS VINOS – OS VINHOS – LES VINS
I VINI – **WEINE** – WINES

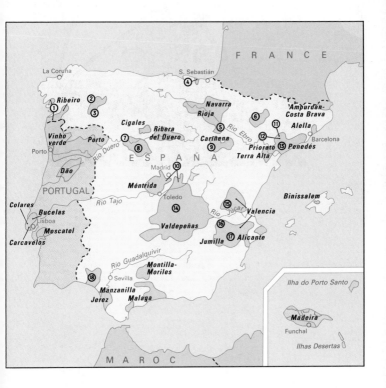

① Rías Baixas
② Bierzo
③ Valdeorras
④ Chacoli de Guetaria
⑤ Campo de Borja
⑥ Somontano

⑦ Toro
⑧ Rueda
⑨ Calatayud
⑩ Vinos de Madrid
⑪ Costers del Segre
⑫ Conca de Barbera

⑬ Tarragona
⑭ La Mancha
⑮ Utiel-Requena
⑯ Almansa
⑰ Yecla
⑱ Condado de Huelva

LAS ESTRELLAS	AS ESTRELAS
LES ÉTOILES	**LE STELLE**
DIE STERNE	THE STARS

C (Comida)

BUENAS COMIDAS A PRECIOS MODERADOS
REFEIÇÕES CUIDADAS A PREÇOS MODERADOS
REPAS SOIGNÉS A PRIX MODÉRÉS
PASTI ACCURATI A PREZZI CONTENUTI
SORGFÄLTIG ZUBEREITETE, PREISWERTE MAHLZEITEN
GOOD FOOD AT MODERATE PRICES

ATRACTIVO Y TRANQUILIDAD
ATRACTIVOS
L'AGRÉMENT
AMENITÀ E TRANQUILLITÀ
ANNEHMUCHKEIT
PEACEFUL ATMOSPHERE AND SETTING

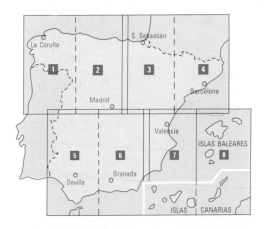

1

OCÉANO

C **Ferrol**
La Coruña
Jubia ✿

Figueras 🏛 🐚
N 642
N 634
Taramundi 🏛 🐚
N 634

Arteijo
🐚 Sísamo
A 9

SANTIAGO DE COMPOSTELA
✿ 🏛
Labacolla C
San Julián de Sales con hab.
N VI
La Estrada 🐚

Carril ✿
🐚 San Vicente del Mar
El Grove C
S. Salvador de Poyo ✿
🏛 Villalonga
C Sangenjo
Pontevedra ✿
N 540
Miño
Río
Congosto 🐚
N 120

✿ **VIGO**
N 120
Río
Orense C
🐚 Bayona
La Cañiza C
Tuy C 🐚
N 525
Verín

RÍO *DOURO*

P O R T U G A L

N 620

Ciudad Rodrigo 🐚

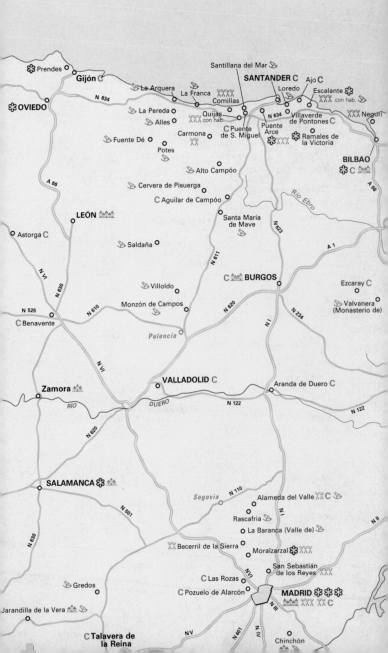

ATLANTICO

2

Prendes

Gijón C

OVIEDO

La Arquera

La Franca

Santillana del Mar

Comillas

SANTANDER C

Loredo

Ajo C

Escalante

con hab.

Neguri

La Pereda

Alles

Quijas

con hab.

N 634

Villaverde
de Pontones C

N 634

Carmona

Puente
de S. Miguel

Puente
Arce

C

Ramales de
la Victoria

Fuente Dé

Potes

Alto Campóo

Cervera de Pisuerga

C Aguilar de Campóo

Santa María
de Mave

BILBAO

C

Río Ebro

N 623

A 68

LEÓN

A 66

Astorga C

Saldaña

N 611

C BURGOS

Ezcaray C

A 1

Villoldo

Monzón de Campos

N 620

N 1

N 234

Valvanera
(Monasterio de)

N VI

N 630

N 525

C Benavente

N 610

Palencia

N VI

VALLADOLID C

Aranda de Duero C

Zamora

RÍO

DUERO

N 122

N 122

N 620

SALAMANCA

N 501

Segovia

N 110

Alameda del Valle C

N I

N 530

Rascafría

La Baranca (Valle de)

N II

Becerril de la Sierra

Moralzarzal

San Sebastián
de los Reyes

Gredos

C Las Rozas

N VI

MADRID

Jarandilla de la Vera

C Pozuelo de Alarcón

N III

XXX XX C

NV

N 401

N V

Chinchón

C Talavera de
la Reina

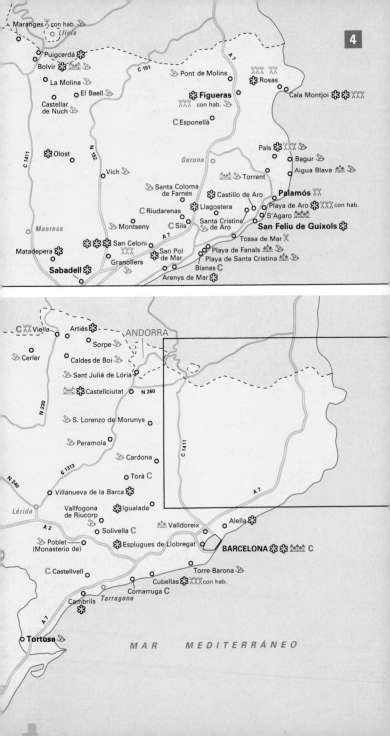

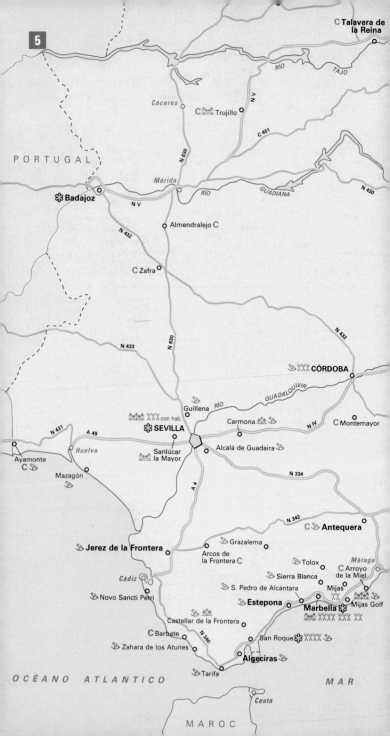

N V

N 401

N IV

Chinchón

☼ **Cuenca**

N 400

N 420

Aranjuez
✿

TOLEDO

N III

☼ con hab.

C 401

C 400

N 420

C Motilla
del Palancar

Alarcón

✿ Las Pedroñeras

Ciudad Real

Daimiel

C

C **Albacete**

Almagro

C 415

N 420

N 301

N IV

N 322

Cenajo

Úbeda

N 323

N 321

C Cazorla

Sierra de Cazorla

Jaén

N 432

N 340

A 92 -N 342

Finca La Bobadilla

GRANADA

Sierra Nevada

Alhama de
Granada

N 323

Bubión

Almería

N 340

N 340

Salobreña

Gualchos ⋏ con hab.

Almerimar

M E D I T E R R Á N E O

Melilla C

Virgen de la Vega

Manzanera

C Alcora

Castellón de la Plana

N 420

N 234

Puzol

C Requena

N III

VALENCIA ❄ C

El Saler

Cofrentes

RÍO JÚCAR

Cullera ❄

N 430

Gandía ❄

Guardamar

C Almansa

N 330

Benisa ❄

Jávea

Moraira ❄ ❄

Monnegre

Altea ❄

Cala Finestrat C

Villajoyosa

Elche

Playa de San Juan

Alicante

A 7

Murcia

Santa Pola

MAR

MEDITERRÁNEO

N 301

El Algar ❄

Los Belones

Cartagena

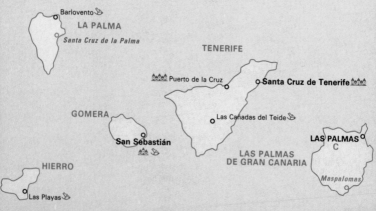

Barlovento

LA PALMA

Santa Cruz de la Palma

TENERIFE

Puerto de la Cruz

Santa Cruz de Tenerife

GOMERA

Las Cañadas del Teide

San Sebastián

LAS PALMAS

C

LAS PALMAS
DE GRAN CANARIA

HIERRO

Maspalomas

Las Playas

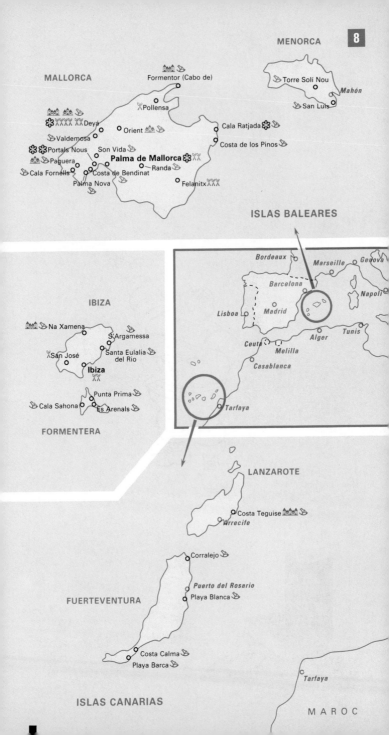

España

Poblaciones
Cidades
Villes
Città
Städte
Towns

LÉXICO EN LA CARRETERA	LÉXICO NA ESTRADA	LEXIQUE SUR LA ROUTE	LESSICO LUNGO LA STRADA	LEXIKON AUF DER STRASSE	LEXICON ON THE ROAD
¡atención, peligro!	atenção! perigo!	attention! danger!	attenzione! pericolo!	Achtung! Gefahr!	caution! danger!
a la derecha	à direita	à droite	a destra	nach rechts	to the right
a la izquierda	à esquerda	à gauche	a sinistra	nach links	to the left
autopista	auto-estrada	autoroute	autostrada	Autobahn	motorway
bajada peligrosa	descida perigosa	descente dangereuse	discesa pericolosa	gefährliches Gefälle	dangerous descent
calzada resbaladiza	piso resvaladiço	chaussée glissante	fondo sdrucciolevole	Rutschgefahr	slippery road
cañada	rebanhos	troupeaux	greggi	Viehherde	cattle
carretera cortada	estrada interrompida	route coupée	strada interrotta	gesperrte Straße	road closed
carretera en mal estado	estrada em mau estado	route en mauvais état	strada in cattivo stato	Straße in schlechtem Zustand	road in bad condition
carretera nacional	estrada nacional	route nationale	strada statale	Staatsstraße	State road
ceda el paso	dê passagem	cédez le passage	cedete il passo	Vorfahrt achten	yield right of way
cruce peligroso	cruzamento perigoso	croisement dangereux	incrocio pericoloso	gefährliche Kreuzung	dangerous crossing
curva peligrosa	curva perigosa	virage dangereux	curva pericolosa	gefährliche Kurve	dangerous bend
despacio	lentamente	lentement	adagio	langsam	slowly
desprendimientos	queda de pedras	chute de pierres	caduta sassi	Steinschlag	falling rocks
dirección prohibida	sentido proibido	sens interdit	senso vietato	Einfahrt verboten	no entry
dirección única	sentido único	sens unique	senso unico	Einbahnstraße	one way
encender las luces	acender as luzes	allumer les lanternes	accendere le luci	Licht einschalten	put on lights
esperen	esperem	attendez	attendete	warten	wait, halt
hielo	gelo	verglas	ghiaccio	Glatteis	ice (on roads)
niebla	nevoeiro	brouillard	nebbia	Nebel	fog
nieve	neve	neige	neve	Schnee	snow
obras	trabalhos na estrada	travaux (routiers)	lavori in corso	Straßenbauarbeiten	road works

PALABRAS DE USO CORRIENTE	PALAVRAS DE USO CORRENTE	MOTS USUELS	PAROLE D'USO CORRENTE	ALLGEMEINER WORTSCHATZ	COMMON WORDS
parada obligatoria	paragem obrigatória	arrêt obligatoire	fermata obbligatoria	Halt !	compulsory stop
paso de ganado	passagem de gado	passage de troupeaux	passaggio di mandrie	Viehtrieb	cattle crossing
paso a nivel sin barreras	passagem de nível sem guarda	passage à niveau non gardé	passaggio a livello incustodito	unbewachter Bahnübergang	unattended level crossing
peaje	portagem	péage	pedaggio	Gebühr	toll
peatones	peões	piétons	pedoni	Fußgänger	pedestrians
¡peligro !	perigo !	danger !	pericolo !	Gefahr !	danger !
precaución	prudência	prudence	prudenza	Vorsicht	caution
prohibido	proibido	interdit	vietato	verboten	prohibited
prohibido aparcar	estacionamento proibido	stationnement interdit	divieto di sosta	Parkverbot	no parking
prohibido el adelantamiento	proibido ultrapassar	défense de doubler	divieto di sorpasso	Überholverbot	no overtaking
puente estrecho	ponte estreita	pont étroit	ponte stretto	enge Brücke	narrow bridge
puesto de socorro	pronto socorro	poste de secours	pronto soccorso	Unfall-Hilfsposten	first aid station
salida de camiones	saída de camiões	sortie de camions	uscita di camion	LKW-Ausfahrt	lorry exit
travesía peligrosa	perigoso atravessar	traversée dangereuse	attraversamento pericoloso	gefährliche Durchfahrt	dangerous crossing

PALABRAS DE USO CORRIENTE	PALAVRAS DE USO CORRENTE	MOTS USUELS	PAROLE D'USO CORRENTE	ALLGEMEINER WORTSCHATZ	COMMON WORDS
abierto	aberto	ouvert	aperto	offen	open
abril	Abril	avril	aprile	April	April
acantilado	falésia	falaise	scogliera	steile Küste	cliff
acceso	acesso	accès	accesso	Zugang, Zufahrt	access
acueducto	aqueduto	aqueduc	acquedotto	Aquädukt	aqueduct
adornado	adornado, enfeitado	orné, décoré	ornato	geschmückt	decorated
agosto	Agosto	août	agosto	August	August
agua potable	água potável	eau potable	acqua potabile	Trinkwasser	drinking water
alameda	alameda	promenade	passeggiata	Promenade	promenade

alcazaba	antiga fortaleza árabe	ancienne forteresse arabe	antica fortezza araba	alte arabische Festung	old Arab fortress
alcázar	antigo palácio árabe	ancien palais arabe	antico palazzo arabo	alter arabischer Palast	old Arab palace
almuerzo	almoço	déjeuner	colazione	Mittagessen	lunch
alrededores	arredores	environs	dintorni	Umgebung	surroundings
altar esculpido	altar esculpido	autel sculpté	altare scolpito	Schnitzaltar	carved altar
ambiente	ambiente	ambiance	ambiente	Stimmung	atmosphere
antiguo	antigo	ancien	antico	alt	ancient
aparcamiento	parque de estacionamento	parc à voitures	parcheggio	Parkplatz	car park
apartado	apartado, caixa postal	boîte postale	casella postale	Postfach	post office box
arbolado	arborizado	ombragé	ombreggiato	schattig	shady
arcos	arcadas	arcades	portici	Arkaden	arcades
artesanía	artesanato	artisanat	artigianato	Handwerkskunst	craftwork
artesonado	tecto de talha	plafond à caissons	soffitto a cassettoni	Kassettendecke	coffered ceiling
avenida	avenida	avenue	viale, corso	Boulevard, breite Straße	avenue
bahía	baía	baie	baia	Bucht	bay
bajo pena de multa	sob pena de multa	sous peine d'amende	passibile di contravvenzione	bei Geldstrafe	under penalty of fine
balneario	termas	établissement thermal	terme	Kurhaus	health resort
baños	termas	bains, thermes	terme	Thermen	public baths, thermal bath
barranco	barranco, ravina	ravin	burrone	Schlucht	ravine
barrio	bairro	quartier	quartiere	Stadtteil	quarter, district
bodega	adega	chais, cave	cantina	Keller	cellar
bonito	bonito	joli	bello	schön	beautiful
bosque	bosque	bois	bosco, boschi	Wäldchen	wood
bóveda	abóbada	voûte	volta	Gewölbe, Wölbung	vault, arch
cabo	cabo	cap	capo	Kap	headland
caja	caixa	caisse	cassa	Kasse	cash-desk
cala	enseada	crique, calanque	seno, calanca	Bucht	creek

72

calle	rua	rue	via	Straße	street
callejón sin salida	beco	impasse	vicolo cieco	Sackgasse	no through road
cama	cama	lit	letto	Bett	bed
camarero	criado, empregado	garçon, serveur	cameriere	Ober, Kellner	waiter
camino	caminho	chemin	cammino	Weg	way, path
campanario	campanário	clocher	campanile	Glockenturm	belfry, steeple
campo, campiña	campo	campagne	campagna	Land	country, countryside
capilla	capela	chapelle	cappella	Kapelle	chapel
capitel	capitel	chapiteau	capitello	Kapitell	capital (of column)
carretera en cornisa	estrada escarpada	route en corniche	strada panoramica	Höhenstraße	corniche road
cartuja	cartuxa	chartreuse	certosa	Kartäuserkloster	monastery
casa señorial	casa senhorial	manoir	villa	Herrensitz	seignorial residence
cascada	cascata	cascade	cascata	Wasserfall	waterfall
castillo	castelo	château	castello	Burg Schloß	castle
cena	jantar	dîner	pranzo	Abendessen	dinner
cenicero	cinzeiro	cendrier	portacenere	Aschenbecher	ash-tray
centro urbano	baixa, centro urbano	centre ville	centro città	Stadtzentrum	town centre
cercano	próximo	proche	prossimo	nah	near
cerillas	fósforos	allumettes	fiammiferi	Zündhölzer	matches
cerrado	fechado	fermé	chiuso	geschlossen	closed
certificado	registado	recommandé (objet)	raccomandato	Einschreiben	registered
césped	relvado	pelouse	prato	Rasen	lawn
circunvalación	circunvalação	contournement	circonvallazione	Umgehung	by-pass
ciudad	cidade	ville	città	Stadt	town
claustro	claustro	cloître	chiostro	Kreuzgang	cloisters
climatizado	climatizado	climatisé	con aria condizionata	mit Klimaanlage	air conditioned
cocina	cozinha	cuisine	cucina	Kochkunst	kitchen
colección	colecção	collection	collezione	Sammlung	collection
colegiata	colegiada	collégiale	collegiata	Stiftskirche	collegiate church
colina	colina	colline	colle, collina	Hügel	hill
columna	coluna	colonne	colonna	Säule	column
comedor	casa de jantar	salle à manger	sala da pranzo	Speisesaal	dining room
comisaría	esquadra de polícia	commissariat de police	commissariato di polizia	Polizeistation	police headquarters
conjunto	conjunto	ensemble	insieme	Gesamtheit	group
conserje	porteiro	concierge	portiere, portinaio	Portier	porter

73

convento	convento	couvent	convento	Kloster	convent
coro	coro	chœur	coro	Chor	chancel
correos	correios	bureau de poste	ufficio postale	Postamt	post office
crucero	transepto	transept	transetto	Querschiff	transept
crucifijo, cruz	crucifixo, cruz	crucifix, croix	crocifisso, croce	Kruzifix, Kreuz	crucifix, cross
cuadro, pintura	quadro, pintura	tableau, peinture	quadro, pittura	Gemälde, Malerei	painting
cuchara	colher	cuillère	cucchiaio	Löffel	spoon
cuchillo	faca	couteau	coltello	Messer	knife
cuenta	conta	note	conto	Rechnung	bill
cueva, gruta	gruta	grotte	grotta	Höhle	cave
cúpula	cúpula	coupole, dôme	cupola	Kuppel	dome, cupola
dentista	dentista	dentiste	dentista	Zahnarzt	dentist
deporte	desporto	sport	sport	Sport	sport
desembocadura	foz	embouchure	foce	Mündung	mouth
desfiladero	desfiladeiro	défilé	forra	Engpaß	pass
diario	jornal	journal	giornale	Zeitung	newspaper
diciembre	Dezembro	décembre	dicembre	Dezember	December
dique	dique	digue	diga	Damm	dike, dam
domingo	Domingo	dimanche	domenica	Sonntag	Sunday
embalse	lago artificial	lac artificiel	lago artificiale	künstlicher See	artificial lake
encinar	azinhal	chênaie	querceto	Eichenwald	oak-grove
enero	Janeiro	janvier	gennaio	Januar	January
entrada	entrada	entrée	entrata, ingresso	Eingang, Eintritt	entrance, admission
equipaje	bagagem	bagages	bagagli	Gepäck	luggage
ermita	eremitério, retiro	ermitage	eremo	Einsiedelei	hermitage
escalera	escada	escalier	scala	Treppe	stairs
escuelas	escolas	écoles	scuole	Schulen	schools
escultura	escultura	sculpture	scultura	Schnitzwerk	carving
espectáculo	espectáculo	spectacle	spettacolo	Schauspiel	show, sight
estanco	tabacaria	bureau de tabac	tabaccaio	Tabakladen	tobacconist
estanque	lago, tanque	étang	stagno	Teich	pond, pool
estatua	estátua	statue	statua	Standbild	statue
estrecho	estreito	détroit	stretto	Meerenge	strait
estuario	estuário	estuaire	estuario	Mündung	estuary

fachada	fachada	façade	facciata	Vorderseite	façade
farmacia	farmácia	pharmacie	farmacia	Apotheke	chemist
faro	farol	phare	faro	Leuchtturm	lighthouse
febrero	fevereiro	février	febbraio	Februar	February
festivo	feriado	férié	festivo	Feiertag	holiday
florido	florido	fleuri	fiorito	mit Blumen	in bloom
fortaleza	fortaleza	forteresse, château fort	fortezza	Festung, Burg	fortress, fortified castle
fortificado	fortificado	fortifié	fortificato	befestigt	fortified
frescos	frescos	fresques	affreschi	Fresken	frescoes
frío	frio	froid	freddo	kalt	cold
friso	friso	frise	fregio	Fries	frieze
frontera	fronteira	frontière	frontiera	Grenze	frontier
fuente	fonte	source	sorgente	Quelle	source, stream
garganta	garganta	gorge	gola	Schlucht	gorge, stream
gasolina	gasolina	essence	benzina	Benzin	petrol
guardia civil	policia	gendarme	gendarme	Polizist	policeman
habitación	quarto	chambre	camera	Zimmer	room
hermoso	belo, formoso	beau	bello	schön	beautiful
huerto (a)	horta	potager	orto	Gemüsegarten	kitchen-garden
iglesia	igreja	église	chiesa	Kirche	church
informaciones	informações	renseignements	informazioni	Auskünfte	information
instalado	instalado	installé	installato	eingerichtet	established
invierno	Inverno	hiver	inverno	Winter	winter
isla	ilha	île	isola, isolotto	Insel	island
jardín	jardim	jardin	giardino	Garten	garden
jueves	5ª feira	jeudi	giovedì	Donnerstag	Thursday
julio	Julho	juillet	luglio	Juli	July
junio	Junho	juin	giugno	Juni	June
lago	lago	lac	lago	See	lake
laguna	lagoa	lagune	laguna	Lagune	lagoon
lavado	lavagem de roupa	blanchissage	lavatura	Wäsche, Lauge	laundry

lonja	bolsa de comércio	bourse de commerce	borsa	Handelsbörse	Trade exchange
lunes	2ª feira	lundi	lunedì	Montag	Monday
llanura	planicie	plaine	pianura	Ebene	plain
mar	mar	mer	mare	Meer	sea
martes	3ª feira	mardi	martedì	Dienstag	Tuesday
marzo	Março	mars	marzo	März	March
mayo	Maio	mai	maggio	Mai	May
médico	medico	médecin	medico	Arzt	doctor
mediodía	meio-dia	midi	mezzogiorno	Mittag	midday
mesón	estalagem	auberge	albergo	Gasthof	inn
mezquita	mesquita	mosquée	moschea	Moschee	mosque
miércoles	4ª feira	mercredi	mercoledì	Mittwoch	Wednesday
mirador	miradouro	belvédère	belvedere	Aussichtspunkt	belvedere
mobiliario	mobiliário	ameublement	arredamento	Einrichtung	furniture
molino	moinho	moulin	mulino	Mühle	windmill
monasterio	mosteiro	monastère	monastero	Kloster	monastery
montaña	montanha	montagne	montagna	Berg	mountain
muelle	cais, molhe	quai, môle	molo	Mole, Kai	quay
murallas	muralhas	murailles	mura	Mauern	walls
nacimiento	presépio	crèche	presepio	Krippe	crib
nave	nave	nef	navata	Kirchenschiff	nave
Navidad	Natal	Noël	Natale	Weihnachten	Christmas
noviembre	Novembro	novembre	novembre	November	November
obra de arte	obra de arte	œuvre d'art	opera d'arte	Kunstwerk	work of art
octubre	Outubro	octobre	ottobre	Oktober	October
officina de viajes	agência de viagens	bureau de voyages	ufficio viaggi	Reisebüro	travel bureau
orilla	orla, borda	bord	orlo	Rand	edge
otoño	Outono	automne	autunno	Herbst	autumn
pagar	pagar	payer	pagare	bezahlen	to pay
paisaje	paisagem	paysage	paesaggio	Landschaft	landscape
palacio real	palácio real	palais royal	palazzo reale	Königsschloß	royal palace
palmera, palmeral	palmeira, palmar	palmier, palmeraie	palma, palmeto	Palme, Palmenhain	palm-tree, palm grove

pantano	barragem	barrage	sbarramento	Talsperre	dam
papel de carta	papel de carta	papier à lettre	carta da lettere	Briefpapier	writing paper
parada	paragem	arrêt	fermata	Haltestelle	stopping place
paraje, emplazamiento	local	site	posizione	Lage	site
parque	parque	parc	parco	Park	park
pasajeros	passageiros	passagers	passeggeri	Fahrgäste	passengers
Pascua	Páscoa	Pâques	Pasqua	Ostern	Easter
paseo	passeio	promenade	passeggiata	Spaziergang, Promenade	walk, promenade
patio	pátio interior	cour intérieure	cortile interno	Innenhof	inner courtyard
peluqueria	cabeleireiro	coiffeur	parrucchiere	Friseur	hairdresser, barber
peñón	rochedo	rocher	roccia	Felsen	rock
pico	pico	pic	pizzo, picco	Gipfel	peak
pinar, pineda	pinhal	pinède	pineta	Pinienhain	pine wood
piso	andar	étage	piano (di casa)	Stock, Etage	floor
planchado	engomado	repassage	stiratura	Bügelerei	pressing, ironing
plato	prato	assiette	piatto	Teller	plate
playa	praia	plage	spiaggia	Strand	beach
plaza de toros	praça de touros	arènes	arena	Stierkampfarena	bull ring
portada, pórtico	portal, pórtico	portail	portale	Haupttor, Portal	doorway
prado, pradera	prado, pradaria	pré, prairie	prato, prateria	Wiese	meadow
primavera	Primavera	printemps	primavera	Frühling	spring (season)
prohibido fumar	proibido fumar	défense de fumer	vietato fumare	Rauchen verboten	no smoking
promontorio	promontório	promontoire	promontorio	Vorgebirge	promontory
propina	gorjeta	pourboire	mancia	Trinkgeld	tip
pueblo	aldeia	village	villaggio	Dorf	village
puente	ponte	pont	ponte	Brücke	bridge
puerta	porta	porte	porta	Tür	door
puerto	colo, porto	col, port	passo, porto	Gebirgspaß, Hafen	mountain pass, harbour
púlpito	púlpito	chaire	pulpito	Kanzel	pulpit
punto de vista	vista	point de vue	punto di vista	Aussichtspunkt	viewpoint
recinto	recinto	enceinte	recinto	Ringmauer	perimeter walls
recorrido	percurso	parcours	percorso	Strecke	course
reja, verja	grade	grille	cancello	Gitter	iron gate
reliquia	reliquia	relique	reliquia	Reliquie	relic

reloj	relógio	horloge	orologio	Uhr	clock
Renacimiento	Renascença	Renaissance	Rinascimento	Renaissance	Renaissance
recepción	recepção	réception	ricevimento	Empfang	reception
retablo	retábulo	retable	postergale	Altaraufsatz	altarpiece, retable
río	rio	fleuve	fiume	Fluß	river
roca, peñón	rochedo, rocha	rocher, roche	roccia	Felsen	rock
rocoso	rochoso	rocheux	roccioso	felsig	rocky
rodeado	rodeado	entouré	circondato	umgeben	surrounded
románico, romano	românico, romano	roman, romain	romanico, romano	romanisch, römisch	Romanesque, Roman
ruinas	ruínas	ruines	ruderi	Ruinen	ruins
sábado	Sábado	samedi	sabato	Samstag	Saturday
sacristía	sacristia	sacristie	sagrestia	Sakristei	sacristy
sala capitular	sala capitular	salle capitulaire	sala capitolare	Kapitelsaal	chapterhouse
salida	partida	départ	partenza	Abfahrt	departure
salida de socorro	saída de socorro	sortie de secours	uscita di sicurezza	Notausgang	emergency exit
salón	salão, sala	salon, grande salle	sala, salotto, salone	Salon	drawing room, sitting room
santuario	santuário	sanctuaire	sacrario	Heiligtum	shrine
sello	selo	timbre-poste	francobollo	Briefmarke	stamp
septiembre	Setembro	septembre	settembre	September	September
sepulcro, tumba	sepúlcro, túmulo	sépulcre, tombeau	sepolcro, tomba	Grabmal	tomb
servicio incluido	serviço incluído	service compris	servizio compreso	Bedienung inbegriffen	service included
servicios	toilete, casa de banho	toilettes	gabinetti	Toiletten	toilets
sierra	serra	chaîne de montagnes	giogaia	Gebirgskette	mountain range
siglo	século	siècle	secolo	Jahrhundert	century
sillería del coro	cadeiras de coro	stalles	stalli	Chorgestühl	choir stalls
sobres	envelopes	enveloppes	buste	Briefumschläge	envelopes
sótano	cave	sous-sol, cave	sottosuolo	Keller	basement
subida	subida	montée	salita	Steigung	hill
tapices, tapicerías	tapeçarias	tapisseries	tappezzerie, arazzi	Wandteppiche	tapestries
tarjeta postal	bilhete postal	carte postale	cartolina	Postkarte	postcard
techno	tecto	plafond	soffitto	Zimmerdecke	ceiling
tenedor	garfo	fourchette	forchetta	Gabel	fork

tesoro	tesoro	trésor	tesoro	Schatz	treasure, treasury
torre	torre	tour	torre	Turm	tower
tribuna	tribuna, galeria	jubé	tramezzo	Lettner	roodscreen
valle	vale	val, vallée	val, valle, vallata	Tal	valley
vaso	copo	verre	bicchiere	Glas	glass
vega	veiga	vallée fertile	valle fertile	fruchtbare Ebene	fertile valley
verano	Verão	été	estate	Sommer	summer
vergel	pomar	verger	frutteto	Obstgarten	orchard
vidriera	vitral	verrière, vitrail	vetrata	Kirchenfenster	stained glass windows
viernes	6ª feira	vendredi	venerdì	Freitag	Friday
viñedos	vinhedos, vinhas	vignes, vignoble	vigne, vigneto	Reben, Weinberg	vines, vineyard
víspera, vigilia	véspera	veille	vigilia	Vorabend	preceding day, eve
vista pintoresca	vista pitoresca	vue pittoresque	vista pittoresca	malerische Aussicht	picturesque view
vuelta, circuito	volta, circuito	tour, circuit	giro, circuito	Rundreise	tour

COMIDAS Y BEBIDAS	COMIDAS E BEBIDAS	NOURRITURE ET BOISSONS	CIBI E BEVANDE	SPEISEN UND GETRÄNKE	FOOD AND DRINK
aceite, aceitunas	azeite, azeitonas	huiles, olives	olio, olive	Öl, Oliven	oil, olives
agua con gas	água gaseificada	eau gazeuse	acqua gasata, gasosa	Sprudel	soda water
agua mineral	água mineral	eau minérale	acqua minerale	Mineralwasser	mineral water
ahumado	fumado	fumé	affumicato	geräuchert	smoked
ajo	alho	ail	aglio	Knoblauch	garlic
alcachofa	alcachofa	artichaut	carciofo	Artischocke	artichoke
almendras	amêndoas	amandes	mandorle	Mandeln	almonds
alubias	feijão	haricots	fagioli	Bohnen	beans
anchoas	anchovas	anchois	acciughe	Anschovis	anchovies
arroz	arroz	riz	riso	Reis	rice
asado	assado	rôti	arrosto	gebraten	roast
atún	atum	thon	tonno	Thunfisch	tunny
ave	aves, criação	volaille	pollame	Geflügel	poultry
azúcar	açúcar	sucre	zucchero	Zucker	sugar

bacalao	bacalhau fresco	morue fraîche, cabillaud	merluzzo	Kabeljau, Dorsch	cod
bacalao en salazón	Bacalhau salgado	morue salée	baccalà, stoccafisso	Laberdan	dried cod
berenjena	beringela	aubergine	melanzana	Aubergine	egg-plant
bogavante	lavagante	homard	gambero di mare	Hummer	lobster
brasa (a la)	na brasa	à la braise	brasato	gedämpft, geschmort	braised
café con leche	café com leite	café au lait	caffè-latte	Milchkaffee	coffee with milk
café solo	café simples	café nature	caffè nero	schwarzer Kaffee	black coffee
calamares	lulas, chocos	calmars	calamari	Tintenfische	squids
caldo	caldo	bouillon	brodo	Fleischbrühe	clear soup
cangrejo	caranguejo	crabe	granchio	Krabbe	crab
caracoles	caracóis	escargots	lumaca	Schnecken	snails
carne	carne	viande	carne	Fleisch	meat
castañas	castanhas	châtaignes	castagne	Kastanien	chestnuts
caza mayor	caça grossa	gros gibier	cacciagione	Wildbret	game
cebolla	cebola	oignon	cipolla	Zwiebel	onion
cerdo	porco	porc	maiale	Schweinefleisch	pork
cerezas	cerejas	cerises	ciliege	Kirschen	cherries
cerveza	cerveja	bière	birra	Bier	beer
ciervo venado	veado	cerf	cervo	Hirsch	deer
cigalas	lagostins	langoustines	scampi	Meerkrebse, Langustinen	crayfish
ciruelas	ameixas	prunes	prugne	Pflaumen	plums
cochinillo, tostón	leitão assado	cochon de lait grillé	maialino grigliato, porchetta	Spanferkelbraten	roast suckling pig
cordero	carneiro	mouton	montone	Hammelfleisch	mutton
cordero lechal	cordeiro	agneau de lait	agnello	Lammfleisch	lamb
corzo	cabrito montês	chevreuil	capriolo	Reh	venison
fiambres	charcutaria	charcuterie	salumi	Aufschnitt	pork-butchers' meat
chipirones	lulas pequenas	petits calmars	calamaretti	kleine Tintenfische	small squids
chorizos	chouriços	saucisses au piment	salsicce piccanti	Pfefferwurst	spiced sausages.
chuleta, costilla	costeleta	côtelette	costoletta	Kotelett	cutlet
dorada, besugo	dourada, besugo	daurade	orata	Goldbrassen	dory

ensalada	salada	salade	insalata	Salat	green salad
entremeses	entrada	hors-d'œuvre	antipasti	Vorspeise	hors d'oeuvre
espárragos	espargos	asperges	asparagi	Spargel	asparagus
espinacas	espinafres	épinards	spinaci	Spinat	spinach
fiambres	carnes frias	viandes froides	carni fredde	kaltes Fleisch	cold meats
filete	filete, bife de lombo	filet	filetto	Filetsteak	fillet
fresas	morangos	fraises	fragole	Erdbeeren	strawberries
frutas	fruta	fruits	frutta	Früchte	fruit
frutas en almíbar	fruta em calda	fruits au sirop	frutta sciroppata	Früchte in Sirup	fruit in syrup
galletas	bolos sécos	gâteaux secs	biscotti secchi	Gebäck	cakes
gambas	camarões	crevettes (bouquets)	gamberetti	Garnelen	prawns
garbanzos	grão	pois chiches	ceci	Kichererbsen	chick peas
guisantes	ervilhas	petits pois	piselli	junge Erbsen	garden peas
helado	gelado	glace	gelato	Speiseeis	ice cream
hígado	figado	foie	fegato	Leber	liver
higos	figos	figues	fichi	Feigen	figs
horno (al)	no forno	au four	al forno	im Ofen gebacken	baked in the oven
huevos al plato	ovos estrelados	œufs au plat	uova fritte	Spiegeleier	fried eggs
huevo pasado por agua	ovo quente	œufs à la coque	uovo al guscio	weiches Ei	soft boiled egg
jamón	presunto, fiambre	jambon (cru ou cuit)	prosciutto (crudo o cotto)	Schinken (roh, gekocht)	ham (raw or cooked)
judías verdes	feijão verde	haricots verts	fagiolini	grüne Bohnen	French beans
langosta	lagosta	langouste	aragosta	Languste	craw fish
langostino	gamba	crevette géante	gamberone	große Garnele	prawns
legumbres	legumes	légumes	verdura	Gemüse	vegetables
lenguado	linguado	sole	sogliola	Seezunge	sole
lentejas	lentilhas	lentilles	lenticchie	Linsen	lentils
limón	limão	citron	limone	Zitrone	lemon
lobarro, perca	perca	perche	pesce persico	Barsch	perch
lomo	lombo	filet, échine	lombata, lombo	Rückenstück	spine, chine
lubina	robalo	bar	ombrina	Barsch	bass

81

mantequilla	manteiga	beurre	burro	Butter	butter
manzana	maçã	pomme	mela	Apfel	apple
mariscos	mariscos	fruit de mer	frutti di mare	"Früchte des Meeres"	sea food
mejillones	mexilhões	moules	cozze	Muscheln	mussels
melocotón	pêssego	pêche	pesca	Pfirsich	peach
membriollo	marmelo	coing	cotogna	Quitte	quince
merluza	pescado	colin, merlan	merluzzo	Kohlfisch, Weißling	hake
mero	mero	mérou	cernia	Rautenscholle	brill
naranja	laranja	orange	arancia	Orange	orange
ostras	ostrás	huitres	ostriche	Austern	oyster
paloma, pichón	pombo, borracho	palombe, pigeon	palomba, piccione	Taube	pigeon
parilla (a la)	grelhado	à la broche, grillé	allo spiedo	am Spieß	grilled
pasteles	bolos	pâtisseries	dolci, pasticceria	Süßigkeiten	pastries
patatas	batatas	pommes de terre	patate	Kartoffeln	potatoes
pato	pato	canard	anitra	Ente	duck
pepino, pepinillo	pepino	concombre, cornichon	cetriolo, cetriolino	Gurke, kleine Essiggurke	cucumber, gherkin
pepitoria	fricassé	fricassée	fricassea	Frikassee	fricassée
pera	péra	poire	pera	Birne	pear
perdiz	perdiz	perdrix	pernice	Rebhuhn	partridge
pescados	peixes	poissons	pesci	Fische	fish
pimienta	pimenta	poivre	pepe	Pfeffer	pepper
pimiento	pimento	poivron	peperone	Pfefferschote	pimento
plátano	banana	banane	banana	Banane	banana
pollo	frango	poulet	pollo	Hähnchen	chicken
postres	sobremesas	desserts	dessert	Nachspeise	dessert
potaje	sopa	potage	minestra	Suppe mit Einlage	soup
queso	queijo	fromage	formaggio	Käse	cheese
rape	lota	lotte	rana pescatrice, pesce rospo	Aalrutte, Quappe	eel-pout, angler fish
rava	raia	raie	razza	Rochen	skate

relleno	recheado	farci	ripieno, farcito	gefüllt	stuffed
riñones	rins	rognons	rognoni	Nieren	kidneys
rodaballo	cherne, pregado	turbot	rombo	Steinbutt	turbot
sal	sal	sel	sale	Salz	salt
salchichas	salsichas	saucisses	salsicce	Würstchen	sausages
salchichón	salpicão	saucisson	salame	Wurst	salami, sausage
salmón	salmão	saumon	salmone	Lachs	salmon
salmonete	salmonete	rouget	triglia	Barbe, Rötling	red mullet
salsa	molho	sauce	sugo	Soße	sauce
sandía	melancia	pastèque	cocomero	Wassermelone	water-melon
sesos	miolos, mioleira	cervelle	cervella	Hirn	brains
setas, hongos	cogumelos	champignons	funghi	Pilze	mushrooms
sidra	cidra	cidre	sidro	Apfelwein	cider
solomillo	bife de lombo	filet	filetto	Filetsteak	fillet
sopa	sopa	soupe	minestra, zuppa	Suppe	soup
tarta	torta, tarte	tarte, grand gâteau	torta	Kuchen	tart, pie
ternera	vitela	veau	vitello	Kalbfleisch	veal
tortilla	omelete	omelette	frittata	Omelett	omelette
trucha	truta	truite	trota	Forelle	trout
turrón	torrão de Alicante, nougat	nougat	torrone	Nugat, Mandelkonfekt	nougat
uva	uva	raisin	uva	Traube	grapes
vaca, buey	vaca, boi	bœuf	manzo	Rindfleisch	beef
vieira	vieira	coquille St-Jacques	cappesante	Jakobsmuschel	scallop
vinagre	vinagre	vinaigre	aceto	Essig	vinegar
vino blanco dulce	vinho branco doce	vin blanc doux	vino bianco amabile	süßer Weißwein	sweet white wine
vino blanco seco	vinho branco seco	vin blanc sec	vino bianco secco	herber Weißwein	dry white wine
vino rosado	vinho « rosé »	vin rosé	vino rosato	« Rosé »	« rosé » wine
vino de marca	vinho de marca	grand vin	vino pregiato	Prädikatswein	famous wine
vino tinto	vinho tinto	vin rouge	vino rosso	Rotwein	red wine
zanahoria	cenoira	carotte	carota	Karotte	carrot
zumo de frutas	sumo de frutas	jus de fruits	succo di frutta	Fruchtsaft	fruit juice

ABADIANO o **ABADIÑO** 48220 Vizcaya 442 C 22 – 6 511 h. alt. 133 – ۞ 94.
◆Madrid 399 – ◆Bilbao/Bilbo 35 – Vitoria/Gasteiz 43.

   en la carretera N 634 N : 2 km – ⊠ 48220 Abadiano – ۞ 94 :

  🏠 **San Blas,** Laubideta 7 ℰ 681 42 00 – 🍽 rest 📺 ☎ 🅿 🄰🄴 ⓞ 🄴 *VISA* 🄹🄲🄱 ⅋ rest
    Com 900 – 😄 250 – **17 hab** 3900/5900 – PA 1750.

ACANTILADO DE LOS GIGANTES Santa Cruz de Tenerife – ver Canarias (Tenerife) : Puerto de Santiago.

ADEJE Santa Cruz de Tenerife – ver Canarias (Tenerife).

ADEMUZ 46140 Valencia 445 L 26 – 1 922 h. – ۞ 974.
◆Madrid 286 – Cuenca 120 – Teruel 44 – ◆Valencia 136.

  🔼 **Casa Domingo,** av. de Valencia 1 ℰ 78 20 30, Fax 78 20 56 – 🍽 rest 🚗. 🄰🄴 🄴 *VISA*. ⅋
    Com 1200 – 😄 300 – **30 hab** 2145/3390 – PA 2305.

La ADRADA 05430 Ávila 444 L 16 – 1 622 h. – ۞ 91.
◆Madrid 96 – Ávila 83 – El Escorial 66 – Talavera de la Reina 52.

  🏠 Mirador de Gredos, av. de Madrid ℰ 867 07 09 – 🍽 rest ☎ 🅿
    40 hab.

ADRALL 25797 Lérida 443 F 34 – ۞ 973.
◆Madrid 596 – ◆Lérida/Lleida 127 – Seo de Urgel/La Seu d'Urgell 6.

  ✗ **La Brasa,** carret. de Lleida 21 ℰ 38 70 57 – 🅿. 🄰🄴 🄴 *VISA*. ⅋
    abril, julio-septiembre, diciembre y fines de semana – Com *(cerrado lunes y noches de martes a viernes resto del año)* carta 2075 a 3175.

AGOITZ Navarra – ver Aoiz.

AGRAMUNT 25310 Lérida 443 G 33 – 4 562 h. alt. 337 – ۞ 973.
◆Madrid 520 – ◆Barcelona 123 – ◆Lérida/Lleida 51 – Seo de Urgel/La Seu d'Urgell 98.

  🏨 **Kipps,** carret. de Tarragona ℰ 39 08 25, Fax 39 05 73, ⛉ – 🛗 🍽 📺 ☎ 🅿 – 🛄 25/80.
    🄴 *VISA*
    Com 1850 – 😄 350 – **25 hab** 3370/4840.

  🏠 **Blanc i Negre 2,** carret. de Cervera SE : 1,2 km ℰ 39 12 13, Fax 39 12 13 – 🍽 rest ☎ 🅿.
    🄴 *VISA*
    Com 1300 – 😄 600 – **18 hab** 2500/6000 – PA 3000.

ÁGREDA 42100 Soria 442 G 24 – 3 637 h. – ۞ 976.
◆Madrid 276 – ◆Logroño 115 – ◆Pamplona/Iruñea 118 – Soria 50 – ◆Zaragoza 107.

  🏠 **Doña Juana y Rest. Juani,** av. de Soria 16 ℰ 64 72 17, Fax 64 76 69 – ☎ 🅿. 🄰🄴 *VISA*
    Com carta aprox. 2500 – 😄 650 – **47 hab** 2500/4145.

AGUADULCE 04720 Almería 446 V 22 – ۞ 950 – Playa.
◆Madrid 560 – Almería 10 – Motril 102.

  ✗✗ **El Velero,** Avenida Carlos III 207 ℰ 34 44 22, 🌤 – 🍽 🅿. 🄰🄴 ⓞ 🄴 *VISA*. ⅋
    cerrado miércoles – Com carta 2300 a 3250.

  ✗ **Casa El Valenciano 2,** paseo de los Robles ℰ 34 26 74, 🌤, Pescados y mariscos – *VISA*.
    ⅋
    cerrado martes en invierno y noviembre – Com carta 2100 a 4800.

  ✗ **Cortijo Alemán,** área Playasol ℰ 34 12 01, 🌤, Decoración rústica – 🍽. 🄰🄴 🄴 *VISA*
    cerrado lunes y noviembre – Com carta 2475 a 4070.

  ✗ **Casa El Valenciano,** paseo Marítimo 6 ℰ 34 04 56, ≤, 🌤, Pescados y mariscos – 🍽. *VISA*.
    ⅋
    junio-septiembre – Com carta 2100 a 4800.

AGÜERO 22808 Huesca 443 E 27 – 237 h. – ۞ 974.
Alred. : Los Mallos★ E : 11 km.
◆Madrid 432 – Huesca 42 – Jaca 59 – ◆Pamplona 132.

  🔼 **La Costera** ⛉, San Pedro ℰ 38 03 30, ≤, ⛉ – 🅿. 🄴 *VISA* 🄹🄲🄱. ⅋
    Com 1650 – 😄 650 – **12 hab** 5250 – PA 3350.

AGUILAR DE CAMPÓO 34800 Palencia 442 D 17 – 6 883 h. alt. 895 – 🕿 979.

🗗 pl. Mayor 32 ℘ 12 20 24.

◆Madrid 323 – Palencia 97 – ◆Santander 104.

🏨 **Valentín,** av. Generalísimo 21 ℘ 12 21 25, Fax 12 24 42 – |≹| 📺 🕿 ⟷ 🅿 – 🕍 25/140.
 🖽 ⓪ 🗲 𝘝𝘐𝘚𝘈. ⌘
 Com carta 2850 a 3600 – ⌑ 500 – **50 hab** 6500/8600.

✗ **Cortés** con hab, Puente 39 ℘ 12 30 55, 🛋 – 📺 🕿. 🗲 𝘝𝘐𝘚𝘈. ⌘
 Comida carta 2900 a 4750 – ⌑ 350 – **12 hab** 4000/5000.

ÁGUILAS 30880 Murcia 445 T 25 – 20 595 h. – 🕿 968 – Playa.

🗗 pl. Antonio Cortijos ℘ 41 33 03.

◆Madrid 494 – ◆Almería 132 – Cartagena 84 – Lorca 42 – ◆Murcia 104.

🏨 **Carlos III,** Rey Carlos III - 22 ℘ 41 16 50, Fax 41 16 58 – 📺 📺 ⟐. 🖽 ⓪ 🗲 𝘝𝘐𝘚𝘈. ⌘ rest
 Com 950 – ⌑ 500 – **32 hab** 6000/9000.

🏠 **El Paso,** carret. de Calabardina 13 ℘ 44 71 25 – |≹| 📺 📺 🕿 🅿
 24 hab.

🏠 **Madrid,** pl. Robles Vives 4 ℘ 41 05 00 – 📺 rest ⟐. 🖽 🗲 𝘝𝘐𝘚𝘈. ⌘
 Com 1000 – ⌑ 225 – **33 hab** 4235/5445 – PA 1900.

✗ Las Brisas, explanada del Muelle ℘ 41 00 27, ≼, 🛋, Pescados y mariscos – 📺 🅿.

 en Calabardina NE : 8,5 km – ⌖ 30880 Águilas – 🕿 968 :

🏠 **El Paraíso,** ℘ 41 94 44, 🛋 – 📺 rest ⟐. 𝘝𝘐𝘚𝘈. ⌘
 Com 900 – ⌑ 240 – **37 hab** 3500/5950 – PA 1950.

✗ **Ruano,** urb. La Kábyla ℘ 41 96 09, 🛋 – 𝘝𝘐𝘚𝘈. ⌘
 cerrado martes – Com carta 2000 a 3300.

AGUINAGA 20170 Guipúzcoa 442 C 23 – 🕿 943.

◆Madrid 489 – ◆Bilbao/Bilbo 93 – ◆Pamplona/Iruñea 92 – ◆San Sebastián/Donostia 12.

✗✗ Aguinaga, carret. de Zarauz N 634, ⌖ 20170 Usurbil, ℘ 36 27 37, 🛋 – 🅿
 Com (sólo almuerzo).

AIGUA BLAVA Gerona – ver Bagur.

AIGUADOLÇ (Puerto de) Barcelona – ver Sitges.

AINSA 22330 Huesca 443 E 30 – 1 209 h. alt. 589 – 🕿 974.

Ver : Plaza Mayor★.

🗗 av. de Pineta, ℘ 50 07 67, ⌖ 22330 (temp.).

◆Madrid 510 – Huesca 120 – ◆Lérida/Lleida 136 – ◆Pamplona/Iruñea 204.

🏨 **Dos Ríos** sin rest, con cafetería, av. Central 4 ℘ 50 09 61, Fax 50 01 06 – |≹| 📺 🕿. 🖽 🗲
 𝘝𝘐𝘚𝘈. ⌘
 ⌑ 350 – **18 hab** 5200/6900.

🏠 **Mesón de L'Ainsa,** Sobrarbe 12 ℘ 50 00 28, Fax 50 07 33 – |≹| 📺 🕿 🅿. 🗲 𝘝𝘐𝘚𝘈. ⌘ rest
 cerrado 10 diciembre-8 marzo – Com 1350 – ⌑ 475 – **40 hab** 3950/4950 – PA 2500.

🏠 **Dos Ríos** sin rest, av. Central 2 ℘ 50 00 43, Fax 50 01 06 – 🖽 🗲 𝘝𝘐𝘚𝘈. ⌘
 ⌑ 350 – **22 hab** 3300/4300.

✗ **Bodegas del Sobrarbe,** pl. Mayor 2 ℘ 50 02 37, « Antiguas bodegas decoradas en estilo
 medieval » – 🖽 🗲 𝘝𝘐𝘚𝘈 ᴶᶜᴮ. ⌘
 cerrado noviembre-Semana Santa – Com carta 2700 a 3400.

✗ **Bodegón de Mallacán,** pl. Mayor 6 ℘ 50 09 77, 🛋 – 📺. 🗲 𝘝𝘐𝘚𝘈
 cerrado domingo noche y lunes, (salvo julio-septiembre) y del 10 al 30 de enero – Com
 carta 2500 a 3600.

AJO 39170 Cantabria 442 B 19 – 🕿 942 – Playa.

◆Madrid 416 – ◆Bilbao/Bilbo 86 – ◆Santander 38.

✗ **La Casuca,** Benedicto Ruiz ℘ 62 10 54 – 🅿. ⌘
 cerrado miércoles (salvo de julio a septiembre) Navidades y enero – Comida carta
 aprox. 3000.

ALACANT – ver Alicante.

ALAGÓN 50630 Zaragoza 443 G 26 – 5 443 h. – 🕿 976.

◆Madrid 350 – ◆Pamplona/Iruñea 150 – ◆Zaragoza 23.

🏠 **Los Ángeles,** pl. de la Alhóndiga 4 ℘ 61 13 40, Fax 61 21 11 – 📺 rest 📺 🕿. 🗲 𝘝𝘐𝘚𝘈. ⌘
 Com 1200 – ⌑ 350 – **12 hab** 3500/6000 – PA 2500.

ALAMEDA DE LA SAGRA 45240 Toledo **444** L 18 – 2 611 h. – ✿ 925.
◆ Madrid 52 – Toledo 31.

🍴 **La Maruxiña**, carret. de Ocaña NO : 0,7 km 📞 50 04 92, Fax 50 02 11 – 🗏 **P**. **E** *VISA*. ⌘ hab
   Com 900 – ☲ 190 – **32 hab** 3250/6275.

ALAMEDA DEL VALLE 28749 Madrid **444** J 18 – 150 h. alt. 1 135 – ✿ 91.
◆ Madrid 83 – Segovia 59.

🏨 **La Posada de Alameda** ⟨ , Grande 34 📞 869 13 37, Fax 869 01 63 – 📺 ☎ **P** – 🔬 25/35.
   🖭 **E** *VISA*. ⌘
   Com carta aprox. 3350 – **22 hab** ☲ 7500/9200.

🍴 **Hostal del Marqués**, carret. de Navacerrada 📞 869 12 64 – ⌘
   cerrado lunes, jueves y 20 diciembre-enero – Comida (sólo almuerzo) carta aprox. 3500.

ALARCÓN 16213 Cuenca **444** N 23 – 271 h. alt. 845 – ✿ 969.
Ver : Emplazamiento★★.
◆ Madrid 189 – ◆Albacete 94 – Cuenca 85 – ◆Valencia 163.

🏨 **Parador Marqués de Villena** ⟨ , av. Amigos de los Castillos 3 📞 33 13 50, Fax 33 11 07.
   « Castillo medieval sobre un peñón rocoso dominando el río Júcar » – 🛗 📺 ☎ **P**. 🖭 **O**
   VISA. ⌘
   Com 3200 – ☲ 1100 – **13 hab** 14000 – PA 6375.

ALÁS 25718 Lérida **443** E 34 – 380 h. alt. 768 – ✿ 973.
◆ Madrid 603 – ◆Lérida/Lleida 146 – Seo de Urgel/La Seu d'Urgell 7.

🍴 **Alás**, Zulueta 10 📞 35 41 92 – *VISA*. ⌘
   cerrado lunes – Com carta 2250 a 3275.

ALAYOR Baleares – ver Baleares (Menorca).

ALBACETE 02000 **P** **444** O 24 P 24 – 117 126 h. alt. 686 – ✿ 967.
Ver : Museo (Muñecas romanas articuladas★) BY **M1**.
🚩 Virrey Morcillo 1, ✉ 02005, 📞 21 56 11 – R.A.C.E. Marqués de Villores 45, ✉ 02003, 📞 22 25 69,
Fax 22 26 83.
◆ Madrid 249 ⑥ – ◆Córdoba 358 ④ – ◆Granada 350 ④ – ◆Murcia 147 ③ – ◆Valencia 183 ②.

Plano página siguiente

🏨 **Los Llanos** sin rest, av. España 9, ✉ 02002, 📞 22 37 50, Fax 23 46 07 – 🛗 🗏 📺 ☎ ⟵
   – 🔬 25/100. 🖭 **O** **E** *VISA*. ⌘   BZ **a**
   ☲ 500 – **102 hab** 9500/12900.

🏨 **Europa**, San Antonio 39, ✉ 02001, 📞 24 15 12 –   BY **a**
   60 hab.

🏨 **Gran Hotel** sin rest, Marqués de Molins 1, ✉ 02001, 📞 21 37 87, Fax 24 00 63 – 🛗 🗏 📺
   ☎ – 🔬 25/60. 🖭 **O** **E** *VISA*. ⌘   BY **r**
   ☲ 450 – **69 hab** 7300/10200.

🏨 **Albar** sin rest con cafetería, Isaac Peral 3, ✉ 02001, 📞 21 68 61, Fax 21 43 79 – 🛗 📺 ☎.
   E *VISA*. ⌘   BY **e**
   ☲ 350 – **52 hab** 4600/6500.

🏨 **Altozano** sin rest y sin ☲, pl. Altozano 7, ✉ 02001, 📞 21 04 62, Fax 52 13 66 – 🛗 🗏 📺
   ☎. ⌘   ABY **b**
   40 hab 4500/7900.

🏨 **Castilla** sin rest, paseo de la Cuba 3, ✉ 02001, 📞 21 42 88, Fax 24 27 67 – 🛗 📺 ☎ ⟵
   🖭 **E** *VISA*. ⌘ ☲ 400 – **60 hab** 4500/8500.   BY **t**

🏨 **Florida,** Ibáñez Ibero 14, ✉ 02001, 📞 22 70 58, Fax 22 91 15 – 🛗 🗏 📺 ☎ ⟵. **E** *VISA*. ⌘
   Com 1250 – ☲ 350 – **53 hab** 3900/7900 – PA 2425.   AY **s**

🏨 **Albacete,** Carcelén 8, ✉ 02001, 📞 21 81 11, Fax 21 87 25 – 📺 ☎. 🖭 **O** **E** *VISA*. ⌘
   Com (cerrado sábado, domingo y 15 julio-1 septiembre) 1000 – ☲ 350 – **36 hab**
   3800/7500.   BY **n**

🍴🍴 **Nuestro Bar,** Alcalde Conangla 102, ✉ 02002, 📞 22 72 15, 🎪 , Cocina manchega – 🗏
   🖭 **O** **E** *VISA*. ⌘   BZ **t**
   cerrado domingo noche (salvo vísperas de festivos) y julio – Comida carta 1950 a 3300.

🍴🍴 **Álvarez,** Salamanca 12, ✉ 02001, 📞 21 82 69 – 🗏. 🖭 **E** *VISA*   BY **d**
   cerrado domingo y agosto – Com carta aprox. 4700.

🍴 **Las Rejas,** Dionisio Guardiola 9, ✉ 02002, 📞 22 72 42, Mesón típico – 🗏. 🖭 **E** *VISA*
   cerrado domingo y del 1 al 15 de agosto – Com carta 2650 a 4150.   AZ **v**

🍴 **Mesón El Museo,** Arcángel San Gabriel 5, ✉ 02002, 📞 22 52 08, Decoración regional –
   🗏. *VISA*. ⌘   AZ **e**
   cerrado lunes y agosto – Com carta 1750 a 2950.

🍴 **Casa Paco,** La Roda 26, ✉ 02005, 📞 50 06 18 – 🗏. 🖭 **O** *VISA*. ⌘   AY **c**
   cerrado domingo noche – Com carta aprox. 3580.

ALBACETE

al Sureste 5 km por ② o ③ – ⊠ 02000 Albacete – ☎ 967 :

🏨 **Parador La Mancha** ⬩, *℘* 22 94 50, Fax 22 60 92, ≼, « Conjunto de estilo regional », ⬩, ⬩ – 🗏 📺 ☎ 🅿 – 🔏 25/90. 🆎 ⓞ 🚾 ⬩
Com 3000 – ⬩ 1000 – **70 hab** 10500 – PA 5950.

ALBA DE TORMES 37800 Salamanca 🔟🔟 J 13 – 4 106 h. – ☎ 923.

Ver : Iglesia de San Juan (grupo escultórico★).

◆Madrid 191 – Ávila 85 – Plasencia 123 – ◆Salamanca 19.

🏨 **Alameda,** av. Juan Pablo II *℘* 30 00 31, Fax 37 02 81, ⬩ – 🗏 rest ☎ 🅿. ⓞ 🅴 🚾 ⬩
Com 800 – ⬩ 300 – **34 hab** 2500/4500 – PA 1900.

🍽 La Villa, carret. de Peñaranda 49 *℘* 30 09 85 – ▤.

ALBAIDA 46860 Valencia 🔟🔟 P 28 – 5 571 h. – ☎ 96.

◆Madrid 381 – ◆Albacete 132 – ◆Alicante/Alacant 80 – ◆Valencia 82.

🍽 **El Bessó,** av. El Romeral 6 *℘* 239 02 91 – ▤. 🆎 ⓞ 🅴 🚾 ⬩
cerrado domingo y del 7 al 31 de agosto – Com carta 2300 a 3900.

ALBARRACÍN 44100 Teruel 443 K 25 – 1 068 h. alt. 1 200 – ۞ 978.

Ver : Pueblo típico ★ Emplazamiento ★ Catedral (tapices★).

♦Madrid 268 – Cuenca 105 – Teruel 38 – ♦Zaragoza 191.

- 🏨 **Albarracín** ⌂, Azagra ℰ 71 00 11, Fax 71 00 11, ≼, ⅃ – 🅣🆅 🕿. 🅰🅴 ⓞ 🅴 𝗩𝗜𝗦𝗔. ⅋ res
  Com 3025 – ⊡ 740 – **38 hab** 7100/13225.

- 🏠 **Arabia** sin rest, Bernardo Zapater 2 ℰ 71 02 12, Fax 71 02 12, ≼ – 🅣🆅 🕿. 🅴 𝗩𝗜𝗦𝗔. ⅋
  ⊡ 390 – **11 hab** 5900/6700, 10 apartamentos.

- 🏠 **Santo Cristo** ⌂ sin rest, Camino Santo Cristo ℰ 70 03 01 – ℗. 🅴 𝗩𝗜𝗦𝗔
  cerrado 15 enero-15 febrero – ⊡ 350 – **12 hab** 3600/4600.

- ♙ **Mesón del Gallo,** Los Puentes 1 ℰ 71 00 32 – ⅋
  Com 1200 – ⊡ 300 – **17 hab** 3000/5000 – PA 2200.

- ♙ **Olimpia,** San Antonio 5 ℰ 71 00 83 – 🅴 𝗩𝗜𝗦𝗔. ⅋
  Com 1200 – ⊡ 350 – **15 hab** 2500/4000.

- ⅜ **El Portal,** Portal de Molina 14 ℰ 71 02 90, Decoración castellana – 🅴 𝗩𝗜𝗦𝗔. ⅋
  Com carta 1900 a 2600.

  en la carretera de Teruel NE : 1,5 km – ⊠ 44100 Albarracín – ۞ 978 :

- ♙ **Montes Universales,** ℰ 71 01 58 – 🅣🆅 🕿 ⇦ ℗ 𝗩𝗜𝗦𝗔. ⅋
  Com 1350 – ⊡ 350 – **24 hab** 3900/4900 – PA 2590.

La ALBERCA 37624 Salamanca 441 K 11 – 1 357 h. alt. 1 050 – ۞ 923.

Ver : Pueblo típico★★.

Alred. : S : Carretera de Las Batuecas★ – Peña de Francia★★ : ⁂★★ O : 15 km.

♦Madrid 299 – Béjar 54 – Ciudad Rodrigo 49 – ♦Salamanca 94.

- 🏨 **Las Batuecas** ⌂, carret. de las Batuecas ℰ 41 51 88, Fax 41 50 55 – ☞ ⇦ ℗. 🅴 𝗩𝗜𝗦𝗔
  ⅋ rest
  Com 1500 – ⊡ 450 – **24 hab** 4100/6800.

- 🏠 **París** ⌂, San Antonio ℰ 41 51 31, 🌣 – 🅣🆅 🕿 ℗
  Com 1500 – ⊡ 275 – **10 hab** 3800/4800 – PA 2650.

ALBERIQUE o ALBERIC 46260 Valencia 445 O 28 – 8 836 h. alt. 28 – ۞ 96.

♦Madrid 392 – ♦Albacete 145 – ♦Alicante/Alacant 126 – ♦Valencia 41.

  en la carretera N 340 S : 3 km – ⊠ 46260 Alberique – ۞ 96 :

- 🏠 **Balcón del Júcar,** ℰ 244 00 87, 🌣 – 🗏 ☞ ℗. 🅰🅴 🅴 𝗩𝗜𝗦𝗔. ⅋
  Com 2000 – ⊡ 375 – **18 hab** 2400/4100.

ALBIR (Playa de) Alicante – ver Alfaz del Pi.

ALBOLOTE 18220 Granada 446 U 19 – 7 517 h. alt. 654 – ۞ 958.

♦Madrid 415 – Antequera 91 – ♦Granada 8.

- 🏨 **Príncipe Felipe,** av. Jacobo Camarero ℰ 46 54 11, Fax 46 54 46, ⅃ – 🛗 🗏 🅣🆅 🕿 ⇦.
  🅰🅴 𝗩𝗜𝗦𝗔. ⅋
  Com (cerrado domingo y 2ª quincena de agosto) 1000 – ⊡ 425 – **57 hab** 4000/6000.

  en la carretera N 323 NE : 3 km – ⊠ 18220 Albolote – ۞ 958 :

- 🏠 **Villa Blanca,** urb. Villas Blancas ℰ 45 30 02, Fax 45 31 61, ≼, ⅃ – 🗏 🅣🆅 🕿 ℗. 🅰🅴 ⓞ
  🅴 𝗩𝗜𝗦𝗔. ⅋ rest
  Com (cerrado domingo) 1000 – ⊡ 500 – **36 hab** 4900/6900 – PA 2500.

La ALBUFERETA (Playa de) Alicante – ver Alicante.

ALCALÁ DE CHIVERT 12570 Castellón de la Plana 445 L 30 – 4 580 h. – ۞ 964 – Playa.

♦Madrid 471 – Castellón de la Plana 49 – Tarragona 134 – Tortosa 73 – ♦Valencia 123.

- ⅜ **Jacinto,** carret. N 340 ℰ 41 02 86, Fax 41 04 79 – 🗏 ℗. 𝗩𝗜𝗦𝗔. ⅋
  cerrado domingo noche – Com carta 2050 a 3800.

ALCALÁ DE GUADAIRA 41500 Sevilla 446 T 12 – 50 935 h. – ۞ 95.

♦Madrid 529 – ♦Cádiz 117 – ♦Córdoba 131 – ♦Málaga 193 – ♦Sevilla 14.

- 🏨 **Oromana** ⌂, av. de Portugal ℰ 568 64 00, Fax 568 64 00, ≼, 🌣, « Edificio de estilo andaluz rodeado de un pinar », ⅃ – 🗏 🅣🆅 ☞ ℗ – ⚿ 25/180. 🅰🅴 𝗩𝗜𝗦𝗔. ⅋
  Com 1900 – ⊡ 600 – **29 hab** 7300/9000 – PA 3400.

- 🏠 **Silos,** Silos ℰ 568 00 59, Fax 568 44 57 – 🗏 🅣🆅 🕿 ℗ – ⚿ 25/70. 🅰🅴 ⓞ 🅴 𝗩𝗜𝗦𝗔. ⅋
  Com (ver rest. **Nuevo Coliseo**) – ⊡ 400 – **39 hab** 5500/7000, 20 apartamentos.

- 🏠 **Guadaira,** Mairena 8 ℰ 568 14 00, Fax 568 14 00 – 🛗 🗏 🅣🆅 🕿. ⓞ 🅴 𝗩𝗜𝗦𝗔. ⅋
  Com 1300 – ⊡ 350 – **26 hab** 4000/6000 – PA 2950.

XX **Zambra,** av. Antonio Mairena 98 ℘ 561 07 13, Fax 561 28 29, 🍴, Pescados y mariscos
– 🍽. **E** 𝐕𝐈𝐒𝐀. ⌗
Com carta 3200 a 3400.

XX **Nuevo Coliseo,** Silos ℘ 568 55 28, Fax 568 44 57 – 🍽. 𝐀𝐄 ⓪ **E** 𝐕𝐈𝐒𝐀 𝐉𝐂𝐁. ⌗
cerrado domingo – Com carta aprox. 3900.

ALCALÁ DE HENARES 28800 Madrid 𝟰𝟰𝟰 K 19 – 142 862 h. alt. 588 – ✺ 91.

Ver : Antigua Universidad o Colegio de San Ildefonso (fachada plateresca★) – Capilla de San
Ildefonso (sepulcro★ del Cardenal Cisneros).

🏌 Club Valdeláguila SE : 8 km ℘ 885 96 59.

🛈 Callejón de Santa María 1, ℘ 889 26 94, ✉ 28801 – R.A.C.E. Nebrija 9, ℘ 882 91 29.

♦Madrid 31 – Guadalajara 25 – ♦Zaragoza 290.

🏨 Topeca 40, Cánovas del Castillo 4, ✉ 28807, ℘ 882 47 45, Fax 882 81 67 – 📶 🍽 📺 ☎
🚗
21 hab.

🏨 **El Bedel** sin rest. con cafetería, pl. San Diego 6, ✉ 28801, ℘ 889 37 00, Fax 889 37 16 –
📶 📺 ☎ – 🔬 25/90. 𝐀𝐄 ⓪ **E** 𝐕𝐈𝐒𝐀. ⌗
� 590 – **51 hab** 7980/10700.

🏠 **Bari,** vía Complutense 112, ✉ 28804, ℘ 888 14 50, Fax 883 38 36 – 📶 🍽 rest 📺 ☎ ❶.
⓪ **E** 𝐕𝐈𝐒𝐀. ⌗
Com 1550 – � 550 – **49 hab** 6300/8600 – PA 2920.

XXX **Hostería del Estudiante,** Colegios 3, ✉ 28801, ℘ 888 03 30, Fax 888 05 27, « Decoración
de estilo castellano - claustro del siglo XV » – 🍽. 𝐀𝐄 ⓪ 𝐕𝐈𝐒𝐀. ⌗
Com carta aprox. 3500.

XX Topeca-75, Mayor 5, ✉ 28801, ℘ 888 45 25 – 🍽.

ALCALÁ DE LA SELVA 44432 Teruel 𝟰𝟰𝟱 K 27 – 579 h. alt. 1 500 – ✺ 978.

♦Madrid 360 – Castellón de la Plana/Castelló de la Plana 111 – Teruel 59 – ♦Valencia 148.

en Virgen de la Vega SE : 2 km – ✉ 44431 Virgen de la Vega – ✺ 978 :

X **Mesón de la Nieve** 🔍 con hab, ℘ 80 10 83, Fax 80 10 83, ≤ – ❶. ⌗
cerrado septiembre – Com carta 1950 a 2250 – � 500 – **9 hab** 3500/6000.

ALCANAR 43530 Tarragona 𝟰𝟰𝟯 K 31 – 7 973 h. alt. 72 – ✺ 977 – Playa.

♦Madrid 507 – Castellón de la Plana/Castelló de la Plana 85 – Tarragona 101 – Tortosa 37.

en Cases d'Alcanar NE : 4,5 km – ✉ 43569 Cases d'Alcanar – ✺ 977 :

X **Racó del port,** Lepanto 41 ℘ 73 70 50, 🍴, Pescados y mariscos – **E** 𝐕𝐈𝐒𝐀. ⌗
cerrado lunes y del 5 al 30 de noviembre – Com carta 2685 a 4775.

ALCANTARILLA 30820 Murcia 𝟰𝟰𝟱 S 26 – 24 406 h. – ✺ 968.

♦Madrid 397 – ♦Granada 276 – ♦Murcia 7.

X Mesón de la Huerta, av. del Príncipe (carret. N 340) ℘ 80 23 90, Mesón típico – 🍽 ❶.

en la autovía N 340 SO : 5 km – ✉ 30835 Sangonera La Seca – ✺ 968 :

🏨 **La Paz,** ℘ 80 13 37, Fax 80 13 37, 🏊 – 📶 🍽 📺 ☎ 🚗 ❶ – 🔬 25/500. 𝐀𝐄 **E** 𝐕𝐈𝐒𝐀. ⌗
Com 1375 – ⊆ 725 – **111 hab** 5000/7300 – PA 3475.

ALCAÑIZ 44600 Teruel 𝟰𝟰𝟯 I 29 – 11 639 h. alt. 338 – ✺ 978.

Ver : Colegiata (portada★).

♦Madrid 397 – Teruel 156 – Tortosa 102 – ♦Zaragoza 103.

🏛 **Parador La Concordia** 🔍, castillo de Calatravos ℘ 83 04 00, Fax 83 03 66, ≤ valle y
colinas cercanas, « Edificio medieval-decoración castellana » – 📶 🍽 📺 ☎ ❶. 𝐀𝐄 ⓪ 𝐕𝐈𝐒𝐀.
⌗
Com 3200 – ⊆ 1100 – **12 hab** 12000 – PA 6375.

🏨 **Calpe,** carret. de Zaragoza O : 1 km ℘ 83 07 32, Fax 83 00 54 – 📶 🍽 ☎ 🚗 ❶ –
🔬 25/350. ⌗ rest
Com *(cerrado domingo noche)* 1300 – ⊆ 400 – **40 hab** 4000/8000 – PA 2600.

🏨 Meseguer, av. Maestrazgo 9 ℘ 83 10 02, Fax 83 01 41 – 🍽 📺 ☎
24 hab.

🏠 **Senante,** carret. de Zaragoza 13 ℘ 83 05 50, Fax 83 27 27 – 🍽 rest ☎ ❶ – 🔬 25/500.
𝐀𝐄 **E** 𝐕𝐈𝐒𝐀. ⌗
cerrado del 1 al 7 de enero – Com *(cerrado domingo noche)* 1000 – ⊆ 400 – **29 hab**
4500/6500.

ALCÁZAR DE SAN JUAN 13600 Ciudad Real 🔢🔢🔢 N 20 – 25 185 h. alt. 651 – ✪ 926.
◆Madrid 149 – ◆Albacete 147 – Aranjuez 102 – Ciudad Real 87 – Cuenca 156 – Toledo 99.

🏨 **Ercilla Don Quijote y Rest. Sancho**, av. de Criptana 5 ✆ 54 38 00, Fax 54 63 00 – |‡| ▤
▥ ☎ ⇔. ◭ ⓞ 🄴 𝘝𝘐𝘚𝘈. ⅗⅘ rest
Com *(cerrado domingo noche y festivos noche)* carta 3200 a 5300 – ☲ 375 – **44 hab**
5000/7500.

🗶🗶 **Casa Paco**, av. Álvarez Guerra 5 ✆ 54 10 15 – ▤. 𝘝𝘐𝘚𝘈. ⅗⅘
cerrado lunes – Com carta 2400 a 2800.

🗶 **La Mancha**, av. de la Constitución ✆ 54 10 47, ⛲, Cocina regional – ▤.

en la carretera de Herencia O : 2 km – ✉ 13600 Alcázar de San Juan – ✪ 926 :

🏨 **Bataria**, av. de Herencia ✆ 54 06 17, Fax 54 32 32 – ▤ ▥ ☎ ⓟ – 🄰 25/500. 🄴 𝘝𝘐𝘚𝘈.
Com 1500 – ☲ 300 – **37 hab** 3710/6360 – PA 2800.

Los ALCÁZARES 30710 Murcia 🔢🔢🔢 S 27 – ✪ 968 – Playa.
🄱 av. de la Libertad 68, ✆ 17 13 61 (ext. 16) Fax 57 52 49.
◆Madrid 444 – ◆Alicante/Alacant 85 – Cartagena 25 – ◆Murcia 54.

🏨 **Corzo**, av. Aviación Española 8 ✆ 57 51 25, Fax 17 14 51 – |‡| ▤ ▥ ☎ ⇔. 🄴 𝘝𝘐𝘚𝘈. ⅗⅘
cerrado 25 diciembre-6 enero – Com *(cerrado octubre-mayo)* 1500 – **44 hab**
☲ 7000/10000.

ALCIRA o **ALZIRA** 46600 Valencia 🔢🔢🔢 O 28 – 37 446 h. alt. 24 – ✪ 96.
◆Madrid 387 – ◆Albacete 153 – ◆Alicante/Alacant 127 – ◆Valencia 39.

🏨 **Reconquista**, Sueca 14 ✆ 240 30 61, Fax 240 25 36 – ▤ ▥ ☎ ⇔. 🄰 🄴 𝘝𝘐𝘚𝘈. ⅗⅘
Com 1500 – ☲ 600 – **78 hab** 6155/8585 – PA 3075.

ALCOBENDAS 28100 Madrid 🔢🔢🔢 K 19 – 79 014 h. alt. 670 – ✪ 91.
◆Madrid 16 – Ávila 124 – Guadalajara 60.

junto a la autovía N I SO : 3 km – ✉ 28100 Alcobendas – ✪ 91 :

🏨 **La Moraleja** sin rest, av. de Europa 17 - Parque Empresarial La Moraleja ✆ 661 80 55,
Fax 661 21 88, 🎣, ⅃, – |‡| ▤ ▥ ☎ ⇔ ⓟ. 🄰 ⓞ 🄴 𝘝𝘐𝘚𝘈. ⅗⅘
☲ 1350 – **37 suites** 25600.

ALCOCÉBER o **ALCOSSEBRE** 12579 Castellón de la Plana 🔢🔢🔢 L 30 – ✪ 964 – Playa.
◆Madrid 471 – Castellón de la Plana/Castelló de la Plana 49 – Tarragona 139.

en la playa – ✉ 12579 Alcocéber – ✪ 964 :

🏨 **Aparthotel Jeremías-Romana** 🅪, S : 1,5 km ✆ 41 44 11, Fax 41 24 44, ≤, ⛲, ⅘ – |‡|
☎ ⓟ. 🄰 ⓞ 🄴 𝘝𝘐𝘚𝘈. ⅗⅘
Com 1850 – ☲ 700 – **39 hab** 12000.

🏨 **Jeremías** 🅪, S : 1 km ✆ 41 44 37, Fax 41 24 44, ⛲, ⅘ – ▤ rest ☎ ⓟ. 🄰 ⓞ 🄴 𝘝𝘐𝘚𝘈.
⅗⅘
marzo-noviembre – Com 1500 – ☲ 700 – **38 hab** 2500/4500 – PA 3750.

🗶 **Can Roig**, S : 3 km ✆ 41 43 91, ⛲ – 🄰 ⓞ 🄴 𝘝𝘐𝘚𝘈. ⅗⅘
cerrado martes y enero-15 marzo – Com carta 2700 a 4900.

hacia la carretera N 340 NO : 2 km – ✉ 12579 Alcocéber – ✪ 964 :

🏨 **Hostal D'el Tossalet** sin rest, ✆ 41 44 69, ≤, ⅃, ⅘ – ⓟ. ⅗⅘
julio-15 septiembre – ☲ 240 – **16 hab** 4000/5000.

ALCORA o **L'ALCORA** 12110 Castellón de la Plana 🔢🔢🔢 L 29 – 8 020 h. alt. 279 – ✪ 964.
◆Madrid 407 - Castellón de la Plana/Castelló de la Plana 19 - Teruel 130 – ◆Valencia 94.

🗶 **Sant Francesc**, av. Castelló 19 ✆ 36 09 24 – ▤. 🄰 🄴 𝘝𝘐𝘚𝘈. ⅗⅘
cerrado sábado y domingo en julio-agosto – **Comida** (sólo almuerzo salvo sábado) carta
2400 a 3500.

ALCOSSEBRE Castellón de la Plana – ver Alcocéber.

ALCOY o **ALCOI** 03803 Alicante 🔢🔢🔢 P 28 – 65 908 h. alt. 545 – ✪ 96.
Alred. : Puerto de la Carrasqueta★ S : 15 km.
◆Madrid 405 – ◆Albacete 156 – ◆Alicante/Alacant 55 – ◆Murcia 136 – ◆Valencia 110.

🏨 **Reconquista y Rest. La Terraza**, puente de San Jorge 1 ✆ 533 09 00, Fax 533 09 55, ≤
– |‡| ▤ rest ▥ ☎ ⇔ – 🄰 25/260. 🄰 ⓞ 🄴 𝘝𝘐𝘚𝘈. ⅗⅘ rest
Com *(cerrado domingo)* carta 2150 a 3200 – ☲ 690 – **77 hab** 6550/9300.

🗶 **Lolo**, Castalla 5 ✆ 533 69 42 – ▤. 🄰 🄴 𝘝𝘐𝘚𝘈. ⅗⅘
cerrado domingo noche y lunes – Com carta 2600 a 3600.

ALCOZ o **ALKOTZ** 31797 Navarra 442 C y D 24 – alt. 588 – 😊 948.
♦Madrid 425 – ♦Bayonne 94 – ♦Pamplona/Iruñea 30.

✗ **Anayak** 🍴 con hab, San Esteban 𝒫 30 50 05 – 🄿
10 hab.

ALCUDIA DE CARLET o **L'ALCUDIA** 46250 Valencia 445 O 28 – 10 016 h. – 😊 96.
♦Madrid 362 – Albacete 153 – ♦Alicante/Alacant 134 – ♦Valencia 33.

✗✗ **Galbis,** av. Antonio Almela 15 𝒫 254 10 93, Fax 299 65 84 – 🍴. 🄰🄴 🄾 🄴 𝘝𝘐𝘚𝘈. 🦉
cerrado domingo y agosto – Com carta 2550 a 3400.

ALDEA o **L'ALDEA** 43896 Tarragona 443 J 31 – 3 557 h. alt. 5 – 😊 977.
♦Madrid 498 – Castellón de la Plana/Castelló de la Plana 118 – Tarragona 72 – Tortosa 13.

🏠 **Can Quimet,** av. Catalunya 328 𝒫 45 00 03, Fax 45 00 03 – 🍴 rest 🄿 ☎ 🚗. 🄰🄴 🄴 𝘝𝘐𝘚𝘈. 🦉
cerrado 24 diciembre-7 enero – Com 1500 – 🍴 450 – **25 hab** 3500/7000 – PA 2500.

ALDEANUEVA DE LA VERA 10440 Cáceres 444 L 12 – 2 558 h. – 😊 927.
♦Madrid 217 – Ávila 149 – ♦Cáceres 128 – Plasencia 49.

🏠 **Chiquete,** av. Extremadura 3 𝒫 56 08 62 – 🍴 rest. 🦉
Com 900 – 🍴 200 – **15 hab** 1500/3000 – PA 2000.

ALELLA 08328 Barcelona 443 H 36 – 3 386 h. – 😊 93.
♦Madrid 641 – ♦Barcelona 15 – Granollers 16.

✗✗ 😊 **El Niu,** rambla Angel Guimerá 16 (interior) 𝒫 555 17 00, Fax 555 17 00, 🦉 – 🍴. 🄰🄴 🄾
🄴 𝘝𝘐𝘚𝘈
cerrado domingo noche, lunes y del 16 al 31 de agosto – Com carta 3500 a 4700
Espec. Creps de centollo con salsa de cangrejo de río, Ensalada de pasta con salmón y caviar, Rodaballo sobre lecho de sanfaina.

ALFAJARÍN 50172 Zaragoza 443 H 27 – 1 283 h. alt. 199 – 😊 976.
♦Madrid 342 – ♦Lérida/Lleida 129 – ♦Zaragoza 23.

por la carretera N II y carretera particular E : 3 km – ✉ 50172 Alfajarín – 😊 976 :

🏨 **Casino de Zaragoza** 🍴 sin rest, 𝒫 10 00 04, Fax 10 00 87, ≼, 🏊, 🎾 – 🛗 🍴 📺 ☎ 🄿
– 🎦 25/200. 🄰🄴 🄴 𝘝𝘐𝘚𝘈
🍴 800 – **37 hab** 10400/13000.

ALFARO 26540 La Rioja 442 F 24 – 8 824 h. alt. 301 – 😊 941.
♦Madrid 319 – ♦Logroño 78 – ♦Pamplona/Iruñea 81 – Soria 93 – ♦Zaragoza 102.

🏨 **Palacios,** av. de Zaragoza 6 𝒫 18 01 00, Fax 18 36 22, Museo del vino de Rioja, 🏊, 🌳,
🎾 – 🛗 🍴 rest 📺 ☎ 🄿 – 🎦 25/250. 🄰🄴 🄾 🄴 𝘝𝘐𝘚𝘈. 🦉 rest
Com 1050 – 🍴 470 – **86 hab** 3825/5385.

ALFAZ DEL PÍ 03580 Alicante 445 Q 29 – 3 503 h. alt. 80 – 😊 96.
♦Madrid 468 – ♦Alicante/Alacant 50 – Benidorm 7.

🏠 **El Molí,** Calvari 12 𝒫 588 82 44, 🏊 – 🄴 𝘝𝘐𝘚𝘈
– Com 1600 – 🍴 525 – **10 hab** 3625/5875.

🏠 **Niza,** La Ferrería 15 𝒫 588 80 29
temp. – **24 hab.**

en la playa de Albir E : 4 km – ✉ 03580 Alfaz del Pi – 😊 96 :

🏠 **La Riviera,** camino al faro I 𝒫 686 53 86, Fax 686 66 53, ≼ mar, montaña y Altea, 🏊 –
📺. 🄴 𝘝𝘐𝘚𝘈
Com *(cerrado jueves y 11 enero-25 febrero)* 1050 – **11 hab** 🍴 5450/8500.

La ALGABA 41980 Sevilla 446 T 11 – 12 352 h. alt. 9 – 😊 95.
♦Madrid 560 – Huelva 61 – ♦Sevilla 11.

🏠 **Torre de los Guzmanes** sin rest, carret. C 431 N : 2 km 𝒫 578 91 75, Fax 578 92 05, 🏊
– 🍴 📺 ☎ 🚗 🄿 – 🎦 25/120. 🄰🄴 🄴 𝘝𝘐𝘚𝘈. 🦉 – 🍴 400 – **40 hab** 10000/15000.

ALGAIDA Baleares – ver Baleares (Mallorca).

El ALGAR 30366 Murcia 445 T 27 – 😊 968.
♦Madrid 457 – ♦Alicante/Alacant 95 – Cartagena 15 – ♦Murcia 64.

✗✗ 😊 **José María Los Churrascos,** av. Filipinas 13 𝒫 13 60 28, Fax 13 62 30 – 🍴 🄿. 🄰🄴 🄾
🄴 𝘝𝘐𝘚𝘈. 🦉
Com carta 3050 a 4400
Espec. Bacalao a lo D. Bibiano, Ensalada mediterránea, Leche asada con arrope.

Ver : ≤★★ (Peñón de Gibraltar).

🚢 ✆ 65 49 07 – ⛴ para Tánger y Ceuta : Cía Trasmediterránea, recinto del puerto
✆ 66 52 00, Telex 78002, Fax 66 52 16 – 🛈 Juan de la Cierva ✆ 57 26 36.

◆Madrid 681 ① – ◆Cádiz 124 ② – Jerez de la Frontera 141 ② – ◆Málaga 133 ① – Ronda 102 ①.

ALGECIRAS

🏨🏨🏨🏨 **Reina Cristina** ⚓, paseo de la Conferencia, ✉ 11207, ✆ 60 26 22, Telex 78057,
Fax 60 33 23, 🍽, « En un parque », ⚖, 🏊, 🌳, ⚲ – 🖃 🗏 📺 ☎ 🅿 – 🔬 25/100. 🖭
🕕 🗨 🅴 𝐕𝐈𝐒𝐀. ⚶ rest
AZ **k**
Com 3000 – 🖙 1500 – **160 hab** 9400/15800.

🏨🏨🏨 **Octavio** sin rest, San Bernardo 1, ✉ 11207, ✆ 65 27 00, Fax 65 28 02 – 🖃 🗏 📺 ☎ ⟷
🖭 🕕 🗨 🅴 𝐕𝐈𝐒𝐀. ⚶
BZ **h**
🖙 750 – **77 hab** 8000/12000.

🏨🏨🏨 **Al-Mar,** av. de la Marina 2, ✉ 11201, ✆ 65 46 61, Telex 78181, Fax 65 45 01, ≤ – 🖃 🗏
📺 ☎ ⟷. 🖭 🕕 🗨 🅴 𝐕𝐈𝐒𝐀. ⚶
BZ **v**
Com 1500 – **192 hab** 🖙 5200/9800 – PA 3000.

🏨🏨 **Alarde,** Alfonso XI-4, ✉ 11201, ✆ 66 04 08, Fax 65 49 01 – 🖃 🗏 📺 ☎ ⟷. 🖭 🕕 🗨 𝐕𝐈𝐒𝐀
⚶ rest
BY **e**
Com 1595 – 🖙 495 – **68 hab** 5750/8950 – PA 3685.

🏨 **Don Manuel** sin rest y sin 🖙, Segismundo Moret 4, ✉ 11201, ✆ 63 46 06, Fax 63 47 16
– 🖃 📺 ☎ 𝐕𝐈𝐒𝐀. ⚶
BZ **a**
15 hab 3500/6300.

🏠 **El Estrecho** sin rest y sin 🖙, av. Virgen del Carmen 15 - 7º, ✉ 11201, ✆ 65 35 11, ≤ –
🖃 🕾. 🖭. ⚶
BY **m**
20 hab 3000/4000.

XX **Iris,** San Bernardo 1, ✉ 11207, ✆ 65 58 06, Fax 65 28 02 – 🗐. 🎫 ⓪ 🗲 𝘝𝘐𝘚𝘈   BZ **e**
Com carta 1950 a 3575.

X **Pazo de Edelmiro,** pl. Miguel Martín 1, ✉ 11201, ✆ 66 63 55 – 🗐. 🗲 𝘝𝘐𝘚𝘈. ⅏   BZ **r**
Com carta 2350 a 3400.

en la carretera N 340 por ① – 🕋 956 :

▲▲ **Alborán** sin rest, 4 km, ✉ 11205 Algeciras, ✆ 63 28 70, Fax 63 23 20 – 🛗 🗐 📺 ☎ 🅿
– 🔬 25/550. 🎫 🗲 𝘝𝘐𝘚𝘈 ᴊᴄʙ. ⅏
🖙 500 – **79 hab** 7600/9500.

▲▲ Guadacorte sin rest, urb. Guadacorte 7,5 km, ✉ 11370 Los Barrios, ✆ 67 75 00, Telex 78279,
Fax 67 78 77, 🌊, 🐎 – 🛗 📺 ☎ 🅿 – 🔬 25/100 – **118 hab.**

en la playa de Palmones por ① : 8 km – ✉ 11379 Palmones – 🕋 956 :

▲ **La Posada del Terol** ⅍ sin rest, ✆ 67 75 50, Fax 67 71 42, ≤, 🌊 – 🛗 ☎. 🗲 𝘝𝘐𝘚𝘈
🖙 300 – **24 hab** 4355/7985.

ALGORTA 48990 Vizcaya 🄰🄰🄰 B 20 – 🕋 94 – Playa.

🏌 de Neguri NO : 2 km.

◆Madrid 414 – ◆Bilbao/Bilbo 15.

▲▲ **Los Tamarises,** playa de Ereaga ✆ 469 00 50, Fax 469 00 58, ≤, 🍽 – 🛗 🗐 rest 📺 ☎
– 🔬 40/150. 🎫 ⓪ 🗲 𝘝𝘐𝘚𝘈 ᴊᴄʙ. ⅏
Com 2500 – 🖙 800 – **42 hab** 11000/17000.

▲ Igeretxe Agustín, playa de Ereaga ✆ 460 70 00, Fax 460 85 99, ≤ – 🛗 🗐 📺 ☎ – 🔬 25/300
21 hab, 1 suite.

XXX **Cubita,** carret de la Galea 30 ✆ 460 16 00, Fax 460 21 12 – 🅿. 🎫 ⓪ 🗲 𝘝𝘐𝘚𝘈 ᴊᴄʙ. ⅏
cerrado miércoles y agosto – Com carta 3750 a 5250.

XX **La Náutica,** Puerto Viejo ✆ 469 50 28, ≤ – 🗐. 🎫 ⓪ 🗲 𝘝𝘐𝘚𝘈. ⅏
cerrado miércoles noche y del 1 al 15 de agosto – Com carta 3650 a 4750.

X La Ola, playa de Ereaga ✆ 469 60 77, ≤ – 🗐.

Ver también : *Neguri* S : 2 km.

ALHAMA DE ARAGÓN 50230 Zaragoza 🄰🄰🄰 I 24 – 1 472 h. alt. 634 – 🕋 976 – Balneario.

◆Madrid 206 – Soria 99 – Teruel 166 – ◆Zaragoza 115.

▲ Baln. Termas Pallarés, General Franco 20 ✆ 84 00 11, Fax 84 05 35, « Estanque de agua
termal en un gran parque », 🛦, 🌊 de agua termal, ⅏ – 🛗 ☎ 🅿 – *temp.* – **143 hab.**

Ver también : *Piedra (Monasterio de)* SE : 17 km.

ALHAMA DE GRANADA 18120 Granada 🄰🄰🄰 U 17 y 18 – 5 839 h. alt. 960 – 🕋 958 –
Balneario.

Ver : Emplazamiento★★.

◆Madrid 483 – ◆Córdoba 158 – ◆Granada 54 – ◆Málaga 82.

▲ **Balneario** ⅍, N : 3 km por carretera de Granada ✆ 35 00 11, Fax 35 02 97, En un parque,
🌊 de agua termal – 🛗 ☎ 🅿. 𝘝𝘐𝘚𝘈. ⅏
10 junio-10 octubre – Com 2550 – 🖙 550 – **116 hab** 4100/7700 – PA 4200.

ALICANTE o **ALACANT** 03000 🄿 🄰🄰🄰 Q 28 – 251 387 h. – 🕋 96 – Playa.

Ver : Explanada de España★ DEZ - Museo de Arte del S. XX "La Asegurada"★ EY **M.**

🛫 de Alicante por ② : 12 km ✆ 528 50 11 – Iberia : av. Federico Soto 9, ✉ 03001, ✆ 520 60 00
DYZ.

🚗 ✆ 522 50 47.

🚢 Cia : Trasmediterránea, explanada de España 2, ✉ 03002, ✆ 514 25 51, Fax 520 45 26.

🅱 explanada de España 2, ✉ 03002, ✆ 520 00 00, Fax 520 02 43 Portugal 17, ✉ 03003,
✆ 522 38 02 – R.A.C.E. Orense 3, ✉ 03003, ✆ 522 93 49, Fax 512 55 97.

◆Madrid 417 ③ – ◆Albacete 168 ③ – Cartagena 110 ② – ◆Murcia 81 ② – ◆Valencia (por la costa) 174 ①.

Plano página siguiente

▲▲ **Meliá Alicante,** playa de El Postiguet, ✉ 03001, ✆ 520 50 00, Telex 66131, Fax 514 02 96,
≤, 🌊 – 🛗 🗐 📺 ☎ 🅿 – 🔬 25/500. 🎫 𝘝𝘐𝘚𝘈. ⅏   EZ **r**
Com carta 3280 a 4300 – 🖙 1100 – **545 hab** 12700/15850.

▲ **Eurhotel,** Pintor Lorenzo Casanova 33, ✉ 03003, ✆ 513 04 40, Fax 592 83 23 – 🛗 🗐 📺
☎ – 🔬 25/300. 🎫 ⓪ 🗲 𝘝𝘐𝘚𝘈. ⅏   DZ **a**
Com *(cerrado domingo y agosto)* 2400 – 🖙 800 – **116 hab** 7800/9950 – PA 4480.

Covadonga sin rest, pl. de los Luceros 17, ⊠ 03004, ℰ 520 28 44, Fax 521 43 97 – 🛗 🗏 📺 ☎ 🚗. AE ⓘ VISA. ⋘
  ⟷ 460 – **83 hab** 4400/7200.   CY **d**

NH Cristal sin rest, López Torregrosa 9, ⊠ 03002, ℰ 514 36 59, Fax 520 66 96 – 🛗 🗏 📺 ☎ – ⚖ 35/40   DY **c**
53 hab.

Sol Alicante sin rest, Gravina 9, ⊠ 03002, ℰ 521 07 00, Fax 521 09 76 – 🛗 🗏 📺 ☎ 🚗 – ⚖ 25/150. AE ⓘ E VISA. ⋘   EY **r**
  ⟷ 750 – **66 hab** 6100/7700.

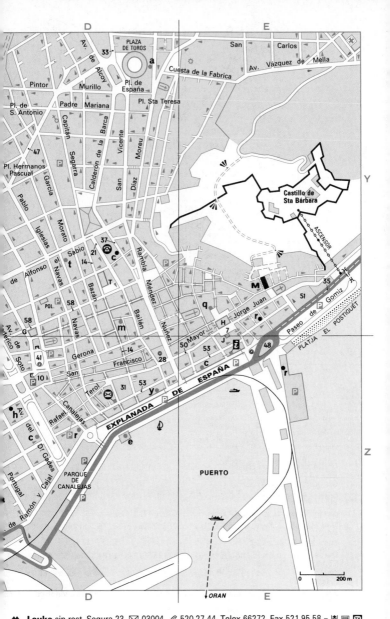

🏠 **Leuka** sin rest, Segura 23, ✉ 03004, ℘ 520 27 44, Telex 66272, Fax 521 95 58 – 🛗 🗐 📺
   🕿 ⇦ 🆎 ⓓ 🅴 𝑽𝑰𝑺𝑨 ⇔   CY **h**
   🍴 650 – **108 hab** 5485/8925.

🏠 **La Reforma** sin rest, Reyes Católicos 7, ✉ 03003, ℘ 592 81 47, Fax 592 39 50 – 🛗 🗐 📺
   🕿 ⇦ 🆎 ⓓ 🅴 𝑽𝑰𝑺𝑨   DZ **h**
   🍴 600 – **52 hab** 4535/8360.

🏠 **Goya** sin rest, Maestro Bretón 19, ✉ 03004, ℘ 514 16 59, Fax 520 01 30 – 🛗 📺 🕿 –
   🔼 25/200. 🆎 🅴 𝑽𝑰𝑺𝑨 ⇔   CY **b**
   🍴 360 – **84 hab** 5200/7000.

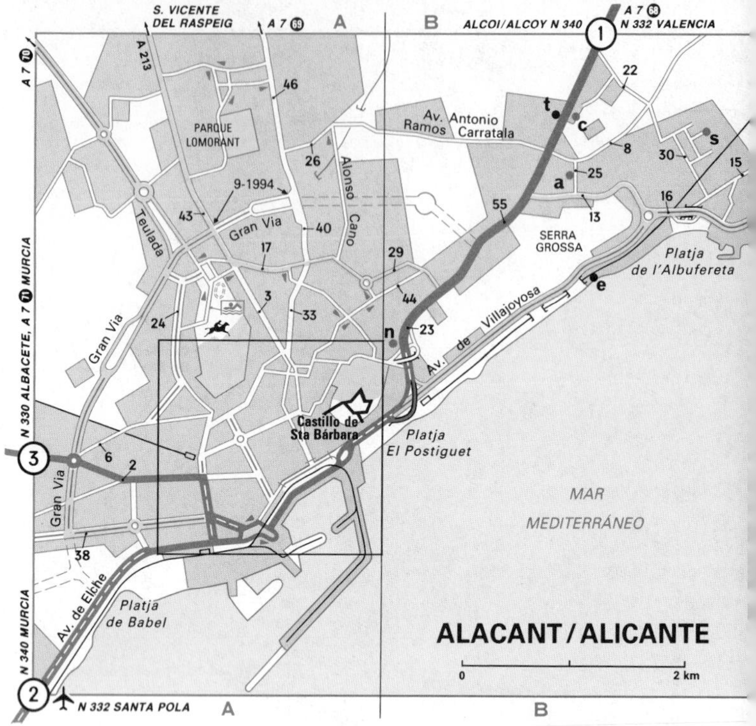

S. VICENTE DEL RASPEIG
A 7 69
A
B
ALCOI/ALCOY N 340
A 7 68
N 332 VALENCIA
1
A 7 70
A 213
46
22
PARQUE LOMORANT
Av. Antonio Ramos Carratala
26
Alonso Cano
9-1994
43
Gran Via
40
17
29
55
13
SERRA GROSSA
Platja de l'Albufereta
Teulada
3
33
44
23
24
Av. de Villajoyosa
Gran Via
N 330 ALBACETE, A 7 71 MURCIA
Castillo de Sta Bárbara
Platja El Postiguet
3
6
2
Gran Via
MAR MEDITERRÁNEO
38
Av. de Elche
Platja de Babel
N 340 MURCIA
ALACANT / ALICANTE
0
2 km
2
N 332 SANTA POLA
A
B

Aguilera (Av. de) . . . . A 2
Alcoy (Av. de) . . . . A 3
Auso y Monzo . . . . A 6
Caja de Ahorros (Av. de) . . . . B 8
Camarada Jaime Llopis . . . B 13
Colonia (Camino de la) . . . B 15
Condomina (Av. de la) . . . . B 16

Conde Lumiares (Av.) . . . . . A 17
Costa de España (Camino) . . . . B 22
Denia (Av. de) . . . . B 23
Doctor Rico (Av.) . . . . A 24
Duque de Rivas . . . . B 25
Ejercitos Españoles (Av.) . . A 26
Enrique Madrid . . . . B 29

Flora de España (Vial) . . . . B 30
Jijona (Av. de) . . . . A 33
Llorenç Carbonell . . . . A 38
Maestro Alonso . . . . A 40
Novelda (Av. de) . . . . A 43
Padre Esplá . . . . B 44
Pintor Gaston Castelló (Av.) . A 46
Vistahermosa (Av. de) . . . . . B 55

XXX **Delfín,** explanada de España 12, ✉ 03001, ☎ 521 49 11, Fax 521 99 07, ← – ▤. AE ⓓ E VISA. ✻ DZ y
Com carta 3250 a 4750.

XXX **Curricán,** Canalejas 1, ✉ 03001, ☎ 514 08 18, Fax 514 37 45 – ▤. AE ⓓ E VISA JCB. ✻ DZ r
cerrado domingo y agosto – Com carta 3575 a 4775.

XX **Nou Manolín,** Villegas 3, ✉ 03001, ☎ 520 03 68, Fax 521 70 07, Vinoteca – ▤. AE ⓓ E VISA. ✻ DY m
Com carta 3450 a 4200.

XX **Dársena,** paseo del Puerto, ✉ 03001, ☎ 520 75 89, Fax 520 84 31, ←, 🏠, Arroces – ▤. AE ⓓ E VISA JCB. ✻ DZ e
cerrado domingo noche y lunes noche (en verano domingo noche y lunes) – Com carta 3200 a 4650.

XX **Jumillano,** César Elguezábal 62, ✉ 03001, ☎ 521 29 64, Fax 514 28 81, Vinoteca – ▤. AE ⓓ E VISA DY t
cerrado domingo – Com carta 2850 a 4250.

XX **Quo Vadis,** pl. Santísima Faz 3, ✉ 03002, ☎ 521 66 60, 🏠 – ▤. AE ⓓ E VISA. ✻
Com carta 2445 a 3475. EY q

X Govana, Turina 2, ✉ 03013, ☎ 526 21 31 – ▤ B n

X **Valencia Once,** Valencia 11, ✉ 03012, ☎ 521 13 09 – ▤. AE ⓓ E VISA. ✻ DY a
cerrado domingo noche, lunes y 15 julio-15 agosto – Com carta 2800 a 3700.

X **China,** av. Dr. Gadea 11, ✉ 03003, ☎ 592 75 74, Rest. chino – ▤. AE ⓓ E VISA. ✻ DZ c
cerrado martes noche – Com carta 1365 a 1820.

🛇 **El Bocaíto,** Isabel la Católica 22, ⊠ 03007, 𝒫 592 26 30 – 🍽. 𝔸𝔼 ⓞ 𝖤 𝓥𝓘𝓢𝓐 ᴊᴄʙ CZ **d**
cerrado domingo y del 15 al 31 de agosto – Com carta 2600 a 3600.

🛇 **La Cava,** General Lacy 4, ⊠ 03003, 𝒫 522 96 46 – 🍽. 𝔸𝔼 𝖤 𝓥𝓘𝓢𝓐 CZ **e**
Com carta 2200 a 2800.

🛇 **La Goleta,** explanada de España 8, ⊠ 03002, 𝒫 521 43 92, 😋 – 🍽. 𝔸𝔼 ⓞ 𝖤 𝓥𝓘𝓢𝓐. ⩊ EZ **c**
Com carta 2950 a 4600.

en la carretera de Valencia – 🕲 96 :

🏨 **Europa,** av. de Denia 93 : 5 km, ⊠ 03015, 𝒫 516 09 11, Fax 526 03 99, 🏊 – 🛗 🍽 📺 ☎
⟵⟶ 𝐏 – 🛌 25/30. 𝔸𝔼 𝖤 𝓥𝓘𝓢𝓐. ⩊ rest B **t**
Com *(cerrado domingo)* 1600 – 🖙 800 – **141 hab** 7000/9000.

🛇🛇🛇 **Maestral,** Andalucía 18-Vistahermosa, cruce Albufereta : 3 km, ⊠ 03016, 𝒫 516 46 18,
😋, « Villa con terraza rodeada de jardín » – 🍽. 𝔸𝔼 𝖤 𝓥𝓘𝓢𝓐 ᴊᴄʙ. ⩊ B **a**
cerrado domingo noche y lunes – Com carta 3500 a 4650.

🛇🛇 **La Piel del Oso,** Vistahermosa : 3,5 km, ⊠ 03016, 𝒫 526 06 01, Fax 515 20 47 – 🍽 𝐏.
𝔸𝔼 ⓞ 𝖤 𝓥𝓘𝓢𝓐 ᴊᴄʙ B **c**
cerrado domingo noche y lunes – Com carta aprox. 3600.

en la playa de la Albufereta – ⊠ 03016 Alicante – 🕲 96 :

🏨 **Adoc** sin rest, con cafetería, 4 km 𝒫 526 59 00, Fax 516 59 50, ≼, 🏊, 🏊, 🎾 – 🛗 🍽 📺
☎. 𝔸𝔼 ⓞ 𝖤 𝓥𝓘𝓢𝓐 B **e**
🖙 475 – **92 hab** 5600/8600.

🛇🛇 **Auberge de France,** Flora de España 32-Finca Las Palmeras : 5 km 𝒫 526 06 02, 😋,
Cocina francesa, « En un pinar » – 🍽 𝐏. 𝔸𝔼 ⓞ 𝖤 𝓥𝓘𝓢𝓐 B **s**
cerrado martes – Com carta 2950 a 3700.

Ver también : *Playa de San Juan* por A 190 : 7 km
San Juan de Alicante por ① : 9 km.

ALJARAQUE 21110 Huelva 𝟜𝟜𝟞 U 8 – 5 390 h. – 🕲 959.
♦Madrid 652 – ♦Faro 77 – ♦Huelva 10.

🛇🛇 **Las Candelas,** SE : 0,5 km 𝒫 31 83 01 – 🍽 𝐏.

ALKOTZ Navarra – ver Alcoz.

ALMACERA o **ALMÀSSERA** 46132 Valencia 𝟜𝟜𝟝 N 28 – 🕲 96.
♦ Madrid 343 – ♦ Valencia 8.

Ver plano de aglomeración de Valencia

al Sureste : 2 km – 🕲 96 :

🛇🛇 **Lluna de Valencia,** Camí del Mar 56 𝒫 185 10 86, Antigua alquería – 🍽 𝐏. 𝔸𝔼 ⓞ 𝖤 𝓥𝓘𝓢𝓐.
⩊ CU **m**
cerrado sábado mediodía y domingo – Com carta aprox. 3500.

La ALMADRABA (Playa de) Gerona – ver Rosas.

L'ALMADRAVA (playa de) Tarragona – ver Hospitalet del Infante.

ALMADRONES 19414 Guadalajara 𝟜𝟜𝟜 J 21 – 123 h. alt. 1 054 – 🕲 949.
♦Madrid 100 – Guadalajara 44 – Soria 127.

en la carretera N II E : 1 km – ⊠ 19414 Almadrones – 🕲 949 :

🏠 **Venta de Almadrones - km 103,** 𝒫 28 55 11 – 🍽 📺 ⟵⟶ 𝐏. 𝔸𝔼 ⓞ 𝓥𝓘𝓢𝓐 ᴊᴄʙ. ⩊
Com 1950 – 🖙 565 – **40 hab** 2830/5377 – PA 3225.

🛇🛇 **103 - II,** 𝒫 28 55 95 – 🍽 𝐏. 𝔸𝔼 ⓞ 𝓥𝓘𝓢𝓐. ⩊
cerrado sábado – Com carta 2425 a 5400.

ALMAGRO 13270 Ciudad Real 𝟜𝟜𝟜 P 18 – 8 364 h. alt. 643 – 🕲 926.
Ver : Plaza Mayor⋆⋆ (Corral de Comedias⋆).
🄳 Carnicerías 5 𝒫 86 07 17.
♦Madrid 189 – ♦Albacete 204 – Ciudad Real 23 – ♦Córdoba 230 – Jaén 165.

🏨 **Parador de Almagro** ⧆, ronda de San Francisco 31 𝒫 86 01 00, Fax 86 01 50, Instalado en
el convento de Santa Catalina - siglo XVI, 🏊 – 🍽 📺 ☎ 𝐏 – 🛌 25/100. 𝔸𝔼 ⓞ 𝓥𝓘𝓢𝓐. ⩊
Com 3200 – 🖙 1100 – **55 hab** 12000 – PA 6375.

🏨 **Almagro,** carret. de Bolaños 𝒫 86 00 11, Fax 86 06 18, 🏊 – 🍽 📺 ☎ 𝐏 – 🛌 25/150.
𝔸𝔼 ⓞ 𝖤 𝓥𝓘𝓢𝓐. ⩊
Com 1900 – 🖙 750 – **50 hab** 6600/8250 – PA 3865.

🏨 **Don Diego y Rest. Sancho,** Bolaños 1 ℘ 86 12 87, Fax 86 05 74 – 🛗 🗐 📺 ☎ 🚗. **E**
VISA. 🛠
Com *(cerrado viernes)* carta 2650 a 3850 – ⊑ 250 – **31 hab** 4000/6500.

🕽 **Mesón El Corregidor,** pl. Fray Fernando Fernández de Córdoba 2 ℘ 86 06 48,
Fax 88 27 69, ♨, « Antigua posada » – 🗐, **AE** ① **E** **VISA** **JCB**. 🛠
cerrado lunes y del 26 al 31 de julio – Com carta 2650 a 3500.

ALMANDOZ 31976 Navarra 🔢🔢 C 25 – 🕙 948.
◆Madrid 437 – ◆Bayonne 76 – ◆Pamplona/Iruña 42.

🕽 **Beola,** Mayor ℘ 58 50 02, Fax 58 50 02, ♨, Decoración rústica – ❷. **VISA**. 🛠
cerrado lunes y diciembre-febrero – Com (sólo almuerzo salvo sábado) carta 2575 a 3700.

ALMANSA 02640 Albacete 🔢🔢🔢 P 26 – 20 377 h. alt. 685 – 🕙 967.
◆Madrid 325 – ◆Albacete 76 – ◆Alicante/Alacant 96 – ◆Murcia 131 – ◆Valencia 111.

🏨 **Los Rosales,** carret. circunvalación ℘ 34 07 50, Fax 31 18 82 – 🗐 rest ☎ ❷. **AE** **E** **VISA**.
🛠
Com 1500 – ⊑ 220 – **33 hab** 3710/5580.

🕽🕽 **Mesón de Pincelín,** Las Norias 10 ℘ 34 00 07, « Decoración regional » – 🗐. **AE** ① **E**
VISA. 🛠
cerrado domingo noche, lunes, Semana Santa y 19 julio-9 agosto – Comida carta 3150
a 3800.

ALMÁSSERA Valencia – ver Almacera.

ALMAZÁN 42200 Soria 🔢🔢 H 22 – 5 657 h. alt. 950 – 🕙 975.
◆Madrid 191 – Aranda de Duero 107 – Soria 35 – ◆Zaragoza 179.

🏨 **Antonio** sin ⊑, av. de Soria 13 ℘ 30 07 11 – ☎ ❷. **AE** ① **E** **VISA**. 🛠
cerrado 24 diciembre-20 enero – Com (cerrado domingo noche y festivos noche) 2000
– **28 hab** 2000/4000.

ALMAZCARA 24170 León 🔢🔢 E 10 – 🕙 987.
◆ Madrid 378 – ◆León 99 – Ponferrada 10.

🏨 **Los Rosales,** carret. N VI ℘ 46 71 67, Fax 46 72 00 – 🛗 🗐 rest ☎ ❷. **AE** ① **E** **VISA**. 🛠
Com 900 – ⊑ 320 – **40 hab** 3200/4200 – PA 1980.

ALMENDRALEJO 06200 Badajoz 🔢🔢🔢 P 10 – 23 628 h. alt. 336 – 🕙 924.
◆Madrid 368 – ◆Badajoz 56 – Mérida 25 – ◆Sevilla 172.

🏨 **Vetonia,** carret. N 630, NE : 2 km ℘ 67 11 51, Fax 67 11 51 – 🛗 🗐 📺 ☎ 🚗 ❷ –
🅰 25/500. **AE** ① **E** **VISA** **JCB**. 🛠 rest
Com 1300 – ⊑ 400 – **30 hab** 5680/7100 – PA 2550.

🏨 **Espronceda,** carret. N 630, SE : 1 km ℘ 67 04 74, Fax 67 04 75, 🌊 – 🗐 📺 ☎ 🚗 ❷
– 🅰 25/600. **E** **VISA**. 🛠
Com 1400 – ⊑ 300 – **37 hab** 4000/8000 – PA 2635.

🏨 **España,** av. San Antonio 69 ℘ 67 01 20, Fax 67 01 20 – 🛗 🗐 📺 ☎. **VISA**. 🛠
cerrado 20 diciembre-3 enero – Com (ver rest. **Zara**) – ⊑ 250 – **26 hab** 3500/5000.

🕽🕽 **El Paraíso,** carret. N 630, SE : 2 km ℘ 66 10 01, Fax 67 02 55, ♨ – 🗐 ❷. **AE** ① **E** **VISA**.
🛠
Comida carta 2200 a 3450.

🕽 **El Danubio,** carret. N 630 ℘ 66 10 84 – 🗐 ❷. **AE** ① **E** **VISA**. 🛠
cerrado miércoles – Com carta 1450 a 2600.

🕽 **Zara,** carret N 630 ℘ 66 10 78 – 🗐. **VISA**. 🛠
cerrado sábado y 20 diciembre-3 enero – Com carta aprox. 3100.

ALMERÍA 04000 🄿 🔢🔢🔢 V 22 – 140 946 h. – 🕙 950 – Playa.
Ver : Alcazaba★ (jardines★) Y – Catedral★ Z B.
Alred. : Cabo de Gata★ E : 29 km por ② – Ruta★ de Benahadux a Tabernas NO : 55 km por ①.
🗗 Playa Serena, Roquetas de Mar por ③ : 25 km ℘ 32 20 55 – 🗗 Almerimar, El Ejido por ③ :
35 km ℘ 48 09 50.
✈ de Almería por ② : 8 km ℘ 22 19 54 – Iberia : paseo de Almería 44, ✉ 04001, ℘ 23 00 34
Z.
🚆 ℘ 25 05 88.
⚓ para Melilla : Cía. Trasmediterránea, parque Nicolás Salmerón 19, ✉ 04002, ℘ 23 61 55,
Telex 78811, Fax 26 37 14.
🄱 Hermanos Machado 4 - edificio Múltiple ℘ 23 08 58 – **R.A.C.E.** Santiago 64, ✉ 04006, ℘ 22 68 37,
Fax 22 40 65.
◆Madrid 550 ① – Cartagena 240 ① – ◆Granada 171 ① – Jaén 232 ① – Lorca 157 ① – Motril 112 ③.

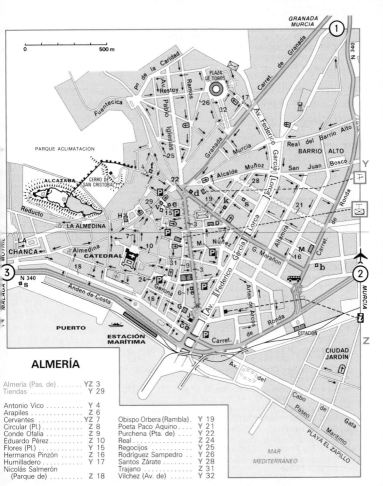

ALMERÍA

🏨 **Torreluz IV** sin rest, pl. Flores 5, ⌧ 04001, ℰ 23 47 99, Telex 75347, Fax 23 47 99, « Terraza con ⛲ » – 🛗 🖩 📺 🕿 ⟷ – 🔬 25/170. 🆎 ⓞ 𝘝𝘐𝘚𝘈. ⅏   Y **e**
    ⌨ 950 – **105 hab** 9590/16220.

🏨 **G. H. Almería** sin rest, av. Reina Regente 8, ⌧ 04001, ℰ 23 80 11, Telex 75343, Fax 27 06 91, ≤, ⛲ – 🛗 🖩 📺 🕿 ⟷ – 🔬 25/300. 🆎 ⓞ 🇪 𝘝𝘐𝘚𝘈. ⅏   Z **c**
    ⌨ 950 – **117 hab** 9900/16800.

🏨 **Torreluz III** sin rest, pl. Flores 6, ⌧ 04001, ℰ 23 47 99, Telex 75347, Fax 23 47 99 – 🛗 🖩 📺 🕿 ⟷. 🆎 ⓞ 𝘝𝘐𝘚𝘈. ⅏ – ⌨ 660 – **73 hab** 6815/9050.   Y **v**

🏨 **Costasol** sin rest, con cafetería, paseo de Almería 58, ⌧ 04001, ℰ 23 40 11, Fax 23 40 11 – 🛗 🖩 📺 🕿. 🆎 ⓞ 🇪 𝘝𝘐𝘚𝘈. ⅏ – ⌨ 625 – **55 hab** 6900/9250.   Z **e**

🏨 **Indálico** sin rest, con cafetería, Dolores Sopeña 4, ⌧ 04004, ℰ 23 11 11, Fax 23 10 28 – 🛗 🖩 📺 🕿 ⟷. 🆎 🇪 𝘝𝘐𝘚𝘈. ⌨ 425 – **52 hab** 5900/8200.   Y **s**

🏨 **Torreluz II,** pl. Flores 1, ⌧ 04001, ℰ 23 47 99, Telex 75347, Fax 23 47 99 – 🛗 🖩 🕿 ⟷. 🆎 ⓞ 𝘝𝘐𝘚𝘈. ⅏   Y **v**
    Com 1295 – ⌨ 525 – **24 hab** 4720/7240.

🏨 **Embajador,** Calzada de Castro 4, ⌧ 04006, ℰ 25 55 11, Fax 25 93 64 – 🛗 🖩 🕿. 𝘝𝘐𝘚𝘈. ⅏ rest   Z **b**
    Com 950 – ⌨ 250 – **67 hab** 3800/5900 – PA 1825.

🏨 **Nixar** sin rest, Antonio Vico 24, ⌧ 04003, ℰ 23 72 55, Fax 23 72 55 – 🕿. 🇪 𝘝𝘐𝘚𝘈. ⅏   Y **f**
    ⌨ 275 – **40 hab** 2675/4500.

XX **Ánfora,** González Garbín 25, ✉ 04001, ☎ 23 13 74, – ▤. AE ⓓ E VISA. ✈ Y k
cerrado domingo y 15 julio-15 agosto – Com carta 2625 a 2875.

X **Club de Mar,** Muelle 1, ✉ 04002, ☎ 23 50 48, ≤, ⛱ – AE ⓓ E VISA. ✈ Z s
cerrado lunes – Com carta 2500 a 4500.

X **Imperial,** Puerta de Purchena 13, ✉ 04001, ☎ 23 17 40, ⛱ – ▤ Y d
cerrado miércoles – Com carta 1850 a 3850.

en la carretera de Málaga por ③ : 2,5 km – ✉ 04002 Almería – ☎ 950 :

Solymar, ☎ 23 46 22, Fax 27 70 10, ≤ – |♦| ▤ TV ☎ P – **15 hab.**

ALMERIMAR Almería – ver El Ejido.

ALMONTE **21730** Huelva 446 U 10 – 16 277 h. alt. 75 – ☎ 959.
◆ Madrid 593 – ◆ Huelva 53 – ◆ Sevilla 63.

El Tamborilero, carret del Rocío 226 ☎ 45 01 02, Fax 45 00 36 – ▤ TV ☎ 🚗
Com (sólo cena) – **22 hab.**

La ALMUNIA DE DOÑA GODINA **50100** Zaragoza 443 H 25 – 5 100 h. alt. 366 – ☎ 976.
◆Madrid 270 – ◆Tudela 87 – ◆Zaragoza 52.

El Patio, av. del Generalísimo 6 ☎ 60 05 63, Fax 60 10 54 – |♦| ▤ TV ☎ P. AE ⓓ E VISA.
✈
Com *(cerrado domingo noche)* 1400 – ☕ 400 – **24 hab** 4000/6000 – PA 2800.

ALMUÑÉCAR **18690** Granada 446 V 18 – 16 141 h. alt. 24 – ☎ 958 – Playa.
ℹ av. Europa-Palacete La Najarra, ☎ 63 11 25, Fax 63 50 07.
◆Madrid 516 – ◆Almería 136 – ◆Granada 87 – ◆Málaga 85.

Helios, paseo de las Flores ☎ 63 44 59, Fax 63 44 69, ≤, ⛱, 🏊 – |♦| ▤ ☎ ♿ P – 🏛 25/200. E VISA. ✈
Com 1590 – ☕ 500 – **232 hab** 7500/10000 – PA 2800.

La Najarra, Guadix 12 ☎ 63 08 73, Fax 63 03 91, ⛱, 🏊, 🎾 – ▤ rest ☎
30 hab.

Goya, av. de Europa 31 ☎ 63 05 50, Fax 63 11 92 – ☎ 🚗. E VISA. ✈
Com 1200 – ☕ 240 – **24 hab** 2800/5500 – PA 2640.

Playa de San Cristóbal sin rest, pl. San Cristóbal 5 ☎ 63 36 12, Fax 63 36 12 – E VISA
15 marzo-15 octubre – ☕ 250 – **22 hab** 3200/5200.

Carmen sin rest, av. de Europa 19 ☎ 63 14 13 – ☎. AE E VISA
☕ 300 – **24 hab** 3000/4710.

Casablanca, pl. San Cristóbal 4 ☎ 63 55 75, ⛱ – |♦| ☎ 🚗. ⓓ E VISA. ✈
Com *(cerrado miércoles)* 850 – ☕ 250 – **15 hab** 5000/8000 – PA 1825.

San Sebastián sin rest, Ingenio Real 18 ☎ 63 04 66 – **20 hab.**

El Puente sin rest, av. de la Costa del Sol 14 ☎ 63 01 23 – ✈
☕ 250 – **24 hab** 2100/3200.

Tropical sin rest, av. de Europa 39 ☎ 63 34 58 – 🚗
temp. – **11 hab.**

X **Chinasol Playa,** playa San Cristóbal ☎ 63 22 61, Fax 63 44 51, ⛱ – ▤. AE ⓓ E VISA. ✈
Com carta 1675 a 2675.

X **Los Geranios,** pl. de la Rosa 4 ☎ 63 07 24, ⛱, Decoración típica regional – AE ⓓ E VISA
cerrado domingo y noviembre – Com carta 2150 a 3050.

X **La Última Ola,** Manila 17 ☎ 63 00 18, ⛱ – AE ⓓ E VISA
cerrado lunes de octubre a diciembre – Com carta aprox. 2800.

en la playa de Velilla E : 2,5 km – ✉ 18690 Velilla – ☎ 958 :

Velilla sin rest, edificio Inti-Yan IV ☎ 63 07 58, Fax 63 07 54 – |♦|. AE ⓓ VISA
abril-septiembre – ☕ 200 – **28 hab** 3800/5000.

en la playa de Cotobro O : 2,5 km – ✉ 18690 Almuñécar – ☎ 958 :

X **Cotobro,** bajada del Mar 1 ☎ 63 18 02, ≤ – E VISA
cerrado lunes y del 15 al 30 de noviembre – Com carta 2350 a 3600.

ALMUSAFES o **ALMUSSAFES** **46440** Valencia 445 O 28 – 5 090 h. alt. 30 – ☎ 96.
◆Madrid 402 – ◆Albacete 172 – ◆Alicante/Alacant 146 – ◆Valencia 18.

Reig, Llavradors 13 ☎ 178 06 92 – ▤ rest. ✈
Com *(cerrado domingo)* 1200 – ☕ 450 – **33 hab** 5000/7000.

XX **Casa Paco,** Ausías March 20 ☎ 178 32 40, Pescados y mariscos – ▤. AE ⓓ E VISA JCB.
✈
cerrado domingo y agosto – Com carta 2250 a 4600.

ALOVERA 19208 Guadalajara 444 K 20 – 1 372 h. alt. 644 – 🐱 949.
Madrid 52 – Guadalajara 13 – ◆Segovia 139 – Toledo 122.

en la carretera N II SE : 4,5 km – ⊠ 19208 Alovera – 🐱 949 :

🏠 **Lux** sin rest, 𝒸 27 01 61, Fax 27 04 12 – ▤ 📺 🕾 🅿. 🝙 ⑩ 🄴 𝘝𝘐𝘚𝘈
� 450 – **48 hab** 4800/6000.

ALP 17538 Gerona 443 E 35 – 1 369 h. alt. 1 158 – 🐱 972 – Deportes de invierno en Masella
🎿 : 7 km - ⅋10.
Madrid 644 - ◆Lérida/Lleida 175 – Puigcerdá 8.

✗ Les Lloses, av. Sports 𝒸 89 00 96, 😤 - ▤ 🅿.

ALSÁSUA o **ALTSASU** 31800 Navarra 442 D 23 – 7 250 h. alt. 532 – 🐱 948.
lred. : S : carretera★★ del puerto de Urbasa – E : carretera★ del Puerto de Lizárraga (mirador★).
Madrid 402 - ◆Pamplona/Iruñea 50 – ◆San Sebastián/Donostia 71 – ◆Vitoria/Gasteiz 46.

ALTEA 03590 Alicante 445 Q 29 – 11 108 h. – 🐱 96 – Playa.
🏌 Club Don Cayo N : 4 km 𝒸 584 80 46.
🛈 paseo Marítimo 𝒸 584 23 01.
Madrid 475 - ◆Alicante/Alacant 57 – Benidorm 11 – Gandía 60.

🏠 **Altaya** sin rest, La Mar 115 (zona del puerto) 𝒸 584 08 00 – 🕾 🅿. 🄴 𝘝𝘐𝘚𝘈. ⅏
cerrado 24 diciembre-febrero - ⊆ 300 – **24 hab** 3300/4700.
✗✗ Club Náutico, av. del Puerto-edificio Club Náutico 𝒸 584 34 76, ≤ - 🅿.
✗ **El Negro,** Santa Bárbara 4 (casco antiguo) 𝒸 584 18 26, ≤ bahía, 😤, En una cueva – 🄴 𝘝𝘐𝘚𝘈
cerrado lunes - Com (sólo cena) carta 3050 a 3400.

por la carretera de Valencia NE : 2,5 km y desvío a la izquierda : 1 km – ⊠ 03590 Altea
– 🐱 96 :

✗✗✗ 🌣 **Monte Molar,** 𝒸 584 15 81, Fax 584 15 81, 😤, « Elegante villa con terraza y ≤ mar »
– 🅿. 🝙 ⑩ 🄴 𝘝𝘐𝘚𝘈
cerrado miércoles en invierno y 15 enero-15 marzo - Com carta 4800 a 6600
Espec. Foie-gras caramelizado al Oporto con manzana, Rodaballo "Biron" con salsa de vino tinto,
Magret de pato barberie con pimienta rosa.

ALTO CAMPÓO Cantabria – ver Reinosa.

ALTO DE BUENAVISTA Asturias – ver Oviedo.

ALTO DE MEAGAS Guipúzcoa – ver Zarauz.

ALTRÓN Lérida – ver Llessuy.

ALTSASU Navarra – ver Alsasua.

ALZIRA Valencia – ver Alcira.

ALLES Asturias – ver Panes.

AMANDI 33311 Asturias 441 B 13 – 🐱 98.
Ver : Iglesia de San Juan (ábside★, decoración★ de la cabecera).
Madrid 495 - Gijón 31 – ◆ Oviedo 42.

🏠 **La Casona de Amandi** ⅏ sin rest, 𝒸 589 01 30, Fax 589 01 29, « Antigua casa
solariega », � - 📺 🕾 🅿. 🄴 𝘝𝘐𝘚𝘈. ⅏
cerrado enero - ⊆ 750 – **9 hab** 13900.

AMASA Guipúzcoa – ver Villabona.

AMENEIRO 15866 La Coruña 441 D 4 – 🐱 981.
Madrid 611 - ◆ La Coruña/A Coruña 71 – Pontevedra 50 – Santiago de Compostela 9.

✗ Cierto Blanco, carret N 550 𝒸 54 83 83 – 🅿.

La AMETLLA DEL VALLÈS o **L'AMETLLA DEL VALLÈS** 08480 Barcelona 443 G 36 –
939 h. alt. 312 – 🐱 93.
Madrid 648 - ◆Barcelona 35 – Gerona/Girona 83.

✗ **La Masía,** passeig Torregassa 77 𝒸 843 00 02, Fax 843 00 02 – ▤ 🅿. 🝙 ⑩ 🄴 𝘝𝘐𝘚𝘈
cerrado martes, y del 10 al 24 agosto - Com carta 3100 a 5400.

4

AMETLLA DE MAR o **L'AMETLLA DE MAR** 43860 Tarragona 443 J 32 – 3 750 h. alt. 2
– 🟢 977 – Playa.
🅱 Amistad ℰ 45 63 29, Fax 45 68 38 y St. Joan 55, ℰ 45 64 77.
◆Madrid 509 – Castellón de la Plana/Castelló de la Plana 132 – Tarragona 50 – Tortosa 33.

🏨 **L'Alguer** sin rest, Mar 20 ℰ 49 33 72, Fax 49 33 75 – |🛗| 🔲 📺 ☎ 👌. 🅰🅴 ① 🄴 ₩₳. ⤳
⌀ 575 – **37 hab** 4200/8300.

🏠 **Bon Repós,** pl. Cataluña 49 ℰ 45 60 25, 🌣, « Jardín con arbolado », 🏊 – 🏫 🄿. 🅰🅴
₩₳. 🛇 rest
junio-septiembre – Com 1700 – ⌀ 500 – **38 hab** 4300/7000 – PA 3100.

X **L'Alguer,** Trafalgar 21 ℰ 45 61 24, ≤, 🌣, Pescados y mariscos – 🔲. 🅰🅴 ① 🄴 ₩₳. ⤳
cerrado lunes y 23 diciembre-7 enero – Com carta 2800 a 4100.

X **Cova Gran,** Mediterráneo ℰ 45 64 09, ≤, 🌣 – 🄿. ₩₳
Semana Santa-septiembre – Com carta 1925 a 3725.

AMEYUGO 09219 Burgos 442 E 20 – 80 h. – 🟢 947.
◆Madrid 311 – ◆Burgos 67 – ◆Logroño 60 – ◆Vitoria/Gasteiz 44.

en el monumento al Pastor NO : 1 km – ✉ 09219 Ameyugo (por Miranda de Ebro)
🟢 947 :

�XX **Mesón El Pastor,** carret. N I ℰ 34 43 75 – 🔲 🄿. 🅰🅴 ₩₳
Com carta 2400 a 3200.

AMOREBIETA o **ZORNOTZA** 48340 Vizcaya 442 C 21 – 15 575 h. alt. 70 – 🟢 94.
◆Madrid 415 – ◆Bilbao/Bilbo 22 – ◆San Sebastián/Donostia 79 – ◆Vitoria/Gasteiz 51.

�XX **Juantxu,** Barrio Enartze ℰ 673 26 50, ≤, 🌣 – 🔲 🄿. 🅰🅴 🄴 ₩₳. 🛇
cerrado miércoles, 15 días en agosto y 10 días en Navidades – Com carta 4000 a 5500

�XX **El Cojo,** San Miguel 11 ℰ 673 00 25, Fax 673 15 29 – 🔲 🄿. 🅰🅴 ① 🄴 ₩₳ 🄹🄲🄱. 🛇
cerrado lunes y 20 diciembre-2 enero – Com carta 3550 a 5300.

AMPOLLA o **L'AMPOLLA** 43895 Tarragona 443 J 32 – 1 350 h. alt. 11 – 🟢 977.
🅱 pl. González Isla, ✉ 43895, ℰ 59 30 11, Fax 59 33 80.
◆Madrid 510 – Castellón de la Plana/Castelló de la Plana 128 – Tarragona 62 – Tortosa 24.

X **El Molí,** Castaños 4 ℰ 46 02 07, 🌣 – 🅰🅴 ① 🄴 ₩₳
cerrado lunes y enero-febrero – Com carta 2575 a 3650.

AMPOSTA 43870 Tarragona 443 J 31 – 14 499 h. – 🟢 977.
🅱 av. Sant Jaume 1, ✉ 43870, ℰ 70 34 53.
◆Madrid 504 – Castellón de la Plana/Castelló de la Plana 112 – Tarragona 78 – Tortosa 18.

🏠 **Montsià,** av. de la Rápita 8 ℰ 70 10 27, Fax 70 10 27 – |🛗| 🔲 rest 🍽. 🅰🅴 ① 🄴 ₩₳. 🛇 res
Com 1175 – ⌀ 385 – **51 hab** 2950/5200.

AMPUERO 39840 Cantabria 442 B 19 – 3 162 h. – 🟢 942.
◆Madrid 430 – ◆ Bilbao/Bilbo 68 – ◆ Santander 52.

X **La Pinta** con hab, José Antonio, 31 ℰ 62 22 98, Fax 62 22 98 – 🔲 rest ☎ 🄿. 🅰🅴 ①
₩₳. 🛇
Com carta 2800 a 3900 – ⌀ 250 – **16 hab** 3500/4800.

X **Casa Sarabia,** Melchor Torío 3 ℰ 62 23 65 – 🔲. 🅰🅴 ① 🄴 ₩₳. 🛇
Com carta 2500 a 3900.

AMPURIABRAVA o **EMPURIABRAVA** 17487 Gerona 443 F 39 – 🟢 972 – Playa.
🅱 Puigmal 1, ℰ 45 08 02 Fax 45 14 28.
◆Madrid 752 – Figueras/Figueres 15 – Gerona/Girona 53.

🏨 **Briaxis,** Port Principal 25 ℰ 45 15 45, Fax 67 27 71, ≤, 🌣, 🏊 – |🛗| 🔲 📺 ☎ 🄿. 🅰🅴 ①
🄴 ₩₳
Com (cerrado martes salvo en verano y 15 octubre-15 diciembre) 1650 – ⌀ 850 – **52 ha**
9500/11000 – PA 4150.

X **El Bruel,** edificio Bahía II - 17 ℰ 45 10 18, 🌣 – 🔲. 🛇
cerrado martes y 15 enero- 28 febrero – Com carta 2125 a 3500.

Ver también : *Castelló de Ampurias.*

AMURRIO 01470 Vitoria 442 C 20 – 9 473 h. alt. 219 – 🟢 945.
◆ Madrid 342 – ◆ Bilbao/Bilbo 37 – ◆ Burgos 124 – ◆ Vitoria/Gasteiz 38.

�XX **Arenalde,** Arenalde 1 ℰ 89 24 26, Fax 39 36 98 – 🔲 🄿. 🅰🅴 ① 🄴 ₩₳. 🛇
cerrado domingo noche, Semana Santa, del 17 al 31 de agosto y 24 diciembre-3 ener
– Com carta 2750 a 4450.

ANDORRA (Principado de) ★★ 443 E 34 y 35 86 ⑭ ⑮ - 50 588 h. alt. 1 029 - ☎ con España 9738

Andorra la Vieja **(Andorra la Vella)** Capital del Principado alt. 1 029.

Dr. Villanova ☎ 202 14 - A.C.A. Babot Camp 4 ☎ 208 90.

♦Madrid 625 - ♦Barcelona 220 - Carcassonne 168 - Foix 105 - Gerona/Girona 245 - ♦Lérida/Lleida 155 - ♦Perpignan 166 - Tarragona 208 - Toulouse 185.

Plaza, María Pla 19 ☎ 644 44, Fax 217 21 - 25/150. AE E VISA JCB
Com 2500 - 1200 - **101 hab** 13600/17000.

Andorra Park H., Les Canals ☎ 209 79, Telex 377, Fax 209 83, « Decoración elegante », - AE E VISA.
Com 3700 - **40 hab** 10600/14400.

Andorra Palace, de la Roda ☎ 210 72, Telex 208, Fax 282 45, - 25/250. AE E VISA
Com 2300 **El Jardí del Palace** carta 2250 a 4050 - 1100 - **140 hab** 11500/13700, 24 apartamentos.

Andorra Center, Dr. Nequi 12 ☎ 248 00, Telex 377, Fax 286 06, - rest - 25/50. AE VISA. rest
Com **La Dama Blanca** carta 3150 a 4700 - **140 hab** 8800/10700.

Novotel Andorra, Prat de la Creu ☎ 611 16, Telex 208, Fax 611 20, - - 25/250. AE E VISA
Com carta 3800 a 4800 - 1100 - **102 hab** 13500/16500.

Mercure, av. Meritxell 58 ☎ 207 73, Telex 208, Fax 285 52, - - 25/80. AE E VISA
Com 2300 **La Brasserie** carta 2450 a 4100 - 1100 - **70 hab** 11500/13700.

President, av. Santa Coloma 44 ☎ 229 22, Fax 614 14, - - 25/110. AE E VISA. rest
Com - **Panoramic** carta 2350 a 4000 - **88 hab** 11000/17000.

Eden Roc sin rest, av. Dr Mitjavila 1 ☎ 210 00, Fax 603 19 - AE E VISA.
56 hab 11200/14000.

Flora sin rest, antic carrer Major 25 ☎ 215 08, Fax 620 85, - AE E VISA. - **45 hab** 6000/10000.

Pyrénées, av. Princep Benlloch 20 ☎ 600 06, Fax 202 65, - rest E VISA. rest
Com 2500 - **74 hab** 5200/7700.

Cassany sin rest, av. Meritxell 28 ☎ 206 36, Fax 636 09 -
800 - **54 hab** 6800/7500.

Xalet Sasplugas y Rest. Metropol, La Creu Grossa 15 ☎ 203 11, Fax 286 98, - AE E VISA. rest
Com *(cerrado domingo noche, lunes mediodía y del 15 al 30 de junio)* carta 3300 a 4100 - **26 hab** 6800/10500.

Florida sin rest, Llacuna 15 ☎ 201 05, Fax 619 25 - AE E VISA
600 - **48 hab** 4800/8500.

De L'Isard, av. Meritxell 36 ☎ 200 96, Telex 377, Fax 283 29 - AE E VISA.
Com 2250 - 750 - **60 hab** 5500/6800.

Borda Estevet, carret. de la Comella 2 ☎ 640 26, Fax 231 42, « Decoración rústica » - AE E VISA
cerrado domingo en agosto - Com carta 2800 a 3700.

Celler d'En Toni con hab, Verge del Pilar 4 ☎ 212 52, Fax 218 43 - AE E VISA.
Com *(cerrado del 17 al 31 enero)* carta aprox. 5800 - **21 hab** 4500/5500.

Arinsal alt. 1 445 - ✉ La Massana - Deportes de invierno : 1 550/2 800 m. 15.

♦Andorra la Vieja 12.

Solana, ☎ 351 27, Fax 373 95, - - 25/40. AE E VISA. rest
cerrado 15 octubre-15 noviembre - Com 2000 - 800 - **75 hab** 4500/7500.

Pobladó, ☎ 351 22, Fax 37 174, - AE E VISA. rest
cerrado 15 octubre-7 diciembre y 20 junio-5 julio - Com 1600 - 550 - **28 hab** 3000/5000.

Janet sin rest, en Erts S : 1,5 km ☎ 350 88 - E VISA.
cerrado 15 octubre-noviembre - 350 - **19 hab** 3000/5000.

Canillo alt. 1 531 - ✉ Canillo.

♦Andorra la Vieja 12.

Bonavida, pl. Major ☎ 513 00, Fax 517 22, - AE E VISA.
cerrado 13 octubre-3 diciembre - Com *(cerrado mayo-junio y 13 octubre-3 diciembre)* (sólo cena) 1950 - **40 hab** 7975/10560.

Roc del Castell sin rest, carretera General ☎ 518 25, Fax 517 07 - AE E VISA.
550 - **44 hab** 5000/8000.

Encamp alt. 1 313 – ⊠ Encamp.

♦Andorra la Vieja 6.

🏨 **Coray,** Caballers 38 ℰ 315 13, Fax 318 06, ≤, 🚙 – 🔋 ☜ 🚗. 𝒱𝒮𝒜
cerrado del 8 al 30 noviembre – Com 1200 – � 350 – **85 hab** 5000/6000 – PA 2500.

🏠 **Univers,** René Baulard 13 ℰ 310 05, Fax 319 70 – 🔋 ☎ 🅿. 🅰🅴 E 𝒱𝒮𝒜. 🕸
cerrado noviembre – Com 1400 – **36 hab** ⊆ 4050/5500 – PA 2750.

Les Escaldes Engordany alt. 1 105 – ⊠ Les Escaldes Engordany.

♦Andorra la Vieja 2.

🏨🏨 **Roc de Caldes y Rest. Els Jardins de Hoste** 🦢, carret. d'Engolasters ℰ 627 67,
Telex 485, Fax 633 25, « En el flanco de una montaña con ≤ » – 🔋 ☰ 📺 ☎ & 🚗 🅿
– 🔬 25/120. 🅰🅴 ① E 𝒱𝒮𝒜 🇯🇨🇧. 🕸 rest
Com carta 4200 a 6200 – ⊆ 1600 – **45 hab** 23000/36000.

🏨🏨 **Roc Blanc,** pl. dels Co-Princeps 5 ℰ 214 86, Telex 224, Fax 602 44, 🕭, 🔻, 🔲 – 🔋 📺 ☎
🚗 🅿 – 🔬 25/600. 🅰🅴 ① E 𝒱𝒮𝒜 🇯🇨🇧. 🕸 rest
Com 4600 - **Brasserie L'Entrecôte** carta 2850 a 4600 - **El Pí** carta 3900 a 6350 – ⊆ 1300
– **240 hab** 11000/15000 – PA 8500.

🏨🏨 **Panorama,** carret. de l'Obac ℰ 618 61, Telex 478, Fax 617 42, « Terraza con ≤ valle y
montañas », 🕭, 🔲 – 🔋 ☰ rest 📺 ☎ & – 🔬 25/500. 🅰🅴 ① E 𝒱𝒮𝒜 🕸 rest
Com 2500 – ⊆ 1000 – **177 hab** 9000/10000 – PA 5000.

🏨🏨 **Delfos,** av. del Fener ℰ 246 42, Telex 242, Fax 616 42 – 🔋 ☰ rest 📺 ☎ 🚗. 🅰🅴 ① E
𝒱𝒮𝒜 🇯🇨🇧. 🕸 rest
Com 2700 – ⊆ 750 – **200 hab** 7475/9600.

🏨 **Comtes d'Urgell,** av. Escoles 29 ℰ 206 21, Telex 226, Fax 204 65 – 🔋 ☰ rest 📺 ☎ 🚗
🅰🅴 ① E 𝒱𝒮𝒜 🇯🇨🇧. 🕸 rest
Com 2500 – **200 hab** ⊆ 5550/8200.

🏨 **Canut,** av. Carlemany 107 ℰ 213 42, Fax 609 96 – 🔋 📺 ☎
Com (ver rest. Casa Canut) – **50 hab.**

🏨 **Valira,** av. Carlemany 37 ℰ 206 65, Telex 377, Fax 668 80 – 🔋 📺 ☎ 🅿. 🅰🅴 E 𝒱𝒮𝒜. 🕸
Com 2100 – **55 hab** ⊆ 3400/5500 – PA 4200.

🏠 **Espel,** pl. Creu Blanca 1 ℰ 208 55, Fax 280 56 – 🔋 📺 ☎ 🚗. 🅰🅴 E 𝒱𝒮𝒜. 🕸
cerrado noviembre – Com 1400 – **102 hab** ⊆ 4500/6200 – PA 3500.

🏠 **Les Closes** sin rest, av. Carlemany 93 ℰ 283 11, Fax 639 70 – 🔋 📺 ☎ 🚗. 🅰🅴 E 𝒱𝒮𝒜.
🕸
cerrado del 1 al 20 junio – **78 hab** ⊆ 5500/8800.

🕱🕱 **Casa Canut,** av. Carlemany 107 ℰ 213 42, Fax 609 96.

🕱 **Don Denis,** Isabel Sandy 3 ℰ 206 92, Fax 631 30 – ☰.

La Massana alt. 1 241 – ⊠ La Massana.

♦Andorra la Vieja 5.

🏨🏨 **Xalet Ritz** 🦢, carret. de Sispony S : 1,8 km ℰ 378 77, Fax 377 20, ≤, « Bonita decoración
interior » – 🔋 📺 ☎ 🚗 🅿. 🅰🅴 ① E 𝒱𝒮𝒜. 🕸 rest
Com 3000 – ⊆ 14500/20000.

🏨🏨 **Rutllan,** carret. de Arinsal ℰ 350 00, Fax 351 80, ≤, 🔻 climatizada, 🚙, 🕱 – 🔋 📺 ☎ 🚗.
🅰🅴 ① E 𝒱𝒮𝒜. 🕸 rest
Com 3000 – ⊆ 1000 – **100 hab** 6000/9000.

🏠 **Del Bisset** 🦢, L'Aldosa - carret. de Ordino NE : 2,7 km ℰ 375 55, Fax 379 89, ≤ – 🔋 📺
☎ & 🚗 🅿. E 𝒱𝒮𝒜
Com 2300 – ⊆ 500 – **30 hab** 3800/5800.

🕱🕱🕱 **El Rusc,** carret. de Arinsal 1 km ℰ 382 00, Fax 351 80, Rústico elegante – ☰ 🅿. 🅰🅴 ①
E 𝒱𝒮𝒜. 🕸
cerrado lunes – Com carta 5500 a 7000.

🕱🕱 **Xopluc,** en Sispony S : 2,5 km ℰ 356 45, Fax 353 90, ≤, Carnes – 🅿. 🅰🅴 ① E 𝒱𝒮𝒜
Com carta 4225 a 5430.

🕱🕱 **La Borda de l'Avi,** carret. de Arinsal ℰ 351 54, Fax 353 90, Carnes – 🅿. 🅰🅴 ① E 𝒱𝒮𝒜
Com carta 4115 a 5380.

Ordino alt. 1 304 – ⊠ Ordino.

♦Andorra la Vieja 9.

🏨 **Coma** 🦢, ℰ 351 16, Fax 379 09, ≤, 🔻, 🕱 – 🔋 📺 ☎ 🚗 🅿. 🅰🅴 E 𝒱𝒮𝒜. 🕸
Com 2750 – **48 hab** ⊆ 7250/8000.

🏠 **Prats** sin rest, carret. Coll d'Ordino ℰ 374 37, Fax 379 09, ≤ – 🔋 📺 ☎ 🚗 🅿. 🅰🅴 E 𝒱𝒮𝒜.
🕸
cerrado noviembre – **36 hab** ⊆ 6250/7000.

🔆 **Sant Miquel** sin rest, en Ansalonga NO : 1,8 km ℰ 377 70, ≤ – 🔋 📺 ☎ 🚗 🅿. 🅰🅴 ①
E 𝒱𝒮𝒜. 🕸
19 hab ⊆ 5500/7000.

Santa Coloma alt. 970 – ⊠ Andorra la Vieja.

♦Andorra la Vieja 4.

🏨 **Cerqueda** ⑤, Mossén Lluís Pujol ℰ 202 35, Fax 619 09, ≼, ☒, 屛 – 🛊 🆃 ☎ 🅿. 🆀 ⑩ **E** 🆅🆂🅰. ⑨ rest
cerrado 7 enero-febrero – Com 2150 – ⊆ 550 – **65 hab** 3900/7000 – PA 3500.

Sant Julià de Lòria alt. 909 – ⊠ Sant Julià de Lòria.

♦Andorra la Vieja 7.

🏨 **Pol,** Verge de Canolich 52 ℰ 411 22, Telex 272, Fax 418 52 – 🛊 🗏 rest 🆃 ☎ 🅿. 🆀 **E** 🆅🆂🅰.
cerrado 6 enero- 6 febrero – Com 2400 – **80 hab** ⊆ 8850/9400.

🏨 **Coma Bella** ⑤, SE : 7 km, alt. 1 300 ℰ 412 20, Fax 414 60, ≼, « En el bosque de la Rabassa », parque, 🏋 – 🆃 ☎ 🅿. 🆀 **E** 🆅🆂🅰
cerrado del 15 al 30 de noviembre y del 8 al 31 de enero – Com 1650 – **28 hab** ⊆ 5400/7800.

Soldeu alt. 1 826 – ⊠ Canillo – Deportes de invierno : 1 700/2 560 m. ✂ 16.

♦Andorra la Vieja 19.

🏨 **Del Tarter,** en El Tarter O : 3 km ℰ 511 65, Fax 514 74, ≼ – 🛊 🆃 ☎ ⇐ 🅿. 🆀 ⑩ **E** 🆅🆂🅰. ⑨
cerrado del 1 al 22 de mayo y 15 octubre-4 diciembre – Com (*cerrado martes de mayo al 10 julio y de septiembre al 15 octubre*) 2000 – ⊆ 600 – **37 hab** 5500/7000 – PA 4260.

🏨 **Llop Gris** ⑤, en El Tarter O : 3 km ℰ 515 59, Fax 512 29, ≼, 🏋, 🆀 – 🛊 🆃 ☎ ⇐ 🅿 – 🆙 30/80. 🆀 ⑩ **E** 🆅🆂🅰. ⑨ rest
cerrado mayo – Com carta 4600 a 5500 – **68 hab** ⊆ 12800/16000.

🏨 **Parador Canaro,** en Incles O : 1,8 km ℰ 510 46, Fax 517 20, ≼ – 🆃 ☎ ⇐ 🅿. 🆀 ⑩ **E** 🆅🆂🅰. ⑨
Com 1800 – ⊆ 475 – **18 hab** 5700.

🏨 **Del Clos** ⑤, en El Tarter O : 3 km ℰ 515 00, Fax 515 54, ≼ – 🛊 🆃 ☎ ⇐. 🆀 ⑩ **E** 🆅🆂🅰.
cerrado 2 mayo-junio – Com (sólo cena) 1500 – **29 hab** ⊆ 8000/9600.

XX **De Sant Pere** ⑤ con hab, en El Tarter O : 3 km ℰ 510 87, Telex 234, Fax 510 87, ≼, 斎, « Decoración rústica » – 🅿. 🆀 ⑩ **E** 🆅🆂🅰. ⑨ rest
Com (*cerrado domingo noche y lunes salvo festivos*) carta 3100 a 5400 – **6 hab** ⊆ 8000/12000.

ANDRÍN 33596 Asturias 🔢 B 15 – 241 h. – ✆ 98.

♦Madrid 441 – Gijón 99 – ♦ Oviedo 110 – ♦ Santander 94.

🏨 **La Boriza** ⑤ sin rest, ℰ 541 70 49, ≼ – 🆃 🅿. **E** 🆅🆂🅰. ⑨
⊆ 500 – **11 hab** 5500/6500.

ANDÚJAR 23740 Jaén 🔢🔢🔢 R 17 – 34 946 h. alt. 212 – ✆ 953.

Ver : Iglesia de Santa María (reja★).

Excurs. : Santuario de la Virgen de la Cabeza : carretera en cornisa ≼★★ N : 32 km.

♦Madrid 321 – ♦Córdoba 77 – Jaén 66 – Linares 41.

🏨 **Del Val,** av. Puerta de Madrid 29 ℰ 50 09 50, Fax 50 66 06, 斎, ☒, 屛 – 🗏 🆃 ☎ 🅿. 🆀 ⑩ **E** 🆅🆂🅰. ⑨ rest
Com 1400 – ⊆ 500 – **79 hab** 4150/5950 – PA 2805.

🏨 **Don Pedro,** Gabriel Zamora 5 ℰ 50 12 74, Fax 50 47 85 – 🛊 🗏 🆃 ☎ ⇐. 🆀 ⑩ **E** 🆅🆂🅰. ⑨ rest
Com 1100 – ⊆ 200 – **29 hab** 4025/5675 – PA 2350.

🏨 **La Fuente,** Vendederas 4 ℰ 50 46 29 – 🗏 🆃 ☎ ⇐. 🆅🆂🅰. ⑨ rest
Com 1200 – ⊆ 225 – **17 hab** 2800/5000 – PA 2500.

Los ÁNGELES u OS ÁNXELES 15280 La Coruña 🔢 D 3 – ✆ 981

♦Madrid 626 – Noia 24 – Pontevedra 50 – Santiago de Compostela 13.

🏨 **Pousada Rosalía,** ℰ 88 75 65, Fax 88 75 57, « Antigua casa de labranza », ☒ – 🆃 ☎ ⇐. 🆀 🆅🆂🅰. ⑨
Com 1900 – ⊆ 600 – **31 hab** 4800/6300.

ANGUIANO 26322 La Rioja 🔢🔢 F 21 – 793 h. – ✆ 941.

♦Madrid 292 – ♦Burgos 105 – ♦Logroño 48 – ♦Vitoria/Gasteiz 106.

X **El Corzo** con hab, carret. de Lerma 12 ℰ 37 70 85, 斎 – ⇐. 🆀 ⑩ **E** 🆅🆂🅰. ⑨
Com carta 1425 a 2100 – ⊆ 350 – **7 hab** 2750/4000.

ANTAS 04628 Almería �🄖 U 24 – 2 408 h. alt. 107 – ✿ 950.
◆Madrid 512 - ◆Almería 95 - Lorca 64.

    en la carretera N 340 NE : 4,5 km – ⊠ 04628 Antás – ✿ 950

  🏨 Argar, 🕭 39 14 01, Fax 39 13 12, 😤, 🏊, 🛠 – 🗏 ☎ 🅿
    27 hab.

ANTEQUERA 29200 Málaga 🄔🄔🄖 U 16 – 35 171 h. alt. 512 – ✿ 95.
Ver : Castillo ⩽★ - (Museo Municipal) El Efebo de Antequera★.
Alred. : NE : Los dólmenes★ (cuevas de Menga, Viera y del Romeral) – El Torcal★ S : 16 km – Carretera★ de Antequera a Málaga ⩽★★.
🛈 Infante Don Fernando - edificio San Luis 🕭 270 04 05.
◆Madrid 521 - ◆Córdoba 125 - ◆Granada 99 - Jaén 185 - ◆Málaga 52 - ◆Sevilla 164.

  🏯 **Parador de Antequera** 🦢, paseo García de Olmo 🕭 284 02 61, Fax 284 13 12, ⩽, 🏊, 🎾
    – 🗏 ☎ 🅿 – 🔬 25/60. 🆎 ⑩ 𝗩𝗜𝗦𝗔. 🦟
    Com 3200 – ☑ 1100 – **55 hab** 10500 – PA 6375.

    en la carretera de Málaga E : 2,5 km – ⊠ 29200 Antequera – ✿ 95 :

  ✕ **Lozano** con hab, Polígono Industrial A-6 y A-7 🕭 284 27 12, Fax 284 27 12, 😤 – 🗏 📺
    ☎ 🅿. 🆎 🅴 𝗩𝗜𝗦𝗔. 🦟
    Comida carta 1800 a 3250 – ☑ 450 – **17 hab** 3900/5600.

    en la carretera de Sevilla N 334 NO : 12 km – ⊠ 29532 Mollina – ✿ 95 :

  🏠 **Molino de Saydo,** 🕭 274 04 75, Fax 274 04 66, 🏊, 🛠 – ☎ ⇔ 🅿. 🅴 𝗩𝗜𝗦𝗔. 🦟
    Com 1750 – ☑ 350 – **32 hab** 4500/6000.

    en la carretera N 331 – ✿ 95 :

  🏨 **La Sierra,** SE : 12 km, ⊠ 29200 Antequera, 🕭 284 54 10, Fax 284 52 65, ⩽ – 🗏 📺 ☎
    ⇔ 🅿. 🆎 🅴 𝗩𝗜𝗦𝗔. 🦟
    Com 1300 – ☑ 530 – **30 hab** 6360/9500.

La ANTILLA (playa de) Huelva – ver Lepe.

OS ÁNXELES La Coruña – ver Los Ángeles.

AOIZ o **AGOITZ** 31430 Navarra 🄔🄔🄒 D 25 – 168 h. – ✿ 948.
🛈 Edificio Ayuntamiento, 🕭 33 60 05.
◆Madrid 413 - ◆Pamplona/Iruñea 28 - St-Jean-Pied-de-Port 58.

  ✕✕ **Beti Jai** con hab, Santa Agueda 6 🕭 33 60 52 – 🗏 rest. 🅴 𝗩𝗜𝗦𝗔
    cerrado del 15 al 30 de agosto – Com carta 3500 a 4100 – ☑ 250 – **14 hab** 4000/5000.

ARACENA 21200 Huelva 🄔🄔🄖 S 10 – 6 328 h. alt. 682 – ✿ 959.
Ver : Gruta de las Maravillas★★.
Excurs. : S : Sierra de Aracena★.
◆Madrid 514 - Beja 132 - ◆Cáceres 243 - Huelva 108 - ◆Sevilla 93.

  🏨 **Sierra de Aracena** sin rest, Gran Vía 21 🕭 12 60 19, Fax 11 14 52 – 🛗 ☎ ⇔. 🆎 ⑩ 🅴
    𝗩𝗜𝗦𝗔. 🦟
    ☑ 350 – **30 hab** 3900/7500.

  ✕✕ **Casas,** Colmenetas 41 🕭 11 00 44, « Decoración de estilo andaluz » – 🗏. 🆎 𝗩𝗜𝗦𝗔
    Com (sólo almuerzo) carta 3500 a 3700.

  ✕ **Venta de Aracena,** carret. N 433 🕭 12 61 62, Fax 12 63 56, Decoración regional – 🅿. 🆎
    🅴 𝗩𝗜𝗦𝗔. 🦟
    Com carta aprox. 3000.

ARANDA DE DUERO 09400 Burgos 🄔🄔🄒 G 18 – 27 598 h. alt. 798 – ✿ 947.
Alred. : Peñaranda de Duero (plaza Mayor★ – Palacio de los Duques de Avellaneda★ – artesonados★) E : 18 km.
◆Madrid 156 - ◆Burgos 83 - ◆Segovia 115 - Soria 114 - ◆Valladolid 93.

  🏨 **Tres Condes,** av. Castilla 66 🕭 50 24 00, Fax 50 24 04 – 🗏 rest 📺 ☎ ⇔ – 🔬 25/200.
    🆎 ⑩ 🅴 𝗩𝗜𝗦𝗔. 🦟
    Com *(cerrado domingo noche)* 1400 – ☑ 500 – **35 hab** 4700/7250 – PA 2805.

  🏨 **Los Bronces** 🦢, carret. Madrid-Irún, Km 160 🕭 50 08 50, Fax 50 24 04 – 📺 🕿 ⇔ 🅿
    – 🔬 25/40. 🆎 ⑩ 🅴 𝗩𝗜𝗦𝗔. 🦟 rest
    Com 1400 – ☑ 500 – **29 hab** 4700/7250 – PA 2805.

  🏨 **Julia,** San Gregorio 2 🕭 50 12 00, Fax 50 04 49 – 🗏 rest 📺 ☎ ⇔. 𝗩𝗜𝗦𝗔. 🦟
    Com 1500 – ☑ 450 – **60 hab** 3745/7200 – PA 2930.

  🏨 **Aranda,** San Francisco 51 🕭 50 16 00, Fax 50 16 04 – 🛗 🗏 rest 📺 ☎ ⇔. 🆎 🅴 𝗩𝗜𝗦𝗔. 🦟 rest
    Com 1700 – ☑ 450 – **48 hab** 3500/5800 – PA 3250.

XX **Mesón de la Villa,** pl. Mayor 3 *℘* 50 10 25, Fax 50 83 19, Decoración castellana – 🍽. 🆎
🇴🇮 **E** 💳. ⚒
cerrado lunes salvo festivos y del 12 al 30 de octubre – Com carta aprox. 4100.

XX **Casa Florencio,** Isilla 14 *℘* 50 02 30, Cordero asado – 🍽. **E** 💳
cerrado 24 diciembre-7 enero – Com carta 1890 a 2740.

XX **El Ciprés,** pl. Primo de Rivera 1 *℘* 50 74 14, Cordero asado – 🍽. 🆎 **E** 💳. ⚒
cerrado domingo noche – Com carta 2650 a 3700.

XX **Mesón El Roble,** pl. Primo de Rivera 7 *℘* 50 29 02, Decoración rústica castellana-Cordero
asado – 🍽. 💳. ⚒
cerrado martes – **Comida** carta 2250 a 4100.

X **Chef Fermín,** av. Castilla 69 *℘* 50 23 58 – 🍽. 🆎 **E** 💳
cerrado martes (salvo festivos o vísperas) y noviembre – Com carta 2950 a 3650.

en la antigua carretera N I – ✉ 09400 Aranda de Duero – 🕿 947 :

🏨 **Montermoso,** N : 4,5 km *℘* 50 15 50, Fax 50 15 50 – 🛗 🍽 rest 📺 🕿 🅿 – 🔬 25. 🆎 🇴🇮
E 💳 🇯🇨🇧. ⚒ rest
Com 2200 – 🍽 600 – **51 hab** 5040/6300 – PA 4480.

🏨 **Motel Tudanca,** S : 6,5 km *℘* 50 60 11, Fax 50 60 15 – 🍽 rest 📺 🕿 🅿. 🆎 🇴🇮 **E** 💳.
⚒ rest
Com 1950 – 🍽 525 – **20 hab** 5560/6950.

en la carretera N 122 O : 5,5 km – ✉ 09400 Aranda de Duero – 🕿 947 :

🏨 **El Ventorro,** *℘* 53 60 00, Fax 53 61 34 – 🍽 rest 🅿. 🆎 🇴🇮 **E** 💳 🇯🇨🇧. ⚒
cerrado enero – Com 1800 – 🍽 350 – **49 hab** 3000/4500 – PA 3800.

ARANJUEZ 28300 Madrid 👪👪👪 L 19 – 35 936 h. alt. 489 – 🕿 91.

Ver : Reales Sitios★★ : Palacio Real★ (salón de porcelana★★), parterre★ – Jardín del Príncipe★★
(Casa del Labrador★★ – Casa de Marinos : falúas reales★★).

🏛 pl. Puente de Barcas, *℘* 891 04 27.

♦Madrid 47 – ♦Albacete 202 – Ciudad Real 156 – Cuenca 147 – Toledo 48.

🏨 **Isabel II** sin rest, con cafetería, av. Infantas 15 *℘* 891 09 45, Fax 891 52 44 – 🛗 🍽 📺 🕿
– 🔬 25/200. 🆎 🇴🇮 **E** 💳. ⚒
🍽 550 – **25 hab** 5000/8275.

XX **Casa Pablo,** Almibar 42 *℘* 891 14 51, Decoración castellana – 🍽. 💳. ⚒
cerrado agosto – Com carta aprox. 3950.

XX **Chirón,** Real 10 *℘* 891 09 41, Fax 895 69 60 – 🍽. 🆎 🇴🇮 **E** 💳. ⚒
cerrado agosto – Com carta 2500 a 3900.

XX **El Molino de Aranjuez,** Príncipe 21 *℘* 892 42 15, Asados – 🍽. 🆎 💳. ⚒
Com carta 3100 a 4250.

X El Faisán, Capitán Angosto 21 *℘* 892 16 83 – 🍽.

X ⚙ **Casa José,** Abastos 32 *℘* 891 14 88 – 🍽. 🆎 🇴🇮 **E** 💳. ⚒
*cerrado domingo noche y lunes (primavera-verano), domingo (invierno-otoño) y 25 de
julio-25 agosto* – Com carta 3400 a 4800
Espec. Alcachofas glaseadas con yemas de erizos (primavera y otoño), Popietas de lubina y
centollo, Palmeritas de lechal con sus mollejas y ceps.

X **César,** Moreras 2 *℘* 891 71 67 – 🍽. 🇴🇮 **E** 💳. ⚒
cerrado martes y del 1 al 15 de agosto – Com carta 2700 a 4500.

ARÁNZAZU o **ARANTZAZU** 20567 Guipúzcoa 👪👪👪 D 22 – alt. 800 – 🕿 943.

Ver : Paraje★ – Carretera★ de Aránzazu a Oñate.

♦Madrid 410 – ♦San Sebastián/Donostia 83 – ♦Vitoria/Gasteiz 54.

🏨 **Hospedería** ⚒, *℘* 78 13 13, ← – 🛗. 💳. ⚒
cerrado enero – Com 1600 – 🍽 315 – **60 hab** 2100/3450 – PA 3150.

XX **Zelai Zabal,** carret. de Oñate : 0,6 km *℘* 78 13 06 – 🍽 🅿. 🆎 **E** 💳. ⚒
cerrado domingo noche, lunes y enero-15 febrero – Com carta 3500 a 4600.

ARAPILES 37796 Salamanca 👪👪👪 J 13 – 602 h. alt. 840 – 🕿 923.

♦Madrid 214 – ♦Ávila 107 – ♦Salamanca 9.

X **Mesón de los Arapiles,** carret. N 630 O : 0,5 km *℘* 28 87 54, 🍴 – 🅿. 🆎 **E** 💳. ⚒
Com carta 2700 a 4200.

ARASCUÉS 22193 Huesca 👪👪👪 F 28 – 107 h. alt. 673 – 🕿 974.

♦Madrid 403 – Huesca 13 – Jaca 60.

X **Monrepos** con hab, carret. N 330 E : 1,5 km *℘* 27 10 64, ←, 🍴, 🏊, 🎾, 🍴 – 🍽 rest 🕿
🅿. 🆎 🇴🇮 **E** 💳. ⚒
Com carta aprox. 2900 – 🍽 400 – **14 hab** 3300/5800.

ARAYA o **ARAIA** 01250 Álava 𝟰𝟰𝟮 D 23 – 🕲 945.

◆Madrid 408 – ◆Pamplona/Iruñea 64 – ◆San Sebastián/Donostia 84 – ◆Vitoria/Gasteiz 35.

   X **Caserío Marutegui,** NO : 1,8 km ℘ 30 44 55, « Caserío típico » – 🅿. 🗲 𝘝𝘐𝘚𝘈
      Com carta 2800 a 3900.

ARBOLÍ 43365 Tarragona 𝟰𝟰𝟯 I 32 – 98 h. alt. 715 – 🕲 977.

◆Madrid 538 – ◆Barcelona 142 – ◆Lérida/Lleida 86 – Tarragona 39.

   X **El Pigot,** Trinquet 7 ℘ 81 60 63, Decoración regional – 🗲 𝘝𝘐𝘚𝘈
      cerrado martes (salvo festivos) y junio – Com carta 1800 a 3575.

ARCADE 36690 Pontevedra 𝟰𝟰𝟭 E 4 – 🕲 986.

◆ Madrid 612 – Orense/Ourense 113 – Pontevedra 12 – ◆ Vigo 22.

   X **Arcadia,** av. Castelao 33 ℘ 70 00 37, Pescados y mariscos – 🍴. 🆎 🅾 🗲 𝘝𝘐𝘚𝘈. 🛠
      cerrado domingo noche, lunes y octubre – Com carta 2250 a 3150.

Los ARCOS 31210 Navarra 𝟰𝟰𝟮 E 23 – 1 466 h. alt. 444 – 🕲 948.

Alred. : Torres del Río (iglesia del Santo Sepulcro★) SO : 7 km.

◆Madrid 360 – ◆Logroño 28 – ◆Pamplona/Iruñea 64 – ◆Vitoria/Gasteiz 63.

   X **Ezequiel** con hab, carret. de La Serna ℘ 64 02 96 – 🅿. 𝘝𝘐𝘚𝘈. 🛠
      cerrado noviembre – Com carta 1950 a 3050 – 🖙 300 – **14 hab** 3350/5300.

ARCOS DE JALÓN 42250 Soria 𝟰𝟰𝟮 I 23 – 2 548 h. alt. 827 – 🕲 975.

◆Madrid 167 – Soria 93 – Teruel 185 – ◆Zaragoza 154.

   X **Oasis,** antigua carret. N II ℘ 32 00 00 – 🅿. 🆎 🗲 𝘝𝘐𝘚𝘈. 🛠
      Com carta aprox. 2400.

ARCOS DE LA FRONTERA 11630 Cádiz 𝟰𝟰𝟲 V 12 – 24 902 h. alt. 187 – 🕲 956.

Ver : Emplazamiento★★ – Plaza del Cabildo ≤★ – Iglesia de Santa María (fachada occidental★).

🖪 Cuesta de Belén ℘ 70 22 64.

◆Madrid 586 – ◆Cádiz 65 – Jerez de la Frontera 32 – Ronda 86 – ◆Sevilla 91.

   🏛 **Parador Casa del Corregidor** 🛥, pl. de España ℘ 70 05 00, Fax 70 11 16, ≤, « Magnífica
      situación dominando un amplio panorama » – 🛗 🍴 📺 ☎. 🆎 🅾 𝘝𝘐𝘚𝘈. 🛠
      Com 3200 – 🖙 1100 – **24 hab** 13000 – PA 6375.

   🏨 **Los Olivos** sin rest y sin 🖙, Boliches 30 ℘ 70 08 11, Fax 70 20 18 – 🍴 📺 ☎. 🆎 🗲 𝘝𝘐𝘚𝘈.
      🛠
      19 hab 4235/8470.

   🏠 **El Convento** 🛥, Maldonado 2 ℘ 70 23 33, Fax 70 23 33, ≤ – 📺 ☎. 🆎 🗲 𝘝𝘐𝘚𝘈. 🛠
      Com (ver rest **El Convento**) – 🖙 700 – **8 hab** 5000/7000.

   XX **El Convento,** Marqués de Torresoto 7 ℘ 70 32 22, « Patio de estilo andaluz » – 🛠
      Comida carta 2500 a 3000.

   X **El Lago** con hab, carret. N 342, E : 1 km ℘ 70 11 17, Fax 70 04 67, 🌳 – 🍴 📺 ☎ 🅿. 🆎
      🅾 🗲 𝘝𝘐𝘚𝘈
      Com carta aprox. 2600 – 🖙 550 – **10 hab** 4200/7600.

ARCHENA 30600 Murcia 𝟰𝟰𝟱 R 26 – 11 876 h. alt. 100 – 🕲 968 – Balneario.

◆Madrid 374 – ◆Albacete 127 – Lorca 76 – ◆Murcia 24.

   🏡 **La Parra,** carret. Balneario 3 ℘ 67 04 44 – ☎. 🛠
      Com 975 – 🖙 250 – **27 hab** 2800/4200 – PA 1870.

      en el balneario O : 2 km – ⊠ 30600 Archena – 🕲 968 :

   🏛 **Termas** 🛥, ℘ 67 01 00, Fax 67 10 02, 𝐼𝛿, 🛁 de agua termal, 🌳, 🛠 – 🛗 🍴 📺 ☎ 🅿.
      🛠
      Com 2450 – 🖙 700 – **70 hab** 7600/9500 – PA 4700.

   🏨 **León** 🛥, ℘ 67 01 00, Fax 67 10 02, 𝐼𝛿, 🛁 de agua termal, 🌳, 🛠 – 🛗 🍴 ☎ 🅿 –
      🏛 25/200.
      Com 1800 – 🖙 425 – **103 hab** 6500/8200 – PA 3400.

   🏨 **Levante** 🛥 sin rest, ℘ 67 01 00, Fax 67 10 02, 𝐼𝛿, 🛁 de agua termal, 🌳, 🛠 – 🛗 ☎ 🅿.
      🛠
      🖙 425 – **80 hab** 5500/6900.

AREA (Playa de) Lugo – ver Vivero.

El ARENAL (Playa de) Baleares – ver Baleares (Mallorca) : Palma de Mallorca.

Las ARENAS 48930 Vizcaya ⁴⁴² C 20 – ☎ 94.

Madrid 407 – ◆Bilbao/Bilbo 12 – ◆San Sebastián/Donostia 112 – ◆Vitoria/Gasteiz 88.

XXX El Chalet, Manuel Smith 12 ℰ 463 89 84, Fax 464 99 15, 🏠

ARENAS DE SAN PEDRO 05400 Ávila ⁴⁴² L 14 – 6 604 h. – ☎ 920.

◆lred. : Cuevas del Aguila★ : 9 km.

Madrid 143 – Ávila 73 – Plasencia 120 – Talavera de la Reina 46.

X **Hostería Los Galayos** con hab, pl. del Castillo 2 ℰ 37 13 79, Fax 37 13 79, 🏠, Bodegón típico – 🔲 📺 ☎. 🅰🅴 ① 🅴 𝘝𝘐𝘚𝘈. ❀
Com carta 2400 a 4050 – 🖵 375 – **20 hab** 3000/6000.

ARENYS DE MAR 08350 Barcelona ⁴⁴³ H 37 – 10 088 h. – ☎ 93 – Playa.

▪ de Llavaneras O : 8 km ℰ 792 60 50.

▪ passeig Xifré 25, ⊠ 08350, ℰ 792 17 83.

Madrid 672 – ◆Barcelona 37 – Gerona/Girona 60.

🏨 **D'Arenys** ⑤, av. Catalunya 10 ℰ 792 03 83, Fax 795 75 53, 🏊 – 🛗. 🅰🅴 ① 🅴 𝘝𝘐𝘚𝘈. ❀ rest
Com 1500 – 🖵 600 – **100 hab** 7200/9000 – PA 2900.

X El Bon Racó, Josep Anselm Clavé 4 ℰ 795 70 67 – 🔲.

en la carretera N II SO : 2 km – ⊠ 08350 Arenys de Mar – ☎ 93 :

XX ✿ **Hispania,** Real 54 ℰ 791 03 06, Fax 791 26 61 – 🔲 🄿. 🅰🅴 ① 🅴 𝘝𝘐𝘚𝘈
cerrado domingo noche, martes y del 1 al 15 octubre – Com carta 4450 a 5950
Espec. Suquet de escórpora, Langosta estofada, Fricandó con berenjenas.

AREO o **AREU** 25575 Lérida ⁴⁴³ E 33 – alt. 920 – ☎ 973.

◆Madrid 613 – ◆Lérida/Lleida 157 – Seo de Urgel/La Seu d'Urgell 83.

🏨 **Vall Ferrera** ⑤, ℰ 62 43 43, ≤ – ❀ rest
Semana Santa-octubre y 27 diciembre-7 enero – Com 1585 – 🖵 575 – **28 hab** 2800/4350
– PA 3130.

ARETA Álava – ver Llodio.

ARÉVALO 05200 Ávila ⁴⁴² I 15 – 6 748 h. alt. 827 – ☎ 920.

Ver : Plaza de la Villa★.

◆Madrid 121 – Ávila 55 – ◆Salamanca 95 – ◆Valladolid 78.

🏨 **Fray Juan Gil** sin rest y sin 🖵, av. de los Deportes 2 ℰ 30 08 00, Fax 30 08 00 – 🛗 📺 ◎. 𝘝𝘐𝘚𝘈. ❀
30 hab 4800/6900.

X **El Tostón de Oro**, av. de los Deportes 2 ℰ 30 07 98 – 🔲. 🅴 𝘝𝘐𝘚𝘈. ❀
cerrado lunes y 10 diciembre-10 enero – Com carta 1850 a 2625.

X **Las Cubas**, Figones 9 ℰ 30 01 25 – 🔲. 🅰🅴 ① 🅴 𝘝𝘐𝘚𝘈. ❀
cerrado jueves y 2ª quincena de junio – Com carta 2200 a 3200.

X **La Pinilla**, Figones 1 ℰ 30 00 63 – 🔲. 🅰🅴 ① 🅴 𝘝𝘐𝘚𝘈. ❀
cerrado lunes, festivos noche y del 15 al 31 de julio – Com carta 1850 a 2600.

X **Donis**, pl. El Salvador 2 ℰ 30 06 92 – 🔲. 𝘝𝘐𝘚𝘈. ❀
cerrado miércoles y del 7 al 22 de septiembre – Com carta 3150 a 4150.

ARGENTONA 08310 Barcelona ⁴⁴³ H 37 – 6 515 h. alt. 75 – ☎ 93.

◆Madrid 657 – ◆Barcelona 27 – Mataró 4.

XX **El Celler d'Argentona,** Bernat de Riudemeya 6 ℰ 797 02 69, Celler típico – 🔲. 🅰🅴 ① 🅴
𝘝𝘐𝘚𝘈 𝘑𝘊𝘽
cerrado domingo noche y lunes – Com carta 2500 a 3900.

ARGOÑOS 39197 Cantabria ⁴⁴² B 19 – 636 h. – ☎ 942.

◆Madrid 482 – ◆Bilbao/Bilbo 85 – ◆Santander 43.

🏨 **Noray,** ℰ 62 61 36, Fax 62 62 52 – 🔲 rest 📺 ☎ 🄿. 🅴 𝘝𝘐𝘚𝘈. ❀
Semana Santa y 20 junio- 15 septiembre – Com 1450 – 🖵 350 – **50 hab** 4600/7000 –
PA 2775.

ARGUINEGUÍN Las Palmas – ver Canarias (Gran Canaria).

ARINSAL Andorra – ver Andorra (Principado de).

ARLABÁN (Puerto de) Guipúzcoa – ver Salinas de Leniz.

ARMENTIA Álava – ver Vitoria.

ARMILLA **18100** Granada 🔢🔢🔢 U 19 – 10 782 h. alt. 675 – ✪ 958.
♦Madrid 435 – ♦Granada 6 – Guadix 64 – Jaén 99 – Motril 60.

🏨 **Los Galanes,** carret. de Granada NE : 1km ℰ 57 05 12, Fax 57 05 13, 🍴 – 🗐 📺 ☎ ●
⚠ ⓞ Ꭼ *VISA*. ℅ rest
Com *(cerrado domingo)* 1000 – 🖵 200 – **27 hab** 4500/6000.

ARNEDILLO **26589** La Rioja 🔢🔢🔢 F 23 – 431 h. alt. 640 – ✪ 941 – Balneario.
♦Madrid 294 – Calahorra 26 – ♦Logroño 61 – Soria 68 – ♦Zaragoza 150.

🏛 Balneario 🌊, ℰ 39 40 00, Fax 39 40 75, 🛁 de agua termal, 🚿, ℅ – 🛗 ☎ ℗
temp. – **170 hab.**

🏛 El Olivar 🌊, ℰ 39 41 05, Fax 39 40 75, ≺, 🛁 agua termal – 📺 ☎ ℗ – 🔬 25/200
45 hab.

ARNEDO **26580** La Rioja 🔢🔢🔢 F 23 – 11 592 h. alt. 550 – ✪ 941.
♦Madrid 306 – Calahorra 14 – ♦Logroño 49 – Soria 80 – ♦Zaragoza 138.

🏛 **Victoria,** paseo de la Constitución 97 ℰ 38 01 00, Fax 38 10 50 – 🛗 🗐 rest 📺 ☎
🔬 25/500. ⚠ ⓞ Ꭼ *VISA*. ℅
Com 1600 – 🖵 650 – **48 hab** 5300/9000 – PA 3850.

🏛 **Virrey,** paseo de la Constitución 27 ℰ 38 01 50, Fax 38 30 17 – 🛗 🗐 rest 📺 ☎ ℗. Ⅼ
VISA. ℅
Com 1600 – 🖵 600 – **36 hab** 4500/7500 – PA 3600.

La ARQUERA Asturias – ver Llanes.

ARRASATE Guipúzcoa – ver Mondragón.

ARRECIFE Las Palmas – ver Canarias (Lanzarote).

ARRIONDAS **33540** Asturias 🔢🔢🔢 B 14 – 2 214 h. alt. 39 – ✪ 98.
♦Madrid 426 – Gijón 62 – ♦Oviedo 66 – Ribadesella 18.

🏛 **Carús,** Carret. N 625 S : 1 km ℰ 584 05 31, Fax 584 09 51, 🛁 – 📺 ☎ ℗. ⚠ ⓞ Ꭼ *VISA*.
℅
Com *(cerrado miércoles)* 1700 – 🖵 500 – **21 hab** 4500/7500 – PA 3300.

ARROYO DE LA MIEL **29630** Málaga 🔢🔢🔢 W 16 – 15 180 h. – ✪ 95.
♦Madrid 552 – ♦Málaga 18 – Marbella 40.

🏠 **Sol y Miel** sin rest, Blas Infante 14 ℰ 244 11 14 – 🛗. ℅
🖵 300 – **40 hab** 2200/4200.

🍴 **Ventorrillo de la Perra,** av. de la Constitución, carret. de Torremolinos ℰ 244 19 66, 🍴
– ⚠ ⓞ Ꭼ *VISA*. ℅
cerrado lunes y 15 días en noviembre – Com carta 2400 a 3470.

🍴 **La Mar Chica,** av. de la Estación, urb. Los Jardines ℰ 244 48 06, 🍴, Pescados y mariscc
– 🗐, ⚠ Ꭼ *VISA*. ℅
Comida carta aprox. 3200.

ARTÁ (Cuevas de) Baleares – ver Baleares (Mallorca).

ARTEIJO o **ARTEIXO** **15142** La Coruña 🔢🔢🔢 C 4 – 15 448 h. alt. 32 – ✪ 981.
♦Madrid 615 – ♦La Coruña/A Coruña 12 – Santiago de Compostela 78.

en la carretera C 552 – ✉ 15142 Arteijo – ✪ 981 :

🏛 **Europa,** av de Finisterre 31 - NE : 1,5 km ℰ 64 04 44 – 🛗 📺 ☎ ℗. ⚠ Ꭼ *VISA*. ℅
Com 1200 – 🖵 300 – **24 hab** 5000/7500.

🍴🍴🍴 **El Gallo de Oro,** av. de Finisterre 8 ℰ 60 04 10, Fax 60 27 41, Pescados y mariscos-Viver
propio – 🗐 ℗. ⚠ Ꭼ *VISA*. ℅
cerrado domingo noche, lunes y febrero – Com carta aprox. 4900.

🍴 **El Caballo Blanco,** SO : 6 km ℰ 60 66 92 – ℗. *VISA*
cerrado martes – Com carta 1700 a 2600.

en Villarrodis NE : 3 km – ✉ 15141 Villarrodis – ✪ 981 :

🏛 **Las Camelias** sin rest, carretera LC 410 ℰ 64 03 25, Fax 64 03 25 – 🛗 📺 ☎ 🚗. ⚠ ⓞ
Ꭼ *VISA*. ℅
26 hab 🖵 5000/7500.

ARTENARA Las Palmas – ver Canarias (Gran Canaria) : Las Palmas.

ARTESA DE SEGRE 25730 Lérida 443 G 33 – 3 245 h. alt. 400 – © 973.
•Madrid 519 – ◆Barcelona 141 – ◆Lérida/Lleida 50.

🏠 **Montaña,** carret. de Agramunt 84 ℘ 40 01 86 – 🖩 rest 📺 ☎ ⇦ **②**. **E** 𝓥𝓘𝓢𝓐
Com 1000 – � 355 – **29 hab** 1350/3500 – PA 2000.

ARTIES 25599 Lérida 443 D 32 – alt. 1 143 – © 973 – Deportes de invierno.
•Madrid 603 – ◆Lérida/Lleida 169 – Viella 6.

🏨 **Parador Don Gaspar de Portolá,** carret. de Baqueira ℘ 64 08 01, Fax 64 10 01, ≤ – 📶
🖩 rest 📺 ☎ **②** – 🛗 25/100. 🖭 ◑ 𝓥𝓘𝓢𝓐. 🦅
Com 3200 – ⊆ 1100 – **38 hab** 10500, 2 suites – PA 6375.

🏨 **Valartiés** 𝕾, Mayor 3 ℘ 64 09 00, Fax 64 21 74, ≤, 🍴 – 📶 🖩 📺 ☎ & **②**. 🖭 ◑ **E** 𝓥𝓘𝓢𝓐
15 junio-12 octubre y diciembre-Semana Santa – Com (ver a continuación rest. **Casa Irene**)
– ⊆ 700 – **26 hab** 4600/8000, 1 suite.

🏠 **Edelweiss y Rest. Montarto,** carret. de Baqueira ℘ 64 09 02, Fax 64 09 02, ≤, 🔲 – 📶
📺 ☎ **②**. **E** 𝓥𝓘𝓢𝓐. 🦅
– Com (cerrado martes, del 1 al 15 de mayo y del 1 al 15 de noviembre) carta 1900 a
3750 – ⊆ 450 – **25 hab** 4300/7500.

🍴🍴 ☼ **Casa Irene** – Hotel Valartiés, Mayor 3 ℘ 64 09 00, Fax 64 21 74 – 🖩 **②**. 🖭 ◑ **E** 𝓥𝓘𝓢𝓐
5 diciembre - Semana Santa y 15 junio - 12 octubre – Com (cerrado lunes en invierno)
carta 3700 a 5700
Espec. Bogavante con salsa de corales, Pichón asado al Oporto con salsa de colmenillas, Hojaldre
de peras con salsa de caramelo.

🍴 **Urtau,** pl. Urtau 2 ℘ 64 09 26 – ◑ **E** 𝓥𝓘𝓢𝓐. 🦅
cerrado miércoles en invierno, 20 abril-10 junio y 13 octubre-noviembre – Com (sólo cena
en invierno) carta aprox. 2900.

ARTRUIX (Cabo de) Baleares – ver Baleares (Menorca) : Ciudadela.

ARUCAS Las Palmas – ver Canarias (Gran Canaria).

El ASTILLERO 39610 Cantabria 442 B 18 – 11 524 h. – © 942 – Playa.
Alred. : Peña Cabarga 🌲★★ SE : 8 km.
◆Madrid 394 – ◆Bilbao/Bilbo 99 – ◆Santander 10.

🏠 **Las Anclas,** San José 11 ℘ 54 08 50, Fax 54 07 15 – 📶 🖩 rest 📺 ☎. 🖭 **E** 𝓥𝓘𝓢𝓐. 🦅
Com 1750 – ⊆ 500 – **58 hab** 7600/8360 – PA 3200.

ASTORGA 24700 León 441 E 11 – 12 715 h. alt. 869 – © 987.
Ver : Catedral★ (retablo★, pórtico★).
🅸 pl. Eduardo de Castro (iglesia Santa Marta), ℘ 61 68 38.
◆Madrid 320 – ◆León 47 – Lugo 184 – Orense/Ourense 232 – Ponferrada 62.

🏨 **Gaudi,** pl. Eduardo de Castro 6 ℘ 61 56 54, Fax 61 50 40 – 📶 📺 ☎. 🖭 ◑ **E** 𝓥𝓘𝓢𝓐. 🦅
Com 1300 – ⊆ 600 – **35 hab** 5500/10000 – PA 2560.

🍴🍴 **La Peseta** con hab, pl. San Bartolomé 3 ℘ 61 72 75, Fax 61 53 00 – 📶 📺 ⇨. 🖭 **E** 𝓥𝓘𝓢𝓐
Comida (cerrado domingo noche salvo agosto y 13 octubre-10 noviembre) carta 1950
a 2900 – ⊆ 550 – **20 hab** 4500/6800.

en la carretera N VI – © 987 :

🏨 **Motel de Pradorrey,** NO : 5 km, ⊠ 24700, ℘ 61 57 29, Telex 89658, Fax 61 92 20, En un
marco medieval – 🖩 rest 📺 ☎ **②**. 🖭 ◑ **E** 𝓥𝓘𝓢𝓐 𝙹𝙲𝙱. 🦅 rest
Com carta 2400 a 3850 – ⊆ 650 – **64 hab** 7900/10700.

🏠 **Monterrey,** NO : 8,5 km, ⊠ 24714 Pradorrey, ℘ 61 50 11 – 📺 ☎ ⇦ **②**. 🖭 **E** 𝓥𝓘𝓢𝓐. 🦅
Com (cerrado miércoles) 1075 – ⊆ 375 – **25 hab** 3300/5900.

ASTÚN (Valle de) 22889 Huesca 443 D 28 – alt. 1 700 – © 974 – Deportes de invierno : ≰4.
◆Madrid 517 – ◆Huesca 108 – ◆Oloron-Ste. Marie 59 – ◆Pamplona/Iruñea 147.

🏠 **Europa** 𝕾, ℘ 37 33 12, Telex 58638, Fax 37 33 12, ≤, 🍴 – 📶 📺 ☎. 🖭 ◑ **E** 𝓥𝓘𝓢𝓐. 🦅
diciembre-abril y junio-agosto – Com 2700 – **38 hab** ⊆ 10110/14960 – PA 5270.

Las ATALAYAS (Urbanización) Castellón – ver Peñíscola.

ATIENZA 19270 Guadalajara 444 I 21 – 672 h. alt. 1 169 – © 949.
◆Madrid 151 – ◆Guadalajara 93 – Sigüenza 53.

🍴 **Mesón de la Villa,** pl. del Trigo ℘ 39 90 08, 🍴 – 𝓥𝓘𝓢𝓐. 🦅
cerrado 2ª quincena de septiembre – Com (cenas con reserva) carta aprox. 3350.

AURITZ Navarra – ver Burguete.

111

◆Madrid 326 - ◆Logroño 29 - ◆Pamplona/Iruñea 95 - ◆Zaragoza 148.

🏠 **Maite,** carret. N 232 ♪ 43 02 35, Fax 43 00 35, ⅃ - 🍽 rest ☎ ⇌ 🄿. ᴁ ⓞ Ⅎ ⅤⅠＳＡ. ⅏ re
Com 1200 - � 300 - **24 hab** 2500/4200.

Els AVETS (Urbanización) Barcelona - ver Rubí.

ÁVILA 05000 🅿 442 K 15 - 41 735 h. alt. 1 131 - ❀ 920.
Ver : Murallas★★ - Catedral★★ B (obras de arte★★, sepulcro del Tostado★★, sacristía★★) Y
Basílica de San Vicente★★ (portada occidental★★, sepulcro de los Santos Titulares★★
cimborrio★) B - Monasterio de Santo Tomás★ (mausoleo★, Claustro del Silencio★, retablo d
Santo Tomás★★) B.

🄩 pl. Catedral 4, ⊠ 05001, ♪ 21 13 87 - R.A.C.E. Reina Isabel 21, ⊠ 05001, ♪ 22 42 13.
◆Madrid 107 ① - ◆Cáceres 235 ③ - ◆Salamanca 98 ④ - ◆Segovia 67 ① - ◆Valladolid 120 ①.

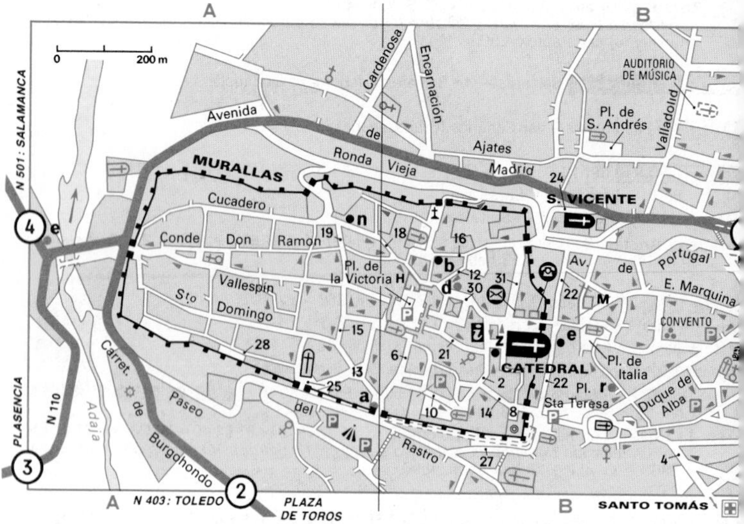

🏛️ **Parador Raimundo de Borgoña** ⅏, Marqués Canales de Chozas 2, ⊠ 05001
♪ 21 13 40, Fax 22 61 66, Decoración castellana, 🌳 - 🛗 📺 ☎ ⇌ 🄿 - 🔏 25/80. ᴁ
ⓞ ⅤⅠＳＡ. ⅏
Com 3200 - ⊡ 1100 - **62 hab** 11000 - PA 6375.
A n

🏛️ **G.H. Palacio de Valderrábanos,** pl. Catedral 9, ⊠ 05001, ♪ 21 10 23, Telex 23539,
Fax 25 16 91, Decoración elegante - 🛗 🍽 📺 ☎ - 🔏 25/200. ᴁ ⓞ Ⅎ ⅤⅠＳＡ ᴊᴄʙ. ⅏ rest
Com 3700 - ⊡ 1000 - **73 hab** 9300/14800 - PA 7100.
B z

🏨 **Don Carmelo** sin rest, paseo de Don Carmelo 30, ⊠ 05001, ♪ 22 80 50, Fax 25 12 41 -
🛗 📺 ☎ 🄿. Ⅎ ⅤⅠＳＡ. ⅏
⊡ 500 - **60 hab** 4300/6700.
por ①

🏨 **Hostería de Bracamonte** ⅏, Bracamonte 6, ⊠ 05001, ♪ 25 12 80, 🍴, Decoración
castellana - ☎. Ⅎ ⅤⅠＳＡ. ⅏ rest
Com 2000 - ⊡ 400 - **16 hab** 6000/9000 - PA 4590.
B b

🏠 **San Segundo** sin rest, San Segundo 28, ⊠ 05001, ♪ 25 25 90 - 📺 ☎. ᴁ Ⅎ ⅤⅠＳＡ. ⅏
⊡ 500 - **14 hab** 5000/7500.
B e

XX **Copacabana,** San Millán 9, ⊠ 05001, ♪ 21 11 10 - 🍽. ᴁ ⓞ Ⅎ ⅤⅠＳＡ ᴊᴄʙ. ⅏
Com carta aprox. 4200.
B n

XX **Doña Guiomar,** Tomás Luis de Victoria 3, ⊠ 05001, ♪ 25 37 09 - 🍽. ᴁ ⓞ Ⅎ ⅤⅠＳＡ ᴊᴄʙ. ⅏
cerrado domingo noche - Com carta 3200 a 4400.
B d

ÁVILA

XX **La Cochera,** av. de Portugal 47, ⊠ 05001, ℰ 25 14 19 – 🗐. 🖭 ⓪ ⴹ 𝚅𝙸𝚂𝙰 ⌁Ɔв   B
Com carta 4200 a 4900.

XX **El Almacén,** carret. de Salamanca 6, ⊠ 05002, ℰ 25 44 55, ≼ – 🗐. 🖭 ⓪ ⴹ 𝚅𝙸𝚂𝙰.
🛱   A e
cerrado domingo noche, lunes y 15 septiembre-8 octubre – Com carta 2600 a 4200.

X **Mesón El Sol y Resid. Santa Teresa** con hab, av. 18 de Julio 25, ⊠ 05003, ℰ 22 02 11,
Fax 22 41 13 – 🛗 🗐 rest   por ①
Com carta 2800 a 4650 – 🖙 400 – **15 hab** 3900/6500.

X **El Rastro** con hab, pl. del Rastro 1, ⊠ 05001, ℰ 21 12 18, Fax 25 16 26, Albergue castellano
– 🗐 rest. 🖭 ⓪ ⴹ 𝚅𝙸𝚂𝙰. 🛱   AB a
Com carta 2850 a 4150 – 🖙 350 – **10 hab** 3200/4500.

━━━ **AVILÉS** 33400 Asturias 𝟦𝟦𝟣 B 12 – 86 584 h. alt. 13 – ✿ 98.

Alred. : Salinas ≼★ NO : 5 km.

🖪 Ruiz Gómez 21 ℰ 554 43 25.

◆Madrid 466 – Ferrol 280 – Gijón 25 – ◆Oviedo 31.

🏨 **Luzana y Rest. La Serrana,** Fruta 9 ℰ 556 58 40, Telex 84213, Fax 556 49 12 – 🛗 🗐 rest
🖭 ☎ – 🔬 25/60. 🖭 ⓪ ⴹ 𝚅𝙸𝚂𝙰. 🛱
Com carta 2500 a 3400 – 🖙 575 – **73 hab** 8000/10500.

XX La Fragata, San Francisco 18 ℰ 555 19 29, Decoración neorústica.

XX **San Félix** con hab, av. de los Telares, 48 ℰ 556 51 46, Fax 552 17 79 – ☎ 🅿. 🖭 ⓪ ⴹ
𝚅𝙸𝚂𝙰 🛱
Com carta 3700 a 5000 – 🖙 400 – **18 hab** 4500/7000.

XX Entrecalles, San Francisco, 14 ℰ 555 11 30 – 🗐.

Ver también : **Salinas** NO : 5 km.

━━━ **AYAMONTE** 21400 Huelva 𝟦𝟦𝟨 U 7 – 16 216 h. alt. 84 – ✿ 959 – Playa.

Ver : Vista desde el Parador★.

⚓ para Vila Real de Santo António (Portugal).

◆Madrid 680 – Beja 125 – Faro 53 – Huelva 52.

🏨 **Parador Costa de la Luz** 🦢, El Castillito ℰ 32 07 00, Fax 32 07 00, ≼ Ayamonte, el
Guadiana, Portugal y el Atlántico, 🏊, 🖛 – 🗐 🖭 ☎ 🅿 – 🔬 25/110. 🖭 ⓪ 𝚅𝙸𝚂𝙰. 🛱
Com 3200 – 🖙 1100 – **54 hab** 12500 – PA 6375.

X **Andalucía 2,** av. Alcalde Narciso Martín Navarro ℰ 47 07 21 – 🗐. 🖭 ⴹ 𝚅𝙸𝚂𝙰. 🛱
cerrado jueves y 15 días en noviembre – Comida carta aprox. 2500.

en Playa Canela SE : 6,5 km – ⊠ 21409 Isla de Canela – ✿ 959 :

🏨 **Riu Palace Canela** 🦢, paseo de los Gavilanes ℰ 47 01 15, Fax 47 04 60, ≼, « Conjunto
de estilo andaluz - Agradables terrazas junto a la 🏊 », 🕬, 🖳, 🛇 – 🛗 🗐 ☎ 🖶 🅿 –
🔬 25/50. 🖭 ⴹ 𝚅𝙸𝚂𝙰. 🛱
abril-octubre – Com (buffet - sólo cena) 2500 – 🖙 1000 – **350 hab** 12000/19000.

━━━ **AYNA** 02125 Albacete 𝟦𝟦𝟧 Q 23 – 1 875 h. – ✿ 967.

◆Madrid 306 – ◆ Albacete 59 – ◆ Murcia 145 – Úbeda 189.

🏨 Felipe II 🦢, av. Manuel Carrera 9 ℰ 29 50 83, ≼ – 🅿
30 hab.

━━━ **AYORA** 46620 Valencia 𝟦𝟦𝟧 O 26 – 6 083 h. – ✿ 96.

◆Madrid 341 – ◆Albacete 94 – ◆Alicante 117 – ◆Valencia 132.

🏠 Murpimar sin rest y sin 🖙, Virgen del Rosario 70 ℰ 219 10 33
25 hab.

━━━ **AZPEITIA** 20730 Guipúzcoa 𝟦𝟦𝟤 C 23 – 12 958 h. alt. 84 – ✿ 943.

◆Madrid 427 – ◆Bilbao/Bilbo 74 – ◆Pamplona/Iruñea 92 – ◆San Sebastián/Donostia 44 – ◆Vitoria/Gasteiz 71.

🏨 **Izarra,** av. de Loyola 25 ℰ 81 07 50, 🍃 – 🗐 rest ☎ 🅿. 🖭 ⴹ 𝚅𝙸𝚂𝙰
20 diciembre-20 enero – Com *(cerrado domingo noche)* 1750 – 🖙 700 – **25 hab**
4500/7000.

XX **Juantxo,** av. de Loyola 3 ℰ 81 43 15 – 🗐. 🖭 ⓪ 𝚅𝙸𝚂𝙰
cerrado domingo, martes noche y agosto – Com carta 2800 a 4700.

en Loyola O : 1,5 km – ⊠ 20730 Loyola – ✿ 943 :

XX **Kiruri,** ℰ 81 56 08, Fax 15 03 62, 🍃 – 🗐 🅿. 𝚅𝙸𝚂𝙰. 🛱
cerrado lunes noche y 19 diciembre-6 enero – Com carta aprox. 4400.

● Madrid 46 - Guadalajara 12 - Segovia 139.

Alcor ⑤, av. de Alcala (S : 1,5 km) ℰ 26 46 05, Fax 26 31 01, ⇐ - |☰| ☰ ⊡ ☎ ☜ **P** AE ◑ E VISA JCB. ⅏ rest
Com 1200 - ☵ 300 - **36 hab** 5500/8000.

Recorra los países de Europa con los mapas Michelin de la serie roja (nº **980** *a* **991**).

✈ de Badajoz por ② : 16 km, ⊠ 06195, ℰ 44 00 16.

🛈 pl. de la Libertad 3 ⊠ 06005, ℰ 22 27 63 - R.A.C.E. pl. de la Soledad 9, ⊠ 06001, ℰ 22 28 57.

◆Madrid 409 ② - ◆Cáceres 91 ① - ◆Córdoba 278 ③ - ◆Lisboa 247 ④ - Mérida 62 ② - ◆Sevilla 218 ③.

BADAJOZ

Francisco Pizarro	**BY** 7	Calatrava	**BCZ** 3	Minayo (Pl. de)	**BZ** 15
Obispo San Juan de Rivera.	**BZ** 17	Carolina Coronado	**AY** 4	Muñoz Torrero	**BYZ** 16
San Juan	**BY**	Doblados	**CZ** 5	Pedro de Valdivia	**BZ** 18
		España (Pl. de)	**BZ** 6	Reyes Católicos	
Antonio Masa		Hernán Cortés	**BZ** 8	(Pl.)	**AY** 19
Campos (Av.) :	**AZ** 2	Huelva (Av. de)	**AZ** 9	San Blas	**BZ** 20
		Joaquín Costa (Av. de)	**AY** 12	San Francisco	
		Juan Sebastián Elcano		(Paseo)	**AZ** 21
		(Av. de)	**CZ** 14	Soledad (Pl. de la)	**BY** 23

Gran H. Zurbarán y Rest. Los Monjes, paseo Castelar, ⊠ 06001, ℰ 22 37 41, Telex 28818, Fax 22 01 42, ⅀ - |☰| ☰ ⊡ ☎ ☜ - ⌂ 25/500. AE ◑ E VISA JCB. ⅏
Com 3500 - ☵ 1000 - **215 hab** 9400/15800 - PA 6800. AY **k**

Río, av. Adolfo Díaz Ambrona, ⊠ 06006, ℰ 27 26 00, Telex 28784, Fax 27 38 74, ⅀ - |☰| ☰ ⊡ ☎ **P** - ⌂ 25/600. AE ◑ E VISA. ⅏ rest
Com *(cerrado agosto)* 2400 - ☵ 685 - **90 hab** 7300/9750. por ④

Lisboa, av. de Elvas 13, ⊠ 06006, ℰ 27 29 00, Fax 27 22 50 - |☰| ☰ ⊡ ☎ ☜ - ⌂ 25/70. E VISA. ⅏
Com 1200 - ☵ 400 - **176 hab** 5600/7000. por ④

Condedu sin rest, Muñoz Torrero 27, ✉ 06001, ✆ 22 46 41, Fax 22 00 03 – AE D E VISA JCB. BY **r**
400 – **34 hab** 4150/6250.

Cervantes sin rest y sin ☕, Trinidad 2, ✉ 06002, ✆ 22 09 31 – VISA. CZ **e**
25 hab 3100/4500.

XXXX ✿ **Aldebarán,** av. de Elvas - urb. Guadiana, ✉ 06006, ✆ 27 42 61, Fax 27 42 61,
« Decoración elegante » – AE D VISA. por ④
cerrado domingo – Com carta 3800 a 5100
Espec. Ensalada de cerdo ibérico escabechado, Ossobuco de retinto con setas y cebolleta, Melocotón asado con miel y crema de menta (primavera-verano).

X **Los Gabrieles,** Vicente Barrantes 21, ✉ 06001, ✆ 22 00 01 – AE D E VISA. BY **a**
cerrado domingo – Com carta aprox. 3100.

BADALONA **08911** Barcelona 443 H 36 – 227 744 h. – ✆ 93 – Playa.
♦Madrid 635 – ♦Barcelona 8,5 – Mataró 19.

Miramar sin rest. con cafetería por la noche, Santa Madrona 60 ✆ 384 03 11, Fax 389 16 27, ← – TV AE E VISA JCB.
550 – **42 hab** 3500/7000.

XX Obiols, Prim 170 ✆ 384 42 78 –

El BAELL Gerona – ver Campellas.

BAENA **14850** Córdoba 446 U 16 – 16 599 h. alt. 407 – ✆ 957.
♦Madrid 406 – ♦Córdoba 63 – ♦Granada 108 – Jaén 73 – ♦Málaga 137.

Iponuba sin rest, Nicolás Alcalá 7 ✆ 67 00 75, Fax 69 07 02 –
350 – **39 hab** 2300/3950.

BAEZA **23440** Jaén 446 S 19 – 14 799 h. alt. 760 – ✆ 953.
Ver : Centro monumental★★ : plaza del Pópulo★ Z, catedral (interior★) Z, palacio de Jabalquinto★ (fachada★) Z, ayuntamiento★ Y – Iglesia de San Andrés (tablas góticas★) Y.
ℹ pl. del Pópulo ✆ 74 04 44.
♦Madrid 319 ① – Jaén 48 ③ – Linares 20 ① – Úbeda 9 ②.

BAEZA

San Francisco . . . . Y

Aguayo . . . . Y 2
Alcalde Garzón Nebrera (Av. del) . . . . Y
Barbacana . . . . Z 3
Cardenal Benavides (Pasaje) Y 5
Carmen . . . . Z
Cipriano Tornero o del Rojo . . . . Y
Compañía . . . . Z 6
Concepción . . . . Y
Conde de Romanones . . Z 7
Constitución (Paseo de la) Z 8
Córdoba (Puerta de) . . . . Z 9
Corvera . . . . Y
España (Pl. de) . . . . Y
Gaspar Becerra . . . . Y 12
General Cuadros . . . . Y 13
José M. Cortés . . . . Y 15
Julio Burel . . . . YZ
Los Molinos . . . . Y
Magdalena . . . . Y 16
Merced . . . . Z
Motilla . . . . Y
Obispo Mengíbar . . . . . . Z 17
Obispo Narváez o Barreras . . . . YZ
Pintada Baja . . . . Y
Pópulo (Pl. del) . . . . Z
Real (Camino) . . . . Z 19
Sacramento . . . . Z 20
San Andrés . . . . Y 21
San Felipe Neri (Cuesta) . Z 23
San Gil (Cuesta de) . . . . Z 25
San Juan Bautista . . . . . Z
San Pablo . . . . Y
Santa María (Pl. de) . . . . Z

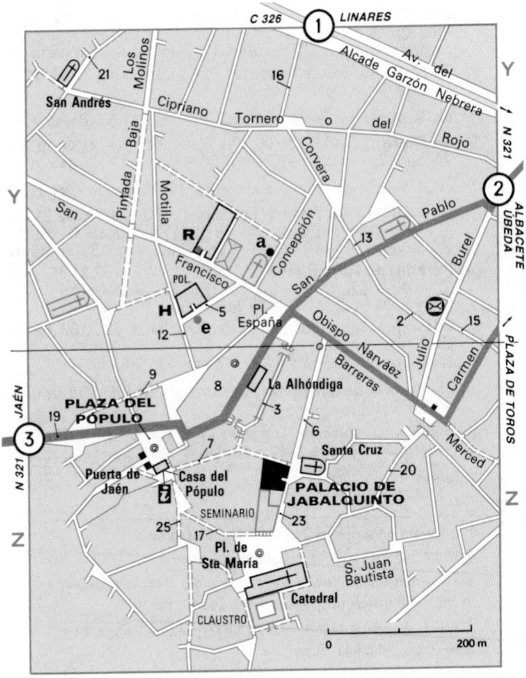

Baeza, Concepción 3 ✆ 74 81 30, Fax 74 25 19, – ▤ TV ☎ – 25/60. VISA. Y a
Com (ver también rest. **Andrés de Vandelvira**) 1900 – ☕ 750 – **84 hab** 6600/8250 – PA 3800.

La Loma, carret. de Úbeda ✆ 74 33 02 – ▤ P. E VISA.
– Com 900 – ☕ 250 – **10 hab** 3500/4500. por calle San Pablo Y

Juanito con hab, av. Puche Pardo, 43 ✆ 74 00 40, Fax 74 23 24 – ▤ TV ☎ P.
Com *(cerrado domingo noche y lunes noche)* carta 3050 a 3750 – ☕ 500 – **37 hab** 4400/5200. por calle San Pablo Y

Andrés de Vandelvira, San Francisco 14 ✆ 74 81 30, Fax 74 25 19, Instalado en un convento del siglo XVI – ▤. AE VISA. Y R
cerrado domingo noche – Com carta 3050 a 4150.

Sali, pasaje Cardenal Benavides 15 ✆ 74 13 65 – ▤. AE E VISA. Y e
cerrado miércoles noche y 15 septiembre-9 octubre – Com carta 1900 a 4500.

BAGERGUE Lérida – ver Salardú.

BAGUR o **BEGUR** 17255 Gerona 443 G 39 – 2 277 h. – 972.
Alred. : Pals★ (7 km).
18 de Pals N : 7 km ✆ 62 60 06.
av. Onze de Setembre, ✆ 62 34 79, ✉ 17255.
♦Madrid 739 – Gerona/Girona 46 – Palamós 17.

Begur, Comas y Ros 8 ✆ 62 22 07, Fax 62 29 38, – TV. AE E VISA.
abril-septiembre y 15 diciembre-7 enero – Com *(cerrado lunes)* 1900 ☕ 900 – **31 hab** 6900/7900 – PA 4200.

Rosa sin rest, Forgas y Puig 6 ✆ 62 30 15 – E VISA.
15 junio-15 septiembre – ☕ 450 – **23 hab** 2600/5000.

Plaja, pl. Pella i Forgas ✆ 62 21 97 – ▤ rest. E VISA.
Semana Santa y junio-septiembre – Com *(cerrado octubre-mayo salvo viernes a domingo)* 2000 – ☕ 600 – **16 hab** 3500/5300 – PA 3900.

Esquiró, av. 11 de Setembre 21 ✆ 62 20 02 – ▤. AE E VISA.
cerrado lunes salvo julio-agosto y 15 noviembre-15 mayo – Com (sólo cena) carta 3650 a 4950.

Mas Comangau, carret. de Fornells ✆ 62 32 10, Fax 60 01 12, Decoración típica catalana – ▤ P. AE E VISA.
cerrado martes y 15 octubre-5 diciembre – Com carta 2650 a 3500.

Primo Piatto, Santa Teresa ✆ 62 35 05, Fax 62 35 01, , Cocina italiana
temp. – Com (sólo cena).

en la playa de Sa Riera N : 2 km – ✉ 17255 Begur – 972 :

Sa Riera, ✆ 62 30 00, Fax 62 34 60, – ☎ P. E VISA. rest
10 abril-15 octubre – Com 1350 – ☕ 500 – **41 hab** 4000/7600 – PA 2500.

en Aigua Blava SE : 3,5 km – ✉ 17255 Begur – 972 :

Aigua Blava, playa de Fornells ✆ 62 20 58, Fax 62 21 12, « Parque ajardinado, ≤ cala », – ▤ rest TV ☎ P – 25/60. AE E VISA. rest
20 febrero-14 noviembre – Com 3300 – ☕ 1300 – **85 hab** 8600/15000 – PA 6000.

Parador de Aiguablava , ✆ 62 21 62, Fax 62 21 66, « Magnífica situación con ≤ cala », – ▤ TV ☎ P – 25/180. AE VISA.
Com 3200 – ☕ 1100 – **87 hab** 16500 – PA 6375.

Bonaigua sin rest, playa de Fornells ✆ 62 20 50, Fax 62 20 54, ≤, – P. AE E VISA
abril-septiembre – ☕ 600 – **47 hab** 6340/9585.

por la antigua carret. de Palafrugell y desvío a la izquierda S : 5 km – ✉ 17255 Begur – 972

Jordi's con hab, apartado 47 Bagur ✆ 30 15 70, Telex 57077, Fax 61 01 66, ≤, , « Casa de campo », – P. AE E VISA
cerrado domingo noche y lunes en invierno – Com carta 2500 a 3950 – ☕ 500 – **8 hab** 8000.

Besonders angenehme Hotels oder Restaurants sind im Führer rot gekennzeichnet.

Sie können uns helfen, wenn Sie uns die Häuser angeben, in denen Sie sich besonders wohl gefühlt haben.

Jährlich erscheint eine komplett überarbeitete Ausgabe aller Roten Michelin-Führer.

...

XXXXX ... X

BAILÉN 23710 Jaén 446 R 18 – 15 617 h. alt. 349 – ✆ 953.
◆Madrid 294 - ◆Córdoba 104 - Jaén 37 - Úbeda 40.

  en la antigua carretera N IV – ✉ 23710 Bailén – ✆ 953 :

🏨 **Parador de Bailén,** ✆ 67 01 00, Fax 67 25 30, ⌙, ♨ – 🖭 📺 ☎ 🅿. 🄰🄴 🅾 *VISA*. ✾
  Com 3000 – � 1000 – **86 hab** 9000 – PA 5950.

🏨 **Zodíaco,** ✆ 67 10 62, Fax 67 19 06 – 🖭 📺 ☎ ⟺ 🅿. 🄰🄴 🄴 *VISA* ᴊᴄʙ. ✾
  Com 1400 – ⊕ 500 – **52 hab** 4000/6275 – PA 2900.

🏨 **Motel Don Lope de Sosa,** ✆ 67 00 58, Telex 28311, Fax 67 25 74 – 🖭 🕾 🅿. 🄰🄴 🅾 🄴
  VISA. ✾ rest
  Com 1950 – ⊕ 650 – **27 hab** 5500/7000.

BAIONA Pontevedra - ver Bayona.

BAKIO Vizcaya - ver Baquio.

BALAGUER 25600 Lérida 443 G 32 – 12 432 h. alt. 233 – ✆ 973.
🄱 pl. Mercadal 1, ✉ 25600, ✆ 44 66 06.
◆Madrid 496 - ◆Barcelona 149 - Huesca 125 - ◆Lérida/Lleida 27.

🏨 **Balaguer** sin rest, La Banqueta 7 ✆ 44 57 50 – 🛗 📺 ☎. 🄰🄴 🄴 *VISA*
  ⊕ 400 – **30 hab** 3500/6000.

🗙🗙 **Cal Morell,** passeig Estació 18 ✆ 44 80 09 – 🖭. 🄰🄴 🅾 🄴 *VISA*
  cerrado lunes (salvo festivos o vísperas) y del 20 al 30 septiembre – Com carta 3550 a 4600.

  en la carretera C 1313 – ✉ 25600 Balaguer – ✆ 973 :

🗙 **El Caliu d'en Ton,** S : 3,5 km ✆ 44 70 85 – 🖭 🅿. 🄰🄴 🄴 *VISA*. ✾
  cerrado jueves noche – Com carta 2100 a 3600.

🗙 **El Bosquet,** E : 2 km ✆ 44 68 68, �იᴛ – 🖭 🅿. 🅾 *VISA*. ✾
  cerrado martes no festivos y febrero – Com carta 2450 a 3900.

BALEARES (Islas) ★★★ 443 – 685 088 h.
⌖ ver : Palma de Mallorca, Mahón, Ibiza.
⛴ para Baleares ver : Barcelona, Valencia. En Baleares ver : Palma de Mallorca, Mahón, Ibiza.

MALLORCA

Algaida 07210 443 N 38 – 2 866 h. – ✆ 971.
Palma 23.

🗙 **Es 4 Vents,** carret. de Manacor ✆ 66 51 73, Fax 12 54 09, �იᴛ – 🖭 🅿. 🄴 *VISA*. ✾
  cerrado jueves – Com carta 1850 a 2950.

🗙 **Hostal Algaida,** carret. de Manacor ✆ 66 51 09, �იᴛ – 🖭 🅿
  cerrado miércoles salvo festivos – Com carta 2100 a 3700.

Artá (Cuevas de) 07570★★★ 443 N 40.
Palma 78.

Hoteles y restaurantes ver : **Cala Ratjada** N : 11,5 km, **Son Servera** SO : 13 km.

Bañalbufar o **Banyalbufar** 07191 443 M 37 – 498 h. – ✆ 971.
Palma 23.

🏨 **Sa coma** ⌂, ✆ 61 80 34, Fax 61 81 98, ≤, ⌙, ✾ – ☎ 🅿
  temp. – Com (sólo cena) – **32 hab.**

🏨 **Mar i Vent** ⌂, Mayor 49 ✆ 61 80 00, Fax 61 82 01, ≤ mar y montaña, ⌙, ✾ – ☎ ⟺
  🅿. ✾
  cerrado diciembre-enero – Com (sólo cena) 1875 – **23 hab** ⊕ 5100/8200.

🗙 **Son Tomás,** Baronía 17 ✆ 61 81 49, ≤, �იᴛ – 🄰🄴 🅾 🄴 *VISA*. ✾
  cerrado martes y 10 enero-10 febrero – Com carta 2950 a 4510.

Bunyola 07110 443 M 38 – 3 262 h. – ✆ 971.
Palma 14.

  en la carretera de Sóller – ✉ 07110 Bunyola – ✆ 971 :

🗙 Ses Porxeres, NO : 3,5 km ✆ 61 37 62, Decoración rústica, Cocina catalana – 🅿.

🗙 Ca'n Penasso, O : 1,5 km ✆ 61 32 12, ≤, �იᴛ, « Conjunto de estilo rústico regional », ⌙,
  ♨, ✾ – 🅿.

Cala de San Vicente o **Cala de Sant Vicenç** 443 M39 - ⊠ 07469 Pollensa - 🕲 971.

Palma 58.

🏨 Molins ⑤, Cala Molins 🖋 53 02 00, Fax 53 02 16, Amplias terrazas con ≤, 😤, 🏋, ⚅ - |‡| ☎ ℗
temp. - 91 hab.

XX **Cavall Bernat,** Temporal 🖋 53 02 50, Fax 53 20 84, 😤 - ⓪ 🄴 VISA. ⚅
abril-octubre - Com carta 2500 a 3550.

Cala d'Or 07660 443 N 39 - 🕲 971.

Ver : Paraje★.

🛅 Club de Vall d'Or N : 7 km 🖋 57 60 99.

🚇 av. Cala Llonga 10 🖋 65 74 63.

Palma 69.

🏨 Cala Esmeralda ⑤, Cala Esmeralda E : 1 km 🖋 65 71 11, Telex 69533, Fax 65 71 56, 😤, 🏋, ⚅, ⚅ - |‡| ⊟ TV ☎ ℗ - 🏌 25/80
temp. - 151 hab.

🏨 **Rocador,** Marqués de Comillas 3 🖋 65 70 75, Fax 65 77 51, ≤, 🏋, 🌼 - |‡| ⊟ rest 🕾. 🄴 VISA. ⚅ rest
*abril-octubre - Com 1900 - ☲ 900 - **106 hab** 5100/7600 - PA 3950.*

🏨 **Cala D'Or** ⑤, av. de Bélgica 33 🖋 65 72 49, Fax 65 93 51, 😤, « Terrazas bajo los pinos », 🏋, 🌼 - |‡| ⊟ ☎. 🄰🄴 🄴 VISA. ⚅
*abril-octubre - Com (sólo cena) 2000 - **95 hab** ☲ 8250/13500.*

🏨 **Rocador Playa,** Marqués de Comillas 1 🖋 65 77 25, Fax 65 77 51, ≤, 🏋 - |‡| ⊟ rest 🕾 - 🏌 25/100. 🄴 VISA. ⚅ rest
*abril-octubre - Com 1900 - ☲ 900 - **105 hab** 5100/7600 - PA 3950.*

🏨 **Cala Gran** sin rest, av. de la playa 🖋 65 71 89, Telex 69468, Fax 64 35 27, 🏋, 🌼 - |‡| 🕾.
🄰🄴 VISA. ⚅
*abril-octubre - **77 hab** ☲ 7000/10000.*

XXX **Port Petit,** av. Cala Llonga 🖋 64 30 39, Fax 64 60 73, ≤, 😤 - 🄰🄴 ⓪ 🄴 VISA. ⚅
abril-octubre - Com (cerrado lunes salvo verano) (sólo cena) carta 3100 a 4650.

XX Sa Barraca, av. de Bélgica 4 🖋 65 79 78, 😤, Decoración regional
temp.

XX **Cala Llonga,** av. Cala Llonga - Porto Cari 🖋 65 80 36, 😤 - ⊟. 🄰🄴 ⓪ 🄴 VISA. ⚅
cerrado lunes en invierno y enero-10 febrero - Com carta 1950 a 4300.

X **La Sivina,** Andrés Roig 8 🖋 65 72 89, Fax 64 30 73, 😤 - 🄰🄴 ⓪ 🄴 VISA
abril-octubre - Com carta 1700 a 2425.

X La Cala, av. de Bélgica 7 🖋 65 70 04, 😤.

X **Ca'n Trompé,** av. de Bélgica 12 🖋 65 73 41, 😤 - ⊟. 🄴 VISA. ⚅
cerrado martes en invierno y diciembre-enero - Com carta 2100 a 3100.

X **Ibiza,** Toni Costa 5 🖋 65 78 15, Fax 64 30 73, 😤 - 🄰🄴 ⓪ 🄴 VISA
cerrado enero-marzo - Com (sólo cena) carta 2700 a 4100.

en Cala Es Fortí S : 1,5 km - ⊠ 07660 Cala d'Or - 🕲 971 :

🏨 **Rocamarina** ⑤, 🖋 65 78 32, Fax 64 31 80, 🏋, 🌼, 🌼 - |‡| ⊟ rest ☎ ℗. 🄴 VISA. ⚅
*mayo-octubre - Com (sólo cena) 2100 - ☲ 1100 - **207 hab** 6000/8700.*

Cala Pí 07639 443 N 38 - 🕲 971.

Palma 41.

X Miquel, Torre de Cala Pí 13 🖋 66 13 09, 😤, Decoración regional.

Cala Ratjada 07590 443 M 40 - 🕲 971.

Alred. : Capdepera (murallas ≤★) O : 2,5 km.

🚇 Plaça dels Pins 🖋 56 30 33 Fax 56 52 56.

Palma 79.

🏨 Aguait ⑤, av. de los Pinos 61 S : 2 km 🖋 56 34 08, Telex 69814, Fax 56 51 06, ≤, 🏋, 🌼 - |‡| ⊟ TV ☎ ℗. VISA
*abril-octubre - Com 2350 - ☲ 800 - **188 hab** 5000/8500 - PA 3850.*

🏨 **Son Moll,** Tritón 25 🖋 56 31 00, Fax 56 35 81, ≤, 🏋 - |‡| ⊟ rest 🕾. ⓪ VISA. ⚅
*abril-octubre - Com (sólo cena) 1800 - ☲ 700 - **125 hab** 4500/7400.*

🏨 ✿ **Ses Rotges,** Rafael Blanes 21 🖋 56 31 08, Fax 56 43 45, 😤, Cocina francesa, « Terraza rústico-regional con plantas » - ⊟ hab ☎. 🄰🄴 ⓪ 🄴 VISA. ⚅
*20 marzo-octubre - Com carta 3940 a 5495 - ☲ 1175 - **24 hab** 6600/8350*
Espec. Escalopes de foie salteados con fruta del tiempo, Rodaballo con juliana de verduras y salsa mousseline, Pichón de "Bresse" con nabos confitados.

X **Lorenzo,** Leonor Servera 11 🖋 56 39 39, 😤 - 🄴 VISA. ⚅
cerrado lunes y noviembre-diciembre - Com carta 3050 a 4100.

La Calobra o **Sa Calobra** 443 M 38 – ✿ 971 – Playa.

Ver : Paraje★ – Carretera de acceso★★★ – Torrente de Pareis★, mirador★.

Palma 66.

🏠 La Calobra ⌂, ✉ 07100 apartado 35 Sóller, ℘ 51 70 16, ≼, 🏤
temp. – **44 hab.**

Calviá 07184 Palma de Mallorca 443 N 37 – alt. 156 – ✿ 971.

🛑 Ca'n Vich 29, ✉ 07184, ℘ 13 91 00, Fax 13 91 46.

Palma 20.

🍴 **Ses Forquetes,** C'an Vich (edificio Ayuntamiento) ℘ 67 06 13, ≼, 🏤 – 🔲 ⓟ. 🖭 E 𝓥𝓘𝓢𝓐.
🍽
cerrado domingo noche y lunes noche de 25 octubre a marzo – Com carta 2100 a 3300.

Capdepera 07580 443 M 40 – 3 058 h. alt. 102 – ✿ 971.

Palma 77.

en la carretera de Son Servera S : 5 km – ✉ 07580 Capdepera – ✿ 971 :

🍴 Porxada de Sa Torre, Torre de Canyamel ℘ 56 30 44, Decoración rústica – 🔲 ⓟ
temp.

en Cala Canyamel SE : 9 km – ✉ 07580 Capdepera – ✿ 971 :

🏨 **Canyamel Park,** Vía de Melesigeni ℘ 56 55 11, Fax 56 56 14, 🏊, ⚄, 🎾, 🏤 – 🛗 🔲 ☎.
❶ E 𝓥𝓘𝓢𝓐. 🍽
marzo-noviembre – Com 1200 – 🍽 950 – **132 hab** 7000/12000 – PA 3000.

Colonia Sant Jordi 07638 443 O 38 – ✿ 971 – Playa.

Palma 9.

🍴 Marisol, Gabriel Roca 65 ℘ 65 50 70, ≼, 🏤
temp.

Costa de Bendinat 443 N 37 – ✿ 971.

Palma 11.

🏨 **Bendinat** ⌂, ✉ 07015 Portals Nous, ℘ 67 57 25, Fax 67 72 76, 🏤, « Bungalows en un jardín con árboles y terrazas junto al mar », 🏤, 🎾 – ☎ ⓟ. E 𝓥𝓘𝓢𝓐. 🍽 rest
mayo-18 octubre – Com 2500 – 🍽 700 – **29 hab** 10000/13000 – PA 4675.

Deyá o **Deiá** 07179 443 M 37 – 559 h. alt. 184 – ✿ 971.

Palma 27.

🏨 **La Residencia** ⌂, finca Son Canals ℘ 63 90 11, Fax 63 93 70, ≼, « Antigua casa señorial de estilo mallorquín », ⚄, 🎾 – 🛗 🔲 📺 ☎ ⓟ – 🔏 25/50
Com (ver a continuación rest. **El Olivo**) – **63 hab** 🍽 18500/34000.

🏨 **Es Molí** ⌂, carret. de Valldemossa SO : 1 km ℘ 63 90 00, Fax 63 93 33, ≼ valle y mar, 🏤,
« Jardín escalonado », ⚄ climatizada, 🎾 – 🛗 🔲 ☎ ⓟ. 🖭 E 𝓥𝓘𝓢𝓐. 🍽 rest
22 abril-octubre – Com (sólo cena) 3950 – **72 hab** 🍽 15900/28400.

🍴🍴🍴 ✿ **El Olivo** - Hotel La Residencia, finca Son Canals ℘ 63 90 11, Fax 63 93 70, 🏤, Instalado
en un antiguo molino de aceite – ⓟ. 🖭 ❶ E 𝓥𝓘𝓢𝓐. 🍽
Com carta 4400 a 7150
Espec. Gambas con higos (temp), Raya con alcaparras, Carré de cordero en costra de aceitunas.

🍴🍴 **Ca'n Quet,** carret. de Valldemossa SO : 1,2 km ℘ 63 91 96, Telex 69007, Fax 63 93 33, ≼
montaña, 🏤, ⚄ – ⓟ. 🖭 ❶ E 𝓥𝓘𝓢𝓐. 🍽
cerrado lunes, enero- 21 abril y noviembre-diciembre – Com carta 3400 a 4200.

Drach o **Drac (Cuevas del)** ★★★ 443 N 39.

Palma 63 – Porto Cristo 1.

Hoteles y restaurantes ver : Porto Cristo N : 1 km.

Escorca 07315 443 M 38 – 244 h. – ✿ 971.

Palma 46.

🍴 Escorca, carret. C 710 O : 5 km ℘ 51 70 95, ≼, Decoración rústica – ⓟ.

Estellenchs o **Estellencs** 07192 443 N 37 – 381 h. – ✿ 971.

Palma 30.

🍴 Son Llarg, pl. Constitución 6 ℘ 61 85 64.

🍴 **Montimar,** pl. Constitución 7 ℘ 61 08 41 – E 𝓥𝓘𝓢𝓐. 🍽
cerrado lunes y 15 enero-15 febrero – Com carta 1925 a 2600.

Felanitx **07200** 443 N 39 - 12 542 h. alt. 151 - ☎ 971.

Palma 51.

XXX **Vista Hermosa,** carret. de Porto Colom SE : 6 km ☎ 82 49 60, Fax 82 45 92, ≤ valle, monte y mar, 🍴, ⛱, ✻ - Ⓟ. E VISA
cerrado 11 enero-15 marzo - Com carta aprox. 3500.

Formentor (Cabo de) **07470** 443 M 39 - ☎ 971.

Ver : Carretera★ de Puerto de Pollensa al Cabo Formentor - Mirador d'Es Colomer★★★ - Cabo Formentor★.

Palma 78 - Puerto de Pollensa 20.

Formentor ⛰, ☎ 86 53 00, Telex 68523, Fax 86 51 55, ≤ bahía y montañas, 🍴, En un gran pinar, ⛱ climatizada, 🌳, ✻ - |♦| ▤ TV ☎ Ⓟ - 🏟 25/200. AE ⓓ E VISA. ✻
marzo-octubre - Com carta aprox. 6800 - **127 hab** ☕ 19700/31350.

Illetas **07015** 443 N 37 - ☎ 971.

◆ Palma 4.

Meliá de Mar ⛰, Paseo de Illetas 7 ☎ 40 25 11, Telex 68892, Fax 40 58 52, ≤ mar y costa, « Jardín con arbolado », ⛱, ⛱, ✻ - |♦| ▤ TV ☎ Ⓟ - 🏟 25/220. AE ⓓ E VISA JCB. ✻ rest
marzo-octubre - Com 5000 - ☕ 1950 - **144 hab** 22000/27500.

Bonsol ⛰, paseo de Illetas 30 ☎ 40 21 11, Telex 69243, Fax 40 25 59, ≤, 🍴, Decoración castellana, « Terrazas bajo los pinos », ⛱ climatizada, 🌳, ✻ - |♦| ▤ ☎ Ⓟ - 🏟 25/80. AE ⓓ E VISA JCB. ✻ rest
cerrado 5 enero-6 febrero - Com 2750 - **82 hab** ☕ 12410/19080.

G. H. Bonanza Playa ⛰, paseo de Illetas ☎ 40 11 12, Telex 68782, Fax 40 56 15, ≤ mar, 🍴, « Amplia terraza con ⛱ al borde del mar », ⛱, ✻ - |♦| ▤ TV ☎ Ⓟ - 🏟 25/225
temp. - **294 hab.**

G.H. Albatros ⛰, paseo de Illetas 15 ☎ 40 22 11, Telex 68545, Fax 40 21 54, ≤, ⛱, ⛱, ✻ - |♦| ▤ TV ☎ ♿ Ⓟ - 🏟 25/150. AE ⓓ E VISA. ✻
cerrado 16 diciembre- enero - Com 2250 - ☕ 945 - **119 hab** 9750/16500.

Bonanza Park ⛰, paseo de las Adelfas ☎ 40 11 12, Telex 68782, Fax 40 56 15, ⛱, 🌳, ✻ - |♦| ▤ ☎
117 hab.

Inca **07300** 443 M 38 - 20 721 h. alt. 120 - ☎ 971.

Palma 28.

X Ca'n Amer, Pau 39 ☎ 50 12 61, Celler típico.

X **Ca'n Moreno,** Gloria 103 ☎ 50 35 20 - ▤. ⓓ E VISA. ✻
cerrado domingo y agosto - Com carta 2050 a 3625.

Orient **07349** 443 M 38 - ☎ 971.

Palma 25.

en la carretera de Alaró NE : 1,3 km - ✉ 07349 Orient - ☎ 971 :

L'Hermitage ⛰, ☎ 61 33 00, Fax 61 33 00, ≤, 🍴, Antigua casa de campo, ⛱, 🌳, ✻ - TV Ⓟ. AE ⓓ E VISA. ✻
cerrado noviembre-15 diciembre - Com 2500 - ☕ 1000 - **20 hab** 13500/21000.

Paguera **07160** 443 N 37 - ☎ 971 - Playa.

ℹ pl. Parking, ☎ 68 70 83.

Palma 22.

Villamil, av. de Paguera 66 ☎ 68 60 50, Telex 68841, Fax 68 68 15, ≤, 🍴, « Terraza bajo los pinos con ⛱ », ⛱, ✻ - |♦| ▤ TV ☎ Ⓟ - 🏟 25/50
125 hab.

G.H. Sunna Park, Gaviotas 19 ☎ 68 67 50, Fax 68 67 66, ⛱, ⛱ - |♦| ▤ ☎ Ⓟ
temp. - Com (sólo buffet) - **131 hab.**

Bahía Club, av. de Paguera 81 ☎ 68 61 00, Fax 68 61 04, 🍴, ⛱, ⛱ - ☎ Ⓟ
temp. - **55 hab.**

XX **La Gran Tortuga,** carret. de Cala Fornells ☎ 68 60 23, 🍴, « Terrazas con ⛱ y ≤ bahía y mar » - AE ⓓ E VISA
cerrado lunes y 7 enero-1 marzo - Com carta 2380 a 4200.

en la carretera de Palma - ✉ 07160 Paguera - ☎ 971 :

Club Galatzó y Rest. Vista de Rey ⛰, E : 2 km ☎ 68 62 70, Telex 68719, Fax 68 78 52, 🍴, « Magnífica situación sobre un promontorio, ≤ mar y colinas circundantes », ⛱, ⛱, 🌳, ✻ - |♦| ▤ TV ☎ Ⓟ - 🏟 25/50
- **196 hab.**

X **La Cascada,** playa de la Romana SE : 1,2 km ☎ 68 73 09, ≤, 🍴 - AE E VISA. ✻
Com carta aprox. 3495.

en Cala Fornells SO : 1,5 km – ⊠ 07160 Paguera – ❸ 971 :

🏠 **Coronado** ⊗, ℰ 68 68 00, Fax 68 74 57, ≤ cala y mar, « Rodeado de pinos », ⼚, ☒, 🞄, 🞄 – 🛎 ▤ 🞄 ❷ – 🏄 25/150. 𝑽𝑰𝑺𝑨. ℀
cerrado noviembre-16 diciembre – Com 1800 – ☑ 600 – **139 hab** 12000/20000 – PA 3700.

Palma de Mallorca 07000 ℙ 𝟜𝟜𝟛 N 37 – 304 422 h. – ❸ 971 – Playas : Portixol DX, ca'n Pastilla por ④ : 10 km y el Arenal por ④ : 14 km.

Ver : Barrio de la Catedral ★ : Catedral★★ FZ – Iglesia de Sant Francesc (claustro★) GZ **Y** – Museo de Mallorca (Sección de Bellas Artes★ : San Jorge★) GZ **M1**, Museo Diocesano (cuadro de Pere Nisart : San Jorge★) FGZ **M2** – Otras curiosidades : La Lonja★ EZ – Palacio Sollerich (patio★) FY **Z** – Pueblo español★ BV **A** – Castillo de Bellver★ BV ⼌★★

🛧 de Son Vida NO : 5 km ℰ 23 76 20 BU – 🛧 Club de Bendinat, carret. de Bendinat O : 15 km, ℰ 40 52 00.

🛪 de Palma de Mallorca por ④ : 11 km ℰ 26 42 10 – Iberia : av. Juan March Ordinas 8, ⊠ 07004, ℰ 71 80 00 FYZ y Aviaco : aeropuerto, ℰ 26 28 26.

🚢 para la Península, Menorca e Ibiza : Cía. Trasmediterránea, Muelle Viejo 5, ⊠ 07012, ℰ 72 67 40, Telex 68555, EZ.

🅱 av. Jaume III-10, ⊠ 07012, ℰ 71 22 16, Fax 72 02 51 y en el aeropuerto ℰ 26 08 03 – R.A.C.E. av. Marqués de la Cenia 37, ⊠ 07014, ℰ 73 73 46.

Alcudia 52 ② – Paguera 22 ⑤ – Sóller 30 ① – Son Servera 64 ③.

Planos páginas siguientes

En la ciudad :

🏠 **Saratoga,** paseo Mallorca 6, ⊠ 07012, ℰ 72 72 40, Fax 72 73 12, ⼚ – 🛎 ▤ 📺 ☎ ⼚
– 🏄 25/50. 🄴 𝑽𝑰𝑺𝑨. ℀   EY **s**
Com 4250 – ☑ 550 – **187 hab** 11275/16000.

🏠 **Sol Jaime III** sin rest, con cafetería, paseo Mallorca 14 B, ⊠ 07012, ℰ 72 59 43, Fax 72 59 46 – 🛎 📺 ☎. 𝔸𝔼 ⓞ 🄴 𝑽𝑰𝑺𝑨 𝙅𝘊𝘉. ℀   EY **n**
☑ 600 – **88 hab** 7500/9500.

🏠 **Almudaina** sin rest, con cafetería, av. Jaime III-9, ⊠ 07012, ℰ 72 73 40, Fax 72 25 99 – 🛎 ▤ 📺 ☎. 𝔸𝔼 ⓞ 🄴 𝑽𝑰𝑺𝑨. ℀   FY **a**
80 hab ☑ 7300/10400.

🏠 **Palladium** sin rest, con cafetería, paseo Mallorca 40, ⊠ 07012, ℰ 71 28 41, Fax 71 46 65 – 🛎 📺 ☎. 𝔸𝔼 ⓞ 🄴 𝑽𝑰𝑺𝑨. ℀   EY **z**
☑ 675 – **53 hab** 6000/8800.

❌❌ **Honoris,** Camino Viejo de Bunyola 76, ⊠ 07007, ℰ 29 00 07 – ▤. 𝔸𝔼 ⓞ 🄴 𝑽𝑰𝑺𝑨. ℀
cerrado sábado mediodía y domingo – Com carta aprox. 3950.   DU **n**

❌❌ **Gran Dragón,** Ruíz de Alda 5 ℰ 28 02 00, Fax 28 02 00, Rest chino – ▤. 𝔸𝔼 ⓞ 🄴 𝑽𝑰𝑺𝑨. ℀   EY **k**
Com carta aprox. 2850.

❌ ❀ **Xoriguer,** Fábrica 60, ⊠ 07013, ℰ 28 83 32 – ▤. 𝔸𝔼 🄴 𝑽𝑰𝑺𝑨. ℀   CV **a**
cerrado domingo y festivos – Com carta 2500 a 4600
Espec. Pescados marinados al eneldo, Hígado de pato con melón, Blanco y negro de chocolate.

❌ Ca'n Juanito, Aragón 11, ⊠ 07005, ℰ 46 10 65 – ▤   HY **t**

❌ **Peppone,** Bayarte 14, ⊠ 07013, ℰ 45 42 42, Cocina italiana – ▤. 𝔸𝔼 ⓞ 🄴 𝑽𝑰𝑺𝑨   EY **d**
cerrado domingo y lunes mediodía – Com carta 2400 a 3350.

❌ **Parlament,** Conquistador 11, ⊠ 07001, ℰ 72 60 26 – ▤. ℀   FZ **e**
cerrado domingo y agosto – Com carta 2750 a 4500.

❌ **La Lubina,** Muelle Viejo, ⊠ 07012, ℰ 72 33 50, ≤, ⼌, Pescados y mariscos – ▤. 𝔸𝔼 ⓞ 🄴 𝑽𝑰𝑺𝑨 𝙅𝘊𝘉. ℀   EZ **c**
Com carta 3750 a 5200.

❌ **Caballito de Mar,** paseo de Sagrera 5, ⊠ 07012, ℰ 72 10 74, ⼌ – ▤. 𝔸𝔼 ⓞ 🄴 𝑽𝑰𝑺𝑨 𝙅𝘊𝘉. ℀   EZ **a**
Com carta 3450 a 5250.

❌ Le Bistrot, Teodoro Llorente 4, ⊠ 07011, ℰ 28 71 75, Cocina francesa – ▤   EY **a**

❌ **Casa Gallega,** Pueyo 4, ⊠ 07003, ℰ 72 11 41, Cocina gallega – ▤. 𝑽𝑰𝑺𝑨. ℀   GY **a**
Com carta aprox. 3700.

❌ **Los Gauchos,** San Magín 78, ⊠ 07013, ℰ 28 00 23, Carnes – ▤. 𝔸𝔼 ⓞ 🄴 𝑽𝑰𝑺𝑨. ℀   EY **f**
cerrado domingo, domingo y agosto – Com carta 2145 a 3085.

❌ **Casa Sophie,** Apuntadores 24, ⊠ 07012, ℰ 72 60 86, Cocina francesa – ▤. 𝔸𝔼 ⓞ 🄴 𝑽𝑰𝑺𝑨
cerrado domingo, lunes mediodía y diciembre – Com (sólo cena en julio-agosto) carta 2750 a 3950.   EZ **u**

❌ **Ca'n Nofre,** Manacor 27, ⊠ 07006, ℰ 46 23 59 – ▤. 𝔸𝔼 ⓞ 🄴 𝑽𝑰𝑺𝑨. ℀   HY **a**
cerrado miércoles noche, jueves y marzo – Com carta 1975 a 3100.

❌ Celler Payés, Felipe Bauzá 2, ⊠ 07012, ℰ 72 60 36.   FZ **a**

Al Oeste de la Bahía :

al borde del mar :

PALMA
DE MALLORCA

🏨 **Meliá Victoria,** av.
Joan Miró 21,
✉ 0 7 0 1 4,
𝄞 2 3 2 5 4 2,
Telex 68558,
Fax 45 08 24, ⩽ ciu-
dad y bahía, 🍽, 𝄓,
🍸, ⤧ – 🛗 📺 ☎
Ⓟ – 𝄜 25/120.
🆎 ⓪ 🖻 𝑽𝑰𝑺𝑨 𝐉𝐂𝐁.
⚡ BV **u**
Com carta 4500 a
5400 – 🖵 1800 –
167 hab 12000/
23600.

🏨 **Sol Palas Atenea,**
paseo Marítimo 29,
✉ 0 7 0 1 4,
𝄞 2 8 1 4 0 0,
Telex 69644,
Fax 45 19 89, ⩽,
🍸 climatizada – 🛗
📺 ☎
𝄜 25/300. 🆎 ⓪ 🖻
𝑽𝑰𝑺𝑨. ⚡ BV **e**
Com (sólo cena-buf-
fet) 2500 – 🖵 1000 –
370 hab 10500/
16400.

🏩 **Sol Bellver,** paseo
Ingeniero Gabriel
Roca 11, ✉ 07014,
𝄞 7 3 5 1 4 2,
Telex 69643,
Fax 73 14 51, ⩽ bahía
y ciudad, 🍸 – 🛗 ▤
📺 ☎ – 𝄜 25/150.
🆎 ⓪ 🖻 𝑽𝑰𝑺𝑨 𝐉𝐂𝐁.
⚡ CV **v**
Com 2000 – 🖵 900 –
3 9 3 h a b
11100/14400 – PA
4400.

🏩 **Mirador,** paseo
Marítimo 10,
✉ 0 7 0 1 4,
𝄞 7 3 2 0 4 6,
Fax 73 39 15, ⩽ – 🛗
📺 ☎. 🆎 ⓪ 🖻 𝑽𝑰𝑺𝑨.
⚡ CV **x**
Com 2435 – 🖵 590 –
78 hab 6425/10010 –
PA 4650.

Adrià Ferràn	DV 2
Andrea Doria	BV 5
Arquebisbe Aspáreg	DV 12
Arquitecte Bennàzar (Av.)	CU 15
Capità Vila	DV 26
Del Pont (Pl.)	CV 45
Espartero	CV 48
Federico García Lorca	BV 51
Fra Juníper Serra	BCV 54
Francesc M. de los Herreros	DV 61
Francesc Pi i Margall	DV 63
General Ricardo Ortega	DV 74
Guillem Forteza	CU 79
Jaume Balmes	CU-DV 82
Joan Crespí	CV 85
Joan Maragall	CDV 88
Joan Miró (Av.)	BVX 90
Josep Darder	DV 93
Marquès de la Sènia	BCV 101
Miquel Arcas	CU 103
Niceto Alcalá Zamora	CV 107
Pere Garau (Pl.)	DV 110
Quetglas	CV 113
Rosselló i Caçador	CU 128
Teniente C. Franco (Pl.)	DV 152
Valldemossa (Carret. de)	CU 155

🏩🏩🏩🏩 **Bahía Mediterrá-
neo,** paseo Marítimo
33 - 5°, ✉ 07014, 𝄞 45 76 53, Fax 72 46 56, ⩽ bahía, 🍽, « Terraza » – ▤. 🆎 ⓪ 🖻 𝑽𝑰𝑺𝑨
𝐉𝐂𝐁. ⚡ – Com carta 4350 a 5400.
BVX **u**

🏨🏨🏨 **Mediterráneo 1930,** paseo Marítimo 33, ✉ 07014, 𝄞 45 88 77, Fax 68 26 14, 🍽 – ▤.
🆎 🖻 𝑽𝑰𝑺𝑨 – Com carta 3100 a 3950.
BVX **u**

🏨🏨🏨 **Zarzagán,** paseo Marítimo 13, ✉ 07014, 𝄞 73 74 47, ⩽ – ▤. 🆎 ⓪ 🖻 𝑽𝑰𝑺𝑨. ⚡ BV **v**
cerrado sábado mediodía y domingo – Com carta 1875 a 2875.

🏨🏨🏨 ✿ **Koldo Royo,** Paseo Marítimo 3, ✉ 07014, 𝄞 45 70 21, Fax 28 70 60, ⩽ – ▤. 🆎 🖻 𝑽𝑰𝑺𝑨. ⚡
cerrado sábado mediodía, domingo, 24 enero-6 febrero y del 16 al 30 de junio – Com
carta 3175 a 4000
CV **c**
Espec. Milhojas de pimientos del piquillo, queso y sobrasada, Rodaballo sobre compota de verduras y vinagreta de jugo de carne, Rabo de toro al vino tinto.

en Terreno BVX – ✿ 971 :

🏨 **Rex** sin rest, Luis Fábregas 4, ✉ 07014, 𝄞 73 03 65, Fax 73 04 48, 🍸 – 🛗 🍽. 🆎 ⓪ 🖻
𝑽𝑰𝑺𝑨. ⚡
BV **a**
abril- octubre – 🖵 300 – **72 hab** 4300/5700.

en La Bonanova BX – ⊠ 07015 Palma – ☎ 971 :

🏨🏨 **Valparaíso Palace** ♨, Francisco Vidal 23, ☎ 40 04 11, Telex 68754, Fax 40 59 04, 굶, « Magnífica situación con ≤ Palma, bahía y puerto », ⊒, ⊠, ⇗, ⅋ – 🛗 🗏 📺 ☎ ❷ – 🏯 25/250. 🖭 ⓞ ⒠ 𝘝𝘐𝘚𝘈. ⅍
Com 6250 – ⇐ 1400 – **150 hab** 12250/21400 – PA 11725.
BX **f**

🏨 **Ciutat de Mallorca,** Francisco Vidal Sureda 24 ☎ 70 13 06, Fax 70 14 16, ⊒ – 🛗 🗏 📺 ☎ ❷ – 🏯 25/75. 🖭 ⓞ ⒠ 𝘝𝘐𝘚𝘈. ⅍
Com 1950 – ⇐ 1100 – **58 hab** 15000 – PA 4000.
BX **x**

🏨 Majórica ♨, Garita 3, ☎ 40 02 61, Telex 69309, Fax 40 33 58, ≤ Palma, bahía y puerto, ⊒ – 🛗 ☎ – 🏯 25/80 – Com (sólo buffet) – **153 hab.**
BX **z**

✗✗✗ **Samantha's,** Francisco Vidal Sureda 115 ☎ 70 00 00, Fax 70 09 99 – 🗏 ❷. 🖭 ⓞ ⒠ 𝘝𝘐𝘚𝘈. ⅍
Com carta aprox. 5300.
AX **c**

en Génova -AV – ⊠ 07015 Génova – ☎ 971 :

✗ **Son Berga,** carret. Génova km 4 ☎ 45 38 69, 굶, Decoración típica regional – ❷. 🖭 ⓞ ⒠ 𝘝𝘐𝘚𝘈. 𝘑𝘊𝘉. ⅍ – Com carta 2220 a 3565.
AV **a**

PALMA DE MALLORCA

Pour un bon usage
des plans de villes,
voir les signes
conventionnels.

Para el buen uso
de los planos
de ciudades,
consulte los signos
convencionales.

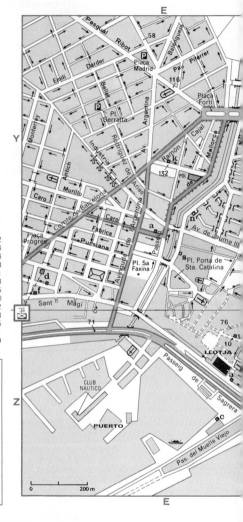

en Porto Pí - BX – ⊠ 07015 Palma – 🕾 971 :

XXX ❀ **Porto Pí,** Joan Miró 174 ℰ 40 00 87, 🍴, « Antigua villa mallorquina » – 🗐. 🟰 **E** **VISA**. 🛠
cerrado sábado mediodía y domingo – Com carta 3500 a 4950   BX
Espec. Ensalada templada de rape y cigalitas con vinagreta de manzana, Merluza al horno co
setas, Mousse de queso fresco con canela.

XX **Gran Dragón III,** Joan Miró 146 ℰ 70 17 17, Fax 28 02 00, rest chino – 🗐. 🟰 **①** **E** **VISA**. 🛠
cerrado martes – Com carta aprox. 2500.

X **Rififí,** Joan Miró 182, ℰ 40 20 35, Fax 40 09 06, Pescados y mariscos – 🗐. 🟰 **①** **E** **VISA**
🛠 – *cerrado martes y enero* – Com carta 2400 a 3550.   BX

en Cala Mayor (carretera de Andratx) AX – ⊠ 07015 Palma – 🕾 971 :

🏤 Playa Cala Mayor, Guillem Diaz Plaja 2, ℰ 40 32 13, Telex 69309, Fax 70 05 23, ≤, 🏊 – 🛗
🗐 🕿 – Com (sólo buffet) – **143 hab.**   AX

🏤 Santa Ana, Gaviota 9, ℰ 40 15 12, Telex 69309, Fax 40 19 33, ≤, 🏊 – 🛗 🗐 rest 🅿 – Cor
(sólo buffet) – **190 hab.**   AX

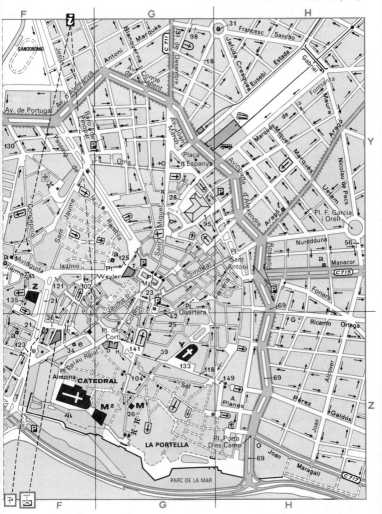

en San Agustín (carretera de Andratx) AX – ⊠ 07015 San Agustín – 🕾 971 :

✗ Buona Sera, Joan Miró 299, 🕾 40 03 22 – 🗏 AX **t**

en Son Vida NO : 6 km BU – ⊠ 07013 Son Vida – 🕾 971 :

🏨 **Son Vida** ⑤, 🕾 79 00 00, Telex 68651, Fax 79 00 17, �*, « Antiguo palacio señorial entre pinos con ≤ ciudad, bahía y montañas »*, 🏊, 🏊, 🚗, ✗, 🛝 – 🛗 🗏 📺 ☎ 🅿 – 🛄 25/200. 🖭 ◑ 🗉 𝘝𝘐𝘚𝘈. ✗ rest – Com 4600 – **158 hab** ⊇ 23500/30400, 12 suites.

🏨 **Arabella Golf H.** ⑤, de la Vinagrella 🕾 79 99 99, Fax 79 99 97, ≤, 🚗, « Al lado de un campo de golf »*, 🏊, 🏊, 🚗, ✗, 🛝 – 🛗 🗏 📺 ☎ 🚐 🅿 – 🛄 25/90. 🖭 ◑ 🗉 𝘝𝘐𝘚𝘈. ✗ Com **Plat D'Or** *(sólo cena)* carta 3450 a 4975 **Foravila – 92 hab** ⊇ 17500/35200, 1 suite.

Al Este de la Bahía :

en El Molinar - Cala Portixol DX – ⊠ 07006 Palma – 🕾 971 :

✗ **Portixol del Molinar,** Sirena 27 🕾 27 18 00, Fax 24 37 58, 🚗, Pescados y mariscos, 🏊 – 🖭 ◑ 🗉 𝘝𝘐𝘚𝘈. ✗ – Com carta 3300 a 5200. DX **u** *en Coll d'en Rabassa* por ④ : 6 km – ⊠ 07007 Palma – ❸ 971 :

XX **Club Náutico Cala Gamba,** paseo de Cala Gamba 𝒫 26 10 45, ≤, 🏤, Pescados y mariscos – ■.

en Playa de Palma (Ca'n Pastilla, Las Maravillas, El Arenal) por ④ : 10 y 20 km – ❸ 971

🏨 **Riu Bravo, Misión de San Diego,** ⊠ 07600 El Arenal, 𝒫 26 63 00, Telex 68693, Fax 26 57 54 « Jardín alrededor de la ⊒ », 🔲 – ▮❙ ▤ ☎ ❷ – 🛦 25/120
Com (sólo buffet) – **199 hab.**

🏨 **Delta** 🐾, carret. de Cabo Blanco km 6,4 - Puig de Ros, ⊠ 07609 Cala Blava, 𝒫 74 10 00, Telex 69196, Fax 74 10 00, 🏤, « En un pinar », 🛵, ⊒, 🔲, 🛋, ⅋ – ▮❙ ▤ 📺 ☎ ❷ – 🛦 25/200. ⅏ ➊ ⋿ 𝘝𝘐𝘚𝘈, ⅋
11 febrero- octubre – Com (sólo buffet) 2100 – ⌧ 800 – **288 hab** 8000/12000 – PA 4000

🏨 **Garonda,** carret. El Arenal 28, ⊠ 07610 Ca'n Pastilla, 𝒫 26 22 00, Telex 69920, Fax 26 21 09, ≤, ⊒ climatizada, 🛵 – ▮❙ ▤ 📺 ☎. ⅏ ➊ ⋿ 𝘝𝘐𝘚𝘈, ⅋
abril-octubre – Com (sólo buffet) 2250 – ⌧ 750 – **133 hab** 11750/14500.

🏨 **Playa Golf,** carret. de El Arenal 366, ⊠ 07600 Ca'n Pastilla, 𝒫 26 26 50, Fax 49 18 52, ≤, ⊒, 🔲, ⅋ – ▮❙ ▤ rest 🖭 ❷ – 🛦 25/60
222 hab.

🏨 **Riu San Francisco,** Laud 24, ⊠ 07610 Ca'n Pastilla, 𝒫 26 46 50, Telex 68693, Fax 26 57 54, ≤, ⊒ climatizada – ▮❙ ▤ 🖭 – 🛦 25/100
Com (sólo buffet) – **138 hab.**

🏨 **Cristóbal Colón** 🐾, Parcelas, ⊠ 07610 Ca'n Pastilla, 𝒫 26 27 50, Telex 68751, Fax 49 22 50, ⊒, 🔲 – ▮❙ ▤ rest 🖭. ⅋
Com (sólo buffet) 1650 – ⌧ 700 – **157 hab** 7000/11000 – PA 3200.

🏨 **Festival,** camino Las Maravillas, ⊠ 07610 Ca'n Pastilla, 𝒫 26 62 00, Telex 68693, Fax 26 57 54, Césped con arbolado, ⊒ climatizada, 🔲 – ▮❙ 🖭 ❷ – 🛦 25/250
Com (sólo buffet) – **216 hab.**

🏨 **Royal Cupido,** Marbella 32, ⊠ 07610 Ca'n Pastilla, 𝒫 26 43 00, Telex 68504, Fax 20 12 67, ≤, ⊒, 🔲 ▤ rest ☎ ❷ – 🛦 25/100. ⅏ ➊ ⋿ 𝘝𝘐𝘚𝘈. ⅋
Com (sólo buffet) 1500 – ⌧ 750 – **197 hab** 8000/13000 – PA 3750.

🏨 **Acapulco Playa,** carret. de el Arenal 21, ⊠ 07610 Ca'n Pastilla, 𝒫 26 18 00, Telex 69639, Fax 26 80 85, ≤, ⊒, 🔲 – ▤ rest 📺 🖭
Com (sólo buffet) – **143 hab.**

🏨 **Leman,** av. Son Rigo 6, ⊠ 07610 Ca'n Pastilla, 𝒫 26 07 12, Fax 49 25 20, ≤, 🛵, ⊒, 🔲 – ▮❙ ▤ rest 🖭
Com (sólo buffet) – **98 hab.**

🏨 **Aya,** carret. de el Arenal 60, ⊠ 07600 El Arenal, 𝒫 26 04 50, Fax 26 62 16, ≤, ⊒, 🛵 – ▮❙ ▤ rest 🖭. ⅋
abril-octubre – Com 2090 – ⌧ 660 – **145 hab** 5265/8470 – PA 4115.

🏨 **Neptuno,** Laud 34, ⊠ 07620 El Arenal, 𝒫 26 00 00, ≤, ⊒ – ▮❙ 🖭
temp. – Com (sólo buffet) – **105 hab.**

🏨 **Boreal,** Mar Jónico 9, ⊠ 07610 Ca'n Pastilla, 𝒫 26 21 12, Fax 26 21 12, ⊒, 🔲, ⅋ – ▮❙ ▤ rest 🖭. ⅋
cerrado noviembre – Com 1190 – **64 hab** ⌧ 4590/7500 – PA 2310.

🏨 **Luxor y apartamentos Luxor Playa,** av. Son Rigo 23, ⊠ 07610 Ca'n Pastilla, 𝒫 26 05 12, Fax 49 25 09, ⊒, ⅋ – ▮❙ ▤ rest 🖭
Com (sólo buffet) – **46 hab,** 40 apartamentos.

XX **Ca's Cotxer,** carret. de El Arenal 31, ⊠ 07600 Ca'n Pastilla, 𝒫 26 20 49 – ▤. ⅏ ➊ ⋿ 𝘝𝘐𝘚𝘈
cerrado miércoles (noviembre-abril) y enero-febrero – Com carta 2950 a 4200.

XX **L'Arcada,** av. Son Rigo 2, ⊠ 07610 Ca'n Pastilla, 𝒫 26 14 50, Telex 69920, Fax 26 21 09, ≤, 🏤 – ⅏ ➊ ⋿ 𝘝𝘐𝘚𝘈. ⅋
cerrado de lunes a jueves (noviembre-marzo) – Com carta 1650 a 3300.

X **Nuevo Club Náutico El Arenal,** Roses, ⊠ 07600 El Arenal, 𝒫 26 91 67, ≤, 🏤 – ❷. ⅏ ➊ ⋿ 𝘝𝘐𝘚𝘈. ⅋
cerrado lunes – Com carta 2850 a 4725.

Palma Nova 07181 ⅄⅄③ N 37 – ❸ 971 – Playa.

🔋 Poniente, zona de Magaluf 𝒫 72 36 15.
🖪 pl. Magaluf. 𝒫 13 11 26 (Magaluf).
Palma 14.

XXX **Gran Dragón II,** paseo del Mar 2 𝒫 68 13 38, Fax 28 02 00, ≤, 🏤, Rest. chino – ▤. ⅏ ➊ ⋿ 𝘝𝘐𝘚𝘈. ⅋
Com carta aprox. 2550.

XX **Ciro's,** paseo del Mar 3 𝒫 68 10 52, Fax 68 26 14, ≤, 🏤 – ▤. ⅏ ⋿ 𝘝𝘐𝘚𝘈
Com carta 2850 a 3950.

en Magaluf S : 1 km – ⊠ 07182 Magaluf – 🕸 971 :

🏨 **Flamboyan,** Martín Ros García 16 🏖 68 04 62, Fax 68 22 67, ⅃ – 🕸 🗏 rest 🚗 🅿. 🕮 ⓪
🔳 *VISA*.
cerrao 7 enero-20 febrero – Com 1200 – **120 hab** ⇆ 6050/10890 – PA 2500.

por la carretera de Palma – ⊠ 07011 Portals Nous – 🕸 971 :

🏨 **Son Caliu** 🦢, NE : 2 km Urbanización Son Caliu 🏖 68 22 00, Telex 68686, Fax 68 37 20,
🏛 , « Jardín con ⅃ », 🔳, 🎾 – 🕸 🗏 📺 🕾 – ⚕ 25/200. 🕮 ⓪ 🔳 *VISA*. 🍴 rest
Com 2750 – **239 hab** ⇆ 11000/18000.

🏨 **Punta Negra** 🦢, NE : 2,5 km 🏖 68 07 62, Fax 68 39 19, ≤ bahía, 🏛 , « Magnífica situación
al borde de una cala », ⅃, 🏖 – 🕸 🗏 📺 🕾 🅿 – ⚕ 25/40. 🕮 ⓪ 🔳 *VISA*. 🍴
Com 3500 – **69 hab** ⇆ 13700/25600.

en Cala Viñas 🦢 S : 3 km – ⊠ 07184 Cala Viñas – 🕸 971 :

🏨 **Cala Viñas** 🦢, Sirenas 🏖 13 11 00, Telex 68724, Fax 13 09 82, ≤, 🏖, ⅃ climatizada, 🔳,
🎾 – 🕸 🗏 📺 🕾 🅿 – ⚕
temp. – Com (sólo buffet) – **250 hab**, 25 apartamentos.

en Portals Vells - por la carretera del Golf Poniente SO : 8,5 km – ⊠ 07184 Calviá – 🕸 971

✕ Ca'n Pau Perdiueta, Ibiza 5 🏖 (908) 13 61 72, 🏛 , Pescados y mariscos.

Pollensa o Pollença 07460 **443** M 39 – 11 617 h. alt. 200 – 🕸 971 – Playa en Puerto
de Pollensa.

🏌 Club de Pollensa 🏖 53 32 16.

🛈 pl. Miquel Capllonch, ⊠ 07470, 🏖 53 46 66.
Palma 52.

✕✕ Daus, Escalonada Calvari 10 🏖 53 28 67 – 🗏.

en la carretera del Puerto de Pollensa E : 2 km – ⊠ 07460 Puerto de Pollensa – 🕸 971 :

✕ Ca'n Pacienci, 🏖 53 07 87, 🏛 – 🅿
temp. – Com (sólo cena).

✕ Garroverar, 🏖 53 06 59, 🏛 , ⅃ – 🅿.

Pont D'Inca 07009 Palma de Mallorca **443** N 38 – 🕸 971.
♦ Palma 5.

✕ **S'Altell,** av. Antonio Maura 69 (carret. de Inca C 713) 🏖 60 10 01 – 🗏. 🕮 ⓪ 🔳 *VISA*. 🍴
cerrado domingo, lunes y agosto – Com (sólo cena) carta 2400 a 2950.

Portals Nous 07015 **443** N 37 – 🕸 971 – Puerto deportivo.
♦ Palma 5.

✕✕✕✕ 🕸🕸 **Tristán,** Puerto Portals 🏖 67 55 47, Telex 69804, Fax 67 54 03, ≤, 🏛 , « Elegante terraza en el puerto deportivo » – 🗏. 🕮 ⓪ 🔳 *VISA*
cerrado lunes (salvo julio-agosto) y 7 enero-20 febrero – Com (sólo cena) carta 5000 a 6800
Espec. Savarín de merluza con dátiles de mar, Chartreuse de salmón y vieiras ahumado, Lomo
de cordero con hierbas en masa de sal.

Porto Colom 07670 **443** N 39 – 🕸 971 – Playa.
Palma 63.

✕ **Celler Sa Sinia,** Pescadores 25 🏖 82 43 23 – 🗏. ⓪ 🔳 *VISA*. 🍴
cerrado lunes y 30 octubre- 15 febrero – Com carta 3425 a 3850.

Porto Cristo 07680 **443** N 40 – 🕸 971 – Playa.
Alred. : Cuevas del Drach★★★ S : 1 km – Cuevas del Hams (sala de los Anzuelos★) O : 1,5 km.
🛈 Gual 31 A 🏖 57 01 68.
Palma 62.

✕ **Ses Comes,** av. de los Pinos 50 🏖 82 12 54 – 🕮 🔳 *VISA*
cerrado lunes y 15 noviembre-15 diciembre – Com carta 2175 a 4730.

✕ **Sa Carrotja,** av. Amer 45 🏖 82 15 03 – 🗏. 🕮 ⓪ 🔳 *VISA*. 🍴
cerrado lunes noche y noviembre – Com carta 2650 a 4000.

Porto Petro 07691 **443** N 39 – 🕸 971.
Alred. : Cala Santanyí (paraje★) SO : 16 km.
Palma 65.

🔼 **Nereida,** Patrons Martina 34 🏖 65 72 23, Fax 65 92 35, ≤, ⅃, 🎾 – *VISA*. 🍴
mayo-octubre – Com 1100 – **43 hab** ⇆ 4100/6000.

Puerto de Alcudia 07410 **443** M 39 – 🟢 971 – Playa.

🎗 carret. de Artá 68, 🖉 89 26 15.

Palma 54.

🏨🏨 **Golf Garden,** av. Reina Sofía 🖉 89 24 26, Fax 89 24 26, ≤, 🏠, 🏊, 🎾 – 🛗 🗐 📺 ☎. [
① E 🚾. 🛠
abril-octubre – Com (sólo cena buffet) carta aprox. 5500 – **117 apartamentos**
🖵 14000/18000.

Puerto de Andraitx o **Puerto de Andratx** 07157 **443** N 37 – 🟢 971.
Alred. : Paraje★ – recorrido en cornisa★★★ de Puerto de Andraitx a Sóller.
Palma 33.

🏨 **Brismar,** av. Almirante Riera Alemany 6 🖉 67 16 00, Fax 67 11 83, ≤, 🏠 – 🛗 ⊜ 📵. [
① E 🚾. 🛠
cerrado 16 noviembre- 9 febrero – Com 1400 – 🖵 650 – **56 hab** 4300/6400 – PA 2900

🍴 **Layn,** av. Almirante Riera Alemany 19 🖉 67 18 55, ≤, 🏠 – 📵 ① E 🚾 🗺
cerrado lunes y 8 noviembre-22 diciembre – Com carta 2250 a 3425.

🍴 **Miramar,** av. Mateo Bosch 22 🖉 67 16 17, Fax 67 34 11, ≤, 🏠 – 📵 ① E 🚾
🗺
cerrado lunes (salvo julio-agosto) y 20 diciembre-20 enero – Com carta 3935 a 4755.

🍴 **Rocamar,** av. Almirante Riera Alemany 32 bis 🖉 67 12 61, ≤, 🏠, pescados y mariscos
– 📵 E 🚾. 🛠
cerrado lunes y diciembre- 15 enero – Com carta 2650 a 4150.

Puerto de Pollensa o **Puerto de Pollença** 07470 **443** M 39 – 🟢 971 – Playa.
Ver : Paraje★.
Alred. : Carretera★ de Puerto de Pollensa al Cabo Formentor★ : Mirador d'Es Colomer★★★
– Cabo Formentor★.
Palma 58.

🏨🏨 **Illa d'Or** 🏊, paseo Colón 265 🖉 86 51 00, Fax 86 42 13, ≤, « Terraza con árboles », 🏊
– 🛗 ⊜ ☎. 📵 ① E 🚾. 🛠
cerrado diciembre-enero – Com 3400 – 🖵 1050 – **119 hab** 8120/15050.

🏨🏨 **Daina,** Atilio Boveri 1 🖉 53 12 50, Fax 53 33 22, ≤, 🏊 – 🛗 ⊜ rest ⊜. 📵 E 🚾. 🛠
cerrado diciembre-14 febrero – Com (sólo cena) 2300 – **67 hab** 6200/11000.

🏨🏨 **Uyal,** paseo de Londres 🖉 86 55 00, Fax 53 33 32, ≤, « Terraza con árboles », 🏊, 🏊 – 🛗
⊜ rest 📵
temp. – **105 hab.**

🏨 **Miramar,** paseo Anglada Camarasa 39 🖉 53 14 00, Fax 86 40 75 – 🛗 ⊜ hab ⊜. 📵 E 🚾
🛠
abril-octubre – Com 1750 – 🖵 525 – **69 hab** 5670/8200 – PA 3500.

🏨 **Pollentia,** paseo de Londres 🖉 86 52 00, Fax 86 52 00, ≤, « Terraza con palmeras » – 🛗
⊜. E 🚾. 🛠
mayo-octubre – Com (sólo cena) 1500 – **70 hab** 🖵 4500/8700.

🏨 **Capri,** paseo Anglada Camarasa 69 🖉 53 16 00, Telex 69708, Fax 53 33 22, 🏠 – 🛗 ⊜
temp. – Com (sólo cena) – **33 hab.**

🏨 **Panorama,** urb. Gommar 5 🖉 86 51 92, Fax 86 51 92, 🏊 – 📵. 📵 ① E 🚾 🗺
🛠 rest
abril-octubre – Com (sólo cena) 1750 – 🖵 750 – **40 hab** 4000/6000.

🍴🍴 **Bec Fi,** paseo Anglada Camarasa 91 🖉 53 10 40, 🏠, Carnes y pescados a la parrilla – 📵
① E 🚾. 🛠
cerrado lunes, diciembre y enero – Com carta 2955 a 5265.

🍴🍴 **Ca'n Pep,** Virgen del Carmen 🖉 86 40 10, 🏠, Decoración regional – ⊜ 📵.

🍴🍴 **Nabucco,** Mendez Nuñez 3 🖉 53 16 55, 🏠 – ⊜

🍴 **Stay,** Estación Marítima 🖉 86 40 13, Fax 86 52 32, ≤, 🏠, Terraza frente al mar – 📵 E
🚾 🗺
cerrado noches de noviembre a febrero, salvo viernes, sábado y Navidades – Com carta
2400 a 4300.

🍴 Hibiscus, carret. de Formentor 5 🖉 53 14 84, 🏠 – ⊜
temp. – Com (sólo cena).

🍴 **Lonja del Pescado,** Muelle Viejo 🖉 53 00 23, ≤, 🏠, Pescados y mariscos – ⊜. E 🚾
cerrado miércoles, enero y febrero – Com carta 3500 a 4400.

en la carretera de Alcudia S : 3 km – ✉ 07470 Puerto de Pollensa – 🟢 971 :

🍴🍴 **Ca'n Cuarassa,** 🖉 86 42 66, ≤, 🏠 – 📵 E 🚾. 🛠
cerrado lunes y noviembre- febrero – Com carta 2175 a 2775.

Puerto de Sóller 07108 443 M 38 – 🔆 971 – Playa.

🛈 de la Iglesia 3 🖋 63 42 82.

Palma 35.

🏨 **Edén,** Es Travé, 26 🖋 63 16 00, Fax 63 36 56, ⤓ – |‡| ☎ 🅿. 🖭 ⓪ 🖪 *VISA*. 🕸
10 abril-octubre – Com 2300 – � 675 – **152 hab** 3850/5500 – PA 4485.

🏨 **Edén Park** sin rest, Lepanto 🖋 63 12 00, Fax 63 36 56 – |‡| ☎ ⇦. 🖭 ⓪ 🖪 *VISA*. 🕸
mayo -15 octubre – ⊏ 675 – **64 hab** 3850/5500.

🍴 **Es Canyis,** platja de'n Repic 🖋 63 14 06, Fax 63 30 18, 😤 – 🅿. 🖭 ⓪ 🖪 *VISA*. 🕸
cerrado domingo noche y lunes salvo en verano, y diciembre-febrero – Com carta 2575
a 3465.

Randa 07629 Palma de Mallorca 443 N 38 – 🔆 971.

Palma 26.

🍴🍴 **Es Recó de Randa** ⬧ con hab, Font 13 🖋 66 09 97, Fax 66 25 58, « Terrazas » – 🗏 📺
☎. 🖪 *VISA*. 🕸
Com carta 2500 a 4300 – **14 hab** 12375/16500.

San Juan (Balneario de) 07630 443 N 39 – 1 964 h. – 🔆 971.

Palma 50.

🍴 **El Pórtico,** carret. de Campos 🖋 65 61 08, cocina italo-francesa – 🅿. 🖪 *VISA*. 🕸
cerrado domingo mediodía en verano, lunes y martes en invierno y 15 enero-febrero – Com
carta 3600 a 6400.

San Telmo 07159 443 N 37 – 🔆 971 – Playa.

Palma 35.

🍴 Arlequín, Cala es Cunills 14 🖋 10 91 50, ≤, 😤.

San Salvador 443 N 39 alt. 509.

Ver : Monasterio★ (※★★).

Palma 55 – Felanitx 6.

Hoteles y restaurantes ver : Cala d'Or SE : 21 km.

Santa Ponsa 07180 443 N 37 – 🔆 971 – Playa.

🏌 Santa Ponsa, 🖋 69 02 11.

🛈 vía Puig de Galatzó 🖋 69 17 12.

Palma 20.

🏨🏨 **Bahía del Sol,** vía Jaime I - 74 🖋 69 11 50, Fax 69 06 50, ⟨ꜛ, ⤓, 🗔 – |‡| 🗏 ☎ 🅿 –
🔬 25/80. 🖭 ⓪ 🖪 *VISA*. 🕸
cerrado noviembre-17 diciembre – Com 2000 – **161 hab** ⊏ 6800/11600.

🏨 **Casablanca,** vía Rey Sancho 6 🖋 69 03 61, Fax 69 05 51, ≤, ⤓ – 🕮 🅿. 🕸 rest
mayo-octubre – Com 1075 – ⊏ 425 – **87 hab** 4600/6625 – PA 2025.

🍴 **Miguel,** vía Jaime I - 92 🖋 69 09 13, 😤 – 🗏. 🖪 *VISA*. 🕸
cerrado lunes y noviembre-febrero – Com carta 2800 a 4500.

🍴 **La Rotonda,** vía Jaime I - 105 🖋 69 02 19, 😤 – ⓪ 🖪 *VISA*
cerrado lunes y enero – Com carta 2100 a 3900.

🍴 **Jackie's,** Puig de Galatzo 18 🖋 69 00 67, 😤 – 🖭 ⓪ 🖪 *VISA*
marzo-octubre – Com carta aprox. 2900.

S'Illot 07687 443 N 40 – 🔆 971.

Palma 66.

🏨 **Club S'Illot,** Cala Moreya 🖋 81 00 34, Fax 81 04 89, 🗔 – |‡| 🗏 rest ☎ 🅿. 🖪 *VISA*.
🕸
cerrado noviembre-17 diciembre – Com 2600 – ⊏ 1200 – **59 hab** 3675/6700 – PA 5300.

🍴🍴 **La Gamba de Oro,** Cami de la Mar 25 🖋 81 04 97 – 🗏. 🖭 ⓪ 🖪 *VISA* 🗾. 🕸
cerrado lunes y del 1 al 20 de enero – Com carta 2400 a 4600.

Sóller 07100 443 M 38 – 9 693 h. alt. 54 – 🔆 971 – Playa en Puerto de Sóller.

🛈 pça. de Sa Constitució 1, 🖋 63 33 20, ✉ 07100.

Palma 30.

🍴 **El Guía** con hab, Castañer 3 🖋 63 02 27, Fax 63 02 27 – 🖭 ⓪ 🖪 *VISA*. 🕸
abril-octubre – Com *(cerrado lunes salvo festivos, noviembre-marzo)* carta 2700 a 4200 –
⊏ 500 – **16 hab** 2000/4000.

en el camino de Son Puça NO : 2 km – ⊠ 07100 Soller – ☻ 971 :

XX **Ca N'Ai** con hab, 𝆑 63 24 94, 斧, Casa de campo mallorquina, ⊥ – ☰ ☎ ℗, ⓪ E 🖾
⧬
cerrado diciembre y enero – Com *(cerrado lunes)* carta 3500 a 4400 – **8 h**
⧠ 19000/25000.

Ver también : *Puerto de Sóller* NO : 5 km.

Son Servera 07550 443 N 40 – 5 180 h. alt. 92 – ☻ 971 – Playa.
🛦 de Son Servera NE : 7,5 km 𝆑 56 78 02.
🛈 Fetjet 4, ⊠ 07560, 𝆑 58 58 64.
Palma 64.

en la carretera de Capdepera NE : 3 km – ⊠ 07550 Son Servera – ☻ 971 :

X S'Era de Pula, 𝆑 56 79 40, Fax 56 71 51, 斧, Decoración rústica regional – ℗.
en Cala Millor SE : 3 km – ⊠ 07560 Cala Millor – ☻ 971 :

XX Son Floriana, urb. Son Floriana 𝆑 58 60 75, 斧, Decoración rústica regional – ℗.

en Costa de los Pinos NE : 7,5 km – ⊠ 07559 Costa de los Pinos – ☻ 971 :

🏨 **Eurotel Golf Punta Rotja** ⌖, 𝆑 56 76 00, Telex 68666, Fax 56 77 37, ≤ mar y montañ
斧, « En un pinar », 🔏, ⊥ climatizada, 🌿, ✕, 🛦 – ☳ ☰ 🖵 ☎ ℗ – 🏌 25/100. 🖭 ☻
E 🖾, ⧬ rest
19 marzo-9 noviembre – Com 2675 – ⧠ 1390 – **212 hab** 15650/21840 – PA 4760.

Valdemosa o **Valldemossa** 07170 443 M 37 – 1 161 h. alt. 427 – ☻ 971.
🛈 Cartuja de Valldemosa 𝆑 61 21 06.
Palma 17.

X **Ca'n Pedro,** av. Archiduque Luis Salvador 𝆑 61 21 70, Mesón típico – E 🖾. ⧬
cerrado domingo noche y lunes – Com carta 1975 a 3150.

en la carretera de Andraitx O : 2,5 km – ⊠ 07170 Valdemosa – ☻ 971 :

XX **Vistamar** ⌖ con hab, 𝆑 61 23 00, Fax 61 25 83, 斧, « Conjunto de estilo mallorquín »
⊥ – 🖵 ☎ ℗, 🖭 ⓪ E 🖾 🇯🇨🇧. ⧬
18 febrero-noviembre – Com carta 3800 a 4900 – ⧠ 1250 – **16 hab** 15000/23500.

MENORCA

Alayor o **Alaior** 07730 443 M 42 – 5 706 h. – ☻ 971.
Mahón 12.

en la urbanización Torre Solí Nou SO : 9 km – ⊠ 07730 Alayor – ☻ 971 :

🏨 **San Valentín** ⌖, ⊠ apartado 7, 𝆑 37 26 02, Fax 37 23 75, 斧, 🔏, ⊥, 🖾, 🌿, ✕ – ☳
☰ 🖵 ☎ ℗ – 🏌 25/100. E 🖾 ⧬
mayo-octubre – Com (sólo cena, buffet) 1700 – **210 hab** ⧠ 9500/17000, 96 apartamentos

en la Playa de Son Bou SO : 8,5 km – ⊠ 07730 Playa de Son Bou – ☻ 971 :

XX **Club San Jaime,** urb. San Jaime 𝆑 37 27 87, 斧, ⊥, ✕ – 🖭 ⓪ E 🖾
mayo-octubre – Com (sólo cena salvo festivos) carta 3525 a 4300.

Ciudadela o **Ciutadella de Menorca** 07760 443 M 41 – 17 580 h. – ☻ 971.
Ver : Localidad★.
Mahón 44.

🏨 **Patricia** sin rest, paseo San Nicolás 90 𝆑 38 55 11, Fax 48 11 20 – ☳ ☰ 🖵 ☎ – 🏌 25/110
🖭 ⓪ E 🖾. ⧬
⧠ 750 – **43 hab** 11600/14500.

X **Casa Manolo,** Marina 117 𝆑 38 00 03, 斧 – ☰. 🖭 ⓪ E 🖾
cerrado domingo en invierno, diciembre y enero – Com carta aprox. 4100.

X El Comilón, pl. Colón 47 𝆑 38 09 22, 斧.
X **Cas Quintu,** pl. Alfonso III - 4 𝆑 38 10 02, 斧 – 🖭 ⓪ E 🖾. ⧬
Com carta 3200 a 6050.

X **El Horno,** D'es Forn 12 𝆑 38 07 67 – 🖭 ⓪ E 🖾. ⧬
cerrado domingo mediodía y 15 septiembre-octubre – Com carta aprox. 2950.

X Racó d'es Palau, Palau 3 𝆑 38 54 02, 斧
temp.

en la carretera del cabo d'Artruix S : 3 km – ⊠ 07760 Ciudadela – ☻ 971 :

X **Es Caliu,** ⊠ apartado 216, 𝆑 38 01 65, 斧, Carnes a la brasa, Decoración rústica – ℗
🖭 ⓪ E 🖾. ⧬
mayo-octubre, fines de semana y festivos – Com carta aprox. 2750.

Es Castell 07720 📖 M 42 – ☻ 971.

Mahón 3.

🏦🏦 **Rey Carlos III** 🦢, Carlos III - 2 🖋 36 31 00, Fax 36 31 08, ≤, « Amplias terrazas », 🏊 –
|≑| 🖳 rest. **E** 💳. 🛇
mayo-octubre – Com 1800 – 🖵 480 – **87 hab** 5530/8480 – PA 2280.

🏦🏦 **Agamenón** 🦢, paraje Fontanillas 18, 🖂 apartado 18, 🖋 36 21 50, Fax 36 21 54, ≤, 🏊
– |≑| 🖳 rest ☎ 🅿. 🝰 ⓞ **E** 💳. 🛇 rest
mayo-octubre – Com (sólo cena) 2200 – 🖵 800 – **70 hab** 6500/9000.

Ferrerías o **Ferreries** 07750 📖 M 42 – 3 038 h. – ☻ 971.

Mahón 29.

en Cala Galdana SO : 7 km – 🖂 07750 Cala Galdana – ☻ 971 :

🏦 **Cala Galdana** 🦢, 🖋 15 51 80, Fax 37 30 26, 🏊, 🌳 – |≑| 🖳 rest 🕮. 🝰 ⓞ **E** 💳. 🛇
mayo- octubre – Com 2440 – 🖵 640 – **204 hab** 5050/9890 – PA 4450.

🗙 **Tornare,** 🖋 15 51 80, Fax 37 30 26, 🌰 – 🖳. 🝰 ⓞ **E** 💳. 🛇
mayo-octubre – Com carta 2750 a 4100.

Fornells 07748 📖 L 42 – ☻ 971.

Mahón 30.

🗙 S'Ancora, Poeta Gumersindo Riera 8 🖋 37 66 70, 🌰 – 🖳.

🗙 **Es Cranc,** Escoles 31 🖋 37 64 42 – **E** 💳. 🛇
cerrado miércoles, diciembre y enero – Com carta 2150 a 4750.

Mahón o **Maó** 07700 📖 M 42 – 22 926 h. – ☻ 971.

Ver : Emplazamiento⋆, La Rada⋆.

ᴙ Real Club de Menorca, Urbanización Shangri-La N : 7 km 🖋 36 37 00 – ᴙ Club Son Parc,
zona Son Parc N : 18 km 🖋 36 88 06.

✈ de Menorca, San Clemente SO : 5 km 🖋 36 01 50 – Aviaco : aeropuerto 🖋 36 90 15.

⛴ para la Península y Mallorca : Cía Trasmediterránea, Nuevo Muelle Comercial,
🖋 36 28 47, Telex 68888.

🛈 pl. Explanada 40, 🖂 07703, 🖋 36 37 90, Fax 36 60 56 – R.A.C.E. Portal del Mar 6 A
🖋 36 28 03.

🏦🏦 **Port Mahón,** av. Fort de L'Eau 13, 🖂 07700, 🖋 36 26 00, Fax 35 10 50, ≤, 🏊, 🌳 – |≑|
🖳 📺 ☎ – 🕿 25/50. 🝰 ⓞ **E** 💳. 🛇
Com 3180 – 🖵 1060 – **74 hab** 15370/24645 – PA 6310.

🏦🏦 **Sol Mirador des Port,** Dalt Vilanova, 🖂 07701, 🖋 36 00 16, Fax 36 73 46, ≤, 🏊, 🌳 –
|≑| 🖳 📺 ☎ 🖙 – 🕿 25. 🝰 ⓞ **E** 💳. 🛇
Com 1500 – 🖵 700 – **70 hab** 7000/10600.

🏦 **Capri** sin rest, con cafetería, Miguel de Veri 20, 🖂 07703, 🖋 36 14 00, Fax 35 08 53 – |≑|
📺 ☎. 🝰 ⓞ **E** 💳. 🛇
– **75 hab** 🖵 8550/13950.

🗙🗙 Jàgaro, Moll de Llevant 334 (puerto), 🖂 07701, 🖋 36 23 90, ≤, 🌰 – 🖳.

🗙 Club Marítimo, Moll de Llevant 287 (puerto), 🖂 07701, 🖋 36 42 26, Fax 36 07 62, ≤, 🌰.

🗙 **Gregal,** Moll de Llevant 306 (puerto), 🖂 07701, 🖋 36 66 06, ≤ – 🖳. 🝰 ⓞ **E** 💳. 🝠.
🛇
Com carta 2750 a 3900.

🗙 El Greco, Las Moreras 49, 🖂 07700, 🖋 36 43 67.

🗙 **Pilar,** Es Forn 61, 🖂 07702, 🖋 36 68 17, 🌰, Cocina regional – **E** 💳. 🛇
cerrado sábado mediodía en agosto, domingo, 2ª quincena de enero y 15 días en abril
– Com (sólo cena en verano) carta aprox. 3525.

en Cala Fonduco E : 1 km – 🖂 07720 Es Castell – ☻ 971

🗙🗙 **Rocamar** 🦢 con hab, 🖋 36 56 01, Fax 36 52 99, ≤, 🌰 – |≑| 🖳 rest. 🝰 ⓞ **E** 💳. 🝠.
🛇 hab
cerrado noviembre – Com *(cerrado domingo noche y lunes en invierno)* carta 2750 a 4000
– **22 hab** 🖵 2400/4000.

Mercadal 07740 📖 M 42 – ☻ 971.

Alred. : Monte Toro : ≤⋆⋆ (3,5 km).

Mahón 22.

🗙🗙 **Ca N'Aguedet,** Lepanto 30 🖋 37 53 91, Cocina regional – 🖳. 🝰 ⓞ **E** 💳
Com carta aprox. 3500.

San Luis 07710 ⁴⁴³ M 42 – 2 547 h. – ✆ 971.

Mahón 4.

en la carretera de Binibeca SO : 1,5 km – ⊠ 07710 San Luis – ✆ 971 :

✗ **Biniali** ⌕ con hab, carret. S'Uestrá-Binibeca 50 ✆ 15 17 24, Fax 15 03 52, ≼, ✺
Casa de campo antigua, decorada con buen gusto, ⊥ – ☎ **P**. **AE ① E VISA** ⌕
⌖ hab
Semana Santa-septiembre – Com carta aprox. 3825 – **9 hab** ⌸ 11480/13640.

IBIZA

Ibiza o **Eivissa** 07800 ⁴⁴³ P 34 – 25 489 h. – ✆ 971.

Ver : Emplazamiento★★, La ciudad alta★ (Dalt vila) BZ : Catedral B ⚞★ - Mus∣
Arqueológico★ **M1** – Otras curiosidades : Museo Monográfico de Puig de Molins★ AZ **N**
(busto de la Diosa Tanit★) - Sa Penya★ BY.

🝆 Roca Llisa por ② : 10 km ✆ 31 37 18.

✈ de Ibiza por ③ : 9 km ✆ 30 22 00 – Iberia : paseo Vara del Rey 15, ✆ 30 09 54 ∣
y Aviaco, aeropuerto ✆ 30 25 77.

🚢 para la Península y Mallorca : Cía. Trasmediterránea, av. Bartolomé Vicente Ram∣
✆ 31 50 11, Telex 68866 BY.

🛈 Vara de Rey 13 ✆ 30 19 00, ⊠ 07800 – R.A.C.E. Vicente Serra 8 ✆ 31 33 11.

EIVISSA IBIZA

Anibal	BY	5
Antonio Palau	BY	6
José Verdera	BY	16
Maestro J. Mayans	BY	19
Amadeo	BY	4
Archiduque Luis Salvador	AZ	8

Bartolomé Vicente Ramón (Av.)	BY	9	Juan Román	BZ	17	Pedro Tur	BZ	2
Conde Resellón	BY	10	La Carroza	BZ	18	Ramón y Tur	BY	2
Cuesta Vieja	BZ	12	Obispo Huix	AY	20	Romana (Vía)	AZ	2
Formentera	AZ	13	Obispo Torres	BZ	22	San Ciriaco	BZ	2
General Balanzat	BZ	14	Pedro Francés	AY	23	Vara de Rey (Pas.)	BY	3

🏨 **Royal Plaza**, Pedro Francés 27 ✆ 31 00 00, Telex 69433, Fax 31 40 95, ⊥ – ⧫ ▤ 📺 ✺
⟵ – 🛗 25/45. **AE ① E VISA JCB**. ⌖
Com 2900 – ⌸ 850 – **117 hab** 13000/19150.   AY ∣

🏠 **El Corsario** ⌕, Poniente 5 ✆ 30 12 48, ≼, 🍽 , Conjunto de estilo ibicenco – **AE ①** ∣
VISA   BZ ∣
Com *(cerrado domingo y de octubre a marzo)* (sólo cena) carta 2200 a 4200 – **14 ha**∣
⌸ 4500/8500.

132

XX **S'Oficina,** av. de España 6 𝒸 30 00 16, Fax 30 58 55, 🍽, Cocina vasca – 🗏. 🖭 ① Ε 𝒱𝒾𝒮𝒜 AY **t**
JCB
cerrado domingo y 20 diciembre-1 febrero – Com carta 3225 a 4495.

XX **El Cigarral,** Fray Vicente Nicolás 9 𝒸 31 12 46 – 🗏. 🖭 ① Ε 𝒱𝒾𝒮𝒜. 🛠
cerrado domingo noche – Com carta 2850 a 4900.

X **Sa Caldera,** Obispo Padre Huix 19 𝒸 30 64 16 – 🗏. 🖭 ① Ε 𝒱𝒾𝒮𝒜. 🛠 AY **s**
cerrado sábado mediodía – Com carta 2400 a 4750.

en la playa de Ses Figueretes AZ – ✉ 07800 Ibiza – ✆ 971 :

🏨 **Los Molinos,** Ramón Muntaner 60 𝒸 30 22 50, Telex 68850, Fax 30 25 04, ≤, « Bonito jardín y terraza con ⌤ al borde del mar » – ᠻᐧᐧ 🗏 rest 📺 ☎ ⊂⊃ – 🔏 25/150. 🖭 ① Ε 𝒱𝒾𝒮𝒜 AZ **a**
🛠
Com (sólo cena) carta 2550 a 4100 – **154 hab** 🖙 9000/15200.

🏨 **Ibiza Playa,** Tarragona 𝒸 30 48 00, Telex 69845, Fax 30 69 02, ≤, ⌤ – ᠻᐧᐧ 🗏 rest 📺 ☎.
🖭 Ε 𝒱𝒾𝒮𝒜. 🛠 rest AZ **u**
25 abril-octubre – Com 2365 – 🖙 880 – **155 hab** 7200/11500 – PA 4765.

🏨 Cenit sin rest, Archiduque Luis Salvador 𝒸 30 14 04, Fax 30 07 54, ≤, ⌤ – ᠻᐧᐧ ᠭ AZ **r**
temp. – **62 hab.**

🏨 Marigna sin rest, Alsabini 18 𝒸 30 49 12, Fax 30 07 54 – ᠭ AZ **n**
temp. – **44 hab.**

en Es Vivé - AZ - SO : 2,5 km – ✉ 07819 Es Vivé – ✆ 971 :

🏨 **Torre del Mar** 🌤, ✉ apartado 564 - Ibiza, 𝒸 30 30 50, Telex 68845, Fax 30 40 60, ≤, « Jardín con terraza y ⌤ al borde del mar », 🅿, 🎾 – ᠻᐧᐧ 🗏 📺 ☎ ⊕ – 🔏 25/120. 🖭 ① Ε 𝒱𝒾𝒮𝒜 🛠
finales abril-finales octubre – Com (sólo cena) 2800 – 🖙 950 – **213 hab** 12500/18000, 4 suites.

en la playa de Talamanca por ② : 2 km – ✉ 07800 Ibiza – ✆ 971 :

🏨 **Argos** 🌤, ✉ apartado 107, 𝒸 31 21 62, Fax 31 62 01, ≤, ⌤ – ᠻᐧᐧ 🗏 rest ☎ ⊕. 🖭 ① Ε 𝒱𝒾𝒮𝒜.
abril-octubre – Com (sólo cena buffet) 1700 – 🖙 700 – **106 hab** 4900/9000.

en la carretera de San Miguel por ② : 6,5 km – ✉ 07800 Ibiza – ✆ 971 :

XX **La Masía d'En Sord,** ✉ apartado 897 - Ibiza, 𝒸 31 02 28, 🍽, Galería de arte, « Antigua masía ibicenca » – ⊕. 🖭 ① Ε 𝒱𝒾𝒮𝒜 JCB. 🛠
cerrado noviembre-Semana Santa – Com (sólo cena) carta 2950 a 4650.

San Agustín 07839 ⁴⁴³ P 33 – ✆ 971.

Ibiza 20.

por la carretera de San José – ✉ 07830 San José – ✆ 971 :

X **Sa Tasca,** 𝒸 80 00 75, 🍽, « Rincón rústico en el campo » – ⊕. 🖭 Ε 𝒱𝒾𝒮𝒜
cerrado lunes – Com carta 3500 a 5000.

San Antonio de Portmany o **Sant Antoni de Portmany** 07820 ⁴⁴³ P 33 – 13 588 h.
– ✆ 971 – Playa.

🚢 para la Península : Cía. Flebasa, edificio Faro, 𝒸 34 28 71.

🛈 passeig de Ses Fonts 𝒸 34 13 63, ✉ 07820.

Ibiza 15.

🏨 **Tropical,** Cervantes 𝒸 34 00 50, Fax 34 40 69, ⌤ – ᠻᐧᐧ 🗏 rest. 🖭 ① Ε 𝒱𝒾𝒮𝒜. 🛠
mayo-octubre – Com (sólo cena) 1500 – **142 hab** 🖙 4300/8600.

X Rías Baixas, Ignacio Riquer 4 𝒸 34 04 80, Cocina gallega – 🗏
temp.

X Sa Prensa, General Prim 6 𝒸 34 16 70, 🍽 – 🗏.

en la playa de S'Estanyol SO : 2,5 km – ✉ 07820 San Antonio de Portmany – ✆ 971 :

🏨 Bergantín, 𝒸 34 14 00, Fax 34 19 71, 🍽, ⌤ climatizada, 🎾 – ᠻᐧᐧ 🗏 rest ⊕
temp. – **253 hab.**

en Punta Pinet SO : 3 km – ✉ 07820 San Antonio de Portmany – ✆ 971 :

🏨 Nautilus, 𝒸 34 04 00, Fax 34 04 62, ≤, ⌤ – ᠻᐧᐧ 🗏 ☎ ⊕
temp. – Com (sólo buffet) – **168 hab.**

en la carretera de Santa Inés N : 1 km – ✉ 07820 San Antonio de Portmany – ✆ 971 :

XX Sa Capella, 𝒸 34 00 57, « Antigua capilla » – ⊕
temp.

San José **07830** 443 P 33 - ☎ 971.
Ibiza 14.

por la carretera de Ibiza - ✉ 07830 San José - ☎ 971 :

✗ **Cana Joana,** E : 2,5 km, ✉ apartado 149, ✆ 80 01 58, ≤, terraza, Decoración regional - AE E VISA
cerrado domingo noche y lunes (enero-mayo) y 6 noviembre-29 diciembre - Com (só cena de junio a 6 noviembre) carta 3700 a 5900.

✗ **Ca'n Domingo de Ca'n Botja,** E : 3 km ✆ 80 01 84 - P. AE ⓓ E VISA
abril-septiembre - Com (sólo cena) carta 3650 a 4600.

en la playa de Cala Tarida NO : 7 km - ✉ 07830 San José :

✗ **C'as Mila,** playa Cala Tarida ✆ 80 04 93, ≤, terraza - P. AE E VISA
mayo-octubre, sábados y festivos resto del año - Com carta 2925 a 4400.

San Lorenzo **07812** 443 O 34 - ☎ 971.
Ibiza 14.

en la carretera de Ibiza S : 4 km - ✉ 07812 San Lorenzo :

✗ Can Gall, ✆ 33 29 16, terraza, Decoración rústica, Carnes a la brasa - P.

San Miguel **07815** 443 O 34 - ☎ 971.
Ibiza 19.

en la urbanización Na Xamena NO : 6 km - ☎ 971 :

Hacienda ⛰, ✆ 33 30 46, Telex 69322, Fax 33 31 75, terraza, « Edificio de estilo ibicenco co ≤ cala », piscina, piscina cubierta, tenis - ascensor ▤ TV P. AE ⓓ E VISA. ✻ rest
abril-octubre - Com carta 5100 a 5800 - ☕ 1800 - **63 hab** 12000/31000.

San Rafael **07816** 443 P 34 - ☎ 971.
Ibiza 7.

✗✗ **Grill San Rafael,** pl. de la Iglesia ✆ 19 80 56, ≤, terraza, Decoración regional
cerrado lunes en invierno - Com carta 3100 a 4100.

Santa Eulalia del Río **07840** - 13 098 h. - ☎ 971.
Golf 9 Roca Llisa SO : 11,5 km ✆ 31 37 18.
ℹ Mariano Riquer Wallis ✆ 33 07 28.
Ibiza 15.

La Cala, Huesca 1 ✆ 33 00 09, Telex 68682, Fax 31 11 95, piscina - ascensor ▤ rest ☎. AE ⓓ VISA ✻
mayo-octubre - Com (sólo cena) 1500 - ☕ 550 - **180 hab** 7200/9000.

Tres Torres ⛰, paseo del Mar (frente Puerto Deportivo), ✉ apartado 5, ✆ 33 03 26 Fax 33 20 85, ≤, piscina climatizada - ascensor ▤ rest P. AE ⓓ E VISA. ✻
mayo-octubre - Com 2000 - ☕ 600 - **112 hab** 6700/11000.

San Marino sin rest, con cafetería, Ricardo Curtoys Gotarradona 1 ✆ 33 03 16 Fax 33 90 76, piscina - ascensor ▤ TV ☎ garaje. AE ⓓ E VISA. ✻
☕ 800 - **44 hab** 12800/16800.

✗✗ **Doña Margarita,** paseo Marítimo ✆ 33 06 55, ≤, terraza - ▤. AE ⓓ E VISA
cerrado noviembre - Com *(cerrado noches salvo fines de semana en invierno)* carta 3150 a 4500.

✗ **Celler Ca'n Pere,** San Jaime 63 ✆ 33 00 56, terraza, Celler típico - AE ⓓ E VISA. ✻
cerrado jueves y 15 enero-15 febrero - Com carta 2425 a 4575.

✗ **La Posada,** camino Puig de Missa ✆ 33 00 17, terraza, Decoración rústico regional - P. E VISA. ✻
cerrado martes y noviembre-15 marzo - Com carta aprox. 3650.

✗ **El Naranjo,** San José 31 ✆ 33 03 24, terraza - AE E VISA JCB. ✻
cerrado lunes, enero-febrero y noviembre-diciembre - Com (sólo cena) carta 2800 a 3700

✗ **Bahía,** Molíns de Rey 2 ✆ 33 08 28, terraza - AE E VISA. ✻
cerrado martes y enero - Com carta 2650 a 3700.

en la urbanización S'Argamassa NE : 3,5 km - ✉ 07849 Urbanización S'Argamassa - ☎ 971 :

Sol S'Argamassa ⛰ sin rest, ✆ 33 00 51, Fax 33 00 76, ≤, piscina, jardín, tenis - ascensor P
temp. - **217 hab.**

por la carretera de Cala Llonga S : 4 km - ✉ 07840 Santa Eulalia del Río - ☎ 971 :

✗ **La Casita,** urb. Valverde ✆ 33 02 93, Fax 33 05 77, terraza, Decoración regional - P. AE ⓓ E VISA. ✻
cerrado martes y 15 noviembre-15 diciembre - Com (sólo cena, salvo 15 diciembre-mayo) carta 2950 a 4750.

en Cala Llonga S : 5,5 km – ⊠ 07840 Santa Eulalia del Río – ✪ 971 :

✕ **The Wild Asparagus,** Pueblo Espárragos ℰ 33 15 67, 🛱 – **❷**. 𝔸𝔼 ⓪ 𝔼 𝒱𝒾𝒮𝒜 𝒥𝒸𝔹
  mayo-octubre – Com *(cerrado lunes)* (sólo cena salvo domingo) carta 2475 a 3070.

en la carretera de Ibiza SO : 5,5 km – ⊠ 07840 Santa Eulalia del Río – ✪ 971 :

🏠 La Colina 🦢, ℰ 33 27 67, Fax 33 27 67, 🛱, Antigua casa de campo, 🛥 – ☜ **❷**
  temp. – **11 hab.**

___

Santa Gertrudis 07814 🟦🟦🟦 OP 34 – ✪ 971.
Ibiza 11.

en la carretera de Ibiza – ⊠ 07814 Santa Gertrudis – ✪ 971 :

✕✕ **Ama Lur,** SE : 2,5 km ℰ 31 45 54, 🛱, Cocina vasca, « Terraza con plantas » – **❷**. 𝔸𝔼 𝔼
  𝒱𝒾𝒮𝒜
  cerrado miércoles salvo verano y noviembre-marzo – Com (sólo cena) carta 4200 a 4500.

✕ **Can Pau,** S : 2 km ℰ 19 70 07, 🛱, « Antigua casa campesina - terraza » – **❷**. 𝔼 𝒱𝒾𝒮𝒜. 🦌
  cerrado lunes en invierno – Com carta 2800 a 5050.

FORMENTERA

___

Cala Saona o **Cala Sahona** 07860 🟦🟦🟦 P 35 – ✪ 971.

🏠 **Cala Saona** 🦢, playa, ⊠ 07860 apartado 88 San Francisco, ℰ 32 20 30, Fax 32 25 09,
  ≤, 🛱, 🛥, ✕ – 📶 ☰ rest ☎ **❷**. 𝔸𝔼 𝒱𝒾𝒮𝒜. 🦌
  mayo-25 octubre – Com 1600 – **114 hab** 🛏 10360/14800.

___

Es Pujols 07871 🟦🟦🟦 P 34 – ✪ 971.

🏠 **Sa Volta** sin rest, con cafetería, Miramar, 94, ⊠ 07860 apartado 71 San Francisco,
  ℰ 32 81 25, Fax 32 82 28 – ☜. 𝔸𝔼 ⓪ 𝔼 𝒱𝒾𝒮𝒜. 🦌
  🛏 700 – **25 hab** 5000/8500.

✕ **Capri,** Miramar, ⊠ 07871 San Fernando, ℰ 32 83 52, 🛱 – 𝔸𝔼 𝒱𝒾𝒮𝒜. 🦌
  abril-octubre – Com carta 1975 a 3200.

✕ Es Funoll-Mari, Fonoll Mari 101, ⊠ 07871 San Fernando, ℰ 32 81 84, 🛱.

en Punta Prima E : 2 km – ⊠ 07713 Punta-Prima – ✪ 971 :

🏨 Club Punta Prima 🦢, ℰ 32 82 44, Fax 32 81 28, ≤ mar e isla de Ibiza, 🛱, « Bungalows
  rodeados de jardín », 🛥, ✕ – **❷**
  temp. – **120 hab.**

en Ses Illetas NO : 5 km – ⊠ 07870 La Sabina – ✪ 971 :

✕ Es Molí de Sal,, ≤ mar e isla de Ibiza, 🛱 – **❷**
  temp.

___

Playa Mitjorn 07871 🟦🟦🟦 P 34 – ✪ 971.

en Es Arenals – ⊠ 07860 San Francisco – ✪ 971 :

🏨 Club H. La Mola 🦢, ⊠ apartado 23 San Francisco, ℰ 32 80 69, Telex 69326, ≤, 🛱, 🛥,
  ✕ – 📶 ☰ ☎ – 🛁
  temp. – **325 hab.**

___

San Fernando 07871 🟦🟦🟦 P 34 – ✪ 971.

🏠 Illes Pitiüses sin rest, av. Joan Castello ℰ 32 81 89
  26 hab.

___

BALMASEDA Vizcaya – ver Valmaseda.

BALNEARIO – ver el nombre propio del balneario.

BANYOLES Gerona – ver Bañolas.

BAÑALBUFAR Baleares – ver Baleares (Mallorca).

BAÑERAS o **BANYERES DEL PENEDES** 43711 Tarragona 🟦🟦🟦 I 34 – 1 570 h. – ✪ 977.
◆Madrid 558 – ◆Barcelona 69 – ◆Lérida/Lleida 101 – Tarragona 37.

en la urbanización Bosques del Priorato S : 1,5 km – ⊠ 43711 Banyeres del Penedés
  – ✪ 977 :

✕ **El Bosque** 🦢 con hab, ℰ 67 10 02, 🛱, « Terraza con césped, árboles y 🛥 », ✕ – ☰ rest.
  𝔼 𝒱𝒾𝒮𝒜
  cerrado del 10 al 31 de enero – Com *(cerrado martes)* carta 2650 a 3950 – 🛏 575 – **9 hab**
  6000.

La BAÑEZA 24750 León **441** F 12 – 8 501 h. alt. 771 – 🕾 987.
◆Madrid 297 – ◆León 48 – Ponferrada 85 – Zamora 106.

🏨 **Bedunia,** General Benavides 53 🖉 65 53 55, Fax 64 44 20 – 📳 🗏 rest 📺 🕾 ⇆ 🅿
🔏 25/200. 🖭 *VISA*. 🛠
Com 1100 – 😅 600 – **72 hab** 6000/8000 – PA 2800.

✗ **Chipén,** carret. de Madrid N VI - km 301 🖉 64 03 89 – 🅿. 🖭 ① 🖪 *VISA*
Com carta 1825 a 2850.

en la carretera LE 420 N : 1,5 km – ⊠ 24750 La Bañeza – 🕾 987 :

🏨 **Rio Verde,** 🖉 64 17 12, ≼, 😤, 🛲 – 📺 🅿. *VISA*. 🛠
Com 1700 – 😅 500 – **15 hab** 4000/5500 – PA 3750.

BAÑOLAS o **BANYOLES** 17820 Gerona **443** F 38 – 12 378 h. alt. 172 – 🕾 972.
Ver : Lago★.
🛃 pg. Industria 25, ⊠ 17820, 🖉 57 55 73, Fax 57 49 17.
◆Madrid 729 – Figueras/Figueres 29 – Gerona/Girona 20.

a orillas del lago :

🏨 **L'Ast** ⊱ sin rest, passeig Dalmau 63 🖉 57 04 14, Fax 57 04 14, ⤵ – 📳 📺 🕾. 🖭 ① 📘
VISA **JCB**. 🛠
😅 750 – **27 hab** 7000/9000.

En esta guía,
*el mismo símbolo en rojo o en **negro**, la misma palabra en*
*letra fina o en **negrita**, no significan lo mismo.*

Lea atentamente los detalles de la introducción.

BAÑOS DE FITERO Navarra – ver Fitero.

BAÑOS DE MOLGAS 32701 Orense **441** F 6 – 3 456 h. alt. 460 – 🕾 988 – Balneario.
◆Madrid 536 – Orense/Ourense 36 – Ponferrada 154.

🏨 **Balneario,** Samuel González Movilla 26 🖉 43 02 46, Fax 43 03 84 – 🛠
marzo-noviembre – Com 1500 – 😅 350 – **28 hab** 3000/5000.

BAQUEIRA Lérida – ver Salardú.

BAQUIO o **BAKIO** 48130 Vizcaya **442** B 21 – 1 175 h. – 🕾 94 – Playa.
Alred. : Recorrido en cornisa★ de Baquio a Arminza ≼★ – Carretera de Baquio a Bermeo ≼★
◆Madrid 425 – ◆Bilbao/Bilbo 26.

🏨 **Hostería del Señorío de Bizkaia** ⊱, Dr. José María Cirarda 4 🖉 619 47 25, Fax 619 47 25
≼, 😤, « Instalación rústica en un extenso césped con jardín » – 📺 🕾 🅿. 🖭 ① 🖪 *VISA*
Com 1950 – 😅 495 – **16 hab** 6975/7975 – PA 3735.

✗✗ **Gotzón,** carret. de Bermeo 🖉 687 30 43, 😤 – 🗏. 🖭 🖪 *VISA*. 🛠
cerrado lunes salvo verano y 15 noviembre-15 diciembre – Com carta 2200 a 4000.

BARAJAS 28042 Madrid **444** K 19 – 🕾 91.
✈ de Madrid-Barajas 🖉 305 83 44.
◆Madrid 14.

🏨 **Barajas,** av. de Logroño 305 🖉 747 77 00, Telex 22255, Fax 747 87 17, 😤, *Fб*, ⤵, 🛲 –
📳 🗏 📺 🕾 🅿 – 🔏 25/675. 🖭 ① 🖪 *VISA* **JCB**. 🛠
Com 5900 – 😅 2100 – **211 hab** 26200/32700, 19 suites – PA 11800.

🏨 **Alameda,** av. de Logroño 100 🖉 747 48 00, Telex 43809, Fax 747 89 28, 🖎 – 📳 🗏 📺 🕾
🅿 – 🔏 25/280. 🖭 ① 🖪 *VISA* **JCB**. 🛠 rest
Com 4750 – 😅 1300 – **136 hab** 18000/22500, 9 suites – PA 9180.

🏨 **Villa de Barajas,** av. de Logroño 331 🖉 329 28 18, Fax 329 27 04 – 📳 🗏 📺 🕾 ⇆ – 🔏 25
🖭 ① 🖪 *VISA*. 🛠 rest
Com 1650 – 😅 750 – **36 hab** 10225/12800 – PA 6400.

✗ **Mesón Don Fernando,** Canal de Suez 1 🖉 747 75 51 – 🗏. 🖭 ① 🖪 *VISA*. 🛠
cerrado sábado y agosto – Com carta 2600 a 3600.

en la carretera del aeropuerto a Madrid S : 3 km – ⊠ 28042 Madrid – 🕾 91 :

🏨 **Diana y Rest. Asador Duque de Osuna,** Galeón 27 (Alameda de Osuna) 🖉 747 13 55
Telex 45688, Fax 747 97 97, ⤵ – 📳 🗏 📺 🕾 – 🔏 25/220. 🖭 ① 🖪 *VISA*. 🛠
Com carta 3200 a 4300 – 😅 760 – **223 hab** 12800/16000, 48 suites.

BARBASTRO 22300 Huesca 443 F 30 – 15 182 h. alt. 215 – © 974.

Ver : Catedral★.

Alred. : Alquézar (paraje★★) NO : 21 km, Torreciudad : ≤★★ (24 km).

🛈 pl. Aragón, ℰ 310 150.

◆Madrid 442 – Huesca 52 – ◆Lérida/Lleida 68.

  🏨 **Palafox** sin rest, Corona de Aragón 20 ℰ 31 24 61 – 🛗 ⟨⟩. ℅
    ⌷ 400 – **28 hab** 5000.

  XX **Flor,** Goya 3 ℰ 31 10 56, Fax 31 13 18 – 🍽. ⁅ ⓪ 🗲 𝑽𝑰𝑺𝑨. ℅
    Com carta 2600 a 3800.

  X **L'Arrabal,** av. de los Pirineos 7 ℰ 31 16 73 – 🍽. ⁅ ⓪ 🗲 𝑽𝑰𝑺𝑨. ℅
    cerrado domingo (salvo Semana Santa, mayo, Navidades) y del 9 al 24 de septiembre –
    Comida carta 2550 a 3325.

    en la carretera de Huesca N 240 O : 1 km – ⊠ 22300 Barbastro – © 974 :

  🏩 **Rey Sancho Ramírez,** ℰ 31 00 50, Fax 31 00 58, ≤, ⊿, ℅ – 🛗 🍽 📺 ☎ ⟨⟩ 🅿. ⁅ ⓪
    🗲 𝑽𝑰𝑺𝑨 𝐉𝐂𝐁. ℅
    Com (cerrado lunes y enero-marzo) 2000 – ⌷ 815 – **75 hab** 9300/12700 – PA 4815.

BARBATE 11160 Cádiz 446 X 12 – 20 849 h. – © 956 – Playa.

🛈 av. Ramón y Cajal 45 ℰ 43 10 06.

◆Madrid 677 – Algeciras 72 – ◆Cádiz 60 – ◆Córdoba 279 – ◆Sevilla 169.

  🏨 **Sevilla** sin rest, Padre López Benitez 12 ℰ 43 23 83 – ☎ ⟨⟩. ⁅ 🗲 𝑽𝑰𝑺𝑨. ℅
    15 junio-septiembre – **19 hab** 3500/5000.

  🏨 **Galia** sin rest, Dr. Valencia 5 ℰ 43 33 76, Fax 43 04 82 – 🍽 ☎. ⁅ 🗲 𝑽𝑰𝑺𝑨. ℅
    ⌷ 200 – **23 hab** 4500/5500.

  XX **Torres,** Ruiz de Alda 1 ℰ 43 09 85, ≤, Pescados y mariscos – 🍽. ⁅ ⓪ 🗲 𝑽𝑰𝑺𝑨. ℅
    cerrado lunes y 15 octubre-noviembre – Comida carta aprox. 3500.

BARBERÁ o **BARBERÀ DEL VALLÈS** 08210 Barcelona 443 H 36 – © 93.

◆Madrid 609 – ◆Barcelona 19 – Mataró 39.

  🏨 Climat de France, Marqueses de Barberà - barrio Can Llobet ℰ 729 29 22, Fax 729 08 06
    – 🛗 🍽 📺 ☎ 🕭 ⟨⟩ – 🔬 25/80
    70 hab.

    junto a la autopista A 7 SE : 2 km – ⊠ 08210 Barberà del Vallès – © 93 :

  🏩 **Campanile,** carret. N 150 - Sector Baricentro ℰ 729 29 28, Fax 729 25 52 – 🛗 🍽 📺 ☎
    🕭 ⟨⟩ 🅿 – 🔬 60/220. ⁅ ⓪ 🗲 𝑽𝑰𝑺𝑨. ℅ rest
    Com 1600 – ⌷ 700 – **212 hab** 7500 – PA 3900.

La BARCA (Playa de) Pontevedra – ver Vigo.

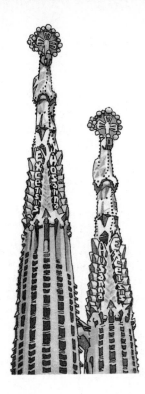

Barcelona

08000 $\mathbb{P}$ 443 H 36 – 1 754 900 h. – ✪ 93.

Ver : Barrio Gótico (Barri Gotic)★★ : Catedral★★ MX, Plaça del Rei★ MX **149**, Museo Frederic Marès★★ MX – La Rambla★ LX, MY : Atarazanas y Museo Marítimo★★ MY, Plaça Reial★ MY – Palacio Güell★ LY – Carrer de Montcada★ NX **121** : Museo Picasso★ NV Iglesia de Santa Maria del Mar★ NX – Montjuich (Montjuïc)★ BCT : Museo de Arte de Cataluña★★★ (colecciones románicas y góticas★★★) CT **M4**, Poble espanyol★ BT **E**, Fundación Joan Miró★ CT **W**, Museo Arqueológico★ CT **M5** – El Eixample : Sagrada Familia★★ JU, Passeig de Gràcia★★ HV, Casa Batlló★ HV **B**, La Pedrera o casa Mila★ HV **P**, Parque Güell★★ BS, Palau de la Mùsica Catalana★ MV **Y**, Fundación Antoni Tàpies★ HV **S**

Otras curiosidades : Tibidabo (✳★★) AS – Monasterio de Pedralbes★ AT – Palacio de Pedralbes (coleccion de cerámica★) – Parque zoológico★ KX.

🛪, 🛪 de Prat por ⑤ : 16 km 🖉 379 02 78 – 🛪 de Sant Cugat por ⑦ : 20 km 🖉 674 39 58 – 🛪 de Vallromanas por ④ : 25 km 🖉 568 03 62.

✈ de Barcelona por ⑤ : 12 km 🖉 478 50 00 – Iberia : passeig de Gracià 30, ✉ 08007, 🖉 301 68 00 HV y Aviaco : aeropuerto 🖉 478 24 11 – 🚗 Sants 🖉 490 75 91.

🚢 para Baleares : Cia. Trasmediterránea, av. Drassanes 6 planta 25 1, ✉ 08001, 🖉 317 72 11, Fax 412 28 42 CT.

🛈 Gran Via de les Corts Catalanes 658, ✉ 08010, 🖉 301 74 43, y en el aeropuerto 🖉 478 47 04 – R.A.C.C. Santaló 8, ✉ 08021, 🖉 200 33 11, Fax 200 39 64.

◆Madrid 627 ⑥ – ◆Bilbao 607 ⑥ – ◆Lérida/Lleida 169 ⑥ – ◆Perpignan 187 ② – ◆Tarragona 109 ⑥ – ◆Toulouse 388 ② – ◆Valencia 361 ⑥ – ◆Zaragoza 307 ⑥.

BARCELONA

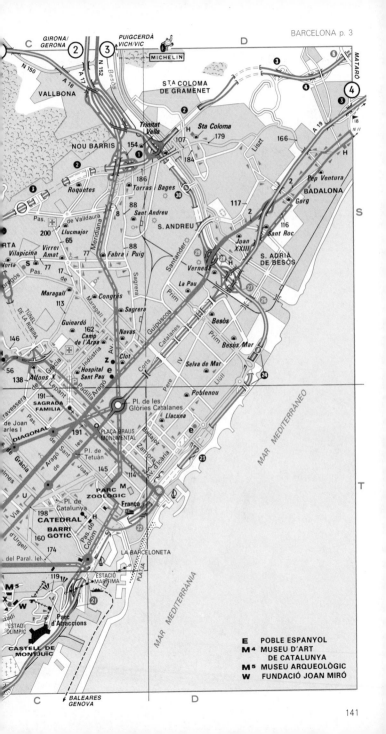

E   POBLE ESPANYOL
M⁴ MUSEU D'ART
    DE CATALUNYA
M⁵ MUSEU ARQUEOLÒGIC
W   FUNDACIÓ JOAN MIRÓ

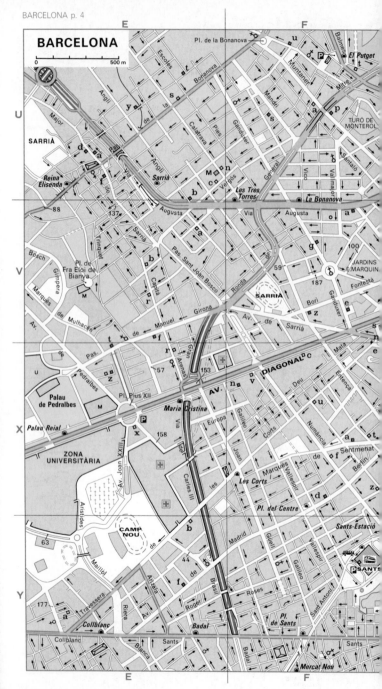

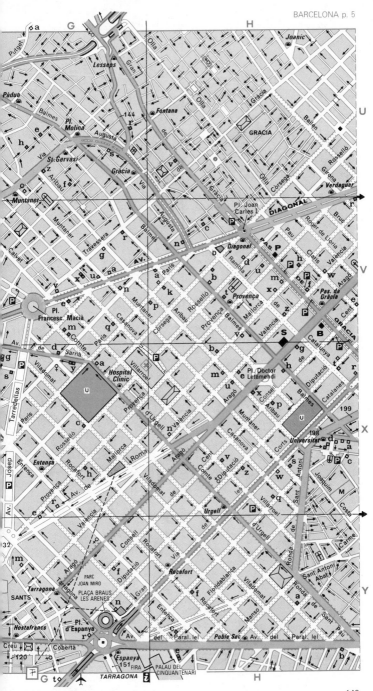

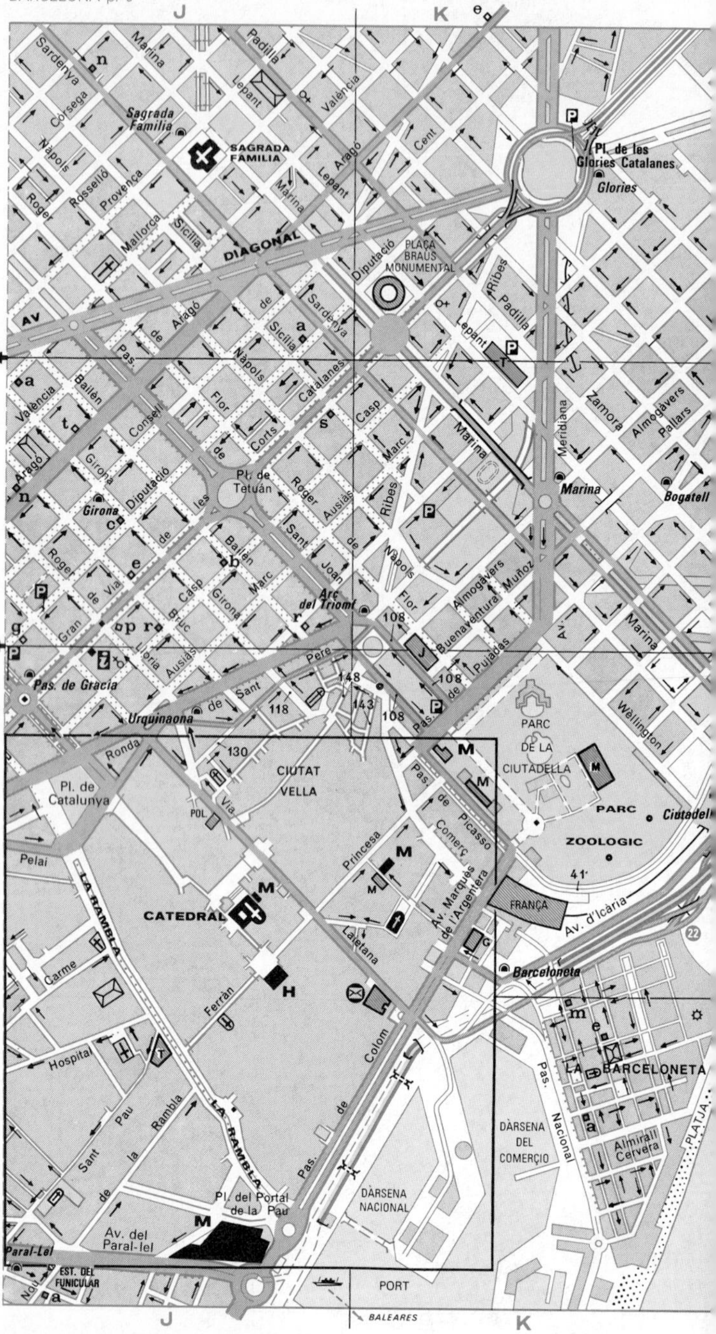

J K

Sardenya
Marina
Padilla
València
Corsega
Nápoles
Lepant
Sagrada
Familia
**SAGRADA
FAMILIA**
Roger
Rosselló
Cerdeña
Provença
Sicilia
Marina
Lepant
Pl. de les
Glories Catalanes
Glories
DIAGONAL
Dipulació
PLAÇA
BRAUS
MONUMENTAL
Ribes
Padilla
Av
de
Arago
Sardenya
Nápoles
Sicilia
Lepant
P
València
Bailén
Flor
Corts
Catalanes
Casp
Marc
Zamora
Almogàvers
Pallars
Arago
Girona
Diputació
de
les
Ribes
Marina
Marina
Girona
Pl. de
Tetuán
Roger
Ausiàs
Sant Joan
Nápoles
Flor
Marina
Bogatell
Roger
de
Via
Casp
Marc
Almogàvers
Buenaventura
Muñoz
Meridiana
P
Gran
Girona
**Arc
del Triomf**
108
Marina
g
Glòria
Ausiàs
Bruc
Pere
108
Puigcerdà
Pas. de Gracia
148
Urquinaona
118
143
108
Wellington
130
Ronda
CIUTAT
VELLA
Pas. de Picasso
PARC
DE LA
CIUTADELLA
M
Pl. de
Catalunya
POL
Via
PARC
ZOOLÒGIC
Ciutadell
Pelai
LA RAMBLA
Princesa
M
Comerç
Av. Marquès
de l'Argentera
M
41'
FRANÇA
Av. d'Icària
22
Carme
CATEDRAL
M
Laietana
Ferrán
G
Barceloneta
H
Hospital
Sant
de
la
Rambla
LA RAMBLA
Colom
m
e
LA BARCELONETA
Pau
Pas.
a
DÀRSENA
DEL
COMERÇO
Almirall
Cervera
Pl. del Portal
de la' Pau
M
**Av. del
Paral·lel**
DÀRSENA
NACIONAL
Nacional
Pas.
Paral·lel
EST. DEL
FUNICULAR
a
PORT
BALEARES

J K

REPERTORIO
DE CALLES (fin)

Michelin

pone sus mapas
constantemente al día.
Llévelos en su coche
y no tendrá
sorpresas desagradables
en carretera.

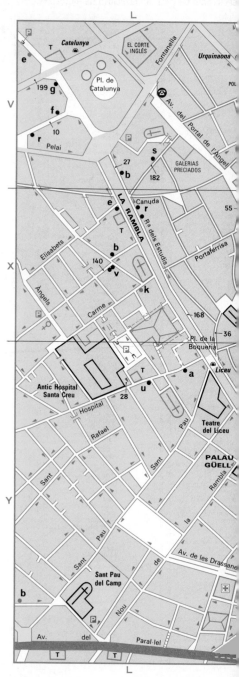

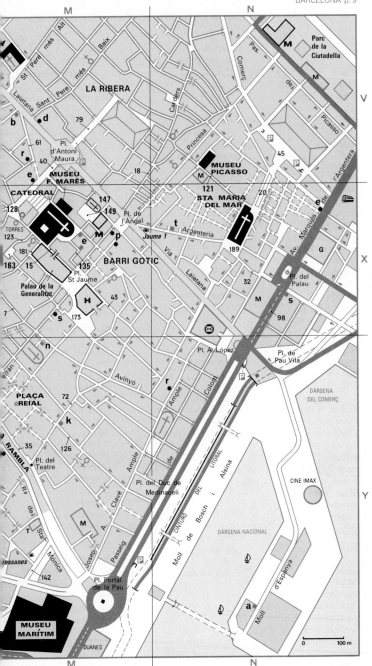

LISTA ALFABÉTICA DE HOTELES Y RESTAURANTES

*Cuando los nombres de los hoteles y restaurantes
figuran en negrita,
significa que los hoteleros nos han señalado todos sus precios
comprometiéndose a aplicarlos a los turistas de paso
portadores de nuestra guía.
Estos precios, establecidos a finales del año 1993,
pueden no obstante, variar si el coste de la vida sufre alteraciones importantes.*

5

CIUTAT VELLA Ramblas, pl. S. Jaume, vía Laietana, passeig Nacional, passeig de Colo

🏨 **Le Meridien Barcelona**, Rambles 111, ⊠ 08002, 𝒫 318 62 00, Telex 54634, Fax 301 77
– 📶 🗐 📺 ☎ 👌 ⇔ – 🔬 25/200. 🖭 ⓞ 🗉 𝑉𝐼𝑆𝐴 𝐽𝐶𝐵. ⚘   LX
Com carta aprox.3600 – 🖵 2000 – **205 hab** 25600/32000, 4 suites.

🏨 **Colón**, av. de la Catedral 7, ⊠ 08002, 𝒫 301 14 04, Telex 52654, Fax 317 29 15 – 📶
📺 ☎ – 🔬 25/200. 🖭 ⓞ 🗉 𝑉𝐼𝑆𝐴 𝐽𝐶𝐵. ⚘ rest   MV
Com 3300 – 🖵 1500 – **145 hab** 13750/20500, 10 suites – PA 6480.

🏨 **Rivoli Rambla**, Rambla dels Estudis 128, ⊠ 08002, 𝒫 302 66 43, Telex 9922
Fax 317 50 53 – 📶 🗐 📺 ☎ 👌 – 🔬 25/180. 🖭 ⓞ 🗉 𝑉𝐼𝑆𝐴 𝐽𝐶𝐵. ⚘   LX
Com 3000 – 🖵 1900 – **81 hab** 20500/25900, 9 suites – PA 5800.

🏨 **Royal** sin rest, con cafetería, Rambla dels Estudis 117, ⊠ 08002, 𝒫 301 94 00, Telex 9756
Fax 317 31 79 – 📶 🗐 📺 ☎ ⇔ – 🔬 25/100. 🖭 ⓞ 🗉 𝑉𝐼𝑆𝐴 𝐽𝐶𝐵. ⚘   LX
🖵 1500 – **107 hab** 18500/22900, 1 suite.

🏩 **Ambassador**, Pintor Fortuny 13, ⊠ 08001, 𝒫 412 05 30, Telex 99222, Fax 317 50 53, ₤
🏊 – 📶 🗐 📺 👌 ⇔ – 🔬 25/200. 🖭 ⓞ 🗉 𝑉𝐼𝑆𝐴 𝐽𝐶𝐵. ⚘   LX
Com 3000 – 🖵 1600 – **96 hab** 18500/24000, 9 suites – PA 5800.

🏩 **Almirante**, Vía Laietana 42, ⊠ 08003, 𝒫 268 30 20, Fax 268 31 92 – 📶 🗐 📺 ☎ ⇔
🔬 25/40. 🖭 ⓞ 🗉 𝑉𝐼𝑆𝐴 𝐽𝐶𝐵. ⚘   MV
Com carta aprox. 3000 – 🖵 1500 – **70 hab** 16000/22500, 6 suites.

🏩 **Gravina** sin rest, con cafetería, Gravina 12, ⊠ 08001, 𝒫 301 68 68, Telex 9937
Fax 317 28 38 – 📶 🗐 📺 ☎ – 🔬 25/50. 🖭 ⓞ 🗉 𝑉𝐼𝑆𝐴. ⚘   HX
🖵 700 – **60 hab** 9900/14900.

🏩 **Montecarlo** sin rest, Rambla dels Estudis 124, ⊠ 08002, 𝒫 317 58 00, Telex 9334
Fax 318 73 23 – 📶 🗐 📺 👌 ⇔. 🖭 ⓞ 🗉 𝑉𝐼𝑆𝐴 𝐽𝐶𝐵   LX
🖵 900 – **75 hab** 7900/11300.

🏨 **Reding**, Gravina 5, ⊠ 08001, 𝒫 412 10 97, Fax 268 34 82 – 📶 🗐 📺 ☎ ⇔. 🖭 ⓞ
𝑉𝐼𝑆𝐴. ⚘ rest   HX
Com 1900 – 🖵 1000 – **42 hab** 13400/16100, 2 suites.

🏨 **Atlantis** sin rest, Pelai 20, ⊠ 08001, 𝒫 318 90 12, Fax 412 09 14 – 📶 🗐 📺 ☎. 🖭 ⓞ
𝑉𝐼𝑆𝐴. ⚘   HX
🖵 850 – **42 hab** 10400/13000.

🏨 **Metropol** sin rest, Ample 31, ⊠ 08002, 𝒫 315 40 11, Fax 319 12 76 – 📶 🗐 📺 ☎. 🖭 ⓞ
🗉 𝑉𝐼𝑆𝐴. ⚘   NY
🖵 900 – **68 hab** 8500/11800.

🏨 **Regencia Colón** sin rest, Sagristans 13, ⊠ 08002, 𝒫 318 98 58, Telex 98175, Fax 317 28 2
– 📶 🗐 📺 ☎. 🖭 ⓞ 🗉 𝑉𝐼𝑆𝐴 𝐽𝐶𝐵. ⚘   MV
🖵 1000 – **55 hab** 7900/13500.

🏨 **Rialto** sin rest, con cafetería, Ferrán 42, ⊠ 08002, 𝒫 318 52 12, Telex 97206, Fax 315 38 1
– 📶 🗐 📺 ☎ – 🔬 25/50. 🖭 ⓞ 🗉 𝑉𝐼𝑆𝐴 𝐽𝐶𝐵   MX
🖵 675 – **132 hab** 9880/13500.

🏨 **Lleó** sin rest, Pelai 24, ⊠ 08001, 𝒫 318 13 12, Telex 98338, Fax 412 26 57 – 📶 🗐 📺
👌. 🖭 ⓞ 🗉 𝑉𝐼𝑆𝐴 𝐽𝐶𝐵 – 🖵 925 – **75 hab** 9000/12000.   HX

🏨 **Turín**, Pintor Fortuny 9, ⊠ 08001, 𝒫 302 48 12, Fax 302 10 05 – 📶 🗐 📺 👌. 🖭 ⓞ 🗉 𝑉𝐼𝑆
Com 1000 – 🖵 700 – **60 hab** 8500/12900.   LX

🏨 **Ramblas H.** sin rest, Ramblas 33, ⊠ 08002, 𝒫 301 57 00, Fax 412 25 07 – 📶 🗐 📺
👌. 🖭 ⓞ 🗉 𝑉𝐼𝑆𝐴. ⚘ – **76 hab** 🖵 11200/14700.   MY

🏨 **Park H.**, av. Marqués de l'Argentera 11, ⊠ 08003, 𝒫 319 60 00, Telex 99883, Fax 319 45 1
– 📶 🗐 📺 ☎ ⇔. 🖭 ⓞ 🗉 𝑉𝐼𝑆𝐴. ⚘   NX
Com 2500 – 🖵 1150 – **87 hab** 9500/12000 – PA 4900.

🏨 **Suizo**, pl. del Angel 12, ⊠ 08002, 𝒫 315 41 11, Telex 97206, Fax 315 38 19 – 📶 🗐 📺
🖭 ⓞ 🗉 𝑉𝐼𝑆𝐴 𝐽𝐶𝐵. ⚘ rest   MX
Com 2750 – 🖵 675 – **48 hab** 9880/13500.

🏨 **Gótico** sin rest, Jaume I-14, ⊠ 08002, 𝒫 315 22 11, Telex 97206, Fax 315 38 19 – 📶 🗐
📺 ☎. 🖭 ⓞ 🗉 𝑉𝐼𝑆𝐴 𝐽𝐶𝐵 – 🖵 675 – **70 hab** 9330/12950.   MX

🏨 **San Agustín**, pl. Sant Agustí 3, ⊠ 08001, 𝒫 318 17 08, Fax 317 29 28 – 📶 🗐 📺 ☎. A
𝑉𝐼𝑆𝐴. ⚘   LY
Com 1200 – **77 hab** 🖵 7200/10950 – PA 2050.

🏨 **Mesón Castilla** sin rest, Valldoncella 5, ⊠ 08001, 𝒫 318 21 82, Fax 412 40 20 – 📶 🗐
⇔. 🖭 🗉 𝑉𝐼𝑆𝐴   HX
🖵 650 – **56 hab** 6350/9250.

🏨 **Moderno**, Hospital 11, ⊠ 08001, 𝒫 301 41 54, Telex 98215, Fax 301 02 83 – 📶 🗐 ☎. A
ⓞ 🗉 𝑉𝐼𝑆𝐴 𝐽𝐶𝐵. ⚘   LY
Com *(cerrado lunes)* 1690 – 🖵 475 – **49 hab** 6800/11900, 3 suites.

🏨 **Cortés**, Santa Ana 25, ⊠ 08002, 𝒫 317 91 12, Telex 98215, Fax 302 78 70 – 📶 🗐 rest ☎
🖭 ⓞ 🗉 𝑉𝐼𝑆𝐴 𝐽𝐶𝐵. ⚘   LV
Com *(cerrado domingo)* 1175 – 🖵 450 – **45 hab** 4200/7000.

🏨 **Continental** sin rest, Rambles 138-2°, ⊠ 08002, 𝒫 301 25 70, Fax 302 73 60 – 📶 📺
🖭 ⓞ 🗉 𝑉𝐼𝑆𝐴 𝐽𝐶𝐵 – **35 hab** 🖵 6600/8250.   LV

XXX **Agut d'Avignon,** Trinitat 3, ✉ 08002, 𝒫 302 60 34, Fax 302 53 18 – ▤. 🗚 ⓞ 🗲 VISA JCB. ⅏
MY **n**
Com carta 3875 a 5915.

XXX **Neyras,** Juliá Portet 1, ✉ 08003, 𝒫 302 46 47, Fax 302 46 47 – ▤. 🗚 ⓞ 🗲 VISA. ⅏
cerrado domingo y festivos – Com carta 3700 a 5050.
MV **b**

XXX **Quo Vadis,** Carme 7, ✉ 08001, 𝒫 302 40 72, Fax 301 04 35 – ▤. 🗚 ⓞ 🗲 VISA JCB
cerrado domingo y agosto – Com carta 4850 a 5950.
LX **k**

XXX **La Bona Cuina,** Pietat, 12, ✉ 08002, 𝒫 315 41 56, Fax 315 07 98 – ▤. 🗚 ⓞ 🗲 VISA JCB. ⅏
Com carta 3825 a 6150.
MX **e**

XXX **Aitor,** Carbonell 5, ✉ 08003, 𝒫 319 94 88, Cocina vasca – ▤. 🗲 VISA. ⅏
KY **m**
cerrado lunes y 11 agosto-11 septiembre – Com carta aprox. 4800.

XXX **Brasserie Flo,** Junqueres 10, ✉ 08003, 𝒫 319 31 02, Fax 268 23 95 – ▤. 🗚 ⓞ 🗲 VISA
– Com carta 3200 a 3580.
LV **a**

XXX **Reial Club Marítim,** Moll d'Espanya, ✉ 08039, 𝒫 221 71 43, Fax 221 44 12, ≤, 🍴 – ▤.
🗲 VISA
NY **a**
Com carta 3400 a 4625.

XXX **Senyor Parellada,** Argentería 37, ✉ 08003, 𝒫 315 40 10 – ▤. 🗚 ⓞ 🗲 VISA JCB. ⅏
cerrado domingo y festivos – Com carta 2550 a 3700.
NX **t**

XXX **7 Portes,** passeig d'Isabel II - 14, ✉ 08003, 𝒫 319 30 33, Fax 319 46 62 – ▤. 🗚 ⓞ 🗲 VISA. ⅏
Com carta 2915 a 4430.
NX **s**

X **La Cuineta,** Paradis, 4, ✉ 08002, 𝒫 315 01 11, Fax 315 07 98, Rest. típico, « Instalado en una bodega del siglo XVII » – ▤. 🗚 ⓞ 🗲 VISA JCB. ⅏
MX **e**
Com carta 3825 a 6150.

X **Can Ramonet,** Maquinista 17, ✉ 08003, 𝒫 319 30 64, Fax 319 70 14, Pescados y mariscos
– ▤. 🗚 ⓞ 🗲 VISA JCB. ⅏
KY **e**
cerrado 8 agosto-8 septiembre – Com carta 3200 a 4750.

X **Can Solé,** Sant Carles 4, ✉ 08003, 𝒫 319 50 12, Pescados – ▤. 🗚 🗲 VISA
KY **a**
cerrado sábado noche y domingo – Com carta 3875 a 4025.

X **Ca la María,** Tallers 76 bis, ✉ 08001, 𝒫 318 89 93 – ▤. 🗚 ⓞ 🗲 VISA
HX **d**
cerrado domingo noche, lunes y agosto – Comida – Com carta 2225 a 2975.

X **Can Culleretes,** Quintana 5, ✉ 08002, 𝒫 317 64 85, Rest. típico – ▤
MY **c**
cerrado domingo noche, lunes y del 4 al 25 julio – Com carta 2175 a 3000.

X **Los Caracoles,** Escudellers 14, ✉ 08002, 𝒫 302 31 85, Fax 302 07 43, Rest. típico, Decoración rústica regional – ▤. 🗚 ⓞ 🗲 VISA JCB. ⅏
MY **k**
Com carta aprox. 4400.

SUR DIAGONAL pl. de Catalunya, Gran Vía de Les Corts Catalanes, passeig de Gràcia, Balmes, Muntaner, Aragó

🏨🏨🏨 **Rey Juan Carlos I** ⅏, av. Diagonal 661, ✉ 08028, 𝒫 448 08 08, Fax 448 06 07, ≤ ciudad, « Modernas instalaciones - parque con estanque y ⤣ » – |🛗| ▤ 📺 ☎ 🕭 ⟺ 🅿 –
🏄 25/1000. 🗚 ⓞ 🗲 VISA JCB. ⅏ rest
AT **z**
Com **Chez Vous** *(cerrado domingo)* carta 3850 a 6150 - **Kokoro** *(rest. japonés, cerrado lunes)* carta 3350 a 4750 - **Café Polo** carta 4200 a 5200 – � 2100 – **375 hab** 27000/36000, 37 suites.

🏨🏨🏨 **Ritz,** Gran Vía de les Corts Catalanes 668, ✉ 08010, 𝒫 318 52 00, Telex 52739, Fax 318 01 48 – |🛗| ▤ 📺 ☎ – 🏄 25/350. 🗚 ⓞ 🗲 VISA JCB. ⅏ rest
JV **p**
Com carta aprox. 5500 – ⊏吐 2150 – **148 hab** 32800/43000, 13 suites.

🏨🏨🏨 **Princesa Sofía,** pl. de Pius XII 4, ✉ 08028, 𝒫 330 71 11, Telex 51032, Fax 330 76 21, ≤, ♨, ⤣ – |🛗| ▤ 📺 ☎ ⟺ – 🏄 25/1200. 🗚 ⓞ 🗲 VISA JCB. ⅏
EX **x**
Com (buffet) 2950 - **L'Empordà** *(cerrado sábado, domingo y agosto)* carta 3300 a 4200
– ⊏吐 1800 – **481 hab** 17000/25000, 24 suites.

🏨🏨 **Claris** ⅏, Pau Claris 150, ✉ 08009, 𝒫 487 62 62, Fax 215 79 70, « Modernas instalaciones con antigüedades - museo arqueológico », ⤣ – |🛗| ▤ 📺 ☎ ⟺ – 🏄 25/60. 🗚 ⓞ 🗲 VISA JCB. ⅏ rest
HV **w**
Com **Caviar Caspio** *(sólo cena, cerrado dom. y agosto)* carta aprox. 5500 – ⊏吐 1800 –
106 hab 23600/29500, 18 suites.

🏨🏨 **Barcelona Hilton,** av. Diagonal 589, ✉ 08014, 𝒫 419 22 33, Telex 99623, Fax 405 25 73, 🍴 – |🛗| ▤ ☎ 🕭 ⟺ – 🏄 25/800. 🗚 ⓞ 🗲 VISA JCB. ⅏
FX **v**
Com carta 2500 a 4900 – ⊏吐 2300 – **287 hab** 25500/32000, 3 suites.

🏨🏨 **Meliá Barcelona,** av. de Sarriá 50, ✉ 08029, 𝒫 410 60 60, Telex 51638, Fax 321 51 79, ≤ – |🛗| ▤ 📺 ☎ ⟺ – 🏄. 🗚 ⓞ 🗲 VISA JCB. ⅏
FV **n**
Com carta aprox. 5150 – ⊏吐 1600 – **308 hab** 20000/26000, 4 suites.

🏨🏨 **G.H. Havana y Rest. Grand Place,** Gran Vía de les Corts Catalanes 647, ✉ 08010, 𝒫 412 11 15, Telex 97420, Fax 412 26 11 – |🛗| ▤ 📺 ☎ ⟺ – 🏄 25/200. 🗚 ⓞ 🗲 VISA JCB
JV **e**
Com carta aprox. 3100 – ⊏吐 1500 – **141 hab** 19600/24500, 4 suites.

🏨🏨 **Feria Palace,** av. Rius i Taulet 1, ✉ 08004, 𝒫 426 22 23, Telex 97588, Fax 424 86 79, ♨, ♨ – |🛗| ▤ 📺 ☎ 🕭 ⟺ – 🏄 25/1300. 🗚 ⓞ 🗲 VISA JCB. ⅏
CT **s**
Com **L'Aria** *(cocina italiana, cerrado agosto)* carta 2100 a 2800 - **Ell Mall** carta 2300 a 4150
– ⊏吐 975 – **260 hab** 16260/20330, 16 suites.

🏨🏨 **Barcelona Plaza H.,** pl. de España 6, ⊠ 08014, ℰ 426 26 00, Fax 426 04 00, *ℳ*, ⊥ - |₿|
▤ 📺 ☎ & ⇔ - 🔬 25/600. 🆎 ⓘ 🗲 *VISA*. ⋘   GY
Com **Gourmet Plaza** *(cerrado domingo y agosto)* carta 3250 a 4950 **La Oca Plaza** cart
2450 a 3600 - 🖙 1250 - **338 hab** 14500/22250, 9 suites.

🏨🏨 **Majestic,** passeig de Gràcia 70, ⊠ 08008, ℰ 488 17 17, Telex 52211, Fax 488 18 80, ⌐
- |₿| ▤ 📺 ☎ - 🔬 25/600. 🆎 ⓘ 🗲 *VISA*. ⋘   HV
Com 1900 - 🖙 1500 - **334 hab** 13350/21300, 1 suite.

🏨🏨 **Diplomatic y Rest. La Salsa,** Pau Claris 122, ⊠ 08009, ℰ 488 02 00, Telex 54701
Fax 488 12 22, ⊥ - |₿| ▤ 📺 ☎ ⇔ - 🔬 25/250. 🆎 ⓘ 🗲 *VISA*. ⋘   HV
Com *(cerrado domingo)* carta aprox. 5500 - 🖙 1750 - **210 hab** 16000/20000, 7 suites

🏨🏨 **NH Calderón,** Rambla de Catalunya 26, ⊠ 08007, ℰ 301 00 00, Telex 99529, Fax 317 31 57
⊥, ⊠ - |₿| ▤ 📺 ☎ ⇔ - 🔬 25/200. 🆎 ⓘ 🗲 *VISA* JⒸⒷ   HX
Com carta aprox. 4500 - 🖙 1500 - **232 hab** 20400/25500, 16 suites.

🏨🏨 **Barcelona Sants,** pl. dels Països Catalans (estació Barcelona Sants), ⊠ 08014
ℰ 490 95 95, Telex 97568, Fax 490 60 45, ⇐ - |₿| ▤ 📺 ☎ & ⓟ - 🔬 25/1500. 🆎 ⓘ 🗲
VISA JⒸⒷ. ⋘   FY
Com 2500 - 🖙 1250 - **364 hab** 14500/18000, 13 suites - PA 5000.

🏨🏨 **Avenida Palace,** Gran Vía de les Corts Catalanes 605, ⊠ 08007, ℰ 301 96 00, Telex 54734
Fax 318 12 34 - |₿| ▤ 📺 ☎ - 🔬 25/300. 🆎 ⓘ 🗲 *VISA* JⒸⒷ. ⋘ rest   HX
Com 3000 - 🖙 1400 - **143 hab** 16000/20000, 17 suites - PA 6000.

🏨🏨 **G.H. Catalonia,** Balmes 142, ⊠ 08008, ℰ 415 90 90, Telex 97532, Fax 415 22 09 - |₿| ▤
📺 ☎ & ⇔ - 🔬 48/260. 🆎 🗲 *VISA*. ⋘   HV
Com 2400 - 🖙 1500 - **84 hab** 18500/24900.

🏨🏨 **Condes de Barcelona y Anexo,** passeig de Gràcia 75, ⊠ 08008, ℰ 484 86 00
Telex 51531, Fax 488 06 14, ⊥ - |₿| ▤ 📺 ☎ ⇔ - 🔬 25/180. 🆎 ⓘ 🗲 *VISA* JⒸⒷ. ⋘ res
Com 4400 - 🖙 1700 - **181 hab** 23000/29000, 2 suites - PA 8400.   HV

🏨🏨 **Gallery H.,** Rosselló 249, ⊠ 08008, ℰ 415 99 11, Telex 97518, Fax 415 91 84, ☂ - |₿| ▤
📺 ☎ & ⇔ - 🔬 25/200. 🆎 🗲 *VISA*. ⋘   HV
Com 1825 - 🖙 1350 - **110 hab** 20800/26000, 5 suites.

🏨🏨 **St. Moritz,** Diputació 262 bis, ⊠ 08007, ℰ 412 15 00, Telex 97340, Fax 412 12 36 - |₿| ▤
📺 ☎ & ⇔ - 🔬 25/140. 🆎 ⓘ 🗲 *VISA*. ⋘ rest   JV
Com 2100 - 🖙 1600 - **92 hab** 20400/25500 - PA 5000.

🏨🏨 **L'Illa** sin rest, av. Diagonal 555, ⊠ 08029, ℰ 410 33 00, Fax 410 88 92 - |₿| ▤ 📺 ☎ &
🆎 ⓘ 🗲 *VISA*. ⋘ - 🖙 1250 - **97 hab** 17600/22000, 6 suites.   FX

🏨🏨 **Gran Derby** sin rest, Loreto 28, ⊠ 08029, ℰ 322 20 62, Telex 97429, Fax 419 68 20 - |₿|
▤ 📺 ☎ ⇔ - 🔬 25/100. 🆎 ⓘ 🗲 *VISA* JⒸⒷ   GX
🖙 1250 - **30 hab** 15600/19500, 12 suites.

🏨🏨 **Balmes,** Mallorca 216, ⊠ 08008, ℰ 451 19 14, Fax 451 00 49, « Terraza con ⊥ » - |₿| ▤
📺 ☎ - 🔬 25/70. 🆎 ⓘ 🗲 *VISA* JⒸⒷ. ⋘ rest   HV
Com *(cerrado domingo)* 2500 - 🖙 975 - **92 hab** 12000/16500, 8 suites.

🏨🏨 **City Park H.,** Nicaragua 47, ⊠ 08029, ℰ 419 95 00, Fax 419 71 63 - |₿| ▤ 📺 ☎ ⇔
🔬 25/40. 🆎 ⓘ 🗲 *VISA*. ⋘ rest   FX
Com 1800 - 🖙 900 - **75 hab** 14500/20500, 5 suites.

🏨🏨 **NH Podium,** Bailén 4, ⊠ 08010, ℰ 265 02 02, Telex 97007, Fax 265 05 06, *ℳ*, ⊥ - |₿|
▤ 📺 ☎ & ⇔ - 🔬 25/240. 🆎 ⓘ 🗲 *VISA*. ⋘   JV
Com 1900 - 🖙 1400 - **140 hab** 16700/23100, 5 suites.

🏨🏨 **Derby,** Loreto 21, ⊠ 08029, ℰ 322 32 15, Telex 97429, Fax 410 08 62 - |₿| ▤ 📺 ☎ ⇔
- 🔬 25/100. 🆎 ⓘ 🗲 *VISA* JⒸⒷ   FX
Com 1200 - 🖙 1250 - **113 hab** 14900/18600, 4 suites.

🏨🏨 **Alexandra,** Mallorca 251, ⊠ 08008, ℰ 487 05 05, Telex 81107, Fax 488 02 58 - |₿| ▤ 📺
☎ ⇔ - 🔬 25/100. 🆎 ⓘ 🗲 *VISA*. ⋘   HV
Com 3500 - 🖙 1400 - **75 hab** 19300/24000 - PA 8000.

🏨🏨 **Astoria,** Paris 203, ⊠ 08036, ℰ 209 83 11, Telex 81129, Fax 202 30 08 - |₿| ▤ 📺
☎ - 🔬 25/30. 🆎 ⓘ 🗲 *VISA* JⒸⒷ   HV
🖙 975 - **112 hab** 11700/15500, 2 suites.

🏨🏨 **NH Master,** Valencia 105, ⊠ 08011, ℰ 323 62 15, Telex 81258, Fax 323 43 89 - |₿| ▤ 📺
☎ ⇔ - 🔬 25/170. 🆎 ⓘ 🗲 *VISA*. ⋘   HX
Com carta aprox. 2500 - 🖙 1000 - **80 hab** 12800/17600, 1 suite.

🏨🏨 **Cristal,** Diputació 257, ⊠ 08007, ℰ 487 87 78, Telex 54560, Fax 487 90 30 - |₿| ▤ 📺 ☎
⇔ - 🔬 25/70. 🆎 ⓘ 🗲 *VISA* JⒸⒷ. ⋘   HX
Com carta aprox. 3550 - 🖙 975 - **148 hab** 11000/16000.

🏨🏨 **NH Numancia,** Numancia 74, ⊠ 08029, ℰ 322 44 51, Fax 410 76 42 - |₿| ▤ 📺 ☎ ⇔
- 🔬 25/70. 🆎 ⓘ 🗲 *VISA*. ⋘   FX
Com carta aprox. 3800 - 🖙 1000 - **140 hab** 12800/17600.

🏨🏨 **Sant'Angelo** sin rest, Consell de Cent 74, ⊠ 08015, ℰ 423 46 47, Fax 423 88 40 - |₿| ▤
📺 ☎ & ⇔. 🆎 ⓘ 🗲 *VISA*. ⋘   GY
🖙 1000 - **50 hab** 9900.

🏨🏨 **Grand Passage Suites H.,** Muntaner 212, ⊠ 08036, ℰ 201 03 06, Telex 98311
Fax 201 00 04 - |₿| ▤ 📺 ☎ - 🔬 25/80. 🆎 ⓘ 🗲 *VISA*. ⋘   GV
Com 3500 - 🖙 1400 - **40 suites** 19300/24000 - PA 8000.

Núñez Urgel sin rest, Comte d'Urgell 232, ⊠ 08036, ℰ 322 41 53, Fax 419 01 06 – 🛗 🗏 📺 ☎ ⇌ – 🔬 25/100. 🖭 ⓿ 🖰 ⱽⁱˢᴬ ⱼ⶜ᴮ. ⠵
⇱ 1100 – **120 hab** 13500/20000.
GX **a**

Regente, Rambla de Catalunya 76, ⊠ 08008, ℰ 487 59 89, Telex 51939, Fax 487 32 27, 🆤 – 🛗 📺 ☎ – 🔬 25/30. 🖭 ⓿ 🖰 ⱽⁱˢᴬ ⱼ⶜ᴮ
Com 1200 – **77 hab** ⇱ 10000/15000, 1 suite.
HV **z**

Expo H., Mallorca 1, ⊠ 08014, ℰ 325 12 12, Telex 54147, Fax 325 11 44, 🆤 – 🛗 📺 ☎ ⇌ – 🔬 25/900. 🖭 🖰 ⱽⁱˢᴬ ⱼ⶜ᴮ. ⠵
Com 2335 – ⇱ 900 – **435 hab** 11075/15750 – PA 4455.
GY **m**

Duques de Bergara, Bergara 11, ⊠ 08002, ℰ 301 51 51, Telex 81257, Fax 317 34 42 – 🛗 🗏 📺 ☎ – 🔬 25/80. 🖭 ⓿ 🖰 ⱽⁱˢᴬ ⱼ⶜ᴮ. ⠵
Com 1800 – ⇱ 1200 – **51 hab** 17500/21000.
LV **f**

Caledonian sin rest, Gran Vía de les Corts Catalanes 574, ⊠ 08011, ℰ 453 02 00, Fax 451 77 03 – 🛗 🗏 📺 ☎ ⇌. 🖭 ⓿ 🖰 ⱽⁱˢᴬ ⱼ⶜ᴮ
cerrado del 24 al 26 diciembre – ⇱ 900 – **44 hab** 9300/14800.
HX **w**

Roma, av. de Roma 31, ⊠ 08029, ℰ 410 66 33, Telex 98718, Fax 410 13 52, ⩩ – 🛗 🗏 📺 ☎ – 🔬 25/60. 🖭 ⓿ 🖰 ⱽⁱˢᴬ ⱼ⶜ᴮ. ⠵
Com (sólo cena) carta aprox. 2300 – ⇱ 950 – **42 hab** 11000/14500.
GX **r**

Abbot sin rest, av. de Roma 23, ⊠ 08029, ℰ 430 04 05, Fax 419 57 41 – 🛗 🗏 📺 ☎ ⇌ – 🔬 25/100. 🖭 ⓿ 🖰 ⱽⁱˢᴬ. ⠵
⇱ 1000 – **42 hab** 11550/18150.
GXY **e**

NH Forum, Ecuador 20, ⊠ 08029, ℰ 419 36 36, Fax 419 89 10 – 🛗 🗏 📺 ☎ ⇌ – 🔬 25/50. 🖭 ⓿ 🖰 ⱽⁱˢᴬ. ⠵ rest
Com (sólo cena) carta aprox. 2650 – ⇱ 1000 – **47 hab** 12800/17600, 1 suite.
FX **t**

NH Rallye, Travessera de les Corts 150, ⊠ 08028, ℰ 339 90 50, Fax 411 07 90, 🆤 – 🛗 🗏 📺 ☎ ⇌ – 🔬 25/350. 🖭 ⓿ 🖰 ⱽⁱˢᴬ. ⠵ rest
Com 2550 – ⇱ 1000 – **106 hab** 14100/17600.
EY **b**

Alfa y Rest. Gran Mercat, Zona Franca - calle K (entrada principal Mercabarna), ⊠ 08004, ℰ 336 25 64, Telex 80820, Fax 335 55 92, 🆤 – 🛗 🗏 📺 ☎ 🅿 – 🔬 25/80. 🖭 ⓿ 🖰 ⱽⁱˢᴬ.
por Pas. de la Zona Franca BT
Com carta 3200 a 4700 – ⇱ 950 – **98 hab** 12400/15500, 1 suite.

NH Les Corts, Travessera de les Corts 292, ⊠ 08029, ℰ 322 08 11, Fax 322 09 08 – 🛗 🗏 📺 ☎ ⇌ – 🔬 25/80. 🖭 ⓿ 🖰 ⱽⁱˢᴬ. ⠵
Com 1500 – ⇱ 1000 – **80 hab** 12800/17600, 1 suite – PA 3200.
FX **u**

Europark sin rest, Aragó 325, ⊠ 08009, ℰ 457 92 05, Fax 458 99 61 – 🛗 🗏 📺 ☎. 🖭 ⓿ 🖰 ⱽⁱˢᴬ ⱼ⶜ᴮ. ⠵
⇱ 1100 – **66 hab** 10000/16000.
JV **t**

Regina sin rest, con cafetería, Bergara 2, ⊠ 08002, ℰ 301 32 32, Telex 59380, Fax 318 23 26 – 🛗 🗏 📺 ☎. 🖭 ⓿ 🖰 ⱽⁱˢᴬ ⱼ⶜ᴮ. ⠵
⇱ 975 – **102 hab** 10300/15300.
LV **r**

Aparthotel Accés sin rest, Gran Vía de les Corts Catalanes 327, ⊠ 08014, ℰ 425 51 61, Fax 426 80 64 – 🛗 🗏 📺 ☎ ⇌ – 🔬 25. 🖭 ⓿ ⱽⁱˢᴬ. ⠵
⇱ 800 – **22 apartamentos** 14000/16000.
GY **t**

Catalunya Plaza sin rest, pl. Catalunya 7, ⊠ 08002, ℰ 317 71 71, Fax 317 78 55 – 🛗 🗏 📺 ☎ 🅱 – 🔬 25. 🖭 ⓿ 🖰 ⱽⁱˢᴬ
⇱ 975 – **46 hab** 9500/14000.
LV **g**

Paral-Lel sin rest, Poeta Cabanyes 7, ⊠ 08004, ℰ 329 11 04, Fax 442 16 56 – 🛗 🗏 📺 ☎. 🖭 ⓿ 🖰 ⱽⁱˢᴬ ⱼ⶜ᴮ. ⠵
⇱ 600 – **64 hab** 6250/9500, 2 suites.
HY **b**

Onix sin rest, Llançà 30, ⊠ 08015, ℰ 426 00 87, Fax 426 19 81, 🆤 – 🛗 🗏 📺 ☎ ⇌ – 🔬 25/150. 🖭 ⱽⁱˢᴬ
– ⇱ 950 – **80 hab** 10400/13000.
GY **n**

Taber sin rest, Aragó 256, ⊠ 08007, ℰ 487 38 87, Telex 93452, Fax 488 13 50 – 🛗 🗏 📺 ☎ – 🔬 25/40. 🖭 🖰 ⱽⁱˢᴬ. ⠵
⇱ 550 – **85 hab** 8400/10500, 6 suites.
HX **g**

L'Alguer sin rest, Passatge Pere Rodriguez 20, ⊠ 08028, ℰ 334 60 50, Fax 333 83 65 – 🛗 🗏 📺 ☎. 🖭 ⓿ 🖰 ⱽⁱˢᴬ. ⠵
⇱ 550 – **33 hab** 6250/8900.
EY **a**

✗✗✗✗✗ **Beltxenea,** Mallorca 275, ⊠ 08008, ℰ 215 30 24, Fax 487 00 81, ⩩, « Terraza-jardín » – 🗏. 🖭 ⓿ 🖰 ⱽⁱˢᴬ. ⠵
cerrado sábado mediodía, domingo, Semana Santa, 15 días en agosto y Navidades – Com carta aprox. 5300.
HV **h**

✗✗✗✗ ✿ **La Dama,** av. Diagonal 423, ⊠ 08036, ℰ 202 06 86, Fax 200 72 99 – 🗏. 🖭 ⓿ 🖰 ⱽⁱˢᴬ.
– Com carta 4675 a 6475
Espec. Patata asada rellena de langostinos, Gratén de bogavante sobre lecho de espinacas, Carro de pastelería de elaboración propia.
HV **a**

✗✗✗✗ **Finisterre,** av. Diagonal 469, ⊠ 08036, ℰ 439 55 76, Fax 439 99 41 – 🗏. 🖭 ⓿ 🖰 ⱽⁱˢᴬ. ⠵
Com carta 5100 a 6800.
GV **e**

XXX **Oliver y Hardy,** av. Diagonal 593, ✉ 08014, ℰ 419 31 81, 🕭 – 🗏. 🖭 ⓞ ⋿ 𝗩𝗜𝗦𝗔
FX

cerrado sábado mediodía y domingo – Com carta aprox. 5500.

XXX ❀ **Jaume de Provença,** Provença 88, ✉ 08029, ℰ 430 00 29, Fax 439 29 50 – 🗏. 🖭 ⓞ
⋿ 𝗩𝗜𝗦𝗔 𝖩𝖢𝖡. 🕭 GX

cerrado domingo noche, lunes, Semana Santa, agosto y Navidad – Com carta 5050 a 6450
Espec. Panellet de foie gras sobre brik, Huevos cocotte con cigalas y setas al madeira, Gigot de
cabrito al romero y hierbas al horno.

XXX **Bel Air,** Córsega 286, ✉ 08008, ℰ 237 75 88, Fax 237 95 26, Arroces – 🗏. 🖭 ⓞ ⋿ 𝗩𝗜𝗦
𝖩𝖢𝖡 HV

cerrado domingo – Com carta 4350 a 5800.

XXX **El Tragaluz,** passatge de la Concepció 5 - 1, ✉ 08008, ℰ 487 01 96, Fax 217 01 19
« Decoración original con techo acristalado » – 🗏. 🖭 ⓞ ⋿ 𝗩𝗜𝗦𝗔 HV

cerrado domingo y festivos – Com carta aprox. 5500.

XXX **Tikal,** Rambla de Catalunya 5, ✉ 08007, ℰ 302 22 21 – 🗏. 🖭 ⓞ ⋿ 𝗩𝗜𝗦𝗔 𝖩𝖢𝖡
🕭 LV

cerrado sábado, domingo, festivos y agosto – Com carta aprox. 4175.

XX **Koxkera,** Marqués de Sentmenat 67, ✉ 08029, ℰ 322 35 56, Pescados y mariscos – 🗏
🖭 ⓞ ⋿ 𝗩𝗜𝗦𝗔 𝖩𝖢𝖡. 🕭 FX

Com carta aprox. 5300.

XX **Gargantua i Pantagruel,** Aragó 214, ✉ 08011, ℰ 453 20 20, Fax 451 39 08, Cocina ilen-
dense – 🗏. 🖭 ⓞ ⋿ 𝗩𝗜𝗦𝗔. 🕭 HX

cerrado domingo y Semana Santa – Com carta 3100 a 4800.

XX **Maitetxu,** Balmes 55, ✉ 08007, ℰ 323 59 65, Cocina vasco-navarra – 🗏. 🖭 ⓞ ⋿ 𝗩𝗜𝗦𝗔
🕭 HX

cerrado sábado mediodía, festivos y agosto – Com carta 3950 a 4700.

XX **Els Pescadors,** pl. Prim 1, ✉ 08005, ℰ 309 20 18, Fax 485 40 42, 🕭, Pescados y mariscos
– 🗏. 🖭 ⓞ ⋿ 𝗩𝗜𝗦𝗔 DT

cerrado Semana Santa, Navidad y fin de año – Com carta 3025 a 5225.

XX **Rías de Galicia,** Lleida 7, ✉ 08004, ℰ 424 81 52, Fax 426 13 07, Pescados y mariscos –
🗏. 🖭 ⓞ ⋿ 𝗩𝗜𝗦𝗔 𝖩𝖢𝖡. 🕭 HY

Com carta 3900 a 5400.

XX **Sí, Senyor,** Mallorca 199, ✉ 08036, ℰ 453 21 49, Fax 451 10 02 – 🗏. 🖭 ⓞ ⋿ 𝗩𝗜𝗦𝗔
🕭 HX

cerrado domingo – Com carta 3200 a 4750.

XX **Satélite,** av. de Sarriá 10, ✉ 08029, ℰ 321 34 31, Fax 419 63 89 – 🗏. 🖭 ⋿ 𝗩𝗜𝗦𝗔. 🕭 GX
Com carta aprox. 4500.

XX **Vinya Rosa - Magí,** av. de Sarriá 17, ✉ 08029, ℰ 430 00 03, Fax 430 00 41 – 🗏. 🖭 ⓞ
⋿ 𝗩𝗜𝗦𝗔 GX

cerrado sábado mediodía y domingo noche – Com carta 3405 a 6275.

XX **Gorría,** Diputació 421, ✉ 08013, ℰ 245 11 64, Fax 232 78 57, Cocina vasco-navarra – 🗏
🖭 ⓞ ⋿ 𝗩𝗜𝗦𝗔 𝖩𝖢𝖡. 🕭 JU

cerrado domingo, festivos noche y agosto – Com carta 3900 a 5375.

XX **La Sopeta,** Muntaner 6, ✉ 08011, ℰ 323 56 32, Fax 454 37 01 – 🗏. 🖭 ⓞ ⋿ 𝗩𝗜𝗦𝗔 𝖩𝖢𝖡.
cerrado domingo – Com carta 3380 a 4530. HX

XX **Soley,** Bailén 29, ✉ 08010, ℰ 265 46 96 – 🗏. 🖭 ⓞ ⋿ 𝗩𝗜𝗦𝗔 𝖩𝖢𝖡. 🕭 JV
cerrado sábado, domingo noche y del 8 al 21 de agosto – Com carta aprox. 4350.

XX **Lagunak,** Berlín 19, ✉ 08014, ℰ 490 59 11, Cocina vasco-navarra – 🗏. 🖭 ⓞ ⋿ 𝗩𝗜𝗦𝗔
🕭 FX

cerrado sábado mediodía, domingo y agosto – Com carta 3400 a 5800.

XX ❀ **Ca l'Isidre,** Les Flors 12, ✉ 08001, ℰ 441 11 39, Fax 442 52 71 – 🗏. 🖭 ⋿ 𝗩𝗜𝗦𝗔. 🕭
cerrado domingo, festivos y agosto – Com carta 4600 a 5600 LY

Espec. Ensalada de verduras y langostinos a la vinagreta de naranja, Lubina braseada al puré de
col, Hígado de pato a la mermelada de mandarina.

XX **Can Fayos,** Loreto 22, ✉ 08029, ℰ 439 30 22 – 🗏. 🖭 ⓞ ⋿ 𝗩𝗜𝗦𝗔 𝖩𝖢𝖡. 🕭 GX
cerrado sábado y domingo – Com carta 3195 a 4550.

XX **Casa Chus,** av. Diagonal 339 bis, ✉ 08037, ℰ 207 02 15 – 🗏. 🖭 ⓞ ⋿ 𝗩𝗜𝗦𝗔 HV
cerrado domingo noche – Com carta 3875 a 4500.

XX **Muffins,** València 210, ✉ 08011, ℰ 454 02 21 – 🗏. 🖭 ⋿ 𝗩𝗜𝗦𝗔. 🕭 HX
cerrado sábado mediodía, domingo, festivos y agosto – Com carta aprox. 4500.

XX **Sibarit,** Aribau 65, ✉ 08011, ℰ 453 93 03 – 🗏. 🖭 ⓞ ⋿ 𝗩𝗜𝗦𝗔 𝖩𝖢𝖡. 🕭 HX
cerrado sábado mediodía, domingo y 2ª quincena de agosto – Com carta aprox. 5100.

XX **L'Aram,** Aragó 305, ✉ 08009, ℰ 207 01 88 – 🗏. 🖭 ⓞ ⋿ 𝗩𝗜𝗦𝗔 JV
cerrado sábado mediodía, domingo, Semana Santa y agosto – Com carta 3500 a
4450.

XX **Tramonti 1980,** av. Diagonal 501, ✉ 08029, ℰ 410 15 35, Fax 405 04 03, Cocina italiana
– 🗏. 🖭 ⓞ ⋿ 𝗩𝗜𝗦𝗔. 🕭 FV

Com carta aprox. 4700.

XX **Font del Gat,** passeig Santa Madrona, Montjuic, ⊠ 08004, ℰ 424 02 24, 🍴, Decoración regional – 🅟, 🖭 ⓞ 🗲 _VISA_. ⅏ CT **x**
cerrado lunes salvo festivos y vísperas – Com carta aprox. 4500.

XX **Petit París,** París 196, ⊠ 08036, ℰ 218 26 78 – 🗐. 🖭 ⓞ 🗲 _VISA_ _JCB_. ⅏ HV **k**
Com carta aprox. 4050.

XX **Casa Darío,** Consell de Cent 256, ⊠ 08011, ℰ 453 31 35, Fax 451 33 95 – 🗐. 🖭 ⓞ 🗲
VISA. ⅏ HX **p**
cerrado domingo y agosto – Com carta 3700 a 5500.

XX **Solera Gallega,** París 176, ⊠ 08036, ℰ 322 91 40, Fax 322 91 40, Pescados y mariscos
– 🗐. 🖭 ⓞ 🗲 _VISA_ _JCB_. ⅏ GHV **p**
cerrado lunes y 15 agosto-15 septiembre – Com carta 4200 a 6200.

X **El Celler de Casa Jordi,** Rita Bonnat 3, ⊠ 08029, ℰ 430 10 45 – 🗐. 🖭 ⓞ 🗲 _VISA_ _JCB_.
⅏ GX **s**
cerrado domingo y agosto – **Comida** carta 2250 a 3200.

X **Rosamar,** Sepúlveda 159, ⊠ 08011, ℰ 453 31 92 – 🗐. 🖭 ⓞ 🗲 _VISA_ HX **q**
cerrado domingo noche, lunes y agosto – Com carta 3100 a 4200.

X **El Pescador,** Mallorca 314, ⊠ 08037, ℰ 207 10 24, Pescados y mariscos – 🗐. 🖭 ⓞ 🗲
VISA. ⅏ JV **a**
cerrado domingo – Com carta aprox. 4700.

X **Dolceta 2,** Comte D'urgell 266, ⊠ 08036, ℰ 321 83 51, Carnes a la brasa – 🗐. 🖭 ⓞ 🗲
VISA. ⅏ GV **m**
cerrado domingo y agosto – Com carta 2600 a 3900.

X **Elche,** Vila i Vilá 71, ⊠ 08004, ℰ 329 68 46, Arroces – 🗐. 🖭 ⓞ 🗲 _VISA_ JY **a**
cerrado domingo noche – **Comida** carta 2590 a 3150.

X **Asador Izarra,** Sicilia 135, ⊠ 08013, ℰ 245 21 03 – 🗐. 🖭 ⓞ 🗲 _VISA_. ⅏ JV **s**
cerrado domingo, Semana Santa y del 1 al 23 de agosto – Com carta 3050 a 4100.

X **Santi Velasco,** Diputació 172, ⊠ 08011, ℰ 453 12 34 – 🗐. 🖭 ⓞ 🗲 _VISA_. ⅏ HX **z**
cerrado domingo, festivos, sábado en verano y agosto – Com carta 2850 a 4300.

X **Chicoa,** Aribau 71, ⊠ 08036, ℰ 453 11 23 – 🗐. 🖭 🗲 _VISA_. ⅏ HX **m**
cerrado sábado noche, domingo, festivos y agosto – Com carta aprox. 5100.

X **La Manduca,** Girona 59, ⊠ 08009, ℰ 487 99 89 – 🗐. 🗲 _VISA_. ⅏ JV **c**
_cerrado festivos de septiembre-abril, sábado y domingo resto del año, Semana Santa y
del 1 al 21 de agosto_ – Com carta aprox. 3500.

X **Casa Toni,** Sepúlveda 62, ⊠ 08015, ℰ 325 26 34 – 🗐. 🖭 ⓞ 🗲 _VISA_. ⅏ HY **f**
cerrado sábado, domingo noche, festivos noche y 15 días en agosto – Com carta aprox.
3800.

X **Cal Sardineta,** Casp 35, ⊠ 08010, ℰ 302 68 44 – 🗐. 🖭 ⓞ _VISA_ JV **r**
cerrado domingo – Com carta 2725 a 4500.

X **Da Paolo,** av. de Madrid 63, ⊠ 08028, ℰ 490 48 91, Cocina italiana – 🗐. 🖭 ⓞ 🗲 _VISA_.
⅏ EY **f**
cerrado domingo noche y del 1 al 15 de agosto – Com carta 2750 a 3500.

X **Els Perols de l'Empordá,** Villarroel 88, ⊠ 08011, ℰ 323 10 33, Cocina ampurdanesa –
🗐. 🖭 ⓞ 🗲 _VISA_ HX **v**
cerrado domingo y festivos noche, lunes, Semana Santa, y del 1 al 22 de agosto – **Comida**
carta 2600 a 3425.

X **Da Peppo,** av. de Sarriá 19, ⊠ 08029, ℰ 322 51 55, Cocina italiana – 🗐. 🖭 🗲 _VISA_
cerrado martes y agosto – Com carta 2075 a 2600. GX **y**

X **Azpiolea,** Casanova 167, ⊠ 08036, ℰ 430 90 30, Cocina vasca – 🗐. 🖭 ⓞ 🗲 _VISA_. ⅏
cerrado domingo y agosto – Com carta 3300 a 5500. GV **q**

X **La Lubina,** Viladomat 257, ⊠ 08029, ℰ 430 03 33, Pescados y mariscos – 🗐. 🖭 ⓞ 🗲
VISA _JCB_. ⅏ GX **c**
cerrado domingo noche y agosto – Com carta 3150 a 5100.

X **Carles Grill,** Comte d'Urgell 280, ⊠ 08036, ℰ 410 43 00, Carne de buey – 🗐. 🖭 ⓞ 🗲
VISA. ⅏ GV **m**
cerrado domingo y del 1 al 15 de agosto – Com carta aprox. 2400.

X **Marisqueiro Panduriño,** Floridablanca 3, ⊠ 08015, ℰ 325 70 16, Fax 426 13 07, Pescados y mariscos – 🗐. 🖭 ⓞ 🗲 _VISA_ _JCB_. ⅏ HY **c**
cerrado martes y agosto – Com carta 3200 a 4500.

X **Cañota,** Lleida 7, ⊠ 08004, ℰ 325 91 71, Fax 426 13 07, Carnes a la brasa – 🗐. 🖭 ⓞ
🗲 _VISA_ _JCB_. ⅏ HY **e**
cerrado miércoles – **Comida** carta 2300 a 2900.

X **Pá i Trago,** Parlament 41, ⊠ 08015, ℰ 441 13 20, Fax 441 13 20, Rest. típico – 🗐. ⓞ 🗲
VISA HY **a**
cerrado lunes salvo festivos – Com carta aprox. 4300.

X **La Brochette,** Balmes 122, ⊠ 08008, ℰ 215 89 44 – 🗐. _VISA_. ⅏ HV **t**
cerrado domingo y agosto – Com carta 1950 a 2990.

NORTE DIAGONAL vía Augusta, Capità Arenas, ronda General Mitre, passeig de la Bonanova, av. de Pedralbes

🏨 **Tryp Presidente,** av. Diagonal 570, ⊠ 08021, ℰ 200 21 11, Telex 52180, Fax 209 51 06, 🍴 – 🛗 🖭 🖭 ☎ – 🛱 25/420. 🖭 ⑩ 🖪 ᴠɪꜱᴀ. 🛠   GV **u**
Com carta 2400 a 4450 – 🖵 1500 – **152 hab** 17000/21300.

🏨 **Hesperia** sin rest, con cafetería, Vergós 20, ⊠ 08017, ℰ 204 55 51, Telex 98403, Fax 204 43 92 – 🛗 🖭 🖭 ☎ 🚗 – 🛱 25/150. 🖭 ⑩ 🖪 ᴠɪꜱᴀ. 🛠   EU **c**
🖵 1250 – **139 hab** 13120/16400.

🏨 **Suite H.,** Muntaner 505, ⊠ 08022, ℰ 212 80 12, Telex 99077, Fax 211 23 17 – 🛗 🗐 🖭 ☎ 🚗 – 🛱 25/90. 🖭 ⑩ 🖪 ᴠɪꜱᴀ ᴊᴄʙ. 🛠   FU **a**
Com 3500 – 🖵 1200 – **70 suites** 12500/15900.

🏨 **Balmoral** sin rest, vía Augusta 5, ⊠ 08006, ℰ 217 87 00, Telex 54087, Fax 415 14 21 – 🛗 🗐 🖭 ☎ 🚗 – 🛱 25/250. 🖭 ⑩ 🖪 ᴠɪꜱᴀ ᴊᴄʙ. 🛠   HV **n**
🖵 1050 – **94 hab** 15700/24000.

🏨 **NH Cóndor,** via Augusta 127, ⊠ 08006, ℰ 209 45 11, Telex 52925, Fax 202 27 13 – 🛗 🗐 🖭 ☎ – 🛱 25/50. 🖭 ⑩ 🖪 ᴠɪꜱᴀ. 🛠 rest   GU **z**
Com 1800 – 🖵 1000 – **66 hab** 14100/17600, 12 suites.

🏨 **Arenas** sin rest, con cafetería, Capitá Arenas 20, ⊠ 08034, ℰ 280 03 03, Telex 54990, Fax 280 33 92 – 🛗 🗐 🖭 ☎ – 🛱 25/50. 🖭 ⑩ 🖪 ᴠɪꜱᴀ ᴊᴄʙ. 🛠   EX **r**
🖵 1000 – **58 hab** 12000/15000, 1 suite.

🏨 **Victoria,** av. de Pedralbes 16 bis, ⊠ 08034, ℰ 280 15 15, Telex 98302, Fax 280 52 67, 😊, 🍴 – 🛗 🗐 🖭 ☎ 🚗. 🖭 ⑩ 🖪 ᴠɪꜱᴀ. 🛠 rest   EX **z**
Com *(cerrado sábado, domingo, festivos y agosto)* 1500 – 🖵 1350 – **79 apartamentos** 14500/18130.

🏨 **Park Putxet,** Putxet 68, ⊠ 08023, ℰ 212 51 58, Telex 98718, Fax 418 58 17 – 🛗 🗐 🖭 ☎ 🚗 – 🛱 25/200. 🖭 ⑩ 🖪 ᴠɪꜱᴀ. 🛠   GU **a**
Com 1500 – 🖵 950 – **141 hab** 11500/14500.

🏨 **NH Belagua,** vía Augusta 89, ⊠ 08006, ℰ 237 39 40, Telex 99643, Fax 415 30 62 – 🛗 🗐 🖭 ☎ – 🛱 25 /90. 🖭 ⑩ 🖪 ᴠɪꜱᴀ. 🛠 rest   GU **s**
Com 3500 – 🖵 950 – **72 hab** 14100/17600 – PA 6000.

🏨 **Atenas,** av. Meridiana 151, ⊠ 08026, ℰ 232 20 11, Telex 98718, Fax 232 09 10, 🍴 – 🛗 🗐 🖭 ☎ – 🛱 25/40. 🖭 ⑩ 🖪 ᴠɪꜱᴀ ᴊᴄʙ. 🛠   CS **z**
Com 1500 – 🖵 950 – **166 hab** 9500/11500.

🏨 **Mitre** sin rest, Bertrán 9, ⊠ 08023, ℰ 212 11 04, Telex 98671, Fax 418 94 81 – 🛗 🗐 🖭 ☎. 🖭 ⑩ 🖪 ᴠɪꜱᴀ – 🖵 725 – **57 hab** 9600/12000.   FU **t**

🏨 **Condado,** Aribau 201, ⊠ 08021, ℰ 200 23 11, Telex 54546, Fax 200 25 86 – 🛗 🗐 🖭 ☎. 🖭 ⑩ 🖪 ᴠɪꜱᴀ. 🛠 rest   GV **g**
Com *(cerrado sábado y domingo)* 1850 – 🖵 900 – **88 hab** 12800/16000 – PA 3910.

🏨 **NH Pedralbes** sin rest, con cafetería por la noche, Fontcuberta 4, ⊠ 08034, ℰ 203 71 12, Fax 205 70 65 – 🛗 🗐 🖭 ☎ – 🛱 25/35. 🖭 ⑩ 🖪 ᴠɪꜱᴀ. 🛠   EV **b**
🖵 1000 – **28 hab** 14100/17600.

🏨 **Covadonga** sin rest, av. Diagonal 596, ⊠ 08021, ℰ 209 55 11, Telex 93394, Fax 209 58 33 – 🛗 🗐 🖭 ☎. 🖭 🖪 ᴠɪꜱᴀ ᴊᴄʙ. 🛠   GV **v**
🖵 550 – **62 hab** 7200/11400, 14 suites.

🏨 **Aragón,** Aragó 569 bis, ⊠ 08026, ℰ 245 89 05, Telex 98718, Fax 447 09 23 – 🛗 🗐 🖭 ☎ 🚗. 🖭 ⑩ 🖪 ᴠɪꜱᴀ ᴊᴄʙ. 🛠 – Com 1200 – 🖵 950 – **82 hab** 9500/11500.   KU **e**

🏨 **Wilson** sin rest, av. Diagonal 568, ⊠ 08021, ℰ 209 25 11, Fax 200 83 70 – 🛗 🗐 🖭 ☎. 🖭 ⑩ 🖪 ᴠɪꜱᴀ ᴊᴄʙ. 🛠 – 🖵 725 – **47 hab** 8500/11500, 5 suites.   GV **a**

🏨 **Bonanova Park** sin rest, Capitá Arenas 51, ⊠ 08034, ℰ 204 09 00, Telex 98671, Fax 204 50 14 – 🛗 🖭 ☎ – 🛱 25/35. 🖭 ⑩ 🖪 ᴠɪꜱᴀ. 🛠   EV **r**
🖵 550 – **60 hab** 8000/10000.

🏨 **Tres Torres** sin rest, con cafetería, Calatrava 32, ⊠ 08017, ℰ 417 73 00, Fax 418 98 34 – 🛗 🖭 ☎ 🚗 – 🛱 25/35. 🖭 ⑩ 🖪 ᴠɪꜱᴀ   EFU **n**
🖵 900 – **52 hab** 12800/16000, 4 suites.

🏨 **Mikado,** passeig de la Bonanova 58, ⊠ 08017, ℰ 211 41 66, Telex 97636, Fax 211 42 10, 😊 – 🛗 🗐 🖭 ☎ 🚗 – 🛱. 🖭 ⑩ 🖪 ᴠɪꜱᴀ ᴊᴄʙ. 🛠   EU **s**
Com 1500 – 🖵 950 – **66 hab** 11900/13900.

🏨 **Albéniz** sin rest, Aragó 591, ⊠ 08026, ℰ 265 26 26, Fax 265 40 07 – 🛗 🗐 🖭 ☎ – 🛱 25/50. 🖭 ⑩ 🖪 ᴠɪꜱᴀ ᴊᴄʙ. 🛠 – 🖵 950 – **47 hab** 9500/11500.   CS **e**

🏨 **Rubens,** passeig de la Mare de Déu del Coll 10, ⊠ 08023, ℰ 219 12 04, Telex 98718, Fax 219 12 69 – 🛗 🗐 🖭 ☎ – 🛱 25. 🖭 ⑩ 🖪 ᴠɪꜱᴀ ᴊᴄʙ. 🛠   BS **y**
Com 1600 – 🖵 950 – **136 hab** 8900/10900.

🏨 **Castellnou,** Castellnou 61, ⊠ 08017, ℰ 203 05 50, Telex 98718, Fax 205 60 14 – 🛗 🗐 🖭 ☎. 🖭 ⑩ 🖪 ᴠɪꜱᴀ ᴊᴄʙ. 🛠   EV **a**
Com carta aprox. 2350 – 🖵 950 – **29 hab** 9500/11500.

🏨 **NH Rekor'd** sin rest, Muntaner 352, ⊠ 08021, ℰ 200 19 53, Fax 414 50 84 – 🛗 🗐 🖭 ☎. 🖭 ⑩ 🖪 ᴠɪꜱᴀ. 🛠 – 🖵 1000 – **15 suites** 14100/17600.   GU **c**

🏨 **Travesera** sin rest y sin 🖵, Travessera de Dalt 121, ⊠ 08024, ℰ 213 24 54 – 🛗 🚗. 🖭 ⑩ 🖪 ᴠɪꜱᴀ. 🛠 – **17 hab** 3500/5200.   CS **u**

XXXX ✿ **Via Veneto,** Ganduxer 10, ✉ 08021, 𝄐 200 72 44, Fax 201 60 95, « Estilo belle époque »
– 🍽. 🆎 ⓪ 🇪 𝗩𝗜𝗦𝗔 ᴊᴄʙ. ✄ FV **e**
cerrado sábado mediodía, domingo y del 1 al 20 de agosto – Com carta 4880 a 6950
Espec. Rape al horno con verduras crujientes, Rabo de buey al vino tinto con muselina de patatas,
Chocolate a la menta sobre crema de vainilla.

XXXX **Reno,** Tuset 27, ✉ 08006, 𝄐 200 91 29, Fax 414 41 14 – 🍽. 🆎 ⓪ 🇪 𝗩𝗜𝗦𝗔 ᴊᴄʙ.
cerrado sábado – Com carta 5400 a 7100. GV **r**

XXX ✿✿ **Neichel,** Beltran i Rózpide 16 bis, ✉ 08034, 𝄐 203 84 08, Fax 205 63 69 – 🍽. 🆎 ⓪
🇪 𝗩𝗜𝗦𝗔 ᴊᴄʙ EX **z**
cerrado sábado mediodía, domingo, festivos, Semana Santa, agosto y Navidades – Com
carta 5700 a 6750
Espec. Guisantes con jamón serrano y cigalas con sésamo (primavera), Pescaditos de roca con
arroz negro, Lomo de corderito en su costra de hierbas aromáticas.

XXX ✿ **Botafumeiro,** Gran de Gràcia 81, ✉ 08012, 𝄐 218 42 30, Fax 415 58 48, Pescados y
mariscos – 🍽. 🆎 ⓪ 🇪 𝗩𝗜𝗦𝗔 ᴊᴄʙ. ✄ HU **v**
cerrado agosto – Com carta 4600 a 6800
Espec. Espardeñas con garbanzos, Besugo entero a la brasa, Lenguado al cava con langosta.

XXX ✿ **Eldorado Petit,** Dolors Monserdá 51, ✉ 08017, 𝄐 204 51 53, Fax 280 57 02, 🌣 – 🍽.
🆎 🇪 𝗩𝗜𝗦𝗔 ✄ EU **y**
cerrado domingo – Com carta 3500 a 5900
Espec. Ensalada de ceps con trufas y parmesano, Merluza de palangre confitada con laurel,
pimientos y mejorana, Filete de buey a la sal con puré y trufas.

XXX ✿ **Paradis Roncesvalles,** vía Augusta 201, ✉ 08021, 𝄐 209 01 25, Fax 209 12 95 – 🍽. 🆎
⓪ 🇪 𝗩𝗜𝗦𝗔 ᴊᴄʙ. ✄ FV **a**
cerrado domingo – Com carta aprox. 3500.

XX ✿ **Florián,** Bertrand i Serra 20, ✉ 08022, 𝄐 212 46 27, Fax 418 72 30 – 🍽. 🆎 ⓪ 🇪 𝗩𝗜𝗦𝗔.
✄ FU **s**
cerrado domingo – Com carta 4700 a 5250
Espec. Suquet de gambas de Palamós con salchichas, Rabo de buey al Cabernet Sauvignon,
Trufas de chocolate gratinadas a la grappa.

XX **El Trapío,** Esperanza 25, ✉ 08017, 𝄐 211 58 17, Fax 417 10 37, 🌣, « Terraza » – 🍽. 🆎
⓪ 🇪 𝗩𝗜𝗦𝗔 ✄ EU **t**
cerrado domingo noche – Com carta 4850 a 6600.

XX **La Petite Marmite,** Madrazo 68, ✉ 08006, 𝄐 201 48 79 – 🍽. 🆎 ⓪ 🇪 𝗩𝗜𝗦𝗔. ✄ GU **f**
cerrado domingo, festivos, Semana Santa y Agosto – Com carta 2850 a 4025.

XX **El Asador de Aranda,** av. del Tibidabo 31, ✉ 08022, 𝄐 417 01 15, Fax 212 24 82, 🌣,
Cordero asado, « Antiguo palacete » – 🆎 🇪 𝗩𝗜𝗦𝗔. ✄ BS **b**
cerrado domingo noche – **Comida** carta aprox. 4200.

XX **Paradis Barcelona,** passeig Manuel Girona 7, ✉ 08034, 𝄐 203 76 37, Fax 203 61 94, Rest.
con buffet – 🍽. 🆎 ⓪ 🇪 𝗩𝗜𝗦𝗔. ✄ EVX **t**
cerrado domingo noche – Com carta aprox. 4500.

XX **Daxa,** Muntaner 472, ✉ 08006, 𝄐 201 60 06 – 🍽. ⓪ 🇪 𝗩𝗜𝗦𝗔. ✄ FU **p**
cerrado domingo noche y del 5 al 24 agosto – Com carta aprox. 3800.

XX **Casa Jordi,** passatge de Marimón 18, ✉ 08021, 𝄐 200 11 18 – 🍽. 🆎 ⓪ 🇪 𝗩𝗜𝗦𝗔 ᴊᴄʙ. ✄
cerrado domingo – Com carta 3050 a 3700. GV **x**

XX **Petit President,** passatge de Marimón 20, ✉ 08021, 𝄐 200 67 23 – 🍽. 🆎 ⓪ 🇪 𝗩𝗜𝗦𝗔.
✄ GV **x**
cerrado sábado, domingo, festivos y agosto – Com carta aprox. 4100.

XX ✿ **El Racó D'En Freixa,** Sant Elíes 22, ✉ 08006, 𝄐 209 75 59 – 🍽. 🆎 ⓪ 🇪 𝗩𝗜𝗦𝗔. ✄
cerrado festivos noche, lunes, Semana Santa y agosto – Com carta 3650 a 4625 GU **h**
Espec. Infusión de cigalas con brocheta a las avellanas, Pagel y "espardenyes" con taten de ajos
y apio, "Galtes" de ternera con salsa de frutas (invierno).

XX ✿ **Gaig,** passeig de Maragall 402, ✉ 08031, 𝄐 429 10 17, Fax 429 70 02 – 🍽. 🆎 ⓪ 🇪
𝗩𝗜𝗦𝗔
cerrado festivos noche, lunes, Semana Santa y agosto – Com carta 3330 a 5830 CS **s**
Espec. Raviolis de langosta, Suquet de gambas y espardeñas, Pichón asado en su jugo.

XX ✿ **Roig Robí,** Séneca 20, ✉ 08006, 𝄐 218 92 22, 🌣, « Terraza-jardín » – 🍽. 🆎 ⓪ 🇪 𝗩𝗜𝗦𝗔
ᴊᴄʙ. ✄ HV **c**
cerrado domingo y del 1 al 10 de enero – Com carta 3475 a 4750.

XX **Tram-Tram,** Major de Sarrià 121, ✉ 08017, 𝄐 204 85 18, 🌣 – 🍽 EU **d**
cerrado domingo, del 1 al 6 enero y Semana Santa – Com carta 3800 a 5750.

XX **Zure Etxea,** Jordi Girona Salgado 10, ✉ 08034, 𝄐 203 83 90, Fax 280 31 46 – 🍽. 🆎 ⓪
🇪 𝗩𝗜𝗦𝗔. ✄ AT **r**
*cerrado sábado mediodía en verano, domingo, festivos, Semana Santa, agosto y 24 diciem-
bre-6 enero* – Com carta 3330 a 5045.

X **Hostal Sant Jordi,** Travesera de Dalt 123, ✉ 08024, 𝄐 213 10 37 – 🍽. 🆎 ⓪ 🇪 𝗩𝗜𝗦𝗔. ✄
cerrado sábado, festivos noche y agosto – Com carta 3500 a 4650. CS **u**

X **Tritón,** Alfambra 16, ✉ 08034, 𝄐 203 30 85 – 🍽 ⟵ ℗. 🇪 𝗩𝗜𝗦𝗔. ✄ AT **t**
cerrado domingo, festivos y Semana Santa (un mes) – Com carta 3100 a 4660.

X **La Senyora Grill,** Bori i Fontestá 45, ⊠ 08017, ✆ 201 25 77, Fax 209 96 74, 🛱 – 🔳 AE
  E *VISA*. ⫸ FV a
  cerrado domingo noche, lunes y agosto – Com carta aprox. 4100.

X **Alberto,** Ganduxer 50, ⊠ 08021, ✆ 201 00 09, 🛱 – 🔳 AE Ⓞ **E** *VISA*. ⫸ FV g
  cerrado domingo noche y agosto – Com carta 3750 a 4600.

X **Begoña,** Sant Elies 6, ⊠ 08006, ✆ 201 67 61, Cocina vasca – 🔳 AE **E** *VISA* GU e
  cerrado domingo noche – Com carta 3850 a 4700.

X **Vivanda,** Major de Sarrià 134, ⊠ 08017, ✆ 205 47 17, Fax 203 19 18, 🛱 – 🔳 AE *VISA*
  ⫸ EU a
  cerrado domingo y lunes mediodía – Com carta 2975 a 3400.

X **El Vell Sarriá,** pl. del Consell de la Vila 11, ⊠ 08034, ✆ 204 57 10, Fax 205 45 41 – 🔳
  AE Ⓞ **E** *VISA* JCB. ⫸ EU e
  cerrado domingo noche, lunes y del 15 al 29 de agosto – Com carta aprox. 4500.

X **La Venta,** pl. Dr. Andreu, ⊠ 08022, ✆ 212 64 55, Fax 212 51 44, 🛱, Antiguo café – ⓄＩ
  E *VISA* BS c
  cerrado domingo – Com carta 4200 a 5125.

X **Es Plá,** Sant Gervasi de Cassoles 86, ⊠ 08022, ✆ 212 65 54, Fax 211 55 00, Pescados y
  mariscos – 🔳 AE Ⓞ **E** *VISA*. ⫸ FU u
  cerrado domingo noche – Com carta aprox. 5100.

X **Sal i Pebre,** Alfambra 14, ⊠ 08034, ✆ 205 36 58, Fax 205 56 72 – 🔳 AE Ⓞ **E** *VISA* JCB
  ⫸ AT t
  Comida carta aprox. 2950.

X **Medulio,** av. Príncipe de Asturias 6, ⊠ 08012, ✆ 217 38 68, Fax 415 34 36 – 🔳 AE Ⓞ
  E *VISA* JCB. ⫸ GU r
  cerrado domingo noche – Com carta 3300 a 4750.

X **Julivert Meu,** Jordi Girona Salgado 12, ⊠ 08034, ✆ 204 11 96, Fax 205 56 72 – 🔳 AE
  Ⓞ **E** *VISA* JCB. ⫸ AT r
  Com carta 1900 a 2800.

X **El Patí Blau,** Jordi Girona Salgado 14, ⊠ 08034, ✆ 204 22 15, Fax 205 56 72 – 🔳 AE Ⓞ
  E *VISA* JCB. ⫸ AT r
  Com carta 1900 a 2800.

X **A la Menta,** passeig Manuel Girona 50, ⊠ 08034, ✆ 204 15 49, Taberna típica – 🔳 AE
  Ⓞ **E** *VISA*. ⫸ EV t
  cerrado sábado noche y domingo (junio-septiembre) – Com carta 3080 a 4200.

X **La Yaya Amelia,** Sardenya 364, ⊠ 08025, ✆ 456 45 73 – 🔳 AE **E** *VISA*. ⫸ JU n
  cerrado domingo, Semana Santa y dos semanas en agosto – Com carta 2950 a
  3500.

X **El Vol de Nit,** Angli 4, ⊠ 08017, ✆ 203 91 81 – 🔳 AE Ⓞ **E** *VISA*. ⫸ EU b
  cerrado domingo y 2ª quincena de agosto – Com carta aprox. 3500.

ALREDEDORES

en Esplugues de Llobregat – ⊠ 08950 Esplugues de Llobregat – 🖘 93 :

XXX **La Masía,** av. Països Catalans 58 ✆ 371 00 09, Fax 372 84 00, 🛱, « Terraza bajo los
  pinos » – 🔳 Ⓟ AE Ⓞ **E** *VISA* JCB. ⫸ AT s
  cerrado domingo noche – Com carta 3675 a 4825.

X ❀ **Quirze,** Laureà Miró 202 ✆ 371 10 84, Fax 371 65 12, 🛱 – 🔳 Ⓟ AE **E** *VISA* AT e
  cerrado domingo noche y lunes – Com carta 3800 a 5100
  Espec. Fideua de sepia, Turbo con salsa de trufas, Escalopa de ceps.

en Sant Just Desvern – ⊠ 08960 Sant Just Desvern – 🖘 93 :

🏨 **Sant Just,** Frederic Mompou 1 ✆ 473 25 17, Fax 473 24 50 – 📶 🔳 TV ☎ 🖘 – 🔏 25/450
  AE Ⓞ **E** *VISA* AT a
  Com 2750 – ⊊ 1200 – **138 hab** 15900/19900, 12 suites – PA 5800.

Ver también : *San Cugat del Vallés por* ⑦ : 18 km.

S.A.F.E. Neumáticos MICHELIN, Sucursal, MONTCADA I REIXACH : Polígono Industrial La
Ferrería-Parcela 34 bis por ③, ⊠ 08110 ✆ 575 38 38 y 575 40 00, Fax 564 31 51

▮▮ **EL BARCO DE ÁVILA** ▮▮ 05600 Ávila 444 K 13 – 2 515 h. alt. 1 009 – 🖘 920.
◆ Madrid 193 – Ávila 81 – Béjar 30 – Plasencia 70 – ◆ Salamanca 89.

🏦 **Manila** 🦐, carret. de Plasencia ✆ 34 08 44, Fax 34 12 91, ≤ – 📶 TV ☎ Ⓟ – 🔏 25/35
  AE Ⓞ **E** *VISA*. ⫸
  Com 1700 – ⊊ 675 – **50 hab** 4950/7250 – PA 3450.

L'EUROPE en une seule feuille
Carte Michelin n° 970.

EL BARCO DE VALDEORRAS o **O BARCO** 32300 Orense 🗺️ E 9 – 10 349 h. alt. 324 – ✆ 988.

♦Madrid 439 – Lugo 123 – Orense/Ourense 118 – Ponferrada 52.

🏨 **Espada,** carret. N 120 E : 1,5 km 𝄞 32 26 86 – 🛗 🖭 📺 ☎ 🚗 🅿
Com 1500 – 🍽 350 – **29 hab** 2500/5500 – PA 2850.

🏡 **La Gran Tortuga,** Conde de Fenosa 42 𝄞 32 11 75, Fax 32 51 69 – 🛗 ☎. 𝗩𝗜𝗦𝗔. ⅏
Com (cerrado domingo) 1200 – 🍽 175 – **16 hab** 2000/4500.

✗ **San Mauro,** pl. de la Iglesia 11 𝄞 32 01 45 – 🖭. 𝗔𝗘 ⓞ 𝗘 𝗩𝗜𝗦𝗔. ⅏
cerrado lunes y 19 junio-19 julio – Com carta 1800 a 3700.

BARLOVENTO Santa Cruz de Tenerife – ver Canarias (La Palma).

La BARRANCA (Valle de) Madrid J 18 – ver Navacerrada.

BARRO 33529 Asturias 🗺️ B 15 – ✆ 98 – Playa.

♦Madrid 460 – ◆Oviedo 106 – ◆Santander 103.

🏨 **Kaype** ⅏, playa 𝄞 540 09 00, Fax 540 04 18, ≤ – 🛗 ☎ 🅿. 𝗩𝗜𝗦𝗔. ⅏
abril-septiembre – Com 1450 – 🍽 425 – **48 hab** 5000/7800 – PA 2625.

BAYONA o **BAIONA** 36300 Pontevedra 🗺️ F 3 – 9 702 h. – ✆ 986 – Playa.
Ver : Monterreal (murallas★ : ≤★★).
Alred. : Carretera★ de Bayona a La Guardia.

♦Madrid 616 – Orense/Ourense 117 – Pontevedra 44 – ◆Vigo 21.

🏰 **Parador de Bayona** ⅏, 𝄞 35 50 00, Telex 83424, Fax 35 50 76, ≤, « Reproducción de un típico pazo gallego en el recinto de un antiguo castillo feudal al borde del mar », ⚎, 🌊, 🏖️, ⅏ – 📺 ☎ 🚗 🅿 – 🔬 25/400. 𝗔𝗘 ⓞ 𝗩𝗜𝗦𝗔. ⅏
Com 3500 – 🍽 1200 – **122 hab** 15000, 2 suites – PA 6970.

🏡 **Bayona** sin rest, Conde 36 𝄞 35 50 87 – 🛗 📺 ☎. 𝗘 𝗩𝗜𝗦𝗔. ⅏
Semana Santa y junio-septiembre – **33 hab** 🍽 4500/6000.

🏡 Tres Carabelas sin rest, Ventura Misa 61 𝄞 35 51 33, Fax 35 59 21 – 📺 ☎
10 hab.

🏡 **Pinzón** sin rest, Elduayen 21 𝄞 35 60 46, ≤ – 📺 ☎. 𝗔𝗘 ⓞ 𝗘 𝗩𝗜𝗦𝗔. ⅏
cerrado febrero – 🍽 400 – **18 hab** 4800/6800.

✗ **O Moscón,** Alférez Barreiro 2 𝄞 35 50 08 – 🖭. 𝗔𝗘 ⓞ 𝗘 𝗩𝗜𝗦𝗔. ⅏
Com carta aprox. 3900.

en la carretera de La Guardia O : 8,5 km – ✉ 36300 Bayona – ✆ 986 :

✗ La Hermida, 𝄞 35 72 73, ≤ – 🅿.

BAZA 18800 Granada 🗺️ T 21 – 20 609 h. alt. 872 – ✆ 958.

♦Madrid 425 – ◆Granada 105 – ◆Murcia 178.

🏡 **Baza** sin rest y sin 🍽, av. de Covadonga 𝄞 70 07 50 – 🛗 ☎ 🚗. 𝗩𝗜𝗦𝗔. ⅏
26 hab 2400/4600.

🏡 **Venta del sol,** carret. de Murcia 𝄞 70 03 00, Fax 70 03 04 – 🖭 📺 ☎ 🚗 🅿. 𝗩𝗜𝗦𝗔. ⅏
Com 1250 – 🍽 250 – **25 hab** 3200/5200, 10 apartamentos – PA 2750.

✗ **Las Perdices,** carret. de Murcia 𝄞 70 13 26 – 🖭. 𝗘 𝗩𝗜𝗦𝗔. ⅏
cerrado sábado noche – Com carta 1500 a 2950.

BEASAIN 20200 Guipúzcoa 🗺️ C 23 – 12 112 h. alt. 157 – ✆ 943.

♦Madrid 428 – ◆Pamplona/Iruñea 73 – ◆San Sebastián/Donostia 45 – ◆Vitoria/Gasteiz 71.

✗ **Rubiorena,** Zaldizurreta 7 𝄞 88 57 60 – 🖭. 𝗔𝗘 ⓞ 𝗘 𝗩𝗜𝗦𝗔. ⅏
cerrado sábado mediodía, domingo, Semana Santa y agosto – Com carta 2975 a 4150.

BECERRIL DE LA SIERRA 28490 Madrid 🗺️ J 18 – 1 403 h. alt. 1 080 – ✆ 91.

♦Madrid 54 – ◆Segovia 41.

🏨 **Las Gacelas,** San Sebastián 53 𝄞 853 74 46, Fax 853 75 06, ≤, 🌇, 🌊, 🏖️, ⅏ – 🛗 🖭 rest 📺 ☎ 🅿 – 🔬 25/100. 𝗔𝗘 ⓞ 𝗩𝗜𝗦𝗔. ⅏
Com 3000 – 🍽 600 – **45 hab** 5000/9000 – PA 6000.

🏡 Victoria, San Sebastián 12 𝄞 853 85 61
10 hab.

✗✗ **Las Reses,** José Antonio 47 𝄞 853 77 60 – 𝗘 𝗩𝗜𝗦𝗔. ⅏
cerrado 15 septiembre-15 octubre – Com (sólo fines de semana en invierno) carta 3200 a 5200.

✗ Las Terrazas con hab, San Sebastián 3 𝄞 853 80 02, 🌇 – 🖭 rest
6 hab.

BEGUR Gerona – ver Bagur.

BEHOBIA Guipúzcoa – ver Irún.

BEIFAR Asturias – ver Pravia.

BÉJAR 37700 Salamanca 🗺🗺🗺 K 12 – 17 008 h. alt. 938 – 🕽 923.
Alred. : Candelario★ : pueblo típico S : 4 km.
🏢 paseo de Cervantes 6 𝒫 40 30 05.
◆Madrid 211 – Ávila 105 – Plasencia 63 – ◆Salamanca 72.

🏠 **Colón,** Colón 42 𝒫 40 06 50, Telex 26838, Fax 40 06 50 – 🛗 ☎. 🆎 ➀ 🄴 𝘝𝘐𝘚𝘈. 🛠 rest
   Com 1900 – ⌧ 550 – **54 hab** 5200/7500.

🏠 Argentino, Travesía Recreo 𝒫 40 23 64
   Com (ver rest. **Argentino**) – **13 hab.**

🏠 **Blázquez-Sánchez** sin rest, Travesía Santa Ana 6 𝒫 40 24 00 – 🛗 ☎. 🛠
   ⌧ 350 – **39 hab** 2400/4400.

✗ **Argentino,** carret. de Salamanca 93 𝒫 40 26 92, 🌐 – 🆎 ➀ 🄴 𝘝𝘐𝘚𝘈 🄹🄲🄱. 🛠
   Com carta 2200 a 2600.

✗ Tres Coronas, carret. de Salamanca 1 𝒫 40 20 23 – ▤.

BELMONTE 16640 Cuenca 🗺🗺🗺 N 21 – 2 876 h. alt. 720 – 🕽 969.
Ver : Colegiata (Silleria★), Castillo (artesonados★).
◆Madrid 157 – ◆Albacete 107 – Ciudad Real 142 – Cuenca 101.

🏡 La Muralla, Isabel I de Castilla 𝒫 17 10 45 – ▤ rest 🅿
   8 hab.

Los BELONES 30385 Murcia 🗺🗺🗺 T 27 – 🕽 968.
◆Madrid 459 – ◆Alicante/Alacant 102 – Cartagena 20 – ◆Murcia 69.

   por la carretera de Portman – ✉ 30385 Los Belones – 🕽 968 :

🏨 **Príncipe Felipe** 🌿, S : 3 km 𝒫 13 72 34, Fax 13 72 72, ≤ campo de golf y montañas, 🌐
   🏊, ⚒ – 🛗 🖵 ☎ 🅿 – 🔬 25/400. 🆎 ➀ 🄴 𝘝𝘐𝘚𝘈 🛠
   Com carta 3500 a 4500 – ⌧ 1800 – **185 hab** 29800, 7 suites.

✗✗ **La Finca,** S : 3,5 km poblado de Atamaría 𝒫 56 45 11 (ext.2228), 🌐, ⚒ – 🆎 ➀ 🄴 𝘝𝘐𝘚𝘈
   🛠
   cerrado martes y 20 noviembre-20 diciembre – Com (sólo cena) carta 2950 a 3900.

BELLAVISTA Sevilla – ver Sevilla.

BELLPUIG D'URGELL 25250 Lérida 🗺🗺🗺 H 33 – 3 662 h. alt. 308 – 🕽 973.
◆Madrid 502 – ◆Barcelona 127 – ◆Lérida/Lleida 33 – Tarragona 86.

🏠 **Bellpuig,** carret. N II 𝒫 32 02 50, Fax 32 22 53 – ▤ rest 🅿. 𝘝𝘐𝘚𝘈. 🛠
   Com 1500 – ⌧ 350 – **30 hab** 3500/7000 – PA 3100.

BELLVER DE CERDAÑA o **BELLVER DE CERDANYA** 25720 Lérida 🗺🗺🗺 E 35 – 1 674 h. alt
1 061 – 🕽 973.
🏢 pl. de Sant Roc 9 𝒫 51 02 29, ✉ 25720.
◆Madrid 634 – ◆Lérida/Lleida 165 – Seo de Urgel/La Seu d'Urgell 32.

🏠 **María Antonieta** 🌿, av. de la Cerdanya 𝒫 51 01 25, Fax 51 01 25, ≤, ⚒ – 🛗 🖵 ☎ ⟷
   🆎 ➀ 🄴 𝘝𝘐𝘚𝘈. 🛠
   Com 2250 – ⌧ 600 – **54 hab** 5450/8450 – PA 4250.

🏠 **Bellavista,** carret. de Puigcerdá 43 𝒫 51 00 00, Fax 51 04 18, ≤, ⚒, ✗ – 🛗 🖵 ☎ 🅿
   🄴 𝘝𝘐𝘚𝘈. 🛠 rest
   cerrado 2 noviembre-2 diciembre – Com 1600 – ⌧ 500 – **52 hab** 3500/5800 – PA 3145

   por la carretera de Alp y desvío a la derecha en Balltarga SE : 4 km – ✉ 25720 Bellver
   de Cerdaña – 🕽 973 :

✗ **Mas Martí,** urb. Bades 𝒫 51 00 22, Decoración rústica – 🅿. 🛠
   25 julio-agosto, Semana Santa, Navidades y fines de semana resto del año – Com carta
   2700 a 3850.

BENACAZÓN 41805 Sevilla 🗺🗺🗺 T 11 – 4 300 h. alt. 113 – 🕽 95.
◆Madrid 566 – Huelva 72 – ◆Sevilla 23.

🏨 **Andalusi Park H.,** autopista A 49 salida 6 𝒫 570 56 00, Fax 570 50 79, « Edificio de estilo
   árabe - Jardín », 🛌, ⚒ – 🛗 ▤ ☎ 🅿 – 🔬 25/400. 🆎 ➀ 🄴 𝘝𝘐𝘚𝘈. 🛠
   Com **Los Olivos** carta 4000 a 5100 - **Al'Mutamid** carta 4000 a 5100 – ⌧ 1500 – **197 hab**
   11200/14000, 3 suites.

BENALMÁDENA 29639 Málaga **446** W 16 – 2 896 h. – ۞ 95.

ı̅ₐ Torrequebrada ℰ 242 27 42.

◆Madrid 579 – Algeciras 117 – ◆Málaga 24.

✗ **Casa Fidel,** Maestra Ayala 1 ℰ 244 91 65, 龕 – 亜 ⚈ E 娅娅
  cerrado martes – Com carta 2350 a 2950.

BENALMÁDENA COSTA 29630 Málaga **446** W 16 – 7 670 h. – ۞ 95 – Playa.

ı̅ av. Antonio Machado – Carret. N 340 km 222 ℰ 244 24 94 Fax 244 06 78.

◆Madrid 558 – ◆Málaga 24 – Marbella 46.

🏨🏨 **Torrequebrada,** carret. de Cádiz SO : 2km ℰ 244 60 00, Telex 79437, Fax 244 57 02,
  ≤ mar, 龕, ₣ᴃ, ☒, ⬚, 🐾, ❀, ✗ – 🛗 ☰ ☎ ☎ ⟲ ℗ – 🖴 25/500. 亜 ⚈ E 娅娅
  Com 4800 **Café Royal** carta 5100 a 6800 - **Pavillón** carta 3850 a 5500 – ☲ 1800 – **350 hab**
  18000/22500 – PA 9600.

🏨🏨 **Tritón,** av. Antonio Machado 29 ℰ 244 32 40, Telex 77061, Fax 244 26 49, ≤, 龕, « Gran
  jardín tropical », ☒, ✗ – 🛗 ☰ ☎ ☎ ⟲ ℗ – 🖴 25/280. 亜 ⚈ E 娅娅. ❀
  Com 3500 – ☲ 1300 – **196 hab** 14500/18500.

🏨 **Riviera,** av. Antonio Machado 49 ℰ 244 12 40, Fax 244 22 30, ≤, « Terrazas escalonadas
  con césped », ₣ᴃ, ☒, ✗ – 🛗 ☎ ☎ ℗ – 🖴 25/100. 亜 ⚈ E 娅娅. ❀
  Com 2600 – ☲ 1200 – **188 hab** 9400/13000 – PA 5400.

🏨 **Alay,** av. del Alay 5 ℰ 244 14 40, Telex 77034, Fax 244 63 80, ≤, ☒ climatizada, ✗ – 🛗
  ☰ ☎ ☎ ⟲ ℗ – 🖴 25/750. 亜 ⚈ E 娅娅. ❀
  Com 3350 – ☲ 690 – **257 hab** 10500/12800 – PA 5910.

🏨 **Sol La Roca,** playa Santa Ana - carret. N 340 km 221,5 ℰ 244 17 40, Fax 244 32 55, ≤,
  ☒ – 🛗 ☰ ☎. 亜 ⚈ E 娅娅. ❀
  cerrado noviembre-20 diciembre – Com (sólo buffet) 2100 – ☲ 725 – **156 hab** 7195/10800.

🏨 **Villasol,** av. Antonio Machado ℰ 244 19 96, Fax 244 19 75, ≤, ☒ – 🛗 ☎ ℗. 亜 ⚈ E 娅娅.
  ❀
  Com 1800 – ☲ 500 – **76 hab** 5900/7350 – PA 3500.

✗✗✗ **Mar de Alborán,** av. del Alay 5 ℰ 244 64 27, Fax 244 63 80, ≤, 龕, Cocina vasca – ☰.
  亜 ⚈ E 娅娅
  cerrado domingo noche y lunes (salvo en verano) y 23 diciembre-23 enero – Com carta
  aprox. 4500.

✗ **O. K. 2,** Terramar Alto - Edificio Delta del Sur ℰ 244 28 16, 龕, Asados y carnes a la parrilla
  – ☰. 亜 E 娅娅. ❀
  cerrado martes y agosto – Com carta 2700 a 3950.

✗ **Chef Alonso,** av. Antonio Machado 222 ℰ 244 34 35 – ☰. 亜 E 娅娅. ❀
  cerrado martes y 15 enero-15 febrero – Com carta aprox. 2500.

✗ **O.K.,** San Francisco 2 ℰ 244 36 96, 龕 – E 娅娅. ❀
  cerrado miércoles y 15 enero- febrero – Com carta 2100 a 3700.

Oito mapas pormenorizados Michelin :

Espanha : Noroeste **441**, *Centro-Norte* **442**, *Nordeste* **443**, *Centro* **444**,
  Centro-Este **445**, *Sul* **446**, *Ilhas Canárias* **448**.

Portugal **440**.

Os sublinhados a vermelho assinalam nestes mapas.
as localidades mencionadas neste Guia.

Para o conjunto de Espanha e Portugal, queira consultar
o mapa Michelin **990** *na escala de 1/1 000 000.*

BENASQUE 22440 Huesca **443** E 31 – 983 h. alt. 1 138 – ۞ 974 – Balneario – Deportes de
invierno en Cerler : ⚡11.

Alred. : S : Valle de Benasque★ – Congosto de Ventamillo★ S : 16 km.

ı̅ San Pedro ℰ 55 12 89.

◆Madrid 538 – Huesca 148 – ◆Lérida/Lleida 148.

🏨 **St Antón y Rest. Casa Pedro** ⌇, carret. de Francia ℰ 55 16 11, Fax 55 16 21, ≤, 龕
  – 🛗 ☎ ℗. 亜 ⚈ E 娅娅. ❀
  Com carta 2650 a 2950 – ☲ 500 – **34 hab** 4500/9000.

🏠 **Aneto** ⌇, carret. Anciles 2 ℰ 55 10 61, Fax 55 15 09, ☒, ☞, ✗ – 🛗 ☎ ℗
  38 hab.

🏠 **San Marsial** ⌇, carret. de Francia ℰ 55 16 16, Fax 55 16 23 – 🛗 ☎ ℗. 亜 娅娅
  Com 1700 – **18 hab** ☲ 8500/11800.

🏠 **El Puente II** ⌇ sin rest, San Pedro ℰ 55 12 11, Fax 55 16 84, ≤ – ☎ ⟲ ℗. E
  娅娅. ❀
  ☲ 600 – **28 hab** 4400/7000.

🏠 **Ciria y Rest. El Fogaril** ॐ, av.de Los Tilos ℰ 55 16 12, Fax 55 16 86 – 🛗 📺 ☎ 🚗 🅿.
🕮 **E** *VISA*. ⚘
  Com carta 2350 a 3400 – ☲ 750 – **30 hab** 5225/8831.

🏠 **El Pilar** ॐ, carret. de Francia ℰ 55 12 63, Fax 55 15 09, ≼ – 🛗 ☎ 🚗 🅿
  51 hab.

🏠 **Avenida** ॐ, av. de los Tilos 3 ℰ 55 11 26, Fax 55 15 15 – ☎. 🕮 **E** *VISA*. ⚘
  cerrado 15 octubre-noviembre – Com 1300 – ☲ 450 – **16 hab** 4500/5900 – PA 2790.

✗ **El Puente** ॐ con hab, San Pedro ℰ 55 12 79, Fax 55 16 84, ≼ – 🍽 rest ☎ 🅿. **E** *VISA*. ⚘
  – Com carta 2200 a 3600 – ☲ 600 – **13 hab** 4400/7000.

✗ **La Parrilla,** carret. de Francia ℰ 55 11 34, � – 🕮 **E** *VISA*. ⚘
  cerrado 20 septiembre-10 noviembre – Com carta 1800 a 3600.

  Ver también : *Eriste* SO : 3 km
           Cerler SE : 6 km.

☞ *Pour voyager rapidement, utilisez les **cartes Michelin "Grandes Routes"** :*

  ▨▨▨ Europe, ▨▨▨ Grèce, ▨▨▨ Allemagne, ▨▨▨ Scandinavie-Finlande,
  ▨▨▨ Grande-Bretagne-Irlande, ▨▨▨ Allemagne-Autriche-Benelux, ▨▨▨ Italie,
  ▨▨▨ France, ▨▨▨ Espagne-Portugal, ▨▨▨ Yougoslavie.

BENAVENTE 49600 Zamora ▨▨▨ F 12 – 12 509 h. alt. 724 – ⬢ 980.
♦Madrid 259 – ♦León 71 – Orense/Ourense 242 – Palencia 108 – Ponferrada 125 – ♦Valladolid 99.

🏯 **Parador de Benavente** ॐ, paseo Ramón y Cajal ℰ 63 03 00, Fax 63 03 03, ≼ – 🍽 📺
  ☎ 🚗 🅿. 🕮 ⓞ *VISA*. ⚘
  Com 3200 – ☲ 1100 – **30 hab** 11500 – PA 6375.

🏨 **Orense,** Perú 4 ℰ 63 01 56, Fax 63 47 93, Cocina gallega – 🛗 🍽 rest 📺 ☎ 🚗. 🕮 **E**
  VISA. ⚘
  Comida carta 2575 a 3100 – ☲ 500 – **33 hab** 4000/7200 – PA 3435.

  en la carretera N VI – ✉ 49600 Benavente – ⬢ 980 :

🏨 **Tudanca,** NO : 6 km ℰ 63 64 66, Fax 88 54 38 – 🛗 🍽 📺 ☎ 🚗 🅿 – 🔬 25/200. **E** *VISA*.
  Com 1700 – ☲ 500 – **32 hab** 6000/7500.

🏠 **Arenas,** SE : 2 km ℰ 63 03 34, Fax 63 43 60 – 🚗 🅿. 🕮 *VISA*. ⚘
  Com 1550 – ☲ 275 – **50 hab** 3550/5750.

BENAVIDES DE ÓRBIGO 24280 León ▨▨▨ E 12 – 1 886 h. alt. 646 – ⬢ 987.
♦ Madrid 327 – ♦ León 29 – Ponferrada 83.

✗ La Villa, carret. LE 420 ℰ 37 09 86 – 🍽.

BENICARLÓ 12580 Castellón de la Plana ▨▨▨ K 31 – 16 587 h. alt. 27 – ⬢ 964 – Playa.
🛈 pl. San Andrés ℰ 47 31 80.
♦Madrid 492 – Castellón de la Plana/Castelló de la Plana 69 – Tarragona 116 – Tortosa 55.

🏯 **Parador Costa del Azahar** ॐ, av. del Papa Luna 3 ℰ 47 01 00, Fax 47 09 34, 🌋, 🏖,
  ⚘ – 🍽 📺 ☎ 🅿 – 🔬 25/60. 🕮 ⓞ *VISA*. ⚘
  Com 3200 – ☲ 1100 – **108 hab** 11000 – PA 6375.

🏨 **Márynton,** paseo Marítimo 5 ℰ 47 30 11, Fax 46 07 20 – 🛗 🍽 rest 📺 ☎ 🚗. **E** *VISA*.
  cerrado viernes – Com 1750 – ☲ 450 – **26 hab** 4000/6300 – PA 3500.

🏡 **Sol** sin rest, carret. N 340 ℰ 47 13 49 – 🅿
  ☲ 550 – **22 hab** 3500/4900.

✗ **El Cortijo,** av. Méndez Núñez 85 ℰ 47 00 75, Pescados y mariscos – 🍽 🅿. 🕮 ⓞ **E** *VISA*.
  ⚘
  cerrado lunes y del 1 al 15 de julio – Com carta 3450 a 4850.

BENICASIM o **BENICÀSSIM** 12560 Castellón de la Plana ▨▨▨ L 30 – 4 705 h. – ⬢ 964 –
Playa.
🛈 Médico Segarra 4 (Ayuntamiento) ℰ 30 09 62.
♦Madrid 436 – Castellón de la Plana/Castelló de la Plana 14 – Tarragona 165 – ♦Valencia 88.

🏠 **Avenida y Eco-Avenida,** av. de Castellón 2 ℰ 30 00 47, Fax 30 37 08 – 🅿. ⚘ rest
  abril-octubre – Com 1250 – ☲ 425 – **64 hab** 4200.

🍴🍴🍴 La Strada, av. Castellón 45 ℰ 30 02 12, Fax 56 00 17 – 🍽.

✗ **Plaza** con hab sin ☲, Cristóbal Colón 3 ℰ 30 00 72 – 🍽. 🕮 ⓞ **E** *VISA*. ⚘ rest
  abril-septiembre – Com *(cerrado martes y 15 diciembre-15 enero)* carta 2550 a 3200 –
  7 hab 3500.

en la zona de la playa :

🏨🏨 **Intur Orange,** av. Gimeno Tomás 9 ℰ 39 44 00, Fax 30 15 41, « 🛝 rodeada de césped con árboles », 🎇 – 🛗 🗏 📺 ☎ 🅿 – 🛴 25/350. ⓪ 🖭 💳 🛒. ⅍ rest
marzo-10 noviembre – Com 2300 – 🖙 700 – **415 hab** 7400/9300 – PA 3850.

🏨🏨 **Trinimar** sin rest, av. Ferrándiz Salvador ℰ 30 08 50, Fax 30 08 66, ≼, 🛝 – 🛗 🅿 🖭 💳 𝑉𝐼𝑆𝐴
Semana Santa y junio-septiembre – 🖙 600 – **170 hab** 7000/8000.

🏨🏨 **Intur Azor,** av. Gimeno Tomás 1 ℰ 39 20 00, Fax 39 23 79, ≼, « Terraza con flores », 🛝, 🞐, 🎇 – 🛗 🗏 ☎ 🅿. ⓪ 💳 𝑉𝐼𝑆𝐴. ⅍ rest
marzo-noviembre – Com 2300 – 🖙 700 – **87 hab** 7400/8700.

🏨 **Voramar,** paseo Pilar Coloma 1 ℰ 30 01 50, Fax 30 05 26, ≼, « Terraza », 🎇 – 🛗 ☎ ⇔. 💳 𝑉𝐼𝑆𝐴. ⅍ rest
Semana Santa-octubre – Com 1400 – 🖙 500 – **55 hab** 4650/7500.

🏨 **Vista Alegre,** av. de Barcelona 48 ℰ 30 04 00, Fax 30 04 00, 🛝 – 🛗 🗏 rest ☎ 🅿. 💳 𝑉𝐼𝑆𝐴. ⅍ rest
marzo-octubre – Com 1500 – 🖙 475 – **68 hab** 3200/5200 – PA 2900.

🏨 **Intur Bonaire,** Gimeno Tomás 3 ℰ 39 24 80, Fax 39 23 79, 🞐, « Pequeño pinar », 🛝, 🎇 – 🗏 rest ☎ 🅿. ⓪ 💳 𝑉𝐼𝑆𝐴. ⅍ rest
marzo-noviembre – Com 2000 – 🖙 570 – **78 hab** 5500/6600 – PA 3600.

🏨 **Tramontana** sin rest, paseo Marítimo Ferrandis Salvador, 6 ℰ 30 03 00, Fax 25 21 37, 🞐 – 🛗 🞮 🅿. 🖭 ⓪ 💳 𝑉𝐼𝑆𝐴.
marzo-octubre – 🖙 450 – **65 hab** 3150/5075.

🏠 **Bersoca,** Gran Avinguda Jaume I-217 ℰ 30 12 58, Fax 39 41 44, 🛝 – 🛗 ☎ 🅿. ⅍ rest
marzo-octubre – Com *(cerrado lunes)* 1350 – 🖙 400 – **48 hab** 4400/9500.

🍴 Torreón Bernad, playa Torreón ℰ 30 03 42, 🞐, Decoración neo-rústica – 🗏
temp.

en el Desierto de Las Palmas NO : 8 km – ✉ 12560 Benicasim – ☏ 964 :

🍴 Desierto de las Palmas, ℰ 30 09 47, ≼ montaña, valle y mar, 🞐 – 🅿.

▐ BENIDORM ▌ 03500 Alicante **𝟰𝟰𝟱** Q 29 – 25 544 h. – ☏ 96 – Playa.

Ver : Promontorio del Castillo ≼★ AZ.

🛈 av. Martinez Alejos 16 ℰ 585 13 11.

♦Madrid 459 ③ – ♦Alicante/Alacant 44 ③ – ♦Valencia (por la costa) 136 ③.

Plano página siguiente

🏨🏨 **G. H. Delfín,** playa de Poniente, La Cala ℰ 585 34 00, Fax 585 71 54, ≼, 🛝, 🞐, 🎇 – 🛗 🗏 📺 ☎ 🅿. 🖭 ⓪ 💳 𝑉𝐼𝑆𝐴. ⅍ rest   por ②
26 marzo-septiembre – Com 3370 – 🖙 700 – **99 hab** 9600/16000 – PA 6325.

🏨🏨 **Cimbel,** av. de Europa 1 ℰ 585 21 00, Telex 68275, Fax 586 06 61, ≼, 🛝 climatizada – 🛗 🗏 📺 ☎ ⇔. 🖭 ⓪ 💳 𝑉𝐼𝑆𝐴. ⅍   BY f
Com 2915 – 🖙 795 – **140 hab** 7155/14310 – PA 5035.

🏨🏨 **Don Pancho,** av. del Mediterráneo 39 ℰ 585 29 50, Telex 66630, Fax 586 77 79, 🛝 climatizada, 🎇 – 🛗 🗏 📺 ☎ 🅿 – 🛴 25/330. 🖭 ⓪ 💳 𝑉𝐼𝑆𝐴. ⅍ rest   CY e
Com 2500 – 🖙 750 – **251 hab** 11200/14000.

🏨 **Agir,** av. del Mediterráneo 11 ℰ 585 22 54, Fax 585 89 50, 🞐, Terraza en el ático – 🛗 🗏 📺 ☎. 🖭 ⓪ 💳 𝑉𝐼𝑆𝐴. ⅍   BY k
Com 1600 – 🖙 700 – **68 hab** 5700/8300.

🏠 **Bilbaíno,** av. Virgen del Sufragio 1 ℰ 585 08 04, Fax 585 08 05, ≼ – 🛗 ☎. ⅍   BZ f
marzo-noviembre – Com 1000 – 🖙 500 – **38 hab** 4000/7500.

🍴🍴🍴 **Tiffany's,** av. del Mediterráneo 51 - edificio Coblanca 3 ℰ 585 44 68 – 🗏. 🖭 ⓪ 💳 𝑉𝐼𝑆𝐴. ⅍
cerrado 7 enero-7 febrero – Com (sólo cena) carta aprox. 3200.   CY c

🍴🍴🍴 **Don Luis,** av. Dr. Orts Llorca - edificio Zeus ℰ 585 46 73 – 🗏. 💳 𝑉𝐼𝑆𝐴. ⅍
cerrado martes y noviembre – Com carta aprox. 5600.   BY z

🍴🍴🍴 **I Fratelli,** av. Dr. Orts Llorca 21 ℰ 585 39 79, 🞐 – 🗏. 🖭 ⓪ 💳 𝑉𝐼𝑆𝐴   BY u
cerrado miércoles en invierno y noviembre – Com carta 3450 a 5250.

🍴🍴 **El Vesubio,** av. del Mediterráneo-edificio Playmon Bacana ℰ 585 45 35, 🞐 – 🗏. 🖭 ⓪ 💳 𝑉𝐼𝑆𝐴. ⅍   BY c
cerrado miércoles y del 7 al 31 de enero – Com carta 2475 3700.

🍴 **La Trattoria,** av. Bilbao 3 ℰ 585 30 85, 🞐 – 🗏. 💳 𝑉𝐼𝑆𝐴. ⅍   BY e
15 marzo-25 octubre – Com carta 2225 a 3350.

🍴 Castañuela, Estocolmo 7 - Rincón de Loix ℰ 585 10 09 – 🗏   CY u

🍴 La Parrilla II, av. L'Ametlla de Mar 18 - Rincón de Loix ℰ 586 20 99 – 🗏   CY r

🍴 Pampa Grill, Ricardo 18 ℰ 585 30 34, Decoración rústica, Carnes a la brasa   AZ n

en la carretera de Valencia por ① : 3 km – ✉ 03500 Benidorm – ☏ 96 :

🍴🍴 **El Molino,** ℰ 585 71 81, 🞐, Colección de botellas de vino – 🗏 🅿. 🖭 ⓪ 💳 𝑉𝐼𝑆𝐴
cerrado lunes – Com carta 2400 a 3600.

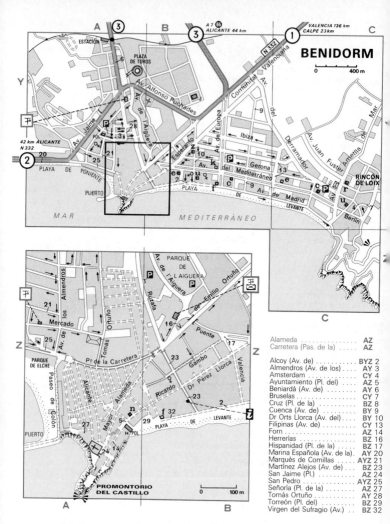

BENIDORM

Alameda	**AZ**
Carretera (Pas. de la)	**AZ**
Alcoy (Av. de)	**BYZ** 2
Almendros (Av. de los)	**AY** 3
Amsterdam	**CY** 4
Ayuntamiento (Pl. del)	**AZ** 5
Beniardá (Av. de)	**AY** 6
Bruselas	**CY** 7
Cruz (Pl. de la)	**BZ** 8
Cuenca (Av. de)	**BY** 9
Dr Orts Llorca (Av. del)	**BY** 10
Filipinas (Av. de)	**CY** 13
Forn	**AZ** 14
Herrerías	**BZ** 16
Hispanidad (Pl. de la)	**BZ** 17
Marina Española (Av. de la)	**AY** 20
Marqués de Comillas	**AYZ** 21
Martínez Alejos (Av. de)	**BZ** 23
San Jaime (Pl.)	**AZ** 24
San Pedro	**AYZ** 25
Señoría (Pl. de la)	**AZ** 27
Tomás Ortuño	**AY** 28
Torreón (Pl. del)	**BZ** 29
Virgen del Sufragio (Av.)	**BZ** 32

en Cala Finestrat por ② : 4 km – ⊠ 03500 Benidorm – 🕿 96 :

✗ **Casa Modesto,** 🕿 585 86 37, ≼, 🏠, Pescados y mariscos – 🗲 <u>VISA</u>. 🛠
  cerrado enero-10 febrero – **Comida** carta aprox. 3100.

  ◆Madrid 404 – ◆Albacete 170 – ◆Alicante/Alacant 144 – ◆Valencia 20.

  ✗✗ La Caseta, Gràcia 7 🕿 178 22 07 – 🗐.

  ◆Madrid 437 – Alcoy 32 – ◆Alicante/Alacant 68 – Gandía 85.

  ✗ **Venta la Montaña,** carret. de Alcoy 9 🕿 588 51 41, Decoración típica – 🗐. 🗛🎟 ⑩ 🗲 <u>VISA</u>
    cerrado lunes (octubre-mayo) – Com (sólo almuerzo en invierno) carta 2200 a 2950.

  ✗ **L'Obrer,** carret. de Alcoy 27 🕿 588 50 88 – 🗛🎟 🗲 <u>VISA</u>. 🛠
    cerrado viernes y 13 junio-18 julio – Com (sólo almuerzo salvo agosto) carta 1685 a 2425.

164

BENIPARRELL 46469 Valencia **445** N 28 – 1 321 h. – 🛞 96.

◆Madrid 362 – ◆Valencia 11.

🏨 **Quiquet**, av. Levante 45 🖉 120 07 50 – 🛗 🗐 rest 🕿 🅟 – 🏄 25/70
34 hab.

BENISA o **BENISSA** 03720 Alicante **445** P 30 – 7 104 h. – 🛞 96.

🛂 Francisco Sendra 2 🖉 573 23 52, Fax 573 14 96.

◆Madrid 458 – ◆Alicante/Alacant 71 – ◆Valencia 110.

🍴 **Casa Cantó**, av. País Valenciá 223 🖉 573 06 29 – 🗐. 🕮 ⑨ 🗲 🎟 ᴊᴄʙ. 🛠
cerrado domingo noche y 25 diciembre-15 enero – Com carta 3250 a 4550.

en la zona de la playa SE : 9 km – ⌧ 03720 Benisa – 🛞 96

🍴🍴🍴 ❀ **La Chaca**, Fanadix X-5, cruce carret. Calpe-Moraira 🖉 574 77 06, Fax 574 77 06, 🍽,
Cocina franco-belga – 🅟. ⑨ 🗲 🎟. 🛠
cerrado lunes, del 18 al 25 de febrero y noviembre – Com (sólo cena, salvo domingo en invierno) carta 3950 a 5200
Espec. Terrina de hígado de ganso con confitura de cebollas, Waterzooi de pescado, Tarta casera de fruta fresca con helado.

BENISANÓ 46181 Valencia **445** N 28 – 1 611 h. – 🛞 96.

◆Madrid 344 – Teruel 129 – ◆Valencia 24.

🍴 **Levante,** Virgen del Fundamento 15 🖉 278 07 21, Fax 279 00 21, Paellas – 🗐. 🕮 🗲 🎟.
🛠
cerrado martes y 10 julio-10 agosto – Com carta 2350 a 3700.

BERA Navarra – ver Vera de Bidasoa.

BERGA 08600 Barcelona **443** F 35 – 14 249 h. alt. 715 – 🛞 93.

🛂 carrer dels Angels 7, ⌧ 08600, 🖉 821 01 00.

◆Madrid 627 – ◆Barcelona 117 – ◆Lérida/Lleida 158.

🏨 **Estel** sin rest, carret. Sant Fruitós 39 🖉 821 34 63 – ☞ 🅟. 🗲 🎟. 🛠
⌧ 400 – **40 hab** 3000/4100.

🍴🍴 **Sala,** passeig de la Pau 27 🖉 821 11 85, Fax 822 20 54 – 🗐. 🕮 ⑨ 🗲 🎟. 🛠
cerrado domingo noche y lunes – Com carta 3200 a 4050.

en la carretera C 1411 SE : 2 Km – ⌧ 08600 Berga – 🛞 93

🍴🍴 **L'Esquirol,** camping de Berga 🖉 821 12 50, Fax 822 23 88, ≼, 🍽, 🏊, 🏊, 🍴 – 🗐 🅟. ⑨
🗲 🎟. 🛠
Com carta 1800 a 3650.

BERGARA Guipúzcoa – ver Vergara.

BERGONDO 15217 La Coruña **441** C 5 – 5 424 h. – 🛞 981.

◆Madrid 582 – ◆La Coruña/A Coruña 21 – Ferrol 30 – Lugo 78 – Santiago de Compostela 63.

en Fiobre NE : 2,5 km – ⌧ 15165 Fiobre – 🛞 981

🍴🍴 **A Cabana,** Carret. de Ferrot 🖉 79 11 53, ≼ ría, 🍽 – 🅟. 🕮 ⑨ 🗲 🎟. 🛠
cerrado domingo noche salvo en verano – Com carta 1800 a 3650.

BERIAIN 31191 Navarra **442** D 25 alt. 442 – 🛞 948.

◆Madrid 389 – ◆Logroño 87 – ◆Pamplona/Iruñea 8.

🏨 **Alaiz,** carret. N 121 🖉 31 01 75, Fax 31 03 50, 🏋 – 🛗 🗐 rest 📺 🕿 ☞ 🅟. 🕮 ⑨ 🗲 🎟.
🛠
cerrado 23 diciembre-6 enero – Com (cerrado domingo) 1300 – ⌧ 450 – **71 hab**
8000/12000 – PA 2750.

BERMEO 48370 Vizcaya **442** B 21 – 17 778 h. – 🛞 94 – Playa.

Alred. : Alto de Sollube★ SO : 5 km.

🛂 Askatasun Bidea 2, 🖉 618 65 43.

◆Madrid 432 – ◆Bilbao/Bilbo 33 – ◆San Sebastián/Donostia 98.

🏨 **Txaraka** 🌸 sin rest, Almike Auzoa 5 🖉 688 55 58, Fax 688 51 64 – 📺 🕿 🅟. 🎟. 🛠
⌧ 700 – **12 hab** 7000/11000.

🍴🍴 Iñaki, Bizkaiko Jaurreria 25 🖉 688 57 35 – 🗐.

🍴 **Jokin,** Eupeme Deuna 13 🖉 688 40 89, ≼, 🍽 – 🗐. 🕮 ⑨ 🗲 🎟. 🛠
cerrado del 15 al 30 de noviembre – Com carta 3300 a 4700.

🍴 **Beitxi,** Eskoikiz 6 🖉 688 00 06, Fax 688 35 72 – 🗐. 🕮 🗲 🎟. 🛠
cerrado miércoles noche y del 16 al 31 de diciembre – Com carta 2550 a 4000.

- ✗ Pili, parque de Ercilla 1 _&_ 688 18 50 – ▤.
- ✗ **Aguirre,** López de Haro 5 _&_ 688 08 30, 🛪 – ▤. 🖭 ⓞ ⃝ ⓔ 𝘝𝘐𝘚𝘈. ✆
  cerrado miércoles salvo verano y marzo – Com carta 3700 a 5300.
- ✗ **Artxanda,** Santa Eufemia 14 _&_ 688 09 30, 🛪 – ▤. ⓔ 𝘝𝘐𝘚𝘈
  Com carta aprox. 5200.

BERNUI Lérida – ver **Llessuy.**

BERRIA (Playa de) Cantabria – ver **Santoña.**

BERRIOPLANO 31195 Navarra 𝟒𝟒𝟐 D 24 alt. 450 – ✆ 948.
♦Madrid 391 – Jaca 117 – ♦Logroño 98 – ♦Pamplona/Iruñea 6.

- 🏨 **NH El Toro,** carret. N 240 _&_ 30 22 11, Fax 30 20 85, 𝄐, ▨ – ▤ rest 📺 ☎ ⓟ – 🔬 25/750.
  🖭 ⓞ ⓔ 𝘝𝘐𝘚𝘈. ✆ rest
  Com 3500 – ⊊ 950 – **65 hab** 18200.

BESALÚ 17850 Gerona 𝟒𝟒𝟑 F 38 – 2 087 h. – ✆ 972.
Ver : Puente fortificado★.
🛈 Prat de Sant Pere 2, ✉ 17850, _&_ 59 12 40.
♦Madrid 743 – Figueras/Figueres 24 – ♦Gerona/Girona 34.

- ✗ **Cúria Reial** con hab, pl. de la Llibertat 15 _&_ 59 02 63, Fax 59 02 63, 🛪, Instalado en un
  antiguo convento – ▤. 🖭 ⓞ ⓔ 𝘝𝘐𝘚𝘈. ✆
  cerrado febrero – Com _(cerrado martes)_ carta 2800 a 4650 – ⊊ 450 – **7 hab** 2500/3500.
- ✗ **Pont Vell,** Pont Vell 28 _&_ 59 10 27, ≤, 🛪 – 🖭 ⓞ ⓔ 𝘝𝘐𝘚𝘈
  cerrado martes y del 2 al 17 de enero – Com (sólo almuerzo en invierno, salvo fines de
  semana) carta 3025 a 3425.

BETANZOS 15300 La Coruña 𝟒𝟒𝟏 C 5 – 11 385 h. alt. 24 – ✆ 981.
Ver : Iglesia de Santa María del Azogue★ – Iglesia de San Francisco★ (sepulcro★).
♦Madrid 576 – ♦La Coruña/A Coruña 23 – Ferrol 38 – Lugo 72 – Santiago de Compostela 64.

- 🏨 **Los Ángeles,** Ángeles 11 _&_ 77 12 13, Fax 77 12 13 – 🛗 ☎ ⓟ. ⓔ 𝘝𝘐𝘚𝘈. ✆
  Com 1200 – ⊊ 400 – **36 hab** 4500/5800 – PA 2380.
- ✗ Casanova, pl. García Hermanos 15 _&_ 77 06 03.

BETETA 16870 Cuenca 𝟒𝟒𝟒 K 23 – 458 h. – ✆ 969.
Ver : Desfiladero de Beteta★.
♦Madrid 217 – Cuenca 109 – Guadalajara 161.

- 🏨 **Los Tilos** ≫, _&_ 31 80 97, Fax 31 82 99, ≤ – ☎ 🚗 ⓟ. ⓞ ⓔ 𝘝𝘐𝘚𝘈. ✆
  Com 1600 – ⊊ 450 – **24 hab** 4200/5750 – PA 3100.

BETRÉN Lérida – ver **Viella.**

BIELSA 22350 Huesca 𝟒𝟒𝟑 E 30 – 429 h. alt. 1 053 – ✆ 974.
Ver : Parque Nacional de Ordesa y Monte Perdido★★★.
♦Madrid 544 – Huesca 154 – ♦Lérida/Lleida 170.

- 🏨 **Bielsa** ≫, carret. de Ainsa _&_ 50 10 08, ≤ – 🛗 📺 ☎ ⓟ. ⓔ 𝘝𝘐𝘚𝘈. ✆
  marzo-noviembre – Com 1700 – ⊊ 675 – **60 hab** 3700/4450 – PA 3475.
- 🏨 **Valle de Pineta** ≫, Baja _&_ 50 10 10, Fax 50 11 91, ≤, 𝖩 – 🛗 📺 ☎ 🚗. ⓔ 𝘝𝘐𝘚𝘈
  cerrado noviembre – Com 1250 – ⊊ 400 – **28 hab** 3600/5100 – PA 2400.

  en el valle de Pineta NO : 14 km – ✉ 22350 Bielsa – ✆ 974 :

- 🏨 **Parador Monte Perdido** ≫, alt. 1 350 _&_ 50 10 11, Fax 50 11 88, ≤, « En un magnífico
  paisaje de montaña » – 🛗 📺 ☎ ⓟ. 🖭 ⓞ 𝘝𝘐𝘚𝘈. ✆
  Com 3000 – ⊊ 1000 – **24 hab** 11500 – PA 5950.

BIESCAS 22630 Huesca 𝟒𝟒𝟑 E 29 – 1 279 h. alt. 860 – ✆ 974.
♦Madrid 458 – Huesca 68 – Jaca 30.

- 🏨 **Casa Ruba** ≫, Esperanza 18 _&_ 48 50 01, Fax 48 50 01 – ▤ rest ☎. 🖭 𝘝𝘐𝘚𝘈. ✆
  cerrado octubre-noviembre – Com 1600 – ⊊ 475 – **29 hab** 3200/4500 – PA 2990.
- 🏠 **La Rambla** ≫, rambla San Pedro 7 _&_ 48 51 77, ≤ – 🚗. 𝘝𝘐𝘚𝘈. ✆
  cerrado noviembre – Com 1350 – ⊊ 425 – **28 hab** 2000/4500 – PA 2500.

Ver : Museo de Bellas Artes★ (sección de arte antiguo★★) CY **M.**

🔏 Club de Campo de la Bilbaína – NE : 14 km por carretera a Bermeo 🖉 674 08 58 – 🔏 de Neguri NO : 17 km 🖉 469 02 00.

🛬 de Bilbao, Sondica NO : 11 km 🖉 453 36 00 – Iberia : Ercilla 20, 🖂 48009, 🖉 901 33 31 11 CZ y Aviaco : aeropuerto 🖉 453 06 40.

🚗 Abando 🖉 423 06 17.

🚢 Cía. Trasmediterránea, Buenos Aires 2 bajo, 🖂 48001, 🖉 423 03 91, Telex 32497 DZ.

🅱 pl. Arriaga, 🖂 48005, 🖉 416 00 22, Fax 416 81 65 – **R.A.C.V.N.** Rodríguez Arias 59 bis 🖂 48013, 🖉 442 58 08.

♦Madrid 397 ② – ♦Barcelona 607 ② – ♦La Coruña/A Coruña 622 ③ – ♦Lisboa 907 ② – ♦San Sebastián/Donostia 100 ① – ♦Santander 116 ③ – Toulouse 449 ① – ♦Valencia 606 ② – ♦Zaragoza 305 ②.

Planos páginas siguientes

🏨 **López de Haro y Rest. Club Náutico,** Obispo Orueta 2, 🖂 48009, 🖉 423 55 00, Telex 34787, Fax 423 45 00 – |✿| 🗐 🖵 ☎ ⇔ – 🛦 25/40. 🖭 ⓞ 🗲 *VISA*. 🛠 CY **r**
Com *(cerrado sábado mediodía, domingo y festivos)* carta 5200 a 6550 – 🖙 1850 – **49 hab** 22000/29950, 4 suites.

🏨 **Indautxu y Rest. Etxaniz,** pl. Bombero Etxaniz, 🖂 48010, 🖉 421 11 98, Fax 422 13 31 – |✿| 🗐 🖵 ☎ ⇔ – 🛦 25/400. 🖭 ⓞ 🗲 *VISA*. 🛠 CZ **b**
Com *(cerrado domingo y agosto)* 1500 – 🖙 1200 – **183 hab** 16800/22000, 1 suite.

🏨 **G. H. Ercilla,** Ercilla 37, 🖂 48011, 🖉 410 20 00, Telex 32449, Fax 443 93 35 – |✿| 🗐 🖵 ☎ ⇔ – 🛦 25/400. 🖭 ⓞ 🗲 *VISA* JCB. 🛠 CZ **a**
Com (ver rest. **Bermeo**) – 🖙 1400 – **326 hab** 13100/21765, 20 suites.

🏨 **Villa de Bilbao,** Gran Vía Don Diego López de Haro 87, 🖂 48011, 🖉 441 60 00, Telex 32164, Fax 441 65 29 – |✿| 🗐 🖵 ☎ ⇔ – 🛦 25/250. 🖭 ⓞ 🗲 *VISA*. 🛠 BY **n**
Com *(cerrado domingo y lunes)* 3000 – 🖙 1200 – **139 hab** 16500/22000, 3 suites – PA 7200.

🏨 **Abando,** Colón de Larreátegui 9, 🖂 48001, 🖉 423 62 00, Fax 424 55 25 – |✿| 🗐 🖵 ☎ ⇔ – 🛦 25/250. 🖭 ⓞ 🗲 *VISA* JCB. 🛠 DZ **b**
Com *(cerrado domingo y festivos)* 2200 – 🖙 1000 – **142 hab** 10000/16500, 3 suites – PA 5400.

🏨 **De Deusto** sin rest, Francisco Maciá 9, 🖂 48014, 🖉 476 00 06, Fax 476 21 99 – |✿| 🗐 🖵 ☎ ⇔ – 🛦 25/90. 🖭 ⓞ 🗲 *VISA* BY **f**
🖙 900 – **63 hab** 8800/12250.

🏨 **Conde Duque,** Campo de Volantín 22, 🖂 48007, 🖉 445 60 00, Telex 31260, Fax 445 60 00 – |✿| 🗐 rest 🖵 ☎ ⇔ – 🛦 25/120. 🖭 ⓞ 🗲 *VISA* JCB. 🛠 DY **m**
Com *(cerrado sábado y domingo)* 1200 – 🖙 900 – **67 hab** 7700/11600.

🏨 Vista Alegre sin rest, Pablo Picasso 13, 🖂 48012, 🖉 443 14 50, Fax 443 14 54 – 🖵 ☎ ⇔ CZ **t**
30 hab.

🏨 Zabálburu sin rest, Pedro Martínez Artola 8, 🖂 48012, 🖉 443 71 00, Fax 410 00 73 – ☎ ⇔. *VISA*. 🛠 CZ **d**
🖙 425 – **38 hab** 5600/7700.

🏨 **Estadio,** Juan Antonio Zunzunegui 10 bis, 🖂 48013, 🖉 442 42 41, Fax 442 50 11 – 🖵 ☎ ⇔. 🛠 AZ **a**
Com 1450 – 🖙 190 – **18 hab** 8000/12000 – PA 3000.

🏨 Arriaga sin rest y sin 🖙, Ribera 3, 🖂 48005, 🖉 479 00 01 – |✿| 🖵 ☎ ⇔. 🖭 *VISA* DZ **e**
11 hab 5000/8000.

XXXXX ⊛ **Zortziko,** Alameda de Mazarredo 17, 🖂 48001, 🖉 423 97 43, Fax 423 56 87 – 🗐 ⇔. 🖭 ⓞ 🗲 *VISA*. CY **r**
cerrado domingo y 23 agosto- 5 septiembre – Com carta 4100 a 6600
Espec. Ostras crocantes sobre patatas al vapor y al estragón, Risotto de bacalao con trufas al aceite de oliva, Rodaballo con txirlas de Plentzia al champgne.

XXXX **Guría,** Gran Vía Don Diego López de Haro 66, 🖂 48011, 🖉 441 05 43, Fax 471 02 80 – 🗐. 🖭 ⓞ 🗲 *VISA* JCB. 🛠 BY **s**
cerrado domingo – Com carta 5600 a 7600.

XXXX **Bermeo,** Ercilla 37, 🖂 48011, 🖉 410 20 00, Telex 32449, Fax 443 93 35 – 🗐. 🖭 ⓞ 🗲 *VISA* JCB. 🛠 CZ **a**
cerrado sábado mediodía y domingo noche – Com carta 5355 a 6450.

XXX ⊛ **Goizeko Kabi,** Particular de Estraunza 4, 🖂 48011, 🖉 441 50 04, Fax 442 11 29 – 🗐. 🖭 ⓞ 🗲 *VISA* JCB. 🛠 CY **a**
cerrado domingo y 25 julio-14 agosto – Com carta aprox. 6080
Espec. Ensalada de bogavante, Pichón de Bresse asado, Merluza rellena de cigalas en salsa verde y almejas.

XXX ⊛ **Gorrotxa,** alameda Urquijo 30 (galería), 🖂 48008, 🖉 422 05 35 – 🗐. 🖭 ⓞ 🗲 *VISA*. 🛠 CZ **r**
cerrado domingo, Semana Santa y 30 julio-21 agosto – Com carta 5300 a 7300
Espec. Milhojas de salmón ahumado con mousse de esparragos al caviar, Lubina a los agrios, Carlota de perdiz (otoño e invierno).

BILBO/BILBAO

XXX **Monasterio,** pl. Circular 2-edificio RENFE, ⊠ 48001, ℰ 423 96 08, Fax 424 85 36 – ▤. AE
ⴺ VISA. ⵙ   DZ a
cerrado domingo, festivos y 15 julio- 15 agosto – Com carta 4900 a 6900.

XXX **Matxinbenta,** Ledesma 26, ⊠ 48001, ℰ 424 84 95, Fax 423 84 03 – ▤. AE ① ⴺ VISA JCB
ⵙ   CZ r
cerrado domingo – Com carta 4100 a 6600.

XXX **Casa Vasca,** av. Lehendakari Aguirre 13, ⊠ 48014, ℰ 475 47 78, Fax 476 14 87 – ▤ ⟨⟩
AE ① ⴺ VISA. ⵙ   BY d
cerrado domingo noche y festivos noche – Com carta 3500 a 4650.

XX **Kaskagorri,** Alameda de Mazarredo 20, ⊠ 48009, ℰ 423 83 90, 壼 – ▤. AE ① ⴺ VISA. ⵙ
cerrado domingo – Com carta 3875 a 5150.   CY c

XX **Asador Oteiza,** Licenciado Poza 27, ⊠ 48011, ℰ 441 41 33 – ▤. AE ① ⴺ VISA. ⵙ
cerrado sábado mediodía y domingo – Com carta 3900 a 5300.   CZ e

XX **Victor,** pl. Nueva 2 - 1º, ⊠ 48005, ℰ 415 16 78 – ▤. AE ① ⴺ VISA JCB. ⵙ   DZ s
cerrado domingo y 15 julio-19 agosto – Com carta aprox. 5900

XX Begoña, Virgen de Begoña, ⊠ 48006, ℰ 412 72 57 – ▤   AZ x

XX **Ariatza,** Somera 1, ⊠ 48005, ℰ 415 96 74 – ▤. AE ① ⴺ VISA. ⵙ   DZ h
cerrado domingo y lunes noche – Com carta aprox. 4900.

XX **Guetaria,** Colón de Larreátegui 12, ⊠ 48001, ℰ 424 39 23 – ▤. AE ① ⴺ VISA. ⵙ CZ v
Com carta 3700 a 5700.

XX Asador Jauna, Juan Antonio Zunzunegui 7, ⊠ 48013, ℰ 441 73 81 – ▤   AZ g

XX **El Asador de Aranda,** Egaña 27, ⊠ 48010, ℰ 443 06 64, Cordero asado – ▤. ⴺ VISA. ⵙ
cerrado domingo noche y 25 julio-14 agosto – **Comida** carta aprox. 3500.   CZ s

X **Rogelio,** carret. de Basurto a Castrejana 7, ⊠ 48002, ℰ 427 30 21, Fax 427 17 78 – ▤
cerrado domingo y 24 julio- 30 agosto – Com carta 3250 a 4800.   AZ n

X **Serantes,** Licenciado Poza 16, ⊠ 48011, ℰ 421 21 29, Pescados y mariscos – ▤. AE ① ⴺ VISA
cerrado 23 agosto-23 septiembre – Com carta aprox.5500.   CZ z

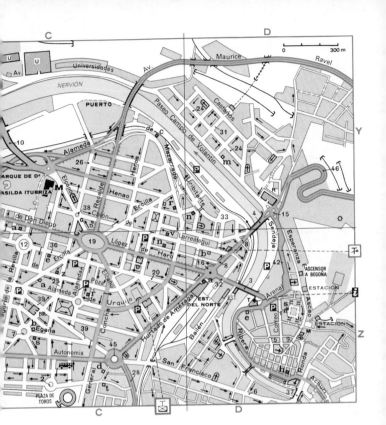

X **Albatros,** San Vicente 5, ⊠ 48001, ℰ 423 69 00 – ▤. 🅰🄴 ⓞ 🄴 𝘝𝘐𝘚𝘈. ⅜ DY **n**
cerrado domingo y agosto – Com carta 3700 a 4800.

X **Julio,** pl. Juan XXIII - 7, ⊠ 48006, ℰ 446 44 02 – ▤. 🅰🄴 🄴 𝘝𝘐𝘚𝘈. ⅜ AZ **b**
cerrado lunes y julio – Com carta 3350 a 4550.

Ver también : *Algorta* por C 6311 : 15 km
Galdácano por ① 8 : km.

BINÉFAR 22500 Huesca 🐯🐯🐯 G 30 – 7 786 h. alt. 286 – 🌍 974.

🇮 Almacella 87, ℰ 428 100.

◆Madrid 488 – ◆Barcelona 214 – Huesca 81 – ◆Lérida/Lleida 39.

🏨 **La Paz,** av. Aragón 30 ℰ 42 86 00, Fax 43 04 11 – |🛗| ▤ rest – 🔏 25/550. 🅰🄴 ⓞ 🄴 𝘝𝘐𝘚𝘈
Com 1500 – ☲ 500 – **68 hab** 2750/5000.

🏠 **Cantábrico,** Zaragoza 1 ℰ 42 86 50, Fax 42 86 50 – |🛗| ▤ rest. 🄴 𝘝𝘐𝘚𝘈. ⅜
Com *(cerrado domingo)* 1100 – ☲ 400 – **30 hab** 1950/3750 – PA 2100.

BLANES 17300 Gerona 🐯🐯🐯 G 38 – 20 178 h. – 🌍 972 – Playa.

Ver : Jardín Botánico Marimurtra★ (≼★).

🇮 pl. Catalunya ℰ 33 03 48, ⊠ 17300.

◆Madrid 691 – ◆Barcelona 61 – Gerona/Girona 43.

🏨 Ruiz, Raval 45 ℰ 33 03 00, Fax 33 03 00 – |🛗|
temp. – **59 hab.**

X **Cals Flores II,** Explanada del Port 3 ℰ 33 16 33, 🛋, Pescados y mariscos – ▤. 🅰🄴 ⓞ
🄴 𝘝𝘐𝘚𝘈. ⅜
Com carta aprox. 2325.

X Port Blau, Explanada del Port 18 ℰ 33 42 24, Pescados y mariscos – ▤.

169

℀ **Casa Patacano,** passeig del Mar 12 ₿ 33 00 02, Pescados y mariscos – ▤. ⓞ **E** 𝘝𝘐𝘚𝘈 ⅏
cerrado de lunes a jueves por las noches en invierno – Com carta 2400 a 3900.

℀ **El Caliu,** av. Joan Carles I - 27 ₿ 33 68 19 – ▤ ⓟ. ◪ ⓞ **E** 𝘝𝘐𝘚𝘈
cerrado miércoles y febrero – Com carta 2350 a 3500.

℀ **S'Auguer,** S'Auguer 2 ₿ 35 14 05, Decoración rústica – ▤. 𝘝𝘐𝘚𝘈. ⅏
cerrado enero – **Comida** carta 2100 a 3300.

℀ Unic Parrilla, Porta Nova 7 ₿ 33 00 06, Pescados y mariscos.

en la playa de Sabanell – ⊠ 17300 Blanes – ✪ 972 :

🏨 **Park H. Blanes,** Enric Morera ₿ 33 02 50, Fax 33 71 03, ≼, « Extenso pinar ajardinado co▮
⊒ », ⅏ – |≬| ▤ rest ☎ ⓟ – ◬ 25/100. ◪ ⓞ **E** 𝘝𝘐𝘚𝘈. ⅏ rest
mayo-octubre – Com 2000 – ⚏ 700 – **127 hab** 7600/12500 – PA 3995.

🏨 **Horitzó,** passeig Marítim S'abanell 11 ₿ 33 04 00, Fax 33 78 63, ≼ – |≬| ☎. ◪ **E** 𝘝𝘐𝘚𝘈. ⅏
abril-octubre – Com 1800 – ⚏ 600 – **122 hab** 4800/8400.

🏨 **Stella Maris,** Vila de Madrid 18 ₿ 33 00 92, Fax 33 57 03, ⊒ – |≬| ▤ rest. ◪ ⓞ **E** 𝘝𝘐𝘚𝘈
⅏ rest
Semana Santa-octubre – Com (sólo buffet) 1400 – ⚏ 800 – **90 hab** 3250/5100 – PA 3000▮

en la carretera de Lloret de Mar NE : 2 km – ⊠ 17300 Blanes – ✪ 972 :

℀℀ **El Ventall,** ⊠ apartado. 457, ₿ 33 29 81, ☞ – ▤ ⓟ. ◪ ⓞ **E** 𝘝𝘐𝘚𝘈 𝗝𝗖𝗕
cerrado martes y 23 diciembre-4 enero – Com carta 3375 a 4950.

BOADILLA DEL MONTE 28660 Madrid 𝟰𝟰𝟰 K 18 – 6 061 h. – ✪ 91.
🆈 Las Lomas, urb. El Bosque ₿ 616 21 70 – 🆉 Las Encinas ₿ 633 11 00.
♦Madrid 13.

℀℀ **La Cañada,** carret. de Madrid E : 1,5 km ₿ 633 12 83, Fax 547 04 63, ≼, ☞, ⅏ – ▤ ⓟ
𝘝𝘐𝘚𝘈 ⅏
cerrado domingo noche, lunes y festivos – Com carta 4000 a 5100.

BOCEGUILLAS 40560 Segovia 𝟰𝟰𝟮 H 19 – 590 h. – ✪ 921.
♦Madrid 119 – ♦Burgos 124 – ♦Segovia 73 – Soria 154 – ♦Valladolid 134.

🏠 **Tres Hermanos,** antigua carret. N I ₿ 54 30 40, Fax 54 30 40, ⊒ – ⟲ ⓟ. 𝘝𝘐𝘚𝘈. ⅏ res▮
Com 1750 – ⚏ 375 – **30 hab** 3300/5500 – PA 3295.

BOHÍ o **BOÍ** 25528 Lérida 𝟰𝟰𝟯 E 32 – alt. 1 250 – ✪ 973 – Balneario en Caldes de Boí.
Alred.: E : Parque Nacional de Aigües Tortes y Lago San Mauricio★★ – Taüll★ : (iglesia San
Climent★ : torre★).
♦Madrid 575 – ♦Lérida/Lleida 143 – Viella 56.

🏠 Fondevila, Única ₿ 69 60 11, ≼ – ⓟ
46 hab.

℀ **La Cabana,** carret de Tahull ₿ 69 61 10 – ▤. **E** 𝘝𝘐𝘚𝘈. ⅏
cerrado 13 octubre-noviembre – Com *(cerrado mediodía de lunes a viernes salvo S. Santa*
y 23 junio-septiembre) carta 2300 a 3600.

en Caldes de Boí N : 5 km – alt. 1 470 – ⊠ 25528 Caldes de Boí – ✪ 973 :

🏨 **El Manantial** ⅏, ₿ 69 62 10, Fax 69 60 58, ≼, « Magnífico parque », ⊒ de agua termal
⬛, ☞, ⊒, ⟲ ☎ ⟲ ⓟ. ⅏ rest
24 junio-septiembre – Com 2975 – ⚏ 775 – **219 hab** 9075/15500 – PA 5700.

🏠 **Caldas** ⅏, ₿ 69 62 30, Fax 69 60 58, « Magnífico parque », ⊒ de agua termal, ⬛, ☞
⅏ – ⟲ ⓟ. ⅏
24 junio-septiembre – Com 2080 – ⚏ 530 – **104 hab** 3780/9465 – PA 3980.

BOIRO 15930 La Coruña 𝟰𝟰𝟭 E 3 – 16 752 h. – ✪ 981 – Playa.
♦ Madrid 660 – ♦La Coruña/A Coruña 112 – Pontevedra 57 – Santiago de Compostela 40.

🏨 **Jopi,** Derechos Humanos 6 ₿ 84 44 70, Fax 84 44 70 – |≬| 📺 ☎ ⟲. **E** 𝘝𝘐𝘚𝘈. ⅏
Com *(cerrado domingo)* 2300 – ⚏ 425 – **35 hab** 4500/6800 – PA 3900.

Los BOLICHES Málaga – ver Fuengirola.

BOLTAÑA 22340 Huesca 𝟰𝟰𝟯 E 30 – 761 h. alt. 643 – ✪ 974.
🆔 av. de Ordesa 47, ₿ 50 20 43, ⊠ 22340 (temp.).
♦ Madrid 473 – Huesca 90 – ♦ Lérida/Lleida 143 – Sabiñánigo 72.

🏨 **Boltaña** ⅏, av. de Ordesa 39 ₿ 50 20 00, Fax 50 22 36 – |≬| ☎ ⓟ. ◪ ⓞ **E** 𝘝𝘐𝘚𝘈
cerrado 5 diciembre-5 enero – Com (ver rest **El Parador**) – ⚏ 500 – **55 hab** 2750/4600▮

℀ **El Parador,** av. de Ordesa 37 ₿ 50 23 31, Fax 50 22 36 – ▤ ⓟ. ◪ ⓞ **E** 𝘝𝘐𝘚𝘈. ⅏
cerrado 5 diciembre-5 enero – Com carta 1550 a 2450.

BOLVIR o **BOLVIR DE CERDANYA** 17463 Gerona 448 E 35 – 208 h. alt. 1 145 – ☺ 972.
◆Madrid 657 – ◆Barcelona 172 – Gerona/Girona 156 – ◆Lérida/Lleida 188.

🏨 ⚜ **Torre del Remei** ⌂, Camí Reial NE : 1 km ℰ 14 01 82, Fax 14 04 49, ≤ sierra del Cadí y Pirineos, « Elegante palacete rodeado de césped », ⊃, – ⃥ ⃥ ⃥ 🅿 ⃥ ⃥ ⃥ ⃥ ⃥ ⃥ 🗺 rest
Com carta 4500 a 5800 – ⃥ 2000 – **11 hab** 22000
Espec. Terrina de escalivada y salsa de mostaza, Cola de buey guisada a las siete horas, Medallones de venado marinado y cocido en salsa de trufa (oct-feb).

🏨 **Chalet del Golf** ⌂, Club de Golf, carret. N 260 E : 2,5 km ℰ 88 09 62, Fax 88 09 66, ≤, ⊃, 🗺, ⃥, – ⃥ ⃥ ⃥ 🅿 ⃥ ⃥ ⃥ ⃥ 🗺 rest
Com 3000 – ⃥ 850 – **11 hab** 9000/12000 – PA 5900.

🍴🍴 **Els Esclops**, Ciudadella ℰ 89 41 87, ≤ valle de la Cerdanya, Alp y Sierra del Cadí – ⃥ 🗺 🗺
cerrado domingo noche, lunes y julio – Com carta 2225 a 3775.

La BONAIGUA (Puerto de) Lérida 448 E 32 – ⃥ 25587 Alto Aneu – ☺ 973 – alt. 1850.
◆Madrid 623 – ◆Andorra la Vella 126 – ◆Lérida/Lleida 186.

🍴 **Les Ares,** Refugi de la Verge dels Ares ℰ 62 61 99, Carnes a la brasa – ⃥ ⃥ 🗺 ⃥
cerrado martes y noviembre – Com carta 1800 a 3150.

La BONANOVA Baleares – ver Baleares (Mallorca) : Palma de Mallorca.

BOO DE GUARNIZO 39061 Cantabria 442 B 18 – ☺ 942.
◆Madrid 398 – ◆Santander 17.

🏨 **Los Ángeles,** San Camilo 1 - carret. N 634 ℰ 54 03 39, Fax 55 82 46 – ⃥ ⃥ ⃥ 🅿 ⃥ ⃥
⃥ 🗺 🗺
Com 1350 – ⃥ 500 – **43 hab** 4700/8500 – PA 3200.

BORLEÑA 39699 Cantabria 442 C 18 – ☺ 942.
◆ Madrid 360 – ◆Bilbao/Bilbo 111 – ◆Burgos 117 – ◆Santander 35.

🍴🍴 **Mesón de Borleña,** carret. N 623 ℰ 59 76 43, ⃥ – 🅿 ⃥ ⃥ ⃥ 🗺 ⃥
cerrado lunes (salvo junio-septiembre) y del 15 al 30 noviembre – Com carta 2300 a 3400.

BOSOST o **BOSSOST** 25550 Lérida 448 D 32 – 731 h. alt. 710 – ☺ 973.
🛈 Eduard Aunós, ⃥25550, ℰ 64 72 79.
◆Madrid 611 – ◆Lérida/Lleida 179 – Viella 16.

🏨 **Portillón Bossost,** Piedad 33 ℰ 64 70 77, Fax 64 72 95, ⃥ – ⃥ ⃥ ⃥ ⃥ ⃥ 🗺 ⃥
Com 1800 – ⃥ 800 – **22 hab** 5600/7000 – PA 3550.

🏨 **Garona,** Eduard Aunós 1 ℰ 64 82 46, Fax 64 70 01, ≤ – ⃥ ⃥ ⃥ 🗺 ⃥
Com 1400 – ⃥ 550 – **25 hab** 5500 – PA 2850.

🏨 **Batalla,** urb. Sol de la Vall ℰ 64 81 99, Fax 64 70 02 – ⃥ ⃥ ⃥ ⃥ ⃥ ⃥
Com 1500 – **16 hab** ⃥ 6100/8200 – PA 2900.

🍴 **Portalet** ⌂ con hab, San Jaime 32 ℰ 64 82 00 – ⃥ rest 🅿 ⃥ ⃥ 🗺 ⃥
Com carta 3050 a 4150 – ⃥ 500 – **6 hab** 5000.

El BOSQUE 11670 Cádiz 446 V 13 – 1 742 h. alt. 287 – ☺ 956.
🛈 av. de la Diputación ℰ 71 60 63.
◆Madrid 586 – ◆Cádiz 96 – Ronda 52 – ◆Sevilla 102.

🏨 **Las Truchas** ⌂, av. Diputación 1 ℰ 71 60 61, Fax 71 60 86, ≤, ⃥ – ⃥ ⃥ ⃥ 🅿 ⃥ ⃥
🗺 🗺
Com 1875 – ⃥ 475 – **24 hab** 4985/6240 – PA 3380.

BOSQUES DEL PRIORATO (Urbanización) Tarragona – ver Bañeras.

BÓVEDA 27340 Lugo 441 E 7 alt. 361 – ☺ 982.
◆Madrid 275 – Lugo 53 – Orense/Ourense 61 – Ponferrada 103.

🏨 Arcadia, Casas Novas ℰ 42 63 78, Fax 42 65 61 – ⃥ ⃥ ⃥ 🅿
27 hab.

BRIVIESCA 09240 Burgos 442 E 20 – 4 855 h. alt. 725 – ☺ 947.
◆Madrid 285 – ◆Burgos 42 – ◆Vitoria/Gasteiz 78.

🏨🏨 **El Vallés,** carret. N I ℰ 59 00 25, Fax 59 24 84, ⃥ – ⃥ ⃥ ⃥ 🅿 ⃥ 🗺 ⃥
cerrado 23 diciembre-5 febrero – Com 2725 – ⃥ 550 – **21 hab** 5950 – PA 5100.

🍴 **El Concejo,** pl. Mayor 14 ℰ 59 16 86 – ⃥ ⃥ ⃥ ⃥ ⃥ 🗺 ⃥
cerrado lunes – Com carta 3075 a 4175.

BRONCHALES 44367 Teruel 🗺️ K 25 – 381 h. – 🌸 978.
◆Madrid 261 – Teruel 55 – ◆Zaragoza 184.

🏠 Suiza 🦆, Fombuena 8 🖋️ 70 10 89 – 🚗
40 hab.

BROTO 22370 Huesca 🗺️ E 29 – 418 h. alt. 905 – 🌸 974.
◆Madrid 484 – Huesca 94 – Jaca 56.

🏠 **Latre** sin rest, av. Ordesa 23 🖋️ 48 60 53, ⪕ – 🅿️ 🅴 𝗩𝗜𝗦𝗔. ⌇
abril-noviembre – ⌑ 350 – **34 hab** 3500/6000.

BROZAS 10950 Cáceres 🗺️ N 9 – 2 815 h. alt. 411 – 🌸 927.
◆Madrid 330 – Cáceres 51 – Castelo Branco 95 – Plasencia 95.

🏠 La Posada, pl. de Ovando 1 🖋️ 39 50 19 – 🍽️ rest
12 hab.

El BRULL 08553 Barcelona 🗺️ G 36 – 186 h. – 🌸 93.
◆Madrid 635 – ◆Barcelona 65 – Manresa 51.

✗ **El Castell,** 🖋️ 884 00 63, ⪕ – 🍽️ 🅿️ 🅴 𝗩𝗜𝗦𝗔. ⌇
cerrado martes noche, miércoles y 4 septiembre-1 octubre – Com carta 2100 a 3900.

BRUNETE 28690 Madrid 🗺️ K 18 – 1 119 h. – 🌸 91.
◆Madrid 32 – Ávila 92 – Talavera de la Reina 99.

por la carretera M 501 SE : 2 km – ✉️ 28690 Brunete – 🌸 91 :

✗ **El Vivero,** 🖋️ 815 92 22, Asados – 🍽️ 🅿️ 🅾️ 🅴 𝗩𝗜𝗦𝗔. ⌇
cerrado jueves y agosto – Com carta 3100 a 4800.

BUBIÓN 18412 Granada 🗺️ V 19 – 377 h. – 🌸 958.
◆Madrid 504 – ◆Almería 151 – ◆Granada 75.

🏨 **Villa Turística de Bubión** 🦆, 🖋️ 76 31 11, Fax 76 31 36, ⪕ – 🍽️ rest 📺 ☎️ 🅿️ – 🛗 25/60.
🅰🅴 🅾️ 🅴 𝗩𝗜𝗦𝗔. ⌇
Com 1500 – ⌑ 500 – **43 hab** 7600/9500 – PA 3500.

✗ **Teide,** 🖋️ 76 30 37, 🍴, Decoración típica – 𝗩𝗜𝗦𝗔. ⌇
cerrado martes y 15 junio-15 julio – Com carta 1700 a 2125.

BUELNA 33598 Asturias 🗺️ B 16 – 🌸 98.
◆Madrid 439 – Gijón 117 – ◆Oviedo 127 – ◆Santander 82.

✗✗ **El Horno,** carret. N 634 🖋️ 541 10 33, 🍴, « Decoración típica regional » – 🅿️. 🅰🅴 🅴 𝗩𝗜𝗦𝗔. ⌇
cerrado noviembre – Com carta 3100 a 3800.

BUEU 36939 Pontevedra 🗺️ F 3 – 12 371 h. – 🌸 986 – Playa.
◆Madrid 621 – Pontevedra 19 – ◆Vigo 32.

🏠 **Incamar,** Montero Ríos 147 🖋️ 32 00 67, Fax 32 07 84 – 📶 🍽️ rest 📺 ☎️. 🅰🅴 🅴 𝗩𝗜𝗦𝗔. ⌇
Com 1800 – ⌑ 500 – **48 hab** 5000/6000.

🏠 **Playa Agrelo,** playa de Agrelo NE : 1,5 km 🖋️ 32 08 44, Fax 32 06 26 – 📶 📺 ☎️ 🅿️. 🅰
🅾️ 🅴 𝗩𝗜𝗦𝗔. ⌇
cerrado enero-febrero – Com *(cerrado domingo noche)* 2000 – ⌑ 500 – **46 hab** 5500/7000
– PA 4500.

✗ **Loureiro** con hab, playa de Loureiro NE : 1 km 🖋️ 32 07 19, Fax 32 14 98, ⪕ – ☎️ 🅿️. 🅰
🅾️ 🅴 𝗩𝗜𝗦𝗔. ⌇
cerrado 10 diciembre-4 enero – Com carta 2000 a 3400 – ⌑ 400 – **24 hab** 4000/5000.

BUJARALOZ 50177 Zaragoza 🗺️ H 29 – 1 210 h. alt. 245 – 🌸 976.
◆Madrid 394 – ◆Lérida/Lleida 83 – ◆Zaragoza 75.

✗ **Español** con hab, carret. N II 🖋️ 17 30 43, Fax 17 31 92 – 🍽️ rest 🅿️. 🅰🅴 🅾️ 🅴 𝗩𝗜𝗦𝗔. ⌇
Comida carta 2500 a 3550 – ⌑ 175 – **18 hab** 1900/3450.

BUNYOLA Baleares – ver Baleares (Mallorca).

BURELA 27880 Lugo 🗺️ B 7 – 🌸 982.
◆Madrid 612 – ◆La Coruña/A Coruña 157 – Lugo 108.

🏠 **Luzern** sin rest, con cafetería, carret. General 225 🖋️ 58 02 66, Fax 58 55 70 – 📺 ☎️. 🅾️
🅴 𝗩𝗜𝗦𝗔. ⌇
⌑ 300 – **19 hab** 3500/5000.

✗ **Sargo,** Rosalía de Castro 2 🖋️ 58 51 38 – 🍽️. 🅰🅴 🅴 𝗩𝗜𝗦𝗔. ⌇
Com carta 2350 a 4400. .

EL BURGO DE OSMA 42300 Soria 442 H 20 – 4 996 h. alt. 895 – © 975.

Ver : Catedral★ (sepulcro de Pedro de Osma★, museo : documentos antiguos y códices miniados★).

◆Madrid 183 – Aranda de Duero 56 – Soria 56.

- 🏨 **II Virrey,** Mayor 4 ℘ 34 13 11, Fax 34 08 55, « Decoración elegante » – |💱| 📺 ☎ 🚙 –
  🛏 25/45. 🖭 ◑ ⋵ 𝘝𝘐𝘚𝘈. ✸
  – Com (ver rest. **Virrey Palafox**) 2500 – ➯ 750 – **52 hab** 6000/10000 – PA 5000.

- 🏨 **Río Ucero y Rest. Puente Real,** carret. N 122 ℘ 34 12 78, Fax 34 12 50 – 🍽 rest 📺 ☎
  🅿 – 🛏 25/180. 🖭 ◑ ⋵ 𝘝𝘐𝘚𝘈. ✸
  Com (cerrado domingo noche) carta 2500 a 4100 – ➯ 1300 – **72 hab** 10000/11500,
  8 suites.

- ✕✕ **Virrey Palafox** con hab, Universidad 7 - carret. N 122 ℘ 34 02 22, Fax 34 08 55 – 🍽 rest
  🅿. 🖭 ◑ ⋵ 𝘝𝘐𝘚𝘈. ✸
  cerrado 15 diciembre- 15 enero – Com (cerrado domingo noche salvo Semana Santa y
  agosto) carta aprox. 3800 – ➯ 400 – **18 hab** 2850/4500.

BURGOS 09000 🅿 442 E 18 y 19 – 156 449 h. alt. 856 – © 947.

Ver : Catedral★★★ (crucero, coro y Capilla Mayor★★, Girola★, capilla del Condestable★★, capilla de Santa Ana★) A – Museo de Burgos★ (arqueta hispanoárabe★, frontal de altar★, sepulcro de Juan de Padilla★) B **M1** – Arco de Santa María★ A B – Iglesia de San Nicolás : retablo★.

Alred. : Real Monasterio de las Huelgas★★ (sala Capitular : pendón★, museo de telas medievales★★) por av. del Monasterio de las Huelgas A – Cartuja de Miraflores : iglesia★ (conjunto escultórico de la Capilla Mayor★★★) B.

🔰 pl. Alonso Martínez 7, ✉ 09003, ℘ 20 31 25 – R.A.C.E. av. Gral. Sanjurjo 11, ✉ 09003,
℘ 20 91 19.

◆Madrid 239 ② – ◆Bilbao/Bilbo 156 ① – ◆Santander 154 ① – ◆Valladolid 125 ③ – ◆Vitoria/Gasteiz 111 ①.

BURGOS

Mayor (Plaza de)	AB 18
Santo Domingo (Pl. de)	B 28
Vitoria	B
Almirante Bonifaz	B 2
Alonso Martínez (Pl. de)	B 3

Aparicio y Ruiz	A 5
Cid Campeador (Av. del)	B 8
Conde de Guadalhorce (Av. del)	A 9
Eduardo Martínez del Campo	A 10
España (Pl.)	B 12
Gen. Sanjurjo (Av. del)	B 14
Gen Santocildes (Pl. del)	B 15

Libertad (Pl.)	B 17
Miguel Primo de Rivera (Pl.)	B 6
Miranda	B 20
Monasterio de las Huelgas (Av. del)	A 21
Nuño Rasura	A 23
Paloma	A 24
Reyes Católicos (Av. de los)	B 26
Rey San Fernando (Pl. de)	A 27

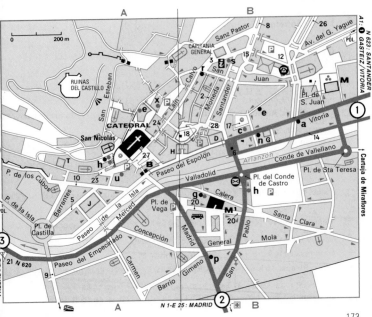

173

🏛️ **Puerta de Burgos,** Vitoria 69, ⊠ 09006, 𝒫 24 10 00, Fax 24 07 07 – 🛗 🗏 📺 ☎ ⇐ –
🛄 25. 🆎 ⓞ 🄴 _VISA_. 🦌　　　　　　　　　　　　　　　　　　　por ①
Com _(cerrado domingo y festivos)_ 2300 – 🖵 1100 – **97 hab** 9190/14800, 1 suite –
PA 4845.

🏛️ **NH Condestable,** Vitoria 8, ⊠ 09004, 𝒫 26 71 25, Telex 39572, Fax 20 46 45 – 🛗 🗏 📺
☎ ⇐ – 🛄 25/250. 🆎 ⓞ 🄴 _VISA_. 🦌　　　　　　　　　　　　　　　　　B **n**
Com 2800 – 🖵 1000 – **85 hab** 8700/14500 – PA 5525.

🏛️ **Almirante Bonifaz y Rest. Los Sauces,** Vitoria 22, ⊠ 09004, 𝒫 20 69 43, Telex 39430,
Fax 20 29 19 – 🛗 📺 ☎ – 🛄 25/200. 🆎 ⓞ 🄴 _VISA_ ⻝. 🦌　　　　　　　　B **a**
cerrado 24 diciembre-7 enero – Com _(cerrado lunes mediodía)_ carta 2700 a 3450 – 🖵
1100 – **79 hab** 7700/14500.

🏛️ **Fernán González,** Calera 17, ⊠ 09002, 𝒫 20 94 41, Telex 39602, Fax 27 41 21 – 🛗 📺 ☎
⇐ – 🛄 25/500. 🆎 ⓞ 🄴 _VISA_. 🦌　　　　　　　　　　　　　　　　　B **g**
Com (ver rest. **Fernán González**) – 🖵 500 – **85 hab** 7350/11900.

🏛️ **Corona de Castilla,** Madrid 15, ⊠ 09002, 𝒫 26 21 42, Telex 39619, Fax 20 80 42 – 🛗
🗏 rest 📺 ☎ ⇐ – 🛄 25/350. 🆎 ⓞ 🄴 _VISA_. 🦌　　　　　　　　　　　　B **p**
Com 2625 – 🖵 750 – **71 hab** 5825/9950.

🏨 **María Luisa** sin rest, av. del Cid Campeador 42, ⊠ 09005, 𝒫 22 80 00, Telex 39567,
Fax 22 80 80, « Decoración elegante » – 🛗 📺 ☎ – 🛄 25. 🆎 ⓞ 🄴 _VISA_
🖵 600 – **44 hab** 8600/10800.　　　　　　　　　por av. del Cid Campeador　　B

🏨 **Del Cid,** pl. Santa María 8, ⊠ 09003, 𝒫 20 87 15, Fax 26 94 60, ⇐ – 🛗 📺 ☎ ⇐. 🆎 ⓞ
🄴 _VISA_ ⻝. 🦌 rest　　　　　　　　　　　　　　　　　　　　　　　A **h**
Com (ver rest. **Mesón del Cid**) – 🖵 900 – **28 hab** 7500/13000.

🏨 **Rice,** av. de los Reyes Católicos 30, ⊠ 09005, 𝒫 22 23 00, Telex 39456, Fax 22 35 50 – 🛗
🗏 rest 📺 ☎. 🆎 ⓞ 🄴 _VISA_. 🦌　　　　　　　　por av. de los Reyes Católicos　　B
Com 1700 – 🖵 600 – **50 hab** 8600/9400 – PA 4000.

🏨 **Cordón** sin rest, La Puebla 6, ⊠ 09004, 𝒫 26 50 00, Fax 20 02 69 – 🛗 📺 ☎. 🆎 ⓞ 🄴
VISA　　　　　　　　　　　　　　　　　　　　　　　　　　　　　B **e**
🖵 650 – **35 hab** 6000/10000.

🏨 **Norte y Londres** sin rest, pl. de Alonso Martínez 10, ⊠ 09003, 𝒫 26 41 25, Fax 27 73 75
– 🛗 📺 ☎. 🆎 ⓞ 🄴 _VISA_　　　　　　　　　　　　　　　　　　　B **r**
🖵 550 – **50 hab** 4750/8000.

🍴🍴🍴 **Casa Ojeda,** Vitoria 5, ⊠ 09004, 𝒫 20 90 52, Decoración castellana – 🗏. 🆎 ⓞ 🄴 _VISA_
🦌　　　　　　　　　　　　　　　　　　　　　　　　　　　　　　B **c**
cerrado domingo noche – Com carta 3450 a 4650.

🍴🍴🍴 **Fernán González,** Calera 19, ⊠ 09002, 𝒫 20 94 42, Telex 39602, Fax 27 47 21 – 🗏 ⇐.
🆎 ⓞ 🄴 _VISA_. 🦌　　　　　　　　　　　　　　　　　　　　　　　B **g**
Com carta aprox. 3200.

🍴🍴🍴 **Los Chapiteles,** General Santocildes 7, ⊠ 09003, 𝒫 20 18 37 – 🗏. 🆎 ⓞ 🄴
VISA　　　　　　　　　　　　　　　　　　　　　　　　　　　　B **s**
cerrado domingo noche y miércoles noche en invierno – Com carta 2950 a 4320.

🍴🍴 **Rincón de España,** Nuño Rasura 11, ⊠ 09003, 𝒫 20 59 55, 🌇 – 🗏. 🆎 ⓞ 🄴 _VISA_ ⻝.
🦌　　　　　　　　　　　　　　　　　　　　　　　　　　　　　　A **u**
Com carta 3400 a 4650.

🍴🍴 **Mesón del Cid,** pl. Santa María 8, ⊠ 09003, 𝒫 20 59 71, Fax 26 94 60, 🌇, « Decoración
castellana » – 🆎 ⓞ 🄴 _VISA_ ⻝. 🦌　　　　　　　　　　　　　　　　A **h**
cerrado domingo noche – Com carta 2850 a 4100.

🍴🍴 **El Asador de Aranda,** Llana de Afuera, ⊠ 09003, 𝒫 26 81 41, ⇐, Cordero asado – 🗏.
🄴 _VISA_. 🦌　　　　　　　　　　　　　　　　　　　　　　　　　A **e**
cerrado domingo noche – Comida carta aprox. 3200.

🍴🍴 **Don Jamón,** San Pablo 3 𝒫 26 56 61, Fax 26 00 36 – 🗏. 🆎 ⓞ 🄴 _VISA_. 🦌　　　B **h**
cerrado domingo noche – Com carta 3700 a 4900.

🍴 **Ciao,** av. de los Reyes Católicos 32, ⊠ 09005, 𝒫 23 12 81, Cocina italiana – 🗏. 🆎 ⓞ 🄴
VISA. 🦌　　　　　　　　　　　　　　por av. de los Reyes Católicos　　B
Com carta 2425 a 3750.

🍴 **Prego,** Huerto del Rey 4, ⊠ 09003, 𝒫 26 04 47, Decoración rústica regional - Cocina italiana
– 🗏. 🄴 _VISA_　　　　　　　　　　　　　　　　　　　　　　　　A **x**
Com carta 1900 a 2250.

🍴 **Mesón la Cueva,** pl. de Santa María 7, ⊠ 09003, 𝒫 20 86 71, Decoración castellana –
🆎 ⓞ 🄴 _VISA_　　　　　　　　　　　　　　　　　　　　　　　　A **h**
cerrado domingo noche y noviembre – Comida carta 3100 a 4100.

en la carretera N I por ② – ⊠ 09000 Burgos – ✪ 947 :

🏰 **Landa Palace,** 3,5 Km 𝒫 20 63 43, Fax 26 46 76, 🔥, 🔲, 🌳 – 🛗 🗏 📺 ☎ ⇐ ⓟ – 🛄 25.
🄴 _VISA_. 🦌
Com 5700 – 🖵 1300 – **37 hab** 12000/18000, 5 suites – PA 10900.

🍴🍴 **La Varga** con hab, 5 Km 𝒫 20 16 40, Fax 26 21 72 – 📺 ☎ ⓟ. 🆎 🄴 _VISA_. 🦌
Com carta 2100 a 3840 – 🖵 840 – **12 hab** 7675.

BURGUETE o **AURITZ** 31640 Navarra 442 D 25 y 26 – 348 h. alt. 960 – ✦ 948 – Deportes e invierno : ✓3.
Madrid 439 – Jaca 120 – ✦Pamplona/Iruñea 44 – St-Jean-Pied-de-Port 32.

🔥 Loizu ⏉ sin rest, Única 3 ℘ 76 00 08 – ❷
temp. – **22 hab.**

🔥 **Burguete** ⏉, Única 51 ℘ 76 00 05 – ❷. 쯰 ᴱ 𝚅𝙸𝚂𝙰. ✻
cerrado 16 diciembre-14 marzo – Com 1400 – ⬡ 400 – **22 hab** 1700/4200 – PA 2720.

BURLADA 31600 Navarra 442 D 25 – 13 949 h. – ✦ 948.
Madrid 391 – Jaca 117 – ✦Logroño 98 – ✦Pamplona/Iruñea 6.

🏨 **Burlada** sin rest, con cafetería, La Fuente 2 ℘ 13 13 00, Fax 12 23 46 – ▮ ▦ 📺 ☎ 🚗.
쯰 ⓸ 𝚅𝙸𝚂𝙰 ᴶᶜᴮ. ✻
⬡ 400 – **53 hab** 8500/12500.

BURRIANA 12530 Castellón de la Plana 445 M 29 – 25 003 h. – ✦ 964.
▮ La Tanda 33 ℘ 51 15 40.
✦Madrid 410 – Castellón de la Plana/Castelló de la Plana 11 – ✦Valencia 62.

en la autopista A 7 SO : 4 km – ✉ 12530 Burriana – ✦ 964 :

🏨 **La Plana y Rest. Rhodas Grill,** ℘ 51 25 50, Fax 51 27 54 – ▮ ▦ 📺 ⊛ ❷. 쯰 ᴱ 𝚅𝙸𝚂𝙰.
✻ rest
Com carta 1760 a 3285 – ⬡ 700 – **56 hab** 5500/8500.

en la playa SE : 2,5 km – ✉ 12530 Burriana – ✦ 964 :

🏨 **Aloha,** av. Mediterráneo 74 ℘ 58 50 00, Fax 58 50 00, ⒌ – ▮ ▦ 📺 ☎ ❷. ⓸ 𝚅𝙸𝚂𝙰. ✻
Com 2000 – ⬡ 475 – **30 hab** 4850/7250 – PA 3800.

CABAÑAS 15621 La Coruña 441 B 5 – 3 528 h. alt. 79 – ✦ 981 – Playa.
✦Madrid 611 – ✦La Coruña/A Coruña 50 – Ferrol 13 – Santiago de Compostela 87.

🏨 **Sarga,** carret. de La Coruña ℘ 43 10 00, Telex 85538, Fax 43 06 78, ⒌ – ▮ 📺 ⊛ 🚗 ❷.
쯰 ᴱ 𝚅𝙸𝚂𝙰. ✻
Com *(cerrado enero y febrero)* 2500 – ⬡ 600 – **80 hab** 8000/11000 – PA 4500.

CABEZÓN DE LA SAL 39500 Cantabria 442 C 17 – 6 056 h. alt. 128 – ✦ 942.
▮ pl. Ricardo Botín ℘ 70 03 32.
✦Madrid 401 – ✦Burgos 158 – ✦Oviedo 161 – Palencia 191 – ✦Santander 44.

🏠 El Cruce, Navas ℘ 70 00 32 – 📺 ❷
22 hab.

🏠 **Conde de Lara,** carret. N 634 - barrio La Losa ℘ 70 03 12 – ❷. 쯰 ⓸ ᴱ 𝚅𝙸𝚂𝙰. ✻
Com 1200 – ⬡ 400 – **22 hab** 3000/5500 – PA 2280.

en la carretera de Luzmela S : 3 km – ✉ 39500 Cabezón de la Sal – ✦ 942 :

XX **Venta Santa Lucía,** ℘ 70 10 61, Antigua posada – ❷. 쯰 ᴱ 𝚅𝙸𝚂𝙰. ✻
cerrado martes y 10 enero-10 febrero – Com carta 2500 a 3400.

CABO – ver a continuación y el nombre propio del cabo.

CABO DE PALOS 30370 Murcia 445 T 27 – ✦ 968.
✦Madrid 465 – ✦Alicante/Alacant 108 – Cartagena 26 – ✦Murcia 75.

🏨 El Cortijo ⏉, subida al faro ℘ 56 30 15, Fax 56 30 15, 🌁, « Original réplica del patio de los Leones », ⒌ – ☎
– **53 hab.**

XX **Miramar,** paseo del Puerto 12 ℘ 56 30 33, <, 🌁 – ▦. 쯰 ⓸ ᴱ 𝚅𝙸𝚂𝙰. ✻
cerrado martes y enero – Com carta 1900 a 3050.

X **La Tana,** paseo de la Barra 33 ℘ 56 30 03, <, 🌁 – 쯰 ⓸ ᴱ 𝚅𝙸𝚂𝙰. ✻
cerrado lunes y noviembre – Com carta 2100 a 2600.

CABRA 14940 Córdoba 446 T 16 – 19 819 h. alt. 350 – ✦ 957.
✦Madrid 432 – Antequera 66 – ✦Córdoba 75 – Granada 113 – Jaén 99.

X **Olivia,** av. Federico García Lorca 10 ℘ 52 09 30 – ▦. 쯰 ⓸ ᴱ 𝚅𝙸𝚂𝙰. ✻
cerrado lunes noche y del 12 al 30 de septiembre – Com carta 1850 a 2800.

EUROPE on a single sheet
Michelin map n° 970.

La CABRERA 28751 Madrid **444** J 19 – 819 h. alt. 1 038 – ✪ 91.

◆Madrid 56 – ◆Burgos 191.

🏠 **Mavi,** carret. N I 🖉 868 80 00, Fax 868 82 92, 🚖 – ☜ ℗, ⓞ **E** *VISA*. 🛠 rest
Com *(cerrado lunes)* 1800 – 🍽 400 – **42 hab** 2750/4850 – PA 3200.

🏠 El Cancho del Águila, carret. N I - N : 1 km 🖉 868 83 74 – 🍽 rest ℗
25 hab.

CABRERA DE MAR 08349 Barcelona **443** H 37 – 1 695 h. alt. 125 – ✪ 93.

◆Madrid 651 – ◆Barcelona 25 – Mataró 8.

XX **Santa Marta,** Josep Doménech 35 🖉 759 20 24, Fax 759 20 24, 🚖, « Terraza con ≤
– 🍽 ℗, **E** *VISA*. 🛠
cerrado Semana Santa y tres semanas en noviembre – Com carta 3800 a 4700.

CABRILS 08348 Barcelona **443** H 37 – 1 504 h. – ✪ 93.

◆Madrid 650 – ◆Barcelona 24 – Mataró 7.

🏠 **Cabrils,** Emilia Carles 31 🖉 753 24 56, Fax 753 24 56, 🚖 – ℗, **E** *VISA*
cerrado 23 diciembre-enero – Com *(cerrado miércoles)* 975 – 🍽 275 – **19 hab** 2800/430
– PA 1800.

XX **Hostal de la Plaça,** pl. de l'Església 11 🖉 753 19 02, Fax 753 18 67, 🚖 – 🖭 ⓞ **E** *VIS*
cerrado lunes salvo festivos y del 1 al 23 septiembre – Com carta 2200 a 3000.

X Splá, Emilia Carles 18 🖉 753 19 06 – 🍽.

CACABELOS 24540 León **441** E 9 – 4 096 h. – ✪ 987.

◆Madrid 393 – Lugo 108 – Ponferrada 14.

X **La Moncloa,** Cimadevilla 99 🖉 54 61 01, Fax 54 90 56, 🚖, Rest. típico, « Conjunto rústico
regional » – 🖭 *VISA*. 🛠
Com carta 1950 a 2500.

X Casa Gato, av. de Galicia 7 🖉 54 64 08.

CÁCERES 10000 ℗ **444** N 10 – 71 852 h. alt. 439 – ✪ 927.

Ver : El Cáceres Viejo★★★ BYZ : Plaza de Santa María★, Palacio de los Golfines de Abajo★ D
Alred. : Virgen de la Montaña ≤★ E : 3 km BZ – Arroyo de la Luz (Iglesia de la Asunción : tablas
del retablo★) O : 20 km.

🅱 pl. Mayor 37, 🖂 10003, 🖉 24 63 47 – R.A.C.E. av. de Alemania 1, 🖂 10001, 🖉 21 35 19.

◆Madrid 307 ① – ◆Coimbra 292 ③ – ◆Córdoba 325 ② – ◆Salamanca 217 ③ – ◆Sevilla 265 ②.

Plano página siguiente

🏨 **Parador de Cáceres** 🏛, Ancha 6, 🖂 10003, 🖉 21 17 59, Fax 21 17 29 – 🛗 🍽 📺 ☎ –
🅰 25/30. 🖭 ⓞ *VISA*. 🛠   BZ **b**
Com 3200 – 🍽 1100 – **27 hab** 13000 – PA 6375.

🏨 **Meliá Cáceres,** pl. San Juan 11, 🖂 10003, 🖉 21 58 00, Telex 28914, Fax 21 40 70
« Instalado en el antiguo palacio de Los Marqueses de Oquendo » – 🛗 🍽 📺 ☎ -
🅰 25/175. 🖭 ⓞ **E** *VISA*. 🛠   BYZ **x**
Com 3000 – 🍽 1200 – **85 hab** 10100/12500 – PA 6120.

🏨 **Extremadura,** av. Virgen de Guadalupe 5, 🖂 10001, 🖉 22 16 00, Fax 21 10 95, 🚖, 🏊
🏊 – 🛗 🍽 📺 ☎ 🚗, 🖭 ⓞ **E** *VISA*. 🛠 rest   AZ **v**
Com 1500 – 🍽 650 – **68 hab** 5500/8500 – PA 3100.

🏨 **Alcántara,** av. Virgen de Guadalupe 14, 🖂 10001, 🖉 22 89 00, Fax 22 87 68 – 🛗 🍽 📺
☎ 🚗, 🖭 ⓞ **E** *VISA*. 🛠   AZ **a**
Com 2500 – 🍽 800 – **67 hab** 7100/10600.

🏠 **Almonte** sin rest, con cafetería, Gil Cordero 6, 🖂 10001, 🖉 24 09 26 – ☜ 🚗. 🖭 **E** *VISA*
🍽 250 – **86 hab** 2500/3800.   AZ **u**

🏠 **Hernán Cortés** sin rest y sin 🍽, travesía Hernán Cortés 6, 🖂 10004, 🖉 24 34 88 – ☎
VISA. 🛠   AY **n**
18 hab 2400/3750.

XXX **Atrio,** av. de España 30, 🖂 10002, 🖉 24 29 28, Fax 22 11 11 – 🍽. 🖭 ⓞ **E** *VISA*   AZ **n**
cerrado domingo noche – Com carta 4540 a 4950.

X **El Figón de Eustaquio,** pl. San Juan 12, 🖂 10003, 🖉 24 81 94, Decoración rústica – 🍽
🖭 ⓞ *VISA*. 🛠   BY **e**
Com carta 2550 a 3300.

en la carretera de Salamanca N 630 por ③ – ✪ 927 :

🏨 **V Centenario,** urb. Castellanos 1,5 km, 🖂 10001, 🖉 23 22 00, Fax 23 22 02, 🏊, 🛠 – 🛗
🍽 📺 ☎ 🚗. 🅰 25/450. 🖭 ⓞ **E** *VISA*. 🛠
Com *(cerrado domingo)* carta 4100 a 5500 – 🍽 1100 – **138 hab** 10400/13000.

XX **Álvarez,** 4 km, 🖂 10000, 🖉 23 06 50, Fax 23 06 50, 🚖 – 🍽 ℗. 🖭 ⓞ **E** *VISA*. 🛠
Com carta 3700 a 4800.

CÁCERES

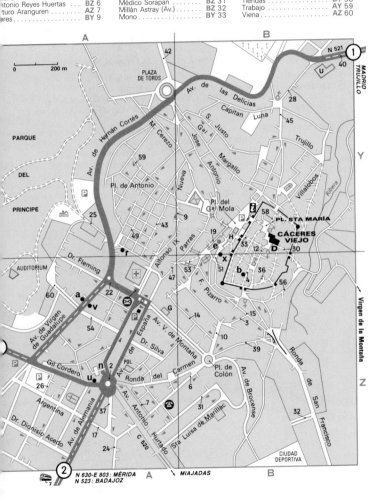

CADAQUÉS 17488 Gerona 443 F 39 – 1 547 h. – 972 – Playa.

🖪 Cotxe 2 🖂 17488, 𝄞 25 83 15, Fax 15 94 42.

◆Madrid 776 – Figueras/Figueres 31 – Gerona/Girona 69.

🏨 **Playa Sol** sin rest, con cafetería, platja Pianch 3 𝄞 25 81 00, Fax 25 80 54, ≤, ⣤, ⣯, – 📶 ☰ 📺 ☎ 🚗 🅿. 🖭 ⓞ 🗲 𝘝𝘐𝘚𝘈. ⚓
cerrado enero-15 febrero – 🖃 1000 – **50 hab** 9900/15900.

🏠 **S'Aguarda**, carret. de Port-Lligat 28 (N : 1 km) 𝄞 25 80 82, Fax 25 87 56, ≤, ⣤ – 📶 ☰ re
📺 ☎ 🅿. 🖭 ⓞ 🗲 𝘝𝘐𝘚𝘈. ⚓
cerrado noviembre – Com (abril-octubre) 1650 – 🖃 475 – **27 hab** 4800/8000.

🏠 **Blaumar** sin rest, Massa d'Or 21 𝄞 15 90 20, Fax 25 80 54, ≤ – 📶 📺 ☎ 🚗. ⓞ 🗲 𝘝𝘐𝘚𝘈. ⚓
cerrado del 15 al 28 de febrero y del 2 al 30 de noviembre – 🖃 800 – **21 hab** 6900/1090

🏡 **Marina**, Riera Sant Vicent 3 𝄞 25 81 99, 🏠 – 🖭 🗲 𝘝𝘐𝘚𝘈
🖃 400 – **27 hab** 3100/5800.

🍴 **Es Baluard**, Riba Nemesio Llorens 2 𝄞 25 81 83, Instalado en un antiguo baluarte –
🗲 𝘝𝘐𝘚𝘈
cerrado jueves y 15 octubre-27 noviembre – Com carta 2850 a 4300.

🍴 **La Galiota**, Narcís Monturiol 9 𝄞 25 81 87 – 🖭 🗲 𝘝𝘐𝘚𝘈
julio-septiembre, fines de semana y festivos resto del año – Com carta 2700 a 4700.

🍴 **Don Quijote**, av. Caridad Seriñana 5 𝄞 25 81 41, 🏠, Terraza cubierta de yedra.

CÁDIZ 11000 🅿 446 W 11 – 157 766 h. – 956 – Playa. – **Ver** : – Los paseos marítimos★
jardines★ AY – Museo de Cádiz★ (sarcófagos fenicios★, lienzos de Zurbarán★) BY M – Muse
Histórico : maqueta★ AY M1 – Museo de la Catedral : colección de orfebrería★ BZ.

🚢 𝄞 25 11 59 – 🚣 para Canarias : Cía. Trasmediterránea, av. Ramón de Carranza 2◄
🖂 11006, 𝄞 28 43 11, Telex 46619 BYZ.

🖪 Calderón de la Barca 1, 🖂 11003, 𝄞 21 13 13 – R.A.C.E. Santa Teresa 4, 🖂 11010, 𝄞 25 07 0
◆Madrid 646 ① – Algeciras 124 ① – ◆Córdoba 239 ① – ◆Granada 306 ① – ◆Málaga 262 ① – ◆Sevilla 123 ①

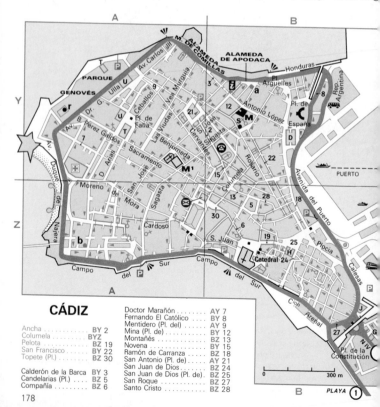

CÁDIZ

Atlántico, Duque de Nájera 9, ⊠ 11002, 𝒫 22 69 05, Telex 76316, Fax 21 45 82, ≤, ⤓ –
|≉| 🖪 📺 ☎ ⇦ – 🛦 25/500. 🖭 ⓪ 𝕍𝕀𝕊𝔸. ⚹ AY **r**
Com 3200 – ⴲ 1100 – **153 hab** 12500 – PA 6375.

Meliá la Caleta sin rest. con cafetería, av. Amílcar Barca (playa de la Victoria), ⊠ 11009,
𝒫 27 94 11, Telex 76040, Fax 25 93 22, ≤ – |≉| 🖪 📺 ☎ &, ⇦ – 🛦 25/130. 🖭 ⓪ 🔁 𝕍𝕀𝕊𝔸
𝕁ᴄв. ⚹ – ⴲ 1200 – **143 hab** 10000/12500. ①

Puertatierra, av. Andalucía 34, ⊠ 11008, 𝒫 27 21 11, Fax 25 03 11, ⚹ – |≉| 🖪 📺 ☎
– 🛦 25/200. 🖭 ⓪ 🔁 𝕍𝕀𝕊𝔸. ⚹ por ①
Com (cerrado domingo) 2500 – ⴲ 800 – **98 hab** 9000/11800 – PA 4640.

Regio 2 sin rest, av. Andalucía 79, ⊠ 11008, 𝒫 25 30 08, Fax 25 30 09 – |≉| ☎ ⇦ 🅿.
🖭 ⓪ 🔁 𝕍𝕀𝕊𝔸. ⚹ por ①
ⴲ 525 – **40 hab** 4500/8500.

Francia y París sin rest, pl. de San Francisco 2, ⊠ 11004, 𝒫 21 23 19, Fax 22 24 31 – |≉|
📺 ☎. 🖭 BY **s**
ⴲ 560 – **57 hab** 6000/8500.

Regio sin rest, av. Ana de Viya 11, ⊠ 11009, 𝒫 27 93 31 – |≉| ☎. 🖭 ⓪ 🔁 𝕍𝕀𝕊𝔸 𝕁ᴄв. ⚹ por ①
ⴲ 525 – **40 hab** 4000/7500.

El Faro, San Félix 15, ⊠ 11002, 𝒫 21 10 68, Fax 21 21 88, Pescados y mariscos – 🖪. 🖭
⓪ 🔁 𝕍𝕀𝕊𝔸 𝕁ᴄв. ⚹ – Com carta aprox. 3800. AZ **b**

1800, paseo Marítimo 3, ⊠ 11009, 𝒫 26 02 03 – 🖪. 🖭 ⓪ 🔁 𝕍𝕀𝕊𝔸. ⚹ por ①
cerrado lunes y febrero – Com carta aprox. 4600.

El Brocal, av. José León de Carranza 4, ⊠ 11011, 𝒫 25 77 59 – 🖪. 🖭 ⓪ 🔁 𝕍𝕀𝕊𝔸
cerrado domingo – Com carta 2150 a 3300. por ①

El Anteojo, Alameda de Apodaca 22, ⊠ 11004, 𝒫 22 13 20, ≤, 🥘 – 🖪 BY **a**

CAÍDOS (Valle de los) 28209 Madrid 𝟜𝟜𝟜 K 17 – ✪ 91 – Zona de peaje..

Ver : Lugar★★ – Basílica★★ (cúpula★) – Cruz★.

Madrid 52 – El Escorial 13 – ✦Segovia 47.

Hoteles y restaurantes ver : **Guadarrama** NE : 8 km, **San Lorenzo de El Escorial** S : 13 km.

☞ Benutzen Sie für weite Fahrten in Europa die Michelin-Länderkarten :

𝟡𝟟𝟘 Europa, 𝟡𝟠𝟘 Griechenland, 𝟡𝟠𝟜 Deutschland, 𝟡𝟠𝟝 Skandinavien-Finnland,
𝟡𝟠𝟞 Großbritannien-Irland, 𝟡𝟠𝟟 Deutschland-Österreich-Benelux, 𝟡𝟠𝟠 Italien,
𝟡𝟠𝟡 Frankreich, 𝟡𝟡𝟘 Spanien-Portugal, 𝟡𝟡𝟙 Jugoslawien.

CALABARDINA Murcia – ver Águilas.

CALA BONA Baleares – ver Baleares (Mallorca) : Son Servera.

CALA CANYAMEL Baleares – ver Baleares (Mallorca) : Capdepera.

CALA DE SAN VICENTE Baleares – ver Baleares (Mallorca).

CALA D'OR Baleares – ver Baleares (Mallorca).

CALA ES FORTÍ Baleares – ver Baleares (Mallorca) : Cala d'Or.

CALAF 08280 Barcelona 𝟜𝟜𝟛 G 34 – 3 225 h. – ✪ 93.

Madrid 551 – ✦Barcelona 93 – ✦Lérida/Lleida 82 – Manresa 34.

Calaf con buffet, carret. de Igualada 1 𝒫 869 84 49 – 🖪 🅿. 🔁 𝕍𝕀𝕊𝔸. ⚹
cerrado lunes (salvo 16 julio-16 septiembre) y del 1 al 15 de julio – Com (sólo almuerzo)
carta 2100 a 4125.

CALAFELL 43820 Tarragona 𝟜𝟜𝟛 I 34 – 7 075 h. – ✪ 977 – Playa.

🖪 Sant Pere 37-39, 𝒫 69 29 81, Fax 69 29 81, ⊠ 43820.

Madrid 574 – ✦Barcelona 65 – Tarragona 31.

en la playa :

Kursaal ⑤, av. Sant Joan de Déu 119 𝒫 69 23 00, Fax 69 27 55, ≤, 🥘 – |≉| 🖪 📺 ☎ ⇦.
🖭 ⓪ 🔁 𝕍𝕀𝕊𝔸. ⚹ rest
marzo- 15 septiembre – Com 2200 – ⴲ 700 – **38 hab** 4750/9500 – PA 4300.

Áncora, Casanova 23 𝒫 69 42 00, Fax 69 23 33, Servicios terapéuticos y de cirugía estética,
🖪₀ – |≉| 📺 ☎ &. 🖭 ⓪ 🔁 𝕍𝕀𝕊𝔸. ⚹
Com (ver rest. Áncora) – **18 hab** ⴲ 6500/7500, 30 apartamentos.

Canadá, av. Mossén Jaume Soler 44 𝒫 69 15 00, Fax 69 12 55, 🥘, ⤓, ⚹ – |≉| 🅿. 🖭.
⚹
junio-septiembre – Com 2000 – ⴲ 500 – **106 hab** 6000/9000 – PA 4500.

XX **Papiol,** av. Sant Joan de Déu 56 ℰ 69 13 49, 斧, Pescados y mariscos – 圖. ℡ **E** 𝓥𝓘𝓢𝓐. 彩
cerrado lunes y martes en invierno y del 8 al 31 de enero – Com carta 3380 a 5500.

XX **Masia de la Platja,** Vilamar 67 ℰ 69 13 41, Pescados y mariscos – 圖. ℡ ◑ **E** 𝓥𝓘𝓢𝓐. 彩
cerrado martes noche, miércoles (salvo julio-septiembre) y 20 diciembre-13 enero – Con
carta 3025 a 4800.

XX Áncora, Casanova 17 ℰ 69 42 00, Fax 69 23 33 – 圖.

X **La Barca de Ca L'Ardet,** av. Sant Joan de Déu 79 ℰ 69 15 59, 斧, Pescados y marisco
– 圖. **Ꝑ**. ℡ ◑ **E** 𝓥𝓘𝓢𝓐
cerrado miércoles (salvo junio-agosto) y 15 diciembre-15 enero – Com carta 3350 a 5100

en Segur de Calafell E : 3 km – ⊠ 43882 Segur de Calafell – ✆ 977 :

🏨 **Victoria,** carret. C 246 ℰ 16 20 08, 斧, ﬞℐ𝔰, ⅃ climatizada – 圖 rest ⊺⊻ ☎ ⇦⇨. **E** 𝓥𝓘𝓢𝓐
彩 rest
Com 1800 – 🖂 650 – **32 hab** 7200/10100.

X **Mediterrani,** pl. Mediterrani ℰ 16 23 27 – 圖. ℡ **E** 𝓥𝓘𝓢𝓐. 彩
cerrado domingo noche, lunes y 23 diciembre-6 enero – Com carta 3150 a 4550.

CALA FIGUERA Baleares – ver Baleares (Mallorca).

CALA FINESTRAT Alicante – ver Benidorm.

CALA FONDUCO Baleares – ver Baleares (Menorca) : Mahón.

CALA FORNELLS Baleares – ver Baleares (Mallorca) : Paguera.

CALA GALDANA Baleares – ver Baleares (Menorca) : Ferrerías.

CALAHONDA 18730 Granada 📖📖📖 V 19 – ✆ 958 – Playa.
Alred. : Carretera⋆ de Calahonda a Castell de Ferro.
◆Madrid 518 – ◆Almería 100 – ◆Granada 89 – ◆Málaga 121 – Motril 13.

🏠 El Ancla, av. de los Geránios 1 ℰ 62 30 42, 斧 – |🛗| 圖 rest ⊺⊻ ☎ – **52 hab.**

CALAHORRA 26500 La Rioja 📖📖 F 24 – 17 695 h. alt. 350 – ✆ 941.
◆Madrid 320 – ◆Logroño 55 – Soria 94 – ◆Zaragoza 128.

🏨 **Parador Marco Fabio Quintiliano,** parque Era Alta ℰ 13 03 58, Fax 13 51 39 – |🛗| 圖 ⊺⊻
☎ **Ꝑ** – 🚗 25/140. ℡ ◑ 𝓥𝓘𝓢𝓐. 彩
Com 3200 – 🖂 1100 – **63 hab** 11000 – PA 6375.

🏨 Chef Nino, Padre Lucas 2 ℰ 13 31 04, Fax 13 35 16 – |🛗| 圖 ⊺⊻ ☎ ⇦⇨ – **28 hab.**

🏠 **Montserrat,** Maestro Falla 1 ℰ 13 55 00, Fax 13 55 54 – |🛗| 圖 ☎. ◑ **E** 𝓥𝓘𝓢𝓐. 彩 rest
Com (ver rest. **Montserrat 2**) – 🖂 300 – **25 hab** 2500/4000.

X **La Taberna de la Cuarta Esquina,** Cuatro Esquinas 16 ℰ 13 43 55 – 圖. ℡ ◑ **E** 𝓥𝓘𝓢𝓐. 彩
cerrado martes y del 6 al 31 de julio – Com carta 2150 a 3050.

X **Montserrat 2,** Maestro Falla 7 ℰ 13 00 17 – 圖. ◑ **E** 𝓥𝓘𝓢𝓐. 彩
Com carta 2400 a 3900.

CALA LLONGA Baleares – ver Baleares (Ibiza) : Santa Eulalia del Río.

CALA MAYOR Baleares – ver Baleares (Mallorca) : Palma de Mallorca.

CALA MILLOR Baleares – ver Baleares (Mallorca) : Son Servera.

CALAMOCHA 44200 Teruel 📖📖📖 J 26 – 4 673 h. alt. 884 – ✆ 978.
◆Madrid 261 – Soria 157 – Teruel 72 – ◆Zaragoza 110.

🌳 **Fidalgo,** carret. N 234 ℰ 73 02 77, Fax 73 02 77 – 圖 rest ⊺⊻ ⊜ **Ꝑ**. ℡ ◑ **E** 𝓥𝓘𝓢𝓐. 彩
Com 1375 – 🖂 300 – **20 hab** 3000/5800 – PA 2575.

CALA MONTJOI Gerona – ver Rosas.

CALANDA 44570 Teruel 📖📖📖 J 29 – 3 251 h. – ✆ 978.
◆Madrid 362 – Teruel 136 – ◆Zaragoza 123.

🏠 **Balfagón,** carret. N 211 ℰ 84 63 12, Fax 84 63 12 – 圖 rest ☎ ⇦⇨ **Ꝑ**. ◑ **E** 𝓥𝓘𝓢𝓐. 彩
Com *(cerrado domingo noche)* 1200 – 🖂 250 – **29 hab** 2400/4000 – PA 2500.

CALA PI Baleares – ver Baleares (Mallorca).

CALA RATJADA Baleares – ver Baleares (Mallorca).

CALA SAHONA Baleares – ver Baleares (Formentera).

CALA TARIDA (Playa de) Baleares – ver Baleares (Ibiza) : San José.

CALATAYUD 50300 Zaragoza 443 H 25 – 17 941 h. alt. 534 – ✆ 976.

🛈 pl. del Fuerte ✆ 88 13 14.

♦Madrid 235 – Cuenca 295 – ♦Pamplona/Iruñea 205 – Teruel 139 – Tortosa 289 – ♦Zaragoza 87.

🏨 **Fornos**, paseo de las Cortes de Aragón 5 ✆ 88 13 00, Fax 88 31 47 – 🛗 ▤ ☎. ⅍ ➀ ⋸
 ⅥⅣⅤⅬ. ⅍ rest
 Com 1225 – ⅏ 425 – **46 hab** 4000/6400 – PA 2440.

✗ **Lisboa**, paseo de las Cortes de Aragón 10 ✆ 88 25 35 – ▤. ⅍ ➀ ⋸ ⅥⅣⅤⅬ
 cerrado domingo noche y lunes noche – Com carta 1800 a 3300.

 en la antigua carretera N II – ⊠ 50300 Calatayud – ✆ 976 :

🏨 **Calatayud**, E : 2 km salida 237 autovía ✆ 88 13 23, Fax 88 54 38 – ▤ rest 📺 ☎ ⟺ ⓟ
 – ⚿ 25/130. ⅍ ⋸ ⅥⅣⅤⅬ. ⅍ rest
 Com 1600 – ⅏ 500 – **63 hab** 4175/6950 – PA 3050.

🏨 **Marivella**, NE : 6 km salida 240 autovía ✆ 88 12 37, Fax 88 51 50 – ▤ rest 📺 ☜ ⓟ. ⅍
 Com 800 – ⅏ 150 – **39 hab** 1800/3000 – PA 1750.

CALA TORRET Baleares – ver Baleares (Menorca) : San Luis.

CALA VIÑAS Baleares – ver Baleares (Mallorca) : Palma Nova.

CALDAS DE MALAVELLA o CALDES DE MALAVELLA 17455 Gerona 443 G 38 – 2 812 h.
alt. 94 – ✆ 972 – Balneario – ♦Madrid 696 – ♦Barcelona 83 – Gerona/Girona 19.

🏨 **Baln. Vichy Catalán** ⌇, av. Dr. Furest 32 ✆ 47 00 00, Fax 47 22 99, En un parque, ƒ⌀,
 ⊞, ⅍ – 🛗 ▤ rest 📺 ☎ ⓟ – ⚿ 25/100. ➀ ⋸ ⅥⅣⅤⅬ. ⅍
 Com 3000 – ⅏ 650 – **82 hab** 8150/15000, 4 suites.

🏨 **Baln. Prats** ⌇, pl. Sant Esteve 7 ✆ 47 00 51, Fax 47 22 33, « Terraza con arbolado », ⊥ de
 agua termal – 🛗 📺 ☎ ⓟ. ⅍ ➀ ⋸ ⅥⅣⅤⅬ. ⅍
 Com 2400 – ⅏ 800 – **76 hab** 12400.

CALDAS DE MONTBUY o CALDES DE MONTBUI 08140 Barcelona 443 H 36 – 10 168 h.
alt. 180 – ✆ 93 – Balneario.

🛈 Bellit 3, ⊠ 08140, ✆ 865 41 40, Fax 865 32 10.

♦Madrid 636 – ♦Barcelona 29 – Manresa 57.

🏨 **Vila de Caldes** sin rest, con cafetería, pl. de l'Àngel 5 ✆ 865 41 00, Fax 865 00 95, Centro
 termal. Solarium con ⊥ y ≼ – 🛗 ▤ 📺 ☎ ⅏ ⟺ – ⚿ 25/50. ⅍ ➀ ⋸ ⅥⅣⅤⅬ Ⳍⅽⅈ. ⅍
 ⅏ 1100 – **30 hab** 13600/16800.

🏨 **Baln. Broquetas** ⌇, pl. Font de Lleó 1 ✆ 865 01 00, Fax 865 23 12, ⌇, « Jardín con
 arbolado y ⊥ climatizada », ƒ⌀ – 🛗 ▤ 📺 ☎ ⓟ. ⅍ ➀ ⋸ ⅥⅣⅤⅬ Ⳍⅽⅈ. ⅍ rest
 Com 1975 – ⅏ 825 – **84 hab** 7525/13000.

🏨 **Baln. Termas Victoria** ⌇, Barcelona 12 ✆ 865 01 50, Fax 865 08 16, ⊥, ⅏ – 🛗 ▤ rest
 ☎ ⓟ. ➀ ⅥⅣⅤⅬ. ⅍ rest
 Com 1975 – ⅏ 500 – **85 hab** 8925/11350.

CALDAS DE REYES o CALDAS DE REIS 36650 Pontevedra 441 E 4 – 8 702 h. alt. 22 –
✆ 986 – Balneario –♦Madrid 621 – Orense/Ourense 122 – Pontevedra 23 – Santiago de Compostela 34.

🏨 **Baln. Acuña**, Herrería 2 ✆ 54 00 10, « Jardín con arbolado, ⊥ de agua termal » – 🛗 ⟺
 ⓟ. ⅍ rest
 julio-septiembre – Com 2100 – ⅏ 400 – **21 hab** 5500/7250 – PA 4000.

CALDES DE BOÍ Lérida – ver Bohí.

CALDETAS o CALDES D'ESTRAC 08393 Barcelona 443 H 37 – 1 162 h. ✆ 93 – Playa.
� de Llavaneras O : 6 km ✆ 792 60 50.

♦Madrid 661 – ♦Barcelona 35 – Gerona/Girona 62.

🏨 **Colón**, Paz 16 ✆ 791 03 51, Telex 98671, Fax 791 05 00, ≼, ⌇, ⊥ – 🛗 ▤ ☎ – ⚿ 25/160.
 ⅍ ➀ ⋸ ⅥⅣⅤⅬ. ⅍ rest
 Com 3000 – **88 hab** ⅏ 7100/12000.

🏨 **Jet**, Santema 25 ✆ 791 06 51, Fax 791 27 54, ⊥ – 🛗 📺 ☜ ⟺. ⅍ ⋸ ⅥⅣⅤⅬ. ⅍ rest
 cerrado 6 enero-15 febrero y 24 noviembre-20 diciembre – Com 2200 – ⅏ 500 – **30 hab**
 4000/7000.

✗ **Emma**, Baixada de L'Estació 5 ✆ 791 13 05, ⌇ – ▤. ⋸ ⅥⅣⅤⅬ
 cerrado miércoles, enero y diciembre – Com carta 2650 a 4400.

CALELLA 08370 Barcelona 443 H 37 – 10 751 h. – ✪ 93 – Playa.

🛈 Sant Jaume 231, ℰ 769 05 59, ✉ 08370, Fax 769 59 82.

◆Madrid 683 – ◆Barcelona 48 – Gerona/Girona 49.

🏨 **Bernat II,** av. del Turisme 42 ℰ 766 01 33, Telex 80418, Fax 766 07 16, *fa*, ⅃, 🔲 – 🛗 ≡
📺 ☎ ও ℗ – 🄰 25/300, 🄰🄴 ⓞ 🄴 𝘝𝘐𝘚𝘈 ᴊᴄв, ⅏
Com 1800 – ⅏ 600 – **137 hab** 9500/13800 – PA 3600.

🏨 **Sant Jordi,** av. del Turisme 80 ℰ 766 19 19, Fax 557 05 66, ⅃ – 🛗 ≡ 📺 ☎ ও ℗, 🄰🄴 🄴
𝘝𝘐𝘚𝘈, ⅏
cerrado del 2 al 31 de enero – Com 1800 – ⅏ 1000 – **49 hab** 7000/10500 – PA 3900.

🏨 **Vila,** Sant Josep 66 ℰ 766 21 69, Fax 766 19 56, ⅃ – 🛗 ≡ rest – 🄰 25/160, 🄰🄴 ⓞ 🄴
𝘝𝘐𝘚𝘈, ⅏
cerrado del 5 al 31 de enero – Com 1300 – ⅏ 500 – **167 hab** 5100/7350 – PA 2635.

🏨 **Calella Park,** Jovara 257 ℰ 769 03 00, Telex 56291, Fax 766 00 88, ⅃ – 🛗 ☎, 🄰🄴 𝘝𝘐𝘚𝘈, ⅏
abril- octubre – Com 750 – ⅏ 300 – **54 hab** 4000/6000 – PA 1440.

🏠 **Calella** sin rest, Anselm Clavé 134 ℰ 769 03 00, Telex 56291, Fax 766 00 88, ≤ – 🛗. 🄰🄴
𝘝𝘐𝘚𝘈, ⅏
abril- octubre – ⅏ 300 – **60 hab** 3500/4700.

✗ **El Hogar Gallego,** Ánimas 73 ℰ 766 20 27, Pescados y mariscos – ≡. 🄰🄴 ⓞ 🄴 𝘝𝘐𝘚𝘈 ᴊᴄв,
⅏
cerrado lunes y febrero – Com carta 2200 a 4150.

CALELLA DE PALAFRUGELL 17210 Gerona 443 G 39 – ✪ 972 – Playa.
Alred. : Jardín Botánico del Cap Roig★ : ≤★★.

🛈 Les Voltes 9, ✉ 17210, ℰ 61 44 75.

◆ Madrid 727 – ◆ Gerona/Girona 43 – Palafrugell 6 – Palamós 17.

🏨 **Alga y Rest. el Cantir** ⑤, Costa Blanca 55 ℰ 61 48 70, Fax 61 48 70, 🏛, ⅃, 🌴, ⅏
– 🛗 ≡ rest ☎ ℗ 🄰🄴 🄴 𝘝𝘐𝘚𝘈, ⅏ rest
Semana Santa-15 octubre – Com carta 2700 a 4000 – **54 hab** ⅏ 11100/11600.

🏨 **Garbi** ⑤, av. Costa Daurada 20 ℰ 61 40 40, Fax 61 58 03, 🏛, « En el centro de un pinar »,
⅃ climatizada, 🌴 – 🛗 📺 ☎ ℗ 🄰🄴 𝘝𝘐𝘚𝘈, ⅏ rest
abril-15 octubre – Com 1925 – ⅏ 615 – **30 hab** 6235/9165 – PA 3800.

🏨 **Port-Bo** ⑤, August Pi i Sunyer 6 ℰ 61 49 62, Fax 61 40 65, 🏛, ⅃, ⅏ – 🛗 ≡ rest ☎
℗ 🄰🄴 𝘝𝘐𝘚𝘈, ⅏
abril - octubre – Com (sólo cena) 1700 – ⅏ 500 – **61 hab** 4000/7000.

🏨 **Sant Roc** ⑤, pl. Atlàntic 2 - barri Sant Roc ℰ 61 42 50, Fax 61 40 68, « Terraza dominando
la costa con ≤ » – 🛗 ≡ rest 📺 ☎ ℗ 🄰🄴 ⓞ 🄴 𝘝𝘐𝘚𝘈, ⅏ rest
18 marzo-15 octubre – Com 2170 – ⅏ 615 – **42 hab** 6350/10455 – PA 3685.

🏠 **La Torre** ⑤, passeig de la Torre 28 ℰ 61 46 03, Fax 60 01 12, ≤, 🏛 – ☜ ℗ ⅏
junio-septiembre – Com 1800 – **28 hab** ⅏ 5300/10400.

🏠 **Mediterráneo,** Francesc Estrabau 40 ℰ 61 45 00, Fax 61 45 00, ≤, ⅏ – ☜ ℗ 🄰🄴 🄴 𝘝𝘐𝘚𝘈
15 mayo-septiembre – Com 1900 – ⅏ 575 – **38 hab** 4700/9400 – PA 3700.

🏠 **Batlle** sin rest, Les Voltes 4 ℰ 61 59 05, ≤ – 🛗 ℗
temp. – **16 hab.**

La CALETA DE VÉLEZ 29751 Málaga 446 V 17 – ✪ 95 – Playa.

◆Madrid 554 – ◆Almería 173 – ◆Granada 124 – ◆Málaga 35.

🏠 El Paraíso, av. de Andalucía 139 ℰ 251 11 24, ≤ – ≡ rest ☎ – **15 hab.**

La CALOBRA Baleares – ver Baleares (Mallorca).

CALONGE 17251 Gerona 443 G 39 – 4 973 h. alt. 36 – ✪ 972

◆Madrid 714 – ◆Barcelona 109 – Gerona/Girona 50 – Palamós 5.

✗ **Can Ramón,** Balmes 21 ℰ 65 00 06, 🏛 – ℗ 🄰🄴 🄴 𝘝𝘐𝘚𝘈
cerrado domingo noche salvo verano y 24 diciembre-15 enero – Com carta 1750 a 3200.

CALPE o **CALP** 03710 Alicante 445 Q 30 – 8 000 h. – ✪ 96 – Playa.
Alred. : Peñón de Ifach★.

🛅 Club Ifach NE : 3 km.

🛈 av. Ejércitos Españoles ℰ 583 12 50.

◆Madrid 464 – Alicante 63 – Benidorm 22 – Gandía 48.

✗ **Casita Suiza,** Jardín 9 - Edificio Apolo III ℰ 583 06 06, Cocina suiza – ≡. 🄰🄴 🄴 𝘝𝘐𝘚𝘈
cerrado domingo, lunes, 20 junio-15 julio y del 1 al 20 diciembre – Com (sólo cena) carta
2350 a 3675.

✗ **La Cambra,** Delfín ℰ 583 06 05 – ≡. 🄰🄴 🄴 𝘝𝘐𝘚𝘈, ⅏
cerrado domingo y junio – Com carta aprox. 3650.

✗ El Bodegón, Delfín 8 ℰ 583 01 64, Decoración rústica castellana – ≡.

X **Rincón de Paco,** Oscar Esplá 𝒫 583 08 32 – 🍽. 🆎 ⓞ 🇪 𝘝𝘐𝘚𝘈. ✸
cerrado enero – Com carta 2535 a 3225.

X **Los Zapatos,** Santa María 7 𝒫 583 15 07 – 🆎 ⓞ 🇪 VISA. ✸
cerrado miércoles, 29 junio-8 julio y del 16 al 30 de noviembre – Com carta 3025 a 5000.

en la carretera de Moraira E : 3,5 km – ✉ 03710 Calpe – ☻ 96

🏨 **Roca Esmeralda,** Ponent 1-playa de Levante 𝒫 583 61 01, Fax 583 60 04, ≤, 🍽, *Ⅰ₅*, *ℤ*,
🏊 – 🛗 🍽 📺 ☎ & ⇦ – 🔌 25/300. 🆎 ⓞ 🇪 𝘝𝘐𝘚𝘈. ✸
Com 2050 – ⊊ 750 – **212 hab** 9715/12130.

en la carretera de Valencia – ✉ 03710 Calpe – ☻ 96

🏠 **Venta La Chata** sin rest, N : 4,5 km 𝒫 583 03 08, 🍽, Decoración regional, 🐎, ✸ – 🍷
⇦ ⓟ. 🆎 ⓞ 🇪 𝘝𝘐𝘚𝘈 – ⊊ 360 – **17 hab** 2700/5000.

XX **Casa del Maco,** Pou Roig-Lleus N : 2,5 km y desvío 1,2 km 𝒫 (908) 16 30 00, 🍽, *Ⅰ* –
ⓟ. 🆎 ⓞ 🇪 𝘝𝘐𝘚𝘈
cerrado martes (salvo julio y agosto) y noviembre-10 diciembre – Com carta 2900 a 4300.

CALVIÁ Baleares – ver Baleares (Mallorca).

CAMALEÑO 39587 Cantabria 🄳🄳🄳 C 15 – 1 402 h. – ☻ 942.
◆Madrid 483 – ◆Oviedo 173 – ◆Santander 126.

🏠 **Jisu,** carret. de Fuente Dé O : 0,5 km 𝒫 73 30 38, Fax 73 03 15 – 📺 ☎ ⓟ. 🆎 ⓞ 🇪 𝘝𝘐𝘚𝘈. ✸
Com 2000 – ⊊ 400 – **8 hab** 4500/8500.

X **El Caserío** ⚲ con hab, 𝒫 73 30 48 – ⓟ. 🆎 𝘝𝘐𝘚𝘈. ✸
marzo-octubre y fines de semana resto del año – Com carta aprox. 1600 – ⊊ 400 – **17 hab**
3000/4500.

CAMARENA 45180 Toledo 🄳🄳🄳 M 15 – 1 894 h. – ☻ 91.
◆Madrid 58 – Talavera de la Reina 80 – Toledo 29.

X **Mesón Gregorio II,** Héroes del Alcázar 34 𝒫 817 43 72 – 🍽. ⓞ 🇪 𝘝𝘐𝘚𝘈. ✸
cerrado miércoles – Com carta 3100 a 4300.

CAMARZANA DE TERA 49620 Zamora 🄳🄳🄳 G 11 – 1 337 h. alt. 777 – ☻ 980.
◆Madrid 292 – Benavente 33 – ◆León 103 – Zamora 36.

🏠 **Juan Manuel,** carret. Benavente-Orense 𝒫 64 94 46 – ☎ ⓟ
16 hab.

CAMBADOS 36630 Pontevedra 🄳🄳🄳 E 3 – 12 628 h. – ☻ 986 – Playa.
Ver : Plaza de Fefiñanes★.
🅱 Novedades, 𝒫 52 46 78 (temp.).
◆Madrid 638 – Pontevedra 34 – Santiago de Compostela 53.

🏨 **Parador de Cambados,** paseo de Cervantes 𝒫 54 22 50, Fax 54 20 68, « Conjunto de
estilo regional », *Ⅰ*, 🍽, ✸ – 🛗 🍽 ☎ ⓟ – 🔌 25/60. 🆎 ⓞ 𝘝𝘐𝘚𝘈. ✸
Com 3200 – ⊊ 1100 – **63 hab** 11000 – PA 6375.

🏠 **Rosita,** av. de Villagarcia 8 𝒫 54 34 77, Fax 54 28 78 – 🍽 rest ☎ ⓟ. 🇪 𝘝𝘐𝘚𝘈. ✸
Com *(cerrado domingo noche)* 2200 – ⊊ 400 – **29 hab** 3800/6000.

🏠 **Carysan** sin rest, Eduardo Pondal 2 𝒫 52 01 08, Fax 54 24 70 – ⇦. ✸
Semana Santa y mayo-septiembre – ⊊ 375 – **23 hab** 4900.

XX **Ribadomar,** Terra Santa 17 𝒫 54 36 79 – ⓟ. 🆎 ⓞ 🇪 𝘝𝘐𝘚𝘈 𝙅𝘾𝘉. ✸
cerrado domingo noche salvo en verano y 2ª quincena de octubre – Com carta 2700 a 4300.

X **O Arco,** Real 14 𝒫 54 23 12, Pescados y mariscos – 🍽. 🆎 ⓞ 🇪 𝘝𝘐𝘚𝘈
cerrado domingo noche de noviembre a mayo – Com carta 2600 a 4300.

X **María José,** pl. das Rodas 6 𝒫 54 22 81 – 🆎 ⓞ 🇪 𝘝𝘐𝘚𝘈. ✸
cerrado domingo noche y lunes (noviembre-mayo) – Com carta 2100 a 2900.

CAMBRILS 43850 Tarragona 🄳🄳🄳 I 33 – 11 211 h. – ☻ 977 – Playa.
🅱 pl. Creu de la Missió 1, 𝒫 36 11 59, ✉ 43850.
◆Madrid 554 – Castellón de la Plana/Castelló de la Plana 165 – Tarragona 18.

en el puerto :

🏨 **Rovira,** av. Diputación 6 𝒫 36 09 00, Fax 36 09 44, ≤, 🍽, *Ⅰ* – 🛗 🍽 📺 ☎ ⓟ – 🔌 25/40.
🆎 ⓞ 🇪 𝘝𝘐𝘚𝘈. ✸
cerrado 20 diciembre-20 enero – Com *(cerrado martes salvo junio-septiembre)* 2100 – ⊊
685 – **58 hab** 5800/7200.

🏨 **Port Eugeni** sin rest, Rambla Jaime I 49 𝒫 36 52 61, Telex 56792, Fax 36 56 13, *Ⅰ* – 🛗
🍽 📺 ☎ ⇦ – 🔌 25/60. 🆎 🇪 𝘝𝘐𝘚𝘈. ✸
105 hab ⊊ 7200/10250.

🏠 **Princep Y Rest.Can Pessic,** pl. de la Iglesia 2 ℰ 36 11 27, Fax 36 35 32 – |🅐| 🗏 📺 ☎
⟷, 🖭 ⓪ Ɛ 𝑽𝑰𝑺𝑨
Com *(cerrado domingo noche, lunes y 23 diciembre-enero)* carta 3100 a 4400 – ⌖ 40
– **27 hab** 6800/9000.

🏠 **Mónica H.,** Galcerán Marquet 3 ℰ 36 01 16, Fax 79 36 78, « Césped con palmeras », 🗐
🌴 – |🅐| 🗏 📺 ☎ ⓟ, 🖭 Ɛ 𝑽𝑰𝑺𝑨. 🛇
cerrado diciembre-15 febrero – Com *(junio-septiembre)* 1500 – ⌖ 725 – **56 hab** 5120/680
– PA 2980.

🏠 **Tropicana,** av. Diputación ℰ 36 01 12, Fax 36 01 12, 🎇, 🗐, 🌴 – |🅐| ☎ ⓟ, Ɛ 𝑽𝑰𝑺𝑨. 🛇
26 marzo-octubre – Com 1400 – ⌖ 500 – **30 hab** 3600/6600 – PA 2890.

🏠 **Can Solé,** Ramón Llull 19 ℰ 36 02 36, Fax 36 17 68, 🎇 – 🗏 📺 ☎ ⟷, 🖭 ⓪ Ɛ 𝑽𝑰𝑺.
𝐉𝐂𝐁. 🛇
cerrado 22 diciembre-8 enero – Com *(cerrado domingo noche)* 1400 – ⌖ 450 – **26 hab**
2900/5250 – PA 2600.

𝖃𝖃𝖃 **Eugenia,** Consolat de Mar 80 ℰ 36 01 68, 🎇, Pescados y mariscos, « Terraza con
plantas » – 🗏 ⓟ, 🖭 ⓪ Ɛ 𝑽𝑰𝑺𝑨
*cerrado martes noche y miércoles en invierno, jueves mediodía en verano y del 1 al 15
de noviembre* – Com carta 3700 a 5400.

𝖃𝖃 ✿ **Joan Gatell - Casa Gatell,** paseo Miramar 26 ℰ 36 00 57, Fax 79 37 44, ≤, 🎇, Pescados
y mariscos – 🗏, 🖭 ⓪ Ɛ 𝑽𝑰𝑺𝑨. 🛇
cerrado domingo noche, lunes, enero y Navidades – Com carta 5450 a 6950
Espec. Entremeses "Gatell", Arroz marinera en cassola, Caldereta de bogavante..

𝖃𝖃 **Can Gatell-Rodolfo,** paseo Miramar 27 ℰ 36 03 31, Fax 36 57 20, ≤, 🎇, Pescados y
mariscos – 🗏, 🖭 ⓪ Ɛ 𝑽𝑰𝑺𝑨. 🛇
cerrado lunes noche, martes y 13 octubre-13 noviembre – Com carta 4300 a 5900.

𝖃𝖃 ✿ **Can Bosch,** Rambla Jaime I - 19 ℰ 36 00 19, Fax 36 38 72, Pescados y mariscos – 🗏
🖭 Ɛ 𝑽𝑰𝑺𝑨. 🛇
cerrado domingo noche, lunes y enero – Com carta aprox. 3675
Espec. Vieiras con tagliatelle, Arroz negro "Can Bosch", Rodaballo al horno con pimiento de
piquillo, habas, tomate y ajos confitados..

𝖃𝖃 **Rincón de Diego,** Drassanes 7 ℰ 36 13 07, 🎇 – 🗏, 🖭 ⓪ Ɛ 𝑽𝑰𝑺𝑨. 🛇
cerrado domingo noche, lunes y 20 diciembre-20 enero – Com carta 3750 a 4975.

𝖃𝖃 **Itziar,** av Diputación 8 ℰ 36 09 81, 🎇 – 🗏. 🖭 ⓪ Ɛ 𝑽𝑰𝑺𝑨. 🛇
cerrado miércoles y 15 enero-15 febrero – Com carta 2750 a 3700.

𝖃𝖃 **Bandert,** rambla Jaime I ℰ 36 10 63 – 🗏. 🖭 Ɛ 𝑽𝑰𝑺𝑨. 🛇
cerrado martes en invierno y martes mediodía en verano – Com carta 3450 a 5600.

𝖃 **Rovira,** paseo Miramar 37 ℰ 36 01 05, 🎇, Pescados y mariscos – 🗏. 🖭 ⓪ Ɛ 𝑽𝑰𝑺𝑨. 🛇
cerrado miércoles y 20 diciembre-22 enero – Com carta 2800 a 5050.

𝖃 **Casa Gallau,** Pescadores 25 ℰ 36 02 61, 🎇, Pescados y mariscos – 🗏. 🖭 ⓪ Ɛ 𝑽𝑰𝑺𝑨.
🛇
cerrado jueves y enero – Com carta 2950 a 4500.

𝖃 **Acuamar,** Consolat de Mar 66 ℰ 36 00 59, ≤ – 🗏. 🖭 ⓪ Ɛ 𝑽𝑰𝑺𝑨 𝐉𝐂𝐁. 🛇
cerrado miércoles noche, jueves, 15 octubre-15 noviembre y 22 diciembre-4 enero – Com
carta 3300 a 4150.

𝖃 **Macarrilla,** Las Barcas 14 ℰ 36 08 14, Pescados y mariscos – 🗏. ⓪ Ɛ 𝑽𝑰𝑺𝑨. 🛇
cerrado martes en invierno – Com carta 2500 a 4100.

𝖃 **Gami,** San Pedro 9 ℰ 36 57 60, Fax 36 10 49, 🎇 – 🗏. 🖭 ⓪ Ɛ 𝑽𝑰𝑺𝑨. 🛇
cerrado lunes y 20 diciembre-30 enero – Com carta aprox. 3350.

𝖃 **La Torrada,** Drassanes 19 ℰ 79 11 72, 🎇 – 🗏. 🖭 Ɛ 𝑽𝑰𝑺𝑨
cerrado lunes y 23 diciembre-7 febrero – Com carta 3350 a 3900.

𝖃 **El Caliu,** Pau Casals 22 ℰ 36 01 08, Decoración rústica, Carnes a la brasa – 🗏. 🖭 Ɛ 𝑽𝑰𝑺𝑨
cerrado lunes y 10 enero-15 febrero – Com carta 2150 a 3400.

en la carretera N 340 – ✪ 977 :

𝖃𝖃 **Mas Gallau,** NE : 3,5 km, ✉ apartado 129 Cambrils, ℰ 36 05 88, Fax 36 02 68, Decoración
rústica – 🗏 ⓟ. 🖭 ⓪ Ɛ 𝑽𝑰𝑺𝑨. 🛇
cerrado 2 enero-2 febrero – Com carta 3300 a 4500.

𝖃𝖃 **La Caseta del Rellotge,** SO : 4,5 km, ✉ 43300 Mont Roig, ℰ 83 78 44, Fax 79 11 84, 🎇,
Decoración rústica, « Antigua posada » – 🗏 ⓟ. 🖭 ⓪ Ɛ 𝑽𝑰𝑺𝑨. 🛇
cerrado lunes – Com carta 2900 a 3850.

por la carretera de Salou E : 5,5 km – ✉ 43850 Cambrils – ✪ 977 :

🏠 Mestral 🐟, Av. Castell de Villafortuny 38 ℰ 36 42 51, Fax 36 52 14, ≤, 🎇, 🗐, 🛇 – |🅐|
🗏 rest 📺 ☎ – 🔏 25/40
48 hab.

CAMP DE MAR Baleares – ver Baleares (Mallorca) : Puerto de Andraitx.

CAMPELLAS o **CAMPELLES** 17534 Gerona 443 F 36 – 🕿 972.

◆Madrid 695 – ◆Barcelona 124 – Gerona/Girona 107.

en El Baell SE : 8 km – ✉ 17534 Campellas – 🕿 972 :

🏠 **Terralta** 🦤, alt. 1 300 ℰ 72 73 50, ≤ valle y montañas, 🔟 – 🅿. 🄴 𝘝𝘐𝘚𝘈. 🛇
7 julio-15 septiembre – Com 2100 – ⌁ 650 – **36 hab** 4000/6500 – PA 4125.

CAMPELLO o **El CAMPELLO** 03560 Alicante 445 Q 28 – 8 335 h. – 🕿 96 – Playa.

◆Madrid 431 – ◆Alicante/Alacant 13 – Benidorm 29.

en la playa :

✗ La Peña, San Vicente 12 ℰ 563 10 48, Pescados y mariscos – ▤.

CAMPO DEL HOSPITAL 15359 La Coruña 441 B 6 – 🕿 981.

◆Madrid 586 – ◆La Coruña/A Coruña 95 – Lugo 82 – Ortigueira 15.

🏨 **Villa de Cedeira,** ℰ 49 91 45, Fax 49 91 45 – 🔟 🕿 🅿. 🄴 𝘝𝘐𝘚𝘈
Com 900 – ⌁ 250 – **28 hab** 4000/6000.

CAMPRODÓN 17867 Gerona 443 F 37 – 2 376 h. alt. 950 – 🕿 972.

🏌 Club de golf Camprodón, ℰ 13 01 25.

🛈 pl. d'Espanya 1 ℰ 74 00 10, ✉ 17867, Fax 13 03 59.

◆Madrid 699 – ◆Barcelona 127 – Gerona/Girona 80.

🏨 **Edelweiss** sin rest, carret de Sant Joan 28 ℰ 74 09 13, Fax 74 07 04, ≤, « Ambiente
acogedor » – 🛗 🔟 🕿 🅿 – 🔬 25/50. 🄰🄴 ⓞ 🄴 𝘝𝘐𝘚𝘈
⌁ 675 – **21 hab** 9350.

🏨 **Güell** sin rest, pl. d'Espanya 8 ℰ 74 00 11, Fax 74 11 12 – 🛗 🔟 🕿 🚗. 🄰🄴 ⓞ 🄴 𝘝𝘐𝘚𝘈. 🛇
⌁ 550 – **39 hab** 4000/6800.

🏠 Sayola, Josep Morer 4 ℰ 74 01 42
30 hab.

CAN AMAT (Urbanización) Barcelona – ver Martorell.

CANARIAS (Islas) ★★★ 448 – 1 444 626 h.

GRAN CANARIA

Arguineguín 35120 448 N 11 – 🕿 928.

Las Palmas de Gran Canaria 63.

en la playa de Patalavaca NO : 2 km – ✉ 35120 Arguineguín – 🕿 928

🏨 **Steigenberger La Canaria** 🦤, ℰ 15 04 00, Fax 15 10 03, ≤ mar, 🔟 climatizada, 🌴, ✗
– 🛗 ▤ 🔟 🕿 🅿 – 🔬 25/150. 🄰🄴 ⓞ 🄴 𝘝𝘐𝘚𝘈. 🛇 rest
Com 3200 – **240 hab** ⌁ 26000/44000 – PA 7500.

Artenara 35350 448 O 9 – 930 h. alt. 1 219 – 🕿 928.

Ver : Parador de la Silla ≤★.

Alred. : Carretera de Las Palmas ≤★ Juncalillo – Pinar de Tamadaba★★ (≤★) NO : 12 km.

Las Palmas de Gran Canaria 48.

Arucas 35400 448 O 9 – 25 770 h. – 🕿 928.

Ver : Montaña de Arucas ★.

Las Palmas 17.

✗ **Mesón de la Montaña,** Montaña de Arucas : 2,5 km ℰ 60 14 75, Fax 60 54 42, « Bonita
situación » – 🅿. 🄰🄴 🄴 𝘝𝘐𝘚𝘈. 🛇
Com carta aprox. 2100.

Cruz de Tejeda 35328 448 O 9 – 2 115 h. alt. 1 450 – 🕿 928.

Ver : Paraje★★.

Alred. : Pozo de las Nieves ❄★★ SE : 10 km.

Las Palmas 42.

✗✗ **Hostería La Cruz de Tejeda,** alt. 1 450 ℰ 65 80 50, Fax 65 80 51, ≤ montañas y valles,
« Bonita situación dominando la isla » – 🅿. 🄰🄴 ⓞ 𝘝𝘐𝘚𝘈. 🛇
Com carta aprox. 2100.

Maspalomas 35100 448 O 11 – 🌐 928 – Playa.

Ver : Playa★.

Alred. : N : Barranco de Fataga★ – San Bartolomé de Tirajana (paraje★) N : 23 km por Fataga.

🏌 de Maspalomas SO : 5 Km. ℘ 76 25 81.

🅱 av. de España (playa del Inglés) ℘ 77 15 50, Fax 76 78 48.

Las Palmas de Gran Canaria 50.

XXX **La Aquarela,** av. de Neckerman ℘ 14 01 78, Fax 14 09 16 – AE ⓞ VISA. ⁕   A **e**
cerrado lunes, martes y 15 mayo - junio – Com (sólo cena) carta 2975 a 3750.

XX **Amaiur,** av. de Neckerman ℘ 76 44 14, Cocina vasca – P. AE ⓞ E VISA. ⁕   A **d**
cerrado lunes – Com carta 3200 a 4600.

junto al faro – ⊠ 35106 Maspalomas Oeste – 🌐 928 :

🏨 **Maspalomas Oasis** ⑤, ℘ 14 14 48, Telex 96104, Fax 14 11 92, ≤, 🏛, « Jardín y gran
palmeral », ⤢, ⁑ – 🛗 ▤ ☎ – 🔬 25/140. AE ⓞ E VISA. ⁕   A **a**
Com **Grill Le Jardin** carta 4300 a 5700 - **Oasis** carta 4300 a 5700 - **Foresta** carta 4300
a 5700 – **320 hab** ⊇ 26500/56000, 15 suites.

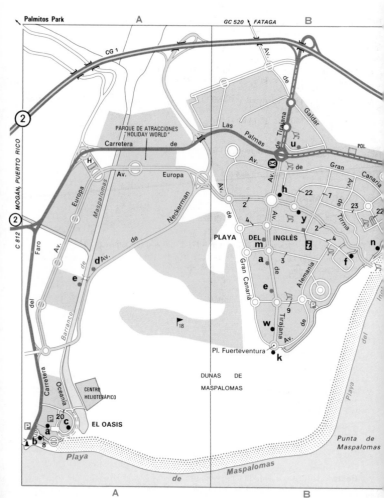

186

Ifa-Faro Maspalomas ⑤, ℰ 14 22 14, Telex 95295, Fax 14 19 40, ≤, ⇔, ☒ ⊥ climatizada rodeada de un jardín subtropical » – ⊡ ▤ ⧈ ☎ – ⚐ 25/60. ⪫ ⑩ ⓔ ⑰⑤ᴬ. ⅏   A **b**
Com **Tamarona** 2700 - **Grill Guatiboa** carta 4050 a 5200 - **188 hab** ⚌ 20000/29000.

Maspalomas Palm Beach ⑤, ℰ 14 08 06, Telex 96365, Fax 14 18 08, ≤, ⇔, « Amplia terraza con ⊥ climatizada, jardín con palmeras », ✗ – ⊡ ▤ ⓟ. ⪫ ⑩ ⓔ ⑰⑤ᴬ.
⅏   A **c**
Com 4960 - **Orangerie** *(cerrado domingo, jueves y jun-jul)* (sólo cena) carta 3810 a 5400
– **347 hab** ⚌ 32900/53600.

en la playa del Inglés – ⊠ 35100 Maspalomas – ⓼ 928 :

Riu Palace, pl. de Fuerteventura ℰ 76 95 00, Telex 95531, Fax 76 98 00, ≤ dunas y mar, « Amplias terrazas con ⊥ y jardín », ⫼⃗, ✗ – ⊡ ▤ ⧈ ☎ ⓟ – ⚐ 25/200. ⪫ ⑩ ⓔ ⑰⑤ᴬ.
⅏   B **k**
Com (buffet, sólo cena) – **368 hab** ⚌ 17300/28500.

Ifa-H. Dunamar, ℰ 76 12 00, Fax 76 83 74, ≤, ⇔, ⊥ climatizada, ⇝ – ⊡ ▤ ☎. ⪫ ⑩
ⓔ ⑰⑤ᴬ. ⅏   B **n**
Com 2900 – **184 hab** ⚌ 11800/19400.

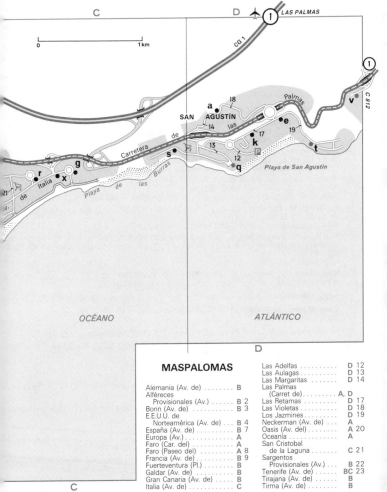

187

🏨 **Catarina Playa** sin ⌑, av. de Tirajana 1 *ℰ* 76 28 12, Telex 95338, Fax 76 06 15, 🍴
  ⅃ climatizada, ᕬ – |🛗| ▤ – 🛦 25/120. 🖭 ◑ 🖿 *VISA*. 🛠️ B **w**
  Com 1350 – **400 hab** 4700/8400.

🏨 **Neptuno,** av. Alféreces Provisionales 29 *ℰ* 76 71 28, Telex 96239, Fax 76 69 65, 🍴
  ⅃ climatizada – |🛗| ▤ 📺 ☎ 📞 – 🛦 25/80. 🖭 ◑ 🖿 *VISA*. 🛠️ B **y**
  Com 2650 – ⌑ 950 – **171 hab** 10400/16300.

🏨 **Parque Tropical,** av. de Italia 1 *ℰ* 76 07 12, Telex 96642, Fax 76 81 37, ≤, 🍴, « Edificio
  de estilo regional - Jardín tropical », ⅃ climatizada, ℀ – |🛗|. 🖭 ◑ 🖿 *VISA*. 🛠️ rest C **x**
  Com (sólo cena) 2200 – ⌑ 900 – **235 hab** 9625/19250.

🏨 **Apolo** ⌂, av. de Estados Unidos 28 *ℰ* 76 00 58, Fax 76 39 18, ≤, 🍴, ⅃ climatizada, ℀
  – |🛗| ▤ 📺 ☎ 📞. 🖭 ◑ 🖿 *VISA*. 🛠️ B **f**
  Com 3000 – ⌑ 1000 – **115 hab** 10000/15000 – PA 5950.

🏨 **Lucana,** pl. del Sol *ℰ* 76 27 00, Telex 96529, Fax 76 44 88, ≤, 🍴, ⅃ climatizada, ℀ – |🛗|
  ▤ 📺 ☎ 📞. 🖭 🖿 *VISA*. 🛠️ C **g**
  Com 2500 – ⌑ 900 – **182 hab** 11000/14000 – PA 4720.

🏨 **Riu Don Miguel,** av. de Tirajana 30 *ℰ* 76 15 08, Telex 96307, Fax 76 48 54, 🍴
  ⅃ climatizada – |🛗| ☎ – 🛦 B **h**
  281 hab.

🏨 **Caserío,** av. de Italia 8 *ℰ* 76 10 50, Fax 76 44 48, 🍴, ⅃ – |🛗| ▤ 📺 ☎ 📞. 🖭 ◑ 🖿 *VISA*. 🛠️
  Com 2000 – **118 hab** ⌑ 9600/15200. C **r**

🍴🍴 **La Toja,** av. de Tirajana 17 - edificio Barbados II *ℰ* 76 11 96, 🍴 – ▤. 🖭 ◑ 🖿 *VISA*. 🛠️
  cerrado domingo mediodía – Com carta 3000 a 4700. B **m**

🍴🍴 **Compostela** (antigua Casa Gallega), Marcial Franco 14-bloque 6 *ℰ* 76 20 92, Fax 76 33 44
  – ▤. 🖭 ◑ 🖿 *VISA* 🇯🇨🇧. 🛠️ B **u**
  Com carta 2860 a 4830.

🍴 **Tenderete II,** av. de Tirajana 3 (Edificio Aloe) *ℰ* 76 14 60 – ▤. 🖭 ◑ 🖿 *VISA*. 🛠️ B **e**
  Com carta 2350 a 3900.

🍴 Las Cumbres, av. de Tirajana 9 *ℰ* 76 09 41, Asados – ▤ B **a**

  en la playa de San Agustín – ✉ 35100 Maspalomas – ☎ 928 :

🏨🏨 **Meliá Tamarindos,** Las Retamas 3 *ℰ* 76 26 00, Telex 95463, Fax 76 22 64, ≤, 🍴
  « Césped con ⅃ climatizada », ᕬ, ℀ – |🛗| ▤ 📺 ☎ 📞 – 🛦 25/350. 🖭 ◑ 🖿 *VISA*
  Com 4500 – **332 hab** ⌑ 9400/18000. D **k**

🏨🏨 **Don Gregory,** Las Dalias 11 *ℰ* 76 26 62, Fax 76 99 96, ≤, 🍴, ⅃ climatizada, ℀ – |🛗| ▤
  ☎ 📞. 🖭 ◑ 🖿 *VISA*. 🛠️ C **s**
  Com (sólo cena, buffet) 4070 – **244 hab** ⌑ 17600/27000.

🏨 **Gloria Palace,** Las Margaritas *ℰ* 76 83 00, Telex 96052, Fax 76 79 29, ≤, 🛏, ⅃, ℀ – |🛗|
  ▤ ☎ 📞 – 🛦 40/80. 🖭 ◑ 🖿 *VISA*. 🛠️ D **a**
  Com 3000 -**Gorbea** *(cerrado lunes)* carta 4650 a 6350 – **448 hab** ⌑ 32500/35100.

🏨 **Ifa Beach H.,** Los Jazmines 25 *ℰ* 76 51 00, Fax 76 85 99, ≤, ⅃ climatizada – |🛗| ▤ rest
  ☎ 📞. 🖭 ◑ 🖿 *VISA*. 🛠️ rest D **e**
  Com (almuerzo) 1500 – **203 hab** ⌑ 10250/13900.

🍴🍴🍴 **San Agustín Beach Club,** pl. de los Cocoteros *ℰ* 76 04 00, Fax 76 45 76, 🍴, Decoración
  moderna con motivos africanos, « Terraza con ⅃ (de pago) climatizada » – ▤. 🖭 ◑ 🖿
  VISA. 🛠️ D **q**
  Com carta 3125 a 6275.

🍴🍴 **Buganvilla,** Los Jazmines 17 *ℰ* 76 03 16 – ▤. 🖿 *VISA*. 🛠️ D **t**
  cerrado mayo-septiembre – Com (sólo cena) carta 3350 a 4200.

  en la urbanización Nueva Europa – ✉ 35100 Maspalomas – ☎ 928 :

🍴🍴 **Chez Mario,** Los Pinos 9 *ℰ* 76 18 17, Cocina italiana – 🖭 ◑ 🖿 *VISA*. 🛠️ D **v**
  Com (sólo cena) carta 2175 a 3205.

  en la carretera de Las Palmas NE : 7 km – ✉ 35100 Maspalomas – ☎ 928 :

🏨 Orquídea ⌂, playa de Tarajalillo *ℰ* 76 46 00, Telex 96232, Fax 76 46 12, ≤, 🍴
  ⅃ climatizada, ᕬ, ℀ – |🛗| ▤ rest ☎ – 🛦 25/150
  255 hab.

⬛ **Las Palmas de Gran Canaria** 35000 🅿 🄸🄸🄸 P 9 – 366 454 h. – ☎ 928 – Playa.

Ver : Casa de Colón★ CZ **B** – Paseo Cornisa ❄★ AT.

Alred. : Jardín Canario★ por ② : 10 km – Mirador de Bandama ❄★★ por ② : 14 km – Arucas :
Montaña de Arucas★ por ③ : 18 km.

🛅 de Las Palmas, Bandama por ② : 14 km *ℰ* 35 10 50.

✈ de Gran Canaria por ① : 30 km *ℰ* 25 41 40 – Iberia : Alcalde Ramírez Bethencourt
8, ✉ 35003 *ℰ* 901 33 31 11 y Aviaco : aeropuerto *ℰ* 57 46 72.

🚢 para la Península, Tenerife y La Palma : Cía. Trasmediterránea, Muelle Rivera Oeste,
✉ 35008, *ℰ* 26 56 50, Telex 95428 CXY.

🅱 Parque Santa Catalina, ✉ 35007, *ℰ* 26 46 23 – R.A.C.E. León y Castillo 281, ✉ 35003,
ℰ 23 07 88.

LAS PALMAS
DE GRAN CANARIA

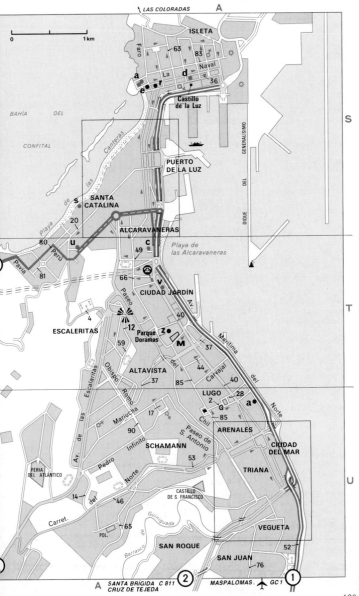

PUERTO DE LA LUZ

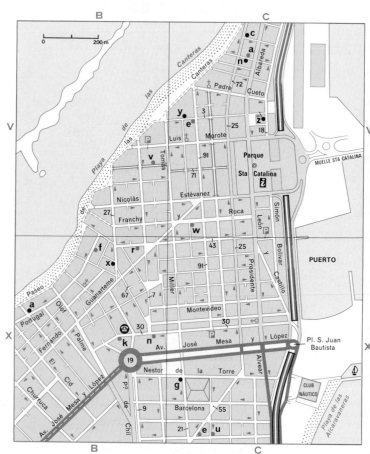

🏨 **Santa Catalina** ⑤, parque Doramas, ⊠ 35005, ℰ 24 30 40, Telex 96014, Fax 24 27 64, ☆, « Edificio de estilo regional en un parque con palmeras », ⤢ – 🛗 🍽 rest 📺 ☎ 🅿 – 🔬 25/600. 🖭 ⓪ ㄷ 𝘝𝘐𝘚𝘈. ⊛
AT ✗
Com 3500 – 🖙 1150 – **208 hab** 15480/19350 – PA 6450.

🏨 **Meliá Las Palmas,** Gomera 6, ⊠ 35008, ℰ 26 80 50, Telex 95161, Fax 26 84 11, ≤, ⤢ climatizada – 🛗 🍽 📺 ☎ – 🔬 25/350. 🖭 ⓪ ㄷ 𝘝𝘐𝘚𝘈 𝘑𝘊𝘉. ⊛
CV ✗
Com carta aprox. 4950 – 🖙 1300 – **316 hab** 9594/12674.

🏨 **Reina Isabel,** Alfredo L. Jones 40, ⊠ 35008, ℰ 26 01 00, Telex 95103, Fax 27 45 58, ≤, ⤢ climatizada – 🛗 🍽 📺 ☎ 🅿 – 🔬 25/450. 🖭 ⓪ ㄷ 𝘝𝘐𝘚𝘈 𝘑𝘊𝘉. ⊛
CV ✗
Com 3575 – **Reina Garden** carta 1550 a 2750 - **Grill** carta 2600 a 5200 – 🖙 1100 – **233 hab** 10000/12500 – PA 8250.

🏨 **Sol Iberia,** av. Marítima del Norte, ⊠ 35003, ℰ 36 11 33, Telex 95413, Fax 36 13 44, ≤, ⤢ – 🛗 🍽 📺 ☎ 🅿 – 🔬 25/300. 🖭 ⓪ ㄷ 𝘝𝘐𝘚𝘈. ⊛
AU ✗
Com (cerrado sábado y domingo) 1975 – 🖙 900 – **298 hab** 9000/11000 – PA 4850.

VEGUETA, TRIANA

Mayor de Triana . . . . **CY**

Sol Bardinos, Eduardo Benot 5, 35007, 27 00 00, Telex 95189, Fax 22 91 39, playa, puerto y ciudad, 25/75. Com 1800 – 900 – **215 hab** 9000/11000. CV z

NH Imperial Playa, Ferreras 1, 35008, 46 88 54, Telex 95340, Fax 46 94 42, 25/250. Com (sólo cena) 2200 – 1050 – **142 hab** 9800/12300. AS e

Sansofé Palace, paseo de las Canteras 78, 35010, 22 42 82, Telex 95848, Fax 22 48 28 – 25/225. Com 3000 – 1000 – **115 hab** 9650/12500 - PA 6450. BX a

Fataga, Néstor de la Torre 21, 35006, 29 06 14, Telex 96221, Fax 29 13 55 – **92 hab.** CX g

🏨 **Olympia** sin rest, Dr. Grau Bassas 1, ⌨ 35007, 𝒫 26 17 20, Fax 26 26 17 – |⌷| 🕸   BX
40 hab.

🏨 **Tenesoya** sin rest y sin ⌷, Sagasta 98, ⌨ 35008, 𝒫 26 26 08, Fax 26 26 62, ⇐ – |⌷| 🗖
🕿. 🕮 ⓪ 🄴 𝘝𝘐𝘚𝘈. 🍴   AS
43 hab 3550/3750.

🏨 **Pujol** sin rest, Salvador Cuyás 5, ⌨ 35008, 𝒫 27 44 33, Fax 22 67 03 – |⌷| 🖵 🕿   CV
48 hab.

XXX **Amaiur,** Pérez Galdós 2, ⌨ 35002, 𝒫 37 07 17, Cocina vasca – 🍽. 🕮 ⓪ 🄴 𝘝𝘐𝘚𝘈. 🍴
cerrado domingo y agosto – Com carta 3100 a 4350.   BY

XX **Churchill,** León y Castillo 274, ⌨ 35005, 𝒫 24 91 92, Fax 29 34 08, 🍴 – ⓟ. 🕮 🄴 𝘝𝘐𝘚𝘈. 🍴
cerrado domingo – Com carta 3100 a 4200.   AT

XX **Casa Rafael,** Luis Antúnez 25, ⌨ 35006, 𝒫 24 49 89, Fax 22 92 10 – 🍽. 🕮 ⓪ 🄴 𝘝𝘐𝘚𝘈. 🍴
cerrado domingo – Com carta 2600 a 3900.   AT

XX **Grill La Fragua,** paseo de las Canteras 84, ⌨ 35010, 𝒫 26 79 38, Carnes a la brasa
🍽   AS

XX **Nanking,** Roca 11, ⌨ 35007, 𝒫 26 98 70, Rest. chino – 🍽   CV

XX **La Cabaña Criolla,** Los Martínez de Escobar 37, ⌨ 35007, 𝒫 27 02 16, Fax 27 70 90
Carnes a la brasa, Decoración rústica – 🍽. 🕮 ⓪ 🄴 𝘝𝘐𝘚𝘈   BX
Comida carta 2075 a 3550.

XX **Julio,** La Naval 132, ⌨ 35008, 𝒫 46 01 39 – 🍽. 🕮 ⓪ 🄴 𝘝𝘐𝘚𝘈. 🍴   AS
cerrado domingo – Com carta 2150 a 3100.

X **Samoa,** Valencia 46, ⌨ 35006, 𝒫 24 14 71 – 🍽. 🕮 🄴 𝘝𝘐𝘚𝘈. 🍴   CX
cerrado domingo y agosto – Com carta 2350 a 3550.

X **Casa Carmelo,** paseo de las Canteras 2, ⌨ 35009, 𝒫 46 90 56, ⇐ – 🍽. 🕮 ⓪ 🄴 𝘝𝘐𝘚𝘈. 🍴
Comida carta 2500 a 3825.   AS

X **El Pote,** Juan Manuel Durán González 41 (pasaje), ⌨ 35007, 𝒫 27 80 58, Cocina gallega
– 🍽. 🄴 𝘝𝘐𝘚𝘈. 🍴   BX
cerrado domingo – Com carta 2200 a 3950.

X **Aterpe Alai,** Menendez y Pelayo 10, ⌨ 35007, 𝒫 24 18 29, 🍴, Cocina vasca.   CX

X **Casa de Galicia,** Salvador Cuyás 8, ⌨ 35008, 𝒫 27 98 55, Fax 22 92 10, Cocina gallega
– 🍽. 🕮 ⓪ 🄴 𝘝𝘐𝘚𝘈. 🍴   CV
Com carta 2300 a 3400.

X **Caminito,** av. Mesa y López 82, ⌨ 35010, 𝒫 27 88 68, Carnes a la brasa – 🍽. 🕮 ⓪ 🄴
𝘝𝘐𝘚𝘈. 🍴   AT
cerrado domingo y del 15 al 31 de agosto – Com carta 1985 a 2800.

X **Montreal,** 29 de Abril 77, ⌨ 35007, 𝒫 26 40 10 – 🍽   CV

X **Hamburg,** Mary Sánchez 54, ⌨ 35009, 𝒫 46 97 45 – 🍽. 𝘝𝘐𝘚𝘈   AS
Com carta aprox. 3250.

X **Le Français,** Sargento Llagas 18, ⌨ 35007, 𝒫 26 87 62, Cocina francesa.   BV

X **Las Cuevas del Molino,** León y Castillo 36, ⌨ 35003, 𝒫 36 14 32, Pescados y mariscos
– 🍽. 🕮 𝘝𝘐𝘚𝘈. 🍴   CY
Com carta aprox. 3000.

X **Mesón la Paella,** Juan Manuel Durán González 47, ⌨ 35010, 𝒫 27 16 40, Cocina catalana
– 🍽. 🕮 𝘝𝘐𝘚𝘈. 🍴   BX
cerrado sábado noche, festivos y 15 agosto-25 septiembre – Com carta 2700 a 3400.

X **El Novillo Precoz,** Portugal 9, ⌨ 35010, 𝒫 22 16 59, Carnes a la brasa – 🍽   BX

X **Ca'cho Damián,** León y Castillo 26, ⌨ 35003, 𝒫 36 53 23 – 🍽   BY

X **Canario,** Perojo 2, ⌨ 35003, 𝒫 36 57 16 – 🍽. 🕮 𝘝𝘐𝘚𝘈. 🍴   BY
cerrado domingo – Com carta aprox 2500.

en Las Coloradas - zona de la Isleta – ⌨ 35009 Las Palmas – ✪ 928 :

X **El Padrino,** Jesús Nazareno 1 𝒫 46 20 94, 🍴, Pescados y mariscos.
                    por Pérez Muñoz AS

X **Pitango,** María Dolorosa 2 𝒫 46 64 94, 🍴, Carnes a la brasa – 🍽
                    por Pérez Muñoz AS

    ▪ Santa Brígida ▪ 35300 🄸🄸🄸 O 9 – 11 194 h. alt. 426 – ✪ 928.
Las Palmas 15.

XX **Las Grutas de Artiles,** Las Meleguinas N : 2 km 𝒫 64 05 75, Fax 64 12 50, 🍴, « Instalado
en una gruta », ⛱, 🍴 – ⓟ. 🕮 ⓪ 𝘝𝘐𝘚𝘈
Com carta aprox. 2250.

X **Martell,** carret. de Tejeda SO : 4,5 Km., ⌨ 35308 El Madroñal, 𝒫 64 12 83, Interesante
bodega - Decoración rústica regional – 🕮 🄴 𝘝𝘐𝘚𝘈. 🍴
cerrado septiembre – Com carta aprox. 3500.

X **Bentayga,** carret. de Las Palmas NE : 4 km, ⌨ 35310 Monte Lentiscal, 𝒫 35 02 45, ⇐ –
🍽.

X **El Palmeral,** av. del Palmeral 45 𝒫 64 15 18, 🍴 – ⓟ.

Tafira Alta 35017 448 P 9 – alt. 375 – 🐝 928.

Las Palmas 8.

✗ Jardín Canario, Plan de Loreto, carret. de Las Palmas : 1 km 🏖 35 16 45, Fax 31 17 00, ≼, Dominando el Jardín Botánico – 🅟.

✗ **La Masía de Canarias,** Murillo 36 🏖 35 01 20, 🏤 – 🄰🄴 ⬤ 🄴 𝘝𝘐𝘚𝘈. ⚡ Com carta aprox. 3500.

Teror 35330 448 O 9 – 9 461 h. alt. 445 – 🐝 928.

Alred. : Mirador de Zamora ≼★ O : 7 km por carretera de Valleseco.

Las Palmas 21.

✗ San Matías, carret. de Arucas N : 1 km 🏖 63 07 65, ≼ valle, montañas y población – 🅟.

Vega de San Mateo 35320 448 O 9 – 7 202 h. – 🐝 928.

Las Palmas 23.

✗✗ **La Veguetilla,** carret. de Las Palmas 🏖 66 07 64 – 🅟. 🄰🄴 ⬤ 🄴 𝘝𝘐𝘚𝘈. ⚡ *cerrado martes y julio-agosto* – Com carta 2150 a 3700.

FUERTEVENTURA (Las Palmas)

Corralejo 35560 – 🐝 928.

Ver : Puerto y Playas ★.

Puerto del Rosario 38.

✗ Los Barqueros, av. Grandes Playas-urb. Los Barqueros 🏖 53 51 48, 🏤.

en las playas – ✉ 35660 Corralejo – 🐝 928 :

🏨 **Tres Islas** ♨, SE : 4 Km. 🏖 53 57 00, Telex 96544, Fax 53 58 58, ≼, 🏊 climatizada, 🐚, ⚡ – 📶 🍴 🅟. 🄰🄴 ⬤ 🄴 𝘝𝘐𝘚𝘈. ⚡ Com *(cerrado lunes)* 2700 – **365 hab** ☄ 14900/20800.

Costa Calma – 🐝 928.

Puerto del Rosario 70.

🏨 Taro Beach H. ♨, urb. Cañada del Río, ✉ 35628 Pájara, 🏖 54 70 98, Fax 54 70 98, ≼, 🏤, 🏊 climatizada, ⚡ – 📺 ☎ 🅟
128 apartamentos.

✗✗ Bahía Calma, ≼, 🏤, 🏊 – 🅟.

Playa Barca – 🐝 928 – Playa.

Puerto del Rosario 47.

🏨 Sol Gorriones ♨, ✉ 35620 Gran Tarajal, 🏖 54 70 25, Telex 96234, Fax 54 70 25, ≼, 🏤, « Ampia terraza con 🏊 climatizada », 🐚, ⚡ – 📶 🍴 rest 📞 🅟 – 🔔 25/100
429 hab.

Puerto del Rosario 35600 – 13 878 h. – 🐝 928 – Playa.

🛫 de Fuerteventura S : 6 km 🏖 85 12 50 – Iberia : 23 de Mayo 11 🏖 85 08 02.

🚢 para Lanzarote, Gran Canaria y Tenerife : Cía Trasmediterránea, León y Castillo 58 ✉ 35600, 🏖 85 24 54, Fax 85 24 08.

🛈 av. Primero de Mayo 39, 🏖 85 10 24, ✉ 35600.

✗ El Granero, Alcalde Alonso Patalló 8 🏖 85 14 53 – ▤.

en Playa Blanca S : 3,5 km – ✉ 35610 Puerto del Rosario – 🐝 928 :

🏨 **Parador de Fuerteventura** ♨, 🏖 85 11 50, Fax 85 11 58, ≼, 🏊, 🐚, ⚡ – 📺 ☎ 🚗 🅟. 🄰🄴 ⬤ 𝘝𝘐𝘚𝘈. ⚡ Com 3000 – ☄ 1000 – **50 hab** 9500 – PA 5950.

Tarajalejo – 🐝 928.

Puerto del Rosario 52.

🏨 Tofio ♨, Maxorata 1, ✉ 35627 Gran Tarajal, 🏖 16 10 01, Fax 16 10 28, ≼, 🏤, 🏊, 🐚, ⚡ – 🅟
84 hab.

LANZAROTE (Las Palmas)

Arrecife 35500 – 29 502 h. – ✆ 928 – Playa.

Alred. : Teguise (castillo de Guanapay ⚹★) N : 11 km – La Geria★★ (de Mozaga a Yaiza)
NO : 17 km – Cueva de los Verdes★★★ NE : 27 km por Guatiza – Jameos del Agua★
NE : 29 km por Guatiza – Mirador del Río★★ (⚹★★) NO : 33 km por Guatiza.

🖪 Costa Teguise NE : 10 km ✆ 81 35 12.

✈ de Lanzarote O : 6 km ✆ 81 14 54 – Iberia : av. Rafael González Negrín 2 ✆ 81 10 21.

🚢 para Gran Canaria, Tenerife, La Palma y la Península : Cía. Trasmediterránea, José Antonio 90 ✆ 81 10 19, Telex 95336.

🛈 Parque Municipal, ✆ 81 18 60, ✉ 35500.

🏨 **Miramar** sin rest, Coll 2 ✆ 81 26 00, Telex 96549, Fax 81 33 66 – 🛗 ☎. 🖭 ⓞ 🖃 𝕍𝕀𝕊𝔸. ✨
⚏ 400 – **90 hab** 3600/5520.

🏨 **Cardona** sin rest y sin ⚏, 18 de Julio 11 ✆ 81 10 08 – 🛗 ☎. ✨
62 hab 2500/3300.

por la carretera del puerto de Naos NE : 2 km – ✉ 35500 Arrecife – ✆ 928 :

✗✗ Castillo de San José, ✆ 81 23 21, ⋜ puerto y Arrecife, Instalación moderna en una fortaleza del siglo XVII – 🍽 ⓟ.

☞ *Per spostarvi più rapidamente utilizzate le carte Michelin "Grandi Strade" :*

n° 970 Europa, n° 980 Grecia, n° 984 Germania, n° 985 Scandinavia-Finlanda,
n° 986 Gran Bretagna-Irlanda, n° 987 Germania-Austria-Benelux, n° 988 Italia,
n° 989 Francia, n° 990 Spagna-Portogallo, n° 991 Jugoslavia.

Costa Teguise 35509 – ✆ 928.

Arrecife 7.

🏨 **Meliá Salinas** ⚘, playa de las Cucharas ✆ 59 00 40, Telex 96320, Fax 59 03 90, ⋜, �,
« Profusión de plantas - Terraza con 🏊 climatizada », 🏖, 🎾, 🖪 – 🛗 🍽 📺 ☎ ⓟ –
🔬 25/100. 🖭 ⓞ 🖃 𝕍𝕀𝕊𝔸. ✨
Com *(cerrado lunes y junio)* (sólo cena) carta aprox. 4150 – ⚏ 1400 – **310 hab**
20600/26000.

🏨 **Teguise Playa** ⚘, playa El Jablillo ✆ 59 06 54, Telex 96399, Fax 59 09 79, ⋜, �,
🏊 climatizada, 🎾 – 🛗 🍽 ☎ ⓟ – 🔬 25/325. 🖭 ⓞ 🖃 𝕍𝕀𝕊𝔸. ✨
Com 3000 – ⚏ 975 – **314 hab** 14000/16000 – PA 6975.

🏨 **Los Zocos** ⚘, playa de las Cucharas ✆ 59 09 17, Fax 59 04 36, �, « Terraza con 🏊
climatizada », 🎾 – ☎ ⓟ. 🖭 ⓞ 🖃 𝕍𝕀𝕊𝔸. ✨
Com **Grill La Malvasía** *(sólo cena, cerrado martes)* carta 2200 a 3200 – ⚏ 650 – **238 apartamentos** 8000/10000.

🏨 Lanzarote Gardens ⚘, av. Islas Canarias 13 ✆ 59 01 00, Telex 96977, Fax 59 17 84,
🏊 climatizada, 🎾 – 🍽 rest ☎ ⓟ – 🔬 25/100
242 apartamentos.

✗✗ **La Jordana,** Los Geranios - Local 10-11 ✆ 59 03 28 – 🍽. 🖭 🖃 𝕍𝕀𝕊𝔸. ✨
cerrado domingo y septiembre – Com carta 2525 a 3250.

✗✗ El Pescador, Pueblo Marinero ✆ 59 08 74 – 🍽.

✗✗ Neptuno, Península del Jablillo ✆ 59 03 78 – 🍽.

al Suroeste : 2 km – ✉ 35509 Costa Teguise – ✆ 928 :

🏨 **Oasis de Lanzarote** ⚘, av. del Mar ✆ 59 04 10, Fax 59 07 91, ⋜, 🏋, 🏊 climatizada, 🌅,
🎾 – 🛗 🍽 📺 ☎ ⚕ ⓟ – 🔬 25/550. 🖭 ⓞ 🖃 𝕍𝕀𝕊𝔸. ✨
Com 2800 – **372 hab** ⚏ 11200/16400 – PA 4800.

Montañas del Fuego – ✆ 928 – Zona de peaje.

Ver : Montañas del Fuego★★★.

Arrecife 31.

✗✗ El Diablo, Parque Nacional de Timanfaya, ✉ 35560 Tinajo, ✆ 84 00 57, ⚹ montañas volcánicas y mar – ⓟ.

Playa Blanca de Yaiza – ✆ 928 – Playa.

Alred. : Punta del Papagayo★ ⋜★ S : 5 km.

Arrecife 38.

🏨 **Lanzarote Princess** ⚘, costa Papagayo, ✉ 35570 Yaiza, ✆ 51 71 08, Telex 96455,
Fax 51 70 11, ⋜, « Terraza con 🏊 climatizada », 🎾 – 🛗 🍽 ☎ ⓟ – 🔬. 🖭 ⓞ 🖃 𝕍𝕀𝕊𝔸. ✨
Com carta aprox. 3450 – **407 hab** ⚏ 8000/14200.

✗ Casa Pedro, ✉ 35570 Yaiza, ✆ 51 70 22, ⋜ – 🍽.

✗ Casa Salvador, ✉ 35570 Yaiza, ✆ 51 70 25, ⋜, �, Pescados y mariscos.

Puerto del Carmen 35510 – ✪ 928.

Arrecife 15.

🏨 **Los Fariones** ⬲ sin rest, Acatife 2, urb. Playa Blanca ℰ 51 01 75, Fax 51 02 02, ≤, ⬲ climatizada, � – |✿| 🗏 📺 ☎ ⇔ – 🔏 25/150. 🖭 ① 🗉 🏧 ⭤ ⬭ 1200 – **231 apartamentos** 12000/15000.

🏨 Los Fariones ⬲, Roque del Oeste 1 ℰ 51 01 75, Telex 96351, Fax 51 02 02, ☇, « Terraza y jardín tropical con ≤ mar », ⬲ climatizada, 🌫, 🎇 – |✿| 🗏 rest 📺 ☎ – 🔏 25/75 **237 hab.**

🏋🏋 **La Cañada,** General Prim 3 ℰ 82 64 15, ☇ – 🗏. 🖭 ① 🗉 🏧 ⭤ Com carta aprox. 3175.

en la playa de los Pocillos E : 3 km – ✉ 35519 Los Pocillos – ✪ 928 :

🏨 **La Geria,** ℰ 51 04 41, Telex 95598, Fax 51 19 19, ≤, 🗗, ⬲ climatizada, 🌫, 🎇 – |✿| 🗏 📺 ☎ 🅿 🖭 ① 🗉 🏧 ⭤ Com 2950 – ⬭ 950 – **242 hab** 9000/12900 – PA 6850.

🏨 **San Antonio** ⬲, ℰ 51 17 57, Telex 95334, Fax 82 60 23, ≤, « Jardín botánico », ⬲ climatizada, 🎇 – |✿| 🗏 📺 ☎ 🅿 – 🔏. 🖭 ① 🗉 🏧 ⭤ Com 3000 – ⬭ 1000 – **331 hab** 9000/12000 – PA 5900.

Yaiza 35570 – 1 913 h. – ✪ 928.

Alred. : La Geria★★ (de Yaiza a Mozaga) NE : 17 km – Salinas de Janubio★ SO : 6 km – El Golfo★ NO : 8 km.

Arrecife 22.

🏋 **La Era,** Barranco 3 ℰ 83 00 16, Fax 80 27 65, « Instalado en una casa de campo del siglo XVII » – 🅿. 🖭 ① 🗉 🏧 ⭤ Com carta 1725 a 2925.

TENERIFE

Adeje 38670 🔢🔢🔢 H 9 – 11 932 h. – ✪ 922.

Santa Cruz de Tenerife 82.

en playa del Paraíso O : 6 km – ✉ 38670 Adeje – ✪ 922 :

🏨 Paraíso Floral, ℰ 74 07 22, Telex 92005, Fax 74 05 01, ≤, ⬲ climatizada, 🌫, 🎇 – |✿| ☎ 🅿 **358 apartamentos.**

🏋🏋 La Pérgola, ℰ 78 07 25, ≤, ☇.

Candelaria 38530 🔢🔢🔢 J 7 – 7 154 h. – ✪ 922 – Playa.

Santa Cruz de Tenerife 27.

🏨 **G.H. Punta del Rey,** av. Generalísimo 165 (playa de Las Caletillas) ℰ 50 18 99, Telex 91584, Fax 50 00 91, ≤, « Jardines con ⬲ climatizada al borde del mar », 🗗, 🎇 – |✿| 🗏 ☎ – 🔏 25/200. 🖭 ① 🗉 🏧 🗾. ⭤ Com (sólo buffet) 1300 – ⬭ 650 – **422 hab** 6900/8000.

Las Cañadas del Teide 🔢🔢🔢 I 8 – alt. 2 200 – ✪ 922.

Ver : Parque Nacional de las Cañadas★★★.

Alred. : Pico del Teide★★★ N : 4 km, teleférico y 45 min a pie – Boca de Tauce★★ SO : 7 km.

Santa Cruz de Tenerife 67.

🏨 **Parador de Las Cañadas del Teide** ⬲, alt 2 200, ✉ 38300 apartado 15 Orotava, ℰ 38 64 15, Fax 38 64 15, ≤ valle y Teide, « En un paisaje volcánico », ⬲, 🎇 – 🌫 🅿. 🖭 ① 🏧 ⭤ Com 3000 – ⬭ 1000 – **23 hab** 7000 – PA 5950.

Los Cristianos 38650 🔢🔢🔢 H 9 – ✪ 922 – Playa.

Alred. : Mirador de la Centinela★★ NE : 12 km.

⬲ Cia. Trasmediterránea, Muelle de los Cristianos, ✉ 38650, ℰ 79 61 78.

Santa Cruz de Tenerife 75.

🏨 **Paradise Park,** urb. Oasis del Sur ℰ 79 47 62, Telex 91196, Fax 79 48 59, ☇, ⬲ climatizada, 🎇 – |✿| 🗏 📺 🅿 – 🔏 25/60. 🖭 ① 🗉 🏧 ⭤ Com 2300 - Las Cañadas - Tenerife – ⬭ 750 – **280 hab** 11500/18000, 112 apartamentos.

🏨 **Oasis Moreque,** av. Penetración ℰ 79 03 66, Telex 92799, Fax 79 22 60, ≤, ⬲ climatizada, 🌫, 🎇 – |✿| 🗏 rest 🅿. 🖭 🗉 🏧 ⭤ Com 1700 – ⬭ 800 – **173 hab** 5200/7600 – PA 3500.

🏋🏋 **La Cava,** El Cabezo ℰ 79 04 93, ☇, Decoración rústica – 🖭 🗉 🏧 ⭤ *cerrado domingo y junio-agosto* – Com (sólo cena) carta 2500 a 3125.

195

Guamasa 38330 448 J 7 – ✿ 922.

Santa Cruz de Tenerife 16.

✗ **Mesón El Cordero Segoviano,** cruce Campo de Golf ℰ 63 61 10, Decoración castellana
– **℗**. 🆎 **E** 💳. ⬦
cerrado del 5 al 31 de agosto – Com carta aprox. 3100.

Icod de los Vinos 38430 448 H 7 – 18 612 h. – ✿ 922.

Ver : Drago milenario★.

Alred. : El Palmar★★ O : 20 km – San Juan del Reparo (carretera de Garachico ⇐★)
SO : 6 km – San Juan de la Rambla (plaza de la iglesia★) NE : 10 km.

Santa Cruz de Tenerife 60.

La Laguna 38200 448 K 7 – 112 635 h. alt. 550 – ✿ 922.

Ver : Iglesia de la Concepción★.

Alred. : Monte de las Mercedes★★ (Mirador del Pico del Inglés★★, Mirador de Cruz del
Carmen★) NE : 11 km – Mirador del Pico de las Flores ⬦★★ SO : 15 km – Pinar de La
Esperanza★ SO : 6 km.

🕸 de Tenerife O : 7 km ℰ 25 02 40.

🛈 av. del Gran Poder 3 ℰ 54 08 10.

Santa Cruz de Tenerife 9.

✗ La Hoya del Camello, carret. General del Norte 118 ℰ 26 20 54 – **℗**.

El Médano 38612 448 I 9 – ✿ 922 – Playa.

🚠 Reina Sofía O : 8 km ℰ 77 13 00.

Santa Cruz de Tenerife 62.

🏨 **Médano,** La Playa 2 ℰ 70 40 00, Telex 91486, Fax 17 60 48, ⇐ – 📶 ☎. 🆎 **E** 💳. ⬦
Com 1600 – **68 hab** ⴿ 4500/7000 – PA 3145.

La Orotava 38300 448 I 7 – 31 394 h. alt. 390 – ✿ 922.

Ver : Calle de San Francisco★ – Emplazamiento★.

Alred. : Mirador Humboldt★★★ NE : 3 km – Jardín de Aclimatación de la Orotava★★★
NO : 5 km – S : Valle de la Orotava★★★.

🛈 pl. General Franco, ℰ 38 31 31, ✉ 38300.

Santa Cruz de Tenerife 36.

Playa de las Américas 38660 448 H 9 – ✿ 922 – Playa.

Alred. : Barranco del Infierno★ N : 8 km y 2 km a pie.

🛈 urb. Torviscas ℰ 75 06 33.

Santa Cruz de Tenerife 75.

🏨🏨 **Sir Anthony** ⬥, av. Litoral ℰ 79 71 13, Fax 79 36 22, ⇐, « Bonita terraza con césped y
🔅 climatizada », 🏋, ✗ – 📶 🖵 ☎ ℗ – 🔺 25/200. 🆎 ⓪ **E** 💳 🇯🇨🇧. ⬦
Com 4500 – ⴿ 1900 – **72 hab** 30800.

🏨 Gran Tinerfe, ℰ 79 12 00, Telex 92199, Fax 79 12 65, ⇐, « Terrazas con 🔅 climatizada »,
✗ – 📶 🖵 ℗ – 🔺 25/150
358 hab.

🏨 **Mediterranean Palace,** av. Litoral ℰ 79 44 00, Telex 91539, Fax 79 36 22, 🍴, 🔅, ✗ –
📶 🖵 🖵 ☎ – 🔺 25/700. 🆎 ⓪ **E** 💳 🇯🇨🇧. ⬦
Com 4500 – ⴿ 1200 – **535 hab** 19040/23800.

🏨 **Tenerife Princess,** av. Litoral ℰ 79 27 51, Telex 91148, Fax 79 10 39, 🔅 climatizada, ✗
– 📶 ☎ ℗. 🆎 ⓪ **E** 💳. ⬦
Com 2900 – ⴿ 1300 – **386 hab** 11400/13500.

🏨 **Jardín Tropical,** urb. San Eugenio, ✉ apartado 139, ℰ 79 41 11, Telex 91251
Fax 79 44 51, ⇐, 🍴, 🔅 climatizada – 📶 🖵 ☎ ℗ – 🔺 25/150. 🆎 ⓪ **E** 💳 🇯🇨🇧. ⬦
Com 3000 Las Mimosas - El Patio – ⴿ 1200 – **421 hab** 17000/21000.

🏨 **Torviscas Playa,** urb. Torviscas ℰ 79 73 00, Fax 79 74 70, ⇐, 🔅, ⬥, ✗ – 📶 🖵 ☎ ⬥
℗ – 🔺 25/300. 🆎 **E** 💳. ⬦
Com 2300 – ⴿ 925 – **470 hab** 7400/11400 – PA 4500.

🏨 **Bitácora,** ℰ 79 15 40, Telex 91120, Fax 79 66 77, 🍴, 🔅 climatizada, ⬥, ✗ – 📶 🖵 ☎
🆎 ⓪ **E** 💳. ⬦
Com 1700 – **314 hab** ⴿ 10500/15500 – PA 3420.

🏨 **Las Palmeras,** ℰ 79 09 91, Telex 91274, Fax 79 02 74, ⇐, 🔅 climatizada, ⬥, ✗ – 📶
☎ ⬥ ℗ – 🔺 25/160. 🆎 **E** 💳. ⬦
Com 1700 – ⴿ 900 – **493 hab** 8000/11750, 47 suites – PA 3400.

🏨 Guayarmina Princess, playa de Fañabé ℰ 75 15 84, Fax 79 20 00, 🔅 climatizada, ✗ – 📶
🖵 ☎ ⬥
Com (sólo cena) – **514 hab.**

🏨🏨 **La Siesta**, av. Litoral ℰ 79 23 00, Telex 91119, Fax 79 22 20, ⌛ climatizada, ☞, ℁ – ‡ȡ
▤ – Ა 25/700. ᴬᴱ ⓞ ⅤⅠⅤⅡⅤⅡ. ℀
Com 2400 – ➪ 975 – **280 hab** 8500/11550 – PA 5075.

🏨🏨 **Park H. Troya,** ℰ 79 01 00, Telex 92218, Fax 79 45 72, ⌛ climatizada, ℁ – ‡ȡ ▤ ⓟ. ᴬᴱ
ⓞ ᴇ ⅤⅠⅤⅡ. ℀
Com 2200 – ➪ 750 – **318 hab** 6600/10500 – PA 4400.

🏨🏨 **Sol Tenerife**, av. del Litoral ℰ 79 10 70, Telex 91409, Fax 79 39 20, ≤, ⌛ climatizada, ℁
– ‡ȡ ▤ rest ⓟ – Ა 25/120. ᴬᴱ ⓞ ᴇ ⅤⅠⅤⅡ. ℀
Com (sólo buffet) 1200 – **522 hab** ➪ 9145/13440.

💥💥 **Casa Vasca**, Apartamentos Compostela Beach ℰ 79 40 25, ☂ – ᴬᴱ ⓞ ᴇ ⅤⅠⅤⅡ. ℀
cerrado domingo y del 5 al 20 de junio – Com carta 2400 a 5600.

Puerto de la Cruz 38400 ⁴⁴⁸ ∣ 7 – 39 241 h. – ✿ 922 – Playa.

Ver : Paseo Marítimo★ BZ.

Alred. : Jardín de aclimatación de la Orotava★★★ por ①: 1,5 km – Mirador Humboldt★★★,
La Orotava★ por ① – Iberia : av. de Venezuela ℰ 38 00 50 CY.

🅱 pl. de la Iglesia 3, ℰ 37 19 28, ✉ 38400.

Santa Cruz de Tenerife 36 ①.

Planos páginas siguientes

🏨🏨🏨 **Meliá Botánico** ⑤, Richard J. Yeoward ℰ 38 14 00, Telex 92395, Fax 38 15 04, ≤, ☂,
« Jardines tropicales », ⌛ climatizada, ℁ – ‡ȡ ▤ Ⅳ ☎ – Ძ 25/220. ᴬᴱ ⓞ ᴇ ⅤⅠⅤⅡ. ℀
Com 3100 a 4500 – ➪ 1300 – **282 hab** 15500/24500.   DZ **h**

🏨🏨🏨 **NH Semíramis**, Leopoldo Cólogan Zulueta 12 - urb. La Paz ℰ 37 32 00, Telex 92160,
Fax 37 31 93, ≤ mar, ☂, ⌛ climatizada, ℁ – ‡ȡ ▤ Ⅳ ☎ – Ძ 25/1000. ᴬᴱ ⓞ ⅤⅠⅤⅡ. ℀ rest
Com 2100 – **284 hab** ➪ 14000/21000.   DY **k**

🏨🏨🏨 **Puerto Palace**, Doctor Cobiella (carret. de Las Arenas) ℰ 37 24 60, Fax 37 35 23, ≤, ⌛,
☞, ℁ – ‡ȡ ▤ Ⅳ ☎ ↹ – Ძ 25/100. ᴬᴱ ⓞ ᴇ ⅤⅠⅤⅡ. ℀   por ②
Com 1800 – ➪ 900 – **290 hab** 9000/11700 – PA 4400.

🏨🏨🏨 **Meliá San Felipe**, av. de Colón 22 - playa Martiánez ℰ 38 33 11, Telex 92146, Fax 37 37 18,
≤, ☂, ⌛, ☞, ℁ – ‡ȡ ▤ Ⅳ ☎ ⓟ – Ძ 25/200. ᴬᴱ ⓞ ᴇ ⅤⅠⅤⅡ. ℀   DY **u**
Com carta 3350 a 4500 – **256 hab** ➪ 15300/22000, 4 suites.

🏨🏨🏨 **Meliá Puerto de la Cruz**, av. Marqués de Villanueva del Prado ℰ 38 40 11, Telex 92386,
Fax 38 65 59, ≤, ⌛ climatizada, ☞, ℁ – ‡ȡ ▤ ☎ – Ძ 25/700. ᴬᴱ ⓞ ᴇ ⅤⅠⅤⅡ ⌾ⷱ. ℀
Com 2300 – ➪ 900 – **300 hab** 8500/13500 – PA 4675.   DZ **f**

🏨🏨🏨 **El Tope**, Calzada de Martiánez 2 ℰ 38 50 52, Telex 92134, Fax 38 00 03, ≤, ⌛ climatizada,
☞, ℁ – ‡ȡ ▤ rest Ⅳ ☎ ↹ ⓟ – Ძ 25/250. ᴬᴱ ⓞ ᴇ ⅤⅠⅤⅡ. ℀   CZ **e**
Com (sólo buffet) 1500 – ➪ 1100 – **217 hab** 9800/14000.

🏨🏨 **Atalaya G. H.** ⑤, parque del Taoro ℰ 38 44 51, Telex 92380, Fax 38 70 46, ≤, ☂, « Jardín
con ⌛ climatizada », ℁ – ‡ȡ ▤ Ⅳ ☎ ⓟ. ᴬᴱ ⓞ ᴇ ⅤⅠⅤⅡ ⌾ⷱ. ℀
– Com 1600 – ➪ 1100 – **183 hab** 9600/12000 – PA 4300.   por carret. del Taoro BZ

🏨🏨 **Valle Mar**, av. de Colón 4 ℰ 38 48 00, Telex 92168, ≤, ☂, ⌛ climatizada, ☞ – ‡ȡCY **n**
171 hab.

🏨🏨 **Sol Parque San Antonio**, carret. de Las Arenas ℰ 38 49 90, Telex 92774, Fax 38 47 76, ☂,
« Jardines tropicales », ⌛ – ‡ȡ ▤ rest   por ②
227 hab.

🏨🏨 **Tryp Puerto Playa**, José del Campo Llanera ℰ 38 41 51, Telex 92748, Fax 38 31 27, ≤, ⌛ – ‡ȡ
188 hab.   AZ **q**

🏨🏨 **G. H. Tenerife Playa**, av. de Colón 16 ℰ 38 32 11, Telex 92135, Fax 38 37 91, ≤, ☂,
⌛ climatizada, ☞ – ‡ȡ ▤ rest Ⅳ ☎. ᴬᴱ ⓞ ᴇ ⅤⅠⅤⅡ. ℀   CY **a**
Com 2785 – ➪ 1045 – **337 hab** 8770/13225 – PA 5150.

🏨🏨 **Sol Dogos** ⑤, urbanización El Durazno ℰ 38 51 51, Telex 92198, Fax 38 77 60, ≤, ☂, ⌛,
℁ – ‡ȡ ▤ ⓟ   por av.M. Villanueva del Prado ① DZ
Com (sólo buffet) – **237 hab.**

🏨🏨 **Florida Tenerife**, av. Blas Pérez González ℰ 37 07 70, Telex 92404, Fax 37 07 79, ≤,
⌛ climatizada – ‡ȡ ▤ rest   AZ **f**
335 hab.

🏨🏨 **San Telmo,** San Telmo 18 ℰ 38 58 53, Fax 38 59 91, ≤, ⌛ climatizada – ‡ȡ ☎. ᴇ ⅤⅠⅤⅡ. ℀
Com 1300 – ➪ 500 – **91 hab** 4500/8000 – PA 2900.   CY **e**

🏨🏨 **Monopol,** Quintana 15 ℰ 38 46 11, Telex 92397, Fax 37 03 10, « Patio canario con
plantas », ⌛ climatizada – ‡ȡ ☎. ᴬᴱ ⓞ ᴇ ⅤⅠⅤⅡ. ℀ rest   BY **n**
Com (sólo cena) 1800 – **100 hab** ➪ 4600/8850.

🏨 **Don Manolito,** Dr. Madán 6 ℰ 38 50 40, Fax 37 08 77, ⌛, ☞ – ‡ȡ ☎. ⓞ ᴇ ⅤⅠⅤⅡ. ℀
Com (sólo cena) ➪ 450 – **79 hab** 5600/7300 – PA 2400.   AY **m**

🏨 **Chimisay** sin rest, Agustín de Bethencourt 14 ℰ 38 35 52, Fax 38 28 40, ⌛ – ‡ȡ ☎. ᴬᴱ ⅤⅠⅤⅡ.
℀   BY **m**
➪ 500 – **67 hab** 5000/7000.

🏠 **Tropical** sin rest, Puerto Viejo 1 ℰ 38 31 13, ⌛ – ‡ȡ ☎   BY **a**
39 hab.

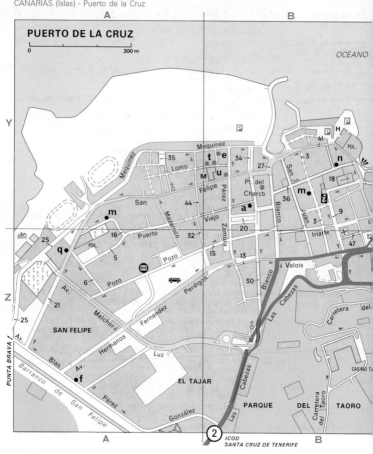

PUERTO DE LA CRUZ

0   300 m

OCÉANO

OCÉANO

PUNTA BRAVA

SAN FELIPE

EL TAJAR

PARQUE   DEL   TAORO

Barranco   de   San Felipe

ICOD
SANTA CRUZ DE TENERIFE

San Telmo		**CY**
Aguilar y Quesada		**CY** 2
Agustin de Bethencourt		**BY** 3
Agustin Espinoza		**AZ** 5

Álvarez Rixo		**AZ** 6
Casino		**CY** 8
Cólogan		**BY** 9
Constitución (Plaza de la)		**BZ** 12
Cupido		**BZ** 13

Doctor Ingrand		**BZ** 15
Doctor Madan		**AYZ** 16
Enrique Talg		**CZ** 17
Iglesia (Pl. de la)		**BY** 18
José Arroyo		**BY** 20
José del Campo Llarena (Av.)		**AZ** 21

XX **Magnolia** (Felipe "El Payés catalán"), carret. del Botánico 5 ℘ 38 56 14, 🍽 – 🔲. 🖭 ◐
🗲 🆅🆂🅰 🆓🅲🅱, 🍴
cerrado 15 mayo- 15 junio – Com carta 2240 a 3530.   DZ **w**

X **Régulo,** San Felipe 16 ℘ 38 45 06, Fax 37 04 20, Patio con balcón y plantas – 🖭 🆅🆂🅰, 🍴
cerrado domingo y julio – Com carta aprox. 2550.   BY **u**

X **La Papaya,** Lomo 10 ℘ 38 28 11, Fax 38 77 96, 🍽, Decoración típica – 🖭 ◐ 🗲 🆅🆂🅰
cerrado miércoles y junio – Com carta 1850 a 3275.   BY **1**

X Patio Canario, Lomo 4 ℘ 38 04 51, Decoración típica   BY **1**

X **Mi Vaca y Yo,** Cruz Verde 3 ℘ 38 52 47, Fax 37 08 77, Decoración típica – 🖭 ◐ 🗲 🆅🆂🅰, 🍴
cerrado 20 junio-25 julio – Com carta 3100 a 5350.   BY **e**

X **Paco,** carret. del Botánico 26 ℘ 38 73 20, 🍽 – 🖭 ◐ 🗲 🆅🆂🅰 🆓🅲🅱
cerrado miércoles – Com carta .1550 a 2550.   DZ **y**

EUROPA nuna só folha Mapa Michelin n° **970**.

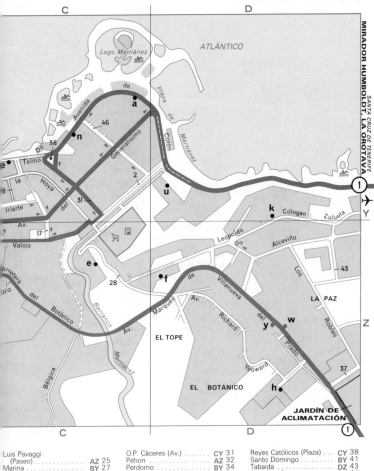

Puerto de Santiago 38683 🗺 G 8 – 🕿 922 – Playa.

Alred. : Los Gigantes (acantilado★) N : 2 km – Santa Cruz de Tenerife 101.

Santiago, La Hondura 8 🖉 10 09 12, Telex 91139, Fax 10 08 18, ≤ mar y acantilados, ⅃ climatizada, ❤ – 🛗 🗏 🕿 ⟲ – 🔬 25/280. 🖭 ⓸ 🇪 𝑉𝐼𝑆𝐴. ❤ – Com 2200 – **Aubergine** *(sólo cena, cerrado domingo)* carta 2280 a 4250 – **382 hab** ⊆ 8700/14200, 24 suites.

en el Acantilado de los Gigantes N : 2 km – ⊠ 38680 Guía de Isora – 🕿 922 :

XX **Asturias,** 🖉 10 14 23, 🍴 – 🖭 ⓸ 🇪 𝑉𝐼𝑆𝐴. ❤ – *cerrado lunes* – Com carta 2050 a 2675.

Los Realejos 38410 🗺 I 7 – 26 860 h. – 🕿 922 – 🖪 av. Primo de Rivera 20 🖉 34 02 11. Santa Cruz de Tenerife 45.

XX **Las Chozas,** carret. del Jardín NE : 1,5 km 🖉 34 20 54, Decoración rústica – ⓸ 🇪 𝑉𝐼𝑆𝐴 *cerrado domingo y septiembre* – Com (sólo cena) carta aprox. 2555.

San Andrés 38120 🗺 K 6 – 🕿 922 – Playa – ◆Santa Cruz de Tenerife 8.

X Don Antonio, Dique 19 🖉 54 96 73, Pescados y mariscos.

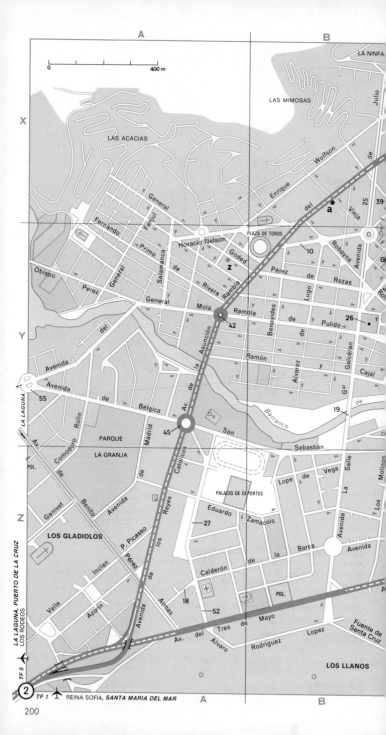

200

SANTA CRUZ DE TENERIFE

201

Santa Cruz de Tenerife 38000 🅿 🗺️🌀🌀 K 7 – 190 784 h. – 🌀 922.

Ver : Dique del puerto ⩽★ DX – Parque Municipal García Sanabria★ BCX.

Alred. : Carretera de Taganana ⩽★★ por el puerto del Bailadero★ por ① : 28 km – Mirador de Don Martín ⩽★★ por Güimar ② : 27 km.

🛪 de Tenerife por ② : 16 km ℰ 25 02 40 – 🖪 🛪 Golf del Sur, San M²ᵉel de Abona ℰ 70 45 55.

✈ de Tenerife - Los Rodeos por ② : 13 km ℰ 25 79 40, y Tenerife-Sur-Reina Sofía por ② : 60 km ℰ 77 00 50 – Iberia : av. de Anaga 23, ✉ 38001, ℰ 28 80 00 BZ, y Aviaco : aeropuerto Reina Sofía ℰ 26 08 73.

🚢 para La Palma, Gran Canaria, Lanzarote, Fuerteventura, Gomera y la Península : Cía Trasmediterránea, La Marina 59, ✉ 38001, ℰ 28 78 50, Telex 92017.

🛈 pl. de España, ✉ 38002, ℰ 24 20 08 – R.A.C.E. Emilio Calzadilla ✉ 38002, ℰ 28 65 06.

Planos páginas precedentes

🏨🏨🏨 **Mencey**, av. Dr. José Naveiras 38, ✉ 38004, ℰ 27 67 00, Telex 92034, Fax 28 00 17, 🖅, ☒ climatizada, ✵ – 🛗 ▤ 📺 – 🔬 25/290. 🖭 ⓞ 🇪 𝘝𝘐𝘚𝘈. ✵   CX k
Com carta aprox. 5150 – ☲ 1950 – **298 hab** 16750/21000.

🏨🏨 **Contemporáneo (Hotel Escuela)**, rambla General Franco 116, ✉ 38001, ℰ 27 15 71, Telex 91558, Fax 27 12 23 – 🛗 ▤ 📺 ☎ – 🔬 25/200. 🖭 ⓞ 🇪 𝘝𝘐𝘚𝘈. ✵   CX e
Com 1600 – ☲ 625 – **124 hab** 9500/14000, 2 suites – PA 3800.

🏨🏨 **Príncipe Paz** sin rest, Valentín Sanz 33, ✉ 38002, ℰ 24 99 55, Fax 28 10 65 – 🛗 ▤ 📺 ☎ – 🔬 25/50. 🖭 ⓞ 🇪 𝘝𝘐𝘚𝘈. ✵   CY a
80 hab ☲ 9000/11000.

🏨 **Colón Rambla** sin rest, Viera y Clavijo 49, ✉ 38004, ℰ 27 25 50, Fax 27 27 16, ☒ – 🛗 📺 ☎ ⟵. 🖭 🇪 𝘝𝘐𝘚𝘈. ✵   BX a
40 hab ☲ 8400/10500.

🏨 **Plaza** sin rest, pl. Candelaria 9, ✉ 38002, ℰ 24 58 62, Fax 24 72 78 – 🛗 📺 ☎. 🖭 ⓞ 𝘝𝘐𝘚𝘈. ✵   DY a
☲ 450 – **98 hab** 5750/9200.

🏨 **Atlántico** sin rest, Castillo 12, ✉ 38002, ℰ 24 63 75 – 🛗 📺 ☎. 🖭 ⓞ 𝘝𝘐𝘚𝘈. ✵   CY b
60 hab ☲ 4500/8000.

🏨 **Taburiente**, Doctor Jose Naveiras 26, ✉ 38001, ℰ 27 60 00, Fax 27 05 62, ☒ – 🛗 📺 ☎ ⟵ – 🔬 25/200. 🖭 🇪 𝘝𝘐𝘚𝘈. ✵   CX n
Com carta aprox. 2550 – **116 hab** ☲ 5870/9050.

🏨 **Océano** sin rest, Castillo 6, ✉ 38002, ℰ 27 08 00 – 🛗 📺 ☎. 🖭 ⓞ 𝘝𝘐𝘚𝘈. ✵   DY e
28 hab ☲ 3500/7000.

🏨 **Tanausú** sin rest, Padre Anchieta 8, ✉ 38005, ℰ 21 70 00, Fax 21 60 29 – 🛗 ☎. 🖭 ⓞ 🇪 𝘝𝘐𝘚𝘈. ✵   CY b
☲ 410 – **18 hab** 3200/5150.

✗ **La Toja**, Méndez Nuñez 108, ✉ 38001, ℰ 28 26 51 – ▤. 🖭 🇪 𝘝𝘐𝘚𝘈. ✵   CX v
Com carta aprox. 3100.

✗ **Mesón Los Monjes**, La Marina 7, ✉ 38002, ℰ 24 65 76 – ▤. 🖭 ⓞ 🇪 𝘝𝘐𝘚𝘈. ✵ DY s
cerrado domingo – Com carta 2975 a 3800.

✗ **El Coto de Antonio**, General Goded 13, ✉ 38006, ℰ 27 21 05, Fax 29 09 22 – ▤. 🖭 ⓞ 🇪 𝘝𝘐𝘚𝘈 🗌. ✵   AY z
cerrado sábado mediodía, domingo noche y del 10 al 30 de junio – Com carta 2700 a 5150.

Santa Úrsula 38390 🌀🌀🌀 J 7 – 7 821 h. – 🌀 922.

Santa Cruz de Tenerife 27.

por la antigua carretera del Puerto de la Cruz SO : 2 km en Cuesta de la Villa – ✉ 38390 Santa Ursula – 🌀 922 :

✗✗ **Los Corales**, Cuesta la Villa 130 ℰ 30 19 18, Fax 32 17 27, ⩽ – 🅿. 🖭 ⓞ 🇪 𝘝𝘐𝘚𝘈. ✵
Com carta 2400 a 4100.

Tegueste 38280 🌀🌀🌀 J 6 – alt. 399 – 🌀 922.

Santa Cruz de Tenerife 17.

✗ **El Drago**, urb. San Gonzálo (El Socorro) ℰ 54 30 01, Fax 54 44 54, Decoración rústica – 🅿 🖭 𝘝𝘐𝘚𝘈. ✵
cerrado lunes y agosto – Com carta 2100 a 3150.

Les hôtels ou restaurants agréables
sont indiqués dans le guide par un signe rouge.   🏨🏨🏨 ... 🏠

Aidez-nous en nous signalant les maisons où,
par expérience, vous savez qu'il fait bon vivre.   ✗✗✗✗✗ ... ✗

Votre guide Michelin sera encore meilleur.

GOMERA (Santa Cruz de Tenerife)

San Sebastián de la Gomera 38800 – 5 732 h. – ✪ 922 – Playa.

Alred. : Valle de Hermigua★★ NO : 22 km – O : Barranco del Valle Gran Rey★★.

🚢 para Tenerife : Cía Trasmediterránea : Del Medio 49, ⊠ 38800, 𝒫 87 08 02, Fax 87 13 24.

🛈 del Medio 20, 𝒫 87 07 52, ⊠ 38800.

🏨 **Parador Conde de la Gomera** ≫, Balcón de la Villa y Puerto, ⊠ apartado 21, 𝒫 87 11 00, Fax 87 11 16, ≤, Decoración elegante, « Edificio de estilo regional », ⌑, 🛋 – 🍴 rest 📺 ☎ 🅿 🖭 ⓞ 𝚅𝙸𝚂𝙰 ✁
Com 3500 – ☷ 1200 – **42 hab** 14500 – PA 6970.

🏨 **Garajonay** sin rest, Ruiz de Padrón 15 𝒫 87 05 50, Fax 87 05 50 – ▐▌ ☎ ✁
☷ 450 – **29 hab** 3800/5200.

XX **Marqués de Oristano,** del Medio 24 𝒫 87 00 22, Fax 87 14 33, 🍽 – 🖭 ⏚ 𝚅𝙸𝚂𝙰 ✁
cerrado domingo y junio – Com carta 2050 a 4050.

X **Casa del Mar,** Fred Olsen 2 𝒫 87 12 19, ≤ – 🖭 ⏚ 𝚅𝙸𝚂𝙰 ✁
cerrado domingo – Com carta 1500 a 2900.

HIERRO (Santa Cruz de Tenerife)

Valverde 38900 – 3 474 h. – ✪ 922.

Alred. : O : El Golfo★★ (Mirador de la Peña ≤★★).

🛩 de Hierro E : 10 km 𝒫 55 07 25 – Iberia : Doctor Quintero 6 𝒫 55 02 78.

🚢 para Tenerife, Gran Canaria, Fuerteventura, Lanzarote y la Península : Cía Trasmediterránea : Puerto de la Estaca 3, ⊠ 38900, 𝒫 55 01 29.

🏨 **Boomerang** ≫, Dr. Gost 1 𝒫 55 02 00, Fax 55 02 53 – ☎. 🖭 ⓞ ⏚ 𝚅𝙸𝚂𝙰 ✁
Com 1500 – ☷ 450 – **17 hab** 4150/5750 – PA 2600.

en Las Playas S : 20 km – ⊠ 38900 Valverde – ✪ 922 :

🏨 **Parador de El Hierro** ≫, 𝒫 55 80 36, Fax 55 80 86, ≤, ⌑ – 🍴 rest ☎ 🅿 🖭 ⓞ 𝚅𝙸𝚂𝙰 ✁
Com 3000 – ☷ 1000 – **47 hab** 9000 – PA 5950.

LA PALMA (Santa Cruz de Tenerife)

Barlovento 38726 – 2 772 h. – ✪ 922.

Santa Cruz de la Palma 41.

🏨 **La Palma Romántica** ≫, Las Llanadas 𝒫 45 08 21, Fax 45 15 00, ≤, ⌑, 🏊, 🎯 – ☎ 🅿
⏚ 𝚅𝙸𝚂𝙰 ✁ rest
Com 1500 – **34 hab** ☷ 5500/8000.

Los Llanos de Aridane 38760 – 14 677 h. alt. 350 – ✪ 922.

Alred. : El Time★★ ☀★★ O : 12 km – Caldera de Taburiente★★★ (La Cumbrecita y El Lomo de las Chozas ☀★★★) NE : 20 km – Fuencaliente (paisaje★) SE : 23 km – Volcán de San Antonio★ SE : 25 km – Volcán Teneguía★.

Santa Cruz de la Palma 37.

⚐ **Edén** sin rest y sin ☷, pl. de España 1 𝒫 46 01 04 – ☎. ✁
15 hab 1768/3640.

X **San Petronio,** Pino de Santiago 40 𝒫 46 24 03, Fax 46 24 03, ≤, 🍽, Cocina italiana – 🍴
🅿 ⏚ 𝚅𝙸𝚂𝙰 ✁
cerrado lunes, carnavales y septiembre – Com carta 2000 a 2550.

Puerto Naos 38760 – ✪ 922.

Santa Cruz de la Palma 40.

🏨 Sol La Palma ≫, Punta del Pozo 𝒫 48 06 12, Fax 48 09 04, ≤, ⤬, ⌑, 🛋, 🎯 – ▐▌ 🍴 📺
☎ 🅿 – ⚛ 25/100
308 hab.

Santa Cruz de la Palma 38700 – 16 629 h. – ✪ 922 – Playa.

Ver : Iglesia de San Salvador (artesonados★).

Alred. : Mirador de la Concepción ≤★ SO : 9 km – Caldera de Taburiente★★★ (La Cumbrecita y El Lomo de las Chozas ☀★★★) O : 33 km – NO : La Galga (barranco★), Los Tilos★, Roque de los Muchachos★★★ (36 km).

🛩 de la Palma SO : 8 km 𝒫 42 80 60 – Iberia : Apurón 1 𝒫 28 80 00.

🚢 para Tenerife, Gran Canaria, Fuerteventura, Lanzarote y la Península : Cía. Trasmediterránea : av. Pérez de Brito 2 𝒫 41 11 21,.

🛈 O'Daly 22 𝒫 41 21 06.

🏦🏦 **Parador de la Palma,** av. Marítima 34 *𝒫* 41 23 40, Fax 41 18 56, Decoración regional
|≴| ▤ rest **☎**. 𝖠𝖤 **⓪** *𝖵𝖨𝖲𝖠*. 🛠
Com 2800 – ⌧ 1000 – **32 hab** 8500 – PA 5610.

🏦🏦 **Marítimo** av. Marítima 75 *𝒫* 42 02 22, Fax 41 43 02 – |≴| ▤ rest **📺 ☎**. 𝖠𝖤 **E** *𝖵𝖨𝖲𝖠*. 🛠
Com 1250 – ⌧ 650 – **69 hab** 6000/7800 – PA 3150.

en la playa de Los Cancajos SE : 4,5 km – ✉ 38712 Los Cancajos – ✪ 922 :

🍴 La Fontana, urb. Adelfas *𝒫* 43 42 50.

    �no Tazacorte▮ **38770** – 6 402 h. – ✪ 928.
Santa Cruz de la Palma 43.

en el puerto NO : 1,5 km – ✉ 38770 Tazacorte : – ✪ 922

🍴 La Goleta, Las Tarajales *𝒫* 48 01 20, ≤.

▮ CANDANCHÚ ▮ **22889** Huesca 𝟒𝟒𝟑 D 18 alt. 1 560 – ✪ 974 – Deportes de invierno : ∡23.
Alred. : Puerto de Somport★★ ⁂★★ N : 2 km.
◆Madrid 513 – Huesca 123 – Oloron-Ste-Marie 55 – ◆Pamplona/Iruñea 143.

🏦 **Tobazo** ⌬, *𝒫* 37 31 25, Fax 37 31 25, ≤ alta montaña – |≴| **☎ ℗**. **E** *𝖵𝖨𝖲𝖠*. 🛠 rest
diciembre-abril y 15 julio-agosto – Com 1530 – ⌧ 490 – **52 hab** 5900/8980 – PA 355C

▮ CANDÁS ▮ **33430** Asturias 𝟒𝟒𝟏 B 12 – ✪ 98 – Playa.
🇧 Braulio Busto 2 *𝒫* 587 02 05.
◆Madrid 477 – Avilés 17 – Gijón 14 – ◆Oviedo 42.

🏦🏦 **Resid. y Rest. Marsol,** Astilleros *𝒫* 587 01 00, Telex 87490, Fax 587 15 62, ≤ – |≴| **📺 ◆**
⇦, 𝖠𝖤 **⓪** **E** *𝖵𝖨𝖲𝖠*. 🛠
Com *(cerrado lunes)* 2000 – ⌧ 650 – **64 hab** 8000/12000.

🏦 **La Parra** sin rest, Tenderina 4 *𝒫* 587 20 04 – |≴| **📺 ☎**. 𝖠𝖤 *𝖵𝖨𝖲𝖠*. 🛠
⌧ 375 – **18 hab** 6000/8200.

▮ CANDELARIA ▮ Santa Cruz de Tenerife – ver Canarias (Tenerife).

▮ CANDELEDA ▮ **05480** Ávila 𝟒𝟒𝟐 L 14 – 5 319 h. alt. 428 – ✪ 920.
◆ Madrid 163 – ◆ Ávila 93 – Plasencia 100 – Talavera de la Reina 64.

🏦 **Los Castañuelos,** Ramón y Cajal 77 *𝒫* 38 06 84, Fax 38 21 13 – ▤ rest **📺 ☎**. 𝖠𝖤 **⓪** **E**
𝖵𝖨𝖲𝖠. 🛠
cerrado del 13 al 28 de octubre – Com 1750 – ⌧ 500 – **14 hab** 4400/5500.

▮ CANELAS (Playa de) ▮ Pontevedra – ver Portonovo.

▮ CANFRANC-ESTACIÓN ▮ **22880** Huesca 𝟒𝟒𝟑 D 28 – 633 h. – ✪ 974.
🇧 av. Fernando el Católico 3 *𝒫* 37 31 41.
◆Madrid 504 – Huesca 114 – ◆Pamplona/Iruñea 134.

🏦 **Villa de Canfranc,** Fernando el Católico 17 *𝒫* 37 20 12, Fax 37 20 12, ⍩ – |≴| **☎** ⇦
🛠
15 diciembre-17 abril y 15 junio-septiembre – Com 1100 – ⌧ 360 – **52 hab** 2640/445
– PA 2175.

🏦 **Villa Anayet,** pl. José Antonio 8 *𝒫* 37 31 46, ≤, ⍩ – |≴| ⇨. *𝖵𝖨𝖲𝖠*. 🛠
cerrado 16 abril-19 junio y 16 septiembre-14 diciembre – Com 1110 – ⌧ 360 – **67 ha**
2635/4580 – PA 2175.

🏦 **Montanglassé,** Felipe V 2 *𝒫* 37 33 11, Fax 37 20 68 – **📺 ☎**. *𝖵𝖨𝖲𝖠*. 🛠
Com 1100 – ⌧ 225 – **26 hab** 2500/4000 – PA 2060.

🏦 **Ara** sin rest., av. Fernando el Católico 1 *𝒫* 37 30 28, ≤ – ⇦ **℗**. *𝖵𝖨𝖲𝖠*. 🛠
24 diciembre-26 abril y 15 julio-agosto – ⌧ 450 – **30 hab** 2200/4600.

Ver también : *Astún (Valle de)* N : 12,5 km
            Candanchú N : 9 km.

▮ CANGAS DEL NARCEA ▮ **33800** Asturias 𝟒𝟒𝟏 C 10 – 7 520 h. alt. 376 – ✪ 98.
◆Madrid 493 – Luarca 83 – Ponferrada 113 – ◆Oviedo 100.

🏦 **El Molinón** sin rest, Uría 36 *𝒫* 581 29 52 – ▤ **📺 ☎**. 𝖠𝖤 *𝖵𝖨𝖲𝖠*. 🛠
⌧ 450 – **16 hab** 4500/7000.

36940 Pontevedra **441** F 3 – ۞ 986 – Playa.

Madrid 629 – Pontevedra 33 – ◆Vigo 24.

🏠 **Las Vegas** sin rest, av. Pontevedra ℘ 30 43 00, Fax 30 49 58, ≤, ⊥ – ☎ **②**. 𝔸𝔼 𝐄 𝑽𝑰𝑺𝑨. ⅏
☑ 400 – **29 hab** 4000/6500, 4 suites.

✗ **Casa Simón,** barrio de Balea ℘ 30 00 16, Fax 30 20 00, Pescados y mariscos – 🍽 **②**. 𝔸𝔼 **①** 𝐄 𝑽𝑰𝑺𝑨. ⅏
cerrado lunes y 2ª quincena de octubre – Com carta aprox. 5500.

en la carretera de Bueu (por la costa) O : 2 km – ⌧ 36940 Cangas de Morrazo – ۞ 986

🏨 **Don Hotel** ⌂, Tobal Darbo ℘ 30 44 00, Fax 30 44 00, ⊥, 🐎 – 📺 ☎ **②** – 🔬 25/250. 𝑽𝑰𝑺𝑨
Com 1000 – ☑ 350 – **38 hab** 5500/7500, 8 suites – PA 2200.

33550 Asturias **441** B 14 – 6 390 h. alt. 63 – ۞ 98.

Ired. : Desfiladero de los Beyos★★★ S : 18 km.

⌂ av. de Covadonga (jardines del Ayuntamiento) ℘ 584 80 05.

Madrid 419 – ◆Oviedo 74 – Palencia 193 – ◆Santander 147.

🏨 **Los Lagos,** jardines del Ayuntamiento ℘ 584 92 77, Fax 584 84 05 – 🛗 📺 ☎ – 🔬 25. 𝔸𝔼 **①** 𝑽𝑰𝑺𝑨. ⅏
Com 1500 – ☑ 500 – **45 hab** 8000/9000.

🏠 **Favila,** Calzada de Ponga 16 ℘ 584 81 84, Fax 584 80 88 – 🛗 📺 🐾. 𝔸𝔼 **①** 𝐄 𝑽𝑰𝑺𝑨. ⅏
marzo-noviembre – Com 1300 – ☑ 350 – **33 hab** 6725.

en la carretera de Arriondas N : 2,5 km – ⌧ 33550 Cangas de Onís – ۞ 98 :

🏨 **El Capitán,** Vega de Los Caseros ℘ 584 83 57, Fax 594 71 14 – 🛗 📺 ☎ **②**. 𝔸𝔼 𝐄 𝑽𝑰𝑺𝑨. ⅏
Com 1500 – ☑ 500 – **28 hab** 6000/7700 – PA 3000.

en la carretera de Covadonga E : 2,5 km – ⌧ 33550 Cangas de Onís – ۞ 98 :

🏠 **Los Acebos,** ℘ 594 00 42, Fax 584 91 53 – 📺 ☎ **②**. 𝔸𝔼 **①** 𝐄 𝑽𝑰𝑺𝑨
Com (cerrado enero) 1300 – ☑ 350 – **14 hab** 5000/5500 – PA 2900.

✗✗ La Cabaña, ℘ 594 00 84 – 🍽 **②**.

36390 Pontevedra **441** F 3 – ۞ 986.

Madrid 612 – ◆ Orense/Ourense 108 – Vigo 10.

✗✗ **Cíes y Resid. Estay** con hab, Playa ℘ 49 01 01, Fax 49 08 75 – 🍽 rest 📺 ☎. 𝔸𝔼 𝐄 𝑽𝑰𝑺𝑨
Com carta 3300 a 5000 – ☑ 350 – **26 hab** 6000/8000.

Andorra – ver Andorra (Principado de).

Baleares – ver Baleares (Mallorca) : Palma de Mallorca.

44140 Teruel **443** K 28 – 823 h. – ۞ 978.

Madrid 392 – Teruel 91.

🏠 **Balfagón,** av. del Maestrazgo 20 ℘ 18 51 53, Fax 18 50 76, ≤ – **②**. 𝐄 𝑽𝑰𝑺𝑨. ⅏
cerrado 10 enero-20 febrero – Com (cerrado domingo noche y lunes mediodía salvo en verano) 1100 – ☑ 450 – **38 hab** 3700 – PA 2650.

08569 Barcelona **443** F 37 – ۞ 93.

Madrid 662 – ◆Barcelona 92 – Ripoll 52 – Vich/Vic 26.

🏠 Cantonigròs, carret. de Olot ℘ 856 50 47, ≤ – **②**
31 hab.

Gerona – ver Rosas.

Santa Cruz de Tenerife – ver Canarias (Tenerife).

36880 Pontevedra **441** F 5 – 7 810 h. – ۞ 986.

Madrid 548 – Orense/Ourense 49 – Pontevedra 76 – ◆Vigo 57.

🏠 **O'Pozo,** carret. N 120 E : 1 km ℘ 65 10 50, ⊥ – 📺 ☎ **②**. 𝔸𝔼 𝐄 𝑽𝑰𝑺𝑨. ⅏
Com 1850 – ☑ 275 – **20 hab** 3700/4700.

✗ **Reveca,** Progreso 15 ℘ 65 13 88 – **②**. 𝐄 𝑽𝑰𝑺𝑨. ⅏
Comida carta 2600 a 3600.

CAPELLADES 08786 Barcelona 443 H 35 – 4 882 h. – ✆ 93.
♦Madrid 574 – ♦Barcelona 75 – ♦Lérida/Lleida 105 – Manresa 39.

※ **Tall de Conill** con hab, pl. Angel Guimerá 11 ℰ 801 01 30, Fax 801 04 04 – ⧉ ☰ rest [
☎. AE ① E *VISA*. ⋘
Com *(cerrado domingo noche, lunes, del 3 al 17 enero y del 1 al 15 julio)* carta 3700
5100 – 立 700 – **9 hab** 4000/6000.

CAPILEIRA 18413 Granada 446 V 19 – 713 h. – ✆ 958.
♦Madrid 505 – ♦Granada 76 – Motril 51.

🔥 **Mesón Poqueira** ⋟, Dr. Castilla 1 ℰ 76 30 48, Fax 76 30 48, 🍴 – AE ① E *VISA*. ⋘
Com *(cerrado lunes en invierno)* 1000 – 立 200 – **17 hab** 2000/3500 – PA 2000.

CARAVACA DE LA CRUZ 30400 Murcia 445 R 24 – 20 231 h. – ✆ 968.
♦Madrid 386 – ♦Albacete 139 – Lorca 60 – ♦Murcia 70.

※ **Cañota,** Gran Vía 41 ℰ 70 88 44 – ☰. E *VISA*. ⋘
cerrado domingo – Com (sólo almuerzo) carta aprox. 2100.

CARAVIA ALTA 33344 Asturias 441 B 14 – 711 h. – ✆ 985.
Alred.: Mirador del Fito ⋇★★ S : 8 km.
♦Madrid 508 – Gijón 57 – ♦Oviedo 73 – ♦Santander 140.

CARBALLINO o **CARBALLIÑO** 32500 Orense 441 E 5 – 10 942 h. alt. 397 – ✆ 988
Balneario.
♦Madrid 528 – Orense/Ourense 29 – Pontevedra 76 – Santiago de Compostela 86.

🏨 **Baccus,** carret. de Pontevedra O : 1,5 km ℰ 27 32 26, Fax 27 10 25 – 📺 ☎ Ⓟ
16 hab.
🏨 **Arenteiro** sin rest, Alameda 19 ℰ 27 05 50, Fax 27 31 56 – ⧉ 🕿. AE ① E *VISA*. ⋘
立 350 – **45 hab** 3200/4900.
🏨 **Noroeste** sin rest y sin 立, travesía Cerca 2 ℰ 27 09 70 – 📺. *VISA*. ⋘
15 hab 3200.

CARBALLO 15100 La Coruña 441 C 3 – 23 923 h. – ✆ 981.
♦Madrid 636 – ♦La Coruña/A Coruña 35 – Santiago de Compostela 45.

🏨 **Moncarsol** sin rest, av. Finisterre 9 ℰ 70 24 11, Fax 70 25 18 – ⧉ 📺 ☎ 🚗 – 🏛 25/7
E *VISA*. ⋘
立 575 – **32 hab** 8000/9000.
※※ **Chochi,** Perú 9 ℰ 70 23 11 – ☰. AE *VISA*. ⋘
cerrado domingo – Com (sólo cena en verano) carta 1650 a 3100.

CARCHUNA 18730 Granada 446 V 19 – ✆ 958.
♦Madrid 506 – ♦Almería 98 – ♦Granada 82.

por la carretera N 340 E : 2 km – ✉ 18730 Carchuna – ✆ 958

🏨 Perla de Andalucía y Rest. La Lubina, urb. Perla de Andalucía ℰ 62 42 42, Fax 62 43 62, ·
🍴, ⤵ – ⧉ ☰ 📺 ☎ 🚗
temp. – **52 hab.**

CARDEDEU 08440 Barcelona 443 H 37 – 7 240 h. alt. 193 – ✆ 93.
♦Madrid 648 – ♦Barcelona 35 – Gerona/Girona 68 – Manresa 77.

※※ **Racó del Santcrist,** Teresa Oller 35 ℰ 846 10 43, Pescados y mariscos – ☰ Ⓟ. AE (
E *VISA*. ⋘
cerrado domingo noche, lunes y 15 días en enero – Com carta 3100 a 5350.

CARDONA 08261 Barcelona 443 G 35 – 6 561 h. alt. 750 – ✆ 93.
Ver : Colegiata★.
🛈 av. Rastrillo, ✉ 08261, ℰ 869 27 98.
♦Madrid 596 – ♦Lérida/Lleida 127 – Manresa 32.

🏛 **Parador Duques de Cardona** ⋟, ℰ 869 12 75, Fax 869 16 36, ≤ valle y montañ
« Instalado en un castillo medieval » – ⧉ ☰ 📺 ☎ Ⓟ – 🏛 25/80. AE ① *VISA*. ⋘
Com 3200 – 立 1100 – **60 hab** 11000 – PA 6375.
※ **Perico** con hab, pl. del Valle 18 ℰ 869 10 20 – E *VISA*. ⋘
cerrado 28 junio-6 julio y del 20 al 30 de septiembre – Com *(cerrado viernes)* carta 270
a 4200 – 立 600 – **14 hab** 2650/4100.

Madrid 428 – ◆Córdoba 30 – ◆Granada 193 – ◆Sevilla 108.

en la antigua carretera N IV NE : 2 km – ⊠ 14100 La Carlota – 🕾 957 :

🏠 **El Pilar,** 🖉 30 01 67, Fax 30 06 19, 🗻 – 🗏 📺 🕾 🅿. 🖭 ① 🗉 🖾. 🛠
Com 1250 – 🖙 400 – **83 hab** 4000/5500 – PA 2900.

CARMONA 41410 Sevilla 446 T 13 – 24 244 h. alt. 248 – 🕾 95.

Ver : Ciudad Vieja★.

Madrid 503 – ◆Córdoba 105 – ◆Sevilla 33.

🏛 **Parador Alcázar del Rey Don Pedro** ⑤, 🖉 414 10 10, Telex 72992, Fax 414 17 12, ≤ vega del Corbones, « Conjunto de estilo mudéjar », 🗻 – 🛗 🗏 📺 🕾 🅿 – 🔬 25/100. 🖭 ① 🖾. 🛠
Com 3500 – 🖙 1200 – **62 hab** 16000, 1 suite – PA 6970.

🏠 **Casa de Carmona,** pl. de Lasso 1 🖉 414 33 00, Fax 414 37 52, « Instalado en un palacio del siglo XVI, mobiliario de gran estilo », 🗻 – 🛗 🗏 📺 🕾 ⇦. 🖭 ① 🖾. 🛠 rest
Com carta aprox. 4200 – 🖙 1600 – **29 hab** 16000/19000, 1 suite.

🏠 Alcázar de la Reina, pl. de Lasso 2 🖉 419 00 64, Fax 414 28 32, 🗻 – 🛗 🗏 📺 🕾 ⇦ – 🔬 25/230
64 hab, 4 suites.

XX **San Fernando,** Sacramento 3 🖉 414 35 56 – 🗏. 🖭 🗉 🖾. 🛠
cerrado domingo noche, lunes y agosto – Com carta 3590 a 4090.

*Nos guides hôteliers, nos guides touristiques et nos cartes routières
sont complémentaires. Utilisez-les ensemble.*

CARMONA 39554 Cantabria 442 C 16 – 🕾 942.

Madrid 408 – ◆Oviedo 162 – ◆Santander 69.

XX **Venta de Carmona** ⑤ con hab, 🖉 72 80 57, ≤, « Elegante palacete del siglo XVII » – 🕾 🅿. 🖭 🖾. 🛠
cerrado 10 enero-16 mayo – Com carta aprox. 2900 – 🖙 300 – **8 hab** 6000.

La **CAROLINA** 23200 Jaén 446 R 19 – 14 864 h. alt. 205 – 🕾 953.

Madrid 267 – ◆Córdoba 131 – Jaén 66 – Úbeda 50.

🏠 **NH La Perdiz,** carret. N IV 🖉 66 03 00, Telex 28315, Fax 68 13 62, 🏛, « Conjunto de estilo rústico », 🗻, 🛲 – 🗏 📺 🕾 ⇦ 🅿. 🖭 ① 🗉 🖾. 🛠 rest
Com 2500 – 🖙 800 – **86 hab** 7600/10300 – PA 5500.

🏠 **La Gran Parada** sin rest y sin 🖙, av. Vilches 9 🖉 66 02 75 – 🕾 🅿. 🛠
24 hab 2200/3200.

en la carretera N IV NE : 4 km – ⊠ 23200 La Carolina – 🕾 953 :

🏠 **Orellana Perdiz,** zona de Navas de Tolosa 🖉 66 03 04, Fax 66 06 00, 🏛, 🗻, 🎾 – 🗏 🕾 ⇦ 🅿. 🖾. 🛠
Com 1900 – 🖙 350 – **28 hab** 5360/6670.

CARRACEDELO 24549 León 441 E 9 – 3 262 h. – 🕾 987.

Madrid 396 – ◆León 120 – Lugo 98 – Ponferrada 10.

🏠 Las Palmeras, carret. N VI NE : 1 km, ⊠ 24540 Cacabelos, 🖉 56 25 05, Fax 56 27 05 – ⇦ 🅿
24 hab.

CARRIL 36610 Pontevedra 441 E 3 – 🕾 986.

Madrid 636 – Pontevedra 29 – Santiago de Compostela 38.

X 🕸 **Loliña,** pl. del Muelle 🖉 50 12 81, 🏛, Pescados y mariscos, « Decoración rústica regional » – 🖭 ① 🗉 🖾. 🛠
cerrado domingo noche, lunes y noviembre – Com carta aprox. 5500
Espec. Almejas de Carril, Rape a la gallega, Filloas rellenas.

CARTAGENA 30200 Murcia 445 T 27 – 172 751 h. – 🕾 968.

🚂 🖉 50 17 96.

🚢 para Canarias : Cía Aucona, Marina Española 7 🖉 50 12 00, Telex 67148, y Trasmediterránea, Mayor 3, ⊠ 30201, 🖉 50 12 00, Telex 66148.

🛈 pl. Ayuntamiento ⊠ 30201 🖉 50 64 83 – R.A.C.E. pl. de San Francisco 2, ⊠ 30201, 🖉 10 34 21.

Madrid 444 ① – ◆Alicante 110 ① – ◆Almería 240 ① – Lorca 83 ① – ◆Murcia 49 ①.

CARTAGENA

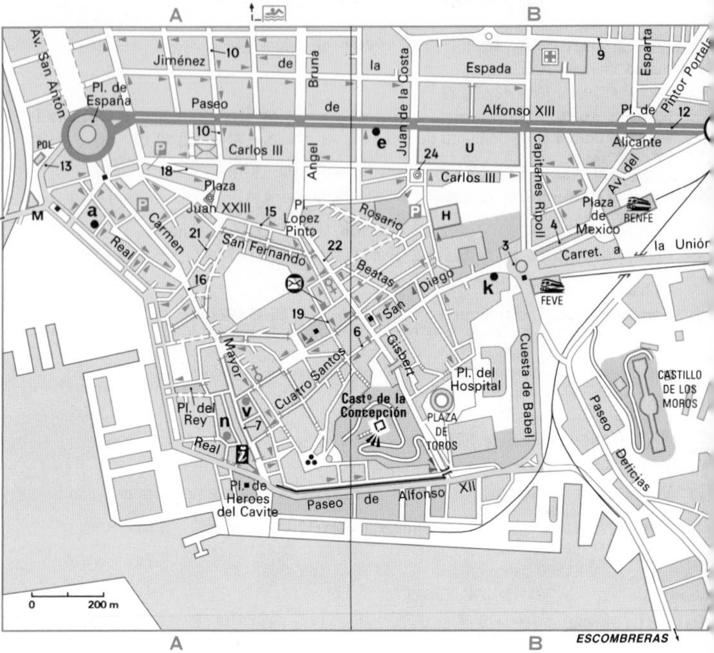

Cartagonova sin rest, Marcos Redondo 3, ✉ 30201, ✆ 50 42 00, Fax 50 59 66 – |♦| ▤ ▣ ☎ 🚗. AE ⦿ E VISA. ⚔ — A
☕ 1000 – **126 hab** 4900/9300.

Alfonso XIII, paseo Alfonso XIII - 40, ✉ 30203, ✆ 52 00 00, Fax 50 05 02 – |♦| ▤ TV – 🏛 25/350. AE ⦿ E VISA. ⚔ rest — B
Com 1650 – ☕ 875 – **217 hab** 5225/7425 – PA 3390.

Los Habaneros, San Diego 60, ✉ 30202, ✆ 50 52 50, Fax 50 52 50 – |♦| ▤ TV ☎ P. ⦿ E VISA. ⚔ — B
Com (ver rest. **Los Habaneros**) – ☕ 375 – **63 hab** 3000/4300.

Los Habaneros, San Diego 60, ✉ 30202, ✆ 50 52 50, Fax 50 52 50 – ▤ P. AE ⦿ E VISA ⚔ — B
Com carta aprox. 3100.

Artés, pl. José María Artés 9, ✉ 30201, ✆ 52 70 64 – ▤. E VISA. ⚔ — A
cerrado domingo – Com carta aprox. 3100.

Tino's, Escorial 13, ✉ 30201, ✆ 10 10 65 – ▤ — A

en la carretera de La Palma N : 6 km – ✉ 30300 Barrio de Peral – ☎ 968 :

Los Sauces, ✆ 53 07 58, 🏡, « En pleno campo con agradable terraza » – ▤ P. AE ⦿ E VISA. ⚔
cerrado sábado mediodía y domingo mediodía en verano, domingo noche resto del añ – Com carta 3100 a 3900.

CARVAJAL Málaga – ver Fuengirola.

CASCANTE **31520** Navarra 442 G 24 – 3 293 h. – ☎ 948.
♦Madrid 307 – ♦Logroño 104 – ♦Pamplona/Iruñea 94 – Soria 81 – ♦Zaragoza 85.

Mesón Ibarra, Vicente y Tutor 3 ✆ 85 04 77 – ▤. VISA. ⚔
cerrado lunes y septiembre – Com carta 2375 a 3550.

C'AS CATALÁ Baleares – ver Baleares (Mallorca) : Palma de Mallorca.

CASES D'ALCANAR Tarragona – ver Alcanar.

CASPE 50700 Zaragoza 443 I 29 – 8 209 h. alt. 152 – © 976.
◆Madrid 397 – ◆Lérida/Lleida 116 – Tortosa 95 – ◆Zaragoza 108.

🏨 **Mar de Aragón** sin rest y sin ☲, pl. Estación ℰ 63 03 13, ☑ – ⧫ 🗏 ☎ ⇔. 𝑉𝐼𝑆𝐴
40 hab 3200/4000.

CASTALLA 03420 Alicante 445 Q 27 – 6 594 h. – © 96.
◆Madrid 376 – ◆Albacete 129 – ◆Alicante/Alacant 37 – ◆Valencia 138.

en la carretera de Villena N : 2,5 km – ⊠ 03420 Castalla – © 96 :

XX **Izaskun,** ℰ 656 08 08, Cocina vasca – ②. 𝐀𝐄 ⓞ 𝐄 𝑉𝐼𝑆𝐴. ⋘
cerrado lunes, del 10 al 20 de enero y Semana Santa – Com carta 1950 a 4200.

CASTEJÓN DE SOS 22466 Huesca 443 E 31 – 403 h. – © 974.
◆Madrid 524 – Huesca 134 – ◆Lérida/Lleida 134.

🏨 **Pirineos** ⊗, El Real 38 ℰ 55 32 51 – 𝐄 𝑉𝐼𝑆𝐴. ⋘
cerrado 26 agosto-1 septiembre y noviembre-diciembre – Com 1600 – ☲ 375 – **37 hab**
2600/3700 – PA 2700.

🏠 **Plaza** ⊗, Real ℰ 55 30 50 – ⇔. 𝐀𝐄 ⓞ 𝐄 𝑉𝐼𝑆𝐴. ⋘
cerrado enero y febrero – Com 1500 – ☲ 350 – **13 hab** 2000/3800.

CASTELLAR DE LA FRONTERA 11350 Cádiz 446 X 13 – 1 984 h. – © 956.
◆Madrid 698 – Algeciras 27 – ◆Cádiz 150 – Gibraltar 27.

🏩 **La Almoraima** ⊗, SE : 8 km ℰ 69 30 50, Fax 69 32 14, « Antigua casa-convento en un
gran parque », ☑, 🐎, ℅ – ☎ ②. 𝐀𝐄 ⓞ 𝐄 𝑉𝐼𝑆𝐴. ⋘
Com 3000 – ☲ 750 – **11 hab** 8000/13000 – PA 6000.

CASTELLAR DEL VALLÉS 08211 Barcelona 443 H 36 – 10 934 h. – © 93.
◆Madrid 625 – ◆Barcelona 28 – Sabadell 8.

en la carretera de Terrassa SO : 5 km – ⊠ 08211 Castellar del Vallés – © 93 :

XX **Cant Font,** ℰ 714 53 77, 🌳, Decoración rústica catalana, ☑, ℅ – 🗏 ②. 𝐀𝐄 𝐄 𝑉𝐼𝑆𝐴.
⋘
cerrado martes y del 2 al 23 de agosto – Com carta aprox.5100.

CASTELLAR DE NUCH o **CASTELLAR DE N'HUG** 08696 Barcelona 443 F 36 – 145 h.
alt. 1 395 – © 93.
◆Madrid 666 – Manresa 89 – Ripoll 39.

🏨 **Les Fonts** ⊗, SO : 3 km ℰ 823 60 89, Fax 823 60 89, ≤, 🐎 – ②. 𝐀𝐄 𝐄 𝑉𝐼𝑆𝐴. ⋘ rest
cerrado 7 enero-7 marzo – Com *(cerrado martes)* carta aprox. 2500 – ☲ 600 – **27 hab**
2500/5000.

CASTELLBISBAL 08755 Barcelona 443 H 35 – 3 407 h. – © 93.
◆Madrid 605 – ◆Barcelona 27 – Manresa 40 – Tarragona 84.

en la carretera de Martorell a Terrassa C 243 O : 9 km – ⊠ 08755 Castellbisbal – © 93 :

XX **Ca L'Esteve,** ℰ 775 56 90, Fax 774 18 23, 🌳, ℅ – 🗏 ②. 𝐀𝐄 ⓞ 𝐄 𝑉𝐼𝑆𝐴 𝐽𝐶𝐵
cerrado martes y 16 agosto-1 septiembre – Com carta 2400 a 4050.

CASTELLCIUTAT Lérida – ver Seo de Urgel.

CASTELLDEFELS 08860 Barcelona 443 I 35 – 24 559 h. – © 93 – Playa.
🛈 pl. Rosa de los Vientos, ℰ 664 23 01, ⊠ 08860.
Madrid 615 – ◆Barcelona 24 – Tarragona 72.

X **Cal Mingo,** pl. Pau Casals 2 ℰ 664 49 62 – 🗏. 𝐀𝐄 ⓞ 𝐄 𝑉𝐼𝑆𝐴. ⋘
cerrado del 10 al 27 enero y Semana Santa – Com carta 2800 a 4350.

X **La Buona Tavola,** Mayor 17 ℰ 665 37 55, Cocina italiana – 🗏. 𝐀𝐄 ⓞ 𝐄 𝑉𝐼𝑆𝐴 𝐽𝐶𝐵.
⋘
cerrado miércoles y noviembre – Com carta 3800 a 4900.

barrio de la playa :

🏨 **Rancho H.**, passeig de la Marina 212 ℰ 665 19 00, Fax 636 08 32, ☂, ⊥ – |≜| 🖃 📺 🕿 ᕍ ⇔ – 🔏 70/250. 🖭 ⓞ 🖪 𝘝𝘐𝘚𝘈. ⅗ rest
Com 2500 – **104 hab** ⊴ 14000/18000 – PA 5000.

🏨 **Mediterráneo**, passeig Marítim 294 ℰ 665 21 00, Telex 80117, Fax 665 22 50, ⊥ – |≜| 🖃 📺 🕿 ⇔ – 🔏 25/200. 🖭 ⓞ 🖪 𝘝𝘐𝘚𝘈. ⅗ rest
Com 2500 – ⊴ 950 – **47 hab** 9500/12500 – PA 5000.

🏨 **Luna**, passeig de la Marina 155 ℰ 665 21 50, Fax 665 22 12, ☂, ⊥, ☞ – |≜| 🖃 📺 🕿 ⓟ – 🔏 25/60. 🖭 ⓞ 🖪 𝘝𝘐𝘚𝘈 𝙅𝘾𝘽. ⅗ rest
Com 2400 – ⊴ 1000 – **30 hab** 9000/14000 – PA 5000.

🏨 **Playafels**, playa Ribera de San Pedro 1-9 ℰ 665 12 50, Fax 664 10 01, ≼, ⊥ – |≜| 🖃 📺 🕿 ⓟ. 🖭 ⓞ 🖪 𝘝𝘐𝘚𝘈. ⅗ rest
Com 2500 – **34 hab** ⊴ 9000/11000 – PA 5000.

🏨 **Neptuno**, av. dels Banys 45 ℰ 664 43 63, Fax 665 22 12, ☂ – 🖃 📺 🕿. 🖭 ⓞ 🖪 𝘝𝘐𝘚𝘈 𝙅𝘾𝘽. ⅗ rest
Com 1500 – ⊴ 450 – **16 hab** 5000/6500 – PA 3000.

XXX **Sant Maximin**, av. dels Banys 41 ℰ 665 00 88 – 🖃 ⓟ. 🖭 ⓞ 🖪 𝘝𝘐𝘚𝘈 𝙅𝘾𝘽. ⅗
cerrado lunes y noviembre – Com carta aprox. 2900.

XX **La Canasta**, passeig Marítim 197 ℰ 665 68 57, Fax 636 02 88, ☂ – 🖃. 🖭 ⓞ 🖪 𝘝𝘐𝘚𝘈 ⅗
cerrado martes – Com carta 4325 a 5250.

XX **Nautic**, passeig Marítim 374 ℰ 665 01 74, Fax 665 23 54, ≼, Decoración marinera, Pescados y mariscos – 🖃. 🖭 ⓞ 🖪 𝘝𝘐𝘚𝘈 𝙅𝘾𝘽. ⅗
Com carta 3850 a 6870.

XX **Pepperone**, av. dels Banys 39 ℰ 665 03 66, Fax 665 68 57, ☂ – 🖃. 🖭 ⓞ 🖪 𝘝𝘐𝘚𝘈
cerrado martes y enero – Com carta aprox. 4500.

en la carretera C 246 – ⊠ 08860 Castelldefels – 😊 93 :

🏨 **Riviera**, E : 2 km ℰ 665 14 00, Fax 665 14 04 – 🕾 ⓟ – **37 hab.**

X **Las Botas**, SO : 2,5 km - av. Constitución 326 ℰ 665 18 24, Fax 665 18 24, ☂, Decoración típica – ⓟ. 🖭 ⓞ 🖪 𝘝𝘐𝘚𝘈. ⅗
cerrado domingo noche de octubre-mayo – Com carta 2550/3925.

en Torre Barona O : 2,5 km – ⊠ 08860 Castelldefels – 😊 93 :

🏨 **G. H. Rey Don Jaime** ⅍, ℰ 665 13 00, Fax 665 18 01, ☂, ₧₆, ⊥, ◫, ☞ – 🖃 📺 🕿 ⇔ ⓟ – 🔏 25/170. 🖭 🖪 𝘝𝘐𝘚𝘈. ⅗ rest
Com 3900 – **240 hab** ⊴ 14000/18000.

CASTELL D'ARO Gerona – ver Castillo de Aro.

CASTELL DE FERRO 08740 Granada 𝟒𝟒𝟔 V 19 – 😊 958 – Playa.
Alred. : Carretera★ de Castell de Ferro a Calahonda.
◆Madrid 528 – ◆Almería 90 – ◆Granada 99 – ◆Málaga 131.

♨ **Ibérico**, carret. de Málaga ℰ 65 60 80, ⊥ – ⓟ. 🖭 🖪 𝘝𝘐𝘚𝘈. ⅗ rest
cerrado enero-febrero – Com 1300 – ⊴ 250 – **16 hab** 3000/6000 – PA 2900.

CASTELLÓ DE AMPURIAS o **CASTELLÓ D'EMPURIES** 17486 Gerona 𝟒𝟒𝟑 F 39 – 2 653 h – alt. 17 – 😊 972.
Ver : Iglesia de Santa María (retablo★) – Costa★.
🛈 pl. dels Homes 1, ⊠ 17486, ℰ 15 62 33 (junio-septiembre).
◆Madrid 753 – Figueras/Figueres 8 – Gerona/Girona 46.

🏨 **Allioli**, carret. Figueras-Rosas-urb. Castellnou ℰ 25 03 20, Fax 25 03 00, Decoración rústica catalana – |≜| 🖃 📺 🕿 ⇔ ⓟ. 🖭 ⓞ 🖪 𝘝𝘐𝘚𝘈
cerrado 13 diciembre-22 enero – Com 1500 – ⊴ 500 – **38 hab** 5000/9500 – PA 3200.

🏨 **Hostal Canet**, pl. Joc de la Pilota 2 ℰ 25 03 40, Fax 25 06 07, ☂ – |≜| 🖃 rest 📺 ⓟ. 🖭 🖪 𝘝𝘐𝘚𝘈. ⅗ rest
cerrado 3 noviembre-3 diciembre – Com *(cerrado lunes en invierno)* 950 – ⊴ 450 – **21 hab** 3500/6000 – PA 2350.

🏨 **Emporium**, Santa Clara 33 ℰ 25 05 93, ☂ – 🖃 rest ⓟ. 🖭 🖪 𝘝𝘐𝘚𝘈. ⅗
cerrado del 12 al 31 de octubre – Com *(cerrado sábado de 19 septiembre-abril)* 1100 – ⊴ 500 – **43 hab** 2950/4600 – PA 2300.

Ver también : *Ampuriabrava.*

Ganz **EUROPA** auf einer Karte (mit Ortsregister) :
Michelin-Karte Nr. 𝟗𝟕𝟎.

26 464 h. alt. 28 – ✪ 964.

del Mediterráneo, urbanización la Coma N : 3,5 km por ① ℰ 32 12 27 – ☞ Costa de Azahar,
E : 6 km B ℰ 22 70 64.

pl. María Agustina 5, ✉ 12003, ℰ 22 10 00, Fax 22 77 03 – R.A.C.E. Pintor Orient 3, ✉ 12001,
℗ 25 38 06.

Madrid 426 ② – Tarragona 183 ① – Teruel 148 ③ – Tortosa 122 ① – ♦Valencia 75 ②.

🏨 **Intur Castellón,** Herrero 20, ✉ 12002, ℰ 22 50 00, Fax 23 26 06, ℆ – 🛗 ▤ 📺 ☎ 🚗
– 🔔 25/240. ಠ ⓞ E ⱽⁱˢᵃ. ⫸ A n
Com 2400 – 🍽 1050 – **123 hab** 11000/13800 – PA 5000.

🏨 **NH Mindoro,** Moyano 4, ✉ 12002, ℰ 22 23 00, Fax 23 31 54 – 🛗 ▤ 📺 ☎ 🚗 –
🔔 25/150. ಠ ⓞ E ⱽⁱˢᵃ. ⫸ A a
Com 1900 – 🍽 900 – **114 hab** 8000/12200 – PA 3995.

🏨 **Jaime I,** ronda Mijares 67, ✉ 12002, ℰ 25 03 00, Fax 20 37 79 – ▤ 📺 ☎ 🚗. ಠ ⓞ
E ⱽⁱˢᵃ. ⫸ rest A b
Com 1900 – 🍽 750 – **79 hab** 7750/9750 – PA 3868.

🏨 **Real** sin rest y sin 🍽, pl. del Real 2, ✉ 12001, ℰ 21 19 44 – 🛗 ▤ 📺 ☎. ಠ ⓞ E
ⱽⁱˢᵃ A s
35 hab 3575/5500.

🏨 Doña Lola, Lucena 3, ✉ 12006, ℰ 21 40 11, Fax 21 79 90 – 📺 A c
36 hab.

🏨 Zaymar sin rest, Historiador Viciana 6, ✉ 12006, ℰ 25 43 81, Fax 21 79 90 – 🛗 ▤ 📺
☎ A h
27 hab.

211

XX **Mesón Navarro II,** Amadeo I - 8, ⊠ 12001, ℰ 21 70 73 – ☰. ᴬᴱ 🇪 𝘝𝘐𝘚𝘈. ⋇   A
cerrado domingo en verano, domingo noche y lunes resto del año y agosto – Com car
1950 a 3250.

XX **1900,** Caballeros 41, ⊠ 12001, ℰ 22 29 26 – ☰   A

X **Eleazar,** Ximénez 14, ⊠ 12001, ℰ 23 48 61 – ☰. ᴬᴱ ➊ 🇪 𝘝𝘐𝘚𝘈. ⋇   A
cerrado domingo en verano, domingo noche y lunes resto del año y agosto – Com car
2300 a 3150.

en el puerto (Grao) E : 5 km – ⊠ 12100 El Grao – 🔂 964 :

🏨 **Turcosa,** Treballadors de la Mar 1 ℰ 28 36 00, Fax 28 47 37, ≼ – 📶 ☰ 📺 ☎. ᴬᴱ ➊
𝘝𝘐𝘚𝘈. ⋇ rest   B
Com 1600 – � 825 – **70 hab** 6900/9200 – PA 3420.

XX **Rafael,** Churruca 26 ℰ 28 21 85, Pescados y mariscos – ☰   B

XX **Club Náutico,** Escollera Poniente ℰ 28 24 33, Fax 28 24 33, ≼, 🍴 – ᴬᴱ ➊ 🇪 𝘝𝘐
⋇   B
cerrado domingo noche en invierno – Com carta 3450 a 4900.

XX **Brisamar,** paseo de Buenavista 26 ℰ 28 36 64, Fax 28 03 36, 🍴 – ☰. ᴬᴱ ➊ 🇪 𝘝𝘐𝘚
⋇   B
cerrado martes y 20 septiembre-20 octubre – Com carta 2500 a 3300.

X **Casa Falomir,** paseo Buenavista 25 ℰ 28 22 80, Pescados y mariscos – ☰. ⋇   B
cerrado domingo noche, lunes y Navidades – Com carta 3675 a 6150.

X **Tasca del Puerto,** av. del Puerto 13 ℰ 28 44 81, 🍴 – ☰ ➊. ᴬᴱ ➊ 🇪 𝘝𝘐𝘚𝘈. ⋇   B
cerrado domingo noche y lunes en invierno, domingo en verano y del 24 al 31 enero
Com carta 3285 a 3785.

CASTELLVELL Tarragona – ver Reus.

CASTIELLO DE JACA 22710 Huesca 𝟦𝟦𝟥 E 28 – 156 h. alt. 921 – 🔂 974.
♦Madrid 488 – Huesca 98 – Jaca 7.

🏠 **El Mesón,** carret. de Francia 4 ℰ 36 11 78, ≼ – 🇪 𝘝𝘐𝘚𝘈. ⋇
Com 1400 – ⊒ 395 – **26 hab** 4500/5000 – PA 2645.

CASTILLEJA DE LA CUESTA 41950 Sevilla 𝟦𝟦𝟨 T 11 – 14 006 h. – 🔂 95.
♦Madrid 541 – Huelva 82 – ♦Sevilla 5.

🏨 **Hacienda San Ignacio y Rest. Almazara,** Real 194 ℰ 416 04 30, Fax 416 14 37, 🍴
« Instalado en una antigua hacienda », 🏊, 🌳 – ☰ 📺 ☎ ➊. ᴬᴱ ➊ 🇪 𝘝𝘐𝘚𝘈 𝗝𝗖𝗕. ⋇
Com *(cerrado domingo)* carta 3600 a 4900 – ⊒ 1000 – **16 hab** 10000/15000.

CASTILLO DE ARO o **CASTELL D'ARO** 17853 Gerona 𝟦𝟦𝟥 G 39 – 3 774 h. – 🔂 972.
♦Madrid 711 – ♦Barcelona 100 – Gerona/Girona 35.

XX 🌸 **Joan Piqué,** barri de Crota 3 ℰ 81 79 25, Fax 82 55 50, 🍴, « Masía del siglo XIV »
➊. 🇪 𝘝𝘐𝘚𝘈
cerrado lunes noche, martes y noviembre – Com carta 3300 a 4500
Espec. Patata rellena de foie, Bogavante con verduras, Butifarra dulce con manzana.

CASTILLO LA DUQUESA Málaga – ver Manilva.

CASTRIL 18816 Granada 𝟦𝟦𝟨 S 21 – 4 124 h. alt. 959 – 🔂 958.
♦Madrid 423 – Jaén 154 – Úbeda 100.

🏕 La Fuente, carret. de Pozo Alcón ℰ 72 00 30 – **15 hab.**

CASTRILLO DE LOS POLVAZARES 24718 León 𝟦𝟦𝟙 E 11 – alt. 907 – 🔂 987.
♦ Madrid 339 – ♦ León 48 – Ponferrada 61 – Zamora 132.

🏨 **Cuca la Vaina** ⋟, Jardín ℰ 69 10 78 – 📺 ☎. ᴬᴱ 𝘝𝘐𝘚𝘈
Com *(cerrado lunes)* 1800 – **7 hab** ⊒ 5000/7000.

CASTROPOL 33760 Asturias 𝟦𝟦𝟙 B 8 – 5 291 h. – 🔂 98 – Playa.
♦Madrid 589 – ♦La Coruña/A Coruña 173 – Lugo 88 – ♦Oviedo 154.

🏨 **Peña-Mar,** carret N 640 ℰ 563 51 49, Fax 563 54 98 – 📶 📺 ☎ 🚗 ➊. 𝘝𝘐𝘚𝘈. ⋇
Com (ver rest. **Peña-Mar**) – ⊒ 450 – **24 hab** 7000/8000.

X **Casa Vicente** con hab, carret. N 640 ℰ 563 50 51, ≼ – ➊. ᴬᴱ ➊ 🇪 𝘝𝘐𝘚𝘈. ⋇
cerrado octubre – Com *(cerrado martes)* carta 4000 a 5000 – ⊒ 400 – **14 hab** 4000/500

X **Peña-Mar,** carret. N 640 ℰ 563 50 06, Fax 563 54 98, ≼ – ➊. 🇪 𝘝𝘐𝘚𝘈. ⋇
cerrado jueves y noviembre – Com carta 2600 a 3800.

39700 Cantabria 442 B 20 - 12 912 h. - 🕲 942 - Playa.

🖪 pl. del Ayuntamiento 🖉 86 19 97.

◆Madrid 430 - ◆Bilbao/Bilbo 34 - ◆Santander 73.

XX **Mesón El Segoviano,** Correría 19 🖉 86 18 59, 🏤 - 🝙 ⓪ 🗲 VISA ᴊᴄʙ. 🛠
   Com carta 3600 a 4600.

XX Mesón Marinero, Correría 23 🖉 86 00 05, 🏤 - 🗏.

X **El Abra,** Ardigales 48 🖉 87 04 74 - 🗏. 🗲 VISA
   cerrado miércoles y 20 diciembre-enero - Com carta 2650 a 4200.

X **La Marina,** La Plazuela 16 🖉 86 13 45
   cerrado martes y 23 diciembre-5 enero - Com carta 2450 a 3450.

   en la playa - ⊠ 39700 Castro Urdiales - 🕲 942 :

🏛 **Las Rocas,** av. de la Playa 🖉 86 04 00, Fax 86 13 82, ≤ - 🛗 📺 ☎ 🚗 - 🔬 25/150. 🝙
   ⓪ 🗲 VISA. 🛠 rest
   Com 2300 - ☲ 600 - **60 hab** 7500/13000.

🏠 **Miramar,** av. de la Playa 1 🖉 86 02 00, Fax 87 09 42, ≤, 🏤 - 🛗 📺 ☎. 🝙 ⓪ 🗲 VISA. 🛠 rest
   18 marzo-18 octubre - Com 1975 - ☲ 500 - **34 hab** 7000/9700 - PA 3650.

46470 Valencia 445 N 28 - 20 195 h. - 🕲 96.

◆Madrid 359 - ◆Valencia 8.

X **Gurugú,** Sant Pere 21 🖉 126 00 47 - 🗏. 🝙 ⓪ 🗲 VISA. 🛠
   cerrado domingo, festivos, Semana Santa y agosto - Com carta 2175 a 3250.

41370 Sevilla 446 S 12 - 5 018 h. alt. 590 - 🕲 95.

◆ Madrid 493 - Aracena 83 - Écija 102 - ◆ Sevilla 95.

🏠 Posada del Moro, paseo del Moro 🖉 488 48 58, Fax 488 48 58, 🏤, 🍴 - 🗏 📺
   15 hab.

23470 Jaén 446 S 20 - 10 005 h. alt. 790 - 🕲 953.

Alred. : Sierra de Cazorla ★★ - Carretera de acceso al Parador★ (≤ ★★) SE : 25 km.

🖪 Juan Domingo 2 🖉 72 01 15.

◆Madrid 363 - Jaén 101 - Úbeda 46.

🏛 **Villa Turística de Cazorla** 🍴, Ladera de San Isicio 🖉 71 01 00, Fax 71 01 52, 🏤,
   Conjunto de estilo regional, 🍴 - 🗏 rest 📺 ☎ 🅿. 🝙 ⓪ 🗲 VISA. 🛠
   Com 1400 - ☲ 650 - **32 apartamentos** 7600/9500 - PA 3000.

🏠 **Don Diego** sin rest, Hilario Marco 163 🖉 72 05 31 - ☎ 🚗 🅿. 🝙 ⓪ 🗲. 🛠
   ☲ 450 - **23 hab** 3200/4700.

🏠 **Andalucía** sin rest, Martínez Falero 42 🖉 72 12 68 - ☎ 🚗. 🝙 🗲 VISA. 🛠
   ☲ 390 - **11 hab** 3400/4700.

🏚 **Guadalquivir** sin rest, Nueva 6 🖉 72 02 68, Fax 72 02 68 - 🚗. VISA. 🛠
   ☲ 350 - **11 hab** 2800/3800.

X **La Sarga,** pl. del Mercado 🖉 72 15 07, 🏤 - 🗏. 🗲 VISA. 🛠
   cerrado martes y 24 septiembre-28 octubre - Comida carta 1900 a 3750.

   en la Sierra de Cazorla - ⊠ 23470 Cazorla - 🕲 953 :

🏛 **Parador El Adelantado** 🍴, E : 26 km Lugar Sacejo, alt. 1 400 🖉 72 10 75, Fax 72 13 03,
   ≤ montañas, « En plena Sierra de Cazorla », 🍴, 🖈 - 📺 ☎ 🅿. 🝙 ⓪ VISA. 🛠
   Com 3200 - ☲ 1100 - **33 hab** 11000 - PA 6375.

🏛 **Noguera de la Sierpe** 🍴, carret. del Tranco NE : 30 km 🖉 72 16 01, Fax 72 17 09, 🍴 -
   🗏 rest 🅿. 🗲 VISA. 🛠 rest
   Com carta 2050 a 2650 - **20 hab** ☲ 5500/8500.

🏠 **San Fernando** 🍴, carret. del Tranco NE : 36 km 🖉 72 15 45, Fax 72 15 45, ≤, 🍴 - 🗏 rest
   📺 🅿. 🗲 VISA. 🛠
   Com 1550 - **16 hab** ☲ 3500/6500.

🏚 **Mirasierra** 🍴, carret. del Tranco NE : 36,3 km 🖉 72 15 44, 🍴 - 🗏 rest 🅿. 🗲 VISA. 🛠
   Com 1550 - ☲ 300 - **15 hab** 2700/3400 - PA 2805.

15350 La Coruña 441 B 5 - 7 856 h. - 🕲 981 - Playa.

◆Madrid 659 - ◆La Coruña/A Coruña 106 - Ferrol 37.

XX **Avenida** con hab, paseo del Generalísimo 66 🖉 48 00 67, Fax 48 23 89 - 🗏 rest 📺 ☎.
   VISA. 🛠
   Com (cerrado domingo noche en invierno) carta 2300 a 3800 - ☲ 500 - **12 hab** 5500/
   7500.

15270 La Coruña 441 D 2 – 7 531 h. – ✪ 981 – Playa.
♦Madrid 710 – ♦La Coruña/A Coruña 97 – Santiago de Compostela 89.

🏨 **La Marina,** av. Fernando Blanco 26 ℰ 74 67 52, Fax 74 65 11 – 🔄 📺 ☎. 🆎 **E** *VISA*. ❄️
Com 1200 – ⏗ 250 – **29 hab** 4500/6000 – PA 3500.

CELADA 24395 León 441 E 11 – ✪ 987.
♦Madrid 324 – Astorga 4 – ♦León 47 – Ponferrada 66.

🏨 La Paz, carret N VI ℰ 61 52 77, 🛁, ❌ – 📺 🚗 **②**
38 hab.

CELANOVA 32800 Orense 441 F 6 – 7 518 h. alt. 519 – ✪ 988.
Ver : Monasterio (claustro★★).
Alred. : Santa Comba de Bande (iglesia★) S : 16 km.
♦Madrid 488 – Orense/Ourense 26 – ♦Vigo 99.

🏨 **Betanzos,** Celso Emilio Ferreiro 7 ℰ 45 10 36, Fax 45 10 11 – 🔄 🍽 rest. 🆎 ① *VISA*. ❄️
Com 1300 – ⏗ 250 – **33 hab** 3000/4500 – PA 2800.

Ocho mapas detallados Michelin :

España : Norte-Oeste 441, Centro-Norte 442, Norte-Este 443, Centro 444,
Centro-Este 445, Sur 446, Islas Canarias 448.
Portugal 440.

Las localidades subrayadas en rojo en estos mapas aparecen citadas en esta Guía.

Para el conjunto de España y Portugal, adquiera el mapa Michelin 990 a 1/1 000 000.

CELLERS Lérida – ver Sellés.

CENAJO 30440 Murcia 445 Q 24 – ✪ 968.
♦Madrid 333 – ♦Albacete 88 – Lorca 102 – ♦Murcia 115.

🏨 **Cenajo** 🦢, junto al embalse ℰ 72 10 11, Fax 72 06 45, ≤, 🛁, 🖾, 🌲, ❌ – 📺 ☎ **②** –
🛡 25/150. ① **E** *VISA*. ❄️ rest
Com 2235 – ⏗ 765 – **77 hab** 4660/7770 – PA 4415.

CENES DE LA VEGA 18190 Granada 446 U 19 – 1 198 h. alt. 741 – ✪ 958.
♦Madrid 439 – ♦Granada 9.

XXX **Ruta del Veleta,** carret de Sierra Nevada 50 ℰ 48 61 34, Fax 48 62 93, « Decoración
típica » – 🍽 **②**. 🆎 ① **E** *VISA* 🇯🇨🇧. ❄️
cerrado domingo noche – Com carta 3550 a 4550.

La CENIA o La SÉNIA 43560 Tarragona 443 K 31 – 4 638 h. alt. 368 – ✪ 977.
♦Madrid 526 – Castellón de la Plana/Castelló de la Plana 104 – Tarragona 105 – Tortosa 35.

X **El Trull,** San Miguel 14 ℰ 71 33 02, Decoración rústica – 🆎 ① **E** *VISA*
cerrado lunes y 7 enero-1 febrero – Comida carta 1700 a 3400.

CERCEDILLA 28470 Madrid 444 J 17 – 3 972 h. alt. 1 188 – ✪ 91.
♦Madrid 56 – El Escorial 20 – ♦Segovia 39.

🏨 **Longinos El Aribel** sin rest, Emilio Serrano ℰ 852 15 11 – 📺 ☎ **②**. *VISA*. ❄️
⏗ 225 – **23 hab** 5000/6300.

X **Gómez,** Emilio Serrano 40 ℰ 852 01 46 – *VISA*. ❄️
cerrado jueves y 15 septiembre-octubre – Com carta 2200 a 3100.

CERDANYOLA o CERDANYOLA DEL VALLÈS 08290 Barcelona 443 H 36 – ✪ 93.
♦Madrid 606 – ♦Barcelona 14 – Mataró 39.

🏨 **Parc del Vallès** 🦢, dels Artesans 2-8 Parc Tecnològic ℰ 580 85 85, Fax 580 98 44, ≤, 🌆
🍺, 🛁 – 🔄 🍽 📺 ☎ ♿ **②** – 🛡 25/300. 🆎 **E** *VISA*. ❄️ rest
Com 2000 – ⏗ 900 – **82 hab** 10000/12500 – PA 3300.

en la autopista A 7 O : 3 km – ✉ 08290 Cerdanyola – ✪ 93 :

🏨 **Bellaterra,** área de Bellaterra ℰ 692 60 54, Telex 51047, Fax 580 47 68, « Césped con 🛁 »,
🌲 – 🔄 🍽 📺 ☎ 🚗 **②** – 🛡 25/200. 🆎 ① **E** *VISA*. ❄️ rest
Com 1850 – ⏗ 900 – **116 hab** 9520/13900 – PA 4600.

CERLER 22449 Huesca 𝟒𝟒𝟑 E 31 – alt. 1 540 – ✆ 974 – ⚡11.
◆Madrid 544 – Huesca 154 – ◆Lérida/Lleida 154.

🏨 Monte Alba ⌖, 𝒫 55 11 36, Telex 57806, Fax 55 14 48, ≤ alta montaña, ⌿ climatizada –
🛗 ℗
131 hab.

CERRADO DE CALDERÓN Málaga – ver Málaga.

CERVERA DE PISUERGA 34840 Palencia 𝟒𝟒𝟐 D 16 – 2 963 h. alt. 900 – ✆ 979.
◆Madrid 348 – ◆Burgos 118 – Palencia 122 – ◆Santander 129.

🏨 **Parador Fuentes Carrionas** ⌖, carret. de Ruesga, NO : 2,5 km 𝒫 87 00 75, Fax 87 01 05,
« Magnífica situación con ≤ montañas y pantano de Ruesga » – 🛗 ▤ rest 📺 ☎ 🚗 ℗.
ⅢⅢ ① 𝑽𝑰𝑺𝑨. ⌘
Com 3000 – ⌑ 1000 – **80 hab** 9000 – PA 5950.

✗ **Peñalabra** con hab, General Mola 72 𝒫 87 00 37 – ▤ rest. 𝐄 𝑽𝑰𝑺𝑨. ⌘
cerrado 22 septiembre-7 octubre – Com carta 2100 a 2400 – ⌑ 375 – **13 hab** 1700/
4500.

CERVO 27888 Lugo 𝟒𝟒𝟏 A 7 – 9 602 h. – ✆ 982.
◆Madrid 611 – ◆La Coruña/A Coruña 162 – Lugo 105.

en la carretera C 642 NO : 5 km – ⊠ 27890 San Ciprián – ✆ 982 :

✗ **O Castelo** con hab, 𝒫 59 44 02, Fax 59 44 76, ≤ – 📺 ☎ ℗. ⅢⅢ 𝑽𝑰𝑺𝑨. ⌘
Com carta 2900 a 4300 – ⌑ 500 – **22 hab** 5000/8000.

CESTONA o **ZESTOA** 20740 Guipúzcoa 𝟒𝟒𝟐 C 23 – 3 778 h. alt. 72 – ✆ 943 – Balneario.
◆Madrid 432 – ◆Bilbao/Bilbo 75 – ◆Pamplona/Iruñea 102 – ◆San Sebastián/Donostia 34.

🏨 **Arocena,** paseo San Juan 12 𝒫 14 70 40, Fax 14 79 78, ≤, 𝐈𝐬, ⌿, ☞, ⌘ – 🛗 📺 ☎ 🚗
℗. ⅢⅢ ① 𝐄 𝑽𝑰𝑺𝑨. ⌘ rest
cerrado 15 diciembre-15 enero – Com *(cerrado lunes)* 2200 – ⌑ 700 – **108 hab** 5400/
9100.

CEUTA 11700 𝟗𝟔𝟗 ⑤ y ⑩ 𝟗𝟗𝟎 ㉞ – 70 864 h. – ✆ 956 – Playa.
Ver : Monte Hacho★ : Ermita de San Antonio ≤★★.
🚢 para Algeciras : Cía. Trasmediterránea, Muelle Cañonero Dato 6, 𝒫 50 94 98, Telex 78080
Ƶ – R.A.C.E. Beatriz de Silva 12 𝒫 51 27 22.

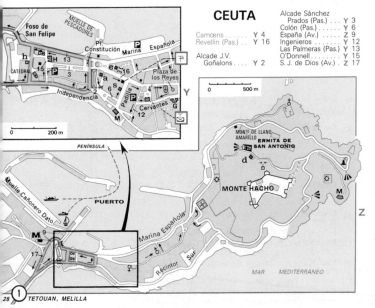

CEUTA

Camoens . . . . . . Y 4	Alcalde Sánchez Prados (Pas.) . . . Y 3
Revellin (Pas.) . . Y 16	Colón (Pas.) . . . . . . Y 6
	España (Av.) . . . . . Z 9
Alcade J.V.	Ingenieros . . . . Y 12
Goñalons . . . . Y 2	Las Palmeras (Pas.) Y 13
	O'Donnell . . . . Y 15
	S. J. de Dios (Av.) . Z 17

🏨🏨 **La Muralla,** pl. Virgen de Africa 15, ⊠ 11701, ℰ 51 49 40, Fax 51 49 47, ≼, « Hotel instalado parcialmente en la antigua muralla », ♨, 🐾 – ⧄ 🗐 📺 ☎ 🅟 – 🖾 25/150. 🖭 ⑩ 𝘝𝘐𝘚𝘈. ⅏   Y **h**
    Com 3200 – ⚏ 1100 – **106 hab** 12500 – PA 6375.

XX **El Sombrero de Copa,** Padilla 4, ⊠ 11701, ℰ 51 06 12 – 🗐. 𝘝𝘐𝘚𝘈. ⅏   Y **s**
    cerrado domingo – Com carta aprox. 4100.

X **La Terraza,** pl. Rafael Gibert 25, ⊠ 11701, ℰ 51 40 29 – 🗐. 𝘝𝘐𝘚𝘈. ⅏   Y **a**
    Com carta aprox. 3100.

X **Vicentino,** Alférez Baytón 3, ⊠ 11701, ℰ 51 40 15, 🌣 – 🗐. 🖾 ⑩ Ɛ 𝘝𝘐𝘚𝘈. ⅏   Y **e**
    cerrado lunes y febrero – Com carta aprox. 3100.

    en el Monte Hacho E : 4 km – ✿ 956 :

X **Mesón de Serafín,** ⊠ 11705, ℰ 51 40 03, ≼ Ceuta, mar, peñón de Gibraltar y costas de
    la Península – 🖾 ⑩ Ɛ 𝘝𝘐𝘚𝘈. ⅏   Z **d**
    Com carta aprox. 2500.

Europe	Wenn der Name eines Hotels dünn gedruckt ist, hat uns der Hotelier Preise und Öffnungszeiten nicht angegeben.

CH – ver después de Cuzcurrita Río Tirón.

CINTRUÉNIGO 31592 Navarra 𝟒𝟒𝟐 F 24 – 5 082 h. alt. 391 – ✿ 948.
♦Madrid 308 – ♦Pamplona/Iruñea 87 – Soria 82 – ♦Zaragoza 99.

🏠 Villa Cintruénigo, carret. N 113 ℰ 81 21 60, Fax 81 21 62 – 🗐 📺 ☎ 🅟
    36 hab.

XX ✿ **Maher** con hab, Ribera 19 ℰ 81 11 50 – 🗐 rest. 🖾 ⑩ 𝘝𝘐𝘚𝘈. ⅏
    Com carta aprox. 3500 – ⚏ 380 – **26 hab** 3900/5000
    Espec. Ensalada de perdiz escabechada, Rape con vinagreta caliente, Escalopínes de solomillo
    con vino moscatel..

CIORDIA o **ZIORDIA** 31809 Navarra 𝟒𝟒𝟐 D 23 – 401 h. alt. 552 – ✿ 948.
♦Madrid 396 – ♦Pamplona/Iruñea 55 – ♦San Sebastián/Donostia 76 – ♦Vitoria/Gasteiz 41.

🏨 **Iturrimurri II,** carret. N I ℰ 56 30 12, Fax 56 25 63, ≼, ♨ – ⧄ 🗐 rest 📺 ☎ 🅟 – 🖾 25/40.
    🖾 Ɛ 𝘝𝘐𝘚𝘈. ⅏
    Com 1690 – ⚏ 650 – **29 hab** 6500/8500 – PA 4000.

CIUDADELA Baleares – ver Baleares (Menorca).

CIUDAD REAL 13000 🄿 𝟒𝟒𝟒 P 18 – 51 118 h. alt. 635 – ✿ 926.
🄱 Alarcos 31, ⊠ 13071, ℰ 21 20 03 – R.A.C.E. General Aguilera 13, ⊠ 13001, ℰ 22 92 77.
♦Madrid 204 ② – ♦Albacete 212 ② – ♦Badajoz 324 ④ – ♦Córdoba 196 ④ – Jaén 176 ③ – Toledo 121 ①.

                              Plano página siguiente

🏨🏨 **Doña Carlota,** Ronda de Toledo 21 ℰ 23 16 10, Fax 23 16 10 – ⧄ 🗐 📺 ☎ 🚗 🅟 –
    🖾 25/600. 🖾 ⑩ 𝘝𝘐𝘚𝘈. ⅏   Y **a**
    Com 1500 – ⚏ 350 – **91 hab** 4800/6400 – PA 3000.

🏨🏨 **Santa Cecilia,** Tinte 3, ⊠ 13001, ℰ 22 85 45, Fax 22 86 18 – ⧄ 🗐 📺 ☎ 🚗. 🖾 𝘝𝘐𝘚𝘈
    ⅏   Z **a**
    Com 1900 – ⚏ 450 – **70 hab** 6640/8300.

🏨 **Almanzor,** Bernardo Balbuena 14, ⊠ 13002, ℰ 21 43 03, Fax 21 34 84 – ⧄ 🗐 📺 ☎ 🅟
    – 🖾 25/300. 🖾 ⑩ 𝘝𝘐𝘚𝘈. ⅏ rest   Z **b**
    Com 1500 – ⚏ 500 – **71 hab** 6400/8000.

🏨 **Castillos,** av. del Rey Santo 6, ⊠ 13001, ℰ 21 36 40, Fax 21 22 43 – ⧄ 🗐 📺 ☎ 🚗 –
    🖾 25/60. 🖾 ⑩ Ɛ 𝘝𝘐𝘚𝘈. ⅏ rest   Z **c**
    Com 1500 – ⚏ 500 – **57 hab** 6400/8000 – PA 2975.

🏨 **El Molino,** carret. de Carrión 10, ⊠ 13005, ℰ 22 30 50, Fax 22 30 50 – 🗐 📺 🚘 🅟. 🖾
    Ɛ 𝘝𝘐𝘚𝘈   por ②
    Com 950 – ⚏ 240 – **19 hab** 4000/6500 – PA 3325.

XX **Miami Park,** Ronda Ciruela 48, ⊠ 13004, ℰ 22 20 43 – 🗐. 🖾 ⑩ Ɛ 𝘝𝘐𝘚𝘈   Z **c**
    cerrado domingo noche y agosto – Com carta 3500 a 4500.

X **San Huberto,** pasaje General Rey 10, ⊠ 13001, ℰ 25 22 54, Carnes – 🗐. 𝘝𝘐𝘚𝘈
    ⅏   Z **e**
    cerrado lunes y agosto – Com carta aprox. 2700.

X **Casablanca,** Ciruela 31, ⊠ 13004, ℰ 25 10 80 – 🗐. 🖾 ⑩ Ɛ 𝘝𝘐𝘚𝘈. ⅏   Z **f**
    cerrado domingo noche – Com carta 2800 a 4100.

CIUDAD REAL

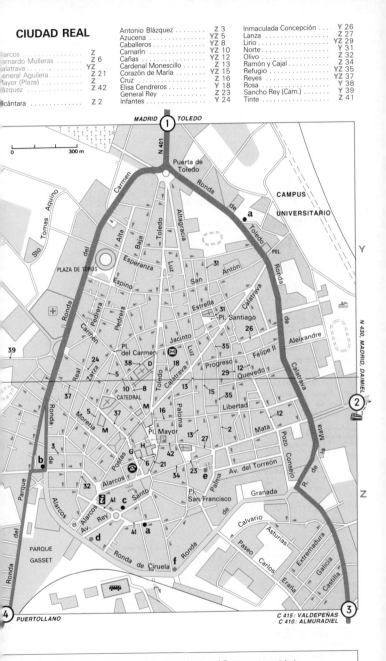

Dieser Führer ist kein vollständiges Hotel- und Restaurantverzeichnis.
Um den Ansprüchen aller Touristen gerecht zu werden,
haben wir uns auf eine Auswahl in jeder Kategorie beschränkt.

CIUDAD RODRIGO 37500 Salamanca 𝟦𝟦𝟙 K 10 – 14 766 h. alt. 650 – 🕾 923.

Ver : Catedral★ (altar★, portada de la Virgen★, claustro★) – Plaza Mayor★.

🛈 Arco de Amayuelas 5 ℘ 46 05 61.

◆Madrid 294 – ◆Cáceres 160 – Castelo Branco 164 – Plasencia 131 – ◆Salamanca 89.

🏨 **Parador Enrique II** ⌕, pl. del Castillo 1 ℘ 46 01 50, Fax 46 04 04, « En un castillo feudal del siglo XV », 🐎 – 🗐 rest ☎ 🅿. 🖭 ⓞ 𝗩𝗜𝗦𝗔. 🛠
Com 3200 – ⌸ 1100 – **27 hab** 12500 – PA 6375.

🏨 **Conde Rodrigo I,** pl. de San Salvador 9 ℘ 46 14 04, Fax 46 14 08 – 📶 🗐 rest 📺. 🖭 ⓞ
𝗘 𝗩𝗜𝗦𝗔. 🛠 – Com 1400 – ⌸ 400 – **35 hab** 4700/6000.

🟡 **Mayton,** La Colada 9 ℘ 46 07 20 – 🗐. 🖭 ⓞ 𝗘 𝗩𝗜𝗦𝗔 𝗝𝗖𝗕
cerrado lunes y del 15 al 30 octubre – Com carta 2300 a 3900.

🟡 Estoril, travesía Talavera 1 ℘ 46 05 50 – 🗐.

🟡 **Casa Antonio,** Gigantes 8 ℘ 46 00 22 – 🗐. 𝗩𝗜𝗦𝗔. 🛠
cerrado lunes y del 1 al 15 de septiembre – Com carta 1700 a 2700.

en la carretera de Conejera SO : 3,3 km – ✉ 37500 Ciudad Rodrigo – 🕾 923 :

🏨 **Conde Rodrigo II** ⌕, Huerta de las Viñas ℘ 48 04 48, Fax 46 14 08, « En pleno campo »
🏊, 🐎, 🛠 – 🗐 📺 ☎ 🅿. 🖭 ⓞ 𝗘 𝗩𝗜𝗦𝗔. 🛠 – Com 1400 – ⌸ 400 – **27 hab** 5500/6500.

CIUTADELLA DE MENORCA Baleares – ver Baleares (Menorca) : Ciudadela.

COCA 40480 Segovia 𝟦𝟦𝟤 I 16 – 2 127 h. alt. 789.

Ver : Castillo★★.

◆Madrid 137 – ◆Segovia 50 – ◆Valladolid 62.

COCENTAINA 03820 Alicante 𝟦𝟦𝟝 P 28 – 10 408 h. alt. 445 – 🕾 96.

◆Madrid 397 – ◆Alicante/Alacant 63 – ◆Valencia 104.

🏨 **Odón,** av. del País Valencià 145 ℘ 559 12 12, Fax 559 23 99 – 📶 🗐 rest 📺 ☎ – 🟥 60/200.
ⓞ 𝗘 𝗩𝗜𝗦𝗔. 🛠
Com 1400 – ⌸ 410 – **57 hab** 3800/7100 – PA 2700.

🟡🟡🟡 **L'Escaleta,** av. del País Valencià 119 ℘ 559 21 00, Fax 559 21 00 – 🗐. 🖭 ⓞ 𝗘 𝗩𝗜𝗦𝗔 𝗝𝗖𝗕. 🛠
cerrado domingo noche y lunes – Com carta 3250 a 4700.

🟡🟡 **El Laurel,** Juan María Carbonell 3 ℘ 559 17 38 – 🗐. 🖭 ⓞ 𝗘 𝗩𝗜𝗦𝗔. 🛠
cerrado domingo noche, martes y del 8 al 31 de agosto – Com carta 2200 a 3300.

en la carretera de Alcoy SO : 3,5 km – ✉ 03803 Alcoy – 🕾 96 :

🟡🟡 **Venta del Pilar,** ℘ 559 23 25, 🌳, Instalado en una venta del siglo XVIII, Decoración rústica
– 🅿. 🖭 ⓞ 𝗘 𝗩𝗜𝗦𝗔. 🛠
cerrado domingo y agosto – Com carta 2750 a 4200.

COFRENTES 46625 Valencia 𝟦𝟦𝟝 O 26 – 1 124 h. alt. 437 – 🕾 96 – Balneario.

◆Madrid 316 – ◆Albacete 93 – ◆Alicante/Alacant 141 – ◆Valencia 106.

en la carretera de Casas Ibáñez O : 4 km – ✉ 46625 Cofrentes – 🕾 96 :

🏨 **Baln. Hervideros de Cofrentes** ⌕, ℘ 189 40 25, Fax 189 40 05, « En un parque », 🏊
🛠 – 📶 📺 ⓔ 🅿. 🖭 𝗩𝗜𝗦𝗔. 🛠
cerrado 16 diciembre-febrero – Com 1700 – ⌸ 550 – **59 hab** 4200/7000 – PA 3300.

COLERA 17469 Gerona 𝟦𝟦𝟹 E 39 – 490 h. alt. 10 – 🕾 972 – Playa.

🛈 Labrum 34, ✉ 17469, ℘ 38 90 50, Fax 38 92 83.

◆Madrid 756 – Banyuls-sur-Mer 22 – Gerona/Girona 67.

en la carretera de Llansá S : 3 km – ✉ 17469 Colera – 🕾 972 :

🟡 **Garbet,** ℘ 38 90 02, ≤, 🌳 – 𝗘 𝗩𝗜𝗦𝗔
marzo-octubre – Com carta 2150 a 5175.

COLINDRES 39750 Cantabria 𝟦𝟦𝟤 B 19 – 4 885 h. – 🕾 942 – Playa.

◆Madrid 423 – ◆Bilbao/Bilbo 62 – ◆Santander 45.

🏨 Montecarlo, Ramón Pelayo 9 ℘ 65 01 63 – 🗐 rest 📺 ☎ – **19 hab.**

COLMENAR VIEJO 28770 Madrid 𝟦𝟦𝟦 J 18 K 18 – 21 159 h. alt. 883 – 🕾 91.

◆Madrid 32.

🟡🟡 **El Asador de Colmenar,** carret. de Miraflores km 33 ℘ 845 03 26, 🌳, Decoración caste-
tellana – 🗐 🅿. 🖭 ⓞ 𝗘 𝗩𝗜𝗦𝗔. 🛠
cerrado lunes – Com carta 4100 a 5550.

🟡 **Santi Mostacilla,** Zurbarán 2 (carret. de Miraflores) ℘ 845 60 37 – 🗐. 🖭 ⓞ 𝗘 𝗩𝗜𝗦𝗔. 🛠
cerrado lunes y del 1 al 16 agosto – Com carta 3450 a 5050.

COLOMBRES 33590 Asturias 441 B 16 – alt. 110 – ☺ 98 – Playa.
•Madrid 436 – Gijón 122 – ◆Oviedo 132 – ◆Santander 79.

🏨 **San Ángel,** NO : 2 km 𝒫 541 20 00, Fax 541 20 73, ≤, ⌿, ⌂, ⌘ – ⋮ 𝕋𝕍 ☎ 𝐏. 🖭 ⓞ
  E 𝘝𝘐𝘚𝘈 JCB. ⅌
  marzo-noviembre – Com 2350 – ⌐ 700 – **77 hab** 7325/9975 – PA 4100.

🏠 **Casa Junco,** NO : 1,5 km 𝒫 541 22 43, Fax 541 23 55 – ☎ 𝐏. 🖭 E 𝘝𝘐𝘚𝘈. ⅌
  Com 1000 – ⌐ 500 – **24 hab** 5000/6000.

La COLONIA Madrid – ver Torrelodones.

COLONIA DE SANT JORDI Baleares – ver Baleares (Mallorca).

Las COLORADAS Las Palmas – ver Canarias (Gran Canaria : Las Palmas de Gran Canaria).

COLL D'EN RABASSA Baleares – ver Baleares (Mallorca) : Palma de Mallorca.

COLLADO MEDIANO 28450 Madrid 444 J 17 – 1 574 h. alt. 1 030 – ☺ 91.
•Madrid 40 – ◆Segovia 51.

✗ **Martín,** av. del Generalísimo 84 𝒫 859 85 07, ⌂ – ▤. E 𝘝𝘐𝘚𝘈. ⅌
  Com carta 2700 a 4775.

COLLADO VILLALBA 28400 Madrid 444 K 18 – alt. 917 – ☺ 91.
•Madrid 37 – ◆Ávila 69 – El Escorial 18 – ◆Segovia 50.

✗✗ **La Dehesa,** carret. de Manzanares SO : 1 km 𝒫 850 90 26, ⌂ – 🖭 ⓞ E 𝘝𝘐𝘚𝘈. ⅌
  cerrado del 6 al 30 de septiembre – Com carta 3300 a 4100.

  en la carretera de Moralzarzal NE : 2 km – ⌧ 28400 Collado Villalba – ☺ 91 :

✗✗✗ **Pasarela,** 𝒫 851 24 08, Fax 851 24 99, ≤ – ▤ 𝐏. 🖭 ⓞ E 𝘝𝘐𝘚𝘈. ⅌
  cerrado domingo noche – Com carta 3975 a 6175.

  en el barrio de la estación SO : 2 km – ⌧ 28400 Collado Villalba – ☺ 91 :

🏨 **Galaico y Rest. Agarimo,** antigua carret. de La Coruña 𝒫 851 03 04, Fax 850 80 49, ≤
  – ⋮ ▤ 𝕋𝕍 ☎ ⇆ 𝐏 – 🔬 25/80. E 𝘝𝘐𝘚𝘈. ⅌
  Com carta 2475 a 3150 – ⌐ 550 – **52 hab** 6600/8700.

✗✗ **Asador Don Rodrigo,** antigua carret. de La Coruña Km 40-urb. Entre Sierra 𝒫 851 76 92,
  Carnes a la brasa – ▤. 🖭 ⓞ E 𝘝𝘐𝘚𝘈. ⅌
  cerrado lunes – Com carta aprox. 3850.

✗ **Casa Arturo,** Real 68 𝒫 850 32 19, ⌂ – ▤. 🖭 ⓞ E 𝘝𝘐𝘚𝘈
  Com carta aprox. 2800.

COLLSUSPINA 08519 Barcelona 443 G 36 – 350 h. – ☺ 93.
•Madrid 627 – ◆Barcelona 64 – Manresa 36.

✗ Can Xarina, Major 10 𝒫 830 05 77, Decoración rústica, « Casa del siglo XVI ».

  por la carretera N 141 C NE : 5 : km – ⌧ 08519 Collsuspina – ☺ 93 :

✗✗ **Floriac,** 𝒫 887 09 91, Casa de campo del siglo XVI – 𝐏. 🖭 E 𝘝𝘐𝘚𝘈. ⅌
  cerrado lunes noche, martes y 15 días en febrero – Com carta 2200 a 4800.

La COMA I La PEDRA 25284 Lérida 443 F 34 – 225 h. alt. 1 004 – ☺ 973.
Madrid 610 – Berga 37 – Font Romeu-Odeilo Vía 102 – ◆ Lérida/Lleida 151.

🏨 **Fonts del Cardener** ⌂, carret. de Tuixent N : 1 km 𝒫 49 23 77, ≤, ⌘ – 𝕋𝕍 ⇆ 𝐏. 🖭
  𝘝𝘐𝘚𝘈. ⅌
  cerrado 3 últimas semanas de mayo y 3 últimas semanas de noviembre – Com 1600 –
  ⌐ 500 – **13 hab** 3200/5250, 3 apartamentos – PA 3500.

COMARRUGA o COMA-RUGA 43880 Tarragona 443 I 34 – ☺ 977 – Playa.
▮ pl. Germán Trillas 𝒫 68 00 10, ⌧ 43880.
Madrid 567 – ◆Barcelona 81 – Tarragona 24.

🏨🏨 G. H. Europe, vía Palfuriana 107 𝒫 68 04 11, Telex 56681, Fax 68 01 89, ≤, ⌂,
  ⌘ climatizada, ⌘ – ⋮ ▤ 𝕋𝕍 ☎ ⇆ – 🔬 25/50
  temp. – **148 hab.**

🏨 **Casa Martí** ⌂, Vilafranca 8 𝒫 68 01 11, Fax 68 22 77, ≤, ⌘ – ⋮ ☎ 𝐏. 🖭 ⓞ E 𝘝𝘐𝘚𝘈.
  abril-septiembre – Com 2205 – ⌐ 580 – **138 hab** 4725/6615.

✗✗ **Joila,** av. Generalitat 24 𝒫 68 08 27, Fax 68 21 49 – ▤. 🖭 ⓞ E 𝘝𝘐𝘚𝘈. ⅌
  cerrado martes noche, miércoles y noviembre – Comida carta aprox. 4100.

COMBARRO **36993** Pontevedra 441 E 3 - ☎ 986 - Playa.

Ver : Pueblo Pesquero★, Hórreos★.

♦Madrid 610 - Pontevedra 6 - Santiago de Compostela 63 - ♦Vigo 29.

Stella Maris sin rest, carret. de La Toja ☎ 77 03 66, Fax 77 12 04, ≤ - 🛗 ☎ Ⓟ. VISA.
☐ 400 - **27 hab** 4000/7000.

COMILLAS **39520** Cantabria 442 B 17 - 2 397 h. - ☎ 942 - Playa.

Ver : Pueblo pintoresco★.

ℹ Aldea 6, ☎ 72 07 68.

♦Madrid 412 - ♦Burgos 169 - ♦Oviedo 152 - ♦Santander 49.

XXXX **El Capricho de Gaudí,** barrio de Sobrellano ☎ 72 03 65, Fax 72 08 42, « Palacete orig del arquitecto Gaudí » - ▤ Ⓟ. AE ⓓ E VISA JCB. ✗
cerrado lunes salvo verano y 10 enero-10 febrero - Com carta 4300 a 5250.

X Adolfo, paseo de las Infantas ☎ 72 20 14, ☂.

CONDADO DE SAN JORGE Gerona - ver Playa de Aro.

CONGOSTO **24398** León 441 E 10 - 2 022 h. - ☎ 987.

♦Madrid 381 - ♦León 101 - Ponferrada 12.

en el Santuario NE : 2 km - ✉ 24398 Congosto - ☎ 987 :

Virgen de la Peña ⛰, ☎ 46 70 20, Fax 46 71 02, ≤ valle, pantano y montañas, ⛱, - TV ☎ Ⓟ. AE E VISA. ✗
Com (ver rest. **Virgen de la Peña**) - ☐ 500 - **44 hab** 5800/8200.

X **Virgen de la Peña,** ☎ 46 71 02, Fax 46 71 02, ☂, « Terraza con ≤ valle, pantan montañas », ⛱, ✗ - Ⓟ. AE E VISA. ✗
Com carta 2500 a 2900.

CONIL DE LA FRONTERA **11140** Cádiz 446 X 11 - 13 289 h. - ☎ 956 - Playa.

Alred. : Vejer de la Frontera ≤ ★ SO : 17 km.

ℹ carret. del Punto ☎ 44 05 01.

♦Madrid 657 - Algeciras 87 - ♦Cádiz 40 - ♦Sevilla 149.

Espada sin rest salvo julio y agosto, San Sebastián ☎ 44 07 80, Fax 44 08 93 - ☎ Ⓟ. ⓓ E VISA JCB. ✗ rest
Com (sólo cena) 1500 - ☐ 500 - **42 hab** 4000/7500.

Don Pelayo, carret. del Punto 19 ☎ 44 20 30, Fax 44 50 58 - 🛗 ▤ rest TV ☎
31 hab.

La Gaviota, pl. Nuestra Señora de las Virtudes ☎ 44 08 36, Fax 44 09 80 - AE ⓓ E V ✗
cerrado noviembre-diciembre - Com *(cerrado martes)* (sólo cena) 2600 - ☐ 650 - **15 apartamentos** 9100/11000.

Tres Jotas sin rest, prolongación San Sebastián ☎ 44 04 50, Fax 44 04 50 - 🛗 ☎ AE ⓓ E VISA. ✗
☐ 375 - **36 hab** 4900/7500.

al Noroeste :

Flamenco Conil ⛰, urb. Fuente del Gallo : 3 km ☎ 44 07 11, Fax 44 05 42, ≤, ☂, ✗ - 🛗 ▤ rest ☎ Ⓟ. AE ⓓ E VISA. ✗
Semana Santa- octubre - Com 1950 - ☐ 900 - **120 hab** 7750/12200.

Diufain ⛰ sin rest, carret. Fuente del Gallo : 1 km ☎ 44 25 51 - TV Ⓟ. E VISA. ✗
15 febrero-15 noviembre - ☐ 300 - **11 hab** 6500.

CORCUBIÓN **15130** La Coruña 441 D 2 - 1 949 h. - ☎ 981 - Playa.

♦Madrid 716 - ♦La Coruña/A Coruña 98 - Santiago de Compostela 114.

X **Dona Ximena,** Simón Tomé Santos 24 ☎ 74 74 22 - VISA. ✗
Com carta 2175 a 3125.

CÓRDOBA **14000** P 446 S 15 - 284 737 h. alt. 124 - ☎ 957.

Ver : Mezquita-Catedral★★★ (mihrab★★★, Capilla Real★, sillería★★, púlpitos★★) BZ - Judería★ ABZ - Palacio de Viana★★ BY - Museo arqueológico★ (cervatillo★) BZ **M2** - Alcázar★ (mosaicos sarcófago romano★, jardines★) AZ - Torre de la Calahorra : maqueta★.

Alred. : Medina Azahara★ O : 6 km X - Las Ermitas : vistas★ 13 km V.

⛳18 Los Villares N : 9 km por av. del Brillante (V) ☎ 35 02 08.

ℹ Torrijos 10, ✉ 14003, ☎ 47 12 35 - R.A.C.E. Concepción 2, ✉ 14008, ☎ 47 93 71.

♦Madrid 407 ② - ♦Badajoz 278 ① - ♦Granada 166 ③ - ♦Málaga 175 ④ - ♦Sevilla 143 ④.

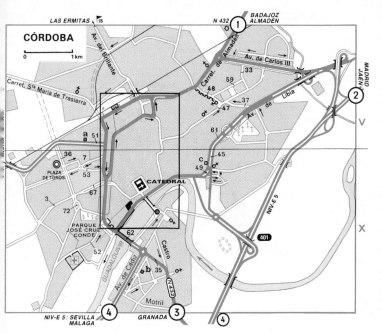

CÓRDOBA

Aeropuerto (Av. del) . . . . . . **X** 3	Madre de Dios (Campo) . . . **X** 45	Ministro Barroso y Castillo . **X** 53
Antonio Maura . . . . **X** 7	María (Corazón de) . . . . . . **V** 47	Sagunto . . . . **V** 59
General Sanjurjo . . . . **V** 33	Marrubial (R. del) . . . . **V** 48	San Antón (Campo) . . . . **V** 61
Granada (Av. de) . . . . **X** 35	Mártires (R. de los) . . . . . . **X** 49	San Rafael (Puente de) . . . . **X** 62
Gran Vía Parque . . . . **X** 36	Medina Azahara (Av.) . . . . . **X** 51	Teniente Gen. Barroso (Av.). **X** 67
Jesús Rescatado (Av. de) . . **V** 37	Menéndez Pidal (Av.) . . . . . **X** 52	Vista Alegre (Pl. de) . . . . . . **X** 72

🏨🏨 **El Conquistador** sin rest, Magistral González Francés 15, ✉ 14003, 𝒞 48 11 02,
Fax 47 46 77 – 🛗 🗐 📺 ☎ 🚗 – 🔬 25/100. 🝙 ⓞ 🗉 𝘝𝘐𝘚𝘈. 🕸   BZ **w**
⌑ 1000 – **101 hab** 10000/15000.

🏨🏨 Meliá Córdoba, jardines de la Victoria, ✉ 14004, 𝒞 29 80 66, Telex 76591, Fax 29 81 47,
🕸, 🏊, – 🛗 🗐 📺   AZ **p**

🏨 **Alfaros,** Alfaros 18, ✉ 14001, 𝒞 49 19 20, Fax 49 22 10, 🕸, 🏊 – 🛗 🗐 📺 ☎ 🕭 🚗 –
🔬 25/100. 🝙 ⓞ 🗉 𝘝𝘐𝘚𝘈 𝘫𝘤𝘣. 🕸   BY **s**
Com 2500 – ⌑ 1000 – **133 hab** 10900/16000 – PA 6000.

🏨 **NH Amistad Córdoba** 🕸, pl. de Maimónides 3, ✉ 14004, 𝒞 42 03 35, Fax 42 03 65, Junto
a la muralla árabe, « Patio mudéjar » – 🛗 🗐 📺 ☎ 🚗 – 🔬 25/50. 🝙 ⓞ 🗉 𝘝𝘐𝘚𝘈. 🕸 rest
Com ⌑ 1200 – **69 hab** 11200/14000 – PA 5000.   AZ **v**

🏨 **Gran Capitán,** av. de América 5, ✉ 14008, 𝒞 47 02 50, Telex 76662, Fax 47 46 43 – 🛗
🗐 📺 ☎ 🚗 – 🔬 25/300. 🝙 ⓞ 🗉 𝘝𝘐𝘚𝘈 𝘫𝘤𝘣. 🕸   AY **c**
Com 2750 – ⌑ 1000 – **100 hab** 10200/16200 – PA 5525.

🏨 **Sol Gallos,** av. Medina Azahara 7, ✉ 14005, 𝒞 23 55 00, Telex 76566, Fax 23 16 36, 🏊
– 🛗 🗐 📺 ☎. 🝙 ⓞ 🗉 𝘝𝘐𝘚𝘈 𝘫𝘤𝘣. 🕸   AY **e**
Com 1750 – ⌑ 850 – **115 hab** 7500/9400 – PA 3550.

🏨 **Maimónides** sin rest, Torrijos 4, ✉ 14003, 𝒞 47 15 00, Telex 76594, Fax 48 38 03 – 🛗
📺 ☎ 🚗 – **83 hab.**   ABZ **e**

🏨 **El Califa** sin rest, Lope de Hoces 14, ✉ 14004, 𝒞 29 94 00, Fax 29 57 16 – 🛗 🗐 📺 ☎
🚗. 🝙 🗉 𝘝𝘐𝘚𝘈   AYZ **b**
66 hab ⌑ 8050/11500.

🏨 **Averroes,** Campo Madre de Dios 38, ✉ 14002, 𝒞 43 59 78, Fax 43 59 81 – 🛗 🗐 📺 ☎
🚗 – 🔬 25/250. 🝙 ⓞ 🗉 𝘝𝘐𝘚𝘈 𝘫𝘤𝘣. 🕸   X **c**
Com 1500 – ⌑ 650 – **52 hab** 6950/9900.

🏨 **Selu** sin rest, Eduardo Dato 7, ✉ 14003, 𝒞 47 65 00, Telex 76659, Fax 47 83 76 – 🛗 🗐
📺 ☎ 🚗. 🝙 ⓞ 🗉 𝘝𝘐𝘚𝘈   AY **s**
⌑ 750 – **118 hab** 5600/8000.

🏨 **Cisne** sin rest, con cafetería, av. Cervantes 14, ✉ 14008, 𝒞 48 16 76, Fax 49 05 13 – 🛗
🗐 📺 ☎. 🗉 𝘝𝘐𝘚𝘈. 🕸   AY **r**
44 hab ⌑ 5090/8690.

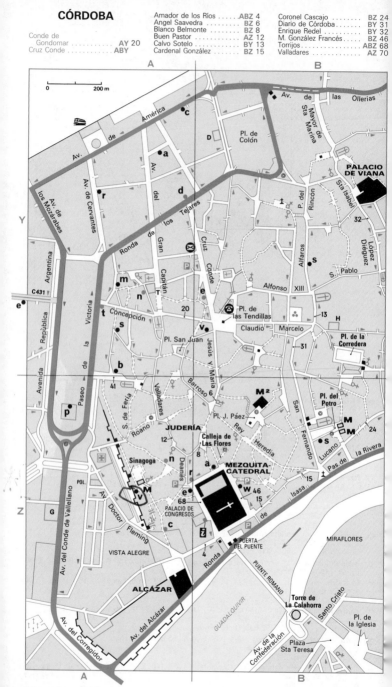

CÓRDOBA

🏛 **Serrano** sin rest, Pérez Galdós 6, ✉ 14001, 𝒫 47 01 42, Fax 48 65 13 – 🛗 ▤ 📺 ☎. ⅋ⅇ
① 𝘝𝘐𝘚𝘈 𝑱𝑪𝑩 AY **a**
🖙 375 – **64 hab** 3330/5610.

🏛 **Marisa** sin rest, Cardenal Herrero 6, ✉ 14003, 𝒫 47 31 42, Fax 47 41 44 – ▤ ☎ ⇦. ⅋ⅇ
① 🄴 𝘝𝘐𝘚𝘈 𝑱𝑪𝑩 BZ **a**
🖙 500 – **28 hab** 4400/8200.

🏛 **Maestre** sin rest y sin 🖙, Romero Barros 4, ✉ 14003, 𝒫 47 24 10, Fax 47 53 95 – 🛗 ▤
📺 ☎ ⇦. ⅋ⅇ 🄴 𝘝𝘐𝘚𝘈 BZ **s**
26 hab 3500/6000.

🏛 **Riviera** sin rest y sin 🖙, pl. Aladreros 5, ✉ 14001, 𝒫 47 30 00, Fax 47 60 18 – 🛗 ▤ 📺
☎. ⅋ⅇ ①. ⅋ AY **m**
29 hab 3100/5500.

🏛 **Boston** sin rest, Málaga 2, ✉ 14003, 𝒫 47 41 76, Fax 47 85 23 – 🛗 ▤ 📺 ☎. ⅋ⅇ 🄴 𝘝𝘐𝘚𝘈
⅋ BY **v**
🖙 325 – **40 hab** 2700/4500.

XXX **El Blasón**, José Zorrilla 11, ✉ 14008, 𝒫 48 06 25, Fax 47 47 42 – ▤. ⅋ⅇ ① 🄴 𝘝𝘐𝘚𝘈 𝑱𝑪𝑩.
⅋ AY **n**
Com carta 3800 a 4200.

XXX **Almudaina,** jardines de los Santos Mártires 1, ✉ 14004, 𝒫 47 43 42, Fax 48 34 94,
« Conjunto de estilo regional con patio cubierto » – ▤. ⅋ⅇ ① 𝘝𝘐𝘚𝘈. ⅋ AZ **c**
cerrado domingo – Com carta 3350 a 4050.

XXX **El Caballo Rojo**, Cardenal Herrero 28, ✉ 14003, 𝒫 47 53 75, Fax 47 47 42 – ▤. ⅋ⅇ ①
🄴 𝘝𝘐𝘚𝘈 𝑱𝑪𝑩. ⅋ ABZ **r**
Com carta 3800 a 4200.

XXX **Chico Medina**, Cruz Conde 3, ✉ 14008, 𝒫 47 83 29 – ▤. ⅋ⅇ ① 🄴 𝘝𝘐𝘚𝘈. ⅋ BY **e**
Com carta 3100 a 3850.

XX **Ciro's**, paseo de la Victoria 19, ✉ 14004, 𝒫 29 04 64, Fax 29 30 22 – ▤. ⅋ⅇ ① 🄴 𝘝𝘐𝘚𝘈.
AY **t**
cerrado domingo en verano y del 7 al 28 de agosto – Com carta 3300 a 4500.

XX **Pic-Nic**, ronda de los Tejares 16 (pasaje Rumasa), ✉ 14008, 𝒫 48 22 33 – ▤. ⅋ⅇ 🄴 𝘝𝘐𝘚𝘈
cerrado domingo y agosto – Com carta 3300 a 4500. AY **d**

XX El Churrasco, Romero 16, ✉ 14003, 𝒫 29 08 19, Fax 29 08 19, ⅋, « Patio y Bodega » –
▤ AZ **n**

XX **Azahar**, av. Medina Azahara 10, ✉ 14005, 𝒫 41 43 87 – ▤. ⅋ⅇ ① 🄴 𝘝𝘐𝘚𝘈. ⅋ V **a**
cerrado domingo noche y del 15 al 31 de agosto – Com carta 2900 a 4100.

X **Costa Sur**, Huelva 17, ✉ 14013, 𝒫 29 03 74 – ▤. ⅋ⅇ ① 🄴 𝘝𝘐𝘚𝘈 X **b**
cerrado domingo y 25 julio-15 agosto – Com carta 2500 a 3400.

por la carretera de El Brillante – ✉ 14012 Córdoba – 🕿 957 :

🏨 **Parador de la Arruzafa** ⅏, av de la Arruzafa N : 3,5 km 𝒫 27 59 00, Telex 76695,
Fax 28 04 09, ≤, « Amplia terraza y jardín con ⛲ », ⅋ – 🛗 ▤ 📺 ☎ ℗ – 🔾 25/200. ⅋ⅇ
① 𝘝𝘐𝘚𝘈. ⅋
Com 3200 – 🖙 1100 – **94 hab** 15000 – PA 6375.

🏨 **Occidental Córdoba** ⅏, Poeta Alonso Bonilla 7 N : 4,5 km 𝒫 40 04 40, Fax 40 04 39,
« Amplias zonas ajardinadas con ⛲ », ⅋ – 🛗 ▤ 📺 ⅊ ℗ – 🔾 25/500. ⅋ⅇ ① 🄴 𝘝𝘐𝘚𝘈
𝑱𝑪𝑩. ⅋
Com (ver tambien rest. **Florencia**) 2500 – 🖙 950 – **157 hab** 12100/15100 – PA 4950.

🏨 **Las Adelfas** ⅏, av. de la Arruzafa N : 3,5 km 𝒫 27 74 20, Fax 27 27 94, ⛲, ⅋ – 🛗 ▤
📺 ☎ ⇦ ℗ – 🔾 25/400. ⅋ⅇ ① 🄴 𝘝𝘐𝘚𝘈. ⅋
Com 2500 – 🖙 1000 – **99 hab** 11000/14500 – PA 5100.

🏠 **Los Abetos del Maestre Escuela** ⅏, prolongación av. San José de Calasanz, N : 6 km
𝒫 28 21 32, Fax 28 21 75, « Terraza con palmeras », ⛲ – 🛗 ▤ 📺 ☎ ℗ – 🔾 25/80. ⅋ⅇ
① 🄴 𝘝𝘐𝘚𝘈. ⅋ rest
Com 1500 – 🖙 500 – **40 hab** 7000/10000 – PA 3000.

XXX **Florencia**, Poeta Alonso Bonilla 7 N : 4,5 km 𝒫 40 04 40, Fax 40 04 39 – ▤ ℗. ⅋ⅇ ① 🄴
𝘝𝘐𝘚𝘈 𝑱𝑪𝑩. ⅋
Com carta 2900 a 4600.

CORIA 10800 Cáceres 𝟜𝟜𝟜 M 10 – 10 361 h. – 🕿 927.

Ver : Catedral★.

◆Madrid 321 – ◆Cáceres 69 – ◆Salamanca 174.

🏛 **Los Kekes**, av. Sierra de Gata 49 𝒫 50 09 00 – ▤ ⇦. 𝘝𝘐𝘚𝘈. ⅋
Com 1080 – 🖙 200 – **22 hab** 3600/4560 – PA 2360.

CORNELLÀ DE TERRI 17844 Gerona 𝟜𝟜𝟛 F 38 – 1 785 h. alt. 96 – 🕿 972.

◆ Madrid 709 – Figueras/Figueres 41 – ◆ Gerona/Girona 15.

XX **Can Xapes**, Mossèn Jacinto Verdaguer 5 𝒫 59 40 22 – ▤. ⅋ⅇ 🄴 𝘝𝘐𝘚𝘈
cerrado lunes, festivos y del 1 al 20 de agosto – Com carta 3075 a 4400.

223

CORNELLANA 33876 Asturias **441** B 11 alt. 50 – ❀ 98.

♦Madrid 473 – ♦Oviedo 38.

🏨 **La Fuente,** carret. N 634 ℘ 583 40 42, 🍽, 🎐 – 📺 ⇦. 🖪 *VISA*
cerrado 20 septiembre- 2 octubre – Com *(cerrado miércoles)* 1100 – �@ 400 – **21 hab** 5700

CORNISA CANTÁBRICA ★★ Vizcaya y Guipúzcoa **442** B 22.

CORRALEJO Las Palmas – ver Canarias (Fuerteventura).

La CORUÑA o **A CORUÑA** 15000 🄿 **441** B 4 – 232 356 h. – ❀ 981 – Playa.

Ver : Avenida de la Marina★ ABY – Alred. : Cambre (Iglesia de Santa María★) 11 km por ②.

🛝 por ② : 7 km ℘ 28 52 00.

✈ de La Coruña-Alvedro por ② : 10 km ℘ 23 22 40 – Iberia : pl. de Galicia 6, ⊠ 15004
℘ 22 66 59 AZ y Aviaco : aeropuerto (kiosco Alfonso) ℘ 24 79 66 – 🚍 ℘ 23 82 76.

🛈 Dársena de la Marina, ⊠ 15001, ℘ 22 18 22 – R.A.C.E. pl. de Pontevedra 12, ⊠ 15003, ℘ 22 18 30.

♦Madrid 603 ② – ♦Bilbao/Bilbo 622 ② – ♦Porto 305 ② – ♦Sevilla 950 ② – ♦Vigo 156 ②.

Plano página siguiente

🏨🏨 **Tryp María Pita y Rest. Trueiro,** av. Pedro Barrié de la Maza 1, ⊠ 15003, ℘ 20 50 00
Fax 20 55 65, ≤ playa, mar y ciudad – 🛗 🗏 📺 ☎ ⇦ – 🛃 25/200. 🝏 ① *VISA*. ⌘
Com carta 3300 a 4100 – �@ 1100 – **164 hab** 12000/15000, 17 suites.   AY **a**

🏨🏨 **Finisterre,** paseo del Parrote 20, ⊠ 15001, ℘ 20 54 00, Telex 86086, Fax 20 84 62
« Magnífica situación con ≤ bahía », 🛵, 🏊 climatizada, ✗ – 🛗 🗏 rest 📺 ☎ ☻ –
🛃 25/600. 🝏 ① 🖪 *VISA*. ⌘
Com 3500 – ⊚ 1200 – **117 hab** 13000/16500, 10 suites – PA 6970.   BZ **n**

🏨 **Atlántico** sin rest, con cafetería, jardines de Méndez Núñez, ⊠ 15006, ℘ 22 65 00,
Telex 86034, Fax 20 10 71 – 🛗 📺 ☎ – 🛃 25/100. 🝏 ① 🖪 *VISA* 🄲🄱. ⌘   AZ **v**
⊚ 800 – **200 hab** 11400/14300.

🏨 **Sol Coruña** sin rest, Ramón y Cajal 53, ⊠ 15006, ℘ 24 27 11, Telex 86090, Fax 23 67 28
🛵 – 🛗 🗏 📺 ☎ – 🛃 25/175. 🝏 ① 🖪 *VISA*. ⌘   X **c**
⊚ 1000 – **175 hab** 11400/14200, 6 suites.

🏨 **Ciudad de La Coruña,** polígono Adormideras, ⊠ 15002, ℘ 21 11 00, Telex 86121
Fax 22 46 10, ≤, 🛵, 🏊 – 🛗 🗏 rest 📺 ☎ ☻ – 🛃 25/160. 🝏 ① 🖪 *VISA*. ⌘   V **a**
Com 3025 – ⊚ 800 – **122 hab** 9350/11550, 9 apartamentos – PA 5825.

🏨 **Riazor** sin rest, con cafetería, av. Pedro Barrié de la Maza 29, ⊠ 15004, ℘ 25 34 00
Telex 86260, Fax 25 34 04 – 🛗 📺 ☎ ⇦ – 🛃 25/200. 🝏 ① 🖪 *VISA*. ⌘   AZ **e**
⊚ 600 – **176 hab** 8800/11000.

🏨 **Avenida** sin rest, con cafetería, av. Alfonso Molina 30, ⊠ 15008, ℘ 24 94 66, Fax 24 94 66
– 📺 ☎ ⇦ – 🛃 25/30. ① *VISA*. ⌘   X **i**
⊚ 550 – **67 hab** 5620/9010.

🏨 **Santa Catalina** sin rest y sin ⊚, travesía Santa Catalina 1, ⊠ 15003, ℘ 22 67 04
Fax 22 85 09 – 🛗 📺 ⇩. *VISA*. ⌘   AZ **a**
32 hab 3800/5500.

🏨 **Alborán** sin rest y sin ⊚, Riego de Agua 14, ⊠ 15001, ℘ 22 25 62, Fax 22 25 62 – 🛗 📺
☎. ⌘   BY **a**
30 hab 3800/6000.

🏨 **Almirante** sin rest, paseo de Ronda 54, ⊠ 15011, ℘ 25 96 00 – 📺 ☎. 🝏 *VISA*   V **i**
⊚ 375 – **20 hab** 5500.

🏨 **Mar del Plata** sin rest, paseo de Ronda 58, ⊠ 15011, ℘ 25 79 62, Fax 25 79 66, ≤ – 📺
☎ ⇦. 🝏 🖪 *VISA*. ⌘   V **i**
⊚ 425 – **27 hab** 5350.

🏨 **Mara** sin rest y sin ⊚, Galera 49, ⊠ 15001, ℘ 22 18 02 – 🛗 📺 ☎. *VISA*. ⌘   AY **z**
19 hab 5800.

🏨 **La Provinciana** sin rest y sin ⊚, Nueva 9, ⊠ 15003, ℘ 22 04 00, Fax 22 04 40 – 🛗 📺
☎. ⌘   AZ **x**
19 hab 4000/5600.

✗✗✗ **Coral,** La Estrella 2, ⊠ 15003, ℘ 22 10 82 – 🗏. 🝏 ① 🖪 *VISA*. ⌘   AY **i**
cerrado domingo salvo verano – Com carta 2600 a 4400.

✗✗✗ **Pardo,** Novoa Santos, 15, ⊠ 15006, ℘ 28 00 21, Fax 29 61 56 – 🗏. 🝏 ① 🖪 *VISA*. ⌘
cerrado domingo – Com carta 3050 a 4600.   X **c**

✗✗ **A la Brasa,** Juan Florez 38, ⊠ 15004, ℘ 26 54 57, Fax 26 54 57 – 🗏. 🝏 ① 🖪 *VISA*. ⌘
Com carta 2915 a 3520.   AZ **i**

✗✗ **Eume,** Río Monelos, ⊠ 15006, ℘ 10 67 08 – 🗏. 🝏 🖪 *VISA*. ⌘   X **c**
cerrado domingo – Com carta 2590 a 3800.

✗✗ **Mesón Coral,** callejón de la Estacada 9, ⊠ 15001, ℘ 20 05 69 – 🗏. 🝏 ① 🖪 *VISA* 🄲🄱. ⌘
cerrado domingo noche en invierno – Com carta 3100 a 4600.   AY **i**

✗✗ **O Alpendre,** Emilia Pardo Bazán 21, ⊠ 15005, ℘ 23 72 83 – 🗏. 🝏 ① 🖪 *VISA*. ⌘ AZ **s**
cerrado domingo – Com carta 2100 a 3750.

A CORUÑA
LA CORUÑA

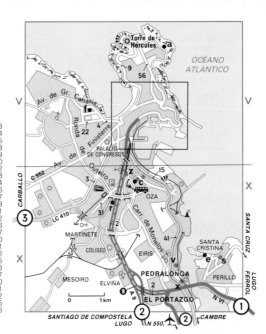

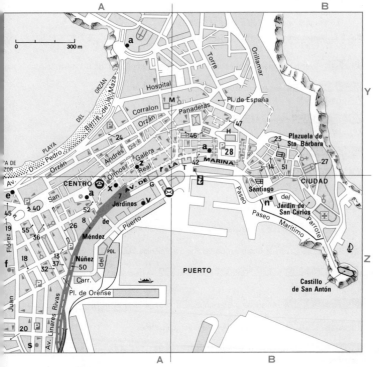

- X **Manolito,** Fernández Latorre 116, ⊠ 15006, ℘ 23 01 02 – ▤. 🖭 ➊ E *VISA*. ⅊ X c
cerrado domingo noche – Com carta 2500 a 4900.

- X **Manolito,** Ramón y Cajal 45, ⊠ 15006, ℘ 28 20 62 – ▤. 🖭 ➊ E *VISA*. ⅊ X z
cerrado domingo noche – Com carta 2400 a 4750.

en la carretera del puente del Pasaje S : 3 Km. – ⊠ 15006 La Coruña – ⊕ 981 :

- XX **Alba,** av. del Pasaje 63 ℘ 28 33 87, ≤ bahía y playa de Santa Cristina, 🏤 – ▤ ➋. 🖭 ➊
E *VISA*   X v
cerrado lunes, festivos noche y del 1 al 21 de agosto – Com carta 2740 a 3840.

en el puente del Pasaje S : 4 km – ⊠ 15006 La Coruña – ⊕ 981 :

- XX **La Viña,** av. del Pasaje 123 ℘ 28 08 54, Pescados y mariscos – ▤ ➋. 🖭 *VISA*. ⅊ X x
cerrado domingo y Navidades – Com carta 2800 a 3500.

en la playa de Santa Cristina SE : 6 km – ⊠ 15172 Perillo – ⊕ 981 :

- 🏨 Rías Altas ⌂, ℘ 63 53 00, Telex 82056, Fax 63 61 09, ≤ bahía, Ⅰ₆, 🔲, 🏖, ⅍ – ⌷ 📺 🕿
🍽 – 🔏 25/80   X e
103 hab.

- XX **El Madrileño,** av. de las Américas 5 ℘ 63 55 16, ≤, 🏤 – ▤. 🖭 ➊ E *VISA*. ⅊ X si
cerrado 2ª quincena de octubre – Com carta aprox. 3900.

COSGAYA 39539 Cantabria 🔢🔢🔢 C 15 – 86 h. alt. 530 – ⊕ 942.
Alred. : O : Puerto de Pandetrave★★.
◆Madrid 413 – Palencia 187 – ◆Santander 129.

- 🏨 **Del Oso,** ℘ 73 30 18, Fax 73 30 36, ℥, ⅍ – 🔏 🕿 ➋. 🖭 ➊ E *VISA*. ⅊
cerrado 7 enero-15 febrero – Com carta aprox. 3100 – ⌷ 500 – **53 hab** 6000/7600.

COSLADA 28820 Madrid 🔢🔢🔢 L 20 – 53 730 h. alt. 621 – ⊕ 91.
◆Madrid 13 – Guadalajara 43.

- X **La Ciaboga,** Venezuela ℘ 673 59 18, Pescados – ▤. 🖭 ➊ E *VISA*
cerrado domingo y agosto – Com (sólo almuerzo) carta 3150 a 4050.

en el barrio de la Estación NE : 4,5 km – ⊠ 28820 Coslada – ⊕ 91 :

- X La Fragata, av. San Pablo 14 ℘ 673 38 02 – ▤.

S.A.F.E. Neumáticos MICHELIN, Sucursal av. José Gárate 7 y 9, ⊠ 28820 ℘ 671 80 11 y
673 00 12, Fax 671 91 14

COSTA – ver a continuación y nombre propio de la costa (Costa de Bendinat, ver Baleares)

COSTA BLANCA Alicante y Murcia 🔢🔢🔢 P 29-30, Q 29-30.
Ver : Recorrido★.

COSTA BRAVA Gerona 🔢🔢🔢 E 39, F 39, G 38 y 39.
Ver : Recorrido★★.

COSTA DE BENDINAT Baleares – ver Baleares (Mallorca).

COSTA DE CANTABRIA 🔢🔢🔢 B 16 al 20.
Ver : Recorrido★.

COSTA DE LA LUZ Huelva y Cádiz 🔢🔢🔢 U 7 al 10, V 10, W 10-11, X 11 al 13.

COSTA DE LOS PINOS Baleares – ver Baleares (Mallorca) : Son Servera.

COSTA DEL AZAHAR Castellón de La Plana y Valencia 🔢🔢🔢 K 29 al 32 P 29 al 32.

COSTA DEL SOL Málaga, Granada y Almería 🔢🔢🔢 V 16 al 22, W 14 al 16.
Ver : Recorrido★.

COSTA DORADA Tarragona y Barcelona 🔢🔢🔢 H 32 al 38 J 32 al 38.

COSTA TEGUISE Las Palmas – ver Canarias (Lanzarote).

COSTA VASCA Guipúzcoa, Vizcaya 🔢🔢🔢 B 21 al 24, C 21 al 24.
Ver : Recorrido★★.

COSTA VERDE Asturias 441 B 8 al 15.

Ver : Recorrido★★★.

COTOBRO (Playa de) Granada – ver Almuñécar.

COVADONGA 33589 Asturias 441 B 14 – alt. 260 – ✪ 98.

Ver : Emplazamiento★★ – Museo (corona★).

Alred. : Mirador de la Reina ≤★★ SE : 8 km – Lagos Enol y de la Ercina★ SE : 12,5 km.

🚩 El Repelao ℘ 584 60 13.

◆Madrid 429 – ◆Oviedo 84 – Palencia 203 – ◆Santander 157.

🏨 **Pelayo** ⟳, ℘ 584 60 61, Fax 584 60 54, ≤, 🍴 – 🛗 📺 ☎ 🅿 – 🔏 25/150. 🆎 ⑩ ᴇ 𝘝𝘐𝘚𝘈.
⚭
cerrado 15 diciembre-1 febrero – Com 2000 – ☲ 600 – **43 hab** 6250/12000 – PA 3900.

🏠 **Auseva** sin rest, El Repelao ℘ 584 60 23, Fax 584 60 51 – 📺 ☎. 🆎 ᴇ 𝘝𝘐𝘚𝘈. ⚭
Semana Santa-octubre – ☲ 500 – **12 hab** 9000.

✗ **Peñalba** con hab, La Riera ℘ 584 61 00 – 📺 ☎ 🅿
8 hab.

✗ **Hospedería del Peregrino,** ℘ 584 60 47, Fax 584 60 51 – 🅿. 🆎 ᴇ 𝘝𝘐𝘚𝘈
Com carta aprox. 2400.

COVALEDA 42157 Soria 442 G 21 – 2 219 h. alt. 1 214 – ✪ 975.

◆ Madrid 233 – ◆ Burgos 56 – Soria 50.

🏨 **Pinares de Urbión,** Numancia 4 ℘ 37 05 33, Fax 37 05 33 – 🛗 📺 ☎ 🅿. 🆎 ᴇ 𝘝𝘐𝘚𝘈. ⚭
Com 1800 – ☲ 700 – **30 hab** 4750/8200 – PA 3440.

COVARRUBIAS 09346 Burgos 442 F 19 – 663 h. alt. 840 – ✪ 947.

Ver : Colegiata★, Museo : (tríptico★).

Excurs. : Quintanilla de las Viñas : Iglesia★ (24 km).

◆Madrid 228 – ◆Burgos 39 – Palencia 94 – Soria 117.

🏨 **Arlanza** ⟳, Mayor 11 ℘ 40 30 25, Fax 40 63 59, « Estilo castellano » – 🛗 ☎. 🆎 ⑩ ᴇ
𝘝𝘐𝘚𝘈. ⚭ rest
15 marzo-15 diciembre – Com 1850 – ☲ 625 – **40 hab** 4950/8400 – PA 3675.

COVAS 27868 Lugo 441 B 7 – ✪ 982.

◆Madrid 604 – ◆La Coruña/A Coruña 117 – Lugo 90 – Viveiro 2.

🏠 **Dolusa** sin rest, carret. C 642 ℘ 56 08 66 – 🛗 📺 ☎. 🆎 ⑩ ᴇ 𝘝𝘐𝘚𝘈 ᴊᴄʙ. ⚭
☲ 250 – **15 hab** 3000/4800.

Los CRISTIANOS Tenerife – ver Canarias (Tenerife).

EL CRUCERO 33877 Asturias 441 B 10 alt. 650 – ✪ 98.

Alred. : Tineo ⁂★★ O : 4 km.

◆Madrid 486 – ◆Gijón 92 – Luarca 50 – Ponferrada 145.

🏠 **Casa Lula** sin ☲, carret. C 630 ℘ 580 16 00 – 📺 ☎ ⟱ 🅿. 𝘝𝘐𝘚𝘈. ⚭
Com (ver rest. **Casa Lula**) – **10 hab** 3000/6000.

✗✗ **Casa Emburria,** carret. C 630 ℘ 580 01 92 – 🆎 ᴇ 𝘝𝘐𝘚𝘈. ⚭
Com carta 2000 a 3500.

✗ **Casa Lula,** carret. C 630 ℘ 580 02 38 – 🅿. 𝘝𝘐𝘚𝘈. ⚭
cerrado viernes – Com carta aprox. 2750.

CRUZ DE TEJEDA Las Palmas – ver Canarias (Gran Canaria).

CUBELLAS o CUBELLES 08880 Barcelona 443 I 35 – 2 203 h. – ✪ 93 – Playa.

🚩 passeig Narcís Bardají 12, ⊠ 08880, ℘ 895 25 00.

◆Madrid 584 – ◆Barcelona 54 – ◆Lérida/Lleida 127 – Tarragona 41.

✗✗✗ ❀ **Llicorella** ⟳ con hab, San Antonio 101 – carret. C 246 ℘ 895 00 44, Fax 895 24 17, 🍴,
Jardín con esculturas contemporáneas, ⊿ – 🖻 hab 📺 ☎ 🅿 – 🔏 25/50. 🆎 ⑩ ᴇ 𝘝𝘐𝘚𝘈.
⚭ rest
Com *(cerrado domingo noche, lunes (salvo julio-septiembre) y enero)* carta 4050 a 4700
– ☲ 1100 – **13 hab** 12000/13000
Espec. Pimientos del piquillo rellenos de gambas, Hígado de pato sobre cebolla y manzana confi-
tadas, Tocinillo de cielo sobre coulis de frambuesa.

227

CUBELLS 25737 Lérida 443 G 32 – 451 h. – ◊ 973.
♦ Madrid 509 – Andorra la Vella 113 – ♦ Lérida/Lleida 40.

🍴 **Roma,** carret. C 1313 ℰ 45 90 03 – 🔲 ☜. 🅰🅴 🄴 *VISA*. 🍽 rest
Com *(cerrado lunes)* 1400 – � 550 – **8 hab** 2500/4000 – PA 2850.

CUDILLERO 33150 Asturias 441 B 11 – 7 165 h. – ◊ 98.
Ver : Muelle : ≼★.
♦ Madrid 505 – Gijón 54 – Luarca 53 – ♦ Oviedo 61.

en la carretera N 632 :

✕ **Mariño** con hab, Concha de Artedo O : 5 km, ⊠ 33155 Concha de Artedo, ℰ 559 01 86,
Fax 559 01 86, ≼ – 🔲 ☎ 🄿. 🅰🅴 🄾 🄴 *VISA*. 🍽
cerrado febrero – Com carta 2500 a 3500 – ⊒ 500 – **10 hab** 4000/7000.

✕ **Casa Fernando 2** con hab, El Rellayo O : 4 km, ⊠ 33155 El Rellayo, ℰ 559 02 92,
Fax 559 13 82 – 🔲 ☎ 🄿. 🅰🅴 🄾 🄴 *VISA*. 🍽
cerrado 15 diciembre-15 enero – Com carta 2700 a 4600 – ⊒ 350 – **8 hab** 4500/6600.

CUÉLLAR 40200 Segovia 442 I 16 – 8 965 h. alt. 857 – ◊ 921.
♦ Madrid 147 – Aranda de Duero 67 – ♦ Salamanca 138 – ♦ Segovia 60 – ♦ Valladolid 50.

🏨 **San Francisco,** San Francisco 25 ℰ 14 00 09, Fax 14 15 08, 🍹 – 🗐 rest 🔲 ☎. 🅰🅴 🄾
🄴 *VISA*. 🍽 rest
Com 1060 – ⊒ 250 – **33 hab** 3300/5500.

🍴 Santa Clara, carret. de Segovia ℰ 14 11 78 – 🄿 – **16 hab.**

en la carretera CL 601 S : 3,5 km – ⊠ 40200 Cuéllar – ◊ 921 :

✕✕ **Florida,** ℰ 14 02 75, 🍹 – 🗐 🄿. 🅰🅴 *VISA*. 🍽
cerrado martes noche de octubre a abril – Com carta 1975 a 3150.

CUENCA 16000 ℙ 444 L 23 – 41 791 h. alt. 923 – ◊ 969.
Ver : Emplazamiento★★ – Ciudad Antigua★★ Y : Catedral : portada de la sala capitular★, Museo
Diocesano★ : díptico bizantino★ **M1** – Casas Colgadas★ : Museo de Arte abstracto★★, Museo
de Cuenca★ **M2** – Plaza de los Descalzos★ **15** – Puente de San Pablo ≼1e **68.**
Alred. : Hoz del Huécar : perspectivas★ Y – Ciudad Encantada★ NO : 25 km Y.
🛈 Dalmacio García Izcara 8, ⊠ 16004, ℰ 22 22 31 y San Pedro 6, ⊠ 16001, ℰ 23 21 19 – R.A.C.E.
Teniente González 2 ℰ 21 14 95.
♦ Madrid 164 ③ – ♦ Albacete 145 ① – Toledo 185 ③ – ♦ Valencia 209 ① – ♦ Zaragoza 336 ①.

Plano página siguiente

🏰 **Parador de Cuenca** ⌕, paseo de la Hoz del Huécar, ⊠ 16001, ℰ 23 23 20, Fax 23 25 34,
« Antiguo convento junto a la Hoz del Huécar con ≼ », 🎿, 🏊, 🍽 – 🛗 🗐 🔲 ☎ ☜ 🄿
– 🏬 25/150. 🅰🅴 🄾 *VISA*. 🍽   Y **f**
Com 3500 – ⊒ 1200 – **61 hab** 15000, 1 suite – PA 6970.

🏨 **Torremangana,** San Ignacio de Loyola 9, ⊠ 16002, ℰ 22 33 51, Telex 23400, Fax 22 96 71
– 🛗 🗐 🔲 ☎ ☜ – 🏬 25/500. 🅰🅴 🄾 🄴 🍽 rest   Y **u**
Com 2200 – ⊒ 900 – **120 hab** 10000/14000 – PA 4400.

🏨 **Leonor de Aquitania** sin rest, San Pedro 60, ⊠ 16001, ℰ 23 10 00, Fax 23 10 04, ≼ – 🛗
🔲 ☎ – 🏬 25/100. 🅰🅴 🄾 🄴 *VISA*. 🍽   Y **z**
cerrado del 1 al 15 de febrero – **49 hab** ⊒ 5000/10000.

🏨 **Alfonso VIII,** parque San Julián 3, ⊠ 16002, ℰ 21 25 12, Fax 21 43 25 – 🛗 🗐 rest 🔲 ☜
– 🏬 60/500. 🅰🅴 🄾 🄴 *VISA*. 🍽 rest   Z **c**
Com 2000 – ⊒ 600 – **48 hab** 6300/10000.

🏨 **Francabel** sin rest, av. Castilla-La Mancha 7, ⊠ 16003, ℰ 22 62 22 – 🛗 🔲 ☎ ☜. 🄴 *VISA*
JCB. 🍽   Z **b**
⊒ 450 – **30 hab** 3840/5640.

🏨 **Cortés** sin rest, con cafetería, Ramón y Cajal 49, ⊠ 16004, ℰ 22 04 00, Fax 22 04 06 – 🛗
🔲 ☎ ☜. 🅰🅴 🄾 *VISA*. 🍽 – ⊒ 175 – **44 hab** 3000/4800.   Z **m**

🏨 **Figón de Pedro** sin ⊒, Cervantes 15, ⊠ 16004, ℰ 22 45 11, Fax 23 11 92 – 🛗 ☜. 🅰🅴 🄾
🄴 *VISA* JCB. 🍽   Z **e**
Com (ver rest. **Figón de Pedro**) – **28 hab** 3700/5300.

🏨 **Arévalo** sin rest, Ramón y Cajal 29, ⊠ 16001, ℰ 22 39 79 – 🛗 🔲 ☎ ☜. 🅰🅴 *VISA*. 🍽
⊒ 410 – **35 hab** 3680/5565.   Z **d**

🏨 **Avenida** sin rest, Carretería 39 - 1°, ⊠ 16002, ℰ 21 43 43 – 🛗 🔲 ☜. *VISA*   Z **v**
⊒ 250 – **32 hab** 3200/4800.

🏨 **Posada de San José** ⌕ sin rest, Julián Romero 4, ⊠ 16001, ℰ 21 13 00, Fax 21 13 00,
≼, Decoración rústica – 🅰🅴 🄾 🄴 *VISA*   Y **e**
⊒ 400 – **30 hab** 4000/8000.

🍴 **Castilla** sin rest y sin ⊒, Diego Jiménez 4 - 1°, ⊠ 16004, ℰ 22 53 57 – ☜. 🅰🅴 *VISA*. 🍽
15 hab 3385/4725.   Z **a**

228

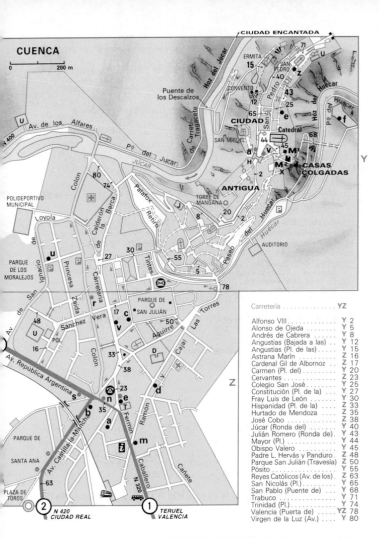

CUENCA

0 ——— 200 m

CIUDAD ENCANTADA

XX **Mesón Casas Colgadas,** Canónigos, ⊠ 16001, ℰ 22 35 09, « Instalado en una de las casas colgadas con ≤ valle del río Huécar » – 🗐. 🅰🅴 ⓞ 🅴 𝘝𝘐𝘚𝘈 𝙅𝘾𝘽. ⬥⬥ 　　Y **x**
Com carta aprox. 4200.

XX **Figón de Pedro,** Cervantes 13, ⊠ 16004, ℰ 22 68 21, Decoración castellana – 🗐. 🅰🅴 ⓞ
🅴 𝘝𝘐𝘚𝘈 𝙅𝘾𝘽. ⬥⬥ 　　Z **e**
cerrado domingo noche y lunes – Com carta aprox. 3400.

XX **Los Arcos,** Severo Catalina 3 (pl. Mayor), ⊠ 16001, ℰ 21 38 06, Fax 23 06 23, ㈜ – 🗐.
🅰🅴 ⓞ 🅴 𝘝𝘐𝘚𝘈. ⬥⬥ – cerrado lunes noche – Com carta 2500 a 3500. 　　Y **a**

XX **Casa Marlo,** Colón 59, ⊠ 16002, ℰ 21 38 60 – 🗐. 🅰🅴 🅴 𝘝𝘐𝘚𝘈. ⬥⬥ 　　Z **r**
Com carta 2700 a 3900.

X **Rincón de Paco,** Hurtado de Mendoza 3, ⊠ 16002, ℰ 21 34 18 – 🗐. 🅰🅴 𝘝𝘐𝘚𝘈. ⬥⬥ Z **n**
Com carta 2750 a 3650.

X **Plaza Mayor,** pl. Mayor 5, ⊠ 16001, ℰ 21 14 96, Decoración castellana – 🗐. 🅰🅴 ⓞ 🅴
𝘝𝘐𝘚𝘈. ⬥⬥ 　　Y **v**
cerrado miércoles noche – Com carta 2800/3650.

X **Togar,** av. República Argentina 3, ⊠ 16002, ℰ 22 01 62, Fax 22 21 55 – 🗐. 🅰🅴 ⓞ 🅴 𝘝𝘐𝘚𝘈. ⬥⬥
Com carta aprox. 2950. 　　Z **s**

por la carretera de Palomera Y : 6 km y a la izquierda carretera de Buenache : 1,2 km
✉ 16001 Cuenca – ⚙ 966 :

🏠 **Cueva del Fraile** ⌂, 🖉 21 15 71, Fax 25 60 47, Edificio del siglo XVI restaurado - Deco
ración castellana, 🔟, ⚘ – ☎ 🅿 – 🔏 25/200. 🝏 ⓞ 🄴 🆅🅸🆂🅰 🄹🄲🄱. ⚘
cerrado 10 enero-febrero – Com 2400 – ☲ 675 – **63 hab** 7500/11500.

CUESTA DE LA VILLA Tenerife – ver Canarias (Tenerife) : Santa Úrsula.

CUEVA – ver el nombre propio de la cueva.

CULLERA **46400** Valencia 🄰🄰🄵 O 25 – 20 145 h. – ⚙ 96 – Playa.
🛈 del Riu 38 🖉 172 09 74.
◆Madrid 388 – ◆Alicante/Alacant 136 – ◆Valencia 40.

🏠 **Mongrell** sin rest, Replà de Sant Antoni 2 🖉 172 15 24, Fax 172 15 24 – |🛗| 📺 ☎ ⟺. 🄰
🆅🅸🆂🅰
☲ 500 – **35 hab** 4000/6000.

🏠 **Carabela II**, av. País Valencià 61 🖉 172 40 70 – |🛗| 📺 rest 📺 ☎ ⟺. 🝏 🄴 🆅🅸🆂🅰 🄹🄲🄱. ⚘ res
Com *(junio -septiembre)* 1750 – ☲ 375 – **15 hab** 4500/6300 – PA 3300.

🔼 **La Reina**, av. País Valencià 73 🖉 172 05 63 – ⟺. 🝏 ⓞ 🄴 🆅🅸🆂🅰. ⚘
Com 1420 – ☲ 305 – **10 hab** 1985/3830.

🕱🕱 ⚙ **Les Mouettes** (Casa Lagarce), subida al Santuario del Castillo 🖉 172 00 10, 🌣, Cocin
francesa, « Villa con terraza » – 🝏 ⓞ 🄴 🆅🅸🆂🅰 🄹🄲🄱. ⚘
cerrado domingo noche y lunes (salvo en verano) y 11 diciembre-10 febrero – Com (sól
cena salvo domingo y festivos de 13 febrero a junio) carta 5050 a 6300
Espec. Medallones de rape a la pimienta rosa, Solomillo de ciervo St. Hubert (temp), Carro d
repostería y sorbetes.

🕱 **L'Entrecôte**, pl. de Mongrell 4 🖉 172 04 19 – ▤. 🝏 ⓞ 🄴 🆅🅸🆂🅰 🄹🄲🄱
cerrado miércoles en invierno y 15 diciembre-15 febrero – Com (sólo cena) carta 260
a 3900.

en la zona del faro – ✉ 46400 Cullera – ⚙ 96 :

🔼🔼 Sicania, playa del Racó NE : 4 km 🖉 172 01 43, Fax 173 03 62, ≤, 🌣, 🔟 – |🛗| ▤ ☎ ⟺
🅿 – 🔏 25/250
117 hab.

El CUMIAL Orense – ver Orense.

CUNIT **43881** Tarragona 🄰🄰🄷 I 34 – 925 h. – ⚙ 977 – Playa.
◆Madrid 580 – ◆Barcelona 58 – Tarragona 37.

🕱🕱 **L'Avi Pau**, av. Barcelona 160 🖉 67 48 61 – ▤ 🅿. 🝏 ⓞ 🄴 🆅🅸🆂🅰. ⚘
cerrado lunes noche (salvo julio-agosto) y martes – Com carta 2750 a 5100.

🕱 Los Navarros, carret. C 246 O : 1,5 km 🖉 16 32 63 – ▤.

CUZCURRITA RÍO TIRÓN **26214** La Rioja 🄰🄰🄸 E 21 – 602 h. alt. 519 – ⚙ 941.
◆Madrid 321 – ◆Burgos 78 – ◆Logroño 54 – ◆Vitoria/Gasteiz 58.

🕱 **El Botero** ⌂, con hab, San Sebastián 83 🖉 30 15 00 – ▤ rest ☜ 🅿. 🆅🅸🆂🅰. ⚘
Com carta 1830 a 3350 – ☲ 450 – **12 hab** 2500/3300.

CHANTADA **27500** Lugo 🄰🄰🄷 E 6 – 9 854 h. – ⚙ 982.
Alred. : Osera : Monasterio de Santa María la Real★ (sala Capitular★) SO : 15 km.
◆Madrid 534 – Lugo 55 – Orense/Ourense 42 – Santiago de Compostela 90.

🏠 **Mogay**, Antonio Lorenzana 3 🖉 44 08 47, Fax 44 08 47 – |🛗| 📺 ☎ ⟺ – 🔏 25/200. 🄰
ⓞ 🄴 🆅🅸🆂🅰 🄹🄲🄱. ⚘
Com 1500 – ☲ 300 – **29 hab** 4000/5000.

en la carretera de Lugo N : 1,5 km – ✉ 27500 Chantada – ⚙ 982 :

🔼 **Las Delicias,** Basán Grande 6 🖉 44 10 04, Fax 44 17 01 – 📺 ☎ 🅿. 🆅🅸🆂🅰. ⚘
Com 1250 – ☲ 350 – **20 hab** 2300/3600 – PA 2650.

CHAPELA **36320** Pontevedra 🄰🄰🄷 F 3 – ⚙ 986.
◆Madrid 608 – Pontevedra 27 – Redondela 7 – ◆Vigo 7.

🕱🕱 **El Canario**, av. de Vigo 194 🖉 45 00 03, Fax 45 01 34 – ▤. 🝏 ⓞ 🆅🅸🆂🅰. ⚘
Com carta 2400 a 3500.

CHERT 12360 Castellón de la Plana 445 K 30 – 1 286 h. alt. 315 – 🕲 964.

◆Madrid 525 - Castellón de la Plana/Castelló de la Plana 103 - Tortosa 79 - ◆Zaragoza 203.

X **La Serafina,** carret. N 232 SE : 1,7 km 🖋 49 00 59 – ⑫. 🗲 𝘝𝘐𝘚𝘈
  cerrado martes(octubre-marzo) y 17 enero-11 febrero – Com carta 1275 a 3050.

CHICLANA DE LA FRONTERA 11130 Cádiz 446 W 11 – 44 368 h. alt. 17 – 🕲 956.

◆Madrid 646 - Algeciras 102 - Arcos de la Frontera 60 - ◆Cádiz 24.

🏠 **Ideal H.** sin rest, pl. de Andalucía 1 🖋 40 39 06, Fax 40 39 06 – 🛗 ☰ 📺 ☎ ⑫. 𝖠𝖤 🗲 𝘝𝘐𝘚𝘈.
  ⊊ 1000 – **20 hab** 6800/8500.

  en la urbanización Novo Sancti Petri – ⊠ 11130 La Barrosa – 🕲 956 :

🏨 **Royal Andalus Golf** ⤴, playa de La Barrosa, SO : 11 km 🖋 49 41 09, Fax 49 44 90,, 🛋,
  « Profusión de plantas, amplia terraza con 🏊 », 🛠, 🔞 🔞 – 🛗 📺 ☎ & 🖛 ⑫ – 🕍 30/300.
  𝖠𝖤 ⓞ 🗲 𝘝𝘐𝘚𝘈. 🛠
  Com (sólo cena) 2500 – ⊊ 1000 – **263 hab** 14400/18000 – PA 5100.

🏨 **Playa la Barrosa** ⤴, playa de La Barrosa, SO : 10,5 km 🖋 49 48 24, Fax 49 48 60, ≤, 🛋,
  🏖, 🏊, 🏊, 🛠 – 🛗 ☰ 📺 ☎ ⑫ – 🕍 25/150. 𝖠𝖤 ⓞ 🗲 𝘝𝘐𝘚𝘈. 🛠
  abril-octubre – Com 2200 – ⊊ 1100 – **264 hab** 11100/16200.

🏨 **Tryp Costa Golf** ⤴, SO : 10 km 🖋 49 45 35, Fax 49 46 26, « Jardín con 🏊 junto al campo
  de golf » – ☰ 📺 ☎ 🖛 ⑫ – 🕍 25/325. 𝖠𝖤 ⓞ 🗲 𝘝𝘐𝘚𝘈. 🛠
  Com 2800 – ⊊ 1100 – **195 hab** 14400/18000 – PA 5695.

CHINCHÓN 28370 Madrid 444 L 19 – 3 900 h. alt. 753 – 🕲 91.

Ver : Plaza Mayor ★★.

◆Madrid 52 - Aranjuez 26 - Cuenca 131.

🏨 **Parador de Chinchón,** 🖋 894 08 36, Telex 49398, Fax 894 09 08, Instalado en un
  convento del siglo XVII con bonito jardín, 🏊 – ☰ 📺 ☎ 🖛 – 🕍 25/60. 𝖠𝖤 ⓞ 𝘝𝘐𝘚𝘈.
  🛠
  Com 3500 – ⊊ 1200 – **38 hab** 15000 – PA 6970.

XX **Café de la Iberia,** pl. Mayor 17 🖋 894 09 47, Fax 894 08 47, 🛋, Antiguo café-Balcón con
  ≤ – ☰. 𝖠𝖤 🗲 𝘝𝘐𝘚𝘈. 🛠
  cerrado miércoles noche y del 1 al 15 de septiembre – Com carta 2600 a 5200.

XX **La Balconada,** pl. Mayor 🖋 894 13 03, Decoración castellana-Balcón con ≤ – ☰. 𝖠𝖤 ⓞ
  🗲 𝘝𝘐𝘚𝘈. 🛠
  cerrado miércoles y 26 julio-6 agosto – Com carta 2700 a 4800.

X Mesón de la Virreina, pl. Mayor 21 🖋 894 00 15, Fax 894 10 71, Decoración rústica-Balcón
  con ≤ – ☰.

X Mesón Cuevas del Vino, Benito Hortelano 13 🖋 894 02 06, Fax 894 09 40, Instalación rústica
  en un antiguo molino de aceite.

  en la carretera de Titulcia O : 3 km – ⊠ 28370 Chinchón – 🕲 91 :

🏠 **Nuevo Chinchón** ⤴, urb. Nuevo Chinchón 🖋 894 05 44, 🛋, 🏊 – ☰ rest 📺 ☎ ⑫. 🗲
  𝘝𝘐𝘚𝘈. 🛠
  Com 2250 – ⊊ 425 – **11 hab** 6000/8000 – PA 3450.

CHIPIONA 11550 Cádiz 446 V 10 – 12 398 h. – 🕲 956 – Playa.

Alred. : Sanlúcar de Barrameda (Iglesia de Santo Domingo★ : bóvedas★ – Iglesia de Nuestra
Señora de la O : portada★) NE : 9 km.

◆Madrid 614 - ◆Cádiz 54 - Jerez de la Frontera 32 - ◆Sevilla 106.

🏨 **Cruz del Mar,** av. de Sanlúcar 1 🖋 37 11 00, Telex 75095, Fax 37 13 64, ≤, 🛋, « Patio
  con 🏊 » – 🛗 ☰ 📺 ☎. 𝖠𝖤 ⓞ 🗲 𝘝𝘐𝘚𝘈. 🛠
  abril-octubre – Com (sólo cena) 2300 – ⊊ 700 – **85 hab** 7000/10700, 14 apartamentos
  – PA 4250.

🏠 **Chipiona,** Dr. Gómez Ulla 19 🖋 37 02 00, Fax 37 29 49 – 🛗 ☎. 𝖠𝖤 ⓞ 🗲 𝘝𝘐𝘚𝘈.
  🛠 rest
  marzo-octubre – Com 1800 – ⊊ 400 – **40 hab** 4000/6400.

CHIVA 46370 Valencia 445 N 27 – 6 421 h. alt. 240 – 🕲 96.

🏌18 Club de Campo El Bosque SE : 12 km 🖋 326 38 00.

◆Madrid 318 - ◆Valencia 30.

  en la carretera N III E : 10 km – ⊠ 46370 Chiva – 🕲 96 :

🏨 **Motel La Carreta,** 🖋 251 11 00, Fax 251 11 65, 🏊, 🛋 – ☰ 🏡 ⑫ – 🕍 25/250. 𝖠𝖤 ⓞ
  🗲 𝘝𝘐𝘚𝘈. 🛠 rest
  Com 1500 – ⊊ 425 – **80 hab** 5645/7100 – PA 3425.

DAIMIEL 13250 Ciudad Real 444 O 19 – 16 260 h. – ✆ 926.

♦Madrid 172 – Ciudad Real 31 – Toledo 122 – Valdepeñas 51.

🏨 **Las Tablas** sin rest, con cafetería, Virgen de las Cruces 5 ℘ 85 21 07, Fax 85 21 89 – |♦|
   ■ 📺 ☎ 📵. 🖭 ⓞ ⅇ 𝘝𝘐𝘚𝘈. ⅍ – ⌧ 300 – **33 hab** 3250/5750.

✗ **Las Brujas** con hab, antigua carret. de Madrid NE : 1,7 km ℘ 85 22 89 – ■ rest ☎ 📵
   𝘝𝘐𝘚𝘈. ⅍
   Comida carta aprox. 2650 – ⌧ 300 – **14 hab** 2200/3300.

   en el cruce de las carreteras N 420 y N 430 SO : 3,5 km – ⌧ 13250 Daimiel – ✆ 926

🏨 **Nueva Tierrallana,** ℘ 85 27 63, Fax 85 27 63 – ■ 📵. ⅍
   Com 900 – ⌧ 300 – **21 hab** 2200/3800 – PA 2100.

DAIMUZ o **DAIMÚS** 46710 Valencia 445 P 29 – 1 264 h. – ✆ 96 – Playa.

♦Madrid 420 – Gandía 4 – ♦Valencia 72.

   en la playa E : 1 km – ⌧ 46710 Daimuz – ✆ 96 :

🏠 **Olímpico** sin rest, Francisco Pons 2 ℘ 281 90 31 – ⅍
   15 junio-15 septiembre – ⌧ 300 – **16 hab** 1450/2950.

DANCHARINEA o **DANTXARINEA** 31712 Navarra 442 C 25 – ✆ 948.

♦Madrid 475 – ♦Bayonne 29 – ♦Pamplona/Iruñea 80.

🏠 **Lapitxuri** ⅏ sin rest, ℘ 59 90 46, Fax 59 90 46 – 📵. 🖭 ⓞ ⅇ 𝘝𝘐𝘚𝘈 ᴊᴄʙ. ⅍
   enero-15 octubre – ⌧ 400 – **16 hab** 3500.

✗ **Menta,** carret. de Francia ℘ 59 90 20 – ■ 📵. 𝘝𝘐𝘚𝘈
   cerrado lunes noche y martes de octubre a julio – Com carta 2660 a 4560.

DARNIUS 17722 Gerona 443 E 38 – 467 h. alt. 193 – ✆ 972.

♦Madrid 759 – Gerona/Girona 52.

🏠 **Darnius** ⅏, carret. de Massanet ℘ 53 51 17 – 📵
   abril-diciembre – Com *(cerrado jueves)* 900 – ⌧ 450 – **10 hab** 3800.

DEBA Guipúzcoa – ver Deva.

DEHESA DE CAMPOAMOR Alicante – ver Torrevieja.

DEIÀ Baleares – ver Baleares (Mallorca) : Deyá.

DENA 36967 Pontevedra 441 E 3 – ✆ 986.

♦Madrid 620 – Pontevedra 21 – Santiago de Compostela 65.

🏨 **Ría Mar** sin rest., ℘ 74 41 11, Fax 74 44 01 – |♦| ☎ 📵. 𝘝𝘐𝘚𝘈
   marzo-octubre – ⌧ 400 – **65 hab** 6500.

DENIA 03700 Alicante 445 P 30 – 25 803 h. – ✆ 96 – Playa.

⛴ para Baleares : Cía Flebasa, estación Marítima, ℘ 578 41 00.

🗓 pl. del Oculista Büigues 9 ℘ 578 09 57 Fax 578 09 57.

♦Madrid 447 – ♦Alicante/Alacant 92 – ♦Valencia 99.

🏨 **Costa Blanca,** Pintor Llorens 3 ℘ 578 03 36, Fax 578 40 97 – |♦| ■ rest ☎. 🖭 ⓞ ⅇ 𝘝𝘐𝘚𝘈
   ⅍ – Com 1500 – ⌧ 425 – **53 hab** 4150/6000 – PA 2900.

✗ **El Raset,** Bellavista 7 ℘ 578 50 40, 佘 – ■. 🖭 ⓞ ⅇ 𝘝𝘐𝘚𝘈 ᴊᴄʙ. ⅍
   cerrado martes – Com carta 2700 a 3950.

✗ **Drassanes,** Port 15 ℘ 578 11 18 – ■.

✗ **Ticino,** Bellavista 3 ℘ 578 91 03, Cocina italiana – ■. ⅇ 𝘝𝘐𝘚𝘈. ⅍
   cerrado miércoles – Com carta 1475 a 2175.

   en la carretera de las Rotas – ⌧ 03700 Denia – ✆ 96 :

✗✗ **Troya,** SE : 1 km. ℘ 578 14 31, Pescados, mariscos y arroz abanda – ■. ⅇ 𝘝𝘐𝘚𝘈. ⅍
   cerrado lunes salvo julio-agosto – Com carta 5300 a 6100.

✗ **El Trampoli,** playa SE : 4 km ℘ 578 12 96, 佘, Pescados, mariscos y arroz a banda – ■
   🖭 𝘝𝘐𝘚𝘈. ⅍ – *cerrado domingo noche* – Com carta 1900 a 3800.

   en la carretera de Las Marinas – ⌧ 03700 Denia – ✆ 96 :

🏨 **Rosa** ⅏, Las Marinas, 98 NO : 2 km ℘ 578 15 73, Fax 578 15 73, 佘, ⌇, ✗ – 📺 ☎ 📵
   ⅇ 𝘝𝘐𝘚𝘈. ⅍ rest
   cerrado diciembre-febrero – Com 1700 – ⌧ 550 – **31 hab** 7100/9800.

🏠 **Los Ángeles** ⅏ sin rest, con cafetería, NO : 4,00 km ℘ 578 04 58, Fax 642 09 06, ≤, ⅏
   – ☎ 📵 🖭 ⓞ ⅇ 𝘝𝘐𝘚𝘈
   15 marzo-noviembre – ⌧ 550 – **59 hab** 4500/7000.

XX **El Poblet,** urb. El Poblet NO : 2,4 km ℰ 578 41 79, Fax 578 56 91, 🍽 – 🍴 🗏. 🆎 ⓞ 🄴 𝗩𝗜𝗦𝗔.
𝒮𝒦 – *cerrado lunes salvo en verano* – Com carta 2700 a 4300.

X **Paquebote,** playa Almadrava NO : 7,5 km ℰ 647 42 70 – Ⓟ. 🆎 🄴 𝗩𝗜𝗦𝗔. 𝒮𝒦
cerrado lunes y octubre – Com carta 2050 a 3550.

DERIO 48016 Vizcaya 𝟰𝟰𝟮 C 21 – ✿ 94.
♦Madrid 408 – ♦Bilbao/Bilbo 9 – ♦San Sebastián/Donostia 108.

en la carret. C 6313 N : 3 km – ✉ 48016 Derio – ✿ 94 :

XX **Txakoli Artebakarra,** ℰ 471 12 92, 🍽 – Ⓟ. 🆎 ⓞ 🄴 𝗩𝗜𝗦𝗔
cerrado lunes noche, martes, 22 días en febrero y 22 días en agosto – Com carta 4250
a 5200.

LA DERRASA o **A DERRASA** 32792 Orense 𝟰𝟰𝟭 F 6 – ✿ 988.
♦ Madrid 509 – ♦ Pontevedra 110 – ♦ Orense/Ourense 10.

X **Roupeiro,** Roupeiro carret. C 536 ℰ 38 00 38, Decoración rústica – Ⓟ. 🆎 𝗩𝗜𝗦𝗔. 𝒮𝒦
cerrado domingo y septiembre – Com carta 2650 a 3500.

DESFILADERO – ver el nombre propio del desfiladero.

DESIERTO DE LAS PALMAS Castellón – ver Benicasim.

DEVA o **DEBA** 20820 Guipúzcoa 𝟰𝟰𝟮 C 22 – 4 916 h. – ✿ 943 – Playa.
Alred. : Carretera en cornisa★ de Deva a Lequeitio ≼ ★.
♦Madrid 459 – ♦Bilbao/Bilbo 66 – ♦San Sebastián/Donostia 41.

X **Urgain,** Arenal 6 ℰ 19 11 01 – 🗏. 🆎 ⓞ 🄴 𝗩𝗜𝗦𝗔. 𝒮𝒦
cerrado martes noche (salvo en verano) y del 10 al 20 de noviembre – Com carta 3700
a 4900.

X **Txomin,** Puerto 7 ℰ 60 16 60 – 🆎 ⓞ 🄴 𝗩𝗜𝗦𝗔. 𝒮𝒦
cerrado domingo noche y octubre – Com carta 2900 a 4200.

DEYÁ Baleares – ver Baleares (Mallorca).

DON BENITO 06400 Badajoz 𝟰𝟰𝟰 P 12 – 28 418 h. – ✿ 924.
♦Madrid 311 – ♦Badajoz 113 – Mérida 49.

🏨 **Vegas Altas,** av. Badajoz (carret. C 520) ℰ 81 00 05, Fax 81 10 13, ⅃, 𝒮 – 🛗 🗏 📺 ☎
♿ 🚗 Ⓟ – 🔬 25/1000. 🆎 ⓞ 🄴 𝗩𝗜𝗦𝗔 𝗝𝗖𝗕. 𝒮𝒦 rest
Com 2650 – 🍴 600 – **80 hab** 7750/9400.

en la carretera de Villanueva E : 2,5 km – ✉ 06400 Don Benito – ✿ 924 :

🏠 **Veracruz,** ℰ 80 13 62, Fax 80 38 51 – 🛗 🗏 📺 🕾 Ⓟ. 🆎 𝗩𝗜𝗦𝗔. 𝒮𝒦
Com 950 – 🍴 225 – **53 hab** 2830/4245 – PA 2000.

DONOSTIA Guipúzcoa – ver San Sebastián.

DOS HERMANAS 41700 Sevilla 𝟰𝟰𝟲 U 12 – 57 547 h. alt. 42 – ✿ 95.
♦Madrid 547 – ♦Cádiz 108 – Huelva 111 – ♦Sevilla 22.

🏨 **La Motilla,** carret. N IV - O : 1 km ℰ 566 68 16, Fax 566 68 88, ⅃, 𝒮 – 🛗 🗏 📺 ☎ 🚗
Ⓟ – 🔬 25/250. 🆎 ⓞ 🄴 𝗩𝗜𝗦𝗔. 𝒮𝒦 – Com 2000 – 🍴 900 – **101 hab** 10960/13700 – PA 4900.

DRACH (Cuevas del) Baleares – ver Baleares (Mallorca).

LA DUQUESA (puerto de) Málaga – ver Manilva.

DURANGO 48200 Vizcaya 𝟰𝟰𝟮 C 22 – 26 101 h. – ✿ 94.
♦Madrid 425 – ♦Bilbao/Bilbo 32 – ♦San Sebastián/Donostia 71 – ♦Vitoria/Gasteiz 40.

🏨 **Kurutziaga,** Kurutziaga 52 ℰ 620 08 64, Fax 620 14 09, 🍽 – 🛗 📺 🕾 Ⓟ. ⓞ 🄴 𝗩𝗜𝗦𝗔. 𝒮𝒦 rest
cerrado 23 diciembre-6 enero – Com *(cerrado domingo en agosto)* 2000 – 🍴 700 – **18 hab**
7500/13000 – PA 4000.

XX **Kobika,** Grupo San Ignacio 8 ℰ 620 17 38 – 🗏. 🆎 𝗩𝗜𝗦𝗔. 𝒮𝒦
cerrado domingo y agosto – Com carta 2200 a 3700.

en Goiuria N : 3 km – ✉ 48200 Durango – ✿ 94 :

X **Goiuria,** ℰ 681 08 86, Fax 681 08 86, ≼ Durango, valle y montañas – Ⓟ. 🆎 ⓞ 🄴 𝗩𝗜𝗦𝗔 𝗝𝗖𝗕.
𝒮𝒦 – *cerrado domingo noche, martes noche y agosto* – Com carta 3150 a 4200.

X **Ikuspegi,** ℰ 681 10 82, ≼ Durango, valle y montañas – Ⓟ. 🆎 ⓞ 🄴 𝗩𝗜𝗦𝗔. 𝒮𝒦
cerrado lunes y septiembre – Com carta 2600 a 3750.

DÚRCAL 18650 Granada 📖📖📖 V 19 – 5 787 h. alt. 830 – 🕿 958.

◆Madrid 460 – ◆Almería 149 – ◆Granada 30 – ◆Málaga 129.

  🏠 **Mariami** sin rest y sin ⌑, Comandante Lázaro 82 ℰ 78 04 09 – 🕿 ⟵. 𝗩𝗜𝗦𝗔. ⚡
    10 hab 3600/4500.

ÉCIJA 41400 Sevilla 📖📖📖 T 14 – 35 514 h. alt. 101 – 🕿 95.

Ver : Iglesia de Santiago★ (retablo★).

🛈 av. de Andalucía ℰ 4833062.

◆Madrid 458 – Antequera 86 – ◆Cádiz 188 – ◆Córdoba 51 – ◆Granada 183 – Jerez de la Frontera 155 – Ronda 141 – ◆Sevilla 92.

  🏠🏠 **Platería** sin rest y sin ⌑, Garcilópez 1 ℰ 483 50 10, Fax 483 50 10 – 🛗 🗏 📺 🕿. 𝗔𝗘 ⓞ
    𝗘 𝗩𝗜𝗦𝗔. ⚡
    18 hab 4200/7200.

  🏠 **Ciudad del Sol** (Casa Pirula), av. del Genil ℰ 483 03 00, Fax 483 58 79, 🍴 – 🛗 🗏 🕿 🅿
    𝗔𝗘 ⓞ 𝗘 𝗩𝗜𝗦𝗔. ⚡ rest
    Com 1300 – ⌑ 350 – **30 hab** 3500/5500.

  en la carretera N IV NE : 3 km – ⊠ 41400 Écija – 🕿 95 :

  🏠 **Astigi,** ⊠ apartado 24 ℰ 483 01 62, Fax 483 57 01, 🍴 – 🗏 📺 🕿 🅿. 𝗘 𝗩𝗜𝗦𝗔. ⚡
    Com 2700 – ⌑ 450 – **18 hab** 6000/8000.

ECHALAR o **ETXALAR** 31760 Navarra 📖📖📖 C 25 – 835 h. alt. 100 – 🕿 948.

◆Madrid 468 – ◆Bayonne 53 – ◆Pamplona/Iruñea 73.

  en la carretera N 121 O : 4 km – ⊠ 31760 Echalar – 🕿 948 :

  🏠 **Venta de Echalar,** ℰ 63 50 00, « Instalado en un edificio del siglo XVI » – 🅿. ⚡
    Com *(cerrado lunes)* 2000 – ⌑ 450 – **23 hab** 5440/7000 – PA 3780.

ECHEGÁRATE (Puerto de) Guipúzcoa 📖📖📖 D 23 – alt. 658 – 🕿 943.

◆Madrid 409 – ◆Pamplona/Iruñea 48 – ◆San Sebastián/Donostia 63 – ◆Vitoria/Gasteiz 54.

  ✕ **Buenos Aires,** carret. N I - alto de Echegárate, ⊠ 20213 Idiazábal, ℰ 80 12 82, 🍴 – 🅿
    𝗔𝗘. ⚡
    cerrado lunes noche, martes y febrero – Com carta aprox. 3150.

EGÜÉS 31486 Navarra 📖📖📖 D 25 – 978 h. alt. 491 – 🕿 948.

◆Madrid 395 – ◆Pamplona/Iruñea 10.

  ✕ Egüés, carret. de Aoiz ℰ 33 00 81, 🍴, Asados a la brasa, « Decoración rústica » – 🗏 🅿

EIBAR 20600 Guipúzcoa 📖📖📖 C 22 – 36 494 h. alt. 120 – 🕿 943.

◆Madrid 439 – ◆Bilbao/Bilbo 46 – ◆Pamplona/Iruñea 117 – ◆San Sebastián/Donostia 54.

  🏠🏠 **Arrate** sin rest, Ego Gain 5 ℰ 11 72 42, Fax 70 00 74 – 🛗 📺 🕿 – 🔏 25/80. 𝗔𝗘 ⓞ 𝗘 𝗩𝗜𝗦𝗔
    ⌑ 650 – **89 hab** 5800/9200.

  ✕✕ **Eskarne,** Arragüeta 4 ℰ 12 16 50 – 🗏. 𝗔𝗘 ⓞ 𝗘 𝗩𝗜𝗦𝗔
    cerrado domingo noche, lunes noche y agosto – Com carta 2800 a 4100.

EIVISSA Baleares – ver Baleares (Ibiza) : Ibiza.

EL EJIDO 04700 Almería 📖📖📖 V 21 – 41 450 h. alt. 140 – 🕿 950.

🏌 Almerimar S : 10 km ℰ 48 09 50.

◆Madrid 586 – ◆Almería 32 – ◆Granada 157 – ◆Málaga 189.

  en la carretera de Almería NE : 7 km – ⊠ 04700 El Ejido – 🕿 950 :

  🏠 El Edén, ℰ 58 10 36, Fax 48 45 10, ⤳ – 🗏 rest 📺 🕿 ⟵ 🅿
    23 hab.

  en Almerimar S : 10 km – ⊠ 04700 El Ejido – 🕿 950 :

  🏠🏠🏠 **Golf H. Almerimar** ⤳, ℰ 49 70 50, Fax 49 70 19, ≤ campo de golf y mar, ⤳, 🍴, ⚡, 🏌 – 🛗 🗏 🕿 🅿 – 🔏 25/80. 𝗔𝗘 ⓞ 𝗘 𝗩𝗜𝗦𝗔. ⚡
    Com 2400 – ⌑ 850 – **149 hab** 13000/16000.

  ✕ **El Segoviano,** ℰ 48 00 84, 🍴 – 🗏. 𝗔𝗘 𝗘 𝗩𝗜𝗦𝗔. ⚡
    cerrado lunes en agosto, domingo resto del año y 24 diciembre-3 enero – Com carta 2700 a 3900.

ELCHE o **ELX** 03200 Alicante 📖📖📖 R 27 – 162 873 h. alt. 90 – 🕿 96.

Ver : El Palmeral★★ - Huerto del Cura★★ Z, Parque Municipal★ Y.

🛈 passeig de l'Estació, ⊠ 03203, ℰ 545 27 47.

◆Madrid 406 ③ – ◆Alicante/Alacant 24 ① – ◆Murcia 57 ②.

234

ELX
ELCHE

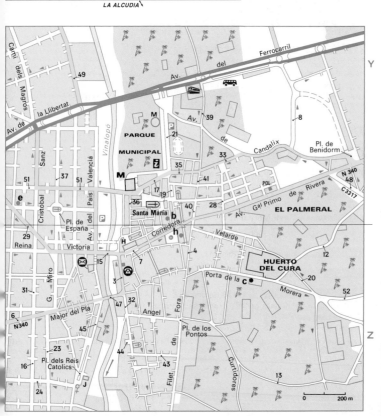

🏨 **Huerto del Cura** (Parador colaborador) ⤸, Porta de la Morera 14, ⊠ 03203, 𝒫 545 80 40, Fax 542 19 10, 佘, « Pabellones rodeados de jardines en un palmeral », ⤴, ℅ – 🔲 📺 ☎ ⟿ 🅿 – 🛦 25/300. ⅀ ⓞ ☰ 𝓥𝓢𝓐 𝒿𝒸𝒷. ℅
Com 3200 – ⚌ 1000 – **70 hab** 10250/14000 – PA 6200.
　　　　　　　　　　　　　　　　　　　　　　　　　　　　Z **c**

🏠 **Candilejas** sin rest y sin ⚌, Dr Ferrán 19, ⊠ 03201, 𝒫 546 65 12 – 🔰 🔲 ☎
24 hab.
　　　　　　　　　　　　　　　　　　　　　　　　　　　　X **r**

XX **La Magrana,** Partida Altabix 41, ⊠ 03291, 𝒫 545 82 16 – 🔲 🅿. ⅀ ☰ 𝓥𝓢𝓐. ℅
cerrado domingo noche – Com carta 2800 a 4100.　　　por ① 　X

X La Pileta, Trinquet 1 𝒫 542 36 93, Mesón rústico.
　　　　　　　　　　　　　　　　　　　　　　　　　　　　Y **b**

X **Mesón El Granaino,** Josep María Buch 40, ⊠ 03201, 𝒫 546 01 47, Mesón típico – 🔲.
⅀ ⓞ ☰ 𝓥𝓢𝓐. ℅　　　　　　　　　　　　　　　　　　　　Y **e**
cerrado domingo, 2ª y 3ª semana de agosto – Com carta 2650 a 3850.

X **Enrique,** Empedrat 10, ⊠ 03203, 𝒫 545 15 77 – 🔲. ⓞ ☰ 𝓥𝓢𝓐 𝒿𝒸𝒷. ℅
Com carta 2100 a 2800.　　　　　　　　　　　　　　　　Z **h**

X Altabix, av. d'Alacant 37, ⊠ 03202, 𝒫 545 34 87 – 🔲
　　　　　　　　　　　　　　　　　　　　　　　　　　　　X **a**

en la carretera de Alicante por ① : 4 km – ⊠ 03200 Elche – ☎ 96 :

XX La Masía de Chencho, 𝒫 545 97 47, 佘, « Antigua casa de campo » – 🔲 🅿.

por la carretera de El Altet SE : 4,5 km X – ⊠ 03295 Elche – ☎ 96 :

XX **La Finca,** Partida de Perleta 1-7 𝒫 545 60 07, 佘, « Casa de campo con terraza ajardinada » – 🔲 🅿. ⅀ ☰ 𝓥𝓢𝓐
cerrado domingo noche, lunes y enero – Com carta 3300 a 4200.

ELDA 03600 Alicante 𝟜𝟜𝟝 Q 27 – 52 185 h. alt. 395 – ☎ 96.
◆Madrid 381 – ◆Albacete 134 – ◆Alicante/Alacant 37 – ◆Murcia 80.

🏠 **Elda** sin rest, av. Chapí 4 𝒫 538 05 56, Fax 538 16 37 – 🔲 ☎ ⟿. ⅀ ⓞ ☰ 𝓥𝓢𝓐. ℅
⚌ 675 – **37 hab** 4500/7900.

X **Fagayo,** Colón 25 𝒫 538 10 13 – ⅀ ⓞ ☰ 𝓥𝓢𝓐. ℅
cerrado 15 días en agosto – Com carta aprox.3200.

ELIZONDO 31700 Navarra 𝟜𝟜𝟚 C 25 – alt. 196 – ☎ 948.
🅱 Palacio de Arizcumenea 𝒫 58 12 79.
◆Madrid 452 – ◆Bayonne 53 – ◆Pamplona/Iruña 57 – St-Jean-Pied-de-Port 35.

X **Galarza,** Santiago 1 𝒫 58 01 01 – 🅿. ☰ 𝓥𝓢𝓐. ℅
cerrado martes, última semana septiembre-1ª octubre – Com carta 2800 a 3700.

X **Santxotena,** Pedro Axular 𝒫 58 02 97 – ☰ 𝓥𝓢𝓐
cerrado lunes y 22 diciembre-14 enero – Com carta 3250 a 3850.

ELX Alicante – ver Elche.

EMPURIABRAVA Gerona – ver Ampuriabrava.

ENCAMP Andorra – ver Andorra (Principado de).

ERISTE 22469 Huesca 𝟜𝟜𝟛 E 31 – 175 h. alt. 1 118 – ☎ 974 – Deportes de invierno en Cerler :
🎿 11 – ◆Madrid 534 – Huesca 144 – ◆Lérida/Lleida 144.

🏨 **Linsoles y Rest. Margalida** ⤸, carret. C 139 𝒫 55 14 11, Fax 55 10 50, ≤, « Conjunto típico de montaña », 𝕗𝕤, ⤴, ℅, 🔓 – 🔰 📺 ☎ ⟿ 🅿 – 🛦 25/100. ⅀ ☰ 𝓥𝓢𝓐. ℅
Com carta 1600 a 1900 – ⚌ 550 – **35 hab** 7010/11390.

ERRENTERIA Guipúzcoa – ver Rentería.

ES ARENALS Baleares – ver Baleares (Formentera) : Playa Mitjorn.

La ESCALA o **L'ESCALA** 17130 Gerona 𝟜𝟜𝟛 F 39 – 4 048 h. – ☎ 972 – Playa.
Alred.: Ampurias★ (ruinas griegas y romanas), emplazamiento★ N : 2 km.
🅱 pl. de Les Escoles 1, ⊠ 17130, 𝒫 77 06 03, Fax 10 33 85.
◆Madrid 748 – ◆Barcelona 135 – Gerona/Girona 41.

🏨 **Nieves-Mar,** passeig Marítim 8 𝒫 77 03 00, Fax 10 36 05, ≤ mar, ⤴, ℅ – 🔰 🔲 rest 📺 ☎ 🅿 – 🛦 25/70. ⅀ ⓞ ☰ 𝓥𝓢𝓐. ℅ rest
cerrado diciembre y enero – Com 2575 – ⚌ 750 – **80 hab** 4500/8240 – PA 5000.

🏨 **Voramar,** passeig Lluis Albert 2 𝒫 77 01 08, Fax 77 03 77, ≤, 佘, ⤴ – 🔰 ☎. ⅀ ⓞ ☰ 𝓥𝓢𝓐 𝒿𝒸𝒷. ℅ rest
abril- 15 diciembre – Com 1995 – ⚌ 575 – **36 hab** 3780/7560 – PA 3885.

🏠 **El Roser,** Iglesia 7 𝒫 77 02 19, Fax 77 09 77 – 🔰 🔲 rest 📺 🅿. ⅀ ⓞ ☰ 𝓥𝓢𝓐. ℅ rest
Com 1250 – ⚌ 475 – **25 hab** 2950/4250 – PA 2500.

🅇🅇 **Els Pescadors,** Port d'en Perris 3 ℂ 77 07 28, Fax 77 07 28, ⌆ – ■. 𝐌𝘸 𝐌 𝔸 𝐌 𝐍𝐌. 𝐍𝐌𝐌.
ℸ
cerrado jueves (20 septiembre-20 junio), domingo noche (octubre-marzo) y noviembre –
Com carta 2650 a 4950.

🅇🅇 **Miryam** con hab, ronda del Padró 4 ℂ 77 02 87, Fax 77 22 02 – ■ rest 📺 ☎ 🄿. 𝐌
𝐍𝐌𝐌
cerrado 12 diciembre-20 enero – Com *(cerrado domingo noche y jueves)* carta 3325 a
4800 – ∪ 575 – **14 hab** 4750.

🅇🅇 **El Roser 2,** passeig Lluís Albert 1 ℂ 77 11 02, Fax 77 09 77, ⌆, 🍴 – ■. 𝐌𝘸 𝐌 𝔸 𝐌 𝐍𝐌𝐌.
ℸ
cerrado miércoles y febrero – Com carta 3650 a 5050.

🅇 L'Avi Freu, passeig Lluís Albert 7 ℂ 77 12 41, ⌆, 🍴 – ■.

en Port-Escala E : 2 km – ✉ 17130 La Escala – ⚙ 972 :

🅇🅇 **Cafè Navili,** Romeu de Corbera ℂ 77 12 01 – ■. 𝐌𝘸 𝐌 𝐍𝐌𝐌. ℸ
cerrado miércoles y noviembre-diciembre – Com carta 2775 a 4450.

en Sant Martí d'Empuries NO : 2 km – ✉ 17130 La Escala – ⚙ 972 :

🅇 Mesón del Conde, pl. Iglesia 4 ℂ 77 03 06.

ESCALANTE 39795 Cantabria 🄸🄸🄸 B 19 – 753 h. alt. 7 – ⚙ 942.
Madrid 479 – ♦Bilbao/Bilbo 82 – ♦Santander 42.

🅇🅇🅇 ✿ **San Román de Escalante** ⍺ con hab, carret. de Castillo 1,5 km ℂ 67 77 28,
Fax 67 76 43, ⌆, « Decoración elegante en un marco rústico », 🌲 – ■ 📺 ☎ 🄿. 𝐌𝘸 𝐌
𝐌 𝐍𝐌𝐌
Com carta 4050 a 6050 – ∪ 950 – **8 hab** 15000/18000
Espec. Almejas en salsa verde con setas, Rodaballo con erizos, Semifrío de piñones.

Les ESCALDES ENGORDANY Andorra – ver Andorra (Principado de).

La ESCALERUELA Teruel – ver Sarrión.

ESCALONA 45910 Toledo 🄸🄸🄸 L 16 – 1 537 h. – ⚙ 925.
Madrid 86 – Ávila 88 – Talavera de la Reina 55 – Toledo 54.

🅇 El Mirador con hab, carret. de Ávila 2 ℂ 78 00 26, ⌆ – ■ rest
10 hab.

ES CASTELL Baleares – ver Baleares (Menorca) : Mahón.

ESCORCA Baleares – ver Baleares (Mallorca).

EL ESCORIAL 28280 Madrid 🄸🄸🄸 K 17 – 6 192 h. alt. 1 030 – ⚙ 91.
Madrid 55 – Ávila 65 – ♦Segovia 50.

🄰 **Escorial,** Arias Montano 12 ℂ 890 13 61, Fax 890 14 62, 🍴 – ■ rest. 𝐌𝘸 𝐌 𝔸 𝐌 𝐍𝐌𝐌.
ℸ
Com 1800 – ∪ 400 – **32 hab** 4510/5940 – PA 3300.
Ver también : *San Lorenzo de El Escorial* NO : 3 km..

ESCUDO (Puerto del) Cantabria – ver San Miguel de Luena.

ESCUNHAU Lérida – ver Viella.

ESPASANTE 15339 La Coruña 🄸🄸🄸 A 6 – ⚙ 981.
Madrid 615 – ♦ La Coruña/A Coruña 107 – Lugo 104 – Viveiro 28.

🅇 **Planeta,** puerto N : 1 km ℂ 40 83 66, ⌆, Pescados y mariscos – 𝐌𝘸 𝐌 𝔸 𝐌 𝐍𝐌𝐌. ℸ
cerrado del 1 al 15 de noviembre – Com carta 2600 a 4600.

La ESPINA 33891 Asturias 🄸🄸🄸 B 10 y 11 – alt. 660 – ⚙ 98.
Madrid 494 – ♦Oviedo 59.

🄰 **Casa Aurelio,** El Cruce 2 ℂ 583 70 10, Fax 583 73 73 – ■ rest 📺 ☎ 🚗. 𝔸 𝐌 𝐍𝐌𝐌.
ℸ
cerrado 25 diciembre-8 enero – Com *(cerrado domingo)* 1250 – ∪ 350 – **14 hab**
4000/5200 – PA 2500.

El ESPINAR 40400 Segovia 442 J 17 – 3 500 h. alt. 1 260 – 🏵 921.

◆Madrid 62 – Ávila 41 – ◆Segovia 30.

🏠 **La Típica,** pl. de España, 11 ℰ 18 10 87 – 🍽 rest. 𝗩𝗜𝗦𝗔. 🦌
   cerrado octubre – Com 1800 – ⌛ 300 – **23 hab** 3200/4700 – PA 3200.

🏠 **Casa Marino,** Marqués de Perales 11 ℰ 18 23 39 – 🍽 rest 📺. 𝗩𝗜𝗦𝗔. 🦌
   – Com *(cerrado noche de domingo y lunes en invierno, y 2ª quincena septiembre)* 120
   ⌛ 300 – **17 hab** 4000/4500.

ESPIRDO 40191 Segovia 442 J 17 – 135 h. alt. 1 062 – 🏵 921.

◆Madrid 93 – ◆Segovia 6.

🏠 La Posada, pl. Mayor ℰ 44 90 09 – 🍽
   23 hab.

ESPLUGA DE FRANCOLÍ o L'ESPLUGA DE FRANCOLÍ 43440 Tarragona 443 H 33
3 602 h. alt. 414 – 🏵 977.

◆Madrid 521 – ◆Barcelona 123 – ◆Lérida/Lleida 63 – Tarragona 39.

🏨 **Hostal del Senglar** 🦐, pl. Montserrat Canals ℰ 87 01 21, Fax 87 10 12, « Jardín - Res
   típico », 🏊, 🦌 – 🛗 🍽 rest 📺 ☎ 🅿 – 🔬 25/100. 𝗔𝗘 ⓞ 𝗘 𝗩𝗜𝗦𝗔. 🦌
   – Com 1700 – ⌛ 475 – **40 hab** 3500/6900 – PA 3400.

ESPLUGUES DE LLOBREGAT Barcelona – ver Barcelona : Alrededores.

ESPONELLÁ 17832 Gerona 443 F 38 – 372 h. – 🏵 972.

◆Madrid 739 – Figueras/Figueres 19 – Gerona/Girona 30.

❌ **Can Roca,** av. Carlos de Fortuny 1 ℰ 59 70 12, 🏠 – 🍽 🅿. 𝗔𝗘 𝗘 𝗩𝗜𝗦𝗔. 🦌
   cerrado martes no festivos y 3 semanas en septiembre – Comida carta 1950 a 3200

ESPOT 25597 Lérida 443 E 33 – 212 h. alt. 1 340 – 🏵 973 – Deportes de invierno en Supe
Espot : 🎿4.

Alred.: O : Parque Nacional de Aigües Tortes★★.

🎫 Prat del Guarda 2, ✉ 25597, ℰ 62 40 36, Fax 62 40 36.

◆Madrid 619 – ◆Lérida/Lleida 166.

🏠 **Saurat** 🦐, pl. San Martín ℰ 62 41 62, Fax 62 40 37, ≤, 🦌 – 🛗 🍽 rest 🕾 🅿. ⓞ 𝗘 𝗩𝗜𝗦
   🦌 rest
   15 enero-octubre – Com 1700 – ⌛ 600 – **52 hab** 3385/7365 – PA 3400.

ES PUJOLS Baleares – ver Baleares (Formentera).

ESQUEDAS 22810 Huesca 443 F 28 – 147 h. alt. 509 – 🏵 974.

Alred. : Castillo de Loarre★★ (🌟 ★★) NO : 19 km.

◆Madrid 404 – Huesca 14 – ◆Pamplona/Iruñea 150.

❌❌ Venta del Sotón, carret. A 132 ℰ 27 02 41, Fax 27 01 61, « Interior rústico » – 🍽 🅿.

ESTARTIT o L'ESTARTIT 17258 Gerona 443 F 39 – 🏵 972 – Playa.

🎫 Passeig Marítim 47, ℰ 75 89 10, ✉ 17258, Fax 75 76 19.

◆Madrid 745 – Figueras/Figueres 39 – Gerona/Girona 36.

🏨 **Bell Aire,** Esglesia 39 ℰ 75 81 62, Fax 75 85 28, 🏠 – 🛗 ☎. 𝗔𝗘 ⓞ 𝗘 𝗩𝗜𝗦𝗔 𝗝𝗖𝗕. 🦌
   abril-octubre – Com 1050 – ⌛ 450 – **76 hab** 4700/7360.

🏠 **Miramar,** av. de Roma 21 ℰ 75 86 28, Fax 75 75 00, 🏊, 🦌, ❌ – ☎ 🅿. 𝗘 𝗩𝗜𝗦𝗔. 🦌 res
   mayo-octubre – Com 1650 – ⌛ 625 – **64 hab** 3800/7200.

🏠 **La Masía,** carret. de Torroella O : 1 km ℰ 75 81 78, Fax 75 99 00, 🏊, 🦌, ❌ – 🛗 🅿. 𝗔
   𝗘 𝗩𝗜𝗦𝗔. 🦌 rest
   abril-octubre – Com 1100 – ⌛ 550 – **77 hab** 3600/6100 – PA 2200.

❌ **La Gaviota,** passeig Marítim 92 ℰ 75 84 19, 🏠 – 🍽. 𝗔𝗘 ⓞ 𝗘 𝗩𝗜𝗦𝗔. 🦌
   cerrado noches de lunes a miércoles (octubre-abril) y noviembre – Com carta 2450 a 4450

With this guide use **Michelin Maps** :

no 990 SPAIN-PORTUGAL Main Roads (1 inch : 16 miles),

nos 441, 442, 443, 444, 445 and 446 SPAIN
(regional maps) (1 inch : 6.30 miles),

no 450 CANARY ISLANDS (Map/Guide) (1 inch : 3.15 miles),

no 440 PORTUGAL (1 inch : 6.30 miles).

STELLA o **LIZARRA** 31200 Navarra 442 D 23 – 13 086 h. alt. 430 – 🌣 948.

r : Palacio de los Reyes de Navarra★ – Iglesia San Pedro de la Rúa : (portada★, Claustro★) – lesia de San Miguel : (fachada★, altorrelieves★★).

red. : Monasterio de Irache★ (iglesia★) S : 3 km – Monasterio de Iranzu (garganta★) N : 10 km.

San Nicolás 1 ✆ 55 40 11 (Semana Santa-octubre).

Madrid 380 – ♦Logroño 48 – ♦Pamplona/Iruñea 45 – ♦Vitoria/Gasteiz 70.

XX **Navarra,** Gustavo de Maeztu 16 (Los Llanos) ✆ 55 10 69, Decoración navarro-medieval, « Villa rodeada de jardín » – 🍽, 🝙 🝫 VISA. ⋘
cerrado domingo noche, lunes y 16 diciembre-4 enero – Com carta 2900 a 4100.

XX **Richard,** av. de Yerri 10 ✆ 55 13 16 – 🍽. 🝙 🝫 VISA. ⋘
cerrado lunes y del 1 al 15 de septiembre – Com carta 3200 a 4500.

X Rochas, Príncipe de Viana 16 ✆ 55 10 40 – 🍽.

ESTELLENCHS Baleares – ver Baleares (Mallorca).

ESTEPONA 29680 Málaga 446 W 14 – 24 261 h. – 🌣 95 – Playa.

El Paraíso NE : 11,5 km por N 340 ✆ 278 30 00 – 🝫 Atalaya Park ✆ 278 18 94.

paseo Marítimo Pedro Manrique ✆ 280 09 13, Fax 279 21 81.

Madrid 640 – Algeciras 51 – ♦Málaga 85.

XX **Robbies,** Jubrique 11 ✆ 280 21 21 – 🍽. 🝫 VISA. ⋘
cerrado lunes, 1ª quincena de diciembre y febrero – Com carta aprox. 4500.

X **Costa del Sol,** San Roque 23 ✆ 280 11 01, Cocina francesa – 🍽. 🝙 🝫 VISA
cerrado domingo y lunes mediodía – Com carta 1580 a 2970.

en el puerto deportivo – ✉ 29680 Estepona – 🌣 95 :

XX **El Cenachero,** ✆ 280 14 42, 🍴 – 🝙 🝪 🝫 VISA
cerrado martes y febrero – Com carta 2800 a 3400.

X Rafael, ✆ 280 23 41, 🍴 – 🍽.

X **Antonio,** ✆ 280 11 42, 🍴 – 🝪 🝫 VISA. ⋘
Com carta 2050 a 3500.

en la carretera de Málaga – ✉ 29680 Estepona – 🌣 95 :

🏨 **Atalaya Park** ⋙, NE : 12,5 km y desvío 1 km ✆ 288 48 01, Telex 77210, Fax 288 57 35, ≼, 🍴, « Extenso jardín con arbolado », ℔, 🝫, 🝫, ⋘, 🝫 – 🛗 🍽 ☎ 🅿 – 🛅 25/600. 🝙 🝪 🝫 VISA. ⋘
Com 2900 - **La Torre** (sólo buffet) carta 1600 a 3200 - **Don Quijote** (sólo cena) carta aprox. 3300 - **416 hab** 15120/25980, 32 suites.

XX La Alcaría de Ramos, urb. El Paraíso NE : 11,4 km y desvío 1,5 km ✆ 288 61 78, 🍴
Com (sólo cena).

X El Rocío, NE : 2 km ✆ 280 00 46, 🍴 – 🅿.

X **Benamara,** NE : 11,4 km ✆ 288 26 07, Cocina marroquí – 🍽 🅿. 🝙 🝫 VISA
cerrado lunes – Com (sólo cena, salvo domingo) carta aprox. 2900.

ESTERRI DE ANEU o **ESTERRI D'ÁNEU** 25580 Lérida 443 E 33 – 566 h. alt. 957 – 🌣 973.

Major 6, ✉ 25580, ✆ 62 60 05, Fax 62 60 05.

Madrid 624 – ♦Lérida/Lleida 168 – Seo de Urgel/La Seu d'Urgell 84.

🏨 **Esterri Park H.,** Major 69 ✆ 62 63 88, Fax 62 62 79, 🍴 – 🛗 🍽 rest 📺 ☎ 🅿. 🝫 VISA. ⋘
enero-15 octubre – Com 1500 – ☐ 700 – **24 hab** 5800/8000 – PA 3570.

La ESTRADA o **A ESTRADA** 36680 Pontevedra 441 D 4 – 25 719 h. – 🌣 986.

Madrid 599 – Orense/Ourense 100 – Pontevedra 44 – Santiago de Compostela 28.

🏨 **Milano** ⋙, carret. de Cuntis 1 km ✆ 57 35 35, Fax 57 35 10, 🍴, 🝫, ⋘ – 🛗 📺 ☎ 🅿 – 🛅 25/200. 🝙 🝪 🝫 VISA. ⋘ rest
Com carta aprox. 3400 – ☐ 600 – **41 hab** 5800/9850.

X **Nixon,** av. de Puenteareas 1 ✆ 57 02 61 – 🝙 🝫 VISA. ⋘
cerrado lunes y noviembre – Com carta 3100 a 4250.

ES VIVÉ Baleares – ver Baleares (Ibiza) : Ibiza.

ETXALAR Navarra – ver Echalar.

EUGUI o **EUGI** 31638 Navarra 442 D 25 – alt. 620 – 🌣 948.

Madrid 422 – ♦Pamplona/Iruñea 27 – St-Jean-Pied-de-Port 63.

🏨 **Quinto Real** ⋙, ✆ 30 40 44, ≼ – 🅿. 🝙 🝫 VISA. ⋘
cerrado diciembre- enero – Com 2700 – ☐ 500 – **18 hab** 5200.

EZCARAY 26280 La Rioja 442 F 20 – 1 710 h. alt. 813 – ✿ 941 – Deportes de invierno en Valdezcaray – ◆Madrid 316 – ◆Burgos 73 – ◆Logroño 61 – ◆Vitoria/Gasteiz 80.

🏡 **Echaurren,** Héroes del Alcázar 2 ✆ 35 40 47, Fax 42 71 33 – |‡| 🗏 rest 📺 ☎. 쬬 ◑ **E** *VISA*. ⅏ rest
　　cerrado noviembre – Comida *(cerrado domingo noche en invierno)* carta 2480 a 4010 –
　　⌧ 520 – **26 hab** 3550/6700, 6 apartamentos – PA 3500.

🏡 **Iguareña,** Lamberto F. Muñoz 14 ✆ 35 41 44, Fax 35 41 44 – |‡| 🗏 rest 📺 ☎. **E** *VISA*. ⅏
　　Com 1320 – ⌧ 260 – **25 hab** 3400/5500 – PA 2450.

✗ **El Rincón del Vino,** av. Jesús Nazareno 2 ✆ 35 43 75, Exposición y venta de vinos y productos típicos de La Rioja, « Rústico regional » – **℗**. 쬬 ◑ **E** *VISA*. ⅏
　　cerrado miércoles (salvo en agosto) y junio – Com carta 2300 a 3900.

FANALS playa de Gerona – ver Lloret de Mar.

FELANITX Baleares – ver Baleares (Mallorca).

LA FELGUERA 33930 Asturias 441 C 13 – ✿ 98.
◆ Madrid 450 – Gijón 46 – ◆ León 119 – ◆ Oviedo 27.

🏡 **Don Alonso** sin rest, Melquíades Álvarez 81 ✆ 567 47 11, Fax 567 47 11 – |‡| 📺 ☎. 쬬 **E** *VISA*. ⅏ – ⌧ 475 – **12 hab** 6500/8500.

FENE 15500 La Coruña 441 B 5 – 15 097 h. alt. 30 – ✿ 981.
◆Madrid 609 – ◆La Coruña/A Coruña 58 – Ferrol 6 – Santiago de Compostela 94.

🏠 **Perlío,** av. de las Pías 25 ✆ 34 20 11, Fax 34 20 59 – 📺 ☎ ⟸. 쬬 **E** *VISA*. ⅏
　　Com (ver rest. **Perlío**) – **29 hab** ⌧ 3000/5200.

✗✗ **Perlío,** av. de Las Pías 25 ✆ 34 20 11, Fax 34 20 59 – 쬬 **E** *VISA*. ⅏
　　Com carta aprox. 2500.

FERRERÍAS Baleares – ver Baleares (Menorca).

FERROL 15400 La Coruña 441 B 4 – 91 764 h. – ✿ 981 – Playa – Iberia ✆ 31 92 90.
🛈 Magdalena 12, ✉ 15402, ✆ 31 11 79.
◆Madrid 608 – ◆La Coruña/A Coruña 61 – Gijón 321 – ◆Oviedo 306 – Santiago de Compostela 103.

🏨 **Parador de Ferrol,** Almirante Fernández Martín, ✉ 15401, ✆ 35 67 20, Fax 35 67 20
　　« Edificio de estilo regional » – 🗏 rest 📺 ☎ – 🔏 25/100. 쬬 ◑ *VISA*. ⅏
　　Com 3200 – ⌧ 1100 – **39 hab** 11000 – PA 6375.

🏨 **Almirante y Rest. Gavia,** María 2, ✉ 15402, ✆ 32 53 11, Fax 32 53 11 – |‡| 📺 ☎ ⟸
　　– 🔏 25/200. 쬬 ◑ *VISA*. ⅏
　　Com *(cerrado domingo noche y lunes mediodía)* carta 2250 a 3750 – ⌧ 650 – **117 hab** 4550/7950.

🏠 **Almendra** sin rest, Almendra 4, ✉ 15402, ✆ 35 81 90 – 📺 ☏ ⟸. ⅏
　　⌧ 350 – **40 hab** 5600.

🏚 **Ryal** sin rest, Galiano 43, ✉ 15402, ✆ 35 07 99 – |‡| ☏. 쬬 ◑ **E** *VISA*. ⅏
　　⌧ 340 – **40 hab** 3400/5400.

✗✗✗ **Borona,** Dolores 52, ✉ 15402, ✆ 35 50 99 – 쬬 ◑ **E** *VISA*. ⅏
　　cerrado noche de domingo y lunes (invierno), mediodía de domingo y lunes (julio-agosto) y del 15 al 30 de junio – Com carta 3100 a 4300.

✗✗ **O'Parrulo,** av. Catabois 401, ✉ 15405, ✆ 31 86 53, Fax 32 35 31 – 🗏 **℗**. 쬬 **E** *VISA*. ⅏
　　cerrado domingo, agosto-15 septiembre y 20 diciembre- 2 enero – Com carta 2800 a 4150.

✗✗ O'Xantar, Real 182, ✉ 15401, ✆ 35 51 18 – 🗏.

✗ **Moncho,** Dolores 44, ✉ 15402, ✆ 35 39 94 – 쬬 ◑ **E** *VISA*. ⅏
　　cerrado del 1 al 15 de octubre – Com *(cerrado domingo salvo 15 julio-15 septiembre)* carta 2575 a 4250.

✗ **Pataquiña,** Dolores 35, ✉ 15402, ✆ 35 23 11 – 쬬 ◑ **E** *VISA*. ⅏
　　cerrado domingo noche de octubre-julio – Com carta 1500 a 3600.

✗ **Casa Rivera,** Galiano 57, ✉ 15402, ✆ 35 07 59 – **E** *VISA*. ⅏
　　cerrado domingo noche, festivos noche, del 15 al 30 de junio y del 15 al 30 de noviembre – Comida carta 1500 a 2800.

FIGUERAS 33794 Asturias 441 B 8 – ✿ 98.
◆Madrid 593 – Lugo 92 – ◆Oviedo 150.

🏨 **Palacete Peñalba** ⌧, El Cotarelo ✆ 563 61 25, « Palacete de estilo modernista », 🌳
　　📺 ☎ **℗**. 쬬 **E** *VISA*. ⅏
　　Com (ver rest. **Peñalba**) – ⌧ 650 – **10 hab** 9500, 2 suites.

✗✗ **Peñalba,** av. Trenor - puerto ✆ 563 61 66, ≤ – 쬬 **E** *VISA*. ⅏
　　Com carta 4200 a 5800.

FIGUERAS o **FIGUERES** 17600 Gerona 443 F 38 – 30 532 h. alt. 30 – © 972.

Ver : Museo-Teatro Dalí★★.

🖸 Torremirona Golf Club, Navata SO : 7 km, ℰ 55 37 37.

🖪 pl. del Sol ℰ 50 31 55, ✉ 17600.

♦Madrid 744 – Gerona/Girona 37 – ♦Perpignan 58.

🏨 **President,** ronda Firal 33 ℰ 50 17 00, Fax 50 19 97 – 🛗 ☰ 📺 ☎ ⇔ 🅿. 🖭 ⓪ 🟢 𝗩𝗜𝗦𝗔
Com 2000 – 立 650 – **75 hab** 5500/9000 – PA 4650.

🏨 **Duràn,** Lasauca 5 ℰ 50 12 50, Fax 50 26 09 – 🛗 📺 ☎ ⇔ – 🖎 25/80. 🖭 ⓪ 🟢 𝗩𝗜𝗦𝗔
Com (ver rest. **Duràn**) – 立 650 – **65 hab** 4900/6900.

🏠 **Travé,** carret. de Olot ℰ 50 05 91, Fax 67 14 83, ⅀ – 🛗 ☰ 📺 ☎ ⇔ 🅿 – 🖎 25/150.
🖭 ⓪ 𝗩𝗜𝗦𝗔. ⅏ rest
Com 1700 – 立 600 – **72 hab** 3500/5500 – PA 3400.

🏠 **Pirineos,** ronda Barcelona 1 ℰ 50 03 12, Telex 56277, Fax 50 07 66 – 🛗 ☰ rest 📺 ☎ ⇔.
🖭 ⓪ 🟢 𝗩𝗜𝗦𝗔. ⅏ rest
Com 1980 – 立 550 – **53 hab** 5200/6600 – PA 3800.

🏠 **Ronda,** ronda Barcelona 104 ℰ 50 39 11, Fax 50 16 82 – 🛗 ☰ rest 📺 ☎ ⇔ 🅿. 🖭 🟢
𝗩𝗜𝗦𝗔. ⅏ rest
Com 1200 – 立 500 – **45 hab** 2800/4890 – PA 2900.

🏠 **Los Ángeles** sin rest, Barceloneta, 10 ℰ 51 06 61, Fax 51 07 00 – ☎ ⇔. 🖭 🟢 𝗩𝗜𝗦𝗔
立 545 – **39 hab** 3220/4830.

🍴🍴 **Duràn,** Lasauca 5 ℰ 50 12 50, Fax 50 26 09 – ☰ ⇔. 🖭 ⓪ 🟢 𝗩𝗜𝗦𝗔
Com carta 3225 a 6250.

🍴🍴 **Viarnés,** Pujada del Castell 23 ℰ 50 07 91 – ☰. 🖭 ⓪ 🟢 𝗩𝗜𝗦𝗔 𝗝𝗖𝗕
cerrado domingo noche y lunes (salvo agosto), 1ª quincena de junio y 1ª quincena de
noviembre – Com carta 2450 a 3600.

en la carretera N II (antigua carretera de Francia) – ✉ 17600 Figueras – © 972 :

🏨 ❀ **Ampurdán,** N : 1,5 km ℰ 50 05 62, Telex 57032, Fax 50 93 58, 🌳 – 🛗 ☰ 📺 ☎ ⇔
🅿. 🖭 ⓪ 🟢 𝗩𝗜𝗦𝗔. ⅏ rest
Com carta 4300 a 6650 – 立 910 – **39 hab** 7280/10500, 3 suites
Espec. Guiso de tripa de bacalao y berenjenas, Cabeza de pescado al horno con ''espardenyes'',
Liebre a la royal (temp.).

🏨 **Bon Retorn,** S : 2,5 km ℰ 50 46 23, Fax 67 39 79, ⅀ – 🛗 ☰ rest 📺 ☎ ⅙ ⇔ 🅿. 🖭
⓪ 🟢 𝗩𝗜𝗦𝗔. ⅏ rest
Com (cerrado lunes mediodía) 1900 – 立 600 – **50 hab** 4000/7500 – PA 4400.

en la carretera de Olot SO : 5 km – ✉ 17742 Avinyonet de Puigventós – © 972 :

🍴🍴🍴 **Mas Pau** ⅏ con hab, ℰ 54 61 54, Fax 50 13 77, 🌳, « Antigua masía con jardín y ⅀ »
– ☰ hab 📺 ☎ 🅿 🖭 ⓪ 🟢 𝗩𝗜𝗦𝗔
Com carta aprox. 3200 – 立 800 – **6 hab** 8000.

FINISTERRE o **FISTERRA** 15155 La Coruña 441 D 2 – © 981 – Playa.

♦Madrid 733 – ♦La Coruña/A Coruña 115 – Santiago de Compostela 131.

🏠 **Finisterre,** Federico Ávila 8 ℰ 74 00 00, Fax 74 00 54 – 📺 ☎ ⇔. 🖭 🟢 𝗩𝗜𝗦𝗔. ⅏
Com 1500 – 立 500 – **36 hab** 4000/5000 – PA 3800.

FIOBRE La Coruña – ver Bergondo.

FISCAL 22373 Huesca 443 E 29 – 329 h. alt. 768 – © 974.

♦Madrid 534 – Huesca 144 – ♦Lérida/Lleida 160.

🏠 Río Ara, carret. de Ordesa ℰ 50 30 20, ⇐ – 🅿
26 hab.

FISTERRA La Coruña – ver Finisterre.

FITERO 31593 Navarra 442 F 24 – 2 186 h. alt. 223 – © 948 – Balneario.

♦Madrid 308 – ♦Pamplona/Iruñea 93 – Soria 82 – ♦Zaragoza 105.

en Baños de Fitero O : 4 km – ✉ 31593 Fitero – © 948 :

🏨 **Virrey Palafox** ⅏, ℰ 77 62 75, Fax 77 62 25, ⅀ de agua termal, 🌳, ⅍ – 🛗 📺 ☎ 🅿.
𝗩𝗜𝗦𝗔. ⅏ rest
15 marzo-15 diciembre – Com 3125 – 立 950 – **63 hab** 5750/8450 – PA 4950.

🏨 **Baln. G. Adolfo Bécquer** ⅏, ℰ 77 61 00, Fax 77 62 25, 🌳, ⅀ de agua termal, 🌳, ⅍
– 🛗 ☰ rest 📺 ☎ ⇔ 🅿. 𝗩𝗜𝗦𝗔. ⅏ rest
15 marzo-15 diciembre – Com 3125 – 立 950 – **193 hab** 5750/8450 – PA 4950.

FORCALL 12310 Castellón de la Plana 445 K 29 – 705 h. – ✪ 964.
◆Madrid 423 – Castellón de la Plana/Castelló de la Plana 110 – Teruel 122.

🏠 **Aguilar** sin rest. y sin 🖼, av. III Centenario 1 🖋 17 11 06 – 🅿
15 hab 1400/2800.

✗ **Mesón de la Vila,** pl. Mayor 8 🖋 17 11 25, Decoración rústica – 🔲. ⓞ *VISA*. ✗
cerrado 15 octubre-15 noviembre – Com carta 1300 a 2300.

FORMENTERA Baleares – ver Baleares.

FORMENTOR (Cabo de) Baleares – ver Baleares (Mallorca).

El FORMIGAL Huesca – ver Sallent de Gállego.

FORNELLS Baleares – ver Baleares (Menorca).

FORTUNA (Balneario de) 30630 Murcia 445 R 26 – alt. 240 – ✪ 968 – Balneario.
◆Madrid 388 – ◆Albacete 141 – ◆Alicante/Alacant 96 – ◆Murcia 25.

🏨 **Victoria** 🖼, 🖋 68 50 11, Fax 68 50 87, 🔥 agua termal, 🖼, ✗ – 📶 🖼 🅿 🗲 *VISA*. ✗
cerrado enero – Com 2080 – 🖼 330 – **51 hab** 4780/7380 – PA 3800.

🏨 **Balneario** 🖼, 🖋 68 50 11, Fax 68 50 87, 🔥 agua termal, 🖼, ✗ – 📶 🖼 🅿 🗲 *VISA*. ✗
Com 2180 – 🖼 500 – **58 hab** 4840/7380 – PA 4100.

🏠 **España** 🖼, 🖋 68 50 11, Fax 68 50 87, 🔥 agua termal, 🖼, ✗ – 📶 🖼 🅿 🗲 *VISA*. ✗
cerrado enero – Com 1390 – 🖼 290 – **55 hab** 2600/3260 – PA 2600.

FORUA 48393 Vizcaya 442 BC 21 – ✪ 94.
◆Madrid 430 – ◆Bilbao/Bilbo 37 – ◆San Sebastián/Donostia 85 – ◆Vitoria/Gasteiz 70.

✗✗ **Baserri Maitea,** NO : 1,5 km 🖋 625 34 08, Fax 625 57 88, Caserío del siglo XVIII – 🅿. 🖼
🗲 *VISA*. ✗
julio-septiembre – Com *(cerrado lunes noche y domingo noche)* carta 3700 a 5300.
✗✗ Torre Barri, Torre Barri 4 🖋 625 25 07 – 🔲.

La FOSCA Gerona – ver Palamós.

FOZ 27780 Lugo 441 B 8 – 8 776 h. – ✪ 982.
Alred. : Iglesia de San Martín de Mondoñedo : (capiteles★) S : 2,5 km.
🅱 Álvaro Cunqueiro 🖋 14 00 27.
◆Madrid 598 – ◆La Coruña/A Coruña 145 – Lugo 94 – ◆Oviedo 194.

La FRANCA 33590 Asturias 441 B 16 – ✪ 98 – Playa.
◆Madrid 438 – Gijón 114 – ◆Oviedo 124 – ◆Santander 81.

🏠 **Mirador de la Franca** 🖼, playa O : 1,2 km 🖋 541 21 45, Fax 541 21 53, ≤, ✗ – 📺 ☎
🅿. 🖼 ⓞ 🗲 *VISA*. ✗ rest
25 abril-25 septiembre – Com 1650 – 🖼 600 – **52 hab** 6500/9900 – PA 3900.

FRESNO DE LA RIBERA 49590 Zamora 441 H 13 – 497 h. – ✪ 980.
◆Madrid 227 – ◆Salamanca 81 – ◆Valladolid 80 – Zamora 16.

✗ **Marcial,** carret. N 122 🖋 69 56 82 – 🔲. 🖼 ⓞ 🗲 *VISA*
cerrado lunes noche – Com carta 2100 a 3200.

FRIGILIANA 29788 Málaga 446 V 18 – 2 108 h. – ✪ 95.
◆Madrid 555 – ◆Granada 126 – ◆Málaga 58.

🏠 **Las Chinas,** pl. Capitán Cortés 14 🖋 253 30 73, ≤ – 🖼. ✗
Com 800 – 🖼 300 – **9 hab** 2500/3800 – PA 1900.

FRÓMISTA 34440 Palencia 442 F 16 – 1 284 h. alt. 780 – ✪ 979.
Ver : Iglesia de San Martín★★.
🅱 paseo Central 🖋 81 01 13.
◆Madrid 257 – ◆Burgos 78 – Palencia 31 – ◆Santander 170.

✗✗ **Hostería de los Palmeros,** pl. San Telmo 4 🖋 81 00 67 – 🖼 ⓞ 🗲 *VISA*. ✗
cerrado martes salvo en verano, Navidades y Semana Santa – Com carta 3500 a 4700.

FUENCARRAL Madrid – ver Madrid.

242

🏌 Golf Mijas N : 3 km ✆ 247 68 43 – 🏌 Torrequebrada por ① : 7 km ✆ 244 27 42.

🚹 av. Jesús Santos Rein 6 ✆ 246 74 57, Fax 246 51 00.

◆Madrid 575 ① – Algeciras 104 ② – ◆Málaga 29 ①.

🏨 **Las Pirámides,** paseo Marítimo ✆ 247 06 00, Telex 77315, Fax 258 32 97, ≤, ⊠ – 🛗 ☰ ☎ ⓟ – 🔬 25/300. 🖭 ① E 𝖵𝖨𝖲𝖠, ✼
Com (sólo cena) 2675 – ☷ 725 – **320 hab** 9750/12200.
a

🏨 **Florida,** paseo Marítimo ✆ 247 61 00, Telex 77791, Fax 258 15 29, ≤, 🏠, « Jardín con ⊠ climatizada » – 🛗 ☰ rest 🆅 🖭 ① E 𝖵𝖨𝖲𝖠, ✼
Com 2100 – ☷ 575 – **116 hab** 5700/8600 – PA 4000.
b

🏩 **Italia** sin rest, de la Cruz 1 ✆ 247 41 93 – 🛗 ☎, ✼
☷ 275 – **32 hab** 2860/4950.
z

🏩 **Sedeño** sin rest y sin ☷, Don Jacinto 5 ✆ 247 47 88, 🌦 – ✼
30 hab 2600/4500.
e

XX **Portofino,** paseo Marítimo Reyes de España 29 ✆ 247 06 43, 🌦 – ☰. 🖭 ① E 𝖵𝖨𝖲𝖠
cerrado lunes, 1ª quincena de julio y 2ª quincena de febrero – Com (sólo cena julio y agosto) carta aprox. 3350.
x

XX **Monopol,** Palangreros 7 ✆ 247 44 48, Decoración neo - rústica – 🖭 E 𝖵𝖨𝖲𝖠 ᴊⲥᴮ – cerrado domingo y agosto – Com (sólo cena) carta 3230 a 4690.
r

XX **Old Swiss House "Mateo",** Marina Nacional 28 ✆ 247 26 06 – ☰
cerrado del 10 al 20 de enero – Com carta 1975 a 3800.
n

XX **Misono,** General Yagüe - edificio Las Pirámides ✆ 247 06 00, rest. japonés Com (sólo cena).
d

X **La Gaviota,** paseo Marítimo - edificio la Perla 1 ✆ 247 36 37, 🌦 – 🖭 ① E 𝖵𝖨𝖲𝖠. ✼
cerrado miércoles y 20 de diciembre-enero – Com carta 2200 a 3500.
c

X Los Amigos, Moncayo 16 ✆ 247 19 82, 🌦, Pescados y mariscos – ☰
c

en Los Boliches – ✉ 29640 Fuengirola – ❸ 95 :

🏨 **Ángela,** paseo Marítimo ✆ 247 52 00, Telex 77342, Fax 246 20 87, ≤, ⊠ climatizada, ✼ – 🛗 ☰ rest ☎ 🌦. 🖭 ① E 𝖵𝖨𝖲𝖠. ✼ rest
Com (sólo cena) 2800 – ☷ 600 – **260 hab** 7700/12300.
p

🏩 **Santa Fé** sin rest y sin ☷, av. de Los Boliches 66 por ① : 1,5 km ✆ 247 41 81 – 🛗. 🖭 ① E 𝖵𝖨𝖲𝖠. ✼
26 hab 2500/3000.

XX **La Langosta,** Francisco Cano 1 por ① : 1,5 km ✆ 247 50 49 – ☰. 🖭 ① E 𝖵𝖨𝖲𝖠. ✼
cerrado domingo y diciembre – Com (sólo cena) carta aprox. 3570.

en Carvajal por ① : 4 km – ✉ 29640 Fuengirola – ❸ 95 :

XX **El Balandro,** paseo Marítimo ✆ 266 11 29, ≤, 🌦, Espec. en asados – ☰. 🖭 E 𝖵𝖨𝖲𝖠. ✼
cerrado domingo – Com carta aprox. 3950.

en Mijas Costa por ② : 8 km – ✉ 29648 Mijas – ❸ 95 :

XX **Los Claveles,** carret. de Cádiz - urb. Los Claveles ✆ 249 30 22, Fax 249 30 22, ≤, 🌦, Cocina belga – 🖭 E 𝖵𝖨𝖲𝖠
cerrado lunes y 15 diciembre-15 enero – Com (sólo cena salvo domingo) carta 2550 a 3400.

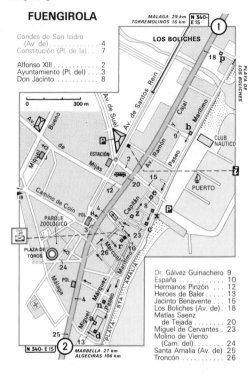

FUENGIROLA

Condes de San Isidro (Av. de) 4
Constitución (Pl. de la) . . . 7

Alfonso XIII 2
Ayuntamiento (Pl. del) . . . 3
Don Jacinto 8

Dr. Gálvez Guinachero 9
España 10
Hermanos Pinzón . . . 12
Heroes de Baler 13
Jacinto Benavente . . . 15
Los Boliches (Av. de) . 18
Matías Saenz de Tejada 20
Miguel de Cervantes . 23
Molino de Viento (Cam. del) 24
Santa Amalia (Av. de) 25
Troncón 26

en la urbanización Mijas Golf - por la carretera de Coín NO : 5 km – ⊠ 29640 Fuengirola
– ✿ 95 :

▲▲▲ **Byblos Andaluz** ⌕, ℘ 247 30 50, Telex 79713, Fax 247 67 83, ≤ campo de golf y montañas, ⛲, Servicios de talasoterapia, « Elegante conjunto de estilo andaluz situado entre dos campos de golf », ℔, ⊾, ⊿, ⌖, ✳, ☐18 ☐18 – ▮ ☰ ⅏ ☎ ❷ – ⚐ 30/200. ⚑ ⓪
E 𝗩𝗜𝗦𝗔. ⅗ rest
– Com 5250 - Le Nailhac - El Andaluz – ⌑ 1800 – **108 hab** 24000/29500, 36 suites – PA 11800.

FUENTE DÉ Cantabria **442** C 15 – alt. 1 070 – ⊠ 39588 Espinama – ✿ 942 – ⚐ 1.
Ver : Paraje★★.
Alred. : Mirador del Cable ⁂★★ estación superior del teleférico.
◆Madrid 424 – Palencia 198 – Potes 25 – ◆Santander 140.

▲▲ **Parador del Río Deva** ⌕, alt. 1 005, ℘ 73 00 01, Fax 73 02 12, « Magnífica situación a pie de los Picos de Europa, ≤ valle y montaña » – ▮ ⅏ ☎ ❷. ⚑ ⓪ 𝗩𝗜𝗦𝗔. ⅗
Com 3000 – ⌑ 1000 – **78 hab** 9500 – PA 5950.

▥ **Rebeco** ⌕, alt. 1 005 ℘ 73 09 65, Fax 73 09 65, ⛲, « Mágnifica situación al pié de los picos de Europa ≤ valle y montaña » – ▮ ⅏ ☎ ❷. ⚑ E 𝗩𝗜𝗦𝗔. ⅗
Com 1300 – ⌑ 400 – **30 hab** 4500/6500 – PA 3000.

FUENTE DE PIEDRA 29520 Málaga **446** U 15 – 2 151 h. – ✿ 95.
◆Madrid 544 – Antequera 23 – ◆Córdoba 137 – ◆Granada 120 – ◆Sevilla 141.

✗ **La Laguna** con hab, carret. N 334 ℘ 273 52 92, ⛲ – ☰ rest ❷. 𝗩𝗜𝗦𝗔. ⅗
Com carta aprox. 2300 – ⌑ 250 – **9 hab** 3500/5000.

FUENTE EL SOL 47494 Valladolid **442** I 15 – 400 h. – ✿ 983.
◆Madrid 151 – Ávila 77 – ◆Salamanca 81 – ◆Valladolid 65.

✗ El Buen Yantar, carret. C 610 ℘ 82 42 12 – ☰ ❷.

FUENTE EN SEGURES 12160 Castellón de la Plana **445** K 29 alt. 821 – ✿ 964 – Balneario
◆Madrid 502 – Castellón de la Plana/Castelló de la Plana 79 – Tortosa 126.

▥ **Los Pinos** ⌕, ℘ 43 13 11, ≤ – ▮ ☎ ⌖. 𝗩𝗜𝗦𝗔. ⅗
15 junio- 30 septiembre – Com 1000 – ⌑ 350 – **48 hab** 2500/5000 – PA 1900.

▥ Fuente En Segures ⌕, av. Dr. Puigvert ℘ 43 10 00 – ▮ ⌖ ⌖ ❷
temp. – **78 hab**.

FUENTERRABÍA u HONDARRIBIA 20280 Guipúzcoa **442** B 24 – 11 276 h. – ✿ 943 – Playa
Alred. : Ermita de San Marcial ≤★★, (9 km al Este), Cabo Higuer★ (≤★) N : 4 km – Trayecto★ de Fuenterrabía a Pasajes de San Juan por el Jaizkíbel : capilla de Nuestra Señora de Guadalupe ≤★ – Hostal del Jaizkíbel ≤★★, descenso a Pasajes de San Juan ≤★ – Pasai Donibane★.
☐18 de San Sebastián, Jaizkíbel SO : 5 km ℘ 61 68 45.
✈ ℘ 42 35 86 – Iberia y Aviaco : ver San Sebastián.
◆Madrid 512 – ◆Pamplona/Iruñea 95 – St-Jean-de-Luz 18 – ◆San Sebastián/Donostia 23.

▲▲ **Parador de Fuenterrabía** ⌕ sin rest, pl. de Armas 14 ℘ 64 55 00, Fax 64 21 53
« Instalado en un castillo medieval » – ▮ ⅏ ☎. ⚑ ⓪ 𝗩𝗜𝗦𝗔. ⅗
⌑ 1200 – **36 hab** 15000.

▲▲ **Río Bidasoa** ⌕, Nafarroa Beherea ℘ 64 54 08, Fax 64 51 70, « Jardín con ⊿ » – ▮ ⅏
☎ ❷ – ⚐ 25/70. ⚑ ⓪ E 𝗩𝗜𝗦𝗔. ⅗
Com 1800 – ⌑ 700 – **37 hab** 10000/13000.

▲▲ **Obispo** ⌕, pl. del Obispo ℘ 64 54 00, Fax 64 23 86, « Palacio del siglo XIV » – ⅏ ☎
⚐ 25. ⚑ E 𝗩𝗜𝗦𝗔. ⅗
Com *(cerrado domingo noche, lunes mediodía y noviembre-febrero)* (sólo cena) carta aprox
3400 – ⌑ 800 – **14 hab** 9000/12000.

▲▲ **Pampinot** ⌕ sin rest, Mayor 3 ℘ 64 06 00, Fax 64 51 28, « Casa señorial del siglo XVI »
– ⅏ ☎. ⚑ ⓪ E 𝗩𝗜𝗦𝗔
15 marzo-15 noviembre – ⌑ 1100 – **8 hab** 10000/14000.

▥ **Jauregui** sin rest, San Pedro 28 ℘ 64 14 00, Fax 64 44 04 – ▮ ☰ ⅏ ☎ ⌖ – ⚐ 25. ⚑
⓪ E 𝗩𝗜𝗦𝗔. ⅗
⌑ 640 – **53 hab** 7180/10580.

▥ **San Nicolás** ⌕ sin rest, pl. de Armas 6 ℘ 64 42 78 – ⅏ ☎. ⚑ ⓪ E 𝗩𝗜𝗦𝗔. ⅗
⌑ 600 – **14 hab** 5800/6800.

▥ **Álvarez Quintero** sin rest, Bernat Etxepare 2 ℘ 64 22 99 – ⌖. ⚑ ⓪ E 𝗩𝗜𝗦𝗔
Semana Santa-octubre – ⌑ 450 – **14 hab** 3700/6100.

✿ **Txoko Goxoa** ⌕ sin rest, Murallas 19 ℘ 64 46 58 – ⚑ E 𝗩𝗜𝗦𝗔. ⅗
⌑ 400 – **6 hab** 5200.

XXX ✿ **Ramón Roteta,** Irún ℘ 64 16 93, Fax 64 58 63, ☞ – 匨 ᕮ 💳 💳
cerrado domingo noche, jueves, 2ª quincena de febrero y 2ª quincena de noviembre –
Com carta aprox. 5500
Espec. Fideos fritos a la marinera, Delicias de merluza frita con pimientos de piquillo, Huevos de
caserío escalfados con foie y trufa en juliana.

XX Sebastián, Mayor 7 ℘ 64 01 67.

XX Arraunlari, paseo Butrón 6 ℘ 64 15 81, ☞.

X **Zeria,** San Pedro 23 ℘ 64 27 80, Fax 64 12 14, ☞, Decoración rústica, Pescados y mariscos
– 匨 ① ᕮ 💳 💳
cerrado domingo noche y jueves (salvo verano), y noviembre – Com carta 3450 a 4150.

X Kupela, Zuloaga 4 ℘ 64 40 25, ☞, Decoración rústica.

X **Aquarium,** Zuloaga 2 ℘ 64 27 93, ☞ – 🍽, 匨 ᕮ 💳. ❀
cerrado lunes noche, martes y del 13 al 30 de octubre – Com carta 3100 a 5600.

X **Alameda,** Alameda 1 ℘ 64 27 89, ☞, « Terraza bajo un arco con plantas » – 匨 ① ᕮ
💳. ❀
cerrado domingo noche en invierno, jueves en verano, Navidades y enero – Com carta 3200
a 4500.

por la carretera de San Sebastián y camino a la derecha SO : 2,5 km – ✉ 20280 Fuenterrabía – ✆ 943 :

XX **Beko Errota,** barrio de Jaizubia ℘ 64 31 94, ☞, Caserío vasco – ℗. 匨 ᕮ 💳. ❀
cerrado lunes – Com carta aprox. 4500.

FUERTEVENTURA Las Palmas – ver Canarias.

GALAPAGAR 28260 Madrid 444 K 17 – 6 090 h. alt. 881 – ✆ 91.
♦Madrid 36 – El Escorial 13.

XX **La Retranka,** carret. M 505 SE : 1 km ℘ 858 02 44, ☞ – ℗. 匨 ① ᕮ 💳. ❀
cerrado domingo noche, lunes y 16 octubre-15 noviembre – Com carta 3200 a 4550.

GALDÁCANO o **GALDAKAO** 48960 Vizcaya 442 C 21 – 26 545 h. – ✆ 94.
♦Madrid 403 – ♦Bilbao/Bilbo 8 – ♦San Sebastián/Donostia 91 – ♦Vitoria/Gasteiz 68.

XX ✿ **Andra Mari,** Elejalde 22 ℘ 456 00 05, Fax 456 76 72, ≤ montañas, ☞, Decoración regional – 🍽 ℗. 匨 ① ᕮ 💳 💳. ❀
cerrado domingo y agosto – Com carta 3925 a 5300
Espec. Ensalada templada de pie de cerdo, Mero al horno sobre patata panadera, Solomillo en
costra de hongos.

GAMA 39790 Cantabria 442 B 19 – ✆ 942.
♦Madrid 477 – ♦Bilbao/Bilbo 80 – ♦Santander 40.

🏠 **Corpus,** carret. N 634 ℘ 67 00 25, ☞ – ☎ ℗. ❀
Com 2250 – ☲ 375 – **13 hab** 3500/7000.

GANDESA 43780 Tarragona 443 I 31 – 2 831 h. – ✆ 977.
🚩 av. Catalunya estació d'autobusos, ℘ 42 06 14, Fax 42 03 95.
♦Madrid 459 – ♦Lérida/Lleida 92 – Tarragona 87 – Tortosa 40.

🏠 **Piqué,** vía Cataluña 68 ℘ 42 00 68, Fax 42 00 68 – 🍽 rest ☎ ℗. ᕮ 💳. ❀
Com 1100 – ☲ 350 – **48 hab** 1600/3200 – PA 2550.

GANDÍA 46700 Valencia 445 P 29 – 52 646 h. – ✆ 96 – Playa.
🚩 Marqués de Campo, ✉ 46700, ℘ 287 77 88, Fax 287 77 88.
♦Madrid 416 – ♦Albacete 170 – ♦Alicante/Alacant 109 – ♦Valencia 68.

Plano página siguiente

🏨 **Borgia,** República Argentina 5 ℘ 287 81 09, Fax 287 80 31 – 🛗 🍽 📺 ☎ – 🔏 25/250.
ᕮ 💳. ❀ rest
Com 2000 – ☲ 400 – **72 hab** 5100/7500 – PA 3520.

🏠 **Los Naranjos** sin rest, av. Pío XI - 57 ℘ 287 31 43, Fax 287 31 44 – 🛗 🍽 📺 📞. ① ᕮ
💳
cerrado 24 diciembre-6 enero – ☲ 325 – **35 hab** 2725/4605.

🏠 **Duque Carlos** sin rest y sin ☲, Duc Carles de Borja 34 ℘ 287 28 44 – 🍽. ① ᕮ 💳.
❀
28 hab 3500.

X **Sant Roc i el Gos,** Hospital 10 ℘ 287 03 13, ☞ – 🍽. 匨 ① ᕮ 💳. ❀
cerrado domingo y julio – Com carta 2200 a 2800.

en el puerto (Grao)
NE : 3 km - ver plano –
⊠ 46730 Grao de Gandía – ❀ 96 :

🏛 **La Alberca** sin rest,
Cullera 8 ℰ 284 51 63 –
🛗 📺 ☎. 🖳 VISA. ❀ **a**
☲ 350 – **17 hab**
3000/5000.

🏛 **Mengual,** pl. Mediterráneo 4 ℰ 284 21 02,
⌂ – 🛗 ▤ rest. 🖳 VISA.
❀ **u**
*cerrado 14 octubre-
1 noviembre* – Com
(cerrado martes) 1100
– ☲ 260 – **27 hab**
2700/4700.

XX ✦ **Mesón de la Guitarra,** Partida de Foyas
ℰ 284 20 20, Pescados
y mariscos – ▤ ℗. 🖳
VISA. ❀ **n**
*cerrado domingo
noche, lunes y noviembre* – Com carta aprox.
7000
Espec. Vitolina de rape,
Suc de peix, Dorada a la
sal con angulas.

X **Rincón de Ávila,** Príncep 5 ℰ 284 22 69,
Especialidad en carnes
– ▤, 🄰🄴. ❀ **s**
*cerrado domingo y 15
junio-15 julio* – Com
carta 2200 a 3050.

en la playa NE : 4 km -
ver plano – ⊠ 46730
Grao de Gandía – ❀ 96 :

🏨 **Bayren I,** passeig Marítim Neptú 62
ℰ 284 03 00,
Telex 61549,
Fax 284 06 53,
« Terraza con ≤ playa », ⤢, ❀ – 🛗 ▤ 📺 ☎ – 🄰 25/450. 🄰🄴 ⓞ 🖳 VISA. ❀ **d**
cerrado diciembre-enero – Com 2200 **La Goleta** carta 3100 a 4450 – ☲ 645 – **164 hab**
8655/12875 – PA 4290.

🏨 **Albatros** sin rest, Grau 11 ℰ 284 56 00, Fax 284 50 00, ⤢ – 🛗 ▤ 📺 ☎ ℗. 🄰🄴 🖳 VISA. ❀
☲ 475 – **45 hab** 5600/7000. **c**

🏨 **San Luis,** passeig Marítim Neptú 5 ℰ 284 08 00, Fax 284 08 04, ≤, ⤢ – 🛗 ▤ rest ☎ ⇔
– 🄰 25/125. 🖳 VISA. ❀ rest **e**
cerrado diciembre-febrero – Com 2100 – ☲ 440 – **76 hab** 5500/7995.

🏨 **Bayren II,** Mallorca 19 ℰ 284 07 00, Telex 61549, Fax 284 06 53, ⤢, ❀ – 🛗 ▤ 📺 ☎. 🄰🄴
ⓞ 🖳 VISA. ❀ **k**
Semana Santa y junio-septiembre – Com 2025 – ☲ 445 – **125 hab** 5425/8465 – PA 3820.

🏨 **Gandía Playa,** La Devesa 17 ℰ 284 13 00, Fax 284 13 50, ⤢ – 🛗 📺 ☎. 🖳 VISA. ❀ rest
Com 1700 – ☲ 400 – **126 hab** 4150/5950 – PA 3200. **g**

🏨 **Riviera** sin rest, passeig Marítim Neptú 28 ℰ 284 00 66, Fax 284 00 62, ≤ – 🛗 ▤ ☎ ℗. 🄰🄴 🖳
VISA – *26 abril-3 octubre* – ☲ 450 – **72 hab** 5500/8200. **f**

🏛 **Clibomar** sin rest y sin ☲, Alcoi 24 ℰ 284 02 37 – 🛗 📺 ☎. ❀ **v**
16 hab 6500.

🏛 **Mavi,** Legazpi 18 ℰ 284 00 20, Fax 284 00 20 – 🛗 ▤ rest. 🖳 VISA. ❀ **h**
15 marzo-septiembre – Com 1000 – ☲ 250 – **40 hab** 4250.

XX **Gamba,** carret. de Nazaret - Oliva ℰ 284 13 10, ⌂, Pescados y mariscos – ▤ ℗. 🄰🄴 ⓞ
🖳 VISA por carret. Nazaret-Oliva
cerrado lunes y noviembre – Com (sólo almuerzo en invierno) carta 3900 a 6000.

X **Emilio,** av. Vicente Calderón - bloque F5 ℰ 284 07 61 – ▤. 🄰🄴 ⓞ 🖳 VISA. ❀ **z**
cerrado miércoles – Com carta 2950 a 4550.

X **Kayuko,** Cataluña 14 ℰ 284 01 37, Pescados y mariscos – ▤. 🄰🄴 ⓞ 🖳 VISA. ❀ **t**
cerrado lunes – Com carta 2500 a 3750.

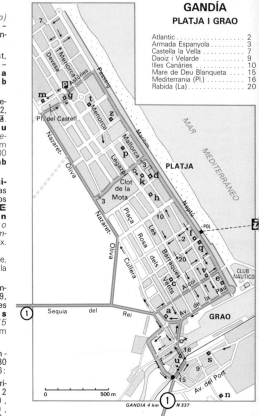

GANDÍA
PLATJA I GRAO

GANDIA 4 km ① N 337

X **Celler del Duc,** pl. del Castell 🖋 284 20 82, 🛥 – 🗏. 🖭 ⓞ 🗲 𝘝𝘐𝘚𝘈 **m**
Com carta 2750 a 3800.

X As de Oros, passeig Marítim Neptú 26 🖋 284 02 39, Pescados y mariscos – 🗏 **q**

X **Gonzalo,** Castella la Vella 🖋 284 58 68 – 🗏. 🖭 𝘝𝘐𝘚𝘈. 🐾 por Castella la Vella
cerrado domingo noche y lunes – Com carta 2600 a 3730.

X **Mesón de los Reyes,** Mallorca 39 🖋 284 00 78, 🛥 – 🖭 ⓞ 🗲 𝘝𝘐𝘚𝘈. 🐾 **p**
cerrado enero-15 marzo y octubre-diciembre – Com carta 2325 a 3300.

en la carretera de Bárig O : 7 km – ✉ 46728 Marxuquera – ☎ 96 :

X **Imperio II,** 🖋 286 75 06, 🛥 – 🗏 ⓟ. 🗲 𝘝𝘐𝘚𝘈. 🐾
cerrado miércoles y 15 octubre-15 noviembre – Com carta 2450 a 3400.

Ver también : *Villalonga* S : 11 km.

GARAYOA o GARAIOA 31692 Navarra 𝟒𝟒𝟐 D 26 – 154 h. alt. 777 – ☎ 948.
◆Madrid 438 – ◆Bayonne 98 – ◆Pamplona/Iruñea 55.

🏠 **Arostegui** ঌ, Chiquirín 13 🖋 76 40 44, Fax 76 40 44, ≤ – 𝘝𝘐𝘚𝘈. 🐾
Com 1400 – �🍽 350 – **21 hab** 3000/4500.

A GARDA Pontevedra – ver La Guardia.

GARGANTA – ver el nombre propio de la garganta.

GARÓS Lérida – ver Viella.

La GARRIGA 08530 Barcelona 𝟒𝟒𝟑 D 32 – 8 164 h. alt. 258 – ☎ 93 – Balneario.
◆Madrid 650 – ◆Barcelona 37 – Gerona/Girona 84.

🏨 **Termes la Garriga,** Banys 23 🖋 871 70 86, Fax 871 78 87, Servicios terapéuticos, « Jardín con 🌊 de agua termal », 𝙛𝙨, 🗔 – |🛗| 🗏 📺 ☎ ⇔. 🖭 🗲 𝘝𝘐𝘚𝘈. 🐾
Com 3500 – �⛌ 800 – **22 hab** 13200/16500 – PA 6600.

🏨 Baln. Blancaflor ঌ, Banys 59 🖋 871 46 00, Fax 871 57 50, 🌊 agua termal, 🌳, 🐾 – |🛗|
🗏 rest 📺 ☎ ⓟ – 🔧 25/50 – **52 hab.**

X **Catalonia,** carret. de l'Ametlla 68 🖋 871 56 54, 🛥 – 🗏 ⓟ. 🖭 ⓞ 🗲 𝘝𝘐𝘚𝘈. 🐾
Com carta 1675 a 4490.

GARRUCHA 04630 Almería 𝟒𝟒𝟔 U 24 – 3 265 h. – ☎ 950 – Playa.
◆Madrid 536 – ◆Almería 100 – ◆Murcia 140.

🏠 San Francisco sin rest, carret. de Vera 🖋 13 21 02 – 🗏 ☎
18 hab.

🏠 **Cervantes** sin rest, Colón 3 🖋 46 02 52 – 🗲 𝘝𝘐𝘚𝘈. 🐾
Semana Santa-octubre – ⍽ 185 – **15 hab** 2500/3800.

GASTEIZ Álava – ver Vitoria.

GAVÁ 08850 Barcelona 𝟒𝟒𝟑 I 36 – 33 456 h. – ☎ 93 – Playa.
◆Madrid 620 – ◆Barcelona 18 – Tarragona 77.

en la carretera C 246 S : 4 km – ✉ 08850 Gavá – ☎ 93 :

X **La Pineda,** 🖋 638 24 95, Fax 638 24 90, 🛥 – 🗏 ⓟ
Com carta aprox. 2850.

en la zona de la playa S : 5 km – ✉ 08850 Gava – ☎ 93 :

XXX **Les Marines,** Calafell 🖋 636 38 89, 🛥 – 🗏 ⓟ. 🖭 ⓞ 🗲 𝘝𝘐𝘚𝘈 𝙅𝘾𝘽
cerrado domingo noche y lunes – Com carta 3175 a 5300.

GÉNOVA Baleares – ver Baleares (Mallorca) : Palma de Mallorca.

Para as suas viagens na EUROPA utilize :

Os Mapas Michelin **Estradas Principais ;**

Os Mapas Michelin pormenorizados ;

Os Guias Michelin Vermelhos (hotéis e restaurantes)
Benelux, Deutschland, main cities **Europe, France, Great Britain and Ireland, Italia, Suisse**

Os Guias Michelin Verdes (curiosidades e percursos turísticos).

GERONA o **GIRONA** 17000 P 443 G 38 – 87 648 h. alt. 70 – © 972.

Ver : Ciudad antigua★★ – Catedral★ (nave★★, retablo mayor★, Tesoro★★ : Beatus★, Tapiz de la Creación★★★, Claustro★) BY – Museu d'art★ : retablo de Sant Miquel de Cruilles★★ BY **M1** – Ex-colegiata de Sant Feliú : Sarcófago con cacería de leones★ BY **R** – Iglesia de Sant Pere de Galligants : museo arqueológico : sepulcro de las Estaciones★ BY.

🛇 Club de Golf Girona, Sant Julià de Ramis N : 4 km, ℘ 17 16 41.

🖪 Rambla de la Llibertat, ✉ 17004, ℘ 22 65 75, Fax 22 66 12 Estación de Renfe, ℘ 21 62 96, ✉ 17007 – **R.A.C.C.** carret. de Barcelona 30, ✉ 17001, ℘ 20 08 68.

♦Madrid 708 ② – ♦Barcelona 97 ② – Manresa 134 ② – Mataró 77 ② – ♦Perpignan 91 ① – Sabadell 95 ②.

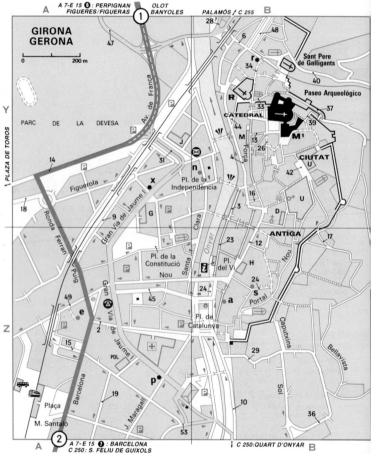

Sol Girona, Barcelona, 112, ✉ 17003, 𝒫 40 05 00, Telex 56240, Fax 24 32 33 – |⁑| 🖩 📺
🕿 & ⇌ – 🛁 25/500. 🖭 ⓞ 🗲 𝒱𝒾𝒮𝒜. 🕸 rest   por ②
Com 2000 – 🗔 1100 – **113 hab** 9750/12200, 1 suite.

NH Costabella, av. de Francia 61, ✉ 17007, 𝒫 20 25 24, Fax 20 22 03 – |⁑| 🖩 📺 🕿 &
⇌ 🅟 – 🛁 25/30. 🖭 ⓞ 🗲 𝒱𝒾𝒮𝒜. 🕸 rest   por ①
Com carta aprox. 3625 – 🗔 950 – **44 hab** 7350/10600, 2 suites.

Ultonia sin rest, Gran Vía de Jaume I-22, ✉ 17001, 𝒫 20 38 50, Fax 20 33 34 – |⁑| 🖩 📺
🕿 – 🛁 25/40. 🖭 ⓞ 🗲 𝒱𝒾𝒮𝒜. 🕸   AY **x**
🗔 660 – **45 hab** 5500/9500.

Condal sin rest y sin 🗔, Joan Maragall 10, ✉ 17002, 𝒫 20 44 62 – |⁑| AZ **p**
39 hab 2300/4500.

Albereda, Albereda 7, ✉ 17004, 𝒫 22 60 02 – 🖩. 🖭 ⓞ 🗲 𝒱𝒾𝒮𝒜. 🕸   BZ **a**
cerrado domingo – Com carta 3450 a 5400.

Edelweiss, Santa Eugenia 7. passatge Ensesa, ✉ 17001, 𝒫 20 18 97, Fax 20 55 66 – 🖩.
🖭 🗲 𝒱𝒾𝒮𝒜   AZ **e**
cerrado domingo, festivos y del 8 al 31 agosto – Com carta 2975 a 4925.

Selva Mar, Santa Eugenia 81, ✉ 17005, 𝒫 23 63 29 – 🖩   por Santa Eugenia   AZ

La Penyora, Nou del Teatre 3, ✉ 17004, 𝒫 21 89 48 – 🖩. 𝒱𝒾𝒮𝒜   BZ **s**
cerrado martes – Com carta 2450 a 3225.

Casa Marieta, pl. Independencia 5, ✉ 17001, 𝒫 20 10 16, 🈞 – 🖩. 🕸   BY **n**
cerrado domingo noche, lunes y 22 diciembre-23 enero – Com carta 1925 a 2400.

al Noroeste por ① y desvío a la izquierda : 2 km – ✉ 17007 Gerona – 🕿 972 :

El Celler de Can Roca, carret. Taialà 40 𝒫 22 21 57 – 🖩. 🖭 ⓞ 🗲 𝒱𝒾𝒮𝒜. 🕸
cerrado sábado mediodía, domingo, 25 diciembre-6 enero y del 1 al 15 julio – Com carta
2800 a 4750.

en la carretera N II por ② : 5 km – ✉ 17458 Fornells de la Selva – 🕿 972 :

Fornells Park, 𝒫 47 61 25, Fax 47 65 79, « Pinar », 🏊, 🎠 – |⁑| 🖩 📺 🕿 & 🅟 – 🛁 25/150.
🖭 ⓞ 🗲 𝒱𝒾𝒮𝒜. 🕸 rest
Com 2250 – 🗔 800 – **50 hab** 6815/9820, 3 suites – PA 4800.

en la carretera del aeropuerto por ② – 🕿 972 :

Novotel Girona, por A 7 salida 8 : 12 km, ✉ 17457 Riudellots de la Selva, 𝒫 47 71 00,
Telex 57238, Fax 47 72 96, 🏊, 🎠 – 🖩 📺 🕿 & 🅟 – 🛁 25/225. 🖭 ⓞ 🗲 𝒱𝒾𝒮𝒜
Com 2300 – 🗔 1200 – **79 hab** 9350/10300, 2 suites – PA 5500.

Vilobí Park, por A 7 salida 8 : 13 km, ✉ 17185 Vilobí D'Onyar, 𝒫 47 31 86, Fax 47 34 63
– 🖩 📺 🕿 🅟 – 🛁 25/200. 🖭 🗲 𝒱𝒾𝒮𝒜. 🕸 rest
Com 1600 – 🗔 700 – **32 hab** 6400/8000 – PA 3120.

GETAFE   28900 Madrid 𝟜𝟜𝟜 L 18 – 127 060 h. – 🕿 91.

Madrid 13 – Aranjuez 38 – Toledo 56.

Puerta del Sol, Hospital de San José 67, ✉ 28901, 𝒫 695 70 62 – 🖩. 🖭 𝒱𝒾𝒮𝒜. 🕸
cerrado martes y agosto – Com carta 2600 a 3700.

en la autovía N 401 SO : 3 km – ✉ 28905 Getafe – 🕿 91 :

Don Pepín, 𝒫 681 71 87, Fax 683 20 89 – 🖩. 🖭 ⓞ 🗲 𝒱𝒾𝒮𝒜. 🕸
cerrado sábado y agosto – Com (sólo almuerzo) carta 3045 a 4745.

en la autovía N IV SE : 5,5 km – ✉ 28906 Getafe – 🕿 91 :

Motel Los Ángeles, 𝒫 696 38 15, 🏊, 🎠, 🕸 – 🖩 📺 🕾 ⇌ 🅟. 🖭 🗲 𝒱𝒾𝒮𝒜. 🕸
Com 2300 – 🗔 1200 – **46 hab** 9900.

GIBRALTAR 446 X 13 y 14 – 28 339 h. – ✪ 9567.
Ver : Peñón : ←**.

✈ de Gibraltar N : 2,7 km – G.B. Airways y B. Airways, Cloister Building Irish Town ✆ 792 0
– Air Europe Pegasus Bravo, 8 Suice, Gibraltar Heights Church ✆ 722 52 – Iberia 30-38 Main Stree
Unit L ✆ 776 66.

🛈 Cathedral Square
✆ 764 00 – R.A.C.E. 18B,
Halifax Rd. P.O. Box 385
✆ 790 05.

◆Madrid 673 – ◆Cádiz 144 –
◆Málaga 127.

🏨 **The Rock H.,** 3
Europa Road
✆ 730 00,
Telex 2238,
Fax 735 13, ≤ puerto,
estrecho y costa
española, « Terraza y
jardín con flores »,
– 🛗 📺 ☎ 🅿 –
🏛 25/120. 🇦🇪 Ⓞ 🈀
💳 ⅏ **a**
Com 3200 – ⌑ 1100
– **143 hab** 18000 – PA
7000.

🏨 **White's H.,** 2 Gover-
nor's Parade
✆ 705 00,
Telex 2242,
Fax 702 43, 🏊 – 🛗 📺
☎ 🅿 –
🏛 25/150. 🇦🇪 Ⓞ 🈀
💳 🈯 **e**
Com 3500 – ⌑ 2000
– **120 hab**
19500/20500.

🏨 **Caleta Palace** 🏖,
Catalan Bay Road
✆ 765 01,
Telex 2345,
Fax 710 50, ≤ mar,
🏊 – 🛗 🍽 rest 📺 ☎
🅿. 🇦🇪 Ⓞ 🈀 💳
🈯 rest **b**
Com 1710 – ⌑ 675 –
153 hab
14400/16200 – PA
3915.

🏨 Continental sin rest,
Enginer Lane (esqui-
na Main Street)
✆ 769 00,
Telex 2303,
Fax 417 02 – 🛗 🍽 📺
☎ **u**
17 hab.

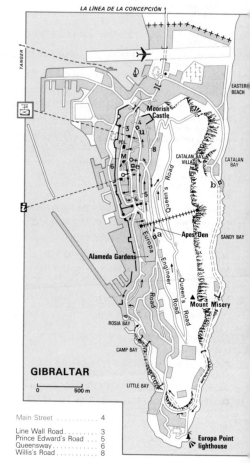

GIBRALTAR

0   500 m

Main Street	4
Line Wall Road	3
Prince Edward's Road	5
Queensway	6
Willis's Road	8

La carta stradale
Michelin è costantemente aggiornata
ed evita sorprese sul vostro itinerario.

GIJÓN 33200 Asturias 441 B 13 – 255 969 h. – ✪ 98 – Playa.

🏌 de Castiello SE : 5 km ✆ 536 63 13 – 🏌 Club La Barganiza : 14 km ✆ 525 63 61 (ext. 34)
Iberia : Alfredo Truán 8 AZ ✆ 535 18 46.

🚗 ✆ 531 13 33.

⛴ Cia. Trasmediterránea, Claudio Alvar González AX ✆ 535 04 00.

🛈 Marqués de San Esteban 1 ✉ 33206 ✆ 534 60 46 – R.A.C.E. Marqués de San Esteban 1, ✉ 33206
✆ 535 53 60.

◆Madrid 474 ③ – ◆Bilbao/Bilbo 296 ① – ◆La Coruña/A Coruña 341 ③ – ◆Oviedo 29 ③ – ◆Santander 193 ①
250

GIJÓN

Corrida . . . . AY 10
Fernández Ladreda . . . . AZ 16
Menéndez Valdes . . . . . AY 32
Moros . . . . AY 33
San Bernardo . . . . AYZ

Alfredo Truán . . . . AZ 2
Álvarez Garaya . . . . AY 3
Asturias . . . . AY 4
Begoña . . . . AYZ 5
Campinos de Begoña (Pl. de los) . . . . AZ 6
Campo Valdés . . . . AX 7
Carmen (Pl. del) . . . . . . AY 8
Claudio Alvar González . AX 9
Covadonga . . . . ABYZ 12
Fernández Vallín . . . . . . AY 17
Garcia Bernardo (Av.) . . CY 18
Instituto . . . . AXY 20
Instituto (Pl. del) . . . . . AY 21
José las Clotas . . . . . . AZ 23
Jovellanos . . . . AY 24
Jovellanos (Pl. de) . . . . AX 25
Libertad . . . . AY 28
Marqués de San Esteban AY 29
Mayor (Pl.) . . . . AX 30
Menéndez Pelavo . . . . BYZ 31
Molinón (Av. del) . . . . CYZ 32
Munuza . . . . AY 34
Muro de San Lorenzo (Pas. de) . . . . AY 35
Oscar Olavarría . . . . . . AX 36
Salle (Av. de la) . . . . . . AX 38
San José (Pas de) . . . . AZ 40
Santa Doradia . . . . BZ 41
Santa Lucía . . . . AY 42
Subida al Cerro . . . . . . AX 43
Villaviciosa (Carret.) . . . CZ 45
6 de Agosto (Pl. del) . AYZ 46

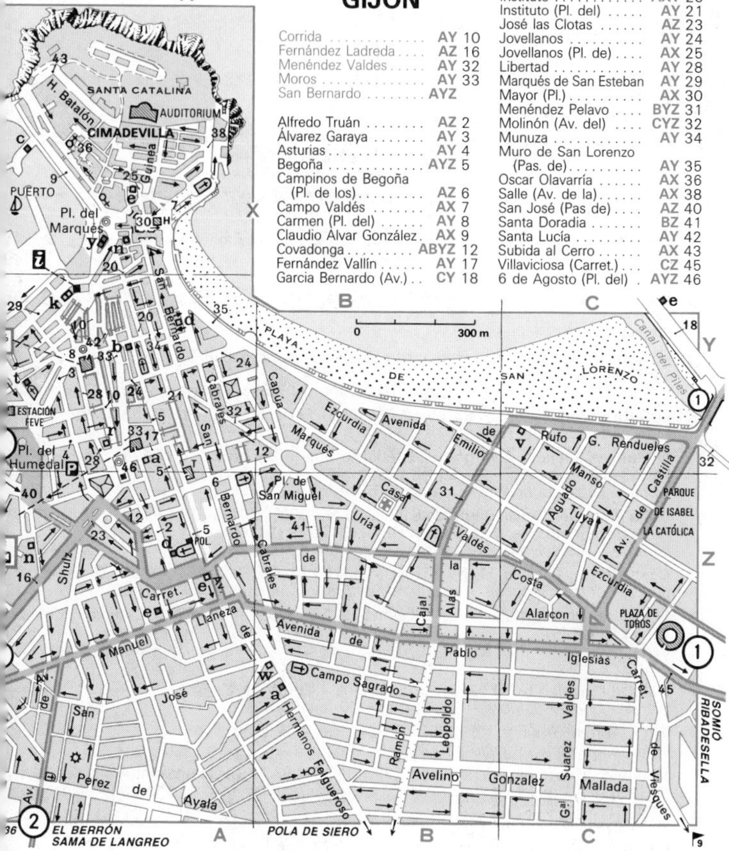

Parador de Gijón, parque de Isabel la Católica, ✉ 33203, ☏ 537 05 11, Fax 537 02 33, « Junto al parque » – |$| ▤ TV ☎ P. AE ⊙ VISA. ✂ por av. de El Molinón CY
Com 3200 – ☕ 1100 – **38 hab** 13000, 2 suites – PA 6375.

Príncipe de Asturias sin rest, Manso 2, ✉ 33203, ☏ 536 71 11, Fax 533 47 41, ← – |$| TV ☎ – 25/180. AE ⊙ E VISA. ✂ CY **v**
☕ 750 – **64 hab** 11700/14000, 16 suites.

Begoña, carret. de la Costa 44, ✉ 33205, ☏ 514 72 11, Fax 539 82 22 – |$| ▤ rest TV ☎ – 25/300. AE VISA. ✂ AZ **e**
Com 1600 – ☕ 600 – **245 hab** 7800/9900, 5 suites – PA 3800.

Alcomar sin rest. con cafetería, Cabrales 24, ✉ 33201, ☏ 535 70 11, Fax 534 67 42 – |$| TV ☎ – 25/100. AE ⊙ E VISA. ✂ AY **d**
☕ 500 – **44 hab** 8350/10600, 1 suite.

Hernán Cortés sin rest, Fernández Vallín 5, ✉ 33205, ☏ 534 60 00, Fax 535 56 45 – |$| TV ☎. AE ⊙ E VISA AY **a**
☕ 600 – **105 hab** 4800/7600.

Don Manuel y Rest. Casa Pachín, Marqués de San Esteban 5, ✉ 33206, ☏ 517 13 13, Fax 517 12 38 – |$| ▤ rest TV ☎. AE ⊙ E VISA. ✂ rest AY **k**
Com carta 2500 a 4000 – ☕ 650 – **50 hab** 9100/11500.

Agüera sin rest, Hermanos Felgueroso 28, ✉ 33209, ☏ 514 05 00, Fax 538 68 61 – |$| TV ☎. AE ⊙ E VISA. ✂ BZ **w**
☕ 650 – **35 hab** 7500/8950.

🏨 **Pasaje** sin rest, Marqués de San Esteban 3, ✉ 33206, 𝒸 534 24 00, Fax 534 25 51 – ⋮⋕
📺 ☎ – 🅐 25/40. 🅰🅴 🅴 𝗩𝗜𝗦𝗔   AY **k**
⌕ 500 – **29 hab** 6490/9735.

🏨 **Pathos** sin rest, con cafetería, Contracay 5, ✉ 33201, 𝒸 535 25 46, Fax 535 64 84 – ⋮⋕ 📺
☎. 🅰🅴 ⓞ 🅴 𝗩𝗜𝗦𝗔   AX **n**
⌕ 550 – **53 hab** 5300/9800, 3 suites.

🏨 **La Casona de Jovellanos**, pl. de Jovellanos 1, ✉ 33201, 𝒸 534 12 64, Fax 535 61 51
Antiguo edificio rehabilitado – 📺 ☎. 🅰🅴 ⓞ 🅴 𝗩𝗜𝗦𝗔 rest   AX **n**
Com 1200 – ⌕ 500 – **13 hab** 8000/10000 – PA 2400.

🏨 **Avenida** sin rest y sin ⌕, Robustiana Armiño 4, ✉ 33207, 𝒸 535 28 43 – 📺 ☎. ⋦⋦
38 hab 4000/6200.   AY **c**

🏨 **Castilla** sin rest, Corrida 50, ✉ 33206, 𝒸 534 62 00, Fax 534 63 64 – ⋮⋕ 📺 ☎. 𝗩𝗜𝗦𝗔
⋦⋦   AY **n**
⌕ 350 – **45 hab** 4500/6200.

🏨 **Plaza** sin rest y sin ⌕, Decano Prendes Pando 2, ✉ 33207, 𝒸 534 65 62 – 📺. 𝗩𝗜𝗦𝗔
20 hab 4500/5000.   AZ **n**

🟈🟈 **La Zamorana**, Hermanos Felgueroso 38, ✉ 33209, 𝒸 538 06 32, Fax 514 90 70 – ☰. 🅐
ⓞ 🅴 𝗩𝗜𝗦𝗔. ⋦⋦   BZ **s**
cerrado lunes (salvo julio-agosto) y 15 octubre-14 noviembre – Com carta 4250 a 6100

🟈🟈 **El Retiro**, Begoña 28, ✉ 33206, 𝒸 535 00 30, Fax 535 13 37 – ☰. 🅰🅴 ⓞ 🅴 𝗩𝗜𝗦𝗔 �🅹🅲🅱. ⋦⋦
Com carta 3200 a 4700.   AY **n**

🟈🟈 **El Puerto**, Claudio Alvargonzález (edificio puerto deportivo), ✉ 33201, 𝒸 534 90 96
Fax 534 90 96, ≼, 🍴 – ☰. 🅰🅴 ⓞ 🅴 𝗩𝗜𝗦𝗔   AX **e**
cerrado domingo noche – Com carta 5500 a 7100.

🟈🟈 **Bella Vista**, av. García Bernardo 8 (El Piles) ✉ 33203, 𝒸 536 73 77, Fax 536 29 36, ≼, 🍴
Pescados y mariscos. Vivero propio – ☰ 🅿. 🅰🅴 🅴 𝗩𝗜𝗦𝗔. ⋦⋦   CY **v**
cerrado lunes salvo julio y agosto – Com carta 2450 a 4925.

🟈🟈 **Casa Víctor**, Carmen 11, ✉ 33206, 𝒸 534 83 10, Fax 32 27 49 – ☰. 🅰🅴 ⓞ 🅴 𝗩𝗜𝗦𝗔. ⋦⋦
cerrado domingo noche, jueves y noviembre – Com carta 2850 a 5200.   AY

🟈 **El Sueve**, Domingo García de la Fuente 12, ✉ 33205, 𝒸 514 57 03, Carnes a la brasa
☰. 🅰🅴 🅴 𝗩𝗜𝗦𝗔. ⋦⋦   AZ **v**
cerrado miércoles, del 1 al 23 de mayo y del 1 al 21 de noviembre – Comida carta 2200
a 3100.

🟈 **Calixto**, Trinidad 6, ✉ 33201, 𝒸 535 98 09 – ☰. 🅰🅴 ⓞ 🅴 𝗩𝗜𝗦𝗔   AX **n**
cerrado lunes y octubre – Com carta 2400 a 4100.

🟈 **Tino**, Alfredo Truán 9, ✉ 33205, 𝒸 534 13 87 – 🅰🅴 🅴 𝗩𝗜𝗦𝗔. ⋦⋦   AZ **e**
cerrado jueves y 17 junio-22 julio – Com carta 2625 a 4225.

🟈 **Vesubio**, Muelle de Oriente 2, ✉ 33201, 𝒸 534 99 71, Cocina italiana – ☰. ⋦⋦   AX **v**
cerrado del 1 al 15 de mayo y del 1 al 15 de octubre – Com carta aprox.2600.

en Somió por ① – ✉ 33203 Gijón – ✪ 98 :

🟈🟈🟈 **Las Delicias**, barrio Fuejo : 4 km 𝒸 536 02 27, Fax 513 00 95, 🍴 – ☰ 🅿. 🅰🅴 ⓞ 🅴 𝗩𝗜𝗦
🅹🅲🅱. ⋦⋦
cerrado martes (salvo festivos, vísperas y agosto) y del 11 al 31 de enero – Com cart
4300 a 6300.

🟈🟈 **Llerandi**, camino de la Peñuca, 5 km 𝒸 533 06 95, Fax 513 00 49, 🍴 – ☰ 🅿. 🅰🅴 ⓞ 𝗩𝗜𝗦𝗔
⋦⋦
cerrado lunes – Com carta 3600 a 4500.

🟈 **La Pondala**, av. Dioniso Cifuentes 27, 3 km 𝒸 536 11 60, 🍴 – 🅰🅴 ⓞ 𝗩𝗜𝗦𝗔. ⋦⋦
cerrado jueves y noviembre – Com carta 2900 a 5300.

en La Providencia NE : 5 km por av. García Bernardo CY – ✉ 33203 Gijón – ✪ 98 :

🟈🟈 **Los Hórreos**, 𝒸 533 08 91 – 🅿. 🅰🅴 ⓞ 🅴 𝗩𝗜𝗦𝗔. ⋦⋦
cerrado domingo noche, lunes y 15 diciembre-15 enero – Com carta 4300 a 6400.

Ver también : *Prendes por* ③ : 10 km.

GIRONA Gerona – ver Gerona.

GOIURIA Vizcaya – ver Durango.

La GOLA (Playa de) Gerona – ver Torroella de Montgrí.

GOMERA Tenerife – ver Canarias.

GONDAR Pontevedra – ver Sangenjo.

EL GRADO 22390 Huesca 443 F 30 – 656 h. – ✪ 974.

Ver : Torreciudad ≤★★ (5 km al NE).

● Madrid 460 – Huesca 70 – ◆Lérida/Lleida 86.

✗ **Tres Caminos** con hab, carret de Barbastro - barrio del Cinca 17 ✆ 30 40 52, Fax 30 41 22, ≤, 🍃 – ■ rest 🅿 🖭 🖪 ⚠ 🎉
Com carta 1800 a 2725 – 🖵 350 – **27 hab** 1600/3200.

en la carretera C 139 SE : 2 km – ⊠ 22390 El Grado – ✪ 974 :

🏨 **Hostería El Tozal** ⚹, ✆ 30 40 00, Fax 30 42 55, ≤, 🍃, 🐎 – |🛗| ■ ☎ 🅿 🖭 ⑩ 🖪 🗺
JCB. 🎉 rest
Com 2300 – 🖵 675 – **31 hab** 7295/10400 – PA 4300.

GRADO 33820 Asturias 441 B 11 – 13 009 h. alt. 47 – ✪ 98.

◆Madrid 461 – ◆Oviedo 26.

✗✗ **Palper,** San Pelayo 44 ✆ 575 00 39, Fax 575 03 65 – ■ 🅿 🖭 🖪 🗺 🎉
cerrado miércoles y 15 enero-15 febrero – Com carta 2450 a 4650.

GRANADA 18000 🅿 446 U 19 – 262 182 h. alt. 682 – ✪ 958 – Deportes de invierno en Sierra Nevada : ✞2 ✞11.

Ver : Emplazamiento★★ – Alhambra★★★ CDY (Palacios Nazaríes★★★ : oratorio Mexuar ≤★, Salón de Embajadores ≤★★, jardines y torres★★, Museo Hispano-musulman del Palacio de Carlos V : arrón azul★, Alcazaba★ : ☀★★) – Generalife★★ DX – Capilla Real★★ (reja★, sepulcros★★, retablo★, sacristía: colección de obras de arte★★) – Catedral★ CX (Capilla Mayor★) – Cartuja★ : sacristía★★ AX – Iglesia de San Juan de Dios★ AX – Albaicín★ : terraza de la iglesia de San Nicolás : ≤★★★.

Excurs. : Sierra Nevada (pico de Veleta★★) SE : 46 km T.

✈ de Granada por ④ : 17 km ✆ 44 64 11 – Iberia : pl. Isabel la Católica 2, ⊠ 18009, ✆ 22 14 52.
🚩 pl. de Mariana Pineda 10 ⊠ 18009, ✆ 22 66 88 y Libreros 2 ⊠ 18001, ✆ 22 59 90 – R.A.C.E.
ol. de la Pescadería 1, ⊠ 18001, ✆ 26 21 50.

◆Madrid 430 ① – ◆Málaga 127 ④ – ◆Murcia 286 ② – ◆Sevilla 261 ④ – ◆Valencia 541 ①.

Planos páginas siguientes

en la ciudad :

🏨 **Meliá Granada,** Ángel Ganivet 7, ⊠ 18009, ✆ 22 74 00, Telex 78429, Fax 22 74 03 – |🛗|
■ 📺 🐎 – 🛗 25/250. 🖭 ⑩ 🖪 🗺 🎉   BZ **n**
Com 2600 – 🖵 1250 – **197 hab** 10000/12500 – PA 5480.

🏨 **Saray,** paseo de Enrique Tierno Galván, ⊠ 18006, ✆ 13 00 09, Telex 78422, Fax 12 91 61,
🍃 – |🛗| ■ 📺 🐎 🕭 🚗 – 🛗 25/500. 🖭 🖪 🗺 JCB. 🎉   T **m**
Com carta aprox. 4100 – 🖵 1250 – **213 hab** 14480/18100.

🏨 **Granada Center,** av. de Fuentenueva, ⊠ 18002, ✆ 20 50 00, Fax 28 96 96 – |🛗| ■ 📺 ☎ &
🚗 – 🛗 25/200. 🖭 ⑩ 🖪 🗺 JCB.   T **e**
Com 3500 – **Al-Zagal** carta 3100 a 4250 – 🖵 1200 – **172 hab** 14400/18700 – PA 6970.

🏨 **Luz Granada,** av. de la Constitución 18, ⊠ 18012, ✆ 20 40 61, Telex 78424, Fax 29 31 50
– |🛗| ■ 📺 ☎ 🚗 – 🛗 25/200. 🖭 ⑩ 🖪 🗺 JCB. 🎉   S **a**
Com 3100 – 🖵 1100 – **175 hab** 13450/16800 – PA 6210.

🏨 **Corona de Granada,** Pedro Antonio de Alarcón 10, ⊠ 18005, ✆ 52 05 55, Fax 52 12 78,
🏋, 🎐, 🏊 – |🛗| ■ 📺 ☎ 🚗 – 🛗 25/160. 🖭 ⑩ 🖪 🗺 🎉 rest   AZ **a**
Com 2500 – 🖵 1000 – **93 hab** 13750/17000 – PA 5550.

🏨 **Tryp Albayzin,** Carrera del Genil 48, ⊠ 18005, ✆ 22 00 02, Fax 22 01 81, 🏋 – |🛗| ■ 📺
☎ 🚗 – 🛗 25/120. 🖭 ⑩ 🖪 🗺   BZ **f**
Com 2500 – 🖵 950 – **108 hab** 9600/12000 – PA 5060.

🏨 **Princesa Ana,** av. de la Constitución 37, ⊠ 18014, ✆ 28 74 47, Fax 27 39 54, « Elegante
decoración » – |🛗| ■ 📺 ☎ 🚗 – 🛗 25/60. 🖭 ⑩ 🖪 🗺 🎉   S **c**
Com 3300 – 🖵 1100 – **61 hab** 11500/16900 – PA 6545.

🏨 San Antón, San Antón, ⊠ 18005, ✆ 52 01 00, Fax 52 19 82 – |🛗| ■ 📺 ☎ 🚗 – 🛗 25/400
161 hab, 28 suites.   T **s**

🏨 **Triunfo Granada y Rest. Puerta Elvira,** plaza del Triunfo 19, ⊠ 18010, ✆ 20 74 44,
Fax 27 90 17 – |🛗| ■ 📺 ☎ 🚗 – 🛗 25/150. 🖭 ⑩ 🖪 🗺 🎉   AX **e**
Com carta aprox. 4500 – 🖵 1100 – **37 hab** 10000/15000.

🏨 **Victoria,** Puerta Real 3, ⊠ 18005, ✆ 25 77 00, Telex 78427, Fax 26 31 08 – |🛗| ■ 📺 ☎
– 🛗 25/100. 🖭 🖪 🗺 JCB.   BZ **c**
Com 2500 – 🖵 625 – **69 hab** 7600/10800 – PA 4500.

🏨 **Carmen,** Acera del Darro 62, ⊠ 18005, ✆ 25 83 00, Telex 78546, Fax 25 64 62 – |🛗| ■ 📺
🚗 – 🛗 25/70. 🖭 ⑩ 🖪 🗺 JCB   BZ **a**
Com 2250 – 🖵 1200 – **282 hab** 10000/14000 – PA 5000.

🏨 **Rallye** sin rest, paseo de Ronda 107, ⊠ 18003, ✆ 27 28 00, Fax 27 28 62 – |🛗| ■ 📺 ☎
🚗 – 🛗 25/140. 🖭 ⑩ 🖪 🗺   T **v**
🖵 1200 – **79 hab** 12000/15500.

Dauro II sin rest, con cafetería, Navas 5, ✉ 18009, ℰ 22 15 81, Fax 22 27 32 – ⎹⧉⎸ ⬛ 📺
☎ – 🛆 25/80. 🖭 ⓞ 🖻 𝗩𝗜𝗦𝗔 𝗝𝗖𝗕. ⁒
BZ **r**
⬜ 750 – **48 hab** 8300/11500.

Dauro sin rest, Acera del Darro 19, ✉ 18005, ℰ 22 21 56, Telex 78565, Fax 22 85 19 – ⎹⧉⎸
⬛ 📺 ☎ ⟵⟶. 🖭 ⓞ 🖻 𝗩𝗜𝗦𝗔 𝗝𝗖𝗕. ⁒
BZ **d**
⬜ 750 – **36 hab** 8300/11500.

Juan Miguel, Acera del Darro 24, ✉ 18005, ℰ 25 89 12, Telex 78527, Fax 25 89 16 – ⎹⧉⎸
⬛ 📺 ☎ ⟵⟶ – 🛆 25/30. 🖭 ⓞ 🖻 𝗩𝗜𝗦𝗔 𝗝𝗖𝗕. ⁒
BZ **e**
Com 2000 – ⬜ 800 – **66 hab** 9300/11200 – PA 4000.

Reino de Granada sin rest, Recogidas 53, ✉ 18005, ℰ 26 58 78, Fax 26 36 42 – ⎹⧉⎸ ⬛ 📺
☎. 🖭 ⓞ 🖻 𝗩𝗜𝗦𝗔. ⁒ rest
AZ **y**
⬜ 600 – **37 hab** 7600/10600.

Cóndor, av. de la Constitución 6, ✉ 18012, ℰ 28 37 11, Telex 78503, Fax 28 38 50 – ⎹⧉⎸
⬛ 📺 ☎ ⟵⟶ – 🛆 25/50. 🖭 ⓞ 🖻 𝗩𝗜𝗦𝗔 𝗝𝗖𝗕. ⁒
S **b**
Com 1500 – ⬜ 700 – **104 hab** 6500/9800.

Los Ángeles, Escoriaza 17, ✉ 18008, ℰ 22 14 24, Telex 78562, Fax 22 21 25, 🛆 – ⎹⧉⎸ ⬛
📺 ☎ 🄿. 🖭 ⓞ 🖻 𝗩𝗜𝗦𝗔 𝗝𝗖𝗕. ⁒ rest
DZ **f**
Com 2235 – ⬜ 650 – **100 hab** 6500/9000 – PA 5120.

Gran Vía Granada, Gran Vía 25, ✉ 18001, ℰ 28 54 64, Telex 78474, Fax 28 55 91 – ⎹⧉⎸
⬛ 📺 ☎ ⟵⟶. 🖭 ⓞ 🖻 𝗩𝗜𝗦𝗔 𝗝𝗖𝗕. ⁒
BX **c**
Com 1500 – ⬜ 700 – **85 hab** 6500/9800.

NH Inglaterra sin rest, Cetti Meriem 4, ✉ 18010, ℰ 22 15 58, Fax 22 71 00 – ⎹⧉⎸ ⬛ 📺 ☎
⟵⟶ – 🛆 25/40 – **36 hab.**
BY **e**

Universal sin rest, Recogidas 16, ✉ 18002, ℰ 26 00 16, Fax 26 32 29 – ⎹⧉⎸ ⬛ 📺 ☎ ⟵⟶.
🖭 ⓞ 🖻 𝗩𝗜𝗦𝗔 𝗝𝗖𝗕
AZ **z**
⬜ 450 – **56 hab** 5950/8750.

Anacapri sin rest, Joaquín Costa 7, ✉ 18010, ℰ 22 74 77, Fax 22 89 09 – ⎹⧉⎸ ⬛ 📺 ☎ ⟵⟶.
🖭 ⓞ 🖻 𝗩𝗜𝗦𝗔. ⁒
BY **d**
⬜ 650 – **52 hab** 6900/9900.

Ana María sin rest, paseo de Ronda 101, ✉ 18003, ℰ 28 99 11, Fax 28 92 15 – ⬛ 📺 ☎
⟵⟶. 🖭 ⓞ 🖻 𝗩𝗜𝗦𝗔
T **v**
⬜ 500 – **30 hab** 6600/9800.

Reina Ana María sin rest, Sócrates 10, ✉ 18002, ℰ 20 98 61, Fax 28 92 15 – ⬛ 📺 ☎
⟵⟶. 🖭 ⓞ 🖻 𝗩𝗜𝗦𝗔
T **c**
⬜ 500 – **25 hab** 5600/8800.

Reina Cristina, Tablas 4, ✉ 18002, ℰ 25 32 11, Telex 78612, Fax 25 57 28 – ⎹⧉⎸ ⬛ 📺 ☎
⟵⟶. 🖭 ⓞ 🖻 𝗩𝗜𝗦𝗔. ⁒ hab
AY **a**
Com 1600 – ⬜ 650 – **40 hab** 6200/9750 – PA 3270.

Montecarlo sin rest, Acera del Darro 44, ✉ 18005, ℰ 25 79 00, Fax 25 55 96 – ⎹⧉⎸ 📺 ☎.
🖭 🖻 𝗩𝗜𝗦𝗔
BZ **u**
⬜ 500 – **74 hab** 4000/6000.

Maciá sin rest, pl. Nueva 4, ✉ 18010, ℰ 22 75 36, Telex 78503, Fax 22 35 75 – ⎹⧉⎸ ⬛ 📺
☎. 🖭 ⓞ 🖻 𝗩𝗜𝗦𝗔. ⁒
BY **a**
⬜ 530 – **44 hab** 4600/7000.

Sacromonte sin rest y sin ⬜, pl. del Lino 1, ✉ 18002, ℰ 26 64 11, Fax 26 67 07 – ⎹⧉⎸ ⬛
📺 ☎ ⟵⟶. 🖭 ⓞ 🖻 𝗩𝗜𝗦𝗔. ⁒
AY **e**
33 hab 5000/7500.

Los Girasoles sin rest, Cardenal Mendoza 22, ✉ 18001, ℰ 28 07 25 – ⟵⟶. ⁒ AX **r**
⬜ 350 – **23 hab** 3000/4200.

Verona sin rest y sin ⬜, Recogidas 9 - 1°, ✉ 18005, ℰ 25 55 07 – ⎹⧉⎸ ⬛ ⟵⟶. 𝗩𝗜𝗦𝗔. ⁒
11 hab 3000/4500.
AZ **r**

XXX **Bogavante**, Duende 15, ✉ 18005, ℰ 25 91 12, Fax 26 76 53 – ⬛. 🖭 ⓞ 🖻 𝗩𝗜𝗦𝗔. ⁒
cerrado domingo y agosto – Com carta aprox. 3325.
BZ **k**

XX **Los Santanderinos**, Albahaca 1, ✉ 18006, ℰ 12 83 35 – ⬛. 🖻 𝗩𝗜𝗦𝗔. ⁒
cerrado domingo noche – Com carta 3900 a 5300.
T **f**

XX La Castellana, paseo de Ronda 100, ✉ 18004, ℰ 25 42 02 – ⬛
T **a**

XX **Rincón de Miguel**, av. Andaluces 2, ✉ 18014, ℰ 29 29 78 – ⬛. 🖭 ⓞ 🖻 𝗩𝗜𝗦𝗔 𝗝𝗖𝗕
S **d**
cerrado domingo – Com carta 3400 a 4600.

XX **Alacena de las Monjas**, pl. del Padre Suárez 5, ✉ 18008, ℰ 22 40 28, Bóvedas del siglo
XVI – 🖭 ⓞ 🖻 𝗩𝗜𝗦𝗔 𝗝𝗖𝗕. ⁒
BY **t**
cerrado domingo y agosto – Com carta 4500 a 6500.

X **Mesón Antonio Pérez**, Pintor Rodríguez Acosta 1, ✉ 18002, ℰ 28 80 79 – ⬛. 🖻 𝗩𝗜𝗦𝗔. ⁒
cerrado domingo noche – Com carta aprox. 2950.
T **e**

X **Posada del Duende**, Duende 3, ✉ 18005, ℰ 26 66 10, Decoración típica regional – ⬛
🖭 ⓞ 🖻 𝗩𝗜𝗦𝗔 𝗝𝗖𝗕. ⁒
BZ **v**
Com carta aprox. 3250.

X **Mesón Andaluz**, Elvira 17, ✉ 18010, ℰ 25 86 61, Decoración típica andaluza – ⬛. 🖭 ⓞ
🖻 𝗩𝗜𝗦𝗔. ⁒
BY **e**
cerrado martes y del 15 al 28 febrero – Com carta 2050 a 3100.

GRANADA

X **Las Tinajas,** Martínez Campos 17, ⊠ 18005, ℰ 25 43 93, Fax 25 43 93 – 🍴, AE ⑩ VISA. 🛠
   Com carta 3100 a 4200.
   AZ **p**

X **Cunini,** pl. Pescadería 14, ⊠ 18001, ℰ 25 07 77, Fax 25 07 77, Pescados y mariscos – 🍴.
   AE ⑩ E VISA JCB. 🛠
   cerrado lunes – Com carta 3000 a 4050.
   AY **d**

X **La Zarzamora,** paseo de Ronda 98, ⊠ 18004, ℰ 26 61 42, Pescados y mariscos – 🍴, AE
   VISA. 🛠
   cerrado lunes y agosto – Com carta 3100 a 3600.
   T **a**

X **China,** Pedro Antonio de Alarcón 23, ⊠ 18004, ℰ 25 02 00, Fax 25 02 00, Rest. chino –
   🍴, AE ⑩ E VISA JCB. 🛠
   Com carta 1400 a 2850.
   T **d**

255

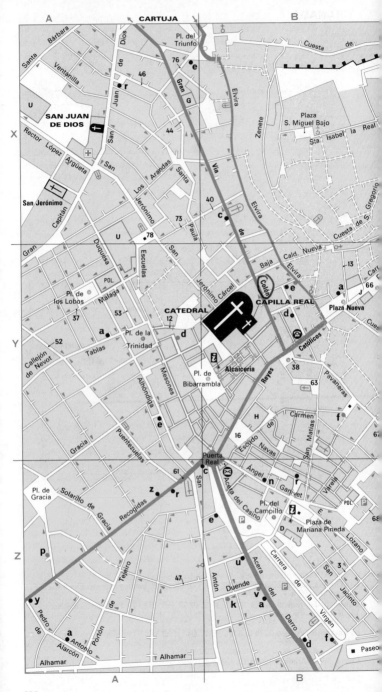

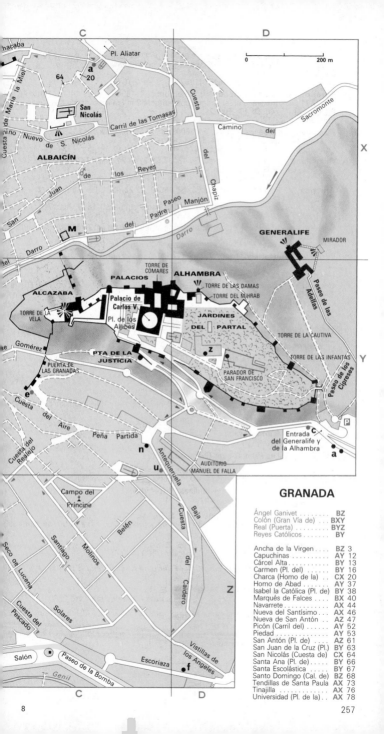

GRANADA

en la Alhambra :

🏨 **Alhambra Palace,** Peña Partida 2, ✉ 18009, ℘ 22 14 68, Telex 78400, Fax 22 64 04, 🍴
« Edificio de estilo árabe con ≤ Granada y Sierra Nevada » – |韋| ▤ 📺 ☎ – 🔼 25/120
🖭 ⓞ 🇪 *VISA*. ℘ rest   CY ⱳ
Com 4125 – ⚏ 1150 – **144 hab** 14115/17600 – PA 7875.

🏨 **Parador de San Francisco** ⊗, Alhambra, ✉ 18009, ℘ 22 14 40, Telex 78792
Fax 22 22 64, « Instalado en el antiguo convento de San Francisco (siglo XV), jardín » – ▤
📺 🅿 – 🔼 🖭 ⓞ 🇪 *VISA*. ℘   DY
Com 3500 – ⚏ 1200 – **38 hab** 22000 – PA 6970.

🏨 **Alixares** ⊗, av. de los Alixares, ✉ 18009, ℘ 22 55 75, Telex 78523, Fax 22 41 02, 🏊 ·
|韋| ▤ 📺 ☎ – 🔼 25/150. 🖭 ⓞ 🇪 *VISA*. ℘ rest   DY ⱳ
Com 1600 – ⚏ 550 – **162 hab** 5500/9750.

🏨 **Guadalupe** ⊗, av. de los Alixares, ✉ 18009, ℘ 22 34 24, Telex 78755, Fax 22 37 98 – |韋|
▤ 📺 ☎. 🖭 ⓞ 🇪 *VISA* ᴊᴄʙ. ℘   DY ⱳ
Com 1900 – ⚏ 600 – **42 hab** 6090/10300 – PA 3520.

🏛 **América** ⊗, Real de la Alhambra 53, ✉ 18009, ℘ 22 74 71, Fax 22 74 70, 🍴 – ☎. 🖭
ⓞ 🇪 *VISA*. ℘   DY ⱳ
marzo-9 noviembre – Com *(cerrado sábado)* (sólo almuerzo) 1800 – ⚏ 700 – **13 hab**
7600/9000 – PA 3655.

🍴🍴🍴 **Carmen de San Miguel,** pl. de Torres Bermejas 3, ✉ 18009, ℘ 22 67 23, ≤ Granada, 🍴
– ▤. 🖭 ⓞ 🇪 *VISA*. ℘   CY ⱳ
cerrado domingo y del 15 al 30 de agosto – Com carta aprox. 5300.

🍴🍴 **Jardines Alberto,** av. de los Alixares, ✉ 18009, ℘ 22 48 18, Fax 22 48 18 – 🖭 🇪 *VISA*
℘   DY ⱳ
cerrado lunes y del 15 al 30 de enero – Com carta 3100 a 4100.

🍴🍴 **Colombia,** Antequeruela Baja 1, ✉ 18009, ℘ 22 74 33, Fax 22 54 94, ≤ – ▤. 🖭 ⓞ 🇪
VISA ᴊᴄʙ. ℘   CY ⱳ
Com carta 2950 a 3850.

en el Albaicín :

🍴 Zoraya, Panaderos 32, ✉ 18010, ℘ 29 35 03, Fax 81 49 68, 🍴, « Terraza » – ▤ CX ⱳ

en la carretera de Madrid por ① : 3 km – ✉ 18014 Granada – ☏ 958 :

🏛 **Camping Motel Sierra Nevada,** ℘ 15 00 62, Fax 15 09 54, 🏊, ℘ – ▤ rest ☏ 🅿. 🖭
ⓞ 🇪 *VISA*. ℘
marzo- octubre – Com 1000 – ⚏ 250 – **23 hab** 3400/5000 – PA 2250.

en la carretera de Málaga por ④ : 5 km – ✉ 18015 Granada – ☏ 958 :

🏨 **Sol Alcano,** ℘ 28 30 50, Telex 78600, Fax 29 14 29, 🍴, « Amplio patio con césped y 🏊 »
℘ – ▤ 📺 ☎ 🅿. 🖭 ⓞ 🇪 *VISA*. ℘ rest
Com carta 2550 a 3450 – ⚏ 750 – **100 hab** 8400/10500.

Ver también : *Sierra Nevada* SE : 32 km.

GRAN CANARIA Las Palmas - ver Canarias.

La GRANJA o **SAN ILDEFONSO** 40100 Segovia 🄳🄳🄷 J 17 – 4 588 h. alt. 1 192 – ☏ 921

Ver : Palacio (museo de tapices★★) – Jardines★★ (surtidores★★).
◆Madrid 74 – ◆Segovia 11.

🏛 **Roma,** Guardas 2 ℘ 47 07 52, 🍴 – ☏. 🇪 *VISA*. ℘
cerrado noviembre-diciembre – Com *(cerrado martes)* 2000 – ⚏ 350 – **16 hab** 4000|
7000.

🍴 **Dólar,** Valenciana 1 ℘ 47 02 69 – 🖭 ⓞ 🇪 *VISA*. ℘
cerrado miércoles y noviembre – Com carta 2500 a 4050.

en Pradera de Navalhorno - carret. del Puerto de Navacerrada S : 2,5 km – ✉ 4010|
Valsaín – ☏ 921 :

🍴 **Mesón de Miguel,** ℘ 47 19 29, 🍴 – ⓞ 🇪 *VISA*. ℘
cerrado miércoles y del 15 al 30 de septiembre – Com carta aprox. 3200.

en Valsaín - carret. del Puerto de Navacerrada S : 3 km – ✉ 40109 Valsaín – ☏ 921

🍴 **Hilaria,** ℘ 47 02 92, 🍴 – 🇪 *VISA*. ℘
*cerrado lunes noche en agosto, lunes resto del año, 10 días en junio y 13 noviembre|
15 diciembre* – Com carta 2650 a 4200.

EUROPE on a single sheet
Michelin map n° 🄽🄷🄾.

GRANOLLERS **08400** Barcelona [443] H 36 – 45 300 h. alt. 148 – ☏ 93.
♦Madrid 641 – ♦Barcelona 28 – Gerona/Girona 75 – Manresa 70.

🏨 **Ciutat de Granollers** 🪑, Turó Bruguet 2 - carret de Mataró ℘ 879 62 20, Fax 879 58 46, ⩽, 🏋, 🏊 – ⇕ ▤ 📺 ☎ 🚗 Ⓟ – 👥 30/800. AE ◑ E VISA. 🚫
Com 1750 – ☕ 900 – **111 hab** 10600/13100 – PA 4400.

🏠 **Iris** sin rest, av. Sant Esteve 92 ℘ 870 70 51, Fax 870 20 06 – ⇕ ▤ 📺 ☎ 🚗. AE ◑ E VISA JCB. 🚫
☕ 650 – **55 hab** 5700/7800.

✕✕ **Europa** con hab., Anselm Clavé 1 ℘ 870 03 12, Fax 870 79 01 – ⇕ ▤ 📺 ☎. AE ◑ E VISA JCB. 🚫 rest
Com carta 2500 a 4200 – **7 hab** ☕ 9000/12000.

✕✕ **L'Amperi,** pl. de la Font Verda ℘ 870 43 45 – ▤ Ⓟ. AE ◑ E VISA. 🚫
cerrado domingo y del 16 al 31 de agosto – Com carta 3300 a 4400.

✕✕ **La Taverna d'en Grivé,** Josep María Segarra 98 - carret. de Sant Celoni ℘ 849 57 83 – ▤ Ⓟ. AE ◑ E VISA. 🚫
cerrado lunes y agosto – Com carta 3350 a 4550.

✕ **Layon,** pl. de la Caserna 2 ℘ 879 40 82 – ▤. E VISA
cerrado martes y del 1 al 23 de septiembre – Com carta 1900 a 3800.

✕ **Les Arcades,** Girona 29 ℘ 879 40 96, Fax 870 91 56 – ▤. AE E VISA. 🚫
cerrado martes y del 1 al 15 de julio – Com carta 1825 a 3475.

en la carretera de El Masnou – ☏ 93 :

🏨 **Alfa Vallés y Rest. Gran Mercat** 🪑, S : 4,5 km, ✉ 08410 Vilanova del Vallés, ℘ 845 60 50, Fax 845 60 61, ⩽, 🏋, 🏊 – ⇕ ▤ 📺 ☎ ♿ Ⓟ – 👥 25/200. AE ◑ E VISA JCB. 🚫 rest
Com carta aprox. 3500 – ☕ 950 – **102 hab** 10000/12500.

🏨 **Granollers y Rest. Xeflis,** av. Francesc Maciá 300, S : 1,8 km, ✉ 08400 Granollers, apartado 148 ℘ 879 51 00, Fax 879 42 55 – ⇕ ▤ 📺 ☎ ♿ 🚗 Ⓟ – 👥 25/250. AE E VISA. 🚫 rest
Com carta aprox. 3500 – ☕ 900 – **72 hab** 7000/12000.

✕✕ **El Trabuc,** S : 2 km, ✉ 08400 Granollers, ℘ 870 86 57, Fax 879 57 46, ⛱, Antigua casa de campo – ▤ Ⓟ. AE ◑ E VISA JCB
cerrado domingo y del 21 al 31 agosto – Com carta 3100 a 4200.

*Nuestras **guías de hoteles,** nuestras **guías turísticas***
*y nuestros **mapas de carreteras** son complementarios.*

Utilícelos conjuntamente.

GRAUS **22430** Huesca [443] F 31 – 3 540 h. alt. 468 – ☏ 974.
♦Madrid 475 – Huesca 85 – ♦Lérida/Lleida 85.

🏠 **Lleida,** glorieta Joaquín Costa ℘ 54 09 25, Fax 54 07 54 – ▤ 📺 ☎ 🚗 Ⓟ. AE ◑ VISA
Com 1380 – ☕ 490 – **27 hab** 3375/5500 – PA 2800.

GRAZALEMA **11610** Cádiz [446] V 13 – 2 111 h. – ☏ 956.
Ver : Pueblo blanco★.
♦Madrid 567 – ♦Cádiz 136 – Ronda 27 – ♦Sevilla 135.

🏠 **Grazalema** 🪑, ℘ 13 21 36, ⩽, 🏊 – 📺 Ⓟ. AE ◑ VISA. 🚫
Com 1875 – ☕ 475 – **24 hab** 4985/6240 – PA 3380.

GREDOS **05132** Ávila [442] K 14 – ☏ 920.
Ver : Sierra★★, emplazamiento del Parador★★.
Alred. : Carretera del puerto del Pico★ (⩽★) SE : 18 km.
♦Madrid 169 – Ávila 63 – Béjar 71.

🏨 **Parador de Gredos** 🪑, alt. 1 650 ℘ 34 80 48, Fax 34 82 05, ⩽ Sierra de Gredos, 🎾 – ⇕ 📺 Ⓟ – 👥 25/100. AE ◑ VISA. 🚫
Com 3000 – ☕ 1000 – **77 hab** 10000 – PA 5950.

GRIÑÓN **28971** Madrid [444] L 18 – 1 311 h. – ☏ 91.
♦Madrid 30 – Aranjuez 36 – Toledo 47.

✕ **El Mesón de Griñón,** General Primo de Rivera 9 ℘ 814 01 13, Fax 814 05 81, ⛱ – ▤ Ⓟ. AE ◑ E VISA. 🚫
cerrado lunes y julio – Com carta 3500 a 5400.

✕ **El Lechal,** carret. de Navalcarnero O : 1 km ℘ 814 01 62, ⛱ – ▤ Ⓟ. AE ◑ E VISA. 🚫
cerrado jueves y agosto – Com carta 2800 a 4900.

EL GROVE u **O GROVE** 36980 Pontevedra 🄳🄳🄴 E 3 – 9 917 h. – ✿ 986 – Playa.

🄶 pl. del Corgo, ✆ 73 14 15 (temp.).

◆Madrid 635 – Pontevedra 31 – Santiago de Compostela 71.

🏨 **Maruxia** sin rest, Luis Casais 14 ✆ 73 27 95, Fax 73 05 07 – 🛗 📺 ☎. 🄰🄴 🄴 𝑉𝐼𝑆𝐴. ✦
 cerrado noviembre – ➯ 400 – **40 hab** 4500/6500.

🏨 **Serantes** sin rest. con cafetería, Castelao, 40 ✆ 73 22 04, Fax 73 23 91 – 🛗 ☎. 🄰🄴 ⓞ 🄴
 𝑉𝐼𝑆𝐴. ✦
 cerrado 15 diciembre-enero – ➯ 550 – **32 hab** 5000/6500.

🏨 **Amandi** sin rest, Castelao 94 ✆ 73 19 42, Fax 73 16 43 – 🛗 📺 ☎ ⇔. 🄴 𝑉𝐼𝑆𝐴. ✦
 cerrado enero-febrero – ➯ 600 – **25 hab** 6500/8500.

🏨 **El Molusco**, Castelao 206 - puente de la Toja ✆ 73 07 61, Fax 73 29 84 – 🛗 📺 ☎. 🄰🄴 ⓞ
 🄴 𝑉𝐼𝑆𝐴. ✦
 cerrado 25 diciembre - febrero – Com *(cerrado lunes)* carta aprox. 2400 – ➯ 500 – **29 hab**
 6000/7500.

🏨 Tamanaco, Castelao 162 ✆ 73 04 46, Fax 73 03 52, ⬉ – 🛗 ☎
 36 hab.

🍽🍽 **El Crisol,** Hospital 10 ✆ 73 00 29 – ▤. 🄰🄴 🄴 𝑉𝐼𝑆𝐴
 cerrado lunes en invierno – Com carta 2450 a 3300.

🍽 **La Posada del Mar,** Castelao 202 ✆ 73 01 06 – ▤ ⓟ. 🄰🄴 ⓞ 🄴 𝑉𝐼𝑆𝐴. ✦
 cerrado domingo y 10 diciembre-enero – Com carta 2700 a 3450.

🍽 **Dorna,** Castelao 150 ✆ 73 18 42, Fax 73 23 12 – ▤. 🄰🄴 ⓞ 🄴 𝑉𝐼𝑆𝐴 𝐽𝐶𝐵
 cerrado 15 octubre-15 noviembre – Com carta 2900 a 3900.

🍽 **Beiramar,** av. Beiramar 30 ✆ 73 10 81, Pescados y mariscos – ▤. 🄰🄴 ⓞ 𝑉𝐼𝑆𝐴. ✦
 cerrado lunes y domingo – Com carta 2650 a 3500.

🍽 **Finisterre,** pl. del Corgo 2 ✆ 73 07 48, Pescados y mariscos – 🄰🄴 🄴 𝑉𝐼𝑆𝐴. ✦
 cerrado domingo noche y 15 diciembre-15 enero – **Comida** carta 2250 a 4300.

🍽 El Combatiente, pl. del Corgo 10 ✆ 73 07 41, 🏨, Pescados y mariscos.

 en la carretera de Pontevedra S : 3 km – ⊠ 36980 El Grove – ✿ 986 :

🏨 **Touris** sin rest, Ardia 175 ✆ 73 02 51, Fax 73 20 00, ⬉, ⬆, ✗ – 🛗 📺 ☎ ⓟ. 🄰🄴 ⓞ 🄴 𝑉𝐼𝑆𝐴.
 ✦
 marzo-diciembre – ➯ 750 – **48 hab** 6000/8500.

 en San Vicente del Mar – ⊠ 36989 San Vicente del Mar – ✿ 986 :

🏨 **Mar Atlántico** ⬉, S : 8,5 km ✆ 73 80 61, Fax 73 82 99, ⬆, ✗ – 📺 ☎ ⓟ. 🄰🄴 ⓞ 🄴 𝑉𝐼𝑆𝐴.
 ✦
 abril-15 octubre – Com 2250 – ➯ 800 – **34 hab** 7940/8690.

🍽🍽 **El Pirata,** praia Farruco, urb. San Vicente do Mar, SO : 9 km ✆ 73 80 52, 🏨 – 🄰🄴 🄴 𝑉𝐼𝑆𝐴.
 ✦
 junio-septiembre – Com carta 2500 a 4100.

GUADALAJARA 19000 🄿 🄳🄳🄳 K 20 – 56 922 h. alt. 679 – ✿ 949.

Ver : Palacio del Infantado★ (fachada★, patio★).

🄶 pl. Mayor 7, ⊠ 19001, ✆ 22 06 98 – R.A.C.E. San Juan de Dios 2, ⊠ 19001, ✆ 21 77 18.

◆Madrid 55 – Aranda de Duero 159 – Calatayud 179 – Cuenca 156 – Teruel 245.

🏨 **Infante,** San Juan de Dios 14, ⊠ 19001, ✆ 22 35 55, Fax 22 35 98 – 🛗 ▤ rest 📺 ☎ ⇔.
 🄰🄴 🄴 𝑉𝐼𝑆𝐴. ✦
 Com *(cerrado agosto)* 1500 – ➯ 450 – **40 hab** 6000/7500 – PA 2800.

🍽🍽 **Miguel Ángel,** Alfonso López de Haro 4, ⊠ 19001, ✆ 21 22 51, Fax 21 25 63, Decoración
 castellana – ▤. 🄰🄴 𝑉𝐼𝑆𝐴. ✦
 Com carta 2800 a 4200.

 junto a la carretera N II – ✿ 949 :

🏨 **Pax** ⬉, ⊠ 19005, ✆ 22 18 00, Fax 22 69 55, ⬉, ⬆, ✿, ✗ – 🛗 ▤ 📺 ☎ ⓟ – 🔬 25/400.
 🄰🄴 ⓞ 🄴 𝑉𝐼𝑆𝐴. ✦
 Com 2200 – ➯ 675 – **61 hab** 8400/10500 – PA 4310.

🏨 **Alcarria,** Toledo 39, ⊠ 19002, ✆ 25 33 00, Fax 25 34 07 – 🛗 ▤ 📺 ☎ ⇔ – 🔬 25/40.
 🄰🄴 ⓞ 🄴 𝑉𝐼𝑆𝐴 𝐽𝐶𝐵. ✦ rest
 Com 1200 – ➯ 500 – **53 hab** 7000/10000.

🍽 **Los Faroles,** ⊠ 19004, ✆ 21 30 32, 🏨, Decoración castellana – ▤ ⓟ. 🄰🄴 ⓞ 🄴 𝑉𝐼𝑆𝐴. ✦
 cerrado lunes y del 1 al 29 de agosto – Com carta 3400 a 4150.

GUADALEST o **EL CASTELL DE GUADALEST** 03517 Alicante 🄳🄳🄵 P 29 – ✿ 96.

Ver : Situación ★.

◆Madrid 441 - Alcoy/Alcoi 36 – ◆Alicante/Alacant 65 – ◆Valencia 145.

🍽 **Xorta,** carret. de Callosa de Ensarriá ✆ 588 51 87, ⬉, ⬆ – ⓟ. 🄰🄴 🄴 𝑉𝐼𝑆𝐴. ✦
 cerrado 15 mayo-15 junio – Com carta 1700 a 2950.

10140 Cáceres 444 N 14 – 2 765 h. alt. 640 – ✦ 927.

Ver : Emplazamiento★, pueblo viejo★ – Monasterio★★ : Sacristía★★ (cuadros de Zurbarán★★) Camarín★ – Sala Capitular (antifonarios y libros de horas miniados★) – Museo de bordados (casullas y frontales de altar★★).

Alred. : Carretera★ de Guadalupe a Puerto de San Vicente ≼★.

◆Madrid 225 – ◆Cáceres 129 – Mérida 129.

🏨 **Parador Guadalupe** ⑤, Marqués de la Romana 12 ℰ 36 70 75, Fax 36 70 76, ≼, 🏤, « Instalado en un edificio del siglo XVI, con jardín », 🛋, 🛠 – 🛗 📺 ☎ ⟸ 🅿. 🆎 ⓪ 🈂. 🛠
Com 3200 – ☖ 1100 – **40 hab** 11500 – PA 6375.

🏨 **Hospedería del Real Monasterio** ⑤, pl. Juan Carlos I ℰ 36 70 00, Fax 36 71 77, 🏤, « Instalado en el antiguo monasterio » – 🛗 ☎ 🅿. E 🈂. 🛠
cerrado 12 enero-12 febrero – Com 2350 – ☖ 700 – **46 hab** 4500/6600, 1 suite – PA 4450.

✗ **Cerezo** con hab, Gregorio López 12 ℰ 36 73 79 – 🍽 rest. 🆎 E 🈂
Com carta 1550 a 2175 – ☖ 250 – **15 hab** 2300/3500.

✗ **Mesón El Cordero**, Alfonso Onceno 27 ℰ 36 71 31 – 🍽. 🛠
cerrado lunes y febrero – Com carta aprox. 2650.

28440 Madrid 444 J 17 – 6 682 h. alt. 965 – ✦ 91.

◆Madrid 48 – ◆Segovia 43.

✗ **Asador los Caños,** Alfonso Senra 51 ℰ 854 02 69, Cordero asado – 🍽. 🈂
cerrado martes y junio – Com (sólo almuerzo de octubre a junio salvo sábado y vísperas de festivos) carta 2900 a 3900.

en la carretera N VI SE : 4,5 km – ⊠ 28440 Guadarrama – ✦ 91 :

✗✗ **Miravalle** con hab, ℰ 850 03 00, Fax 851 24 28, 🏤 – 🍽 rest ☎ 🅿 E 🈂. 🛠
cerrado enero – Com (cerrado miércoles) carta 2800 a 4600 – ☖ 550 – **12 hab** 4500/7000.

Ver también : *Navacerrada* NE : 12 km.

18500 Granada 446 U 20 – 19 860 h. alt. 949 – ✦ 958.

Ver : Catedral★ (fachada★) – Barrio troglodita★ – Alcazaba : ≼★.

Alred. : Carretera★★ de Guadix a Purullena (pueblo troglodita★) O : 5 km – Lacalahorra (castillo : patio★★) SE : 17 km.

🛈 carret. de Granada, ℰ 66 26 65.

◆Madrid 436 – ◆Almería 112 – ◆Granada 57 – ◆Murcia 226 – Úbeda 119.

🏨 **Carmen,** carret. de Granada ℰ 66 15 11, Fax 66 14 01 – 🛗 🍽 📺 ☎ ⟸ 🅿 – 🔏 25/500. 🆎 E 🈂. 🛠
Com 950 – ☖ 375 – **20 hab** 3000/4600 – PA 1900.

🏨 **Comercio,** Mira de Amezcua 3 ℰ 66 05 00, Fax 66 05 00 – 🍽 rest 📺 ☎. 🆎 ⓪ E 🈂
Com 1000 – ☖ 400 – **20 hab** 2800/4600 – PA 2400.

18614 Granada 446 V 19 – 2 912 h. – ✦ 958.

◆Madrid 518 – ◆Almería 94 – ◆Granada 88 – ◆Málaga 113.

✗ **La Posada** ⑤ con hab, pl. de la Constitución 3 ℰ 65 60 34, Fax 65 60 34, « Rincón de estilo regional », 🛋, 🏤 – E 🈂. 🛠 rest
cerrado diciembre-febrero – Com (cerrado lunes) carta 3350 a 4150 – **9 hab** ☖ 5000/10000.

Tenerife – ver Canarias (Tenerife).

46711 Valencia – 46 h. alt. 11 – ✦ 96.

◆Madrid 422 – Gandía 6 – ◆Valencia 70.

✗ **Arnadí,** Molí 14 ℰ 281 90 57, « Terraza-jardín » – 🍽. 🆎 ⓪ E 🈂. 🛠
cerrado domingo noche, lunes y noviembre – Com carta 2350 a 3300.

03140 Alicante 445 R 28 – 5 708 h. – ✦ 96 – Playa.

◆Madrid 442 – ◆Alicante 36 – Cartagena 74 – ◆Murcia 52.

🛈 pl. de la Constitución 7, ⊠ 03140, ℰ 572 72 92, Fax 572 72 92.

🏨 **Meridional,** av. de la Libertad 46-urb. Las Dunas S : 1 km ℰ 572 83 40, Fax 572 83 06 – 🛗 ☎ 🅿. 🆎 ⓪ E 🈂. 🛠
Com 1500 – ☖ 525 – **53 hab** 4215/6670 – PA 2950.

🏨 **Guardamar,** av. Puerto Rico 11 ℰ 572 96 50, Fax 572 95 30, ≼, 🛋 – 🛗 ☎ ⟸. 🆎 ⓪ E 🈂. 🛠
Com 1600 – ☖ 600 – **52 hab** 4200/6700 – PA 3000.

🏨 **Mediterráneo,** av. Cartagena 26 ℰ 572 94 07, Fax 572 94 07 – 🍽 rest 🚗. **E** **VISA**. 🛠
Com 1275 – �_ 425 – **30 hab** 3500/5700 – PA 2500.

🏨 **Oasis,** av. de Europa 33 ℰ 572 88 60 – 🛠
abril-septiembre – Com 1300 – �_ 425 – **40 hab** 2860/4950 – PA 2715.

🏠 **Delta,** Blasco Ibáñez 63 ℰ 572 87 12, 🛋, 🛠 – 🛠
abril-septiembre – Com 1100 – �_ 300 – **16 hab** 2800/4800 – PA 2125.

✗ **Chez Victor 2,** av. de Perú 1 (urb Las Dunas) ℰ 572 95 04, ≤, 🛋 – **AE** **E** **VISA**. 🛠
cerrado martes y octubre – Com carta 2100 a 3100.

La GUARDIA o **A GARDA** 36780 Pontevedra 🔢 G 3 – 9 275 h. alt. 40 – 🛟 986 – Playa
Alred.: Monte de Santa Tecla★ (≤★★) S : 3 km.

♦Madrid 628 – Orense/Ourense 129 – Pontevedra 72 – ♦Porto 148 – ♦Vigo 53.

🏨 **Convento de San Benito** sin rest, pl. de San Benito ℰ 61 11 66, Fax 61 15 17, ≤, « Antigu
convento » – 📺 🕿. **AE** **VISA**. 🛠
�_ 475 – **24 hab** 4800/7300.

🏨 **Eli-Mar** sin rest, Vicente Sobrino 12 ℰ 61 30 00, Fax 61 11 56 – 📺 🕿. **AE** **①** **E** **VISA**. 🛠
☐ 390 – **20 hab** 2750/5900, 2 apartamentos.

🏠 **Bruselas** sin rest, Orense 7 ℰ 61 11 21 – 🚗. 🛠 – �_ 250 – **37 hab** 3300/4150.

✗ **Anduriña,** Calvo Sotelo 48 ℰ 61 11 08, Fax 61 11 56, ≤, 🛋, Pescados y mariscos – 🍽
AE **①** **E** **VISA**. 🛠 – Com carta 2625 a 3700.

La GUDIÑA o **A GUDIÑA** 32540 Orense 🔢 F 8 – 2 051 h. alt. 979 – 🛟 988.

♦Madrid 389 – Benavente 132 – Orense/Ourense 110 – Ponferrada 117 – Verín 39.

🏠 **Relojero 2,** carret. N 525 ℰ 42 11 39 – 📺 🚗 **℗**. **AE** **①** **E** **VISA**. 🛠
Com 1300 – ☐ 350 – **25 hab** 3000/4100 – PA 2700.

GUERNICA Y LUNO o **GERNIKA - LUMO** 48300 Vizcaya 🔢 C 21 – 17 836 h. alt. 10 –
🛟 94.

Alred.: N : Carretera de Bermeo ≤★, Ría de Guernica★ – Cueva de Santimamiñe (formacione
calcáreas★) NE : 5 km – Balcón de Vizcaya ≤★★ SE : 18 km.

🅱 Artekale 8, ℰ 625 58 92, Fax 625 75 42.

♦Madrid 429 – ♦Bilbao/Bilbo 36 – ♦San Sebastián/Donostia 84 – ♦Vitoria/Gasteiz 69.

🏨 **Gernika** sin rest, Carlos Gangoiti 17 ℰ 625 03 50, Fax 625 58 74 – 📺 🕿 **℗**. **AE** **①** **E** **VISA**
🛠
☐ 550 – **24 hab** 4950/7700.

🗙🗙 **Arrien,** Ferial 2 ℰ 625 06 41 – 🍽.

✗ **Zallo Barri,** Señorío de Vizcaya 79 ℰ 625 18 00 – 🍽. **AE** **①** **VISA**. 🛠
cerrado miércoles noche – Com carta 3600 a 4200.

✗ **Boliña** con hab, Barrenkalle 3 ℰ 625 03 00, Fax 625 03 00 – 🍽 rest 📺 🕿. **AE** **①** **E** **VISA**
🛠 – Com carta 2900 a 4250 – ☐ 500 – **16 hab** 5500/6500.

en la carretera C 6315 S : 2 km – ✉ 48392 Muxika – 🛟 94 :

🗙🗙 **Remenetxe,** barrio Ugarte ℰ 625 35 20, Caserío típico – 🍽 **℗**. **AE** **①** **E** **VISA** **JCB**. 🛠
cerrado miércoles y del 14 al 28 de febrero – Com carta 3600 a 5800.

GUETARIA o **GETARIA** 20808 Guipúzcoa 🔢 C 23 – 2 407 h. – 🛟 943.

Alred.: Carretera en cornisa★★ de Guetaria a Zarauz.

🅱 Gudarien Enparantza, ℰ 83 21 03 (temp.)

♦Madrid 487 – ♦Bilbao/Bilbo 77 – ♦Pamplona/Iruñea 107 – ♦San Sebastián/Donostia 26.

🗙🗙 **Elkano,** Herrieta 2 ℰ 83 16 14, 🛋, Pescados y mariscos – 🍽. **AE** **①** **VISA**. 🛠
cerrado 1ª quincena noviembre y febrero – Com carta 3300 a 5200.

🗙🗙 **Kaia Kaipe,** General Arnao 10 ℰ 14 05 00, ≤ puerto pesquero y mar, 🛋, Decoración
marinera, Pescados y mariscos – 🍽. **AE** **①** **E** **VISA**. 🛠
cerrado del 1 al 15 de marzo y del 13 al 30 de octubre – Com carta 4550 a 5550.

✗ **Talai-Pe,** Puerto Viejo ℰ 14 06 13, ≤, Decoración rústica marinera, Pescados y mariscos
– **AE** **①** **E** **VISA** **JCB**. 🛠
cerrado domingo noche – Com carta 3000 a 5250.

✗ **Iribar,** Nagusia 38 ℰ 14 04 06, Pescados y mariscos – 🍽. **AE** **①** **E** **VISA**. 🛠
cerrado jueves – Com carta 3150 a 5700.

al Suroeste : 2 km por carret. N 634 – ✉ 20808 Guetaria – 🛟 943 :

✗ **San Prudencio** 🐾 con hab (marzo-octubre), ℰ 14 04 11, ≤, 🛋 – **℗**. **VISA**. 🛠
Com *(cerrado diciembre)* carta 1800 a 4500 – ☐ 500 – **12 hab** 4500.

GUIJUELO 37770 Salamanca 441 K 12 - 4 900 h. - ☎ 923.
◆Madrid 206 - Ávila 99 - Plasencia 83 - ◆Salamanca 49.

- **Torres** sin rest, con cafetería, San Marcos 3 ✆ 58 14 51, Fax 58 00 17 - |‡| TV ☎. AE ⓓ E VISA. ✻
  ☕ 475 - **37 hab** 3700/6000.
- **Casa Manolo,** Gabriel y Galán 7 ✆ 58 14 76 - ▤. AE E VISA
  cerrado lunes y julio - Com carta 2200 a 3250.
- **La Amistad,** Teso de las Reses 25 ✆ 58 04 02, Rest. típico - ▤. AE ⓓ E VISA. ✻
  cerrado domingo - Com carta 2400 a 3650.

GUILLENA 41210 Sevilla 446 T 11 - 7 683 h. alt. 23 - ☎ 95.
◆ Madrid 545 - Aracena 71 - ◆ Huelva 108 - ◆ Sevilla 21.

en la carretera de Burguillos NE : 5 km - ✉ 41210 Guillena - ☎ 95 :

- **Cortijo Águila Real** ⑤, ✆ 479 80 06, Fax 578 43 30, ≤, ☂, « Elegante cortijo andaluz con amplio jardín y ⛱ » - ▤ TV ☎ P - 🏔 25/30. AE E VISA. ✻
  Com 4000 - **8 hab** ☕ 18000 - PA 7650.

HARO 26200 La Rioja 442 E 21 - 8 581 h. alt. 479 - ☎ 941.
Alred. : Balcón de la Rioja ✻★ E : 26 km.
i pl. Hermanos Florentino Rodríguez ✆ 31 27 26.
◆Madrid 330 - ◆Burgos 87 - ◆Logroño 49 - ◆Vitoria/Gasteiz 43.

- **Los Agustinos,** San Agustín 2 ✆ 31 13 08, Telex 37161, Fax 30 31 48, « Instalado en un convento del siglo XIV » - |‡| ▤ TV ☎ - 🏔 25/200. AE ⓓ E VISA JCB. ✻ rest
  Com *(cerrado domingo y agosto)* carta 2950 a 3650 - ☕ 975 - **60 hab** 9700/12130.
- **Beethoven II,** Santo Tomás 3 ✆ 31 11 81 - ▤. E VISA. ✻
  cerrado lunes noche, martes, del 1 al 15 julio y diciembre - Com carta 3000 a 3450.
- **Terete,** Lucrecia Arana 17 ✆ 31 00 23, Rest. típico con bodega, Cordero asado - ▤. VISA. ✻
  cerrado domingo noche, lunes y octubre - Com carta 2800 a 3100.

en la carretera N 232 SE : 1 km - ✉ 26200 Haro - ☎ 941 :

- **Iturrimurri,** carret. de circunvalación ✆ 31 12 13, Telex 37021, Fax 31 17 21, ≤, ⛱ - |‡| ▤ TV ☎ P - 🏔 25/100. AE E VISA. ✻ rest
  Com 1900 - ☕ 800 - **36 hab** 4600/8200 - PA 3700.

HECHO 22720 Huesca 443 D 27 alt. 833 - ☎ 974.
◆Madrid 497 - Huesca 102 - Jaca 49 - ◆Pamplona/Iruñea 122.

- **Lo Foratón** sin rest y sin ☕, urb. Cruz Alta ✆ 37 52 47 - |‡| ☎. E VISA
  Com (ver rest. **Lo Foratón**) - **28 hab** 4000/5500, 1 suite.
- **Gaby-Casa Blasquico,** pl. Palacio 1 ✆ 37 50 07, ☂ - VISA. ✻
  cerrado 1ª quincena de septiembre - **Comida** (es necesario reservar) carta aprox. 3500.
- **Lo Foratón** con hab, urb. Cruz Alta ✆ 37 52 47 - E VISA. ✻ rest
  Com carta aprox. 3200 - ☕ 375 - **10 hab** 4000/5500.

en la carretera de Selva de Oza N : 7 km - ✉ 22720 Hecho - ☎ 974 :

- **Usón** ⑤, ✆ 37 53 58, ≤ valle y montañas - P. VISA. ✻
  18 marzo-diciembre - Com *(julio-agosto y fines de semana resto del año)* 1500 - ☕ 400 - **14 hab** 4000/5000 - PA 3150.

HELLÍN 02400 Albacete 444 Q 24 - 22 651 h. alt. 566 - ☎ 967.
◆Madrid 306 - ◆Albacete 59 - ◆Murcia 84 - ◆Valencia 186.

- **Reina Victoria,** Coullaut Valera 3 ✆ 30 02 50, Fax 30 28 43 - ▤ 🚗. AE ⓓ E VISA. ✻
  Com 1500 - ☕ 400 - **24 hab** 6000/10000 - PA 2900.
- **Modesto,** López de Oro 18 ✆ 30 02 50, Fax 30 02 50 - AE ⓓ E VISA. ✻
  Com 1500 - ☕ 400 - **19 hab** 2500/6000 - PA 2900.
- **Hellín,** carret. de Murcia 31 ✆ 30 01 42, Fax 30 28 89 - ▤ rest ☎ P. AE E VISA. ✻
  Com 1400 - ☕ 300 - **26 hab** 2400/4200 - PA 3100.

La HERRADURA 18697 Granada 446 V 18 - ☎ 958 - Playa.
Alred. : O : Carretera★ de la Herradura a Nerja ≤★★.
◆Madrid 523 - Almería 138 - ◆Granada 93 - ◆Málaga 66.

- Los Fenicios, paseo Andrés Segovia ✆ 82 70 91, Fax 82 73 29, ≤, ☂, ⛱ - |‡| ▤ TV ☎ 🚗
  43 hab.

HERRERA DE PISUERGA **34400** Palencia 442 E 17 – 2 696 h. alt. 840 – ☎ 979.
♦Madrid 298 – ♦Burgos 68 – Palencia 72 – ♦Santander 129.

La Piedad, carret. N 611 ✆ 13 01 22 – P. AE ① E VISA. ✗
Com 1200 – ☕ 200 – **27 hab** 1500/3200 – PA 3300.

HIERRO Tenerife – ver Canarias.

HONDARRIBIA Guipúzcoa – ver Fuenterrabía.

HONRUBIA DE LA CUESTA **40541** Segovia 442 H 18 – 120 h. alt. 1 001 – ☎ 921.
♦Madrid 143 – Aranda de Duero 18 – ♦Segovia 97.

en El Miliario S : 4 km – ✉ 40541 Honrubia de la Cuesta – ☎ 921 :

Mesón Las Campanas con hab, antigua carret. N I ✆ 53 43 65, , Decoración rústica regional – P
7 hab.

HORCHE **19140** Guadalajara 444 K 20 – 1 179 h. – ☎ 949.
♦Madrid 68 – Guadalajara 13.

Sol La Cañada , ✆ 29 02 11, Fax 29 00 29, ←, , – ▤ ☎ – 25/30. AE ① E VISA. ✗ rest
Com 2400 – ☕ 650 – **26 hab** 6500/10000 – PA 4530.

HORNA Burgos – ver Villarcayo.

HOSPITALET DEL INFANTE o **L'HOSPITALET DEL INFANT** **43890** Tarragona 443 J 32 – 2 690 h. – ☎ 977 – Playa.
Alamanda, ✆ 82 33 28, Fax 82 39 00.
♦Madrid 579 – Castellón de la Plana 151 – Tarragona 37 – Tortosa 52.

Pino Alto, urb. Pino Alto NE : 1 km, ✉ 43892 Miami-Montroig, ✆ 81 10 00, Fax 81 09 07, « Terraza », , , , – |‡| ▤ TV ☎ – 25/140. AE ① E VISA. ✗ rest
Com 2400 – ☕ 950 – **137 hab** 10800/15200 – PA 4300.

Les Barques , Les Barques 14 ✆ 82 02 23, Fax 82 02 41, – |‡| ▤ TV ☎ . AE ① E VISA. ✗
cerrado 24 diciembre-7 enero – Com (ver rest. **Les Barques**) – ☕ 600 – **40 hab** 6000/8000.

Les Barques, paseo Marítimo 21 ✆ 82 39 61, Fax 82 02 41, ←, Pescados y mariscos – ▤ AE ① E VISA. ✗
cerrado lunes noche, martes y 20 diciembre-20 enero – Com carta 3150 a 3500.

en la playa de L'Almadrava SO : 9 km – ✉ 43890 Hospitalet del Infante – ☎ 977 :

Llorca , ✆ 82 31 09, Fax 82 31 09, ←, , – P. AE ① E VISA
Semana Santa-septiembre – Com 1600 – ☕ 500 – **15 hab** 4200/7200 – PA 3125.

La HOYA **30816** Murcia 445 S 25 – ☎ 968.
♦Madrid 471 – Cartagena 72 – ♦Murcia 53.

La Hoya, antigua carret. N 340 ✆ 48 18 06, Fax 48 19 05, , – ☎ P. AE ① E VISA. ✗ rest
Com *(cerrado domingo)* 1000 – ☕ 350 – **36 hab** 3000/5000 – PA 2000.

HOYOS DEL ESPINO **05634** Ávila 442 K 14 – 369 h. – ☎ 920.
♦Madrid 174 – Ávila 68 – Plasencia 107 – ♦Salamanca 130 – Talavera de la Reina 87.

Mira de Gredos con hab, ✆ 34 81 24, ← sierra de Gredos – P. ✗
cerrado octubre – Com *(cerrado jueves)* carta aprox. 2450 – ☕ 450 – **16 hab** 5000.

HOZNAYO **39716** Cantabria 442 B 18 – ☎ 942.
♦Madrid 399 – ♦Bilbao/Bilbo 86 – ♦Burgos 156 – ♦Santander 21.

Adelma, carret. N 634 ✆ 52 40 96, Fax 52 43 72, ← – ☎ P
36 hab.

UARTE 31620 Navarra **442** D 25 – 2 782 h. alt. 441 – **۞** 948.

adrid 402 – Pamplona/Iruñea 7.

✗ **Iriguibel**, carret. C 135 *₰* 33 14 14, Fax 33 00 69 – ■ **P. AE O E VISA**
cerrado martes y miércoles noche – Com carta 2800 a 4850.

Bellavista, Aljaraque O : 7 km *₰* 31 80 83.

av. de Alemania 14 ⊠ 21001, *₰* 25 74 03 – **R.A.C.E.** Puerto 24, ⊠ 21001, *₰* 25 49 47.

adrid 629 ② – ◆Badajoz 248 ② – Faro 105 ① – Mérida 282 ② – ◆Sevilla 92 ②.

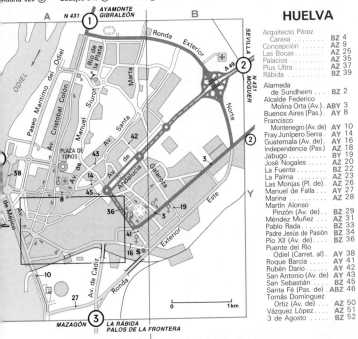

HUELVA

Arquitecto Pérez	
Carasa	**BZ** 4
Concepción	**AZ** 9
Las Bocas	**AZ** 25
Palacios	**AZ** 35
Plus Ultra	**AZ** 37
Rábida	**BZ** 39
Alameda	
de Sundheim	**BZ** 2
Alcalde Federico	
Molina Orta (Av.)	**ABY** 3
Buenos Aires (Pas.)	**AY** 8
Francisco	
Montenegro (Av. de)	**AY** 10
Fray Junípero Serra	**AY** 14
Guatemala (Av. de)	**AY** 16
Independencia (Pas.)	**AZ** 18
Jabugo	**BY** 19
José Nogales	**AZ** 20
La Fuente	**BZ** 22
La Palma	**AZ** 23
Las Monjas (Pl. de)	**AZ** 26
Manuel de Falla	**AZ** 27
Marina	**AZ** 28
Martín Alonso	
Pinzón (Av.)	**BZ** 29
Méndez Muñez	**AZ** 31
Pablo Rada	**BZ** 33
Padre Jesús de Pasión	**BZ** 34
Pío XII (Av. de)	**BZ** 36
Puente del Río	
Odiel (Carret. al)	**AY** 38
Roque Barcia	**AY** 41
Rubén Darío	**AY** 42
San Antonio (Av. de)	**AY** 43
San Sebastián	**BZ** 45
Santa Fé (Pas. de)	**ABZ** 46
Tomás Domínguez	
Ortiz (Av. de)	**AZ** 50
Vázquez López	**AZ** 51
3 de Agosto	**BZ** 52

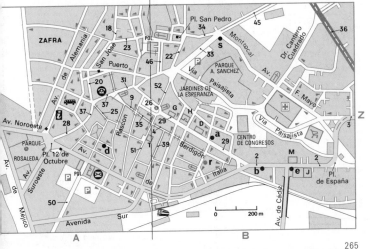

Luz Huelva sin rest, av. Sundheim 26, ✉ 21003, ✆ 25 00 11, Telex 75527, Fax 25 81
– 📺 🛁 📺 ☎ ⇔ – 🛗 25/100. 🖭 ⓞ 🗲 𝖵𝖨𝖲𝖠. ✀
⌂ 1000 – **107 hab** 9000/13500.   BZ

Monte Conquero sin rest, con cafetería, Pablo Rada 10, ✉ 21003, ✆ 28 55 0
Fax 28 39 12 – 📺 🛁 📺 ☎ & ⇔ – 🛗 25/50. 🖭 ⓞ 🗲 𝖵𝖨𝖲𝖠. ✀
⌂ 600 – **168 hab** 6000/10000.   BZ

Tartessos sin rest, av. Martín Alonso Pinzón 13, ✉ 21003, ✆ 28 27 11, Fax 25 06 17 –
🛁 📺 ☎. 🖭 ⓞ 🗲 𝖵𝖨𝖲𝖠. ✀
⌂ 550 – **112 hab** 6000/10000.   BZ

Los Condes sin rest, Alameda Sundheim 14, ✉ 21003, ✆ 28 24 00, Fax 25 92 22 – 📺
📺 ☎. 𝖵𝖨𝖲𝖠. ✀
⌂ 400 – **53 hab** 4000/7000.   BZ

Costa de la Luz sin rest y sin ⌂, José María Amo 8, ✉ 21001, ✆ 25 64 22 – 📺 📺
✀
35 hab 3500/6000.   AZ

XX **Las Meigas**, av. Guatemala 34, ✉ 21003, ✆ 28 48 58 – 🗉. 🖭 ⓞ 🗲 𝖵𝖨𝖲𝖠. ✀   AY
cerrado domingo en julio y agosto – Com carta 3050 a 4000.

X **La Cazuela**, Garci Fernández 5, ✉ 21003, ✆ 25 80 96 – 🗉. 🖭 ⓞ 🗲 𝖵𝖨𝖲𝖠. ✀   BZ
cerrado sábado – Com carta 1675 a 3100.

Para el buen uso de los planos de ciudades,
consulte los signos convencionales.

HUÉRCAL-OVERA 04600 Almería 𝟜𝟜𝟞 T 24 – 12 045 h. alt. 320 – 🕾 950.
♦Madrid 490 – Almería 117 – ♦Murcia 104.

en la carretera N 340 SO : 6 km – ✉ 04600 Huércal Overa – 🕾 950 :

🏠 Overa, ✆ 47 08 79 – 🗉 rest ❷
11 hab.

HUESCA 22000 🅿 𝟜𝟜𝟛 F 28 – 44 372 h. alt. 466 – 🕾 974.
Ver : Catedral★ (retablo de Damián Forment★★) **A** – Museo Arqueológico Provincial★ (colecció
de primitivos aragoneses★) **M1** – Iglesia de San Pedro el Viejo★ (claustro★) **B**.
Excurs. : Castillo de Loarre★★ ⁂★★ NO : 32 km ③.
🛈 Coso Alto 23, ✉ 22003, ✆ 22 57 78, Fax 22 57 78 – R.A.C.E. pl. de Navarra 2, ✉ 2200
✆ 22 55 76.
♦Madrid 392 ② – ♦Lérida/Lleida 123 ① – ♦Pamplona/Iruñea 164 ③ – Pau 211 ③ – ♦Zaragoza 72 ②.

HUESCA

Coso Alto

🏨 **Pedro I de Aragón,** Parque 34, ✉ 22003, ☎ 22 03 00, Telex 58626, Fax 22 00 94, 🌊 –
🛗 ▤ 📺 ☎ 🚗 – 🔏 25/500. 🆎 ⓪ ⴹ 𝓥𝓘𝓢𝓐. ✂ rest **a**
Com 3025 – ⌧ 1075 – **118 hab** 8500/13700, 2 suites.

🏠 **San Marcos,** San Orencio 10, ✉ 22001, ☎ 22 29 31, Fax 22 29 31 – 🛗 ▤ 📺 ☎. 🆎 ⴹ
𝓥𝓘𝓢𝓐. ✂ **f**
Com (ver rest. **El Molinero**) – ⌧ 375 – **26 hab** 3400/5775.

🏠 **Lizana** sin rest y sin ⌧, pl. de Lizana 6, ✉ 22002, ☎ 22 07 76, Fax 22 07 76 – 📺 🚗.
🆎 ⓪ ⴹ 𝓥𝓘𝓢𝓐. ✂ **e**
34 hab 2400/5200.

🏠 **Rugaca** sin rest, Porches de Galicia 1, ✉ 22002, ☎ 22 64 49, Fax 21 01 85 – ▤ 📺 ☎. 🆎
ⴹ 𝓥𝓘𝓢𝓐. ✂ **n**
⌧ 400 – **24 hab** 3500/5750.

🍴🍴 **Las Torres,** María Auxiliadora 3, ✉ 22003, ☎ 22 82 13 – ▤. 🆎 ⓪ ⴹ 𝓥𝓘𝓢𝓐. ✂ **d**
cerrado domingo, Semana Santa y del 16 al 31 de agosto – Com carta 3250 a 4350.

🍴🍴 ❀ **Navas,** San Lorenzo 15, ✉ 22002, ☎ 22 47 38, Fax 24 57 32 – ▤. 🆎 ⓪ ⴹ 𝓥𝓘𝓢𝓐 🇯🇨🇧. ✂
cerrado domingos salvo festivos y vísperas – Com carta 3800 a 4500 **s**
Espec. Espárragos blancos con royal de foie y jugo de trufas, Lubina asada con chireta y habitas
tiernas, Sorbete de manzana con granizado de calvados.

🍴🍴 **El Molinero,** San Orencio 10, ✉ 22001, ☎ 22 29 31, Fax 22 29 31 – ▤. 🆎 ⴹ 𝓥𝓘𝓢𝓐. ✂
cerrado domingo – Com carta 2900 a 3900. **f**

🍴🍴 Bigarren, av. Pirineos 15, ✉ 22004, ☎ 22 95 60 – ▤ **c**

🍴 La Campana, Coso Alto 78, ✉ 22003, ☎ 22 95 00 – ▤ **t**

🍴 Parrilla Gombar, av. Martínez de Velasco 34, ✉ 22004, ☎ 21 22 70 – ▤ **z**

🍴 **Casa Vicente,** pl. de Lérida 2, ✉ 22004, ☎ 22 98 11 – ▤. 𝓥𝓘𝓢𝓐. ✂ **b**
cerrado domingo y septiembre – Com carta 2400 a 4100.

HÚMERA Madrid – ver Pozuelo de Alarcón.

IBARRA Guipúzcoa – ver Tolosa.

IBI 03440 Alicante 445 Q 28 – 19 846 h. alt. 820 – ⓺ 96.
◆Madrid 380 – ◆Alicante/Alacant 59 – ◆Albacete 133 – ◆Valencia 130.

🏠 Plata, San Roque 1 ☎ 555 06 00, Fax 655 03 44 – 🛗 📺 ☎ Ⓟ – **30 hab.**

IBIZA Baleares – ver Baleares.

ICOD DE LOS VINOS Tenerife – ver Canarias (Tenerife).

IDIAZÁBAL 20213 Guipúzcoa 442 C 23 – 1 974 h. alt. 210 – ⓺ 943.
◆Madrid 423 – ◆Pamplona/Iruñea 68 – ◆San Sebastián/Donostia 50 – ◆Vitoria/Gasteiz 66.

en la carretera N I S : 2 km – ✉ 20213 Idiazábal – ⓺ 943 :

🍴 **Gaztelu,** ☎ 80 11 93, ≼, 🌳 – Ⓟ. 𝓥𝓘𝓢𝓐. ✂
cerrado lunes noche, martes y 20 días en enero – Com carta 2100 a 3450.

IGORRE Vizcaya – ver Yurre.

IGUALADA 08700 Barcelona 443 H 34 – 31 451 h. alt. 315 – ⓺ 93.
◆Madrid 562 – ◆Barcelona 67 – ◆Lérida/Lleida 93 – Tarragona 93.

🏨 **América,** antigua carret. N II ☎ 803 10 00, Fax 805 00 78, 🌳, 🌊, 🎾 – 🛗 ▤ 📺 ☎ Ⓟ
– 🔏 25/400. 🆎 ⓪ ⴹ 𝓥𝓘𝓢𝓐. ✂
cerrado del 1 al 15 de agosto – Com 2400 – ⌧ 800 – **52 hab** 5000/11000 – PA 4700.

🍴 ❀ **El Jardí de Granja Plá,** rambla de Sant Isidre 12 ☎ 803 18 64, Fax 805 03 13 – ▤ Ⓟ.
🆎 ⓪ ⴹ 𝓥𝓘𝓢𝓐 🇯🇨🇧
cerrado noches de domingo, lunes, festivos y 25 julio-14 agosto – Com carta 3100 a 4550
Espec. Carpaccio de pescados con verduritas al roquefort, Las tres delicias del mar al azafrán
con Pernod, Rable de conejo relleno en un coulis de Armagnac.

🍴 **El Mirall,** passeig Verdaguer 6 ☎ 804 25 02 – ▤. 🆎 ⓪ ⴹ 𝓥𝓘𝓢𝓐
cerrado domingo noche, miércoles y del 1 al 15 de septiembre – Com carta 3300 a 4600.

Die im Michelin-Führer
verwendeten Zeichen und Symbole haben
— **fett** oder dünn gedruckt, rot oder schwarz —
jeweils eine andere Bedeutung.
Lesen Sie daher die Erklärungen aufmerksam durch.

267

ILLESCAS **45200** Toledo 444 L 18 - 7 857 h. alt. 588 - ☎ 925.
◆ Madrid 36 - Aranjuez 31 - Ávila 144 - Toledo 34.

XX **El Bohío,** av. 18 de Octubre 81 ☎ 51 11 26 - ▤. AE ⓓ E VISA. ✻
cerrado domingo y 15 agosto-9 septiembre - Com carta 4175 a 4825.

en la autovía N 401 NE : 5 km - ✉ 45200 Illescas

XX **La Alquería,** apartado 46 ☎ 51 38 02 - ▤ Ⓟ. E VISA. ✻
cerrado sábado y 2ª quincena de agosto - Com (sólo almuerzo) carta 2775 a 3675.

ILLETAS Baleares - ver Baleares (Mallorca).

INCA Baleares - ver Baleares (Mallorca).

INGLÉS (Playa del) Las Palmas - ver Canarias (Gran Canaria) : Maspalomas.

La IRUELA **23476** Jaén 446 S 21 - 2 360 h. alt. 932 - ☎ 953.
Ver : Carretera de los miradores ≤★★.
◆Madrid 365 - Jaén 103 - Úbeda 48.

🏨 **Sierra de Cazorla** ⛰, carret. de la Sierra NE : 1 km ☎ 72 00 15, Fax 72 00 17, ≤, 🏊
Ⓟ. AE ⓓ E VISA. ✻ rest
Com 1500 - ☕ 475 - **52 hab** 4500/6950 - PA 2950.

IRÚN **20300** Guipúzcoa 442 B y C 24 - 53 445 h. alt. 20 - ☎ 943.
Alred. : Ermita de San Marcial ✻ ★★ E : 3 km.
ℹ barrio de Behobia ☎ 62 26 27.
◆Madrid 509 - ◆Bayonne 34 - ◆Pamplona/Iruñea 90 - ◆San Sebastián/Donostia 20.

🏠 **Lizaso** sin rest, Aduana 5 ☎ 61 16 00 - ✻
☕ 375 - **20 hab** 3400/4975.

XXX **Mertxe,** Francisco Gainza 9 - barrio Beraun ☎ 62 46 82, 🍽 - AE E VISA
cerrado domingo noche, miércoles, del 6 al 17 abril y del 21 al 31 de diciembre - Cor
carta 3800 a 4700.

XX **Romantxo,** pl. Urdanibia ☎ 62 09 71, Decoración rústica regional - ▤. AE ⓓ E VIS
✻
cerrado domingo noche, lunes, 17 agosto-4 septiembre y 23 diciembre-7 enero - Co
carta 3500 a 4800.

XX **Larretxipi,** Larretxipi 5 ☎ 63 26 59 - AE ⓓ VISA. ✻
cerrado domingo noche y martes - Com carta 2850 a 4150.

en Behobia E : 2 km - ✉ 20300 Irún - ☎ 943 :

X **Enrique,** Complejo Zaisa ☎ 62 26 29 - ▤. AE ⓓ VISA. ✻
Com carta 2550 a 3550.

X **Trinquete,** Francisco Labandibar 38 ☎ 62 20 20 - AE ⓓ E VISA. ✻
cerrado domingo noche y miércoles - Com carta 3000 a 4450.

en la carretera de Fuenterrabía a San Sebastián - ✉ 20300 Irún - ☎ 943 :

🏨 **Urdanibia,** NO : 5 km ☎ 63 04 40, Fax 63 04 10, 🏊 - 🛗 ▤ 📺 ☎ 🚗 Ⓟ - 🏛 25/70
AE VISA. ✻ rest
Com 1500 - ☕ 700 - **115 hab** 9000/12000 - PA 3145.

XX **Jaizubía,** NO : 4,5 km ☎ 61 80 66 - AE ⓓ E VISA JCB
cerrado lunes y febrero - Com carta 4600 a 6500.

IRUÑEA Navarra - ver Pamplona.

IRURITA **31730** Navarra 442 C 25 - ☎ 948.
◆Madrid 448 - ◆Bayonne 57 - ◆Pamplona/Iruñea 53 - St-Jean-Pied-de-Port 40.

X Olari, Pedro María Hualde ☎ 45 22 54 - ▤.

ISABA **31417** Navarra 442 D 27 - 558 h. alt. 813 - ☎ 948.
Alred. : O : Valle del Roncal★ - SE : Carretera★ del Roncal a Ansó.
◆Madrid 467 - Huesca 129 - ◆Pamplona/Iruñea 97.

🏨 Isaba ⛰, Bormapea ☎ 89 30 00, Fax 89 30 30, ≤ - 🛗 ☎ Ⓟ - **50 hab.**
🏠 Lola ⛰, Mendigacha 17 ☎ 89 30 12 - **26 hab.**

ISLA - ver a continuación y el nombre propio de la isla.

ISLA 39195 Cantabria 442 B 19 – ✪ 942 – Playa.
◆Madrid 426 – ◆Bilbao/Bilbo 81 – ◆Santander 48.

en la playa de Quejo E : 3 km – ⊠ 39195 Isla – ✪ 942 :

🏨🏨 **Olimpo,** barrio La Barrosa ℰ 67 93 32, Fax 67 94 63, ≤ playa, 𝄞, ⴈ, ☞, ╳ – 🛗 🗐 📺
🕿 ⇌ 🅿 – ⚐ 25/60. 🝊 ⓞ 𝗘 𝘝𝘐𝘚𝘈. ❄
cerrado 13 diciembre-12 enero – Com 1800 – ⊆ 1000 – **68 hab** 11750/16000 – PA 3400.

🏨 **Pelayo,** av. Juan Ormaechea 22 ℰ 67 96 01, Fax 67 96 42 – 🛗 🗐 rest 📺 🕿 🅿. 🝊 𝗘 𝘝𝘐𝘚𝘈.
Semana Santa y julio-septiembre – Com 2000 – ⊆ 350 – **27 hab** 4900/8900.

🏨 **Astuy,** ℰ 67 95 40, Fax 67 95 88, ≤, ⴈ – 🛗 📺 🕿 🅿. 🝊 ⓞ 𝗘 𝘝𝘐𝘚𝘈. ❄
cerrado 15 diciembre-15 enero – Com 1600 – ⊆ 550 – **52 hab** 6200/7600.

La ISLA (Playa de) Murcia – ver Puerto de Mazarrón.

ISLA CRISTINA 21410 Huelva 446 U 8 – 16 335 h. – ✪ 959 – Playa.
◆Madrid 672 – Beja 138 – Faro 69 – Huelva 56.

🏨 **Paraíso Playa** ⌂, carret. de la playa : 1 km ℰ 33 18 73, Fax 34 37 45, 🌐, ⴈ – 🕿 🅿.
🝊 𝗘 𝘝𝘐𝘚𝘈. ❄
cerrado 15 diciembre-15 enero – Com 1400 – ⊆ 450 – **35 hab** 5000/7500 – PA 2900.

🏨 **Sol y Mar** ⌂, playa : 1 km ℰ 33 20 50, ≤, 🌐 – 📺 🕿 🅿. ❄
Com 1270 – ⊆ 225 – **16 hab** 5000/7500.

ISLARES 39798 Cantabria 442 B 20 – ✪ 942 – Playa.
◆Madrid 437 – ◆Bilbao/Bilbo 41 – ◆Santander 80.

╳ El Langostero ⌂ con hab, Playa de Arenillas ℰ 86 22 12, Fax 86 22 12, ≤, 🌐 – 📺 🅿
10 hab.

JACA 22700 Huesca 443 E 28 – 13 771 h. alt. 820 – ✪ 974.
Ver : Catedral★ (capiteles historiados★) Museo Episcopal : (frescos★).
Alred. : Monasterio de San Juan de la Peña★★ : paraje★★ – Claustro★ (capiteles★★) SO : 28 km.
🛈 av. Regimiento de Galicia 2 ℰ 36 00 98, Fax 35 51 65.
◆Madrid 481 – Huesca 91 – Oloron-Ste-Marie 87 – ◆Pamplona/Iruñea 111.

🏨🏨 **Aparthotel Oroel,** av. de Francia 37 ℰ 36 24 11, Telex 57954, Fax 36 38 04, ⴈ, ╳ – 🛗
🗐 rest 📺 🕿 ⇌. 🝊 ⓞ 𝗘 𝘝𝘐𝘚𝘈. ❄
Com 2700 – ⊆ 775 – **124 hab** 9200/11600 – PA 5250.

🏨🏨 **Gran Hotel,** paseo de la Constitucion 1 ℰ 36 09 00, Fax 36 40 61, ⴈ – 🛗 🗐 rest 📺 🕿
🅿. 🝊 ⓞ 𝗘 𝘝𝘐𝘚𝘈. ❄
cerrado noviembre – Com 2300 – ⊆ 650 – **164 hab** 7100/10600, 1 suite – PA 4450.

🏨 **Conde Aznar,** paseo de la Constitución 3 ℰ 36 10 50, Fax 36 07 97 – 🗐 rest 📺 🕿. 🝊
𝗘 𝘝𝘐𝘚𝘈. ❄ rest
Com (ver también rest. **La Cocina Aragonesa**) 1950 – ⊆ 550 – **24 hab** 5000/7500 – PA
3700.

🏨 **Pradas** sin rest, con cafetería, Obispo 12 ℰ 36 11 50, Fax 36 39 48 – 🛗 🕿. 🝊 ⓞ 𝗘 𝘝𝘐𝘚𝘈.
❄
⊆ 375 – **39 hab** 3700/6500.

🏨 **Canfranc** sin rest, av. Oroel ℰ 36 31 32, Fax 36 49 79, ≤ – 🛗 📺 🕿 🅿. 🝊 ⓞ 𝗘 𝘝𝘐𝘚𝘈. ❄
⊆ 500 – **20 hab** 5600/8000.

🏨 **Mur,** Santa Orosia 1 ℰ 36 01 00 – 🛗 ☏. ❄
Com 1500 – **68 hab** ⊆ 4500/6800 – PA 3000.

🏨 **Ramiro I,** Carmen 23 ℰ 36 13 67, Fax 36 13 61 – 🛗 📺 🕿. 𝗘 𝘝𝘐𝘚𝘈. ❄
cerrado 2 noviembre-2 diciembre – Com 1350 – ⊆ 475 – **28 hab** 4250/6750 – PA 2550.

🏨 **Ciudad de Jaca,** Sancho Ramírez 15 ℰ 36 43 11, Fax 36 43 95 – 🛗 📺 🕿. ❄
julio-septiembre y diciembre-abril – ⊆ 400 – **18 hab** 3600/4850.

🏨 **Galindo,** Mayor 45 ℰ 36 37 11, Fax 36 38 58 – 📺 🕿. 🝊 𝘝𝘐𝘚𝘈. ❄
Com 1150 – ⊆ 475 – **19 hab** 3700/6350 – PA 2200.

🏨 **A Boira** sin rest, Valle de Ansó 3 ℰ 36 38 48 – 🛗 📺 🕿. 𝘝𝘐𝘚𝘈
⊆ 400 – **30 hab** 3000/5660.

╳╳ **La Cocina Aragonesa,** Cervantes 5 ℰ 36 10 50, Fax 36 07 97, « Decoración regional » –
🗐. 🝊 𝘝𝘐𝘚𝘈. ❄
cerrado miércoles (salvo en temporada) y noviembre – Com carta 3450 a 5050.

╳ **El Rancho Grande,** del Arco 2 ℰ 36 01 72, Decoración rústica – 🗐. 🝊 𝘝𝘐𝘚𝘈. ❄
cerrado del 1 al 15 julio y del 1 al 15 de octubre – Com carta 2800 a 4900.

╳ **José,** av. Domingo Miral 4 ℰ 36 11 12 – 🗐. 🝊 𝗘 𝘝𝘐𝘚𝘈. ❄
cerrado lunes (salvo julio-agosto) y noviembre – Com carta 2450 a 4200.

♦Madrid 103 - Guadalajara 48 - Soria 114.

 ✗ Cuatro Caminos, Cuatro Caminos 10 🖋 89 00 21 – 🗐.

JAÉN 23000 🅿 446 S 18 – 96 429 h. alt. 574 – 🕾 953.

Ver : paisaje de olivares★★ (desde la alameda de Calvo Sotelo) Museo provincial★ (colecciones arqueológicas★ AY M – Catedral (sillería★, museo★) AZ E – Capilla de San Andrés (capilla de la Inmaculada★★) AYZ B.

Alred. : Castillo de Santa Catalina (carretera★ ✳★) O : 4,5 km AZ.

🛈 Arquitecto Bergés 1, ⊠ 23007, 🖋 22 27 37 – R.A.C.E. paseo de la Estación 33, ⊠ 23008, 🖋 25 38 15.

♦Madrid 336 ① – Almería 232 ② – ♦Córdoba 107 ③ – ♦Granada 94 ② – Linares 51 ① – Úbeda 57 ②.

JAÉN

Para el buen uso
de los planos de ciudades,
consulte
los signos convencionales.

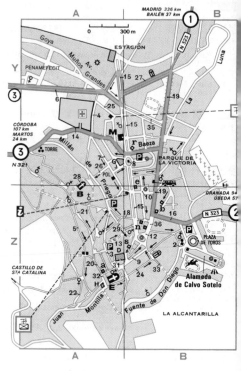

🏨 **Condestable Iranzo,** paseo de la Estación 32, ⊠ 23008, 🖋 22 28 00, Fax 26 38 07 – 📶 🗐 📺 🕾 – 🔏 30/250. 🖭 🚾. ✀   BY **r**
Com 2300 – 🖙 500 – **159 hab** 7200/11000.

🏨 **Xauen** sin rest, pl. Deán Mazas 3, ⊠ 23001, 🖋 26 40 11 – 📶 🗐 🐎. 🚾   BZ **s**
🖙 350 – **35 hab** 5700/8500.

🏨 **Europa** sin rest y sin 🖙, pl. Belén 1, ⊠ 23001, 🖋 22 27 00, Fax 22 26 92 – 📶 🗐 📺 🕾. 🖭 ⓞ 🗉 🚾 – **36 hab** 3680/5330.   BZ **b**

🏨 **Reyes Católicos** sin rest, av. de Granada 1 - 1°, ⊠ 23001, 🖋 22 22 50 – 📶 🗐 🐎. ✀ 🖙 350 – **28 hab** 3885/5775.   BZ **b**

✗✗ **Jockey Club,** paseo de la Estación 20, ⊠ 23008, 🖋 25 10 18 – 🗐. 🖭 ⓞ 🗉 🚾. ✀ *cerrado domingo y agosto* – Com carta 2900 a 3825.   BY **e**

✗✗ **Casa Vicente,** Maestra 8, ⊠ 23002, 🖋 26 28 16, ☃ – 🗐. 🖭 🚾   · AZ **a**
cerrado domingo noche – Com carta 2700 a 3950.

✗ **Mesón Río Chico,** Nueva 12, ⊠ 23001, 🖋 22 85 02 – 🗐. 🗉 🚾. ✀   BZ **n**
cerrado lunes y agosto – Com carta aprox. 2500.

✗ Mesón Nuyra, pasaje Nuyra, ⊠ 23001, 🖋 27 31 31 – 🗐   BZ **n**

✗ Los Mariscos, Nueva 2, ⊠ 23001, 🖋 25 32 06 – 🗐   BZ **n** *al Oeste : 4,5 km* AZ – ⊠ 23001 Jaén – 🐼 953 :

🏰 **Parador de Santa Catalina** ⤿, 🖉 23 00 00, Fax 23 09 30, « Instalado en un castillo con ≤ Jaén, olivares y montañas », ⏋ – ⧇ ▤ 📺 ☎ 🅟 – 🔏 25/60. 🝉 ⓞ 🚾. ⅋
Com 1800 – ☲ **45 hab** 13000 – PA 6375.

en la carretera N 323 por ② – 🐼 953 :

🏨 **Mistral,** 7,3 km, ⊠ 23170 La Guardia de Jaén, 🖉 25 13 04, ⏋ – ▤ 📺 ☎ 🅟 – 🔏 25/450. 🝉 🚾. ⅋
Com 1200 – ☲ 300 – **16 hab** 4775/5950 – PA 2600.

🏨 **La Yuca** sin rest, 5,5 km, ⊠ 23080 Jaén apartado 117, 🖉 22 19 50, Fax 22 16 59 – ▤ 📺 ☎ 🅟. 🝉 ⓞ 🝉 🚾
☲ 320 – **23 hab** 4985/7210.

LA JARA o **LA XARA** 03700 Alicante 445 P 30 – 🐼 96.
◆Madrid 443 – ◆Alicante/Alacant 88 – ◆Valencia 95.

✗ **Venta de Posa,** partida Fredat 9 🖉 578 46 72, Arroces y carnes – 🝉 🚾. ⅋
cerrado lunes y noviembre – Com carta aprox. 3100.

JARANDILLA DE LA VERA 10450 Cáceres 444 L 12 – 3 144 h. alt. 660 – 🐼 927.
◆Madrid 213 – ◆Cáceres 132 – Plasencia 53.

🏰 **Parador Carlos V** ⤿, 🖉 56 01 17, Fax 56 00 88, « Instalado en un castillo feudal del siglo XV », ⏋, 🐎, ✗ – ▤ 📺 ☎ 🅟. 🝉 ⓞ 🚾. ⅋
Com 3200 – ☲ 1100 – **53 hab** 12500 – PA 6375.

✗ El Labrador, av. Calvo Sotelo 123 🖉 56 07 91 – ▤.

JÁTIVA o **XÀTIVA** 46800 Valencia 445 P 28 – 23 755 h. alt. 110 – 🐼 96.
Ver : Ermita de Sant Feliu (pila de agua bendita★).
🖪 Noguera 1 🖉 227 33 46.
◆Madrid 379 – ◆Albacete 132 – ◆Alicante/Alacant 108 – ◆Valencia 59.

🏨 **Vernisa** sin rest, Académico Maravall 1 🖉 227 10 11, Fax 228 13 65 – 📺 ☎. 🝉 ⓞ 🝉 🚾. ⅋
Com 1400 – ☲ 350 – **39 hab** 4800/6600 – PA 2800.

✗ **Casa La Abuela,** Reina 17 🖉 227 05 25 – ▤. 🝉 ⓞ 🝉 🚾 🈂. ⅋
cerrado domingo y 15 julio-6 agosto – Com carta 2500 a 3750.

JÁVEA o **XÀBIA** 03730 Alicante 445 P 30 – 10 964 h. – 🐼 96 – Playa.
Alred. : Cabo de San Antonio★ (≤★) N : 5 km – Cabo de la Nao★ (≤★) SE : 10 km.
🏌 urb. El Tosalet 4,5 km.
🖪 en el puerto : pl. Almirante Basterreche 🖉 579 07 36.
◆Madrid 457 – ◆Alicante/Alacant 87 – ◆Valencia 109.

✗ **Los Pepes,** av. Juan Carlos I 32 🖉 579 38 05, 🎇 – 🝉 🚾. ⅋
cerrado lunes y enero – Com carta 2200 a 3250.

en el puerto E : 1,5 km – ⊠ 03730 Jávea – 🐼 96 :

🏨 **Jávea,** Pío X-5 🖉 579 54 61 – ☎. 🝉 🚾. ⅋
Com (sólo cena) carta aprox. 1950 – **24 hab** ☲ 5000/7500.

en la carretera de Jesús Pobre O : 4,5 km – ⊠ 03730 Jávea – 🐼 96 :

✗ **Los Amigos del Montgó,** 🖉 579 14 31, 🎇 – 🅟. 🝉 🚾. ⅋
cerrado martes y del 1 al 20 de noviembre – Com carta 2100 a 3100.

al Sureste **en la carretera del Cabo de la Nao** – ⊠ 03730 Jávea – 🐼 96 :

🏰 **Parador Costa Blanca** ⤿, playa del Arenal, 4 km 🖉 579 02 00, Telex 66914, Fax 579 03 08, ≤, 🎇, « Jardín con césped y palmeras », ⏋ – ⧇ ▤ 📺 ☎ 🅟 – 🔏 25/200. 🝉 ⓞ 🚾. ⅋
Com 3200 – ☲ 1100 – **65 hab** 15000 – PA 6375.

🏨 **Bahía Vista** ⤿, Portichol 76, 7,5 km 🖉 579 47 80, Fax 647 09 95, ≤, « Terraza con ⏋ » – ☎ 🅟. 🝉 ⓞ 🝉 🚾. ⅋
Com 1900 – ☲ 550 – **17 hab** 7600/9500 – PA 3145.

✗✗ **El Negresco,** Nantes, 3 km 🖉 646 05 52 – ▤. 🝉 🝉 🚾 🈂. ⅋
cerrado martes de octubre a mayo y 15 enero-15 febrero – Com (sólo cena de junio a septiembre) carta 2400 a 3200.

✗✗ Chez Ángel, Jávea Park, 3 km 🖉 579 27 23 – ▤.

✗✗ **Carrasco,** Partida Adsubia, cruce a Benitachell 4 km 🖉 577 16 91, ≤, 🎇 – 🅟. 🝉 🝉 🚾. ⅋
cerrado miércoles y enero-15 marzo – Com (sólo cena) carta 2900 a 3200.

✗ Asador el Caballero, Jávea Park Bl 8, L 10, 3 km 🖉 579 34 47, Asados – ▤.

♦Madrid 411 – Jaca 68 – ♦Pamplona/Iruñea 51.

🏨 **Xavier** ⟨⟩, pl. del Santo 𝒫 88 40 06, Fax 88 40 78 – 📶 🗏 rest 📺 ☎. 🅰🅴 🖽. ⚡ res
cerrado 22 diciembre-10 febrero – Com 1600 – ☐ 500 – **46 hab** 5000/7000 – PA 3700

✗ **El Mesón** ⟨⟩, con hab, Explanada 𝒫 88 40 35, Fax 88 42 26, ⇌ – **🅿**. 🅰🅴 🅴 🎫. ⚡
cerrado 15 diciembre-febrero – Com carta 2050 a 3100 – ☐ 500 – **8 hab** 5200.

Ver : Bodegas★ AZ – Museo de los relojes "La Atalaya"★★ AY – Real Escuela Andaluza de Arte
Ecuestre★ (exhibición★★) BY.

⟨⟩ de Jerez, por la carretera N IV ① : 11 km 𝒫 15 00 00 – Iberia : pl. del Arenal 2 𝒫 900 33 31 11
BZ y Aviaco, aeropuerto 𝒫 15 00 11.

🛈 Alameda Cristina 7 ⊠ 11403, 𝒫 33 11 50.

♦Madrid 613 ② – Antequera 176 ② – ♦Cádiz 35 ③ – Écija 155 ② – Ronda 116 ② – ♦Sevilla 90 ①.

Plano página siguiente

🏨🏨 **Jerez,** av. Alcalde Álvaro Domecq 35, ⊠ 11405, 𝒫 30 06 00, Telex 75059, Fax 30 50 01
« Jardín con ⟨⟩ », ⚒ – 📶 🗏 📺 ☎ **🅿** – 🔬 25/350. 🅰🅴 🅾 🅴 🎫. ⚡   por ①
Com 3200 – ☐ 1500 – **121 hab** 12800/16000 – PA 6500.

🏨🏨 **Royal Sherry Park,** av. Alcalde Álvaro Domecq 11 bis, ⊠ 11405, 𝒫 30 30 11, Telex 75001
Fax 31 13 00, ⇌, « Jardín con ⟨⟩ » – 📶 🗏 📺 ☎ **🅿** – 🔬 25/280. 🅰🅴 🅾 🅴 🎫. ⚡
Com 2750 – ☐ 1100 – **173 hab** 12800/14000 – PA 5610.   BY a

🏨🏨 **Guadalete,** av. Duque de Abrantes 50, ⊠ 11407, 𝒫 18 22 88, Fax 18 22 93, ⇌, ⟨⟩ – 📶
🗏 📺 ☎ ⟨⟩ **🅿** – 🔬 25/550. 🅰🅴 🅾 🅴 🎫. ⚡   por carret. a Lebrija   BY
Com carta 2800 a 4000 – ☐ 1000 – **137 hab** 12800/16000.

🏨 **Avenida Jerez** sin rest, con cafetería, av. Alcalde Álvaro Domecq 10, ⊠ 11405
𝒫 34 74 11, Telex 75157, Fax 33 72 96 – 📶 🗏 📺 ☎. 🅰🅴 🅾 🅴 🎫. ⚡   BY c
☐ 725 – **95 hab** 7000/10000.

🏨 **Doña Blanca** sin rest, Bodegas 11, ⊠ 11402, 𝒫 34 87 61, Fax 34 85 86 – 📶 🗏 📺 ☎ ⟨⟩
🅰🅴 🅾 🅴 🎫. ⚡   BZ b
☐ 650 – **30 hab** 8500/12500.

🏨 **Serit** sin rest, Higueras 7, ⊠ 11402, 𝒫 34 07 00, Fax 34 07 16 – 📶 🗏 📺 ☎. 🅰🅴 🅴 🎫
☐ 400 – **35 hab** 5000/6800.   GV

🏛 **El Coloso** sin rest y sin ☐, Pedro Alonso 13, ⊠ 11402, 𝒫 34 90 08, Fax 34 90 08 – 📶
📺 ⟨⟩. 🅰🅴 🅾 🅴 🎫   BZ c
29 hab 4500/6700.

🏛 **Ávila** sin rest, Ávila 3, ⊠ 11401, 𝒫 33 48 08, Fax 33 68 07 – 🗏 📺 ☎. 🅰🅴 🅾 🅴 🎫. ⚡
☐ 400 – **32 hab** 5000/8000.   BZ n

✗✗✗ El Bosque, av. Alcalde Álvaro Domecq 26, ⊠ 11405, 𝒫 30 33 33, Fax 30 80 08, « Junto a
un parque » – 🗏   por ①

✗✗ **Tendido 6,** Circo 10, ⊠ 11405, 𝒫 34 48 35, Fax 33 03 74, Patio andaluz – 🗏. 🅰🅴 🅾 🅴
🎫. ⚡   BY e
cerrado domingo – Com carta aprox. 3200.

✗ **Gaitán,** Gaitán 3, ⊠ 11403, 𝒫 34 58 59, Fax 34 58 59, Decoración regional – 🗏. 🅰🅴 🅾
🅴 🎫. ⚡   AY z
cerrado domingo noche – Com carta 2650 a 3725.

en la carretera N IV por ① – ✪ 956 :

🏨🏨 **Don Tico,** 9 km dirección Sevilla, ⊠ 11480 apartado 231 Jerez de la Frontera, 𝒫 18 59 06
Fax 18 16 04, ⌁, ⟨⟩, ⚒ – 📶 🗏 📺 ☎ **🅿** – 🔬 25/500. 🅰🅴 🅴 🎫. ⚡
Com 3000 – ☐ 1000 – **70 hab** 11000/14000 – PA 5900.

✗ **Mesón Montealto,** 3 km dirección Cádiz, ⊠ 11407 Jerez de la Frontera, 𝒫 30 28 55, ⇌
– 🗏. 🅰🅴 🅾 🅴. ⚡
Com carta 2800 a 3650.

en la carretera N 342 por ② – ⊠ 11406 Jerez de la Frontera – ✪ 956 :

🏨🏨 **Montecastillo** ⟨⟩, 9,8 km y desvío a la derecha 1,5 km, ⊠ apartado 56, 𝒫 15 12 00
Fax 15 12 09, ⟨⟩, ⟨⟩, ⚒ – 📶 🗏 📺 ☎ **🅿** – 🔬 25/120. 🅰🅴 🅾 🅴 🎫 🎫. ⚡
Com carta 2650 a 4200 – **118 hab** ☐ 13000/15500, 3 suites.

🏨🏨 **La Cueva Park,** 10,5 km, ⊠ apartado 536, 𝒫 18 91 20, Fax 18 91 21, ⟨⟩ – 📶 🗏 📺 ☎
⟨⟩ **🅿** – 🔬 25/400. 🅰🅴 🅾 🅴. ⚡
Com (ver rest. **Mesón La Cueva**) – ☐ 500 – **53 hab** 10000/14000.

✗✗ **Mesón La Cueva,** 10,5 km, ⊠ apartado 536, 𝒫 18 90 20, Fax 18 90 20, ⇌, ⟨⟩ – **🅿**
🅰🅴 🅾 🅴 🎫. ⚡
Com carta 2350 a 3300.

en la carretera de Sanlúcar de Barrameda por ④ : 6 km – ⊠ 11408 Jerez de la Frontera
– ✪ 956 :

✗✗ Venta Antonio, ⊠ apartado 618, 𝒫 14 05 35, Fax 14 05 35, ⇌, Pescados y mariscos – 🗏
🅿.

JEREZ DE LA FRONTERA

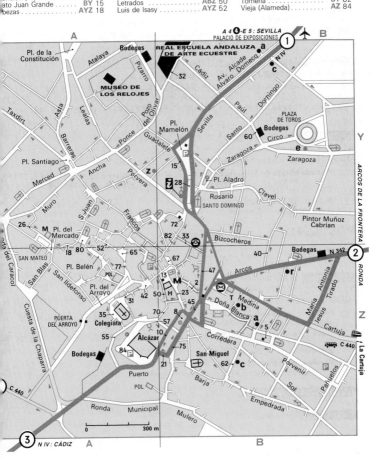

Per i grandi viaggi d'affari o di turismo,
Guida MICHELIN rossa : *main cities EUROPE.*

JEREZ DE LOS CABALLEROS 06380 Badajoz 444 R 9 – 10 280 h. alt. 507 – © 924.

◆ Madrid 444 – Badajoz 75 – Mérida 103 – Zafra 40.

Los Templarios, carret. de Villanueva ℘ 73 16 36, Fax 75 03 38, ≤ Dehesa extremeña, ⅃,
℁ – ▯ ▤ TV ☎ ℗ – ⊿ 25/150. AE E VISA. ℀
Com 1300 – ⊇ 375 – **46 hab** 4500/7000, 3 suites.

JESÚS Baleares – ver Baleares (Ibiza).

La JONQUERA Gerona – ver La Junquera.

JUBIA o **XUBIA** 15570 La Coruña 🅐🅐🅐 B 5 – 🕏 981 – Playa.
◆Madrid 601 – ◆La Coruña/A Coruña 64 – Ferrol 8 – Lugo 97.

XX ❊ **Casa Tomás,** carret. LC 115 🖉 38 02 40, Pescados y mariscos – 🅟. 🕮 🕦 🗲 🆅🆂🅰. *cerrado domingo noche y del 16 al 31 de agosto* – Com carta 3000 a 5000
Espec. Cigalas plancha, Salpicón Tomás, Caldeirada Tomás.

La JUNQUERA o **La JONQUERA** 17700 Gerona 🅐🅐🅐 E 38 – 2 420 h. alt. 112 – 🕏 972
🗓 autopista A7 - peatge de La Jonquera, ✉ 17700, 🖉 55 43 54, Fax 55 45 80.
◆Madrid 762 – Figueras/Figueres 21 – Gerona/Girona 55 – ◆Perpignan 36.

en la autopista A 7 S : 2 km – ✉ 17700 La Junquera – 🕏 972 :

🏨 **Porta Catalana,** 🖉 55 46 40, Fax 55 52 75 – |🛗| 🔳 📺 ☎ 🅟. 🕮 🗲 🆅🆂🅰. 🍴 rest
Com 1500 – ⊑ 675 – **81 hab** 7400/10300.

LABACOLLA 15820 La Coruña 🅐🅐🅐 D 4 – 🕏 981.
◆ Madrid 628 – ◆ La Coruña/A Coruña 77 – ◆ Lugo 97 – Santiago de Compostela 11.

🏨 **Garcas,** carret N 634 🖉 88 82 25, Fax 88 83 17 – 📺 ☎ 🚗 🅟. 🕮 🗲 🆅🆂🅰. 🍴
cerrado 11 diciembre-10 enero – Com 1500 – ⊑ 300 – **35 hab** 5000/6750 – PA 330

XX **Ruta Jacobea,** carret N 634 🖉 88 82 11, Fax 88 84 94 – 🔳 🅟. 🕮 🕦 🗲 🆅🆂🅰. 🍴
Comida carta 3100 a 5200.

LAGUARDIA 01300 Álava 🅐🅐🅐 E 22 – 1 667 h. alt. 635 – 🕏 941.
🗓 Sancho Abarca, 🖉 10 08 45.
◆Madrid 348 – ◆Logroño 17 – ◆Vitoria/Gasteiz 66.

XXX **Posada Mayor de Migueloa** 🝔 con hab, Mayor de Migueloa 20 🖉 12 11 75, Fax 12 10 2.
« En un pueblo amurallado-Palacio del siglo XVII » – 📺 ☎. 🕮 🗲 🆅🆂🅰. 🍴
Com carta 3750 a 4550 – ⊑ 800 – **7 hab** 8000/10000.

XX **Marixa** con hab, Sancho Abarca 8 🖉 10 01 65, ≤ – 🔳 rest 📺 ☜. 🕮 🕦 🗲 🆅🆂🅰 🅹🅲🅱. 🍴
cerrado 20 diciembre-20 enero – Com carta 3150 a 4250 – ⊑ 625 – **10 hab** 4950/6250

La LAGUNA Tenerife – ver Canarias (Tenerife).

Las LAGUNAS Ciudad Real – ver Ruidera.

LANJARÓN 18420 Granada 🅐🅐🅐 V 19 – 4 094 h. alt. 720 – 🕏 958 – Balneario.
🗓 Avenida 🖉 77 02 82 (abril-diciembre).
◆Madrid 475 – ◆Almería 157 – ◆Granada 46 – ◆Málaga 140.

🏨 **Miramar,** av. Generalísimo 10 🖉 77 01 61, Fax 77 01 61, 🌫 – |🛗| 🔳 rest ☎. 🕦 🗲 🆅🆂🅰. 🍴
abril-noviembre – Com 2500 – ⊑ 450 – **59 hab** 4500/6750.

🏨 **Nuevo Palas,** av.Generalísimo 24 🖉 77 00 86, Fax 77 01 11, 🌫 – |🛗| 🔳 rest 📺 ☎. 🆅🆂🅰
🍴 rest
abril-diciembre – Com 2200 – ⊑ 400 – **30 hab** 5000/6000 – PA 4000.

🏨 **Paraíso,** av. Generalísimo 18 🖉 77 00 12 – |🛗| 🔳 rest 📺 ☎ 🚗. 🕦 🗲 🆅🆂🅰. 🍴 rest
cerrado enero-marzo – Com 2000 – ⊑ 400 – **49 hab** 3300/6000.

La LANZADA (Playa de) Pontevedra – ver Noalla.

LANZAROTE Las Palmas – ver Canarias.

LAREDO 39770 Cantabria 🅐🅐🅐 B 19 – 12 278 h. – 🕏 942 – Playa.
Alred. : Santuario de Nuestra Señora La Bien Aparecida ⁂★ SO : 18 km.
🗓 alameda de Miramar 🖉 60 54 92, Fax 60 76 03.
◆Madrid 427 – ◆Bilbao/Bilbo 58 – ◆Burgos 184 – ◆Santander 49.

🏨 **Ramona,** alameda José Antonio 4 🖉 60 71 89 – 📺 ☎. 🍴 rest
Com 1800 – ⊑ 300 – **10 hab** 7000/7800 – PA 3100.

XX **El Marinero,** Zamanillo 6 🖉 60 60 08 – 🔳. 🕮 🕦 🗲 🆅🆂🅰. 🍴
Com carta 3600 a 4650.

X Casa Felipe, travesia Comandante Villar 5 🖉 60 32 12 – 🔳.

en el barrio de la playa :

🏨 **El Ancla** 🝔, González Gallego 10 🖉 60 55 00, Fax 61 16 02 – 📺 ☎. 🕮 🕦 🗲 🆅🆂🅰. 🍴
Com 2975 – ⊑ 700 – **25 hab** 8100/13600 – PA 5650.

XX **Camarote,** av. Victoria 🖉 60 67 07 – 🔳. 🕮 🕦 🗲 🆅🆂🅰. 🍴
cerrado domingo noche – Com carta 3300 a 4300.

en la antigua carretera de Bilbao S : 1 km – ⊠ 39770 Laredo – 🕲 942 :

🏦 **Miramar,** alto de Laredo 🖋 61 03 67, Fax 61 16 92, ≤ Laredo y bahía, ℥ – 🛊 📺 ☎ 🅿.
AE ⑩ E ᴠɪꜱᴀ. ≉
Com 2500 – ☲ 470 – **45 hab** 7550/10970 – PA 4650.

LARRABASTERRA Vizcaya – ver Sopelana.

LASARTE 20160 Guipúzcoa 🔢🔢🔢 C 23 – 18 037 h. alt. 42 – 🕲 943 – Hipódromo.
◆Madrid 491 – ◆Bilbao/Bilbo 98 – ◆San Sebastián/Donostia 9 – Tolosa 22.

🏦 **Txartel** sin rest y sin ☲, antigua carret. N I 🖋 36 23 40, Fax 36 48 04 – 🛊 📺 ☎ 🅿. AE
E ᴠɪꜱᴀ. ≉
51 hab 6500/8000.

🏦 **Ibiltze** sin rest, Antxota 3-4 🖋 36 56 44, Fax 36 67 46 – 📺 ☎. AE ᴠɪꜱᴀ. ≉
☲ 350 – **36 hab** 4200/7200.

XXX 🕸 **Martín Berasategui,** Loidi 4 🖋 36 64 71, Fax 36 61 07, ≤, �terrace – 🗏 🅿. AE ⑩ E ᴠɪꜱᴀ
JCB. ≉
cerrado domingo noche, lunes y 15 días en Navidades – Com carta 4050 a 4750
Espec. Carpaccio de pulpo con salmón confitado y salteado de setas, Oreja de cerdo con ragout
de vieiras, Sopa de frutas y verduras con crema helada de romero.

X **Txartel Txoko,** antigua carret. N I 🖋 37 01 92 – 🗏 🅿. AE E ᴠɪꜱᴀ. ≉
Com carta 3200 a 3850.

S.A.F.E. Neumáticos MICHELIN, Sucursal carret Txiki-Erdi 🖋 37 28 11 y 37 28 00, Fax 36 41 43

LASTRES 33330 Asturias 🔢🔢🔢 B 14 – 1 312 h. alt. 21 – 🕲 98 – Playa.
◆Madrid 497 – Gijón 46 – ◆Oviedo 62.

🏨 **Palacio de Vallados** ⑤, Pedro Villarta 🖋 585 04 44, Fax 585 05 17, ≤ – 🛊 📺 ☎ 🚗
🅿. AE ⑩ E ᴠɪꜱᴀ. ≉
cerrado febrero – Com 2000 – ☲ 600 – **18 hab** 8000/9000 – PA 4600.

🏠 **Miramar** sin rest, bajada al puerto 🖋 585 01 20, ≤ – ≉
☲ 300 – **17 hab** 2500/4700.

X Eutimio, carret. del puerto 🖋 585 00 12, ≤, Pescados y mariscos.

LEGUTIANO Álava – ver Villarreal de Álava.

LEINTZ-GATZAGA Álava – ver Salinas de Leniz.

LEIZA o **LEITZA** 31880 Navarra 🔢🔢🔢 C 24 – 3 240 h. alt. 450 – 🕲 948.
Alred. : Santuario de San Miguel de Aralar★ (iglesia : frontal de altar★★) SO : 28 km.
◆Madrid 446 – ◆Pamplona/Iruñea 51 – ◆San Sebastián/Donostia 47.

en el puerto de Usateguieta E : 5 km alt. 695 – ⊠ 31880 Leiza – 🕲 948 :

🏠 **Basa Kabi** ⑤, 🖋 51 01 25, ≤, ℥ – 🗏 rest 🚗 🅿. ᴠɪꜱᴀ. ≉
Com 1700 – ☲ 400 – **21 hab** 3350/4750.

LEKEITIO Vizcaya – ver Lequeitio.

LEÓN 24000 🅿 🔢🔢🔢 E 13 – 131 134 h. alt. 822 – 🕲 987.
Ver : Catedral★★★ B (vidrieras★★★, trascoro★, Descendimiento★, claustro★ – San Isidoro★ B (Pan-
teón Real★★ : capiteles★ y frescos★★ - Tesoro★★ : Cáliz de Doña Urraca★, Arqueta de los
marfiles★) – Antiguo Convento de San Marcos ★ (fachada★★, Museo de León★, Cristo de
Carrizo★★★, sacristía★) A.
Excurs. : San Miguel de la Escalada★, pórtico exterior★, iglesia★- 28 km por ② – Cuevas de
Valporquero★★ N : 47 km B.
🅱 pl. de Regla 3, ⊠ 24003, 🖋 23 70 82, Fax 27 33 91 – R.A.C.E. Gonzalo de Tapia 4, ⊠ 24008,
🖋 24 71 22.
◆Madrid 327 ② – ◆Burgos 192 ② – ◆La Coruña/A Coruña 325 ③ – ◆Salamanca 197 ③ – ◆Valladolid 139 ②
– ◆Vigo 367 ③.

Plano página siguiente

🏨🏨 **Parador San Marcos,** pl. San Marcos 7, ⊠ 24001, 🖋 23 73 00, Telex 89809, Fax 23 34 58,
« Lujosa instalación en un convento del siglo XVI », 🌱 – 🛊 🗏 rest 📺 ☎ 🅿 – 🔬 25/500.
AE ⑩ E. ≉ A
Com 3500 – ☲ 1200 – **251 hab** 17500, 2 suites – PA 6970.

🏨🏨 **Alfonso V,** Padre Isla 1, ⊠ 24002, 🖋 22 09 00, Fax 22 12 44 – 🛊 🗏 📺 ☎. AE ⑩ E ᴠɪꜱᴀ.
≉ B v
Com 2500 – ☲ 1000 – **57 hab** 10000/15000, 6 suites – PA 5100.

LEÓN

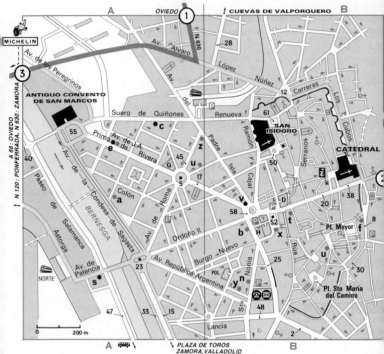

🏨 **Quindós,** av. José Antonio 24, ⊠ 24002, 𝒫 23 62 00, Fax 24 22 01 – 🛗 📺 ☎. 🆎 � 🖃 𝘝𝘐𝘚𝘈. ⌁
Com *(cerrado domingo)* 1450 – ☲ 580 – **96 hab** 5850/8500.   A **e**

🏨 **Riosol** sin rest, con cafetería, av. de Palencia 3, ⊠ 24009, 𝒫 21 66 50, Telex 89693,
Fax 21 69 97 – 🛗 📺 ☎ – 🔬 25/300. 🆎 � 🖃 𝘝𝘐𝘚𝘈. ⌁
☲ 775 – **141 hab** 7000/10300.   A **s**

🏨 **Don Suero,** av. Suero de Quiñones 15, ⊠ 24002, 𝒫 23 06 00 – 🛗 ☎. ⌁
Com 900 – ☲ 250 – **106 hab** 2460/3775.   A **c**

XXX **Independencia,** Independencia 4, ⊠ 24001, 𝒫 25 47 52 – 🖃. 🖃 𝘝𝘐𝘚𝘈. ⌁   B **b**
cerrado domingo noche y lunes – Com carta 3075 a 3450.

XXX **Formela,** av. José Antonio 24, ⊠ 24002, 𝒫 22 45 34, Fax 24 22 01, Decoración moderna
– 🖃. 🆎 ⓒ 🖃 𝘝𝘐𝘚𝘈. ⌁   A **e**
cerrado domingo y festivos – Com carta 3050 a 4350.

XXX **Bitácora,** García I - 8, ⊠ 24006, 𝒫 21 27 58, Pescados y mariscos, Decoración interior de
un barco – 🖃. 🆎 ⓒ 🖃 𝘝𝘐𝘚𝘈   B **y**
cerrado domingo – Com carta 2700 a 4200.

XX **Adonías,** Santa Nonia 16, ⊠ 24003, 𝒫 20 67 68 – 🖃. 🆎 ⓒ 🖃 𝘝𝘐𝘚𝘈. ⌁   B **n**
cerrado domingo y 15 días en agosto – Com carta 2950 a 5100.

XX Albina, Condesa de Sagasta 24, ⊠ 24001, 𝒫 22 19 12 – 🖃   A **a**

XX El Llagar, Julio del Campo 10, ⊠ 24002, 𝒫 27 20 20, 🏠 – 🖃   A **u**

XX **Bodega Regia,** General Mola 5, ⊠ 24003, 𝒫 21 31 73, 🏠, Decoración castellana – 🖃.
🆎 ⓒ 🖃 𝘝𝘐𝘚𝘈. ⌁   B **t**
cerrado domingo, 2ª quincena febrero y 1ª quincena de septiembre – Com carta 2200 a
3800.

Ꭓ **Casa Pozo,** pl. San Marcelo 15, ✉ 24003, ✆ 22 30 39 – ▤. AE ⓓ E VISA. ✗ B x
cerrado domingo noche y del 1 al 15 julio – Com carta 3500 a 4300.

Ꭓ **Vivaldi,** av. del Padre Isla 33, ✉ 24002, ✆ 22 40 22 – ▤. ⓓ E VISA. ✗ A z
cerrado domingo y 1ª quincena de agosto – Com carta 3400 a 4300.

Ꭓ **Mesón Leonés del Racimo de Oro,** Caño Badillo 2, ✉ 24006, ✆ 25 75 75, Decoración rústica – AE E VISA. ✗ B f
cerrado domingo noche y martes – Com carta 2150 a 3450.

Ꭓ **Nuevo Racimo de Oro,** pl. San Martín 8, ✉ 24003, ✆ 21 47 67, Decoración rústica – ▤. AE E VISA JCB. ✗ B u
cerrado domingo en verano y miércoles resto del año – Com carta 2150 a 3250.

A.F.E. Neumáticos MICHELIN, Sucursal Polígono Industrial Onzonilla - ONZONILLA por ③ : 5 km, ✉ 24231, Calle E-Parcela G-32A ✆ 21 69 51 y 21 62 12, Fax 21 69 52

LEPE 21440 Huelva 446 U 8 – 13 669 h. alt. 28 – ☎ 959.
Madrid 657 – ◆ Faro 72 – ◆ Huelva 41 – ◆ Sevilla 121.

La Noria, av. Diputación ✆ 38 31 93, Fax 38 22 82 – ▤ hab TV ☎. AE ⓓ E VISA. ✗
Com *(cerrado domingo)* 950 – ☕ 450 – **20 hab** 4000/8000 – PA 1900.

en la carretera N 431 NE : 1,5 km – ✉ 21440 Lepe – ☎ 959 :

Camelot sin rest, ✆ 38 07 02, Fax 38 07 02 – ▤ TV ☎. ⓓ E VISA. ✗
☕ 200 – **14 hab** 7500/10000.

en la playa de La Antilla S : 6 km – ✉ 21440 La Antilla – ☎ 959 :

Lepe-Mar, Delfín 12 ✆ 48 10 01, Fax 48 14 78, ≤, – ▤ rest ☎ . AE ⓓ E VISA. ✗ rest
Com 1430 – ☕ 585 – **73 hab** 7600/9500 – PA 3445.

LEQUEITIO o **LEKEITIO** 48280 Vizcaya 442 B 22 – 6 874 h. – ☎ 94.
Alred. : Carretera en cornisa★ de Lequeitio a Deva ≤★.
Madrid 452 – ◆Bilbao/Bilbo 59 – ◆San Sebastián/Donostia 61 – ◆Vitoria/Gasteiz 82.

Beitia, av. Pascual Abaroa 25 ✆ 684 01 11, Fax 684 21 65, – |‡| ☎. AE E VISA. ✗
abril-12 octubre – Com 1900 – ☕ 650 – **30 hab** 4500/8000 – PA 3500.

Piñupe sin rest, av. Pascual Abaroa 10 ✆ 684 29 84, Fax 684 07 72 – TV. VISA. ✗
cerrado octubre – ☕ 425 – **12 hab** 5200/6400.

ᎡᎡ Egaña, Antiguako Ama 2 ✆ 684 01 03 – ▤.

Ꭓ **Arropain,** carret. de Marquina S : 1 km ✆ 684 03 13, Decoración rústica – Ⓟ. AE ⓓ E VISA JCB. ✗
cerrado miércoles y 25 diciembre-25 enero – Com carta 3500 a 5100.

LÉRIDA o **LLEIDA** 25000 P 443 H 31 – 109 573 h. alt. 151 – ☎ 973.
Ver : La Seo antigua★, situación★, iglesia : capiteles★★, claustro★ : capiteles★ Y.
av. de Blondel 3, ✉ 25002, ✆ 24 81 20 – R.A.C.C. av. del Segre 6, ✉ 25007, ✆ 24 12 45.
Madrid 470 ⑤ – ◆Barcelona 169 ⑤ – Huesca 123 ④ – ◆Pamplona/Iruñea 314 ⑤ – ◆Perpignan 340 ⑤ – Tarbes 276 ① – Tarragona 97 ⑤ – Toulouse 323 ① – ◆Valencia 350 ⑤ – ◆Zaragoza 150 ⑤.

Plano página siguiente

NH Pirineos, Gran passeig de Ronda 63, ✉ 25006, ✆ 27 31 99, Telex 53484, Fax 26 20 43 – |‡| ▤ TV ☎ – 25/180 Y c
94 hab.

Sansi Park H. y Rest. La Llosa, av. Alcalde Porqueras 4, ✉ 25008, ✆ 24 40 00, Fax 24 31 38, Cocina regional – |‡| ▤ TV ☎ – 25/700. AE ⓓ E VISA. ✗ rest Y a
Com *(cerrado domingo)* 1750 – ☕ 700 – **113 hab** 5850/7800 – PA 3655.

Real sin rest, av. de Blondel 22, ✉ 25002, ✆ 23 94 05, Fax 23 94 07 – |‡| ▤ TV ☎ – 25/40. AE E VISA. ✗ rest Z d
☕ 475 – **41 hab** 4300/8200.

Segriá, Il passeig de Ronda 23, ✉ 25004, ✆ 23 89 89, Fax 23 36 07 – |‡| ▤ TV ☎. AE ⓓ E VISA. ✗ rest Y h
Com *(cerrado domingo)* 900 – ☕ 500 – **49 hab** 5500/8000 – PA 2300.

Principal sin rest, pl. Paeria 7, ✉ 25007, ✆ 23 08 00, Fax 23 08 03 – |‡| ▤ TV ☎. VISA Z n
☕ 400 – **51 hab** 4200/5700.

Ramón Berenguer IV sin rest, pl. de Ramón Berenguer IV-2, ✉ 25007, ✆ 23 73 45, Fax 23 95 41 – |‡| ▤ TV ☎. AE ⓓ E VISA Y z
☕ 400 – **52 hab** 4000/5500.

ᎡᎡᎡ **Sheyton Pub,** av. Prat de la Riba 39, ✉ 25008, ✆ 23 81 97, « Interior de estilo inglés » – ▤. AE ⓓ E VISA. ✗ Y f
cerrado sábado y del 1 al 15 de febrero – Com carta 3150 a 4600.

ᎡᎡᎡ **La Mercè,** av. Navarra 1, ✉ 25006, ✆ 24 84 41, – ▤. AE ⓓ E VISA Y e
cerrado del 15 al 31 de agosto – Com carta 3300 a 4550.

ᎡᎡᎡ Forn del Nastasi, Salmerón 10, ✉ 25004, ✆ 23 45 10 – ▤ Y s

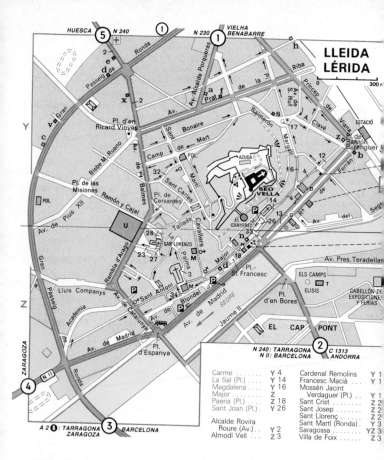

XX **La Pérgola,** Gran passeig de Ronda 123 *ℰ* 23 82 37 – ▤. **AE ⓞ E VISA** ⋇ Y
cerrado domingo – Com carta 3425 a 4600.

XX **L'Antull,** Cristóbal de Boleda 1, ⌷ 25006, *ℰ* 26 96 36 – ▤. **ⓞ E VISA** ⋇ Y
cerrado festivos y del 1 al 15 de agosto – Com carta 4200 a 5300.

XX **Callarriba,** Camí Mariola 9 A, ⌷ 25003, *ℰ* 26 19 00, Fax 27 38 33, Cocina regional – ▤
ⓟ AE ⓞ E VISA ⋇   por Pío XII   YZ
cerrado jueves – Com carta 1725 a 4170.

X **La Huerta,** av. Tortosa 7, ⌷ 25005, *ℰ* 24 24 13, Fax 22 09 76 – ▤. **AE ⓞ E VISA**
Com carta 2550 a 4200.   por av. del Segre   Y

X **Casa Lluís,** pl. de Ramón Berenguer IV - 8, ⌷ 25007, *ℰ* 24 00 26 – ▤. **E VISA**
⋇
cerrado lunes – Com carta 2450 a 2900.

X **Xalet Suis,** Alcalde Rovira Roure 9, ⌷ 25006, *ℰ* 23 55 67, Fax 22 09 76 – ▤. **AE ⓞ E**
VISA ⋇   Y
Com carta 3050 a 4545.

en la carretera N II – ⌷ 25001 Lleida – ✆ 973 :

🏨 **Condes de Urgel y Rest. El Sauce,** por ② : 1 km *ℰ* 20 23 00, Fax 20 24 04 – ▮ ▤ **ⓣⱽ**
☎ ⓟ – ▴ 25/300. AE ⓞ E VISA ⋇
Com carta 2900 a 4200 – ☐ 750 – **105 hab** 8200/11500.

🏨 **Ilerda,** por ② : 1,5 km *ℰ* 20 07 50, Telex 53470, Fax 20 08 78 – ▮ ▤ **ⓣⱽ ☎ ⓟ – ▴** 25/300
AE ⓞ E VISA ⋇
Com 1250 – ☐ 475 – **106 hab** 3900/6500.

en la autopista A2 por ③ : 10 km al Sur – ⊠ 25161 Alfés – ✆ 973.

🏨 **Lleida** sin rest, área de Lleida ✆ 11 60 23, Fax 11 60 25, ← – ⧘ 🗏 📺 ☎ & ⬅ 🅿 – 🏛.
🖽 ⓞ 🗉 *VISA*
🖵 850 – **75 hab** 8400/10500.

en la carretera N 240 por ⑤ : 3 km – ⊠ 25001 Lleida – ✆ 973 :

XX Fonda del Nastasi, ✆ 24 92 22, 🛱, Interesante bodega – 🗏 🅿.
Ver también : **Villanueva de la Barca** NE : 14 km.

LERMA 09340 Burgos 🔢 F 18 – 2 591 h. alt. 844 – ✆ 947.
Madrid 206 – ◆Burgos 37 – Palencia 72.

🏨 **Alisa,** antigua carret. N I ✆ 17 02 50, Fax 17 11 60, 🛱 – 📺 ☎ ⬅ 🅿 – 🏛 25/300. 🖽
ⓞ 🗉 *VISA* ⌘
Com 1700 – 🖵 400 – **30 hab** 3400/5900 – PA 3200.

🏨 **Docar** sin rest., Santa Teresa de Jesús 18 ✆ 17 10 73 – 📺 ☎ 🅿. 🖽 ⓞ 🗉 *VISA*
🖵 300 – **15 hab** 3000/4200.

X **Lis 2,** antigua carret. N I ✆ 17 01 26 – 🗏. 🖽 ⓞ 🗉 *VISA*
Com carta 2950 a 4600.

LÉS 25540 Lérida 🔢 D 32 – 559 h. alt. 630 – ✆ 973.
pl. de l'Ajuntament, ⊠ 25540, ✆ 64 73 03.
Madrid 616 – Bagnères-de-Luchon 23 – ◆Lérida/Lleida 184.

🏨 **Del Ysard,** Sant Jaume 20 ✆ 64 80 00, ← – ⧘ 🐾
cerrado 10 enero-marzo – Com 1700 – 🖵 425 – **35 hab** 4700/5400 – PA 2750.

🏨 **Europa,** Arán 8 ✆ 64 80 16
36 hab.

🏨 **Talabart,** Baños 1 ✆ 64 80 11 – ⬅ 🅿. *VISA*. ⌘ hab
cerrado noviembre – Com 1600 – 🖵 500 – **24 hab** 3200/5200.

LEVANTE (Playa de) Valencia – ver Valencia.

LEYRE (Monasterio de) 31410 Navarra 🔢 E 26 – alt. 750 – ✆ 948.
Ver : ⌗★★ – Monasterio★★ (cripta★★, iglesia★★ : interior★, portada oeste★).
Alred. : Hoz de Lumbier★ (14 km al Oeste).
Madrid 419 – Jaca 68 – ◆Pamplona/Iruñea 51.

🏨 **Hospedería** ⌂, ✆ 88 41 00, Fax 88 41 37 – 🗏 rest 🅿. 🖽 ⓞ 🗉 *VISA*. ⌘
marzo-8 diciembre – Com 2050 – 🖵 700 – **29 hab** 3900/7800 – PA 3840.

LIBRILLA 30892 Murcia 🔢 S 25 – 3 641 h. alt. 167 – ✆ 968.
Madrid 411 – Cartagena 59 – Lorca 46 – ◆ Murcia 29.

en la autovía N 340 NE : 5 km – ⊠ 30892 Librilla – ✆ 968 :

🏨 **Espuña,** ✆ 65 91 10, Fax 65 91 10 – 🗏 📺 ☎ ⬅ 🅿. 🖽 🗉 *VISA*. ⌘
Com carta aprox. 2500 – 🖵 500 – **60 hab** 4200/6200, 2 suites.

LINARES 23700 Jaén 🔢 R 19 – 54 547 h. alt. 418 – ✆ 953.
Madrid 297 – Ciudad Real 154 – ◆Córdoba 122 – Jaén 51 – Úbeda 27 – Valdepeñas 96.

🏨 **Aníbal,** Cid Campeador 11 ✆ 65 04 00, Telex 78667, Fax 65 22 04, ↯ – ⧘ 🗏 📺 ☎ ⬅
– 🏛 30/600. 🖽 ⓞ 🗉 *VISA*. ⌘
Com 2500 – 🖵 600 – **126 hab** 6700/9500 – PA 4700.

🏨 **Victoria** sin rest y sin 🖵, Cervantes 7 ✆ 69 25 00, Fax 69 25 12 – 🗏 📺 ☎ ⬅. 🖽 🗉
VISA
39 hab 4500/7000.

LINAS DE BROTO 22378 Huesca 🔢 E 29 – alt. 1 215 – ✆ 974.
◆Madrid 475 – Huesca 85 – Jaca 47.

🏠 **Jal** sin rest, carret. de Ordesa 31 ✆ 48 61 06, ← – ⌘
abril-septiembre – 🖵 450 – **18 hab** 4500.

La LÍNEA DE LA CONCEPCIÓN 11300 Cádiz 446 X 13 y 14 – 56 282 h. – ✆ 956 – Play

🛈 av. 20 de Abril ℰ 76 99 50, Fax 10 61 34 – **R.A.C.E.** av. de España 42 ℰ 76 93 51.
◆Madrid 673 – Algeciras 20 – Cádiz 144 – ◆Málaga 127.

🏨🏨 **Aparthotel Rocamar,** av. de España 170 - carret. de Algeciras : 2 km ℰ 10 66 5 Telex 78280, Fax 10 30 19, ≤ – 🛗 ≡ rest 📺 ☎. 🝏 ᴇ 𝒱𝒾𝒮𝒜
Com 1250 – ☲ 600 – **92 hab** 4900/6800 – PA 2800.

🏨 **Almadraba,** Los Caireles 2 ℰ 10 55 66, Fax 10 15 63, ⌁ – 🛗 ≡ 📺 ☎ ⬅, 🝏 ⓪
𝒱𝒾𝒮𝒜
Com 1485 – ☲ 545 – **84 hab** 7260/11495 – PA 3025.

🏠 **Miramar** sin rest y sin ☲, av. de España 26 ℰ 10 06 58 – 🛗 ≡ ☎. 🝏 ⓪ ᴇ 𝒱𝒾𝒮𝒜
30 hab 3200/4500.

LIRIA o **LLÍRIA** 46160 Valencia 445 N 28 – 13 924 h. alt. 164 – ✆ 96.
◆Madrid 340 – Teruel 125 – ◆Valencia 28.

✗ Stradivarius, San Vicente 14 ℰ 278 08 54 – ≡.

LIZARRA Navarra – ver Estella.

LIZARZA o **LIZARTZA** 20490 Guipúzcoa 442 C 23 – 815 h. – ✆ 943.
◆Madrid 454 – ◆Pamplona/Iruñea 59 – Tolosa 8 – ◆Vitoria/Gasteiz 98.

✗ **Garaicoechea,** carret. N 240 ℰ 68 21 20
cerrado domingo noche, jueves noche y 20 septiembre-10 octubre – Com carta 1800
2600.

LL – ver después de Lugo.

LOBRES 18610 Granada 446 V 19 – ✆ 958.
◆Madrid 500 – Almería 120 – ◆Granada 70 – ◆Málaga 103.

✗ Mesón Vicente, paseo San Agustín ℰ 83 15 21.

LODOSA 31580 Navarra 442 E 23 – 4 455 h. alt. 320 – ✆ 948.
◆Madrid 334 – ◆Logroño 34 – ◆Pamplona/Iruñea 81 – ◆Zaragoza 152.

🏠 Marzo, Ancha 24 ℰ 69 30 52, Fax 69 41 51 – 🛗 ≡ rest 📺
14 hab.

LOGROÑO 26000 ℗ La Rioja 442 E 22 – 110 980 h. alt. 384 – ✆ 941.
Excurs. : Valle del Iregua★ (contrafuertes de la sierra de Cameros★) 50 km ③.
🛈 Miguel Villanueva 10, ✉ 26001, ℰ 29 12 60 – **R.A.C.E.** Gran Vía 79, ✉ 26005, ℰ 20 28 08.
◆Madrid 331 ③ – ◆Burgos 144 ④ – ◆Pamplona/Iruñea 92 ① – ◆Vitoria/Gasteiz 93 ④ – ◆Zaragoza 175 ③.

Plano página siguiente

🏨🏨 **NH Herencia Rioja,** Marqués de Murrieta 14, ✉ 26005, ℰ 21 02 22, Fax 21 02 06 – 🛗
≡ 📺 ☎ ⬅ – 🔬 25/120. 🝏 ⓪ ᴇ 𝒱𝒾𝒮𝒜. ⌘ rest   A
Com 2000 – ☲ 950 – **88 hab** 10800/13500.

🏨🏨 **Carlton Rioja** sin rest, con cafetería, Gran Vía 5, ✉ 26002, ℰ 24 21 00, Telex 3729 Fax 24 35 02 – 🛗 ≡ 📺 ☎ ⬅ – 🔬 25/150. 🝏 ⓪ ᴇ 𝒱𝒾𝒮𝒜 ᴊᴄʙ. ⌘ rest   A
☲ 900 – **120 hab** 7500/13500.

🏨🏨 **Sol Bracos** sin rest, con cafetería, Bretón de los Herreros 29, ✉ 26001, ℰ 22 66 0 Telex 37126, Fax 22 67 54 – 🛗 ≡ 📺 ☎. 🝏 ⓪ ᴇ 𝒱𝒾𝒮𝒜. ⌘   A
☲ 975 – **72 hab** 10750/13500.

🏨🏨 **Murrieta** sin rest, con cafetería, av. Marqués de Murrieta 1, ✉ 26005, ℰ 22 41 5 Telex 37022, Fax 22 32 13 – 🛗 📺 ☎ ⬅ – 🔬 25/140. 🝏 ᴇ 𝒱𝒾𝒮𝒜 ᴊᴄʙ. ⌘   A
☲ 600 – **113 hab** 6500/8500.

🏨🏨 **Ciudad de Logroño** sin rest, Menéndez Pelayo 7, ✉ 26002, ℰ 25 02 44, Fax 25 43 90
🛗 ≡ 📺 ☎. 🝏 ⓪ ᴇ 𝒱𝒾𝒮𝒜. ⌘   A
☲ 1000 – **95 hab** 7200/9500.

🏨 **Condes de Haro** sin rest, Saturnino Ulargui 6, ✉ 26001, ℰ 20 85 00, Fax 20 87 96 – 🛗
≡ 📺 ☎ ⬅. 🝏 ⓪ 𝒱𝒾𝒮𝒜. ⌘   A
☲ 300 – **44 hab** 5500/8000.

🏠 **Marqués de Vallejo** sin rest, Marqués de Vallejo 8, ✉ 26001, ℰ 24 83 33, Fax 24 02 8
– 🛗 📺 ☎. 🝏 ⓪ ᴇ 𝒱𝒾𝒮𝒜   B
☲ 525 – **30 hab** 5000/6850.

🏠 **París** sin rest y sin ☲, av. de La Rioja 8, ✉ 26001, ℰ 22 87 50 – 🛗 ☎. ⌘   A
cerrado 23 diciembre-6 enero – **36 hab** 3700/6000.

🏠 **Isasa** sin rest y sin ☲, Doctores Castroviejo 13 - 1º, ✉ 26003, ℰ 25 65 99 – 🛗 📺 ☎. 𝒱
⌘   B
cerrado 24 diciembre- 10 enero – **30 hab** 3000/5000.

280

LOGROÑO

Niza sin rest y sin ⌚, Capitán Gallarza 13, ⌂ 26001, ℰ 20 60 44 – 🛗 ▤ 📺 ☎. 𝗩𝗜𝗦𝗔.
※   A **k**
16 hab 4770/6575.

La Numantina sin rest y sin ⌚, Sagasta 4, ⌂ 26001, ℰ 25 14 11 – ☎. 𝗩𝗜𝗦𝗔   A **s**
cerrado Navidades – **17 hab** 2800/4500.

La Merced, Marqués de San Nicolás 111, ⌂ 26001, ℰ 22 11 66, Fax 20 53 20,
« Elegantemente instalado en un antiguo palacete » – ▤. 𝗔𝗘 ⓞ 𝗘 𝗩𝗜𝗦𝗔. ※   A **n**
cerrado domingo y del 1 al 20 de agosto – Com carta aprox. 6500.

Casa Emilio, Pérez Galdós 18, ⌂ 26002, ℰ 25 88 44 – ▤. 𝗔𝗘 ⓞ 𝗘 𝗩𝗜𝗦𝗔. ※   A **t**
cerrado domingo y agosto – Com carta 2900/4100.

Cachetero, Laurel 3, ⌂ 26001, ℰ 22 84 63 – ▤. 𝗔𝗘 ⓞ 𝗘 𝗩𝗜𝗦𝗔. ※   A **v**
cerrado domingo, miércoles noche y 15 julio-15 agosto – Com carta aprox. 4100.

Los Gabrieles, Bretón de los Herreros 8, ⌂ 26001, ℰ 22 00 43 – ▤. 𝗔𝗘 𝗘 𝗩𝗜𝗦𝗔   A **r**
cerrado domingo noche, miércoles, 29 junio-22 julio y 24 diciembre-6 enero – Com carta
1800 a 3300.

Zubillaga, San Agustín 3, ⌂ 26001, ℰ 22 00 76 – ▤. 𝗔𝗘 ⓞ 𝗘 𝗩𝗜𝗦𝗔. ※   A **e**
cerrado miércoles, del 1 al 25 de julio y 10 diciembre-8 enero – Com carta 2600 a 3050.

Mesón Egües, La Campa 3, ⌂ 26005, ℰ 20 86 03, Asados – ▤. 𝗔𝗘 ⓞ 𝗘 𝗩𝗜𝗦𝗔 𝗝𝗖𝗕. ※
cerrado domingo, Semana Santa y Navidades – Com carta 1800 a 3500.   A **a**

Las Cubanas, San Agustín 17, ⌂ 26001, ℰ 22 00 50 – ▤. 𝗘 𝗩𝗜𝗦𝗔. ※   A **e**
cerrado sábado noche, domingo, del 15 al 30 de julio y del 15 al 30 de septiembre – Com
carta aprox. 2900.

El Fogón, Peso 6, ⌂ 26001, ℰ 22 00 21 – ▤. ※   A **r**
cerrado domingo noche, jueves, 3 semanas en julio y 3 semanas en Navidades – Com carta
1600 a 2700.

281

en la carretera de circunvalación por ① : 4 km – ⊠ 26006 Logroño – ✿ 941 :

🏨 **Soto Galo,** polígono industrial de Cantabria ℘ 25 91 22, Fax 25 73 89 – |🛗| ☰ 📺 ☎ 🅿 –
🛆 25/300. 🝏 ⓞ ⴹ 𝘝𝘐𝘚𝘈
Com 1000 – ⊊ 250 – **44 hab** 4450/6900.

LOJA 18300 Granada 🗰🗰🗰 U 17 – 19 465 h. alt. 475 – ✿ 958.
♦Madrid 484 – Antequera 43 – ♦Granada 55 – ♦Málaga 71.

🏨 **Del Manzanil,** carret. de Granada E : 1,5 km ℘ 32 17 11, Fax 32 18 50, 🍽 – |🛗| ☰ 📺 ☎
🅿. 🝏 ⓞ ⴹ 𝘝𝘐𝘚𝘈. 🞉 rest
Com 1100 – ⊊ 350 – **49 hab** 4000/5700.

en la autovía A 92 S : 5 km – ⊠ 18300 Loja – ✿ 968 :

🏨 **Los Abades,** ℘ 32 38 00, Fax 32 38 04, ≤, 🍽 – |🛗| ☰ 📺 ☎ ⇔ 🅿. 🝏 ⓞ ⴹ 𝘝𝘐𝘚𝘈 𝘑𝘊𝘉
Com 1100 – **76 hab** ⊊ 4500/5900.

🏨 Manzanil Área, ℘ 32 32 00, Fax 32 34 80, ≤ – |🛗| ☰ 📺 ☎ ⇔ 🅿 – 🛆 25/60
76 hab.

en la Finca La Bobadilla- por la autovía A 92 O : 18 km y desvío 3 km – ⊠ 18300 Loja
– ✿ 958 :

🏨🏨🏨 **La Bobadilla** 🞉, por salida a V. de Tapia, ⊠ apartado 52, ℘ 32 18 61, Telex 78732,
Fax 32 18 10, ≤, « Elegante cortijo andaluz », 🛴, 🟰, 🟥, 🌣, 🞉 – |🛗| ☰ 📺 ☎ 🅿 –
🛆 25/120. 🝏 ⓞ ⴹ 𝘝𝘐𝘚𝘈 𝘑𝘊𝘉. 🞉 rest
Com **La Finca** carta 4850 a 6400 - **El Cortijo** carta 2050 a 4600 – ⊊ 2200 – **60 hab**
20600/24400.

Lo PAGÁN Murcia – ver San Pedro del Pinatar.

LORCA 30800 Murcia 🗰🗰🗰 S 24 – 60 627 h. alt. 331 – ✿ 968.
🄑 López Gisbert ℘ 46 61 57.
♦Madrid 460 – ♦Almería 157 – Cartagena 83 – ♦Granada 221 – ♦Murcia 64.

🞵🞵 **El Teatro,** pl. Colón 12 ℘ 46 99 09 – ☰. 🝏 ⴹ 𝘝𝘐𝘚𝘈. 🞉
cerrado domingo y agosto – Com carta 2200 a 2700.

LOREDO 39140 Cantabria 🗰🗰🗰 B 18 – ✿ 942 – Playa.
♦Madrid 409 – ♦Bilbao/Bilbo 96 – ♦Santander 26.

🏠 **El Encinar** 🞉 sin rest, callejo de los Beatos - Latas, ⊠ 39140 Somo, ℘ 50 40 33,
Fax 50 02 44 – 🅿.
Semana Santa y julio-septiembre – ⊊ 350 – **19 hab** 6500/8500.

🞵 **Latas,** barrio de Latas ℘ 50 42 33, Fax 50 92 36, 🍽 – ☰ 🅿. 🝏 ⓞ ⴹ 𝘝𝘐𝘚𝘈. 🞉
cerrado lunes y del 15 al 30 de septiembre – Com carta aprox. 3450.

LOSAR DE LA VERA 10460 Cáceres 🗰🗰🗰 L 13 – 2 904 h. – ✿ 927.
♦Madrid 199 – Ávila 138 – ♦Cáceres 139 – Plasencia 60.

🞠 Vadillo, pl. de España ℘ 57 05 01 – ☰ rest – **44 hab.**

LOYOLA Guipúzcoa – ver Azpeitia.

LUANCO 33440 Asturias 🗰🗰🗰 B 12 – ✿ 98 – Playa.
Ver : Cabo de Peñas★.
♦Madrid 478 – Gijón 15 – ♦Oviedo 43.

🏠 Aramar, Gijón 10 ℘ 588 00 25, Fax 588 00 25 – |🛗| ☎ – **31 hab.**
🞵 Casa Néstor, Conde Real Agrado 6 ℘ 588 03 15.

LUARCA 33700 Asturias 🗰🗰🗰 B 10 – 19 920 h. – ✿ 98 – Playa.
Ver : Emplazamiento★.
Excurs. : SO : Valle del Navia : recorrido de Navia a Grandas de Salime (🞰★★ Embalse de Arbón,
Vivedro 🞰★★, confluencia★★ del Navia y del Río Frío).
🄑 pl. Alfonso X el Sabio ℘ 564 00 83.
♦Madrid 536 – ♦La Coruña/A Coruña 226 – Gijón 97 – ♦Oviedo 101.

🏨 **Gayoso,** paseo de Gómez 4 ℘ 564 00 50, Fax 547 02 71 – |🛗| 📺 ☎. 🝏 ⓞ ⴹ 𝘝𝘐𝘚𝘈
Com 1500 – ⊊ 600 – **33 hab** 6500/12000.

🏠 **Báltico** sin rest y sin ⊊, paseo del muelle 1 ℘ 564 09 91, ≤ – 📺. 𝘝𝘐𝘚𝘈. 🞉
15 hab 7000/10000.

🏠 **Rico** sin rest, pl. Alfonso X el Sabio 6 ℘ 547 05 59 – 📺 ☎. 🝏 ⴹ 𝘝𝘐𝘚𝘈. 🞉
⊊ 250 – **15 hab** 7000.

🞠 Oria sin rest, Crucero 7 ℘ 564 03 85 – *temp.* – **14 hab.**

282

XX **Leonés,** Alfonso X el Sabio 1 ☎ 564 09 95 – AE ⓪ E VISA – Com carta 3200 a 5800.

X **Sport,** Rivero 15 ☎ 564 10 78, Fax 564 16 93 – AE ⓪ E VISA. ⅀
cerrado jueves (salvo Semana Santa y verano), del 1 al 15 de marzo y del 15 al 31 de
octubre – Com carta 2350 a 3250.

X **Brasas,** Aurelio Martínez 4 ☎ 564 02 89 – VISA. ⅀
cerrado martes (salvo en verano) y 15 octubre-15 noviembre – Com carta 2650 a 4200.

en Otur O : 6 km – ⊠ 33792 Otur – ⚙ 98 :

🏨 **Casa Consuelo,** carret. N 634 ☎ 564 08 44, Fax 564 16 42, ← – 🛗 TV ☎ P. AE ⓪ E VISA.
⅀
Com (ver rest. **Casa Consuelo**) – ⊊ 500 – **37 hab** 5000/6500.

XX **Casa Consuelo,** carret. N 634 ☎ 564 18 09, Fax 564 16 42 – ▤ P. AE ⓪ E VISA.
⅀
cerrado lunes salvo agosto y festivos – Com carta 3500 a 5500.

LUCENA 14900 Córdoba 446 T 16 – 29 717 h. alt. 485 – ⚙ 957.

◆Madrid 471 – Antequera 57 – ◆Córdoba 73 – ◆Granada 150.

🏨 **Baltanás** sin rest y sin ⊊, av. Parque ☎ 50 05 24, Fax 50 12 72 – ▤ TV ☎. E VISA
39 hab 3600/5600.

LUGO 27000 P 441 C 7 – 73 986 h. alt. 485 – ⚙ 982.

Ver : Murallas★★ – Catedral★ (portada Norte : Cristo en Majestad★ Z **A.**

🛈 pl. de España 27, ⊠ 27001, ☎ 23 13 61 – R.A.C.E. pl. Santo Domingo 6, ⊠ 27001, ☎ 25 07 11.
◆Madrid 506 ② – ◆La Coruña/A Coruña 97 ④ – Orense/Ourense 96 ③ – ◆Oviedo 255 ① – Santiago de Compostela
107 ③.

LUGO

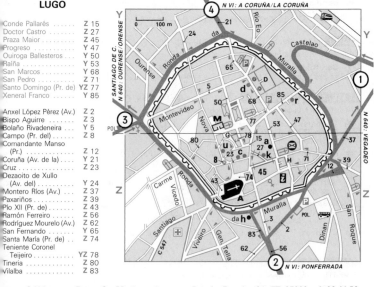

🏨 **G.H.Lugo y Rest. Os Marisqueiros,** av. Ramón Ferreiro 21, ⊠ 27002, ☎ 22 41 52,
Telex 86128, Fax 24 16 60, ⅃ – 🛗 ▤ TV ☎ ⇔ P – 🏋 25/600. AE ⓪ E VISA.
⅀   por av. Ramón Ferreiro   Z
Com 3000 – ⊊ 900 – **156 hab** 9000/13250, 12 suites – PA 5865.

🏨 **Méndez Núñez** sin rest, Raíña 1, ⊠ 27001, ☎ 23 07 11, Fax 22 97 38 – 🛗 ☎ – 🏋 25/200
⊊ 450 – **86 hab** 6000/8000.   Z **a**

🏠 **España** sin rest y sin ⊊, Vilalba 2 bis, ⊠ 27002, ☎ 23 15 40 – ☎   Z **h**
17 hab 2800/4400.

XX **La Barra,** San Marcos 27, ⊠ 27001, ☎ 25 29 20, Fax 25 30 32 – ▤. AE ⓪ E VISA. ⅀
Com carta 3100 a 4775.   Y **d**

XX **Alberto,** Cruz 4, ⊠ 27001, ☎ 22 83 10, Fax 25 13 58 – ▤. AE ⓪ E VISA JCB. ⅀   Z **c**
cerrado domingo – Com carta 2850 a 4600.

XX **Antonio,** av. das Américas 87, ⊠ 27004, ℘ 21 64 70 – 🗐 **℗**. 🖭 ⓞ **E** _VISA_. ⋘
Com carta 1975 a 3250.   por ③

XX **España,** General Franco 10, ⊠ 27001, ℘ 22 60 16 – 🗐   Y r

X **Verruga,** Cruz 12, ⊠ 27001, ℘ 22 98 55, Fax 22 98 18 – 🗐. 🖭 ⓞ **E** _VISA_ ᴶᶜᴮ. ⋘ Z c
cerrado lunes – Com carta 2600 a 4450.

X **Campos,** Nova 4, ⊠ 27001, ℘ 22 97 43 – 🗐. 🖭 ⓞ **E** _VISA_. ⋘   Z u
cerrado del 15 al 31 octubre – Com carta 2850 a 4900.

X **La Coruñesa,** Dr. Castro 16, ⊠ 27001, ℘ 22 10 87 – 🗐. 🖭 ⓞ **E** _VISA_. ⋘   Z k
Com carta 2350 a 4100.

en la carretera N 640 por ① : 4 km – ⊠ 27192 Muja – 🕾 982 :

🏨 **Portón do Recanto,** La Campiña ℘ 22 34 55, Fax 25 01 07, ≼ – 🗐 rest 📺 🕿 ⇔ **℗**.
ⓞ _VISA_. ⋘
Com 2000 – � 500 – **35 hab** 5200/6500 – PA 3600.

en la carretera N VI – 🕾 982 :

🏨 **Los Olmos** sin rest, por ④ : 3 km, ⊠ 27296 Bocamaos, ℘ 20 00 32, Fax 21 59 18 – 🛗 📺
🕿 ⇔ **℗**. 🖭 **E** _VISA_. ⋘
⊏⊐ 400 – **70 hab** 3500/6000.

🏠 **Torre de Nuñez,** Conturiz, por ② : 4,5 km, ⊠ 27160 Conturiz, ℘ 22 72 13, Fax 22 72 70
– 🗐 📺 🕿 ⇔ **℗**. **E** _VISA_. ⋘
Com 1100 – ⊏⊐ 200 – **129 hab** 3400/4900.

XX **O Muiño,** por ② o ③ : 2 km, ⊠ 27004 Lugo, ℘ 23 05 50, Fax 25 04 42, 🍽, Decoración
rústica, « Terrazas al borde del río » – 🗐 **℗**. 🖭 ⓞ **E** _VISA_. ⋘
Com carta 1900 a 4175.

en la carretera N 540 por ③ : 4,5 km – ⊠ 27294 Esperante – 🕾 982 :

🏨 **Santiago,** ℘ 25 03 18, Fax 25 26 00, ⋇ – 🛗 🗐 📺 🕿 ⇔ **℗** – 🏊 25/700. 🖭 ⓞ **E** _VISA_
ᴶᶜᴮ. ⋘
Com 1600 – ⊏⊐ 500 – **60 hab** 5000/8000 – PA 2900.

LLADÓ 17745 Gerona 𝟦𝟦𝟥 J 30 – 509 h. – 🕾 972.
♦Madrid 757 – Figueras/Figueres 13 – Gerona/Girona 50.

X **Can Kiku,** pl. Major 1 ℘ 56 51 04 – 🗐. **E** _VISA_. ⋘
cerrado lunes y 23 diciembre-23 enero – Com carta 2800 a 3700.

LLAFRANCH o **LLAFRANC** 17211 Gerona 𝟦𝟦𝟥 G 39 – 🕾 972 – Playa.
♦ Madrid 726 – ♦ Gerona/Girona 42 – Palafrugell 5 – Palamós 16.

🏨 **Terramar** sin rest, con cafetería, passeig de Cipsela 1 ℘ 30 02 00, Fax 30 06 26, ≼ – 🛗
📺. 🖭 ⓞ **E** _VISA_. ⋘
26 marzo-5 octubre – ⊏⊐ 850 – **56 hab** 6500/9500.

🏨 **El Paraíso** 🦡, Paratge de Farena 3 ℘ 30 04 50, Fax 61 01 66, 🏊, ⋇ – 🛗 🕿 **℗**
temp. – **54 hab.**

🏨 **Llevant,** Francesc de Blanes 5 ℘ 30 03 66, Fax 30 03 45, 🍽 – 🛗 🗐 📺 🕿. **E** _VISA_. ⋘ rest
cerrado 24 octubre-1 diciembre – Com (_cerrado domingo noche de enero_ – _marzo_) 2100
– ⊏⊐ 950 – **24 hab** 5800/15000 – PA 4250.

🏠 **Casamar** 🦡, Nero 3 ℘ 30 01 04, Fax 61 06 51, 🍽, « Terraza con ≼ » – 🕿. 🖭 **E** _VISA_.
⋘ rest
Semana Santa-15 octubre – Com 1425 – ⊏⊐ 550 – **20 hab** 6400/7000 – PA 2650.

X **L'Espasa,** Fra Bernat Boil 14 ℘ 61 50 32, 🍽 – **E** _VISA_
Com carta 1580 a 2850.

LLAGOSTERA 17240 Gerona 𝟦𝟦𝟥 G 38 – 5 013 h. – 🕾 972.
♦Madrid 699 – ♦Barcelona 86 – Gerona/Girona 20.

en la carretera de Sant Feliu de Guíxols E : 5 km – ⊠ 17240 Llagostera – 🕾 972 :

XX ✿ **Els Tinars,** ℘ 83 06 26, Fax 83 12 77, 🍽, Decoración rústica – 🗐 **℗**. 🖭 ⓞ **E** _VISA_
cerrado martes de octubre a mayo y 24 enero-17 febrero – Com carta 2890 a 4380
Espec. Patatas Tinars, Rossejat de fideos con allioli, Pescado del día al horno a la ampurdanesa.

LLANARS 17869 Gerona 𝟦𝟦𝟥 F 37 – 388 h. – 🕾 972.
♦Madrid 701 – ♦Barcelona 129 – Gerona/Girona 82.

🏨 **Grèvol** 🦡, carret. de Campródon ℘ 74 10 13, Fax 74 10 87, ≼, « Chalet de montaña decorado con elegancia », 🔲 – 🛗 📺 🕿 **℗** – 🏊 25/60. 🖭 **E** _VISA_. ⋘
Com (_cerrado del 9 al 24 de mayo y del 7 al 21 noviembre_) 3500 – ⊏⊐ 1100 – **36 hab**
11000/14000 – PA 6900.

LÁNAVES DE LA REINA 24912 León 441 C 15 – Deportes de invierno.
Madrid 373 – ◆León 118 – ◆Oviedo 133 – ◆Santander 147.

🏨 **San Glorio** 📎, carret. N 621 ℰ 74 04 18, Fax 74 04 18, ⩽ – ⧆ 🍽 📺 ☎ 🄿. 🄰🄴 🅪 𝚅𝙸𝚂𝙰.
 ⸙
 Com (ver rest. **Mesón Llánaves**) – ⌑ 500 – **26 hab** 4500/6000.

✗ **Mesón Llánaves,** carret. N 621 ℰ 74 04 18, Fax 74 04 18 – 🄿. 🄰🄴 𝚅𝙸𝚂𝙰. ⸙
 Semana Santa-octubre – Com carta 1850 a 2700.

LANÇÁ Gerona – ver Llansá.

LLANES 33500 Asturias 441 B 15 – 14 218 h. – ✪ 98 – Playa.
Nemesio Sobrino 1 ℰ 540 01 64.
Madrid 453 – Gijón 103 – ◆Oviedo 113 – ◆Santander 96.

🏨 **Don Paco,** Posada Herrera 1 ℰ 540 01 50, Fax 540 26 81 – ⧆ 🍷. 🄰🄴 🅪 𝚅𝙸𝚂𝙰. ⸙
 mayo-septiembre – Com 2100 – ⌑ 600 – **42 hab** 6200/8500.

🏨 **G. H. Paraíso** sin rest, Pidal 2 ℰ 540 19 71, Fax 540 25 90 – ⧆ 🍽 📺 ☎ 👝, 🄰🄴 🅪 🄴
 𝚅𝙸𝚂𝙰. ⸙
 marzo- octubre – ⌑ 700 – **22 hab** 7900/13900.

🏨 **Montemar** sin rest, con cafetería, Genaro Riestra 8 ℰ 540 01 00, Fax 540 26 81, ⩽ – ⧆
 📺 ☎ 🄿. 🄰🄴 🅪 🄴 𝚅𝙸𝚂𝙰 🄹🄲🄱. ⸙
 ⌑ 700 – **41 hab** 6500/8925.

🏨 **Miraolas,** paseo de San Antón 14 ℰ 540 08 28, Fax 540 27 74, ⩽ – ⧆ 📺 ☎ 👝 🄿. 🄴
 𝚅𝙸𝚂𝙰. ⸙
 Com 1500 – ⌑ 500 – **41 hab** 5500/8500 – PA 3500.

🏨 **Las Rocas** sin rest, Marqués de Canillejas 3 ℰ 540 24 31, Fax 540 24 34 – ⧆ 📺 ☎ 🄿.
 🄰🄴 𝚅𝙸𝚂𝙰. ⸙
 abril- septiembre – ⌑ 550 – **33 hab** 6000/7500.

🏨 **Peñablanca** sin rest, Pidal 1 ℰ 540 01 66 – ☎. 🄴 𝚅𝙸𝚂𝙰
 junio-septiembre – ⌑ 500 – **31 hab** 4500/7000.

✗✗ **Sablon's,** pl. del Sablon ℰ 540 00 62, Fax 540 19 88 – 🄰🄴 🅪 🄴 𝚅𝙸𝚂𝙰. ⸙
 abril-octubre – Com carta 2100 a 3750.

 en la playa de Toró O : 1 km – ✉ 33500 Llanes – ✪ 98 :

✗ Mirador de Toró, ℰ 540 08 82, ⩽, � – 🄿.

 en La Arquera – ✉ 33500 Llanes – ✪ 98 :

🏨 **Las Brisas,** S : 2 km ℰ 540 17 26, Fax 540 13 82 – ⧆ 📺 ☎ 🄿. 🄰🄴 🅪 🄴 𝚅𝙸𝚂𝙰. ⸙
 Com 1500 – ⌑ 500 – **36 hab** 6500/8900 – PA 3500.

🏨 **La Arquera** sin rest, S : 2 km ℰ 540 24 24, Fax 540 01 75, ⩽, « Antigua casona con mobiliario de estilo » – 📺 ☎ 👝 🄿. 🄴 𝚅𝙸𝚂𝙰. ⸙
 ⌑ 800 – **13 hab** 6400/8000.

✗ **Prau Riu** 📎 con hab, carret. de Parres S : 2,5 km ℰ 540 11 54, 🌺 – 🄿. 🄰🄴 🅪 🄴 𝚅𝙸𝚂𝙰.
 ⸙
 Com (cerrado octubre) carta 2375 a 4300 – ⌑ 400 – **6 hab** 5000.

 en San Roque - carretera N 634 SE : 4 km – ✉ 33500 Llanes – ✪ 98 :

⚐ **Europa,** San Roque 29 ℰ 541 70 45, Fax 541 70 45 – 🄿. 🄰🄴 🄴 𝚅𝙸𝚂𝙰. ⸙
 Com 950 – ⌑ 400 – **24 hab** 3180/4750 – PA 2300.

 en La Pereda S : 4 km – ✉ 33509 La Pereda – ✪ 98 :

✗✗ **La Posada de Babel** 📎 con hab, ℰ 540 25 25, Fax 540 25 25, « Amplia zona de césped
 con árboles » – 🍽 📺 ☎ 🄿. 𝚅𝙸𝚂𝙰. ⸙
 Com (cerrado martes y febrero) carta 2800 a 4000 – ⌑ 750 – **8 hab** 7650/9600.

Los LLANOS DE ARIDANE – ver Canarias (La Palma).

LLANSÁ o **LLANÇÁ** 17490 Gerona 443 E 39 – 3 001 h. – ✪ 972 – Playa.
Alred. : San Pedro de Roda★★ (paraje★★) S : 15 km.
av. de Europa 37 ℰ 38 08 55, ✉ 17490, Fax 38 12 55.
Madrid 767 – Banyuls 31 – Gerona/Girona 60.

🏨 **Beri,** La Creu 17 ℰ 38 01 98, 🏊 – ⧆ 🍽 rest 🄿. 🄰🄴 🅪 🄴 𝚅𝙸𝚂𝙰 🄹🄲🄱
 abril-octubre – Com 1000 – ⌑ 400 – **60 hab** 3000/5800 – PA 2500.

🏨 **Carbonell,** Mayor 19 ℰ 38 02 09 – 🄿. 🄰🄴 🄴 𝚅𝙸𝚂𝙰. ⸙
 Com (Semana Santa y junio-septiembre) 1500 – ⌑ 350 – **31 hab** 1800/3500 – PA 3150.

 en la carretera de Port-Bou N : 1 km – ✉ 17490 Llançá – ✪ 972 :

🏨 **Gri-Mar,** ℰ 38 01 67, Fax 38 12 00, ⩽, 🏊, 🌺, ✗ – ☎ 👝 🄿. 🄰🄴 🄴 𝚅𝙸𝚂𝙰
 Semana Santa-septiembre – Com 2350 – ⌑ 600 – **39 hab** 6000/8500 – PA 4000.

LLANSÁ o LLANÇÁ

en el puerto NE : 1,5 km – ⊠ 17490 Llançá – 🕲 972 :

🏨 **Berna,** passeig Marítim 13 ℰ 38 01 50, ≤, ㍿ – ☏. 𝗩𝗜𝗦𝗔. ℀ rest
15 mayo-30 septiembre – Com 1500 – **38 hab** ⌑ 4650/6800.

🏨 **La Goleta,** Pintor Terruella 22 ℰ 38 01 25, Telex 56322, Fax 12 06 86 – |≋| ☎. 𝗔𝗘 ⓞ 𝗘 𝗩𝗜𝗦𝗔
℀
cerrado noviembre – Com *(cerrado miercoles)* 1750 – ⌑ 600 – **30 hab** 5500/7500
PA 3900.

✗ **El Vaixell,** Canigó 18 ℰ 38 02 95, Pescados y mariscos – ▤. 𝗔𝗘 ⓞ 𝗘 𝗩𝗜𝗦𝗔. ℀
cerrado domingo noche en invierno – Com carta 2100 a 3375.

✗ **La Vela,** Pintor Martínez Lozano 3 ℰ 38 04 75 – ▤. 𝗔𝗘 ⓞ 𝗘 𝗩𝗜𝗦𝗔 𝗝𝗖𝗕
cerrado lunes y 15 octubre-15 noviembre – Com carta 2700 a 3700.

✗ **La Brasa,** pl. Catalunya 6 ℰ 38 02 02, ㍿ – 𝗔𝗘 𝗘 𝗩𝗜𝗦𝗔. ℀
cerrado martes (salvo en verano) y 15 diciembre-febrero – Com carta 3100 a 4200.

✗ **Dany,** passeig Marítim 4 ℰ 38 03 96, ≤ – 𝗘 𝗩𝗜𝗦𝗔
cerrado martes y 15 diciembre-15 febrero – Com carta 2000 a 3400.

✗ **Can Manel,** pl. del Port 5 ℰ 38 01 12, ≤, Pescados y mariscos – 𝗔𝗘 ⓞ 𝗘 𝗩𝗜𝗦𝗔
cerrado jueves y enero – Com carta 4000 a 5000.

LLEIDA – ver Lérida.

LLESSUY o **LLESSUI** 25567 Lérida 𝟰𝟰𝟯 E 33 – alt. 1 400 – 🕲 973 – Deportes de invierno
≰9.

Ver : Valle de Llessui★★.

♦Madrid 603 – ♦Lérida/Lleida 150 – Seo de Urgel/La Seu d'Urgell 66.

en Bernui - carretera de Sort E : 3 km – ⊠ 25560 Sort – 🕲 973 :

✗ Can Joana, ℰ 62 17 58 – ℗.

en Altrón E : 7,5 km – ⊠ 25560 Sort – 🕲 973 :

🏠 **Vall d'Assua** ℀, carret. de Llessuy ℰ 62 17 38, ≤ – ▤ rest ℗. ℀
cerrado noviembre – Com 1675 – ⌑ 425 – **12 hab** 3300 – PA 3060.

LLIVIA 17527 Gerona 𝟰𝟰𝟯 E 35 – 921 h. alt. 1 224 – 🕲 972.

🚩 Forns, ⊠ 17527, ℰ 89 63 13.

♦Madrid 658 – Gerona/Girona 156 – Puigcerdá 6.

🏨 **Llivia** ℀, av. de Catalunya ℰ 14 60 00, Fax 14 60 00, ≤, ⌙, ㍿, ℀ – |≋| ☎ 🚗 ℗
⌾ 25/150. 𝗘 𝗩𝗜𝗦𝗔. ℀
cerrado noviembre – Com 2650 – **63 hab** ⌑ 6200/9600 – PA 4100.

🏠 **L'Esquirol** ℀, av. de Catalunya ℰ 89 63 03, Fax 89 63 03, ≤ – ℗. 𝗔𝗘 ⓞ 𝗘 𝗩𝗜𝗦𝗔. ℀ ha
Com 2000 – ⌑ 750 – **13 hab** 4500/7000.

✗✗ **Can Ventura,** pl. Major 1 ℰ 89 61 78, Fax 89 61 78, Decoración rústica, Edificio del siglo
XVIII, Cocina regional – 𝗘 𝗩𝗜𝗦𝗔. ℀
cerrado lunes noche, martes y octubre – Com carta 2200 a 3550.

✗ La Ginesta (Casa David), av. de Catalunya ℰ 89 62 87.

LLODIO 01400 Álava 𝟰𝟰𝟮 C 21 – 🕲 94.

♦Madrid 385 – ♦Bilbao/Bilbo 21 – ♦Burgos 142 – ♦Vitoria/Gasteiz 49.

✗ **Martina,** Zubiaur 1 ℰ 672 22 68 – ▤. 𝗔𝗘 𝗘 𝗩𝗜𝗦𝗔. ℀
Com carta 2200 a 4150.

en Areta E : 3 km – ⊠ 01400 Llodio – 🕲 94 :

✗✗✗ **Palacio de Anuncibai,** ⊠ apartado 106, ℰ 672 61 88, Fax 672 61 79 – ▤ ℗. 𝗔𝗘 ⓞ
𝗩𝗜𝗦𝗔. ℀
cerrado domingo noche, Semana Santa y del 1 al 15 de agosto – Com carta 3500 a 4500

LLOFRIU 17124 Gerona 𝟰𝟰𝟯 G 39 – 🕲 972.

♦ Madrid 724 – ♦ Gerona/Girona 36 – Palafrugell 3.

✗ **La Resclosa,** Estación 6-carret C 255 ℰ 30 29 68, ㍿, Decoración regional – ℗. 𝗔𝗘 𝗘 𝗩𝗜𝗦
cerrado jueves en invierno y octubre – Com carta 2150 a 3400.

Esta Guía se complementa con los siguientes **Mapas Michelin** :

n° 𝟵𝟵𝟬 ESPAÑA-PORTUGAL Principales Carreteras 1/1 000 000,

n° 𝟰𝟰𝟭, 𝟰𝟰𝟮, 𝟰𝟰𝟯, 𝟰𝟰𝟰, 𝟰𝟰𝟱 y 𝟰𝟰𝟲 ESPAÑA (mapas detallados) 1/400 000,

n° 𝟰𝟰𝟴 Islas CANARIAS (mapas/guía) 1/200 000,

n° 𝟰𝟰𝟬 PORTUGAL 1/400 000.

LORET DE MAR 17310 Gerona 443 G 38 – 10 480 h. – 972 – Playa.

pl. de la Vila 1, ℰ 36 47 35, ✉ 17310, Fax 36 77 50 y Estación de Autobuses ℰ 36 57 88.

Madrid 695 ② – ◆Barcelona 67 ② – Gerona/Girona 39 ③.

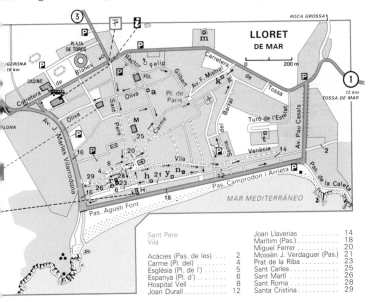

Roger de Flor ⑤, Turó de l'Estelat, ✉ apartado 66, ℰ 36 48 00, Fax 37 16 37, ⌂, « Grandes terrazas con ≤ », ⊆, ⊶, ⊶ – ≡ rest 📺 ☎ ⇔ ⓟ – 🔬 25/120. 🖭 ⓞ ⓔ **VISA** ⍩
cerrado 16 diciembre- 14 marzo – Com 4200 – ⊇ 2000 – **89 hab** 10000/17000, 9 suites – PA 8400.

G. H. Monterrey, carret. de Tossa de Mar ℰ 36 40 50, Fax 36 35 12, ⌂, Servicios de talasoterapia, « Amplio jardín », ⊆, ⊆, ⊶ – ⎸ ≡ 📺 ☎ ⓖ ⓟ – 🔬 25/425. 🖭 ⓞ ⓔ **VISA**. ⍩ rest
15 marzo-15 noviembre – Com (sólo cena) carta 3200 a 4100 – ⊇ 1000 – **224 hab** 8000/16000.

Marsol y Rest. Els Dofins, passeig Mossèn J. Verdaguer 7 ℰ 36 57 54, Fax 37 22 05, ⊆, ⊆ – ⎸ 📺 ☎ – 🔬 25/75. 🖭 ⓞ ⓔ **VISA**. ⍩
Com carta 1795 a 3475 – **87 hab** ⊇ 7500/9400.

Mercedes, av. F. Mistral 32 ℰ 36 43 12, Fax 36 49 53, ⌂, ⊆ – ⎸ ⊕. 🖭 ⓞ ⓔ **VISA**. ⍩
abril-octubre – Com 1500 – ⊇ 750 – **88 hab** 4600/6500 – PA 3750.

Excelsior, passeig Mossèn J. Verdaguer 16 ℰ 36 61 76, Telex 97061, Fax 37 16 54 – ⎸ ⊕. 🖭 ⓞ ⓔ **VISA**. ⍩ rest
abril-octubre – Com 1700 – ⊇ 500 – **45 hab** 4650/8950.

Santa Ana sin rest, Sénia del Rabic 26 ℰ 36 53 39 – ⎸. ⍩
15 mayo- 15 octubre – **48 hab** ⊇ 5600.

Can Bolet, Sant Mateu 6 ℰ 37 12 37, Pescados y mariscos – ≡. ⓞ ⓔ **VISA**. ⍩
cerrado domingo noche y lunes de noviembre-marzo – Com carta aprox. 4500.

Can Tarradas, pl. d'Espanya 7 ℰ 36 61 21, Fax 36 80 71, ⌂ – ≡. 🖭 ⓞ ⓔ **VISA**. ⍩
cerrado del 9 al 29 de diciembre – Com carta 2100 a 4400.

Taverna del Mar, Pescadors 5 ℰ 36 40 90, ⌂ – 🖭 ⓞ ⓔ **VISA**. ⍩
Semana Santa-octubre – Com carta 1675 a 4325.

en la carretera de Blanes por ② *: 1,5 km* – ✉ 17310 Lloret de Mar – 972 :

Fanals, ℰ 36 41 12, Fax 37 03 29, ⊆, ⊆, ⊶ – ⎸ ☎ ⓟ – 🔬 25/80. ⓞ ⓔ **VISA**. ⍩ rest
abril-octubre y Navidades – Com 2200 – **85 hab** ⊇ 7000/9000 – PA 4000.

en la playa de Fanals por ② *: 2 km* – ✉ 17310 Lloret de Mar – 972 :

Rigat Park ⑤, ℰ 36 52 00, Fax 37 04 11, ≤, ⌂, « Parque con arbolado », ⊆, ⊶, ⊶ – ⎸ ≡ 📺 ☎ ⓟ – 🔬 25/650. 🖭 ⓞ ⓔ **VISA**. ⍩ rest
cerrado diciembre- 7 enero – Com 3800 – ⊇ 1500 – **87 hab** 10600/16000, 17 suites – PA 5000.

287

en la playa de Santa Cristina por ② : 3 km – ✉ 17310 Lloret de Mar – ✆ 972 :

🏨 **Santa Marta** ⚓, ✆ 36 49 04, Fax 36 92 80, ≤, « Gran pinar », ⌁, 🐎, ✗ – 🛗 🖥 📺
Ⓟ – 🎗 25/120. 🆎 ⓞ Ⓔ ⓥⓘⓢⓐ. ✗ rest
cerrado 23 diciembre – enero – Com carta 3700 a 5200 – ⌁ 1500 – **76 hab** 15000/25000
2 suites.

en la urbanización Playa Canyelles por ① : 3 km – ✉ 17310 Lloret de Mar – ✆ 972

✗✗ **El Trull,** ✉ apartado 429, ✆ 36 49 28, Fax 37 13 08, 🏮, Decoración rústica, ⌁, ✗ – Ⓟ
Ⓟ. 🆎 ⓞ Ⓔ ⓥⓘⓢⓐ. ✗
Com carta 3100 a 5500.

MACAEL 04867 Almería 🅸🅵🅶 U 23 – 5 018 h. alt. 535 – ✆ 950.
◆ Madrid 531 – Almería 113 – ◆ Murcia 145.

🏠 Villa de Macael sin rest, av. de Andalucía ✆ 44 55 13 – 🖥 📺 ☎
12 hab.

MAÇANET DE CABRENYS Gerona – ver Massanet de Cabrenys.

Madrid

28000 **P** 444 K 19 – 3 188 297 h. alt. 646 – ⚙ 91.

Ver : Museo del Prado★★★ NY – El viejo Madrid★ : Plaza Mayor★★ KY, Plaza de la Villa★ KY, Capilla del Obispo★ KZ, Jardines de las Vistillas KYZ ★★, Iglesia de San Francisco el Grande (sillería★, sillería de la sacristía★) KZ – Barrio de Oriente★★ : Palacio Real★★★ KX (Palacio★ : Salón del Trono★, Real Armería★★, Museo de Carruajes Reales★ DY **M1**, Campo del Moro★) Monasterio de las Descalzas Reales★★ KLX, Real Monasterio de la Encarnación★ KX, Ciudad Universitaria★ DV, Parque del Oeste★ DV, Casa de Campo★ DX, Zoo★★ AM – El Madrid de los Borbones★★ : Plaza de la Cibeles★ MNX Paseo del Prado★ MNXZ, Palacio de Villahermosa (colección Thyssen – Bornemisza★★) MY **M6**, Casón del Buen Retiro★ NY Centro de Arte Reina Sofia★ (El Guernica★★) MZ, Puerta de Alcalá★ NX Parque del Buen Retiro★★ NYZ.

Otras curiosidades : Museo Arqueológico Nacional★★ (Dama de Elche★★★) NV – Museo Lázaro Galdiano★★ (colección de esmaltes y marfiles★★★) HV **M4** – Real Academia de Bellas Artes de San Fernando★ LX **M2** – San Antonio de la Florida (Frescos★★) DX – Museo de Cera★ NV Museo Sorolla★ GV **M5** – Plaza Monumental de las Ventas★ JV **B** – Museo del Ejército★ NY.

Alred. : El Pardo (Palacio★) NO : 13 km por C 601 AL.

Hipódromo de la Zarzuela AL – 🏌, 🏌 Puerta de Hierro 🏌 216 17 45 AL – 🏌, 🏌 Club de Campo 🏌 357 21 32 AL – 🏌 La Moraleja por ① : 11 km 🏌 650 07 00 – 🏌 Club Barberán por ⑤ : 10 km 🏌 218 85 05 – 🏌 Las Lomas – El Bosque por ⑤ : 18 km 🏌 616 21 70 – 🏌 Real Automóvil Club de España por ① : 28 km 🏌 652 26 00 – 🏌 Nuevo Club de Madrid, Las Matas por ⑦ : 26 km 🏌 630 08 20 – 🏌 de Somosaguas O : 10 km por Casa de Campo 🏌 212 16 47.

🛬 de Madrid-Barajas por ② : 13 km 🏌 305 61 12 – Iberia : Velázquez 130, ✉ 28006, 🏌 411 10 11 HV y Aviaco, Maudes 51, ✉ 28003, 🏌 554 36 00 FV – 🚆 Chamartín 🏌 733 11 22.

Compañías Marítimas : Cia. Trasmediterránea, Pedro Muñoz Seca 2 NX, ✉ 28001, 🏌 431 07 00, Fax 431 08 04.

🛈 Princesa 1, ✉ 28008, 🏌 541 23 25, Duque de Medinaceli 2, ✉ 28014, 🏌 429 49 51, pl Mayor 3, ✉ 28012, 🏌 266 54 77, Estación de Chamartín, ✉ 28036, 🏌 315 99 76 y aeropuerto de Barajas 🏌 305 86 56 – R.A.C.E. José Abascal 10, ✉ 28003, 🏌 447 32 00, Fax 447 79 48.

◆Barcelona 627 ② – ◆Bilbao/Bilbo 397 ① – ◆La Coruña/A Coruña 603 ⑦ – ◆Lisboa 653 ⑥ – ◆Málaga 548 ④ – ◆Paris 1310 ① – ◆Porto 599 ⑦ – ◆Sevilla 550 ④ – ◆Valencia 351 ③ – ◆Zaragoza 322 ②.

MADRID

REPERTORIO DE CALLES DEL PLANO DE MADRID

Continuación Madrid p. 4

REPERTORIO DE CALLES DEL PLANO DE MADRID (fir

MADRID

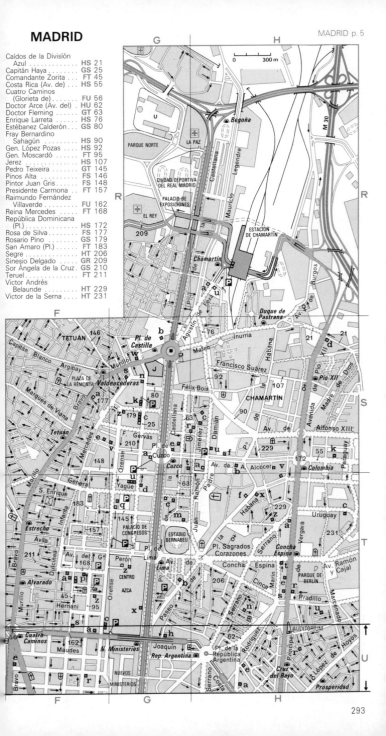

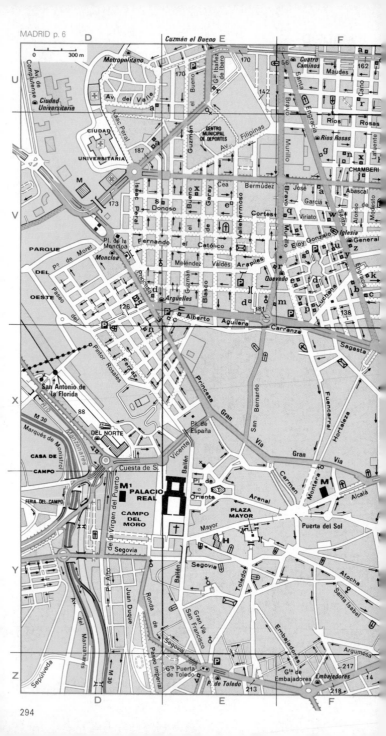

MADRID

Repertorio de calles
ver Madrid p. 3 y p. 4

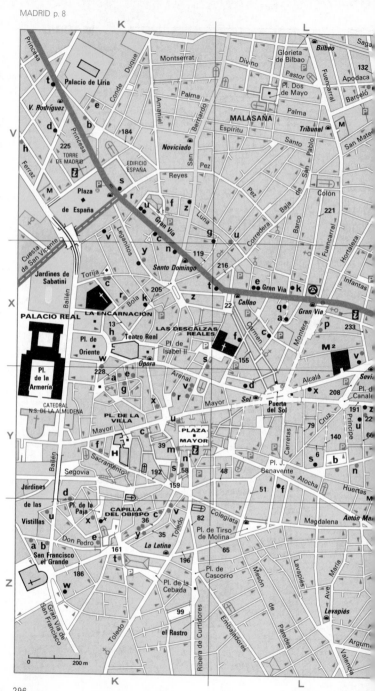

MADRID

Michelin
pone sus mapas
constantemente al día.
Llévelos en su coche
y no tendrá Vd. sorpresas
desagradables en carretera.

297

LISTA ALFABÉTICA DE HOTELES Y RESTAURANTES

MAPAS Y GUÍAS MICHELIN

Oficina de información y venta

Doctor Esquerdo 157, 28007 Madrid - ℰ 409 09 40

Abierto de lunes a viernes de 8 h. a 16 h. 30

Centro : Paseo del Prado, Puerta del Sol, Gran Vía, Alcalá, Paseo de Recoletos, Plaza Mayo (planos p. 8 y 9)

Palace, pl. de las Cortes 7, ⊠ 28014, ℰ 429 75 51, Telex 23903, Fax 429 82 66 – |≡| ≣ 🗊
☎ ᬐ ⇔ – ⚿ 25/600. 🖭 ◍ 🖻 𝗩𝗜𝗦𝗔 𝗝𝗖𝗕. ⋘ rest   MY
Com 6750 – ☲ 2325 – **436 hab** 29500/37000, 20 suites.

Princesa, Princesa 40, ⊠ 28008, ℰ 542 21 00, Telex 44377, Fax 542 35 01 – |≡| ≣ 🗊 ◖
⇔ – ⚿ 25/750. 🖭 ◍ 🖻 𝗩𝗜𝗦𝗔 𝗝𝗖𝗕. ⋘ rest   plano p. 6   EV
Com carta 4350 a 5550 – ☲ 1950 – **370 hab** 23100/28900, 36 suites.

Villa Real, pl. de las Cortes, 10, ⊠ 28014, ℰ 420 37 67, Telex 44600, Fax 420 25 47
« Decoración elegante » – |≡| ≣ 🗊 ☎ ᬐ ⇔ – ⚿ 25/120. 🖭 ◍ 🖻 𝗩𝗜𝗦𝗔. ⋘   MY
Com 5000 – ☲ 1650 – **96 hab** 26400/33000, 19 suites – PA 11650.

Plaza, pl. de España, ⊠ 28013, ℰ 547 12 00, Telex 27383, Fax 548 23 89, ≼, ⤋ – |≡| ≣
🗊 ☎ – ⚿ 25/350. 🖭 ◍ 🖻 𝗩𝗜𝗦𝗔. ⋘   KV
Com 2500 – ☲ 1300 – **302 hab** 15200/19000, 4 suites – PA 6300.

Tryp Ambassador, Cuesta de Santo Domingo 5, ⊠ 28013, ℰ 541 67 00, Telex 49531
Fax 559 10 40 – |≡| ≣ 🗊 ☎ – ⚿ 25/280. 🖭 ◍ 🖻 𝗩𝗜𝗦𝗔 𝗝𝗖𝗕. ⋘   KX
Com carta 4100 a 5100 – ☲ 1100 – **181 hab** 16000/20000.

G.H. Reina Victoria, pl. de Santa Ana 14, ⊠ 28012, ℰ 531 45 00, Telex 47544
Fax 522 03 07 – |≡| ≣ 🗊 ☎ – ⚿ 25/350. 🖭 ◍ 🖻 𝗩𝗜𝗦𝗔. ⋘   LY
Com carta 4700 a 6300 – ☲ 1100 – **195 hab** 16000/20000, 6 suites.

Liabeny, Salud 3, ⊠ 28013, ℰ 532 53 06, Telex 49024, Fax 532 74 21 – |≡| ≣ 🗊 ☎ ᬐ
🖭 𝗩𝗜𝗦𝗔. ⋘   LX
Com 2600 – ☲ 900 – **219 hab** 10000/15000.

Suecia y Rest. Bellman, Marqués de Casa Riera 4, ⊠ 28014, ℰ 531 69 00, Telex 22313
Fax 521 71 41 – |≡| ≣ 🗊 ☎ – ⚿ 25/150. 🖭 ◍ 🖻 𝗩𝗜𝗦𝗔 𝗝𝗖𝗕. ⋘   MX
Com *(cerrado agosto)* carta aprox. 4500 – ☲ 1375 – **128 hab** 17900/21000.

Emperador sin rest, Gran Vía 53, ⊠ 28013, ℰ 547 28 00, Telex 46261, Fax 547 28 17, ⤋
– |≡| ≣ 🗊 ☎ – ⚿ 25/300. 🖭 ◍ 🖻 𝗩𝗜𝗦𝗔.   KX
☲ 970 – **232 hab** 13400/16800.

Arosa sin rest, con cafetería, Salud 21, ⊠ 28013, ℰ 532 16 00, Telex 43618, Fax 531 31 2
– |≡| ≣ 🗊 ☎ ᬐ. 🖭 ◍ 🖻 𝗩𝗜𝗦𝗔 𝗝𝗖𝗕   LX
☲ 1200 – **139 hab** 12700/17500.

Mayorazgo, Flor Baja 3, ⊠ 28013, ℰ 547 26 00, Telex 45647, Fax 541 24 85 – |≡| ≣ 🗊
☎ ᬐ – ⚿ 25/250. 🖭 ◍ 🖻 𝗩𝗜𝗦𝗔 𝗝𝗖𝗕. ⋘   KV
Com 3500 – ☲ 1200 – **200 hab** 11000/15300 – PA 8200.

Tryp Menfis, Gran Vía 74, ⊠ 28013, ℰ 547 09 00, Telex 48773, Fax 547 51 99 – |≡| ≣ 🗊
☎. 🖭 ◍ 🖻 𝗩𝗜𝗦𝗔 𝗝𝗖𝗕. ⋘   KV
Com 1975 – ☲ 925 – **116 hab** 12720/15900.

Tryp Washington, Gran Vía 72, ⊠ 28013, ℰ 541 72 27, Telex 48773, Fax 547 51 99 –
≣ 🗊 ☎. 🖭 ◍ 🖻 𝗩𝗜𝗦𝗔 𝗝𝗖𝗕. ⋘   KV
Com (en el hotel **Tryp Menfis**) – ☲ 925 – **117 hab** 10800/13500.

El Coloso, Leganitos 13, ⊠ 28013, ℰ 559 76 00, Telex 47017, Fax 547 49 68 – |≡| ≣ 🗊
☎ – ⚿ 25/200. 🖭 ◍ 🖻 𝗩𝗜𝗦𝗔 𝗝𝗖𝗕. ⋘   KX
Com 2750 – ☲ 1200 – **80 hab** 15100/18850, 4 suites – PA 6700.

Regina sin rest, Alcalá 19, ⊠ 28014, ℰ 521 47 25, Telex 27500, Fax 521 47 25 – |≡| ≣ 🗊
☎. 🖭 ◍ 🖻 𝗩𝗜𝗦𝗔. ⋘   LX
☲ 750 – **142 hab** 10300/14100.

Casón del Tormes sin rest, Río 7, ⊠ 28013, ℰ 541 97 46, Fax 541 18 52 – |≡| ≣ 🗊 ☎
🖻 𝗩𝗜𝗦𝗔. ⋘   KV
☲ 600 – **63 hab** 8500/12500.

Mercator sin rest, con cafetería, Atocha 123, ⊠ 28012, ℰ 429 05 00, Telex 46129
Fax 369 12 52 – |≡| 🗊 ☎ 🅿. 🖭 ◍ 🖻 𝗩𝗜𝗦𝗔   NZ
☲ 750 – **89 hab** 8000/11250.

Cortezo sin rest, con cafetería, Dr Cortezo 3, ⊠ 28012, ℰ 369 01 01, Telex 48700
Fax 369 37 74 – |≡| ≣ 🗊 ☎ ᬐ. 🖭 🖻 𝗩𝗜𝗦𝗔. ⋘   LY
☲ 850 – **90 hab** 8675/10850.

🏛 **Los Condes** sin rest, Los Libreros 7, ✉ 28004, ℘ 521 54 55, Telex 42730, Fax 521 78 82
– 📶 🍴 📺 ☎. 🖭 ⓞ 🗲 VISA. ✦
⬜ 600 – **68 hab** 8000/11500.
KLV **g**

🏛 **Tryp Capitol** sin rest, Gran Vía 41, ✉ 28013, ℘ 521 83 91, Telex 41499, Fax 521 77 29 –
📶 🍴 📺 ☎. 🖭 ⓞ 🗲 VISA JCB. ✦
⬜ 925 – **144 hab** 10800/13500.
KLX **t**

🏛 **El Prado**, Prado 11, ✉ 28014, ℘ 369 02 34, Fax 429 28 29 – 📶 🍴 📺 ☎. 🖭 ⓞ 🗲 VISA
Com 1350 – ⬜ 300 – **47 hab** 11000/16500.
LY **a**

🏛 **Carlos V** sin rest, Maestro Vitoria 5, ✉ 28013, ℘ 531 41 00, Telex 48547, Fax 531 37 61
– 📶 🍴 📺 ☎. 🖭 ⓞ 🗲 VISA JCB. ✦
⬜ 650 – **67 hab** 8900/11200.
LX **f**

🏛 **Atlántico** sin rest, Gran Vía 38 - 3°, ✉ 28013, ℘ 522 64 80, Telex 43142, Fax 531 02 10
– 📶 🍴 ☎. 🖭 🗲 VISA JCB. ✦
⬜ 550 – **62 hab** 7600/10250.
LX **e**

🏛 **Moderno** sin rest, Arenal 2, ✉ 28013, ℘ 531 09 00, Fax 531 35 50 – 📶 🍴 📺 ☎. 🖭 ⓞ
🗲 VISA JCB. ✦
⬜ 420 – **98 hab** 6300/9900.
LY **d**

🏛 **Reyes Católicos** sin rest, Ángel 18, ✉ 28005, ℘ 365 86 00, Fax 365 98 67 – 📶 🍴 📺 ☎.
🖭 ⓞ VISA. ✦
⬜ 775 – **38 hab** 7500/11700.
KZ **w**

🏛 **París**, Alcalá 2, ✉ 28014, ℘ 521 64 96, Telex 43448, Fax 531 01 88 – 📶 🍴 hab 📺 ☎. 🗲
VISA. ✦
Com 3000 – ⬜ 550 – **114 hab** 7600/10900.
LY **x**

🏛 **Italia**, Gonzalo Jiménez de Quesada 2 - 2°, ✉ 28004, ℘ 522 47 90, Fax 521 28 91 – 📶 🍴 rest
☎. 🖭 ⓞ 🗲 VISA. ✦
Com 2000 – ⬜ 380 – **59 hab** 5600/7000 – PA 3700.
LX **k**

🏛 **Inglés** sin rest, Echegaray 8, ✉ 28014, ℘ 429 65 51, Fax 420 24 23 – 📶 📺 ☎ 🔚. 🖭
ⓞ 🗲 VISA. ✦
⬜ 500 – **58 hab** 6500/9500.
LY **u**

🏛 **Anaco** sin rest, con cafetería, Tres Cruces 3, ✉ 28013, ℘ 522 46 04, Fax 531 64 84 – 📶
🍴 📺 ☎. 🖭 ⓞ 🗲 VISA JCB. ✦
⬜ 655 – **39 hab** 6800/10500.
LX **a**

🏛 **California** sin rest, Gran Vía 38, ✉ 28013, ℘ 522 47 03, Fax 531 61 01 – 📶 🍴 📺 ☎. 🖭
ⓞ VISA. ✦
⬜ 350 – **26 hab** 5600/7500.
LX **e**

🏛 **Santander** sin rest, Echegaray 1, ✉ 28014, ℘ 429 95 51 – 📶 🔚. ✦
⬜ 400 – **38 hab** 6000/8000.
LY **z**

XXX **El Cenador del Prado,** Prado 4, ✉ 28014, ℘ 429 15 61, Fax 369 04 55 – 🔚. 🖭 ⓞ 🗲 VISA
JCB. ✦
cerrado sábado mediodía, domingo y 15 días en agosto – Com carta 2900 a 4100.
LY **n**

XXX **Paradis Madrid,** Marqués de Cubas 14, ✉ 28014, ℘ 429 73 03, Fax 429 32 95 – 🔚. 🖭
ⓞ VISA. ✦
cerrado sábado mediodía, domingo, Semana Santa y agosto – Com carta 2950 a 5100.
MY **v**

XXX **Bajamar,** Gran Vía 78, ✉ 28013, ℘ 548 48 18, Fax 559 13 26, Pescados y mariscos – 🔚.
🖭 ⓞ 🗲 VISA JCB. ✦
Com carta 4250 a 6400.
KV **r**

XXX **El Landó,** pl. Gabriel Miró 8, ✉ 28005, ℘ 266 76 81, Decoración elegante – 🔚. 🖭 ⓞ 🗲
VISA JCB. ✦
cerrado domingo, festivos y agosto – Com carta 4100 a 6300.
KZ **a**

XX **El Espejo,** paseo de Recoletos 31, ✉ 28004, ℘ 308 23 47, Fax 593 22 23, « Evocación de
un antiguo café parisino » – 🔚. 🖭 ⓞ 🗲 VISA. ✦
Com carta 4100 a 5225.
NV **a**

XX **Moaña,** Hileras 4, ✉ 28013, ℘ 548 29 14, Fax 541 65 98, Cocina gallega – 🔚 🔚. 🖭 ⓞ
🗲 VISA JCB. ✦
cerrado domingo – Com carta 3990 a 5800.
KY **r**

XX **Errota-Zar,** Jovellanos 3-1°, ✉ 28014, ℘ 531 25 64 – 🔚. ⓞ 🗲 VISA. ✦
cerrado domingo y agosto – Com carta 3500 a 4200.
MY **s**

XX **Ainhoa,** Bárbara de Braganza 12, ✉ 28004, ℘ 308 27 26, Cocina vasca – 🔚 🗲 VISA. ✦
cerrado domingo y agosto – Com carta 3900 a 4600.
NV **s**

XX **Horno de Santa Teresa,** Santa Teresa 12, ✉ 28004, ℘ 319 10 61 – 🔚. 🖭 ⓞ 🗲 VISA.
✦
cerrado sábado, domingo y agosto – Com carta aprox. 5700.
MV **t**

XX **Café de Oriente,** pl. de Oriente 2, ✉ 28013, ℘ 541 39 74, Fax 547 77 07, En una bodega
– 🔚. 🖭 ⓞ 🗲 VISA. ✦
Com carta 4300 a 6200.
KXY **w**

XX **Posada de la Villa,** Cava Baja 9, ✉ 28005, ℘ 366 18 80, Fax 366 18 80, « Antigua posada
de estilo castellano » – 🔚. 🖭 ⓞ 🗲 VISA. ✦
cerrado domingo noche y 24 julio-23 agosto – Com carta 3275 a 5975.
KZ **v**

XX **La Gastroteca,** pl. de Chueca 8, ⊠ 28004, 𝒫 532 25 64, Cocina francesa – 🍽. 🅰🅴 ⓪ 🄴
VISA   MV e
cerrado sábado mediodía, domingo y agosto – Com carta 3900 a 4480.

XX **Don Pelayo,** Alcalá 33, ⊠ 28014, 𝒫 531 00 31 – 🍽. 🅰🅴 ⓪ 🄴 VISA JCB. 🍽   MX s
cerrado domingo – Com carta 3275 a 4550.

XX **Platerías,** pl. de Santa Ana 11, ⊠ 28012, 𝒫 429 70 48, Evocación de un café de principio
de siglo – 🍽. 🅰🅴 ⓪ 🄴 VISA. 🍽   LY b
cerrado domingo y agosto – Com carta aprox. 5500.

XX **Da Nicola,** pl. de los Mostenses 11, ⊠ 28015, 𝒫 542 25 74, Fax 547 89 82, Cocina italiana
– 🍽. 🅰🅴 ⓪ 🄴 VISA. 🍽   KV f
Com carta 1800 a 2400.

XX **El Asador de Aranda,** Preciados 44, ⊠ 28013, 𝒫 547 21 56, Cordero asado, « Decoración
castellana » – 🍽. 🄴 VISA. 🍽 – Comida carta 3165 a 3965.   KX z

XX **Arce,** Augusto Figueroa 32, ⊠ 28004, 𝒫 522 04 40, Fax 522 59 13 – 🍽. 🅰🅴 ⓪ 🄴 VISA. 🍽
cerrado sábado mediodía, domingo, Semana Santa y del 14 al 31 de agosto – Com carta
4525 a 6915.   MV c

XX **La Rioja,** Las Negras 8, ⊠ 28015, 𝒫 548 04 97, Fax 542 56 37, Decoración rústica medieval
– 🍽 🅿 🅰🅴 ⓪ 🄴 VISA JCB. 🍽   KV e
cerrado domingo – Com carta 3100 a 5300.

XX **El Mentidero de la Villa,** Santo Tomé 6, ⊠ 28004, 𝒫 308 12 85, Fax 319 87 92,
« Decoración original » – 🍽. 🅰🅴 ⓪ 🄴 VISA JCB. 🍽   MV b
cerrado sábado mediodía, domingo y agosto – Com carta 3900 a 4650.

XX **Julián de Tolosa,** Cava Baja 18, ⊠ 28005, 𝒫 265 82 10, Decoración neorústica-Carnes
a la brasa – 🍽. 🅰🅴 ⓪ 🄴 VISA. 🍽   KZ c
cerrado domingo – Com carta 3850 a 5800.

XX **La Taberna de Liria,** Duque de Liria 9, ⊠ 28015, 𝒫 541 45 19 – 🍽. 🅰🅴 ⓪ 🄴 VISA. 🍽
cerrado sábado mediodía, domingo, festivos y 3 últimas semanas de agosto – Com carta
3890 a 5390.   KV b

XX **Sixto Gran Mesón,** Cervantes 28, ⊠ 28014, 𝒫 429 22 55, Fax 523 31 74, Decoración castellana – 🍽. 🅰🅴 ⓪ 🄴 VISA. 🍽   MY n
cerrado domingo noche – Com carta 2875 a 4450.

XX **Casa Gallega,** pl. de San Miguel 8, ⊠ 28005, 𝒫 547 30 55, Cocina gallega – 🍽. 🅰🅴 ⓪
🄴 VISA JCB. 🍽   KY c
Com carta 3650 a 5600.

XX **La Toja,** Siete de Julio 3, ⊠ 28012, 𝒫 366 46 64, Fax 366 52 30, Cocina gallega – 🍽. 🅰🅴
⓪ 🄴 VISA. 🍽   KY u
cerrado julio – Com carta 3525 a 5600.

XX **Casa Gallega,** Bordadores 11, ⊠ 28013, 𝒫 551 90 55, Cocina gallega – 🍽. 🅰🅴 ⓪ 🄴 VISA
JCB. 🍽   KY v
Com carta 3650 a 5600.

XX **Vegamar,** Serrano Jover, 6, ⊠ 28015, 𝒫 542 73 32, Pescados y mariscos – 🍽. 🅰🅴 ⓪ VISA
plano p. 6   EV c
cerrado domingo, Semana Santa y agosto – Com carta 3100 a 3800.

XX **La Grillade,** Jardines 3, ⊠ 28013, 𝒫 521 22 17, Telex 43618, Fax 531 31 27 – 🍽. 🅰🅴 ⓪
🄴 VISA JCB   LX p
cerrado agosto – Com carta 3075 a 3665.

XX **Gure-Etxea,** pl. de la Paja 12, ⊠ 28005, 𝒫 365 61 49, Cocina vasca – 🍽. 🅰🅴 ⓪ 🄴 VISA
🍽   KZ >
Com carta 3500 a 4875.

XX **Le Chateaubriand,** Virgen de los Peligros 1, ⊠ 28014, 𝒫 532 33 41, Carnes – 🍽. 🅰🅴 VISA
🍽   LX v
cerrado domingo y festivos – Com carta 2675 a 3475.

XX **La Ópera de Madrid,** Amnistía 5, ⊠ 28013, 𝒫 559 50 92 – 🍽. 🅰🅴 ⓪ 🄴 VISA. 🍽 KY g
cerrado domingo y agosto – Com carta 3375 a 4150.

XX **Botín,** Cuchilleros 17, ⊠ 28005, 𝒫 266 42 17, Fax 266 84 94, Decoración viejo Madrid
bodega típica – 🍽. 🅰🅴 ⓪ 🄴 VISA JCB   KY
Com carta 2860 a 5200.

XX **Rasputín,** Yeseros 2, ⊠ 28005, 𝒫 366 39 62, Rest. ruso – 🄴 VISA. 🍽   KYZ e
cerrado martes – Com carta 2515 a 3830.

X **Carpanta,** Bailén 20, ⊠ 28005, 𝒫 365 82 37 – 🍽. 🅰🅴 ⓪ 🄴 VISA. 🍽   KZ
cerrado domingo noche y lunes – Com carta aprox. 4500.

X **Casa Lucio,** Cava Baja 35, ⊠ 28005, 𝒫 365 32 52, Fax 366 48 66, Decoración castellana
– 🍽. 🅰🅴 ⓪ VISA. 🍽   KZ y
cerrado sábado mediodía y agosto – Com carta 3600 a 4600.

X **Esteban,** Cava Baja 36, ⊠ 28005, 𝒫 365 90 91, Fax 366 93 91 – 🍽. 🅰🅴 ⓪ VISA KZ v
cerrado domingo y 2ª quincena de julio – Com carta 4250 a 5300.

X **Mesón Gregorio III,** Bordadores 5, ⊠ 28013, 𝒫 542 59 56 – 🍽. 🅰🅴 ⓪ 🄴 VISA. 🍽KY v
cerrado miércoles y del 1 al 15 de agosto – Com carta 3200 a 3800.

✗ **Las Cuevas de Luis Candelas,** Cuchilleros 1, ✉ 28005, ℰ 366 54 28, Fax 366 18 80, Decoración viejo Madrid - camareros vestidos como los antiguos bandoleros – 🍽. 🖭 ⓞ 🗲 𝘝𝘐𝘚𝘈. ⅍
KY **m**
Com carta 3475 a 5125.

✗ **Pazo de Gondomar,** San Martín 2, ✉ 28013, ℰ 532 31 63, Cocina gallega – 🍽. 🖭 ⓞ 🗲 𝘝𝘐𝘚𝘈. ⅍
KXY **s**
Com carta 3200 a 4900.

✗ **Casablanca,** Barquillo 29, ✉ 28004, ℰ 521 15 68 – 🍽. 🖭 ⓞ 🗲 𝘝𝘐𝘚𝘈
MV **s**
cerrado sábado mediodía y domingo – Com carta 1700 a 3100.

✗ **Del Valle,** Humilladero 4, ✉ 28005, ℰ 366 90 25 – 🍽. 🖭 🗲 𝘝𝘐𝘚𝘈 𝗝𝗖𝗕. ⅍
KZ **t**
cerrado domingo, lunes noche y agosto – Com carta aprox. 3200.

✗ **Corral de la Morería,** Morería 17, ✉ 28005, ℰ 365 11 37, Fax 364 12 19, Tablao flamenco – 🍽. 🖭 ⓞ 🗲 𝘝𝘐𝘚𝘈 𝗝𝗖𝗕. ⅍
KZ **u**
Com (sólo cena-suplemento espectáculo) carta aprox. 7100.

✗ **El Arcón,** Silva 25, ✉ 28004, ℰ 522 60 05 – 🍽. 🖭 ⓞ 🗲 𝘝𝘐𝘚𝘈. ⅍
LV **u**
cerrado domingo noche y agosto – Com carta aprox. 4200.

✗ **Viejo Madrid,** Cava Baja 32, ✉ 28005, ℰ 366 38 38 – 🍽. 🖭 ⓞ 🗲 𝘝𝘐𝘚𝘈. ⅍
KZ **y**
cerrado domingo noche, lunes y julio – Com carta aprox. 5500.

✗ **Bar del Teatro,** Prim 5, ✉ 28004, ℰ 531 17 97, En una bodega – 🍽. 🖭 ⓞ 🗲 𝘝𝘐𝘚𝘈
MV **n**
cerrado sábado mediodía y domingo – Com carta 3900 a 6200.

✗ **El Schotis,** Cava Baja 11, ✉ 28005, ℰ 365 32 30 – 🍽. 🖭 ⓞ 🗲 𝘝𝘐𝘚𝘈 𝗝𝗖𝗕. ⅍
KZ **v**
cerrado lunes y agosto – Com carta 3200 a 4900.

✗ **Taberna del Alabardero,** Felipe V - 6, ✉ 28013, ℰ 547 25 77, Fax 547 77 07, Taberna típica – 🍽. 🖭 ⓞ 🗲 𝘝𝘐𝘚𝘈 𝗝𝗖𝗕
KX **h**
Com carta 3400 a 4750.

✗ **Berrio,** Costanilla de Capuchinos 4, ✉ 28004, ℰ 521 20 35, Fax 522 66 29, Rest. andaluz – 🍽. 🖭 ⓞ 🗲 𝘝𝘐𝘚𝘈. ⅍
LX **n**
cerrado domingo y 8 agosto-8 septiembre – Com carta aprox. 4200.

✗ **La Quintana,** Bordadores 7, ✉ 28013, ℰ 542 04 88 – 🍽. 🖭 ⓞ 🗲 𝘝𝘐𝘚𝘈. ⅍
KY **v**
cerrado lunes – Com carta 2700 a 4575.

✗ **Dómine Cabra,** Huertas 54, ✉ 28014, ℰ 429 43 65 – 🍽. 🖭 ⓞ 🗲 𝘝𝘐𝘚𝘈 𝗝𝗖𝗕. ⅍
MZ **s**
cerrado domingo noche y del 8 al 21 de agosto – Com carta 2750 a 4100.

✗ **Ciao Madrid,** Argensola 7, ✉ 28004, ℰ 308 25 19, Cocina italiana – 🍽. 🖭 ⓞ 𝘝𝘐𝘚𝘈. ⅍
MV **t**
cerrado sábado mediodía, domingo y agosto – **Comida** carta 2950 a 4350.

✗ **La Argentina,** Válgame Dios 8, ✉ 28004, ℰ 521 37 63 – 🍽. ⅍
MV **d**
cerrado domingo noche, lunes y 25 julio - 31 agosto – Com carta 1800 a 2550.

✗ **La Bola,** Bola 5, ✉ 28013, ℰ 547 69 30, Fax 547 04 63, Cocido madrileño – 🍽. 🖭 ⓞ 🗲 𝘝𝘐𝘚𝘈 𝗝𝗖𝗕. ⅍
KX **r**
cerrado domingo – **Comida** carta 2900 a 4275.

✗ **Casa Paco,** Puerta Cerrada 11, ✉ 28005, ℰ 366 31 66 – 🍽. ⓞ 𝘝𝘐𝘚𝘈. ⅍
KY **s**
cerrado domingo y agosto – Com carta aprox. 4450.

✗ **El Buey II,** pl. de la Marina Española 1, ✉ 28013, ℰ 541 30 41 – 🍽. 𝘝𝘐𝘚𝘈
KX **c**
cerrado domingo – Com carta 1900 a 3500.

✗ **Salvador,** Barbieri 12, ✉ 28004, ℰ 521 45 24 – 🍽. 🖭 🗲 𝘝𝘐𝘚𝘈. ⅍
MX **b**
cerrado domingo y agosto – Com carta 2600 a 3450.

✗ **Taberna Carmencita,** Libertad 16, ✉ 28004, ℰ 531 66 12, Taberna típica – 🍽. 🖭 ⓞ 🗲 𝘝𝘐𝘚𝘈. ⅍
MX **u**
cerrado agosto – **Comida** carta aprox. 4400.

✗ **Donzoko,** Echegaray 3, ✉ 28014, ℰ 429 57 20, Fax 429 57 20, Rest. japonés – 🍽. 🖭 ⓞ 🗲 𝘝𝘐𝘚𝘈 𝗝𝗖𝗕.
LY **z**
cerrado domingo – Com carta 2500 a 5100.

✗ **La Quinta del Sordo,** Sacramento 10, ✉ 28005, ℰ 548 18 52 – 🍽. 🖭 ⓞ 🗲 𝘝𝘐𝘚𝘈 𝗝𝗖𝗕. ⅍
KY **f**
cerrado domingo en verano y domingo noche resto del año – Com carta 2375 a 3425.

✗ **El Senador,** pl. de la Marina Española 2, ✉ 28013, ℰ 542 76 10, Asados – 🍽. 🖭 ⓞ 🗲 𝘝𝘐𝘚𝘈. ⅍
KX **c**
cerrado domingo noche – Com carta 2850 a 3550.

✗ **Casa Marta,** Santa Clara 10, ✉ 28013, ℰ 548 28 25 – 🍽. 🖭 🗲 𝘝𝘐𝘚𝘈. ⅍
KY **a**
cerrado domingo y agosto – Com carta 1900 a 2800.

✗ **La Esquina del Real,** Amnistía 2, ✉ 28013, ℰ 559 43 09 – 🍽. 🖭 🗲 𝘝𝘐𝘚𝘈. ⅍
KY **e**
cerrado sábado mediodía y domingo – Com carta 3900 a 5400.

✗ **Ciao Madrid,** Apodaca, 20, ✉ 28004, ℰ 447 00 36, Cocina italiana – 🍽. 🖭 ⓞ 𝘝𝘐𝘚𝘈. ⅍
LV **d**
cerrado sábado mediodía, domingo y septiembre – **Comida** carta 2350 a 3750.

✗ **Mi Pueblo,** Costanilla de Santiago 2, ✉ 28013, ℰ 548 20 73 – 🍽. 🗲 𝘝𝘐𝘚𝘈. ⅍
KY **x**
cerrado domingo noche, lunes y del 1 al 15 agosto – Com carta 2075 a 3825.

✗ **El Ingenio,** Leganitos 10, ✉ 28013, ℰ 541 91 33, Fax 547 35 34 – 🍽. 🖭 ⓞ 🗲 𝘝𝘐𝘚𝘈. ⅍
KX **y**
Comida carta 2050 a 2700.

Retiro, Salamanca, Ciudad Lineal : Castellana, Velázquez, Serrano, Goya, Príncipe (Vergara, Narváez, Don Ramón de la Cruz (plano p. 7 salvo mención especial)

Ritz, pl. de la Lealtad 5, ⊠ 28014, ℰ 521 28 57, Telex 43986, Fax 532 87 76, ☞ – |≜|
📺 ☎ – 🕸 25/280. 🖭 ① 🗲 🗷 🗷 ⒿⒸⒷ. 🛠 rest   plano p. 9 NY
Com carta 4000 a 5200 – ☑ 2400 – **127 hab** 33000/42900, 29 suites.

Villa Magna, paseo de la Castellana 22, ⊠ 28046, ℰ 578 20 00, Telex 22914, Fax 575 31
– |≜| 🗏 📺 ☎ 🕭 ⇔ – 🕸 25/250. 🖭 ① 🗲 🗷 🗷 ⒿⒸⒷ. 🛠 rest   GV
Com (ver rest. **Berceo**) ☑ 2750 – **164 hab** 47250/57750, 18 suites.

Wellington, Velázquez 8, ⊠ 28001, ℰ 575 44 00, Telex 22700, Fax 576 41 64, ⌁ – |≜|
📺 ☎ ⇔ – 🕸 25/300. 🖭 ① 🗲 🗷 🗷.   HX
Com (ver rest. **El Fogón**) ☑ 2100 – **195 hab** 19520/30500, 28 suites.

Tryp Fénix, Hermosilla 2, ⊠ 28001, ℰ 431 67 00, Telex 45639, Fax 576 06 61 – |≜| 🗏 [
☎ – 🕸 25/100. 🖭 ① 🗲 🗷 🗷. 🛠   plano p. 9 NV
Com 3500 – ☑ 2750 – **213 hab** 20000/25000, 13 suites.

Sofitel-Campo de las Naciones, Parque Ferial Juan Carlos I, ⊠ 28067, ℰ 721 00 7
Fax 721 05 15, ⌁ – |≜| 🗏 📺 ☎ 🕭 ⇔ – 🕸 50/120. 🖭 ① 🗲 🗷 🗷. 🛠 rest   CL
Com carta aprox. 4900 – ☑ 1225 – **175 hab** 17550/19800, 3 suites.

Sol Los Galgos y Rest. Diábolo, Claudio Coello 139, ⊠ 28006, ℰ 562 66 00, Telex 4395
Fax 561 76 62 – |≜| 🗏 📺 ☎ ⇔ – 🕸 25/300. 🖭 ① 🗲 🗷 🗷 ⒿⒸⒷ. 🛠   HV
Com (cerrado agosto) carta 3500 a 4925 – ☑ 1500 – **358 hab** 14750/22500.

NH Príncipe de Vergara, Príncipe de Vergara 92, ⊠ 28006, ℰ 563 26 95, Telex 2706
Fax 563 72 53 – |≜| 🗏 📺 ☎ 🕭 ⇔ – 🕸 25/300. 🖭 ① 🗲 🗷 🗷. 🛠 rest   HV
Com 3000 – ☑ 1700 – **170 hab** 17000/24400.

NH Sanvy, Goya 3, ⊠ 28001, ℰ 576 08 00, Telex 44994, Fax 575 24 43 – |≜| 🗏 📺 ☎
🕸 25/120. 🖭 ① 🗲 🗷 🗷 ⒿⒸⒷ.   plano p. 9 NV
Com (ver también rest. **Sorolla**) 1500 – ☑ 1700 – **141 hab** 19500/24400.

Tryp G.H. Velázquez, Velázquez 62, ⊠ 28001, ℰ 575 28 00, Telex 22779, Fax 575 28
– |≜| 🗏 📺 ☎ ⇔ – 🕸 25/280. 🖭 ① 🗲 🗷 🗷.   HX
Com 3700 – ☑ 1200 – **144 hab** 15900/19925 – PA 7230.

Agumar sin rest, con cafetería, paseo Reina Cristina 7, ⊠ 28014, ℰ 552 69 00, Telex 2281
Fax 433 60 95 – |≜| 🗏 📺 ☎ ⇔ – 🕸 25/150. 🖭 ① 🗲 🗷 🗷. 🛠   HZ
☑ 1150 – **252 hab** 12800/16000.

Novotel Madrid, Albacete 1, ⊠ 28027, ℰ 405 46 00, Telex 41862, Fax 404 11 05, ☞,
– |≜| 🗏 📺 ☎ 🕭 ⇔ 🅿 – 🕸 25/250. 🖭 ① 🗲 🗷 🗷   plano p. 3 CL
Com 2000 – ☑ 1280 – **236 hab** 16430/18550 – PA 4225.

Rafael Ventas, Alcalá 269, ⊠ 28027, ℰ 326 16 20, Fax 326 18 19, ⌁ – |≜| 🗏 📺 ☎
⇔. 🖭 ① 🗲 🗷.   CL
Com 1500 – ☑ 425 – **110 hab** 9275/14675, 1 suite.

Convención sin rest, con cafetería, O'Donnell 53, ⊠ 28009, ℰ 574 84 00, Telex 2394
Fax 574 56 01 – |≜| 🗏 📺 ☎ ⇔ – 🕸 25/1000. 🖭 ① 🗲 🗷 🗷 ⒿⒸⒷ. 🛠   JX
☑ 1100 – **790 hab** 12800/16000.

Alcalá y Rest. Basque, Alcalá 66, ⊠ 28009, ℰ 435 10 60, Telex 48094, Fax 435 11 05
|≜| 🗏 📺 ☎ ⇔ – 🕸 25/60. 🖭 ① 🗲 🗷 🗷 ⒿⒸⒷ. 🛠   HX
Com carta aprox. 3200 – ☑ 950 – **153 hab** 12200/17900.

Pintor, Goya 79, ⊠ 28001, ℰ 435 75 45, Telex 23281, Fax 576 81 57 – |≜| 🗏 📺 ☎ ⇔
– 🕸 25/350. 🖭 🗲 🗷. 🛠   HX
Com carta aprox. 4800 – ☑ 1800 – **176 hab** 14720/18400.

Conde de Orgaz, av. Moscatelar 24, ⊠ 28043, ℰ 388 40 99, Fax 388 00 09 – |≜| 🗏 [
☎ ⇔ – 🕸 25/100. 🖭 ① 🗲 🗷. 🛠   plano p. 3 CL
Com 2300 – ☑ 1100 – **90 hab** 14800/18500 – PA 4500.

NH Lagasca, Lagasca 64, ⊠ 28001, ℰ 575 46 06, Fax 575 16 94 – |≜| 🗏 📺 ☎ ⇔.
① 🗷. 🛠   HX
Com carta 2370 a 3250 – ☑ 1300 – **100 hab** 15500/21600.

G. H. Colón, Pez Volador 11, ⊠ 28007, ℰ 573 59 00, Telex 22984, Fax 573 08 09, ⌁,
– |≜| 🗏 📺 ☎ ⇔ – 🕸 25/130. 🖭 ① 🗲 🗷 🗷 ⒿⒸⒷ.   JY
Com 3250 – ☑ 900 – **389 hab** 11025/16275.

Novotel Madrid-Campo de las Naciones, Parque Ferial Juan Carlos I, ⊠ 2804
ℰ 721 18 18, Fax 721 11 22, ☞, ⌁ – |≜| 🗏 📺 ☎ 🕭 ⇔ – 🕸 25/400. 🖭 ① 🗲 🗷
Com 1800 – ☑ 1150 – **240 hab** 14900, 5 suites – PA 4750.   CL

Serrano sin rest, Marqués de Villamejor 8, ⊠ 28006, ℰ 435 52 00, Fax 435 48 49 – |≜|
📺 ☎. 🖭 ① 🗲 🗷 🗷 ⒿⒸⒷ. 🛠   GHV
☑ 900 – **34 hab** 11500/14770.

NH Balboa, Núñez de Balboa 112, ⊠ 28006, ℰ 563 03 24, Telex 27063, Fax 562 69 80
|≜| 🗏 📺 ☎ ⇔ – 🕸 25/30. 🖭 ① 🗲 🗷 🗷 ⒿⒸⒷ. 🛠   HV
Com 1700 – ☑ 1300 – **122 hab** 15500/21600 – PA 4700.

Claridge sin rest, con cafetería, pl. Conde de Casal 6, ⊠ 28007, ℰ 551 94 00, Telex 4497
Fax 501 03 85 – |≜| 🗏 📺 ☎ ⇔. 🖭 ① 🗲 🗷. 🛠   JZ
☑ 700 – **150 hab** 9950/12990.

NH Sur, paseo Infanta Isabel 9, ✉ 28014, ℰ 539 94 00, Telex 47494, Fax 467 09 96 – 🍽
– 🏋 25/45. 🆎 ⓞ 🅴 💳 ❄️   plano p. 9 NZ **a**
Com *(cerrado sábado, domingo, festivos y agosto)* carta aprox. 3500 – ☵ 1100 – **67 hab**
13200/18200.

Abeba sin rest, Alcántara 63, ✉ 28006, ℰ 401 16 50, Fax 402 75 91 – 🛗 🍽 📺 📶 🚗.
🆎 ⓞ 🅴 💳 ❄️   HV **r**
☵ 600 – **90 hab** 9000/11750.

Don Diego sin rest, Velázquez 45 - 5°, ✉ 28001, ℰ 435 07 60, Fax 431 42 63 – 🛗 ☎. 🆎
🅴 💳 ❄️ – ☵ 575 – **58 hab** 6950/9600.   HX **r**

Berceo, Ortega y Gasset 2, ✉ 28006, ℰ 575 33 77, 😤 – 🍽 🚗. 🆎 ⓞ 🅴 💳 🌀.
Com carta aprox. 6500.   GV **y**

Club 31, Alcalá 58, ✉ 28014, ℰ 531 00 92 – 🍽. 🆎 ⓞ 🅴 💳 🌀
cerrado agosto – Com carta 5500 a 6650.   plano p. 9 NX **e**

❀ **El Amparo,** Puigcerdá 8, ✉ 28001, ℰ 431 64 56, Fax 575 54 91, « Decoración original »
– 🍽. 🆎 🅴 💳 🌀 ❄️   HX **h**
cerrado domingo – Com carta 5400 a 7075
Espec. Huevos escalfados con salmón y caviar, Rollitos de langosta con salsa de soja, Pichones
deshuesados a las dos pimientas.

Suntory, Castellana 36, ✉ 28046, ℰ 577 37 34, Fax 577 44 55, Rest. japonés – 🍽 🚗.
🆎 ⓞ 🅴 💳 🌀   GV **d**
cerrado domingo, festivos y Semana Santa – Com carta 5100 a 7100.

Balzac, Moreto 7, ✉ 28014, ℰ 420 01 77, 😤 – 🍽. 🆎 ⓞ 🅴 💳. ❄️
cerrado domingo y agosto – Com carta 5750.   plano p. 9 NY **a**

Villa y Corte de Madrid, Serrano 110, ✉ 28006, ℰ 564 50 19, Fax 564 50 19, Decoración
elegante – 🍽. 🆎 ⓞ 🅴 💳   HV **a**
cerrado domingo – Com carta aprox. 3800.

El Gran Chambelán, Ayala 46, ✉ 28001, ℰ 431 77 45 – 🍽. 🆎 ⓞ 💳   HX **r**
cerrado domingo – Com carta 3000 a 3600.

Sorolla, Hermosilla 4, ✉ 28001, ℰ 431 27 15, Telex 44994, Fax 575 24 43 – 🍽. 🆎 ⓞ 🅴
💳. ❄️   plano p. 9 NV **r**
cerrado domingo y agosto – Com carta aprox. 5400.

El Fogón, Villanueva 34, ✉ 28001, ℰ 575 44 00, Telex 22700, Fax 576 41 64 – 🍽. 🆎 ⓞ
🅴 💳. ❄️   HX **t**
cerrado agosto – Com carta 5250 a 5950.

El Comedor, Montalbán 9, ✉ 28014, ℰ 531 69 68, Fax 531 61 91, 😤 – 🍽. 🆎 ⓞ 🅴 💳
cerrado sábado mediodía y domingo – Com carta 3150 a 5300.   plano p. 9 NX **a**

Ponteareas, Claudio Coello 96, ✉ 28006, ℰ 575 58 73, Fax 541 65 98, Cocina gallega –
🍽 🚗. 🆎 ⓞ 🅴 💳 🌀. ❄️   HV **w**
cerrado domingo, festivos y agosto – Com carta 4095 a 5795.

❀ **La Paloma,** Jorge Juan 39, ✉ 28001, ℰ 576 86 92 – 🍽. 🆎 🅴 💳. ❄️   HX **g**
cerrado sábado mediodía, domingo, Semana Santa, agosto y Navidades – Com carta 3900
a 5600
Espec. Colas de cangrejo con colmenillas y habitas frescas (temp), Filetes de lenguado con txangurro, Charlota de pera Williams..

❀ **Viridiana,** Juan de Mena 14, ✉ 28014, ℰ 523 44 78, Fax 532 42 74 – 🍽. ❄️
cerrado domingo y agosto – Com carta 4600 a 6100   plano p. 9 NY **r**
Espec. Gratinado de setas y anguila ahumada, Solomillo de ibérico al Calvados con pequeñas
manzanas silvestres, Biscuit de castañas y chocolate amargo.

Adriana, Ayala 108, ✉ 28006, ℰ 576 37 91, Cocina italiana – 🍽. 🆎 ⓞ 🅴 💳 🌀.
❄️   HX **a**
cerrado domingo noche, lunes y agosto – Com carta 3000 a 5050.

La Gamella, Alfonso XII-4, ✉ 28014, ℰ 532 45 09, Fax 523 11 84 – 🍽. 🆎 ⓞ 🅴 💳.
❄️   plano p. 9 NX **r**
cerrado domingo, lunes y 15 agosto-15 septiembre – Com carta aprox. 5500.

Castelló 9, Castelló 9, ✉ 28001, ℰ 435 00 67 – 🍽. 🆎 🅴 💳. ❄️   HX **e**
cerrado domingo y agosto – Com carta 3850 a 5975.

Lucca, José Ortega y Gasset 29, ✉ 28006, ℰ 576 01 44, Cocina italiana – 🍽. 🆎 ⓞ 🅴
💳 🌀. ❄️   HV **f**
Com carta 3130 a 3650.

Oter, Claudio Coello 71, ✉ 28001, ℰ 431 67 71, Fax 401 34 43 – 🍽. 🆎 ⓞ 💳. ❄️
Com carta aprox. 4300.   HX **n**

La Abuelita, av. de Badajoz 25, ✉ 28027, ℰ 405 49 94 – 🍽. 🆎 ⓞ 💳. ❄️
cerrado domingo y agosto – Com carta 3570 a 5280.   plano p. 3 CL **a**

Al Mounia, Recoletos 5, ✉ 28001, ℰ 435 08 28, Cocina maghrebí, « Ambiente oriental »
– 🍽. 🆎 ⓞ 🅴 💳. ❄️   plano p. 9 NV **u**
cerrado domingo, lunes y agosto – Com carta 4100 a 5100.

Hang Zhou, López de Hoyos 14, ✉ 28006, ℰ 563 11 72, Rest. chino – 🍽. 🆎 ⓞ 🅴 💳.
❄️   HV **u**
Com carta aprox. 2100.

XX **Gerardo,** D. Ramón de la Cruz 86, ⊠ 28006, ℰ 401 89 46, Fax 401 34 43 – ▤. 🝙 ⓞ Ⅵ
◌⅍   JX
Com carta aprox. 3600.

XX **Teatriz,** Hermosilla 15, ⊠ 28001, ℰ 577 53 79, Fax 577 53 79, Cocina italiana-Instalado
un antiguo teatro – ▤. 🝙 ⓞ ⴹ Ⅵⴽ ᴊᴄⴱ. ◌⅍   HX
Com carta 3130 a 3650.

XX **St. James,** Juan Bravo 26, ⊠ 28006, ℰ 575 00 69, ⇪, Arroces – ▤. 🝙. ◌⅍   HV
cerrado domingo – Com carta aprox. 4350.

XX **Casa Quinta,** Padilla 3, ⊠ 28006, ℰ 576 74 18 – ▤. 🝙 ⓞ ⴹ Ⅵⴽ ᴊᴄⴱ   HV
cerrado domingo y agosto – Com carta 3125 a 4025.

XX **Tristana,** Montalbán 9, ⊠ 28014, ℰ 532 82 88 – ▤. 🝙 ⓞ Ⅵⴽ. ◌⅍ plano p. 9   NX
cerrado sábado mediodía, domingo, festivos y tres últimas semanas de agosto – Com ca
2850 a 4800.

XX **La Fonda,** Lagasca 11, ⊠ 28001, ℰ 577 79 24, Cocina catalana – ▤. 🝙 ⓞ ⴹ Ⅵⴽ. ◌
Com carta 2550 a 4975.   HX

XX **Cordero,** Alcalá 418, ⊠ 28027, ℰ 742 27 16, Fax 742 05 37 – ▤. 🝙 ⓞ Ⅵⴽ. ◌⅍
cerrado sábado y agosto – Com carta aprox. 5400.   plano p. 3   CL

XX **Rafa,** Narváez 68, ⊠ 28009, ℰ 573 10 87, ⇪ – ▤. 🝙 ⓞ ⴹ Ⅵⴽ. ◌⅍   HY
Com carta 4900 a 5500.

XX **La Misión,** José Silva 22, ⊠ 28043, ℰ 519 24 63, Fax 416 26 93, ⇪, « Evocación de u
antigua misión americana » – ▤. 🝙 ⓞ ⴹ Ⅵⴽ. ◌⅍   plano p. 3   CL
cerrado sábado mediodía, domingo, Semana Santa y agosto – Com carta 3600 a 43

XX ✿ **Casa d'a Troya,** Emiliano Barral 14, ⊠ 28043, ℰ 416 44 55, Cocina gallega – ▤. ⴹ Ⅵ
◌⅍   plano p. 3   CL
cerrado domingo, festivos y 15 julio-agosto – Com (es necesario reservar) carta 3100
5900
Espec. Pulpo, Merluza a la gallega, Tarta de Santiago.

XX **El Chiscón de Castelló,** Castelló 3, ⊠ 28001, ℰ 575 56 62 – ▤. Ⅵⴽ   HX
cerrado domingo, festivos y agosto – Com carta 3275 a 4775.

XX **Jota Cinco,** Alcalá 423, ⊠ 28027, ℰ 742 93 85, Fax 742 62 09 – ▤. ⬤. 🝙 ⴹ Ⅵⴽ. ◌
Com carta 3750 a 5950.   plano p. 3   CL

XX **El Borbollón,** Recoletos 7, ⊠ 28001, ℰ 431 41 34 – ▤. 🝙 ⓞ ⴹ Ⅵⴽ ᴊᴄⴱ. ◌⅍
cerrado domingo, festivos y agosto – Com carta 3795 a 5445.   plano p. 9   NV

XX **El Asador de Aranda,** Diego de León 9, ⊠ 28006, ℰ 563 02 46, Cordero asado – ▤.
Ⅵⴽ. ◌⅍   HV
cerrado domingo noche y agosto – Comida carta 3165 a 3965.

XX **Puertochico,** Pio Baroja (edificio Casa Cantabria), ⊠ 28009, ℰ 504 44 66, Vivero prop
– ▤. ⬤. 🝙 ⴹ Ⅵⴽ. ◌⅍   HY
cerrado domingo noche y agosto – Com carta 4250 a 7350.

XX **La Trovata,** Jorge Juan 29, ⊠ 28001, ℰ 575 08 48, Cocina italiana – ▤. 🝙 ⓞ Ⅵⴽ. ◌
cerrado domingo noche – Com carta aprox. 4100.   HX

XX **Il Salotto,** Velázquez 61, ⊠ 28001, ℰ 577 27 09, Cocina italiana – ▤. 🝙 ⓞ ⴹ Ⅵⴽ. ◌
cerrado domingo y agosto – Com carta aprox. 3500.   HV

XX **Alkalde,** Jorge Juan 10, ⊠ 28001, ℰ 576 33 59, En una bodega – ▤. 🝙 ⓞ ⴹ Ⅵⴽ ᴊᴄ
◌⅍   HX
Com carta 3590 a 4540.

XX **Casa Domingo,** Alcalá 99, ⊠ 28009, ℰ 576 01 37, Fax 575 78 62, ⇪ – ▤. 🝙 ⴹ Ⅵⴽ. ◌
Com carta 3400 a 4200.   HX

XX **La Hoja,** Dr. Castelo 48, ⊠ 28009, ℰ 409 25 22, Fax 574 14 78, Cocina asturiana – ▤.
Ⅵⴽ. ◌⅍   HJX
cerrado domingo, miércoles noche y julio – Com carta 4200 a 5000.

XX **Don Víctor,** Emilio Vargas 18, ⊠ 28043, ℰ 415 47 47 – ▤. 🝙 ⓞ ⴹ Ⅵⴽ. ◌⅍
cerrado sábado mediodía, domingo, Semana Santa y agosto – Com carta 4500
6900.   plano p. 3   CL

X **O'Grelo,** Menorca 39, ⊠ 28009, ℰ 409 72 04, Cocina gallega – ▤. 🝙 ⓞ ⴹ Ⅵⴽ ᴊᴄⴱ. ◌
cerrado domingo noche – Com carta 4150 a 4925.   HX

X **Brasserie de Lista,** José Ortega y Gasset 6, ⊠ 28006, ℰ 435 28 18, Fax 575 28 17 – ▤
🝙 ⴹ Ⅵⴽ. ◌⅍   HV
cerrado domingo en agosto – Com carta aprox. 3200.

X **Asador Velate,** Jorge Juan 91, ⊠ 28009, ℰ 435 10 24, Cocina vasca – ▤. 🝙 ⓞ ⴹ Ⅵⴽ. ◌
cerrado domingo y festivos – Com carta aprox. 4700.   HJX

X **Casa Portal,** Doctor Castelo 26, ⊠ 28009, ℰ 574 20 26, Cocina asturiana – ▤. ⴹ Ⅵⴽ. ◌
cerrado domingo, lunes noche, festivos y agosto – Com carta aprox. 4500.   HX

X **La Giralda,** Maldonado 4, ⊠ 28006, ℰ 577 77 62, Rest. andaluz – ▤. 🝙 ⓞ ⴹ Ⅵⴽ. ◌
cerrado domingo y agosto – Com carta aprox. 5400.   HV

X **Sixto,** José Ortega y Gasset 83, ⊠ 28006, ℰ 402 15 83, Fax 523 31 74, ⇪ – ▤. 🝙 ◌
ⴹ Ⅵⴽ. ◌⅍   JV
cerrado domingo noche – Com carta 2700 a 4200.

✗ **L'Entrecote-Goya,** Claudio Coello 41, ⊠ 28001, ℰ 577 73 49 – ▤. 𝖠𝖤 ⊙ 𝖵𝖨𝖲𝖠. ⅀ HX **u**
cerrado domingo y festivos – Com carta 3340 a 3585.

✗ ❀ **La Trainera,** Lagasca 60, ⊠ 28001, ℰ 576 05 75, Fax 575 47 17, Pescados y mariscos
– ▤. 𝖤 𝖵𝖨𝖲𝖠. ⅀ HX **k**
cerrado domingo y agosto – Com carta 3300 a 5500
Espec. Cremas de productos del mar, Merluza a la bilbaína o a la gallega, Bogavante a la americana.

✗ ❀ **El Pescador,** José Ortega y Gasset 75, ⊠ 28006, ℰ 402 12 90, Pescados y mariscos –
▤. 𝖤 𝖵𝖨𝖲𝖠. ⅀ JV **t**
cerrado domingo y agosto – Com carta 4200 a 5300
Espec. Angulas de Aguinaga, Lenguado "Evaristo", Bogavante a la americana.

✗ **Orbayo,** Claudio Coello 4, ⊠ 28001, ℰ 576 41 86 – ▤. 𝖠𝖤 𝖤 𝖵𝖨𝖲𝖠. ⅀ HX **m**
cerrado domingo, festivos noche, Semana Santa y agosto – Com carta 2900 a 3850.

✗ **Prosit,** José Ortega y Gasset 8, ⊠ 28006, ℰ 576 17 85 – ▤. 𝖠𝖤 𝖵𝖨𝖲𝖠. ⅀ HV **z**
cerrado domingo y festivos noche – Com carta 2675 a 3400.

✗ **Casa Julián,** Don Ramón de la Cruz 10, ⊠ 28001, ℰ 431 35 35 – ▤. 𝖠𝖤 𝖵𝖨𝖲𝖠. ⅀
cerrado domingo y festivos – Com carta 2600 a 3200. HX **q**

✗ **Magerit,** Dr. Esquerdo 140, ⊠ 28007, ℰ 501 28 84 – ▤. 𝖠𝖤 𝖤 𝖵𝖨𝖲𝖠. ⅀ JZ **b**
cerrado domingo y agosto – Com carta 4200 a 4300.

Arganzuela-Carabanchel-Villaverde : Antonio López, Paseo de Las Delicias, Paseo de
Santa María de la Cabeza (plano p. 2 salvo mención especial)

🏨 **Rafael Pirámides,** paseo de las Acacias 40, ⊠ 28005, ℰ 517 18 28, Fax 517 00 90 – 🛗
▤ 𝖳𝖵 ☎ 🕭 ⇐⇒. 𝖠𝖤 ⊙ 𝖤 𝖵𝖨𝖲𝖠. ⅀ rest BM **r**
Com 2500 – ⊡ 875 – **84 hab** 9475/11875, 9 suites.

🏨 **Carlton,** paseo de las Delicias 26, ⊠ 28045, ℰ 539 71 00, Telex 44571, Fax 527 85 10 –
🛗 ▤ 𝖳𝖵 ☎. 𝖠𝖤 ⊙ 𝖵𝖨𝖲𝖠 𝖩𝖢𝖡. ⅀ plano p. 7 GZ **n**
Com 2875 – ⊡ 1100 – **112 hab** 16530/20670 – PA 5480.

🏨 **Praga** sin rest. con cafetería, Antonio López 65, ⊠ 28019, ℰ 469 06 00, Telex 22823,
Fax 469 83 25 – 🛗 ▤ 𝖳𝖵 ☎ ⇐⇒ – 🔬 25/350. 𝖠𝖤 ⊙ 𝖤 𝖵𝖨𝖲𝖠. ⅀ BM **u**
⊡ 725 – **428 hab** 8750/11500.

🏨 **Aramo,** paseo Santa María de la Cabeza 73, ⊠ 28045, ℰ 473 91 11, Telex 45885,
Fax 473 92 14 – 🛗 ▤ 𝖳𝖵 ☎ ⇐⇒. 𝖠𝖤 ⊙ 𝖤 𝖵𝖨𝖲𝖠. ⅀ rest BM **e**
Com 1500 – ⊡ 900 – **105 hab** 10000/15000.

🏨 **Puerta de Toledo,** glorieta Puerta de Toledo 4, ⊠ 28005, ℰ 474 71 00, Telex 22291,
Fax 474 07 47 – 🛗 ▤ 𝖳𝖵 ☎ ⇐⇒. 𝖠𝖤 ⊙ 𝖤 𝖵𝖨𝖲𝖠 𝖩𝖢𝖡. ⅀ plano p. 6 EZ **v**
Com (ver rest. **Puerta de Toledo**) – ⊡ 850 – **152 hab** 6900/11500.

🏨 **Diana Plus y Rest Asador San Isidro,** carret. M 602, ⊠ 28018, ℰ 507 20 40, Telex 42575,
Fax 507 14 22 – 🛗 ▤ 𝖳𝖵 ☎ ⇐⇒ – 🔬 25/200. 𝖠𝖤 ⊙ 𝖤 𝖵𝖨𝖲𝖠.
⅀ rest CM **a**
Com (cerrado agosto) carta 2900 a 5100 – ⊡ 800 – **103 hab** 11000/14900, 1 suite.

🏨 **Auto,** paseo de la Chopera 69, ⊠ 28045, ℰ 539 66 00, Fax 530 67 03 – 🛗 ☎ ⇐⇒. 𝖠𝖤 ⊙
𝖤 𝖵𝖨𝖲𝖠. ⅀ BM **c**
Com (ver rest. **Mesón Auto**) – **110 hab** 6000/10000.

✗✗ ❀ **Hontoria,** pl. del General Maroto 2, ⊠ 28045, ℰ 473 04 25, Decoración rústica – ▤. 𝖠𝖤
𝖤 𝖵𝖨𝖲𝖠. ⅀ BM **v**
cerrado domingo, festivos y agosto – Com carta aprox. 4500
Espec. Terrina de hígado de pato, Ragout de salmón al vermouth blanco, Repostería
casera.

✗✗ **Puerta de Toledo,** glorieta Puerta de Toledo 4, ⊠ 28005, ℰ 474 76 75, Fax 474 30 35 –
▤. ⅀ plano p. 6 EZ **v**
Com carta 3100 a 3825.

✗ **Los Cigarrales,** Antonio López 52, ⊠ 28019, ℰ 469 74 52, Fax 569 30 48 – ▤ ⇐⇒. 𝖠𝖤
⊙ 𝖤 𝖵𝖨𝖲𝖠 𝖩𝖢𝖡. ⅀ BM **n**
cerrado domingo noche – Com carta 4200 a 5500.

✗ **Mesón Auto,** paseo de la Chopera 71, ⊠ 28045, ℰ 467 23 49, Fax 530 67 03, Decoración
rústica – ▤ 𝖯. 𝖠𝖤 ⊙ 𝖤 𝖵𝖨𝖲𝖠. ⅀ BM **c**
Com carta 2600 a 3900.

✗ **Quo Venus,** Jaime el Conquistador 1, ⊠ 28045, ℰ 474 09 83 – ▤. 𝖠𝖤 𝖤 𝖵𝖨𝖲𝖠. ⅀BM **a**
cerrado domingo – Com carta aprox. 4250.

Moncloa : Princesa, Paseo del pintor Rosales, Paseo de la Florida, Casa de Campo (planos
p. 2, 6 y 8)

🏨 **Meliá Madrid,** Princesa 27, ⊠ 28008, ℰ 541 82 00, Telex 22537, Fax 541 19 88 – 🛗 ▤
𝖳𝖵 ☎ – 🔬 25/200. 𝖠𝖤 ⊙ 𝖤 𝖵𝖨𝖲𝖠 𝖩𝖢𝖡. ⅀ plano p. 8 KV **t**
Com carta 3750 a 4850 – ⊡ 1995 – **253 hab** 24500/26000, 5 suites – PA 10985.

🏨 **Tryp Monte Real** ⅏, Arroyofresno 17, ⊠ 28035, ℰ 316 21 40, Telex 22089, Fax 316 39 34,
⅏, « Jardín », ⊿ – 🛗 ▤ ☎ ⇐⇒ 𝖯 – 🔬 25/200. 𝖠𝖤 ⊙ 𝖤 𝖵𝖨𝖲𝖠. ⅀
Com carta 4200 a 6000 – ⊡ 1500 – **76 hab** 16000/20000, 4 suites. plano p. 2 AL **b**

🏥 **Florida Norte,** paseo de la Florida 5, ⊠ 28008, ℰ 542 83 00, Telex 23675, Fax 547 78 3
– ‖‡‖ 🖿 📺 ☎ ⟺. 🕮 ⑩ 🅴 𝗩𝗜𝗦𝗔 𝗝𝗖𝗕. ⅍   plano p. 6   DX
Com 2400 – ⌻ 750 – **399 hab** 11500/16000.

🏥 **Sofitel-Plaza de España** sin rest, Tutor 1, ⊠ 28008, ℰ 541 98 80, Telex 4319
Fax 542 57 36 – ‖‡‖ 🖿 📺 ☎ ⟺. 🕮 ⑩ 🅴 𝗩𝗜𝗦𝗔 𝗝𝗖𝗕. ⅍   plano p. 8   KV
⌻ 1250 – **99 hab** 14250/18200.

🏨 **Tirol** sin rest. con cafetería, Marqués de Urquijo 4, ⊠ 28008, ℰ 548 19 00 – ‖‡‖ 🖿 ☎
97 hab.   DV

XXX **Café Viena,** Luisa Fernanda 23, ⊠ 28008, ℰ 548 15 91, « Evocación de un antiguo café
– 🖿. 🕮 ⑩ 🅴 𝗩𝗜𝗦𝗔. ⅍   plano p. 8   KV
cerrado domingo y agosto – Com carta aprox. 4500.

XX **As de Oros,** Numancia 2, ⊠ 28039, ℰ 311 52 37, Fax 311 78 33, Pescados y mariscos
🖿. 🕮 ⑩ 🅴 𝗩𝗜𝗦𝗔. ⅍   BL
cerrado domingo noche – Com carta aprox. 5200.

XX **Izaro,** Buen Suceso 3, ⊠ 28008, ℰ 559 80 37, Telex 41651, Fax 559 82 61, Decoració
moderna-Cocina vasca – 🖿 🅿. 🕮 ⑩ 🅴 𝗩𝗜𝗦𝗔 𝗝𝗖𝗕. ⅍   plano p. 6   DX
cerrado domingo noche y festivos noche – Com carta aprox. 3800.

X **Currito,** Casa de Campo - Pabellón de Vizcaya, ⊠ 28011, ℰ 464 57 04, Fax 479 72 54, 🍴
Cocina vasca – 🖿. 🕮 ⑩ 🅴   plano p. 2   AM
cerrado domingo noche – Com carta 4100 a 5600.

X **A'Casiña,** Casa de Campo - Pabellón de Pontevedra, ⊠ 28011, ℰ 526 34 25, 🍴 – 🖿. 🅰
⑩ 🅴 𝗩𝗜𝗦𝗔. ⅍   plano p. 2   AM
domingo noche y del 8 al 28 de agosto – Com carta aprox. 5200.

Chamberí : San Bernardo, Fuencarral, Alberto Aguilera, Santa Engracia (planos p. 6 a 9

🏩 **NH Santo Mauro y Rest. Belagua,** Zurbano 36, ⊠ 28010, ℰ 319 69 00, Fax 308 54 77
🍴, « Elegante palacete con jardín », 🔲 – ‖‡‖ 🖿 📺 ☎ ⟺. 🕮 ⑩ 🅴 𝗩𝗜𝗦𝗔. ⅍   JV
Com *(cerrado domingo, festivos y agosto)* carta aprox. 7000 – ⌻ 1950 – **37 hab**
35200/52800.

🏨 **Miguel Ángel,** Miguel Ángel 31, ⊠ 28010, ℰ 442 00 22, Telex 44235, Fax 442 53 20, 🔲
– ‖‡‖ 🖿 📺 ☎ ⟺ – 🏖 25/300. 🕮 ⑩ 🅴 𝗩𝗜𝗦𝗔 𝗝𝗖𝗕. ⅍   GV
Com 5500 – ⌻ 1800 – **251 hab** 27350/34250, 20 suites – PA 11800.

🏨 **Mindanao,** San Francisco de Sales 15, ⊠ 28003, ℰ 549 55 00, Telex 22631, Fax 544 55 98
🍴, 🔲 – ‖‡‖ 🖿 📺 ☎ ⟺ – 🏖 25/200. 🕮 ⑩ 🅴 𝗩𝗜𝗦𝗔 𝗝𝗖𝗕. ⅍   DV
Com *(cerrado domingo y agosto)* 4000 – ⌻ 1400 – **269 hab** 13500/16500, 20 suites.

🏨 **Castellana Inter-Continental,** paseo de la Castellana 49, ⊠ 28046, ℰ 310 02 00
Telex 27686, Fax 319 58 53, 🍴, « Terraza-jardín » – ‖‡‖ 🖿 📺 ☎ ⟺ – 🏖 25/550. 🕮 ⑩
🅴 𝗩𝗜𝗦𝗔 𝗝𝗖𝗕. ⅍   GV
Com ⌻ 1900 – **278 hab** 29500/37000, 27 suites.

🏨 **Escultor,** Miguel Ángel 3, ⊠ 28010, ℰ 310 42 03, Telex 44285, Fax 319 25 84 – ‖‡‖ 🖿 📺
☎. 🕮 ⑩ 🅴 𝗩𝗜𝗦𝗔. ⅍   GV
Com (ver rest. **Señorío de Errazu**) – ⌻ 1100 – **82 hab** 17200/21500.

🏨 **NH Embajada,** Santa Engracia 5, ⊠ 28010, ℰ 594 02 13, Fax 447 33 12, Bonito edifici
de estilo español – ‖‡‖ 🖿 📺 ☎ – 🏖 25/30. 🕮 ⑩ 🅴 𝗩𝗜𝗦𝗔. ⅍   MV
Com 2500 – ⌻ 1300 – **101 hab** 15500/21600 – PA 6300.

🏨 **Sol Alondras** sin rest. con cafetería, José Abascal 8, ⊠ 28003, ℰ 447 40 00, Telex 49454
Fax 593 88 00 – ‖‡‖ 🖿 📺 ☎. 🕮 ⑩ 🅴 𝗩𝗜𝗦𝗔 𝗝𝗖𝗕. ⅍   FV
⌻ 900 – **72 hab** 13700/17175.

🏨 **Gran Versalles** sin rest. con cafetería, Covarrubias 4, ⊠ 28010, ℰ 447 57 00, Telex 49150, Fax 446 39 87
🖿 – 🏖 25/140. 🕮 ⑩ 🅴 𝗩𝗜𝗦𝗔   MV
⌻ 980 – **145 hab** 15400/21600.

🏨 **NH Zurbano,** Zurbano 79, ⊠ 28003, ℰ 441 45 00, Telex 27578, Fax 441 32 24 – ‖‡‖ 🖿 ☎
⟺ – 🏖 25/100. 🕮 ⑩ 🅴 𝗩𝗜𝗦𝗔. ⅍   GV
Com 2500 – ⌻ 1300 – **269 hab** 17200/21600 – PA 6300.

🏨 **NH Suites Prisma,** Santa Engracia 120, ⊠ 28003, ℰ 441 93 77, Telex 41156, Fax 442 58 5
– ‖‡‖ 🖿 📺 – 🏖 25/70. 🕮 ⑩ 🅴 𝗩𝗜𝗦𝗔. ⅍   FV
Com carta aprox. 2590 – ⌻ 1700 – **103 apartamentos** 19500/24400.

🏨 **NH Argüelles** sin rest. con cafetería, Vallehermoso 65, ⊠ 28015, ℰ 593 97 77
Fax 594 27 39 – 🖿 📺 ☎ ⟺. 🕮 ⑩ 🅴 𝗩𝗜𝗦𝗔. ⅍
⌻ 1300 – **75 hab** 12600/17300.

🏨 **NH Bretón** sin rest, Bretón de los Herreros 29, ⊠ 28003, ℰ 442 83 00, Telex 43036
Fax 441 38 16 – ‖‡‖ 🖿 📺 ☎ 🅿. 🕮 ⑩ 🅴 𝗩𝗜𝗦𝗔. ⅍   FV
⌻ 1100 – **56 hab** 13200/18200.

🏨 **G.H. Conde Duque** sin rest, pl. Conde Valle de Suchil 5, ⊠ 28015, ℰ 447 70 00
Telex 22058, Fax 448 35 69 – ‖‡‖ 🖿 📺 ☎ – 🏖 25/160. 🕮 ⑩ 🅴 𝗩𝗜𝗦𝗔 𝗝𝗖𝗕. ⅍   EV
⌻ 1500 – **136 hab** 15250/22850.

🏨 **Trafalgar** sin rest, Trafalgar 35, ⊠ 28010, ℰ 445 62 00, Fax 446 64 56 – ‖‡‖ 🖿 📺 ☎. 🕮
⑩ 🅴 𝗩𝗜𝗦𝗔. ⅍   FV
⌻ 400 – **48 hab** 7900/13200.

XXXX ❀ **Jockey,** Amador de los Ríos 6, ⊠ 28010, ℘ 319 24 35, Fax 319 24 35 – ▤. ᴀᴇ ⓞ ᴇ
VISA JCB. ❄
NV **k**
cerrado domingo, festivos y agosto – Com carta 6750 a 8800
Espec. Langostinos crudos al caviar con crema fresca, Rodaballo al aceite de oliva virgen con verduras fritas, Costillar de cordero a la provenzal.

XXXX ❀ **Lúculo,** Génova 19, ⊠ 28004, ℘ 319 40 29, ⇪ – ▤. ᴀᴇ ⓞ ᴇ **VISA**. ❄
NV **d**
cerrado sábado mediodía, domingo y 2ª quincena de agosto – Com carta 5300 a 7350
Espec. Escabeche de hígado de pato, Lasagna de morcilla con crema de pimientos verdes, Arroz con kokotxas y crema de aceitunas negras.

XXXX ❀ **Las Cuatro Estaciones,** General Ibáñez Íbero 5, ⊠ 28003, ℘ 553 63 05, Telex 43709,
Fax 553 32 98, Decoración moderna – ▤. ᴀᴇ ⓞ ᴇ **VISA JCB.** ❄
EU **r**
cerrado sábado mediodía, domingo y agosto – Com carta 4450 a 6175
Espec. Ensalada tibia de pulpo y patatas nuevas, Medallones de rape al horno con pimientos asados, Foie-gras caliente a las uvas y Pedro Ximénez.

XXX **Lur Maitea,** Fernando el Santo 4, ⊠ 28010, ℘ 308 03 50, Fax 308 03 93, Cocina vasca –
▤. ᴀᴇ ⓞ ᴇ **VISA**. ❄
MV **u**
cerrado sábado mediodía, domingo, festivos y agosto – Com carta 3650 a 4900.

XXX **Annapurna,** Zurbano 5, ⊠ 28010, ℘ 308 32 49, Cocina hindú – ▤. ᴀᴇ ⓞ **VISA**. ❄
MV **w**
cerrado sábado mediodía y domingo – Com carta 3050 a 3800

XXX **Señorío de Errazu,** Miguel Ángel 3, ⊠ 28010, ℘ 308 24 25 – ▤. ᴀᴇ ⓞ ᴇ **VISA**. ❄
GV **s**
cerrado sábado mediodía, domingo, festivos y agosto – Com carta aprox. 4100.

XX **Aymar,** Fuencarral 138, ⊠ 28010, ℘ 445 57 67, Pescados y mariscos – ▤. ᴀᴇ ⓞ ᴇ **VISA**.
❄
FV **e**
Com carta 3700 a 5100.

XX **Las Reses,** Orfila 3, ⊠ 28010, ℘ 308 03 82, Carnes – ▤. ᴀᴇ **VISA**. ❄
NV **e**
cerrado sábado mediodía, domingo y agosto – Com carta 3055 a 6350.

XX **Solchaga,** pl. Alonso Martínez 2, ⊠ 28004, ℘ 447 14 96, Fax 593 22 23 – ▤. ᴀᴇ ⓞ ᴇ
VISA. ❄
MV **x**
cerrado sábado mediodía, domingo, festivos y agosto – Com carta 4100 a 5500.

XX **La Cava Real,** Espronceda 34, ⊠ 28003, ℘ 442 54 32, Fax 442 34 04 – ▤. ᴀᴇ ⓞ **VISA**. ❄
FV **h**
cerrado domingo y festivos – Com carta 4400 a 5200.

XX **Fabián,** San Bernardo 106, ⊠ 28015, ℘ 447 20 80, Cocina vasco-navarra – ▤. ⓞ **VISA**. ❄
EFV **m**
cerrado domingo y festivos – Com carta aprox. 4800.

XX **L'Alsace,** Doménico Scarlatti 5, ⊠ 28003, ℘ 544 40 75, Fax 544 75 92, « Decoración
alsaciana » – ▤. ᴀᴇ ⓞ ᴇ **VISA**. ❄
DV **a**
Com carta aprox. 4200.

XX **Kulixka,** Fuencarral 124, ⊠ 28010, ℘ 447 25 38, Pescados y mariscos – ▤. ᴀᴇ ⓞ ᴇ **VISA**.
❄
FV **v**
cerrado domingo y agosto – Com carta 4200 a 7100.

XX **Porto Alegre 2,** Trafalgar 15, ⊠ 28010, ℘ 445 19 74 – ▤ ⓟ. ᴀᴇ ⓞ ᴇ **VISA**. ❄ FV **d**
cerrado domingo noche – Com carta 3350 a 4450.

XX **Casa Hilda,** Bravo Murillo 24, ⊠ 28010, ℘ 446 35 69 – ▤. ᴀᴇ ⓞ ᴇ **VISA**. ❄
FV **q**
cerrado domingo noche, lunes noche y agosto – Com carta 2975 a 3900.

XX **Jeromín,** San Bernardo 115, ⊠ 28015; ℘ 448 98 43 – ▤. ᴀᴇ ⓞ ᴇ **VISA**. ❄
EFV **r**
cerrado domingo noche, lunes noche y agosto – Com carta 2650 a 4600.

XX **Polizón,** Viriato 39, ⊠ 28010, ℘ 593 39 19, Pescados y mariscos – ▤. ⓞ ᴇ **VISA JCB.** ❄
cerrado domingo en verano, domingo noche resto del año y del 14 al 31 de agosto – Com
carta 3175 a 4050.
FV **w**

XX **Antonio,** Santa Engracia 54, ⊠ 28010, ℘ 447 40 68 – ▤. ᴀᴇ ⓞ ᴇ **VISA**. ❄
FV **z**
cerrado lunes y agosto – Com carta 3200 a 4400.

XX **La Plaza de Chamberí,** pl. de Chamberí 10, ⊠ 28010, ℘ 446 06 97, ⇪ – ▤. ᴀᴇ ⓞ ᴇ
VISA JCB
FV **k**
cerrado Semana Santa – Com carta 3525 a 3625.

XX **La Fuente Quince,** Modesto Lafuente 15, ⊠ 28003, ℘ 442 34 53, Fax 441 90 24 – ▤. ᴀᴇ
ⓞ ᴇ **VISA**. ❄
FV **j**
cerrado sábado mediodía, festivos, Semana Santa y agosto – Comida carta 2350 a 3150.

XX **O'Grelo,** Gaztambide 50, ⊠ 28015, ℘ 543 13 01, Cocina gallega – ▤ ⇔. ᴀᴇ ⓞ ᴇ **VISA**.
❄
DEV **s**
cerrado domingo noche, lunes y agosto – Com carta 4150 a 4925.

XX **Mesón del Cid,** Fernández de la Hoz 57, ⊠ 28003, ℘ 442 07 55, Fax 442 96 47, Cocina
castellana – ▤. ᴀᴇ ⓞ ᴇ **VISA**
GV **r**
cerrado domingo – Com carta 3350 a 4500.

XX **Gala,** Espronceda 14, ⊠ 28003, ℘ 441 95 48 – ▤. ᴀᴇ ⓞ ᴇ **VISA**. ❄
FV **n**
cerrado domingo y agosto – Com carta 3900 a 5100.

XX **El Corcho,** Zurbano 4, ⊠ 28010, ℘ 308 01 36, Fax 310 32 55 – ᴀᴇ ⓞ ᴇ **VISA**. ❄ rest
cerrado sábado mediodía y domingo – Com carta 3500 a 4450.
NV **d**

XX **Babel,** Alonso Cano 60, ⊠ 28003, ℘ 553 08 27, Carnes – ▤. ᴀᴇ ⓞ ᴇ **VISA**. ❄ FU **r**
cerrado sábado mediodía, domingo, festivos, Semana Santa y agosto – Com carta aprox.
4500.

XX **O'Xeito,** paseo de la Castellana 47, ✉ 28046, ✆ 308 17 18, Decoración de estilo gallego, Pescados y mariscos – ▤. 匣 ⦿ E VISA. ⅏　　　　　　　　　　　　　　　　　GV **a**
cerrado sábado, domingo y agosto – Com carta 4050 a 5600.

X **Horno de Juan,** Joaquín María López 30, ✉ 28015, ✆ 543 30 43 – ▤. 匣 ⦿ E VISA. ⅏
cerrado domingo noche y agosto – Com carta 3000 a 3500.　　　　　　　　　　　　　EV **x**

X **La Parra,** Monte Esquinza 34, ✉ 28010, ✆ 319 54 98 – ▤. 匣 ⦿ E VISA JCB. ⅏
cerrado sábado mediodía, domingo y agosto – Com carta 3300 a 4500.　　　　　　　GV **v**

X **Pinocchio,** Orfila 2, ✉ 28010, ✆ 308 16 47, Fax 766 98 04, Cocina italiana – ▤. 匣 ⦿ E VISA. ⅏　　　　　　　　　　　　　　　　　　　　　　　　　　　　　　　　　　　　NV **d**
cerrado sábado mediodía, festivos y agosto – Com carta 2625 a 3325.

X **Quattrocento,** General Ampudia 18, ✉ 28003, ✆ 534 49 11, Cocina italiana – ▤. 匣 ⦿ E VISA. ⅏　　　　　　　　　　　　　　　　　　　　　　　　　　　　　　　　　　　　DU **a**
cerrado domingo noche – Com carta 2240 a 3490.

X **El Pedrusco de Aldealcorvo,** Juan de Austria 27, ✉ 28010, ✆ 446 88 33, Decoración castellana – ▤. 匣 ⦿ E VISA. ⅏　　　　　　　　　　　　　　　　　　　　　　　FV **t**
cerrado sábado, domingo noche y agosto – Com carta 3350 a 4200.

X **Balear,** Sagunto 18, ✉ 28010, ✆ 447 91 15, Arroces – ▤. 匣 VISA. ⅏　　　　　FV **y**
cerrado domingo noche y lunes noche – Com carta 3050 a 3950.

X **La Gran Tasca,** Santa Engracia 24, ✉ 28010, ✆ 448 77 79, Decoración castellana – ▤ 匣 ⦿ E VISA JCB. ⅏　　　　　　　　　　　　　　　　　　　　　　　　　　　FV **e**
cerrado domingo – Com carta aprox. 5800.

X **Parrillón,** Santa Engracia 41, ✉ 28010, ✆ 446 02 25 – ▤. 匣 ⦿ E VISA. ⅏　FV **t**
cerrado domingo y agosto – Com carta aprox. 4500.

X **Casa Félix,** Bretón de los Herreros 39, ✉ 28003, ✆ 441 24 79 – ▤ ⓟ. 匣 VISA. ⅏
Com carta 2700 a 4100.　　　　　　　　　　　　　　　　　　　　　　　　　　　FV **x**

X **Asquiniña,** Modesto Lafuente 88, ✉ 28003, ✆ 553 17 95, Fax 554 91 51, Cocina gallega – ▤. 匣 E VISA. ⅏　　　　　　　　　　　　　　　　　　　　　　　　　　FU **e**
cerrado domingo noche, festivos noche y agosto – Com carta aprox. 4400.

X **Don Sancho,** Bretón de los Herreros 58, ✉ 28003, ✆ 441 37 94 – ▤. 匣 ⦿ E VISA. ⅏　　　　　　　　　　　　　　　　　　　　　　　　　　　　　　　　　　　　GV **v**
cerrado domingo, lunes noche, festivos, Semana Santa y agosto – Com carta aprox. 3700

X **La Giralda,** Hartzenbuch 12, ✉ 28010, ✆ 445 77 79 – ▤. ⅏　　　　　　　FV **p**
cerrado domingo y julio – Com carta 3550 a 4150.

X **Nicolás,** Cardenal Cisneros 82, ✉ 28010, ✆ 448 36 64 – ▤. 匣 ⦿ E VISA. ⅏　FV
cerrado domingo, lunes, Semana Santa y agosto – Com carta aprox. 3900.

X **Biergarten,** Gaztambide 3, ✉ 28015, ✆ 543 06 49, Cervecería bávara – ▤. 匣 VISA. ⅏
cerrado domingo, festivos noche y lunes – Com carta 2625 a 3275.　　　　　　DV **v**

X **Villa de Foz,** Gonzálo de Córdoba 10, ✉ 28010, ✆ 446 89 93 – 匣 E VISA. ⅏　FV **v**
cerrado domingo noche y agosto – Com carta 3400 a 4600.

X **Bene,** Castillo 19, ✉ 28010, ✆ 448 08 78 – ▤. 匣 E VISA. ⅏　　　　　　　FV **e**
cerrado domingo, festivos y agosto – Com carta 2875 a 3800.

X **La Despensa,** Cardenal Cisneros 6, ✉ 28010, ✆ 446 17 94 – ▤. 匣 ⦿ E VISA. ⅏
cerrado domingo noche, lunes y septiembre – Comida carta 2600 a 2850.　　　FV **p**

　　Chamartín, Tetuán : Capitán Haya, Orense, Alberto Alcocer, Paseo de la Habana (plan p. 5 salvo mención especial)

🏨🏨🏨 **Eurobuilding,** Padre Damián 23, ✉ 28036, ✆ 345 45 00, Telex 22548, Fax 345 45 76 « Jardín y terraza con ⌣ » – 🛗 ▤ 📺 ☎ ⟺ – 🚗 25/900. 匣 ⦿ E VISA JCB. ⅏
Com - **La Taberna** carta 4800 a 6400 - **Le Relais** (buffet) 3100 – ⇌ 1900 – **420 hab** 23200/26900, 100 suites.　　　　　　　　　　　　　　　　　　　　　　　　　　HS

🏨🏨🏨 **Meliá Castilla,** Capitán Haya 43, ✉ 28020, ✆ 571 22 11, Telex 23142, Fax 571 22 10, ⌣ – 🛗 ▤ 📺 ☎ ⟺ – 🚗 25/800. 匣 ⦿ E VISA JCB. ⅏　　　　　　　　　GS
Com (ver rest **L'Albufera, La Fragata, El Hidalgo**) – ⇌ 2100 – **896 hab** 23500/26000 14 suites.

🏨🏨🏨 **Holiday Inn,** pl. Carlos Trías Beltrán 4 (acceso por Orense 22-24), ✉ 28020, ✆ 597 01 02 Telex 44709, Fax 597 02 92, ⌣ – 🛗 ▤ 📺 ☎ ⟺ – 🚗 25/400. 匣 ⦿ E VISA JCB. ⅏
Com **La Terraza** carta 5350 a 6450 – ⇌ 2000 – **313 hab** 24900/31200.　　　GT

🏨🏨 **Cuzco** sin rest, con cafetería, paseo de la Castellana 133, ✉ 28046, ✆ 556 06 00 Telex 22464, Fax 556 03 72 – 🛗 ▤ 📺 ☎ ⟺ ⓟ – 🚗 25/500. 匣 ⦿ E VISA. ⅏　GS
⇌ 1190 – **320 hab** 16400/20550, 8 suites.

🏨🏨 **Chamartín** sin rest, estación de Chamartín, ✉ 28036, ✆ 323 18 33, Telex 49201 Fax 733 02 14 – 🛗 ▤ 📺 ☎ – 🚗 25/500. 匣 ⦿ VISA JCB. ⅏　　　　　　　HR
⇌ 1000 – **360 hab** 13500/17900, 18 suites.

🏨🏨 **NH La Habana,** paseo de la Habana 73, ✉ 28036, ✆ 345 82 84, Telex 41869, Fax 457 75 7 – 🛗 ▤ 📺 ☎ ⟺ – 🚗 25/250. 匣 ⦿ E VISA. ⅏　　　　　　　　　　　HT
Com carta 4150 a 5800 – ⇌ 1700 – **157 hab** 17000.

🏨🏨 **Orense 38** sin rest, con cafetería, Pedro Teixeira 5, ✉ 28020, ✆ 597 15 68, Fax 597 12 9 – 🛗 ▤ 📺 ☎ ⟺. 匣 ⦿ E VISA. ⅏　　　　　　　　　　　　　　　　　GT
⇌ 925 – **140 hab** 19400/23400.

Foxá 32 sin rest, con cafetería, Agustín de Foxá 32, ⊠ 28036, ℰ 733 10 60, Fax 314 11 65
– 🛗 🗐 📺 ☎ 🚗 – 🅐 25/250. 🝙 ⓪ 🗲 *VISA*. ⅏
⚏ 925 – **161 hab** 15800/18800.
HR **u**

Foxá 25 sin rest, con cafetería, Agustín de Foxá 25, ⊠ 28036, ℰ 323 11 19, Fax 314 53 11
– 🛗 🗐 📺 ☎ 🚗. 🝙 ⓪ 🗲 *VISA*. ⅏
⚏ 925 – **121 hab** 15800/18800.
HR **a**

El Gran Atlanta sin rest, Comandante Zorita 34, ⊠ 28020, ℰ 553 59 00, Telex 45210,
Fax 533 08 58 – 🛗 🗐 📺 ☎ 🚗 – 🅐 25/120. 🝙 ⓪ 🗲 *VISA*. ⅏
⚏ 1100 – **180 hab** 14800/20500.
FT **p**

Apartotel El Jardín sin rest, carret. N I km 5'7 (vía de servicio), ⊠ 28050, ℰ 302 83 36,
Fax 766 86 91, 🏊, 🐾, ⅍ – 🛗 🗐 📺 ☎ 🚗 🅿. 🝙 ⓪ 🗲 *VISA*. ⅏
⚏ 850 – **38 apartamentos** 13000/19000.
plano p. 2 CL **u**

Aitana sin rest. con cafetería, paseo de la Castellana 152, ⊠ 28046, ℰ 344 11 42,
Fax 457 07 81 – 🛗 🗐 📺 ☎. 🝙 ⓪ 🗲 *VISA* *JCB*. ⅏
⚏ 800 – **111 hab** 11000/16000.
GT **c**

Práctico sin rest, Bravo Murillo 304, ⊠ 28020, ℰ 571 28 80, Fax 571 56 31 – 🛗 🗐 📺 ☎.
🝙 *VISA*. ⅏
⚏ 850 – **35 hab** 11000/13500.
FS **a**

Aristos y Rest. El Chaflán, av. Pío XII-34, ⊠ 28016, ℰ 345 04 50, Fax 345 10 23, 🌣 –
🛗 🗐 📺 ☎. 🝙 ⓪ 🗲 *VISA*. ⅏
Com carta 3900 a 4750 – ⚏ 800 – **25 hab** 12000/16000.
HS **d**

XXXXX ✿✿✿ **Zalacaín**, Álvarez de Baena 4, ⊠ 28006, ℰ 561 48 40, Fax 561 47 32, 🌣 – 🗐. 🝙
⓪ 🗲 *VISA* *JCB*. ⅏
plano p. 7 GV **b**
cerrado sábado mediodía, domingo, Semana Santa y agosto – Com carta 6250 a 8400
Espec. Lasagna de hongos y foie-gras, Bogavante a los dos vinos con alcachofas rellenas, Bucles
de rabo de buey con trufas al tomillo.

XXXXX **Príncipe y Serrano**, Serrano 240, ⊠ 28016, ℰ 457 28 52, Fax 457 57 47 – 🗐 🚗. 🝙 ⓪
🗲 *VISA*
HT **a**
cerrado sábado mediodía, domingo y agosto – Com carta 4900 a 5600.

XXXX **El Bodegón**, Pinar 15, ⊠ 28006, ℰ 562 88 44 – 🗐. 🝙 ⓪ 🗲 *VISA* *JCB*.
⅏
plano p. 7 GV **q**
cerrado sábado mediodía, domingo, festivos y agosto – Com carta 5680 a 6700.

XXXX ✿ **Príncipe de Viana**, Manuel de Falla 5, ⊠ 28036, ℰ 457 15 49, Fax 457 52 83, 🌣,
Cocina vasco-navarra – 🗐. 🝙 ⓪ 🗲 *VISA* *JCB*. ⅏
GT **c**
cerrado sábado mediodía, domingo, Semana Santa y agosto – Com carta 4950 a 5525
Espec. Menestra de verduras, Bacalao con patatas y puerros, Manitas de cerdo asadas.

XXXX **La Máquina**, Sor Ángela de la Cruz 22, ⊠ 28020, ℰ 572 33 18, Fax 570 13 04 – 🗐. 🝙
⓪ 🗲 *VISA*. ⅏
FS **e**
cerrado domingo – Com carta 3650 a 4450.

XXXX **Nicolasa**, Velázquez 150, ⊠ 28002, ℰ 563 17 35, Fax 564 32 75 – 🗐. 🝙 ⓪ 🗲 *VISA*. ⅏
HU **a**
cerrado domingo, lunes noche y agosto – Com carta 4550 a 5800.

XXX **O'Pazo**, Reina Mercedes 20, ⊠ 28020, ℰ 553 23 33, Pescados y mariscos – 🗐. 🗲 *VISA*.
FT **p**
cerrado domingo y agosto – Com carta 4200 a 5500.

XXX **L'Albufera**, Capitán Haya 43, ⊠ 28020, ℰ 579 63 74, Fax 571 22 10, Arroces – 🗐 🚗.
🝙 ⓪ 🗲 *VISA*. ⅏
GS **c**
Com carta 3800 a 5850.

XXX **La Fragata**, Capitán Haya 43, ⊠ 28020, ℰ 570 98 34 – 🗐 🚗. 🝙 ⓪ 🗲 *VISA* *JCB*. ⅏
GS **c**
cerrado agosto – Com carta aprox. 4900.

XXX **El Hidalgo**, Capitán Haya 45, ⊠ 28020, ℰ 570 68 16, Cocina regional española – 🗐 🚗.
🝙 ⓪ 🗲 *VISA* *JCB*. ⅏
GS **c**
cerrado agosto – Com (sólo almuerzo) carta 2875 a 4300.

XXX **José Luis**, Rafael Salgado 11, ⊠ 28036, ℰ 457 50 36, Telex 41779, Fax 344 18 37 – 🗐.
🝙 ⓪ 🗲 *VISA*. ⅏
GT **m**
cerrado domingo y agosto – Com carta aprox. 5100.

XXX ✿ **Señorío de Bertiz**, Comandante Zorita 6, ⊠ 28020, ℰ 533 27 57 – 🗐. 🝙 ⓪ 🗲 *VISA*.
⅏
FT **s**
cerrado sábado mediodía, domingo, festivos y agosto – Com carta 4650 a 5525
Espec. Menestra de verduras de temporada, Rape vapor con piperrada, Manitas de cerdo rellenas de mollejas de cordero.

XXX **Bogavante**, Capitán Haya 20, ⊠ 28020, ℰ 556 21 14, Fax 597 00 79, Pescados y mariscos
– 🗐. 🝙 ⓪ 🗲 *VISA* *JCB*. ⅏
GT **d**
cerrado domingo noche – Com carta 3150 a 5200.

XXX **Señorío de Alcocer**, Alberto Alcocer 1, ⊠ 28036, ℰ 345 16 96 – 🗐. 🝙 ⓪ 🗲 *VISA*. ⅏
GS **e**
cerrado domingo y agosto – Com carta 4900 a 5950.

XXX ✿ **El Olivo**, General Gallegos 1, ⊠ 28036, ℰ 359 15 35, Fax 345 91 83 – 🗐. 🝙 ⓪ 🗲 *VISA*
JCB. ⅏
HS **c**
cerrado domingo, lunes y agosto – Com carta 4450 a 5300
Espec. Menestra de hongos y setas silvestres (otoño-primavera), Lamprea bordalesa al vino de
Toro (primavera), Foie-gras caliente con uvas al Pedro Ximénez.

XXX ✿ **Goizeko Kabi,** Comandante Zorita 37, ✉ 28020, ℰ 533 01 85, Fax 533 02 14, Cocina vasca – 🗏. 𝐀𝐄 ⓪ 🇪 𝑽𝑰𝑺𝑨. ✺
FT **a**
cerrado domingo – Com carta 5300 a 6800
Espec. Ensalada de bogavante, Rodaballo al horno, Compota de manzana.

XXX ✿ **Cabo Mayor,** Juan Ramón Jiménez 37, ✉ 28036, ℰ 350 87 76, Fax 359 16 21 – 🗏. 𝐀𝐄 ⓪ 🇪 𝑽𝑰𝑺𝑨 𝒋𝒄𝒃. ✺
GHS **r**
cerrado domingo, festivos y Semana Santa – Com carta 4600 a 6100
Espec. Pistacho de bogavante con ensalada de hierbas, Salteado de chipirones y bonito en salsa negra, Pintada rellena de foie-gras en salsa de hongos y trufas.

XXX **El Foque,** Suero de Quiñones 22, ✉ 28002, ℰ 519 25 72, Espec. en bacalaos – 🗏. 𝐀𝐄 ⓪ 🇪 𝑽𝑰𝑺𝑨.
HU **r**
cerrado domingo – Com carta 4300 a 4900.

XXX **Blanca de Navarra,** av. de Brasil 13, ✉ 28020, ℰ 555 10 29 – 🗏. 𝐀𝐄 ⓪ 🇪 𝑽𝑰𝑺𝑨 GT **q**
cerrado domingo (salvo abril-mayo) y agosto – Com carta aprox. 5000.

XXX **Lutecia,** Corazón de María 78, ✉ 28002, ℰ 519 34 15 – 🗏. 𝐀𝐄 ⓪ 🇪 𝑽𝑰𝑺𝑨.
✺
plano p. 3 CL **n**
cerrado sábado mediodía, domingo y agosto – Com carta 2700 a 4300.

XX **Ganges,** Bolivia 11, ✉ 28016, ℰ 457 27 29, Cocina hindú – 🗏. 𝐀𝐄 ⓪ 🇪 𝑽𝑰𝑺𝑨. ✺HST **v**
Com carta aprox. 4500.

XX **Rheinfall,** Padre Damián 44, ✉ 28036, ℰ 345 48 88, ♨, Cocina alemana, « Decoración regional alemana » – 🗏. 𝐀𝐄 ⓪ 🇪 𝑽𝑰𝑺𝑨. ✺
HS **t**
Com carta 3300 a 4850.

XX **Aldaba,** Alberto Alcocer 5, ✉ 28036, ℰ 359 73 86, Fax 350 65 25 – 🗏. 𝐀𝐄 ⓪ 🇪 𝑽𝑰𝑺𝑨 𝒋𝒄𝒃.
GS **e**
cerrado domingo y agosto – Com carta aprox. 4200.

XX **Combarro,** Reina Mercedes 12, ✉ 28020, ℰ 554 77 84, Fax 534 25 01, Pescados y mariscos – 🗏. 𝐀𝐄 ⓪ 🇪 𝑽𝑰𝑺𝑨 𝒋𝒄𝒃.
FT **a**
cerrado domingo noche y agosto – Com carta 3200 a 5600.

XX **Sayat Nova,** Costa Rica 13, ✉ 28016, ℰ 350 87 55, Fax 350 76 47, Cocina armenia – 🗏. 𝐀𝐄 ⓪ 🇪 𝑽𝑰𝑺𝑨.
HS **k**
cerrado 15 días en agosto – Com carta aprox. 4900.

XX **Aldar,** Alberto Alcocer 27, ✉ 28036, ℰ 359 68 75, Fax 350 55 82, ♨, Cocina maghreb – 🗏. 𝐀𝐄 ⓪ 🇪 𝑽𝑰𝑺𝑨. ✺
HS **t**
cerrado domingo noche – Com carta 3550 a 5250.

XX **La Tahona,** Capitán Haya 21 (lateral), ✉ 28020, ℰ 555 04 41, Cordero asado, « Decoración castellano-medieval » – 🗏. 𝐀𝐄 ⓪ 🇪 𝑽𝑰𝑺𝑨. ✺
GT **t**
cerrado domingo noche y agosto – Comida carta 3165 a 3965.

XX **De Funy,** Serrano 213, ✉ 28016, ℰ 458 85 84, Fax 457 95 22, ♨, Rest. libanés – 🗏. 𝐀 ⓪ 🇪 𝑽𝑰𝑺𝑨. ✺
HT **a**
cerrado lunes – Com carta 3900 a 5950.

XX **La Fonda,** Príncipe de Vergara 211, ✉ 28002, ℰ 563 46 42, Cocina catalana – 🗏. 𝐀𝐄 ⓪ 🇪 𝑽𝑰𝑺𝑨. ✺
HT **e**
Com carta 2650 a 3975.

XX **Gaztelupe,** Comandante Zorita 32, ✉ 28020, ℰ 534 90 28, Cocina vasca – 🗏. 𝐀𝐄 ⓪ 🇪 𝑽𝑰𝑺𝑨. ✺
FT **i**
cerrado domingo – Com carta 3380 a 4550.

XX **Mirasierra,** Peña Auseba 5 (Colonia Mirasierra), ✉ 28034, ℰ 735 03 78, Fax 734 48 10, ♨, « Terraza con arbolado » – 🗏. 𝐀𝐄 ⓪ 🇪 𝑽𝑰𝑺𝑨. ✺
por ⑧
cerrado sábado mediodía, domingo y agosto – Com carta 3700 a 4400.

XX **Jai-Alai,** Balbina Valverde 2, ✉ 28002, ℰ 561 27 42, Fax 561 38 46, ♨, Cocina vasca – 🗏. 𝐀𝐄 ⓪ 🇪 𝑽𝑰𝑺𝑨
GU **l**
cerrado lunes y agosto – Com carta 3550 a 4600.

XX **Pedralbes,** Basílica 15, ✉ 28020, ℰ 555 91 84, ♨ – 🗏. 𝐀𝐄 ⓪ 🇪 𝑽𝑰𝑺𝑨. ✺
FT **i**
Com carta 2700 a 3700.

XX **Asador Errota-Zar,** Corazón de María 32, ✉ 28002, ℰ 413 52 24, Fax 519 30 84 – 🗏. 𝐀 ⓪ 🇪 𝑽𝑰𝑺𝑨. ✺
CL **i**
cerrado domingo, Semana Santa y agosto – Com carta 3850 a 5050.

XX **Asador Frontón II,** Pedro Muguruza 8, ✉ 28036, ℰ 345 36 96 – 🗏. 𝐀𝐄 ⓪ 🇪 𝑽𝑰𝑺𝑨. ✺
HS **t**
Com carta 4200 a 4950.

XX **Las Meninas de Velázquez,** Uruguay 16, ✉ 28016, ℰ 519 73 65, Fax 519 73 74 – 🗏. 𝐀 ⓪ 🇪 𝑽𝑰𝑺𝑨. ✺
HT **t**
Com carta 3100 a 4600.

XX **Gerardo,** Alberto Alcocer 46 bis, ✉ 28016, ℰ 457 94 59 – 🗏. 𝐀𝐄 ⓪ 🇪 𝑽𝑰𝑺𝑨. ✺ HS **t**
cerrado domingo y 2ª quincena de agosto – Com carta 3300 a 4600.

XX **Rugantino,** Velázquez 136, ✉ 28006, ℰ 561 02 22, Cocina italiana – 🗏. 𝐀𝐄 ⓪ 🇪 𝑽𝑰𝑺𝑨 𝒋𝒄𝒃
plano p. 7 HV **r**
Com carta 3010 a 3560.

XX **La Brasa,** Infanta Mercedes 105, ✉ 28020, ℰ 579 36 43 – 🗏. 𝐀𝐄 ⓪ 🇪 𝑽𝑰𝑺𝑨. ✺ GS **t**
cerrado domingo y agosto – Com carta 3250 a 4600.

XX **Serramar,** Rosario Pino 12, ✉ 28020, ℘ 570 07 90, Pescados y mariscos – ▤. 🖭 ⓞ 🄴
 VISA. 🕸   GS **k**
cerrado domingo – Com carta aprox. 5200.

XX **Tattaglia,** paseo de la Habana 17, ✉ 28036, ℘ 562 85 90, Cocina italiana – ▤. 🖭 ⓞ 🄴
 VISA 🄹🄲🄱. 🕸   GT **b**
Com carta 3130 a 3650.

XX **Toffanetti,** paseo de la Castellana 83, ✉ 28046, ℘ 556 42 87, Cocina italiana – ▤. 🖭 ⓞ
 🄴 *VISA* 🄹🄲🄱. 🕸   GT **x**
Com carta 2700 a 3120.

XX **Paparazzi,** Sor Ángela de la Cruz 22, ✉ 28020, ℘ 579 67 67, Cocina italiana – ▤. 🖭 ⓞ
 🄴 *VISA* 🄹🄲🄱. 🕸   FGS **v**
Com carta 2700 a 3120.

XX **Ox's,** Juan Ramón Jiménez 11, ✉ 28036, ℘ 458 19 03, Carnes a la brasa – ▤. 🖭 ⓞ 🄴
 VISA. 🕸   GHS **t**
cerrado domingo y agosto – Com carta 3800 a 4800.

XX **Barlovento,** paseo de la Habana 84, ✉ 28016, ℘ 344 14 79 – ▤. 🖭 ⓞ 🄴 *VISA*   HT **x**
cerrado domingo y del 10 al 30 de agosto – Com carta 3475 a 5100.

XX **Endavant,** Velázquez 160, ✉ 28002, ℘ 561 27 38, 🍴, Cocina catalana – ▤. 🖭 ⓞ *VISA*.
 🕸   HU **e**
cerrado domingo – Com carta 3350 a 3650.

XX **Fass,** Rodríguez Marín 84, ✉ 28002, ℘ 563 60 83, Fax 563 74 53, Decoración estilo bávaro-
Cocina alemana – ▤. 🖭 ⓞ 🄴 *VISA*. 🕸   HT **t**
Com carta aprox. 3200.

XX **Asador Castillo de Javier,** Capitán Haya 19, ✉ 28020, ℘ 556 87 97 – ▤. 🖭 🄴 *VISA* 🄹🄲🄱.
 🕸   GT **u**
cerrado domingo y del 10 al 25 de agosto – Com carta aprox. 4100.

XX **La Parrilla de Madrid,** Capitán Haya 19 (posterior), ✉ 28020, ℘ 555 12 83, Fax 597 29 18
– ▤. 🖭 ⓞ 🄴 *VISA*. 🕸   GT **u**
cerrado domingo y agosto – Com carta 3150 a 4450.

XX **L'Arrabbiata,** General Perón 40 A, ✉ 28020, ℘ 556 90 46, Cocina italiana – ▤. 🖭 ⓞ 🄴
 VISA. 🕸   GT **z**
cerrado sábado mediodía y domingo – Com carta 3000 a 4100.

XX **Sacha,** Juan Hurtado de Mendoza 11 (posterior), ✉ 28036, ℘ 345 59 52, 🍴 – ▤. 🖭 ⓞ
 🄴 *VISA*. 🕸   GHS **r**
cerrado domingo, festivos, Semana Santa y agosto – Com carta aprox. 5200.

XX **House of Ming,** paseo de la Castellana 74, ✉ 28046, ℘ 561 10 13, Fax 561 98 27,
Rest. chino – ▤. 🖭 ⓞ 🄴 *VISA*. 🕸   plano p. 7 GV **f**
Com carta 2440 a 3920.

X El Molino, Conde de Serrallo 1, ✉ 28020, ℘ 571 24 09, Decoración castellana. Asados –
 ▤   GS **w**

X **La Ancha,** Príncipe de Vergara 204, ✉ 28002, ℘ 563 89 77, 🍴 – ▤. 🖭 ⓞ 🄴 *VISA*
cerrado domingo, festivos, Semana Santa y Navidad – Com carta 3200 a 4850. HT **r**

X **El Asador de Aranda,** pl. de Castilla 3, ✉ 28046, ℘ 733 87 02, Cordero asado, Decoración
castellana – ▤. 🄴 *VISA*. 🕸   GS **b**
cerrado domingo noche y agosto – Comida carta 3165 a 3965.

X **Prost,** Orense 6, ✉ 28020, ℘ 555 29 94 – ▤. 🖭 *VISA*. 🕸   FT **c**
cerrado domingo y festivos – Com carta 2700 a 3400.

X **Da Nicola,** Orense 4, ✉ 28020, ℘ 555 77 53, Cocina italiana – ▤. 🖭 ⓞ 🄴 *VISA*. 🕸
Com carta 1800 a 2400.   FTU **c**

X **Guten,** Orense 70, ✉ 28020, ℘ 570 36 22 – ▤. 🖭 *VISA*. 🕸   GS **z**
cerrado domingo y festivos – Com carta 2750 a 3350.

X **Asador Ansorena,** Capitán Haya 55 (interior), ✉ 28020, ℘ 579 64 51 – ▤. 🖭 ⓞ 🄴 *VISA*.
 🕸   GS **n**
cerrado domingo y agosto – Com carta aprox. 5100.

X **Mesón el Caserío,** Capitán Haya 49, ✉ 28020, ℘ 570 96 29, Decoración rústica – ▤. 🖭
 ⓞ 🄴 *VISA* 🄹🄲🄱. 🕸   GS **k**
Com carta aprox. 4100.

X **Rianxo,** Raimundo Fernández Villaverde 49, ✉ 28003, ℘ 534 88 32, Cocina gallega – ▤.
 🖭 ⓞ 🄴 *VISA*. 🕸   FU **a**
cerrado domingo y agosto – Com carta 2600 a 4900.

X **Casa Benigna,** Benigno Soto 9, ✉ 28002, ℘ 413 33 56 – ▤. 🖭 🄴 *VISA*   HT **u**
cerrado Semana Santa y Navidades – Com carta 3300 a 5350.

X **La Villa,** Leizarán 19, ✉ 28002, ℘ 563 55 99 – ▤. 🖭 🄴 *VISA*. 🕸   HT **n**
cerrado sábado mediodía, domingo, y agosto – Com carta 2275 a 3725.

X **Los Borrachos de Velázquez,** Príncipe de Vergara 205, ✉ 28002, ℘ 458 10 76,
Fax 563 93 35, Rest. andaluz – ▤. 🖭 ⓞ 🄴 *VISA*. 🕸   HT **s**
cerrado domingo – Com carta aprox. 4500.

X **Las Cumbres,** Alberto Alcocer 32, ✉ 28036, ℘ 458 76 92, Taberna andaluza – ▤. 🖭 ⓞ
 🄴 *VISA* – Com carta 3100 a 5300.   HS **b**

Alrededores

por la salida ② : N II y acceso carretera Coslada - San Fernando E : 12 km – ⌧ 2802⌧ Madrid – ☎ 91 :

XX **Rancho Texano,** av. Aragón 364 ☏ 747 47 36, Fax 747 94 68, ☂, Carnes a la bras⌧ « Terraza » – ▤ 🅿. 🆎 ⓞ ☒ 𝚅𝙸𝚂𝙰. ⌧
cerrado domingo noche – Com carta 3675 a 5525.

por la salida ⑦ – ⌧ 28023 Madrid – ☎ 91 :

XXX **Gaztelubide,** Sopelana 13 - La Florida, 12,8 km ☏ 372 85 44, ☂, Cocina vasca – ▤ 🅶 🆎 ⓞ ☒ 𝚅𝙸𝚂𝙰. ⌧
cerrado domingo noche – Com carta aprox. 5500.

XX **Portonovo,** 10,5 km ☏ 307 01 73, Fax 307 02 86, ☂, Cocina gallega – ▤ 🅿. 🆎 ⓞ ⬛ 𝚅𝙸𝚂𝙰 ᴶᶜᴮ. ⌧
cerrado domingo noche – Com carta 4050 a 5495.

XX **Los Remos,** 13 km ☏ 307 72 30, ☂, Pescados y mariscos, Terraza – ▤ 🅿. ☒ 𝚅𝙸𝚂⌧ ⌧
cerrado domingo noche – Com carta 4100 a 5100.

por la salida ⑧ : en Fuencarral : 9 km – ⌧ 28034 Madrid – ☎ 91 :

XX **Casa Pedro,** Nuestra Señora de Valverde 119 ☏ 734 02 01, Fax 358 40 89, ☂, Decoració⌧ castellana – ▤. 🆎 ⓞ ☒ 𝚅𝙸𝚂𝙰. ⌧
Com carta aprox. 3575.

por la salida ⑧ : 14,5 km – ⌧ 28049 Madrid – ☎ 91 :

XX **El Mesón,** carret. M 607 ☏ 734 10 19, Fax 734 05 77, ☂, Decoración rústica en una cas⌧ de campo castellana – ▤ 🅿. 🆎 ⓞ ☒ 𝚅𝙸𝚂𝙰. ⌧
cerrado domingo noche – Com carta 3500 a 4850.

Ver también : *Barajas* por ② : 14 km
Alcobendas por ① : 16 km.

S.A.F.E. Neumáticos MICHELIN, División Comercial, Dr. Esquerdo 157, ⌧ 28007 J⌧ ☏ 409 09 40, Telex 27582, Fax 409 31 11

S.A.F.E. Neumáticos MICHELIN, Sucursal av. José Gárate 7, COSLADA por ② o ③, ⌧ 2882⌧ ☏ 671 80 11 y 673 00 12, Fax 671 91 14

MADRONA 40154 Segovia 𝟦𝟦𝟤 J 17 alt. 1 088 – ☎ 921.
◆ Madrid 90 – ◆ Ávila 58 – ◆ Segovia 9.

🏤 **Sotopalacio** sin rest, Segovia 15 ☏ 48 51 00, Fax 48 52 24 – 📺 ☎. 🆎 ☒ 𝚅𝙸𝚂𝙰. ⌧
⌧ 400 – **12 hab** 3500/6000.

MAGALUF Baleares – ver Baleares (Mallorca) : Palma Nova.

MAGAZ 34220 Palencia 𝟦𝟦𝟤 G 16 – 537 h. alt. 728 – ☎ 979.
◆Madrid 237 – ◆Burgos 79 – ◆León 137 – Palencia 9 – ◆Valladolid 49.

🏨 **Europa Centro** ⌧, Urb. Castillo de Magaz carret de Palencia O : 1 km ☏ 78 40 00⌧ Fax 78 41 85, ← – 🛗 ▤ 📺 ☎ ⇔ 🅿 – 🛇 25/500. 🆎 ⓞ ☒ 𝚅𝙸𝚂𝙰. ⌧ rest
Com carta 3350 a 5100 – ⌧ 850 – **122 hab** 7000/9500.

MAHÓN Baleares – ver Baleares (Menorca).

MAJADAHONDA 28220 Madrid 𝟦𝟦𝟦 K 18 – 22 949 h. – ☎ 91 – R.A.C.E. Jardín de la Hermita B1 Local 1° ☏ 638 64 22.
◆Madrid 18.

🏨 **Majadahonda Club,** El Carralero- carret. de Boadilla S : 1,5 km ☏ 634 02 56, Fax 634 01 29⌧ 🛝, 🏊 – 🛗 ▤ 📺 ☎ ⇔ – 🛇 25/300. 🆎 ⓞ ☒ ⌧
Com 4500 – ⌧ 750 – **41 hab** 13500/17000 – PA 9000.

X **Prost,** Mar Egeo - El Zoco ☏ 638 00 08, ☂, Típica cervecería alemana – ▤. 🆎 𝚅𝙸𝚂⌧ ⌧
cerrado domingo y festivos noche – Com carta 2750 a 3750.

Pleasant hotels or restaurants are shown
in the Guide by a red sign.   🏨🏨 ... 🏠

Please send us the names
of any where you have enjoyed your stay.   XXXXX ... X

Your Michelin Guide will be even better.

MÁLAGA 29000 ℙ 446 V 16 – 503 251 h. – ✪ 95 – Playa. **Ver**: Gibralfaro : ≤★★ DY - Alcazaba★ (museo★) DY. **Alred.** : Finca de la Concepción★ 7 km por ④. – ⬜ Club de Campo de Málaga por ② : 9 km ℰ 238 11 20 – ⬜ de El Candado por ① : 5 km ℰ 229 46 66.

✈ de Málaga por ② : 9 km ℰ 224 00 00 – Iberia : Molina Larios 13, ⊠ 29015, ℰ 221 37 31 CY y Aviaco : aeropuerto ℰ 223 08 63.

🚗 ℰ 231 13 96. 🚢 para Melilla : Cía. Trasmediterránea, Estación Marítima, ⊠ 29016 CZ ℰ 222 43 93, Fax 222 48 83.

🛈 pasaje de Chinitas, 4 ⊠ 29015, ℰ 221 34 45, y Aeropuerto Internacional ⊠ 29006, ℰ 223 04 88 – R.A.C.E. Calderería 1, ⊠ 29008, ℰ 221 42 60, Fax 238 77 42.

◆Madrid 548 ④ – Algeciras 133 ② – ◆Córdoba 175 ④ – ◆Sevilla 217 ④ – ◆Valencia 651 ④.

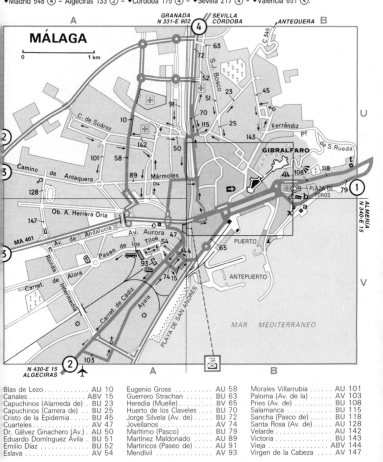

Centro :

🏨 **Málaga Palacio** sin rest, av. Cortina del Muelle 1, ⊠ 29015, ℰ 221 51 85, Telex 77021, Fax 221 51 85, ≤, ⭤, ⬜ – ◻ ▤ 📺 ☎ – ▵ 25/300. 🖭 ⓞ ᴇ 𝘝𝘐𝘚𝘈. ⬚ CZ **b**
⬚ 950 – **221 hab** 11600/16500.

🏨 **Don Curro** sin rest, con cafetería, Sancha de Lara 7, ⊠ 29015, ℰ 222 72 00, Telex 77366, Fax 221 59 46 – ◻ ▤ 📺 ☎ 🖭 ⓞ ᴇ 𝘝𝘐𝘚𝘈. ⬚ CZ **e**
⬚ 625 – **105 hab** 7900/11500.

🏠 **Venecia** sin rest y sin ⬚, Alameda Principal 9, ⊠ 29001, ℰ 221 36 36 – ◻ 📺 ☎. ᴇ 𝘝𝘐𝘚𝘈. ⬚
40 hab 4200/5100. CZ **u**

🍴 **El Chinitas,** Moreno Monroy 4, ⊠ 29015, ℰ 221 09 72, 🌡 – ▤. 🖭 ⓞ ᴇ 𝘝𝘐𝘚𝘈. ⬚
Com carta 2300 a 3550. CYZ **a**

315

MÁLAGA

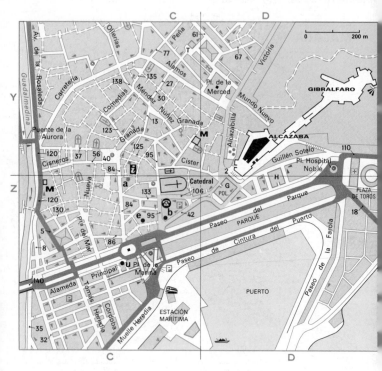

Fuera del centro :

🏠 **Los Naranjos** sin rest, paseo de Sancha 35, ⊠ 29016, ℰ 222 43 19, Telex 77030, Fax 222 59 75 – 🛗 🗏 📺 ☎ ⇔. 🆎 ⓞ 🖻 *VISA*. ⅋
🍽 800 – **40 hab** 9900/13500, 1 suite.   BU **t**

🍴🍴🍴 **Café de París,** Vélez Málaga 8, ⊠ 29016, ℰ 222 50 43, Fax 222 50 43 – 🗏. 🆎 ⓞ 🖻 *VISA* 🄘🄒🄑. ⅋
BV **x**
cerrado domingo y 30 agosto-10 septiembre – Com carta 3400 a 5100.

🍴🍴 **Antonio Martín,** paseo Marítimo 4, ⊠ 29016, ℰ 222 21 13, Fax 221 10 18, ≼, � , Amplias terrazas sobre el mar – 🗏. 🆎 ⓞ 🖻 *VISA*. ⅋   BV **a**
cerrado domingo noche en invierno – Com carta 3150 a 5050.

🍴 **Refectorium,** Cervantes 8, ⊠ 29016, ℰ 221 89 90 – 🗏. 🆎 ⓞ 🖻 *VISA*   BUV **b**
cerrado del 15 al 30 de junio – Com carta aprox. 4100.

🍴 **La Taberna del Pintor,** Maestranza 6, ⊠ 29016, ℰ 221 53 15, Decoración rústica, Carnes – 🗏. 🆎 ⓞ 🖻 *VISA*   BUV **b**
Com carta 2640 a 4240.

🍴 **Cueva del Camborio,** av. de la Aurora 18, ⊠ 29006, ℰ 234 78 16 – 🗏. 🆎 ⓞ 🖻 *VISA*. ⅋ – *cerrado domingo* – Com carta aprox. 3100.   AV **c**

en Cerrado de Calderón por ① : 6 km – ⊠ 29018 Málaga – 🕿 95 :

🍴 **Calycanto,** paseo Cerrado de Calderón - edificio Júpiter ℰ 229 86 86, �, – 🗏. 🖻 *VISA*. ⅋
cerrado domingo en julio-agosto y domingo noche resto del año – Com carta 2675 a 3600.

en la playa de El Palo por ① : 6 km – ⊠ 29017 Málaga – 🕲 95 :

✗ **Casa Pedro,** Quitapenas 121 ℰ 229 00 13, ≤ – 🝐🝐 ⓞ 🝐 𝘝𝘐𝘚𝘈. ⅏
cerrado lunes noche – Com carta 2800 a 4175.

Ver también : **Torremolinos** por ② : 14 km.

10680 Cáceres 𝟦𝟦𝟦 M 11 – 5 053 h. alt. 467 – 🕲 927.

♦Madrid 237 – ♦Cáceres 91 – Pasencia 8.

🏨 **Monfragüe,** carret. C 511, SE : 1 km ℰ 40 48 81, Fax 40 40 73 – 🖿 📺 🕿 🚗 🅿. 🝐🝐 𝙴
𝘝𝘐𝘚𝘈. ⅏ rest
Com 1100 – 😅 550 – **40 hab** 4300/7500 – PA 2200.

🏠 **Las Princesas,** carret. C 511, SE : 1 km ℰ 45 91 00, Fax 45 91 67 – 🖿 📺 🕿 🅿
27 hab.

Baleares – ver Baleares.

23100 Jaén 𝟦𝟦𝟨 S 19 – 8 003 h. alt. 760 – 🕲 953.

♦Madrid 355 – ♦Córdoba 118 – ♦Granada 92 – Jaén 19.

🏨 **La Zambra,** La Zambra 47 ℰ 35 11 93, Fax 35 11 93 – 🛗 🖿 📺 🕿. 🝐🝐 𝙴 𝘝𝘐𝘚𝘈. ⅏
Com 1000 – 😅 200 – **11 hab** 4000/6500.

30370 Murcia 𝟦𝟦𝟧 T 27 – 🕲 968 – Playa.

🏌, 🏌 La Manga SO : 11 km ℰ 56 45 11.

🛈 urb. Castillo del Mar-Torre Norte ℰ 14 18 12, Fax 14 21 72 y Gran Vía km 2 ℰ 56 33 55.

♦Madrid 473 – Cartagena 34 – ♦Murcia 83.

🏨 **Villamanga,** Gran Vía de La Manga ℰ 14 52 22, Fax 14 52 22, ⊼, 🝐 – 🖿 📺 🕿 🅿 –
🝐 25/80. 🝐🝐 ⓞ 𝙴 𝘝𝘐𝘚𝘈. ⅏
cerrado 10 enero-1 marzo – Com carta 2050 a 3500 – 😅 500 – **60 hab** 8500/13000.

🏠 **Dos Mares** sin rest y sin 😅, pl. Bohemia ℰ 14 00 93 – 🖿 🕿. ⓞ 𝙴 𝘝𝘐𝘚𝘈. ⅏
abril-septiembre – **28 hab** 4100/6255.

✗✗ **El Velero-Los Churrascos,** Gran Vía La Manga – urb. los Snipes ℰ 14 05 07 – 🖿. 🝐🝐 ⓞ
𝙴 𝘝𝘐𝘚𝘈. ⅏
Com carta aprox. 4200.

✗✗ **Borsalino,** edificio Babilonia ℰ 56 31 30, ≤, 🝐, Cocina francesa – 🝐🝐 ⓞ 𝙴 𝘝𝘐𝘚𝘈. ⅏
cerrado martes salvo verano y 16 enero-16 febrero – Com carta 3100 a 4400.

✗ **San Remo,** Hacienda Dos Mares ℰ 14 08 13, Fax 14 07 14, 🝐 – 🖿. 🝐🝐 ⓞ 𝙴 𝘝𝘐𝘚𝘈. ⅏
Com carta 2225 a 3600.

✗ **Michel,** edificio Babilonia ℰ 56 30 02, ≤, 🝐, Cocina francesa – ⓞ 𝙴 𝘝𝘐𝘚𝘈
Com carta 2450 a 3750.

29691 Málaga 𝟦𝟦𝟨 W 14 – 3 768 h. – 🕲 95 – Playa.

♦Madrid 643 – Algeciras 40 – ♦ Málaga 97 – Ronda 61.

en el puerto de La Duquesa SE : 4 km – ⊠ 29692 Puerto de la Duquesa – 🕲 95 :

✗✗ **Macues,** ℰ 289 03 39, ≤, 🝐 – 🝐🝐 ⓞ 𝙴 𝘝𝘐𝘚𝘈. ⅏
cerrado lunes y febrero – Com carta 3250 a 3900.

en la carretera de Cádiz SE : 4,5 km – ⊠ 29691 Manilva – 🕲 95 :

🏨 La Duquesa, ℰ 289 12 11, Fax 289 16 30, 🝐, ⊼, 🝐, ✵, 🏌 – 🛗 🖿 📺 🕿 🅿 – 🝐 25/250
93 hab.

en Castillo La Duquesa SE : 4,8 km – ⊠ 29691 Manilva – 🕲 95 :

✗ **Mesón del Castillo,** pl. Mayor ℰ 289 07 66 – 🖿. 🝐🝐 𝙴 𝘝𝘐𝘚𝘈
cerrado lunes y noviembre – Com carta 2850 a 3750.

46940 Valencia 𝟦𝟦𝟧 N 28 – 24 871 h. – 🕲 96.

🛫 de Valencia-Manises, ℰ 154 60 15.

🛈 aeropuerto de Valencia, ℰ 152 14 52, ⊠ 46940.

♦Madrid 346 – Castellón de la Plana Castelló de la Plana 78 – Requena 64 – ♦Valencia 9,5.

🏨 **Sol Azafata,** autopista del aeropuerto ℰ 154 61 00, Telex 61451, Fax 153 20 19 – 🛗 🖿
📺 🕿 🚗 🅿 – 🝐 25/300. 🝐🝐 ⓞ 𝙴 𝘝𝘐𝘚𝘈. ⅏ rest
Com 2500 – 😅 1000 – **126 hab** 7900/12500, 4 suites – PA 5100.

08560 Barcelona 443 F 36 – 15 962 h. alt. 461 – ✪ 93.

♦Madrid 649 – ♦Barcelona 78 – Gerona/Girona 104 – Vich/Vic 9.

🏠 **Torres y Rest. Torres Petit,** passeig de Sant Joan 42 🄿 850 61 88, Fax 850 63 13 – 🗐 rest
📺 ☎ ⇔. 🖭 ⓞ 🗲 𝚅𝙸𝚂𝙰. 🕸
cerrado 16 diciembre-9 enero – Com *(cerrado domingo)* carta aprox. 4400 – ☐ 550 –
17 hab 3600/5500.

✗ **La Cabanya,** Vía Ausetania 1 🄿 851 33 19, Mariscos – 🗐. 🖭 ⓞ 🗲 𝚅𝙸𝚂𝙰 𝙹𝙲𝙱
cerrado lunes y del 7 al 14 de enero – Com carta aprox. 4500.

08240 Barcelona 443 G 35 – 67 014 h. alt. 205 – ✪ 93.

🅱 pl. Major 1, 🄿 872 53 78, Fax 872 25 93.

♦Madrid 591 – ♦Barcelona 67 – ♦Lérida/Lleida 122 – ♦Perpignan 239 – Tarragona 115 – Sabadell 67.

🏨 **Pere III,** Muralla Sant Francesc 49 🄿 872 40 00, Fax 875 05 06 – 🛗 🗐 📺 ☎ ⓟ –
🛦 25/600. 🗲 𝚅𝙸𝚂𝙰. 🕸 rest
Com 1500 – ☐ 500 – **113 hab** 7500/10500 – PA 3400.

✗✗ **La Cuina,** Alfons XII - 18 🄿 872 89 69 – 🗐. 🖭 ⓞ 🗲 𝚅𝙸𝚂𝙰 𝙹𝙲𝙱. 🕸
cerrado jueves – Com carta 2900 a 4450.

✗✗ **Aligué,** carret. de Vic-barriada El Guix 8 🄿 873 25 62 – 🗐 ⓟ. 🖭 ⓞ 🗲 𝚅𝙸𝚂𝙰. 🕸
cerrado domingo noche y lunes – Com carta 3700/4900.

13200 Ciudad Real 444 O 19 – 17 721 h. alt. 645 – ✪ 926.

♦Madrid 173 – Alcázar de San Juan 63 – Ciudad Real 52 – Jaén 159.

🏨 **Parador de Manzanares,** carret. N IV 🄿 61 04 00, Fax 61 09 35, 🛋 – 🛗 🗐 📺 ☎ ⇔
ⓟ – 🛦 25/300. 🖭 ⓞ 𝚅𝙸𝚂𝙰. 🕸
Com 2800 – ☐ 1000 – **50 hab** 9000 – PA 5610.

🏨 **El Cruce,** carret. N IV 🄿 61 19 00, Fax 61 19 12, 🌴, « Amplío jardín con césped y 🛋 »
– 🗐 📺 ☎ ⓟ – 🛦 25/200. 🖭 🗲 𝚅𝙸𝚂𝙰. 🕸
Com 2800 – ☐ 575 – **37 hab** 4400/9350 – PA 4940.

🏠 **Manzanares** sin rest, carret. N IV 🄿 61 08 00, 🛋 – 🗐 📺 ⊚ ⓟ. 🖭 ⓞ 🗲 𝚅𝙸𝚂𝙰. 🕸
☐ 350 – **23 hab** 3360/4800.

28410 Madrid 444 J 18 – 1 515 h. alt. 908 – ✪ 91.

Ver : Castillo★.

♦Madrid 53 – Ávila 85 – El Escorial 34 – ♦Segovia 51.

🏨 **Parque Real,** Padre Damián 4 🄿 853 99 12, Fax 853 99 60, 🌴 – 🛗 🗐 📺 ☎ ⇔ –
🛦 25/100. 🖭 🗲 𝚅𝙸𝚂𝙰. 🕸
Com 2250 – ☐ 600 – **24 hab** 6350/9150.

✗ **Taurina,** pl. Generalísimo 8 🄿 853 07 73 – 🗐. 𝚅𝙸𝚂𝙰. 🕸
cerrado martes y agosto – Com (sólo almuerzo) carta 2900 a 4900.

44420 Teruel 445 L 27 – 566 h. alt. 700 – ✪ 978 – Balneario.

♦Madrid 352 – Teruel 51 – ♦Valencia 120.

en la carretera de Abejuela SO : 4 km – ✉ 44420 Manzanera – ✪ 978 :

🏠 **Baln. El Paraíso** 🤿, 🄿 78 18 18, Telex 62025, Fax 78 18 18, 🛋, ✗ – ⓟ. 🗲 𝚅𝙸𝚂𝙰. 🕸
junio-septiembre – Com 1900 – ☐ 450 – **64 hab** 5350/7400 – PA 3600.

o 17539 Gerona 443 E 35 – 64 h. – ✪ 972.

♦Madrid 652 – Gerona/Girona 166 – Puigcerdá 18 – Seo de Urgel/La Seu d'Urgell 50.

✗ **Can Borrell** 🤿 con hab, Retorn 3 🄿 88 00 33, ≼, 🌴, Cocina catalana, Decoración rústica
« En un típico pueblo de montaña » – ⊚ ⓟ. 🗲 𝚅𝙸𝚂𝙰. 🕸 rest
cerrado enero-marzo salvo fines de semana – Com *(cerrado lunes noche y martes)* carta
2950 a 4200 – ☐ 500 – **8 hab** 5000/7000.

Baleares – ver Baleares (Mallorca) : Palma de Mallorca.

---

*Para as suas viagens na **EUROPA** utilize :*

Os Mapas Michelin **Estradas Principais ;**

Os Mapas Michelin pormenorizados ;

Os Guias Michelin Vermelhos (hotéis e restaurantes)
Benelux, Deutschland, main cities **Europe, France, Great Britain and Ireland, Italia, Suisse**

Os Guias Michelin Verdes (curiosidades e percursos turísticos).

MARBELLA 29600 Málaga 📖📖📖 W 15 – 67 882 h. – 🕸 95 – Playa.

🔟 Río Real-Los Monteros por ① : 5 km 🖋 277 37 76 – 🔟 Nueva Andalucía por ② : 5 km 🖋 278 72 00 – 🔟 Aloha Golf, urbanización Aloha por ② : 8 km 🖋 281 23 88 – 🔟 Golf Las Brisas, Nueva Andalucía por ② : 11 km 🖋 281 08 75 – Iberia : paseo Marítimo A 🖋 277 02 84.

🖪 Miguel Cano 1 🖋 277 14 42 Fax 277 94 57.

◆Madrid 602 ① – Algeciras 77 ② – ◆Cádiz 201 ② – ◆Málaga 56 ①.

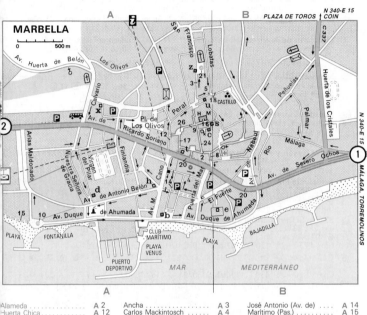

🏨🏨 **Meliá Don Pepe y Grill La Farola** 🗙, José Meliá 🖋 277 03 00, Telex 77055, Fax 277 03 00, ≤ mar y montaña, 🛋, « Césped con vegetación subtropical », 🔼, 🔲, 🏖, 🎾 – 🛗 🗏 📺 🕿 🕭 🕑 – 🔬 25/400. 🖭 🕦 🗲 🗺 🕽🖱 por ②
Com 5200 – 🖙 1500 – **184 hab** 22200/32800, 16 suites – PA 10100.

🏨🏨 **El Fuerte,** av. del Fuerte 🖋 286 15 00, Telex 77523, Fax 282 44 11, ≤, 🛋, « Terrazas con jardín y palmeras », 🏖, 🔼, 🔲, 🐾, 🎾 – 🛗 🗏 📺 🕿 🕭 🖘 🕑 – 🔬 25/600. 🖭 🕦 🗲 🗺. 🕸 rest – Com 3200 – 🖙 1200 – **244 hab** 9200/17200, 19 suites. AB **e**

🏨 **Marbella Inn** sin rest, con cafetería, Jacinto Benavente, bloque 6 🖋 282 54 87, Fax 282 54 87 – 🛗 🗏 📺 🕿 🖭 🕦 🗲 🗺. 🕸 A **x**
🖙 500 – **40 apartamentos** 7850/9800.

🏨 **San Cristóbal,** Ramón y Cajal 3 🖋 277 12 50, Telex 77712, Fax 286 20 44 – 🛗 🗏 📺 🕿. 🖭 🗲 🗺. 🕸 A **t**
Com 1525 – 🖙 450 – **97 hab** 6250/8600.

🏨 **Lima** sin rest, av. Antonio Belón 2 🖋 277 05 00, Fax 286 30 91 – 🛗 🕿. 🖭 🕦 🗲 🗺 🕽🖱. 🕸 A **h**
🖙 425 – **64 hab** 5600/7000.

🏿🏿🏿 🕸 **La Fonda,** pl. Santo Cristo 10 🖋 277 25 12, 🏖, « Patio andaluz » – 🖭 🕦 🗲 🗺. A **z**
cerrado domingo – Com (sólo cena) carta 5900 a 7500
Espec. Ensalada de sardinas marinadas, Dorada al estilo Fonda, Escalopes de ternera al vino de Málaga.

🏿🏿 **Santiago,** av. Duque de Ahumada 5 🖋 277 43 39, Fax 282 45 03, 🏖, Pescados y mariscos – 🗏. 🖭 🕦 🗲 🗺 🕽🖱. 🕸 A **b**
cerrado noviembre – Com carta 3350 a 5250.

🏿🏿 **Cenicienta,** av. Cánovas del Castillo 52 (circunvalación) 🖋 277 43 18, 🏖 – 🗲 🗺
cerrado enero – Com (sólo cena) carta 3150 a 4450. por ②

319

XX **Hostería del Mar,** av. Cánovas del Castillo 1A ✆ 277 02 18, 🏠, « Terraza » – AE E VISA por ②
cerrado domingo – Com carta aprox. 3500.

XX **Mena,** pl. de los Naranjos 10 ✆ 277 15 97, 🏠 – AE ⓓ E VISA. A c
marzo-noviembre – Com (cerrado domingo) carta 3150 a 4400.

X **Plaza,** pl. General Chinchilla 6 ✆ 286 36 31, 🏠 – AE ⓓ E VISA. AB s
cerrado domingo de octubre-marzo y 20 días en enero – Com carta aprox. 3100.

X **Mamma Angela,** Virgen del Pilar 26 ✆ 277 68 99, 🏠, Cocina italiana – ▤. VISA A c
cerrado martes, enero y febrero – Com (sólo cena en verano) carta 2600 a 2950.

X **El Balcón de la Virgen,** Remedios 2 ✆ 277 60 92, Edificio del siglo XVI – E VISA A u
cerrado martes – Com (sólo almuerzo noviembre- abril) carta 1685 a 2285.

en la carretera de Cádiz por ② – ✉ 29600 Marbella – ✆ 95 :

Marbella Club ⛰, 3 km ✆ 277 13 00, Telex 77319, Fax 282 98 84, 🏠, « Confortables instalaciones en un amplio jardín », ⚒, ⛱ climatizada, ⛺, 🎾 – ▤ TV ☎ P – 🏫 25/180 AE ⓓ E VISA.
Com 5500 – ☕ 2000 – **76 hab** 28000/39000, 24 suites.

Puente Romano ⛰, 3,5 km ✆ 277 01 00, Telex 77399, Fax 277 57 66, 🏠, « Elegante conjunto de estilo andaluz en un magnífico jardín », ⛱ climatizada, ⛺, 🎾 – ▤ TV ☎ P – 🏫 25/170. AE ⓓ E VISA JCB. rest
Com carta 4550 a 7450 – ☕ 1600 – **204 hab** 25000/34500.

Coral Beach y Rest. Florencia, 5 km ✆ 282 45 00, Telex 79816, Fax 282 62 57, ⚒, ⛱, ⛺, 🏖 – |♦| ▤ TV ☎ ♿ 🚗 P – 🏫 25/300. AE ⓓ E VISA.
abril-octubre – Com carta aprox. 5700 – ☕ 1500 – **148 hab** 18000/23000, 22 suites.

Andalucía Plaza, urb. Nueva Andalucía - 7,5 km, ✉ 29660 Nueva Andalucía, ✆ 281 20 00 Telex 79551, Fax 281 47 92, 🏠, ⚒, ⛱, ⛱, 🏖, 🎾 – |♦| ▤ TV ☎ P – 🏫 25/800. AE ⓓ E VISA.
Com 3850 – ☕ 1190 – **378 hab** 11275/17380, 23 suites.

Marbella Dinamar Club 24, 6 km, ✉ 29660 Nueva Andalucía, ✆ 281 05 00, Telex 77656 Fax 281 23 46, ←, 🏠, « Jardín con ⛱ », ⛱, 🎾 – |♦| ▤ TV ☎ P – 🏫 25/150. AE ⓓ E VISA.
Com 2750 – ☕ 1200 – **107 hab** 14550/18150, 10 suites – PA 6450.

Guadalpín, 1,5 km ✆ 277 11 00, Fax 277 33 34, 🏠, ⛱, 🏖 – ☎ P. AE ⓓ E VISA rest
Com 1850 – ☕ 450 – **110 hab** 6550/9400 – PA 3300.

XXXX **La Meridiana,** camino de la Cruz, (urb. Lomas del Virrey - 3,5 km) ✆ 277 61 90 Fax 282 60 24, ←, 🏠, « Terraza con jardín » – ▤ P. AE ⓓ E VISA
cerrado lunes mediodía, martes mediodía y 15 enero-15 febrero – Com (sólo cena en verano) carta 5575 a 7050.

XXX **Villa Tiberio,** 2,5 km ✆ 277 17 99, 🏠, Cocina italiana, « Terraza-jardín » – P. AE E VISA
Com (sólo cena) carta 3500 a 4300.

en la carretera de Málaga por ① – ✉ 29600 Marbella – ✆ 95 :

✲ **Los Monteros** ⛰, 5,5 km ✆ 277 17 00, Telex 77059, Fax 282 58 46, ←, 🏠, « Jardín subtropical », ⚒, ⛱, ⛱, 🎾, ⛳18 – |♦| ▤ TV ☎ P – 🏫 25/80. AE ⓓ E VISA
Com **El Corzo** *(sólo cena)* carta 4900 a 6700 – **161 hab** ☕ 25000/32000, 9 suites
Espec. Filetes de lenguado con langostinos al champán, Hígado de oca fresco al vino de Oporto Parfait de moka con salsa de caramelo.

Don Carlos y Rest. Los Naranjos ⛰, 10 km ✆ 283 11 40, Telex 77481, Fax 283 34 29 ←, 🏠, « Amplio jardín », ⚒, ⛱ climatizada, ⛺, 🎾 – |♦| ▤ TV ☎ P – 🏫 25/1200 AE ⓓ E VISA. rest
Com carta 4500 a 6050 – ☕ 1900 – **223 hab** 19300/24500, 15 suites.

Artola, 12,5 km ✆ 283 13 90, Fax 283 04 50, ←, 🏠, « En un campo de golf », ⛱, 🏖, ⛳ – |♦| ☎ 🚗 P. AE E VISA. rest
Com *(cerrado lunes en invierno)* 1700 – ☕ 600 – **29 hab** 6000/9000, 2 suites.

XXX **La Hacienda,** 11,5 km y desvío 1,5 km ✆ 283 12 67, Fax 283 33 28, 🏠, « Decoración rústica - Patio » – P. AE ⓓ E VISA JCB
cerrado 14 noviembre-21 diciembre – Com (cerrado lunes y martes de septiembre a junio) (sólo cena en agosto) carta 4400 a 5750.

XX **Las Banderas,** 9,5 km y desvio 0,5 km ✆ 283 18 19, 🏠 – AE E VISA.
cerrado miércoles – Com carta aprox. 3100.

X **La Reserva Dos Pinos,** urb. Los Pinos - 8 km ✆ 283 87 93, 🏠 – ▤. AE E VISA.
cerrado lunes y enero – Com carta 2600 a 4350.

X **La Hostería,** 8 km ✆ 283 11 35, 🏠 – P. E VISA.
cerrado martes y febrero – Com carta 1950 a 3425.

Ver también : ***Puerto Banús*** por ② : 8 km
San Pedro de Alcántara por ② : 13 km.

ARENY DE VILCHES 46408 Valencia 445 O 29 – ✪ 96 – Playa.
adrid 375 – ♦Alicante/Alacant 145 – ♦Valencia 27.

🏠 Ariane, Mediterráneo 73 - playa 𝒫 176 07 16, ≤, ℀ – |≢| ⇐ 🅿
temp. – **48 hab.**

ARGOLLES 33547 Asturias 441 B 14 – ✪ 98.
adrid 491 – Gijón 80 – ♦ Oviedo 73 – Ribadesella 11.

🏠 **La Tiendona,** carret. N 634 𝒫 584 04 74, Fax 584 13 16, « Casona del siglo XIX » – 📺 ☎
🅿. ₳ E 𝚅𝙸𝚂𝙰. ℀ – Com 1500 – ⌑ 500 – **18 hab** 5000/7000 – PA 3500.

a MARINA o **La MARINA DEL PINET** 03194 Alicante 445 R 28 – ✪ 96 – Playa.
adrid 437 – ♦Alicante/Alacant 31 – Cartagena 79 – ♦Murcia 57.

🏠 **Marina** sin rest, con cafetería, av. de la Alegría 30 𝒫 541 94 50, Fax 541 94 25 – |≢| 📺 ☎.
① 𝚅𝙸𝚂𝙰. ℀
⌑ 375 – **20 hab** 2500/4500.

ARKINA - XEMEIN Vizcaya – ver Marquina.

ARMOLEJO 23770 Jaén 446 R 17 – 7 066 h. alt. 245 – ✪ 953 – Balneario.
adrid 331 – Andújar 10 – ♦Córdoba 71 – Jaén 76.

🏨 **G. H. Marmolejo** ﹩, Calvario 101 𝒫 54 00 00, Fax 54 06 50, ≤, 🍽, ⽭, 🖈 – |≢| ▤ 𝄐
🅿 – 🛆 25/60. ₳ ① E 𝚅𝙸𝚂𝙰. ℀
Com 1900 – ⌑ 550 – **54 hab** 6300/8250 – PA 3700.

ARQUINA o **MARKINA - XEMEIN** 48270 Vizcaya 442 C 22 – 4 781 h. alt. 85 – ✪ 94.
red. : Balcón de Vizcaya★★ SO : 15 km.
adrid 443 – ♦Bilbao/Bilbo 50 – ♦San Sebastián/Donostia 58 – ♦Vitoria/Gasteiz 60.

℀℀ **Niko,** San Agustín 4 𝒫 616 89 59, Decoración regional – ▤.

ARTINET 25724 Lérida 443 E 35 – alt. 980 – ✪ 973.
adrid 626 – ♦Lérida/Lleida 157 – Puigcerdá 26 – Seo de Urgel/La Seu d'Urgell 24.

℀℀ **Boix** con hab, carret N 260 𝒫 51 50 50, Fax 51 50 65, 🍽, ⽭, 🖈 – |≢| ▤ rest 📺 ☎ 🅿.
₳ ① E 𝚅𝙸𝚂𝙰. ℀ rest
Com carta aprox. 4900 – ⌑ 1200 – **26 hab** 8000/10000, 8 suites.

ARTORELL 08760 Barcelona 443 H 35 – 16 147 h. – ✪ 93.
adrid 598 – ♦Barcelona 32 – Manresa 37 – ♦Lérida/Lleida 141 – Tarragona 80.

℀ **Manel** con hab, Pedro Puig 74 𝒫 775 23 87, Fax 775 23 87 – |≢| ▤ rest 📺 ☎ ⇐ –
🛆 25/35. ₳ ① E 𝚅𝙸𝚂𝙰
Com carta 3875 a 5250 – ⌑ 800 – **29 hab** 6600/7590.

en la urbanización Can Amat-por la carretera N II NO : 6 km – ⌧ 08760 Martorell – ✪ 93 :

℀℀ **Paradis Can Amat,** 𝒫 771 40 27, Fax 771 47 03 – ▤ 🅿. ₳ ① E 𝚅𝙸𝚂𝙰. ℀
Com (sólo almuerzo salvo viernes y sábado) carta 2875 a 4500.

ASIAS DE VOLTREGÁ o **Les MASIES DE VOLTREGÁ** 08519 Barcelona 443 F 36 –
369 h. – ✪ 93. ♦Madrid 649 – ♦Barcelona 78 – Gerona/Girona 104 – Vich/Vic 12.

℀ **Cal Peyu,** carret. N 152 𝒫 850 25 35 – ▤ 🅿. ₳ ① E 𝚅𝙸𝚂𝙰. ℀
cerrado martes noche, miércoles, y del 1 al 15 de agosto – Com carta 2225 a 3700.

MAS NOU (Urbanización) Gerona – ver Playa de Aro.

MASPALOMAS Las Palmas – ver Canarias (Gran Canaria).

La MASSANA Andorra – ver Andorra (Principado de).

MASSANET DE CABRENYS o **MAÇANET DE CABRENYS** 17720 Gerona 443 E 38 –
00 h. – ✪ 972. ♦Madrid 769 – Figueras/Figueres 28 – Gerona/Girona 62.

🏨 **Els Caçadors** ﹩, urb. Casanova 𝒫 54 41 36, ≤, ⽭, 🖈, ℀ – |≢| ▤ rest 📺 🅿. E 𝚅𝙸𝚂𝙰.
℀
Com (cerrado miércoles no festivos salvo en temporada) 1650 – ⌑ 600 – **18 hab**
3900/7800 – PA 3900.

🏠 **Pirineos** ﹩, Burriana 10 𝒫 54 40 00 – 🅿. E 𝚅𝙸𝚂𝙰. ℀ rest
cerrado 6 enero-26 febrero – Com (cerrado domingo noche en invierno) 1250 – ⌑ 400
– **30 hab** 3000/6000.

08230 Barcelona 448 H 36 – 2 351 h. – © 93.

♦Madrid 617 – ♦Barcelona 32 – ♦Lérida/Lleida 160 – Manresa 38.

🏨 Matadepera, pl. Alfons Sala ℰ 787 01 25 – 🍽 rest 🚗
15 hab.

XX ❀ **El Celler**, Gaudí 2 ℰ 787 08 57, Fax 730 06 79 – 🍽, 🖭 **E** **VISA**
cerrado domingo noche, martes, 1ª quincena de agosto y 2ª quincena de noviembre
Com carta 3375 a 4400
Espec. Ensalada de judías verdes con hígado de pato a la vinagreta de trufas, Filetes de lengua
al perfume de vinagre de Jerez, Crema rosa con fresitas.

en Plà de Sant Llorenç N : 2,5 km – ✉ 08230 Matadepera – © 93 :

XX **Masía Can Solà del Plà,** ℰ 787 08 07, Fax 730 03 12, 🍽, Espec. en bacalaos – 🍽 ❀
🖭 **E** **VISA** **JCB**.
cerrado martes y agosto – Com carta 2725 a 3825.

28492 Madrid 444 J 18 – © 91.

♦Madrid 51 – ♦Segovia 43.

XX **Azaya,** Muñoz Grandes 7 ℰ 857 33 95, ≤, 🍽 – 🅿. 🕦 **E** **VISA**. 🛠
Com carta 3200 a 5150.

42113 Soria 442 G 23 – 209 h. alt. 1 200 – © 975.

♦Madrid 262 – ♦Logroño 134 – ♦Pamplona/Iruñea 133 – Soria 36 – ♦Zaragoza 122.

🏨 **Mari Carmen,** carret. N 122 ℰ 38 30 68, Fax 64 67 24 – 🅿. 🕦 **E** **VISA**. 🛠
Com 970 – 🍽 475 – **30 hab** 2750/3850.

39200 Cantabria 442 D 17 – © 942

♦Madrid 346 – Aguilar de Campóo 31 – Reinosa 3 – ♦Santander 71.

X **Mesón Las Lanzas,** Real 85 ℰ 75 19 57, Fax 75 53 43 – 🅿. 🖭 🕦 **E** **VISA**. 🛠
Com carta 2825 a 3700.

08300 Barcelona 443 H 37 – 96 467 h. – © 93 – Playa.

🟦 de Llavaneras NE : 4 km ℰ 792 60 50.

🅱 Parc Central, ✉ 08304, ℰ 799 03 55, Fax 757 76 35.

♦Madrid 661 – ♦Barcelona 28 – Gerona/Girona 72 – Sabadell 47.

🏨 **NH Ciutat de Mataró,** Camí Real 648, ✉ 08302, ℰ 757 55 22, Fax 757 57 26 – 🛗 🍽 🖸
☎ 🔌 🚗 – 🔼 25/600. 🖭 🕦 **E** **VISA**. 🛠
Com 1500 – 🍽 900 – **105 hab** 9200/13100 – PA 3900.

🏨 **Colón** sin rest, con cafetería, Colón 6, ✉ 08301, ℰ 790 58 04, Fax 790 62 86 – 🛗 🍽 🖸
☎. 🖭 🕦 **E** **VISA**
🍽 600 – **52 hab** 5000/8250.

XX **El Nou Cents,** Torrent 21, ✉ 08302, ℰ 799 37 51 – 🍽. 🖭 🕦 **E** **VISA**
cerrado domingo, lunes, del 1 al 10 de febrero y del 1 al 14 de agosto – Com carta 325
a 5100.

X **Gumer's,** Nou de les Caputxines 10, ✉ 08301, ℰ 796 23 61 – 🍽. **E** **VISA**. 🛠
cerrado domingo noche, lunes y del 1 al 21 de agosto – Com carta 2800 a 4835.

47680 Valladolid 442 F 14 – 1 708 h. – © 983.

♦Madrid 259 – ♦León 58 – Palencia 70 – ♦Valladolid 77.

🏨 **Madrileño,** carret. N 601 ℰ 75 10 39 – 🅿. 🖭 **VISA**. 🛠
Com 1000 – 🍽 300 – **15 hab** 2000/4000 – PA 1950.

21130 Huelva 446 U 9 – © 959 – Playa.

🅱 av. de los Descubridores ℰ 37 63 00.

♦Madrid 638 – Huelva 23 – ♦Sevilla 102.

por la carretera de Matalascañas – ✉ 21130 Mazagón – © 959 :

🏨 **Parador Cristóbal Colón** ⌂, SE : 6,5 km ℰ 53 63 00, Fax 53 62 28, ≤ mar, « Jardín cor
🔼 », 🛠 – 🍽 📺 ☎ 🅿 – 🔼 25/180. 🖭 🕦 **VISA**. 🛠
Com 3200 – 🍽 1100 – **43 hab** 14500 – PA 6375.

🏨 **Albaida,** SE : 1km ℰ 37 60 29, Fax 37 61 08 – 🍽 📺 ☎ 🅿 – 🔼 25/45. 🖭 🕦 **E** **VISA**
Com 1750 – 🍽 500 – **24 hab** 4900/6800.

Santa Cruz de Tenerife – ver Canarias (Tenerife).

MEDINACELI 42240 Soria 442 I 22 – 1 036 h. alt. 1 201 – © 975.

•Madrid 154 – Soria 76 – ♦Zaragoza 178.

X **Arco Romano y Resid Medinaceli** ♤ con hab y sin ⌖, Portillo 1 𝒫 32 61 30, ≤ – **E** *VISA*. ⚶
　cerrado noviembre – Com *(cerrado lunes)* carta 2000 a 2900 – **7 hab** 3000/4500.

X **Las Llaves,** pl. Mayor 13 𝒫 32 63 51, Decoración rústica – **AE** *VISA*
　cerrado domingo noche, lunes y febrero – Com (cenas con reserva en invierno) carta 2225
　a 3425.

　　en la antigua carretera N II SE : 3,5 km – ⌖ 42240 Medinaceli – © 975 :

🏨 **Nico-H. 70,** 𝒫 32 60 11, Fax 32 60 52, ⌼ – 📺 ☎ ⟵ **❷.** **AE ① E** *VISA*. ⚶
　Com 2000 – ⌖ 500 – **22 hab** 5800/7500 – PA 3800.

🏨 **Duque de Medinaceli,** 𝒫 32 61 11, Fax 32 64 72 – 📺 ☎ ⟵ **AE ① E** *VISA*. ⚶
　Com 1550 – ⌖ 300 – **12 hab** 3200/6100 – PA 3300.

MEDINA DEL CAMPO 47400 Valladolid 442 I 15 – 19 237 h. alt. 721 – © 983.

Ver : Castillo de la Mota★.

🞎 pl. Mayor 1 𝒫 80 48 17.

•Madrid 154 – ♦Salamanca 81 – ♦Valladolid 43.

🏨 **La Mota** sin rest y sin ⌖, Fernando el Católico 4 𝒫 80 04 50, Fax 80 36 30 – |🛗| 📺 ☎ **❷.**
　AE E *VISA*. ⚶
　40 hab 3400/5000.

🏨 **El Orensano,** Claudio Moyano 20 𝒫 80 03 41 – ⟵ **AE E** *VISA*. ⚶
　Com 1000 – ⌖ 200 – **24 hab** 2200/3500 – PA 2000.

XX **Don Pepe,** Claudio Moyano 1 𝒫 80 18 95, 🪑 – ▤ **AE ① E** *VISA*. ⚶
　Com carta aprox. 3100.

XX **Mónaco,** pl. de España 26 𝒫 81 02 95 – ▤ **E** *VISA*. ⚶
　Com carta 2900 a 4350.

MEDINA DE POMAR 09500 Burgos 442 D 19 – 5 173 h. – © 947.

•Madrid 329 – ♦Bilbao/Bilbo 81 – ♦Burgos 86 – ♦Santander 108.

X San Francisco, Juan de Ortega 3 𝒫 11 09 33.

X El Olvido, av. de Burgos 𝒫 11 00 01 – ▤ **❷.**

MEDINA DE RIOSECO 47800 Valladolid 442 G 14 – 5 016 h. alt. 735 – © 983.

Ver : Iglesia de Santa María (capilla de los Benavente★).

•Madrid 223 – ♦León 94 – Palencia 50 – ♦Valladolid 41 – Zamora 80.

XX **La Rua,** San Juan 25 𝒫 70 05 19, 🪑 – ▤ **① E** *VISA*. ⚶
　cerrado jueves noche y 20 días en septiembre – Com carta 2650 a 4000.

MELILLA 29800 986 ⑥ y ⑪ – 58 449 h. – © 95 – Playa.

Ver : Ciudad vieja★ : Terraza Museo Municipal ⚶★.

✈ de Melilla, carret. de Yasinen por av. de la Duquesa Victoria 4 km AY 𝒫 267 81 40 – Iberia :
Cándido Lobera 2 𝒫 268 15 07.

🚢 para Almería y Málaga : Cía. Trasmediterránea : General Marina 1 𝒫 268 19 18, Telex 77084
AY.

🞎 av. General Aizpuru 20 𝒫 267 40 13 – R.A.C.E. av. de Juan Carlos I Rey, 𝒫 267 82 52.

　　　　　Plano página siguiente

🏨 **Parador de Melilla** ♤, av. Cándido Lobera, ⌖ 29801, 𝒫 268 49 40, Fax 268 34 86, ≤,
　⌼, 🌳 – |🛗| ▤ 📺 ☎ **❷.** **AE ① E** *VISA*. ⚶　　　　　　　　　　　　　AY **a**
　Com 3200 – ⌖ 1100 – **40 hab** 12000 – PA 6375.

🏨 **Rusadir,** Pablo Vallescá 5, ⌖ 29801, 𝒫 268 12 40, Fax 267 05 27 – |🛗| ▤ 📺 ☎ **❷.** **AE ①**
　E *VISA*. ⚶　　　　　　　　　　　　　　　　　　　　　　　　　　　　　AY **e**
　Com 1800 – ⌖ 770 – **35 hab** 10820/13525.

X **Granada,** Marqués de Montemar 36, ⌖ 29806, 𝒫 267 30 26 – ▤ **E** *VISA*. ⚶
　cerrado domingo noche, miércoles y agosto – Com carta aprox. 2950.
　　　　　　　　　　　　　　　　　　　　　por Av. Marqués de Montemar AZ

X **Los Salazones,** Conde Alcaudete 15, ⌖ 29806, 𝒫 267 36 52, Fax 267 15 15, Pescados y
　mariscos – ▤ **AE ① E** *VISA*. ⚶　　　　　　por Av. Marqués de Montemar AZ
　Com carta 2500 a 4050.

X La Montillana, O'Donnell 9, ⌖ 29804, 𝒫 267 06 74 – ▤　　　　　　　　AY **h**

X **Mesón La Choza,** av. Alférez Guerrero Romero, ⌖ 29806, 𝒫 268 16 29, Carnes – ▤ **E**
　VISA. ⚶　　　　　　　　　　　　　　　　　　　por av. General Mola AY
　cerrado domingo noche, martes y 20 julio-20 agosto – **Comida** carta 2165 a 3175.

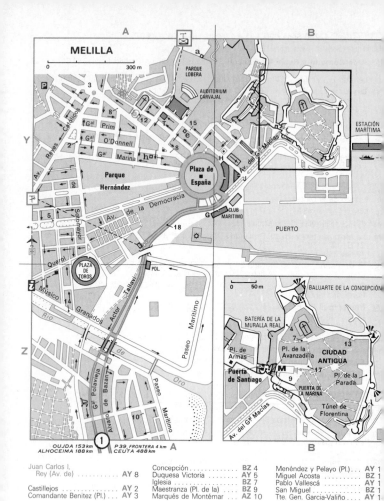

Ferienreisen wollen gut vorbereitet sein.

*Die **Straßenkarten** und **Führer** von Michelin*

geben Ihnen Anregungen und praktische Hinweise zur Gestaltung Ihrer Reise :
Streckenvorschläge, Auswahl und Besichtigungsbedingungen
der Sehenswürdigkeiten, Unterkunft, Preise ... u. a. m.

MENORCA Baleares – ver Baleares.

MERANGES Gerona – ver Maranges.

MERCADAL Baleares – ver Baleares (Menorca).

MÉRIDA 06800 Badajoz 444 P 11 – 41 783 h. alt. 221 – ۞ 924.

Ver : Mérida romana★★ : Museo Nacional de Arte Romano★★, Mosaicos★, BYZ **M1** – Teatro romano★★ BZ – Anfiteatro romano★ BZ – Puente romano★ BZ.

🛈 Pedro María Plano ℘ 31 53 53.

◆Madrid 347 ② – ◆Badajoz 62 ③ – ◆Cáceres 71 ① – Ciudad Real 252 ② – ◆Córdoba 254 ③ – ◆Sevilla 194 ③

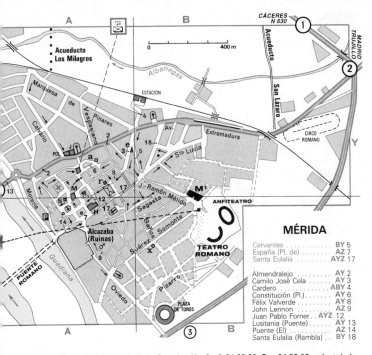

MÉRIDA

🏨 **Parador Vía de la Plata,** pl. de la Constitución 3 ☎ 31 38 00, Fax 31 92 08, « Instalado en un antiguo convento », 🍴 – 📶 🖪 📺 📞 🚗 🅿 – 🔏 25/150. 🖭 ⓪ 𝘝𝘐𝘚𝘈. 🛇 AY **a** Com 3500 – 🖙 1200 – **82 hab** 16000 – PA 6970.

🏨 **Nova Roma,** Suárez Somonte 42 ☎ 31 12 61, Fax 30 01 60 – 📶 🖪 📺 📞 🅿 – 🔏 25/100. 🖭 🖪 🛇 BZ **x** Com 2200 – 🖙 800 – **55 hab** 8000/9875 – PA 4420.

🏠 **Cervantes,** Camilo José Cela 10 ☎ 31 49 01, Fax 31 13 42 – 📶 🖪 📺 📞 🚗. 🖭 🖪 𝘝𝘐𝘚𝘈. 🛇 AY **e** Com *(cerrado domingo y diciembre)* 1800 – 🖙 500 – **30 hab** 5300/8480 – PA 3280.

🍴🍴 **Nicolás,** Félix Valverde Lillo 13 ☎ 31 96 10 – 🖪. 🖭 ⓪ 🖪 𝘝𝘐𝘚𝘈. 🛇 AY **r** cerrado domingo noche y del 7 al 22 septiembre – Com carta 2750 a 4100.

🍴 **Rufino,** pl. de Santa Clara 2 ☎ 30 19 30, 🍴 – 🖪. 🖭 ⓪ 🖪 𝘝𝘐𝘚𝘈. 🛇 AZ **s** cerrado domingo y del 10 al 30 de agosto – Com carta 3100 a 4400.

en la antigua carretera N V – ⊠ 06800 Mérida – 🕿 924 :

🏨 **Tryp Medea,** av. de Portugal por ③ : 3 km ☎ 37 24 00, Fax 37 30 20, 🍴, 🎦, 🏊, 🏊 – 📶 🖪 📺 📞 🚗 – 🔏 25/350. 🖭 ⓪ 🖪 𝘝𝘐𝘚𝘈. 🛇 – Com carta 2750 a 4450 – **126 hab** 9600/12000.

🏨 **Las Lomas,** por ② : 3 km ☎ 31 10 11, Telex 28840, Fax 30 08 41, 🏊 – 📶 🖪 📺 📞 🅿 – 🔏 25/800. 🖭 ⓪ 🖪 𝘝𝘐𝘚𝘈. 🛇 – Com 3000 – 🖙 1150 – **134 hab** 10800/13500 – PA 5720.

MIAJADAS 10100 Cáceres 𝟜𝟜𝟜 O 12 – 8 460 h. alt. 297 – 🕿 927.
◆ Madrid 291 – ◆Cáceres 60 – Mérida 52.

🏠 **El Cortijo,** carret. de Don Benito S : 1 km ☎ 34 79 95 – 🖪 📺 📞 🅿. 𝘝𝘐𝘚𝘈. 🛇 cerrado del 15 al 30 de junio – Com 1200 – 🖙 300 – **20 hab** 2500/4500.

🏠 **Triana,** antigua carret. N V ☎ 34 80 10, Fax 34 80 10 – 🖪. 🖭 ⓪ 🖪 𝘝𝘐𝘚𝘈 𝘑𝘊𝘉. 🛇 Com 1200 – 🖙 200 – **35 hab** 2100/4000.

en la antigua carretera N V SO : 2 km – ⊠ 10100 Miajadas – 🕿 927 :

🏠 La Torre, ☎ 34 78 55 – 🖪 📺 📞 🅿 – **31 hab.**

MIAMI PLAYA o **MIAMI PLATJA** 43892 Tarragona 𝟜𝟜𝟛 I 32 – 1 438 h. – 🕿 977 – Playa.
◆ Madrid 532 – Tarragona 33 – Tortosa 53.

🏠 **Tropicana,** carret. N 340 ☎ 81 03 40, Fax 81 05 18, 🍴, 🏊 – 🖪 📞 🚗 🅿. 🖪 𝘝𝘐𝘚𝘈. 🛇 rest Com 1320 – 🖙 500 – **34 hab** 2900/4800 – PA 2670.

325

MIERES 33600 Asturias 441 – 58 718 h. alt. 209 – ✪ 98.
◆Madrid 426 – Gijón 48 – ◆León 102 – ◆Oviedo 19.

XX **Casa Oscar,** La Vega 39 ℰ 546 68 88, Pescados y mariscos – ▤. AE E VISA
cerrado domingo y agosto – Com carta 3200 a 5100.

X **L'Albar,** La Vega 1 ℰ 546 84 45 – ▤. AE E VISA
cerrado domingo noche, lunes y julio – Com carta 2450 a 4575.

MIJAS 29650 Málaga 446 W 16 – 14 896 h. alt. 475 – ✪ 95.
Ver : Pueblo★.

🏌 Golf Mijas S : 5 km ℰ 247 68 43.
◆Madrid 585 – Algeciras 115 – ◆Málaga 30.

🏨 **Mijas,** urb. Tamisa ℰ 248 58 00, Telex 77393, Fax 248 58 25, ≤ montañas, Fuengirola y mar, 🏤, « Conjunto de estilo andaluz », ⤭, 🏤, ❤ – 📺 ☎ 🅿 – 🔬 25/70. AE ⓞ E VISA. ❤
Com 2200 – ⣶ 1100 – **96 hab** 10000/12000 – PA 5500.

XX **El Padrastro,** paseo del Compás ℰ 248 50 00, Fax 248 51 97, ≤ Fuengirola y mar, 🏤, ⤭
– AE ⓞ E VISA
Com carta 2255 a 4705.

X **El Olivar,** av. Virgen de la Peña - edificio El Rosario ℰ 248 61 96, ≤, 🏤 – AE ⓞ E VISA
❤
cerrado sábado – Com carta 1500 a 2600.

X **El Capricho,** Los Caños 5 - 1° ℰ 248 51 11 – AE ⓞ E VISA JCB. ❤
cerrado miércoles y 15 noviembre-15 diciembre – Com carta 2400 a 3275.

en la carretera de Fuengirola S : 4 km – ✉ 29650 Mijas – ✪ 95 :

XX **Valparaíso,** ℰ 248 59 75, Fax 248 59 96, ≤ Fuengirola y mar, 🏤, ⤭, 🅿. AE VISA. ❤
cerrado domingo y 15 días en enero – Com (sólo cena) carta aprox. 2900.

MIJAS COSTA Málaga – ver Fuengirola.

MIJAS GOLF (Urbanización) Málaga – ver Fuengirola.

El MILIARIO Segovia – ver Honrubia de la Cuesta.

MIRAFLORES DE LA SIERRA 28792 Madrid 444 J 18 – 2 334 h. alt. 1 150 – ✪ 91.
◆Madrid 52 – El Escorial 50.

X **Mesón Maito,** General Sanjurjo 2 ℰ 844 35 67, Fax 844 37 52, 🏤, Decoración castellana
– ▤. AE ⓞ E VISA. ❤
Com carta 3150 a 4600.

X Asador La Fuente, Mayor 12 ℰ 844 42 16, 🏤, Asados – ▤.

X Las Llaves, Calvo Sotelo 4 ℰ 844 40 57 – ▤.

MIRANDA DE EBRO 09200 Burgos 442 D 21 – 36 812 h. alt. 463 – ✪ 947.
◆Madrid 322 – ◆Bilbao/Bilbo 84 – ◆Burgos 79 – ◆Logroño 71 – ◆Vitoria/Gasteiz 33.

🏨 **Tudanca y Rest. Horno de San Juan,** carret. N I ℰ 31 18 43, Telex 39442, Fax 31 18 48
– 🛗 ▤ rest 📺 ☎ 🅿. AE ⓞ E VISA. ❤
Com (cerrado domingo noche) carta aprox. 3100 – ⣶ 550 – **120 hab** 5310/7750.

XXX **Neguri,** Estación 80 ℰ 32 25 12 – ▤. AE ⓞ VISA. ❤
cerrado lunes y 1ª quincena de agosto – Com carta 3200 a 4225.

X **Carlos III,** Arenal 76 ℰ 31 49 03 – ▤. E VISA. ❤
cerrado lunes y agosto – Com carta 2050 a 2900.

X Casa Rafael, Estación 23 ℰ 31 01 71.

MOGRO 39310 Cantabria 442 B 18 – ✪ 942.
◆Madrid 394 – ◆Santander 15 – Torrelavega 12.

🏠 **El Desierto** sin rest, junto estación ferrocarril ℰ 57 66 47, ≤, « Antigua casona » – ☎ 🅿
AE E VISA. ❤
Semana Santa y 12 junio- 15 septiembre – ⣶ 325 – **11 hab** 4500/6900.

MOGUER 21800 Huelva 446 U 9 – 10 004 h. alt. 50 – ✪ 959.
Ver : Iglesia del convento de Santa Clara (sepulcros★).
◆Madrid 618 – Huelva 19 – ◆Sevilla 82.

🏠 **Platero** sin rest y sin ⣶, Aceña 4 ℰ 37 21 59 – ❤
18 hab 2540/3180.

MOIÁ Barcelona - ver Moyá.

MOJÁCAR 04638 Almería **446** U 24 - 1 581 h. alt. 175 - **☎** 950 - playa.

r : Paraje★.

Club Cortijo Grande, Turre *₢* 47 93 12.

pl. Nueva *₢* 47 51 62.

Madrid 527 - ◆Almería 95 - ◆Murcia 141.

en la playa :

🏨 **Parador Reyes Católicos,** carret. de Carboneras SE : 2,5 km, ⊠ 04638 Mojácar, *₢* 47 82 50, Fax 47 81 83, ≤, 佘, ⏋, 烝, ❀ - 🗏 ⏆ ☎ ❷ - 🏤 25/400. 亙 ⏁ ⏦. ❀
Com 3200 - � 1100 - **98 hab** 11000 - PA 6375.

🏨 Continental, carret de Garrucha NE : 4 km, ⊠ 04638 Mojácar, *₢* 47 81 64, Fax 47 51 36, ≤, 佘 - 🗏 hab ⏆ ☎ ❷
23 hab.

☆ **El Puntazo,** carret. de Carboneras SE : 4,5 km, ⊠ 04630 Garrucha, *₢* 47 82 29, Fax 47 82 85, 佘 - 🗏 rest ❷. 亙 🗲 ⏦. ❀
Com 1400 - ⊒ 250 - **21 hab** 4000/7000.

EL MOLAR 28710 Madrid **444** J 19 - 2 384 h. alt. 817 - **☎** 91.

Madrid 44 - Aranda de Duero 115 - Guadalajara 63.

🏨 **Azul** sin rest, av. José Antonio 57 *₢* 841 02 53 - ⏆ ❷. 亙 🗲 ⏦. ❀
⊒ 400 - **29 hab** 6500.

en la autovía N I S : 5 Km - ⊠ 28710 El Molar - ☎ 91 :

XX **Le Normandie,** *₢* 841 00 53, Fax 522 19 93, 佘, « Hosteria rústica en un verde paraje »,
烝 - ❷. 亙 🗲
cerrado domingo noche y lunes salvo festivos - Com carta 4125 a 5750.

LA MOLINA 17537 Gerona **443** E 35 - alt. 1 300 - **☎** 972 - Deportes de invierno ⚡1 ⚡21.

av. Supermolina, ⊠ 17537, *₢* 89 20 31, Fax 14 50 48.

Madrid 651 - ◆Barcelona 148 - Gerona/Girona 131 - ◆Lérida/Lleida 180.

🏨 **Roc Blanc** ⑊, alt. 1 450 *₢* 14 50 00, Fax 14 50 02, ≤, ⏋, 烝 - 🛗 ☎ ❷. 亙 🗲 ⏦. ❀ rest
diciembre-15 abril y julio-11 septiembre - Com 1760 - ⊒ 660 - **30 hab** 5050/8360 -
PA 3345.

🏨 **Adserá** ⑊, alt. 1 600 *₢* 89 20 01, Fax 89 20 25, ≤, ⏋ - 🛗 ☎ ❷. 亙 ⏁ ⏦. ❀ rest
julio-15 septiembre y diciembre-abril - Com (sólo buffet) 1900 - ⊒ 600 - **41 hab** 5600/8200
- PA 3600.

MOLINA DE ARAGÓN 19300 Guadalajara **444** J 24 - 3 795 h. alt. 1 050 - **☎** 949.

Madrid 197 - Guadalajara 141 - Teruel 104 - ◆Zaragoza 144.

🏨 Rosanz, paseo de los Adarves 12 *₢* 83 23 36 - ⏦
33 hab.

MOLINASECA 24413 León **441** E 10 - 751 h. - **☎** 987.

Madrid 383 - ◆León 103 - Lugo 125 - ◆Oviedo 213 - ◆Ponferrada 6,5.

X **Casa Ramón,** jardines Ángeles Balboa, 2 *₢* 45 31 53 - 🗏. 亙 ⏁ 🗲 ⏦ ⏌⏋. ❀
cerrado miércoles - Com carta 2750 a 4350.

EL MOLINAR Baleares - ver Baleares (Mallorca) : Palma de Mallorca.

MOLLET o **MOLLET DEL VALLÉS** 08100 Barcelona **443** H 36 - 35 494 h. alt. 65 - **☎** 93.

Madrid 631 - ◆Barcelona 17 - Gerona/Girona 80 - Sabadell 25.

🏨 **Climat de France,** Can Flaquer 10 - Can Pantiquet *₢* 570 64 34, Fax 570 56 06 - 🛗 🗏 ⏆
☎ ⚏ ⟷ - 🏤 50/70. 亙 ⏦. ❀ rest
Com 1950 - ⊒ 685 - **65 hab** 6500/7950 - PA 3900.

MOLLÓ 17868 Gerona **443** E 37 - 401 h. - **☎** 972.

Madrid 707 - ◆Barcelona 135 - Gerona/Girona 88 - Prats de Mollo 24.

🏨 **François** ⑊, carret. de Camprodón *₢* 13 00 29, ≤ montaña y valle del río Tort, ⏋ - 🛗
☎ ❷. 🗲 ⏦
cerrado del 18 al 26 noviembre - Com (cerrado lunes) 1600 - ⊒ 500 - **28 hab** 3080/5575
- PA 3200.

🏨 **Calitxó** ⑊, passatge El Serrat *₢* 74 03 86, Fax 74 03 86, ≤ montañas, Pista polideportiva
- 🛗 ❷. 🗲 ⏦. ❀
cerrado 15 enero-15 febrero - Com (cerrado lunes) 2000 - ⊒ 800 - **25 hab** 5900.

MOMBUEY 49310 Zamora [441] F 11 – 535 h. – ☎ 980.
♦Madrid 320 – ♦León 124 – Orense/Ourense 181 – ♦Valladolid 138 – Zamora 86.

🏨 **La Ruta,** carret. N 525 SE : 1 km 𝒫 64 27 30, ⩽ – **❼**. *VISA*. ⅀℅
Com 975 – ⌦ 275 – **14 hab** 1685/3740 – PA 1935.

MONASTERIO – ver el nombre propio del monasterio.

MONDRAGÓN o **ARRASATE** 20500 Guipúzcoa [442] C 22 – 26 045 h. alt. 211 – ☎ 943.
♦Madrid 390 – ♦San Sebastián/Donostia 79 – Vergara/Bergara 9 – ♦Vitoria/Gasteiz 34.

🏨 **Arrasate** sin rest, Biteri 1 𝒫 79 73 22, Fax 79 14 16 – **tv** ☎. **AE E** *VISA*
⌦ 500 – **12 hab** 6000/8500.

MONESTERIO 06260 Badajoz [444] R 11 – 6 065 h. – ☎ 924.
♦Madrid 444 – ♦Badajoz 126 – Cáceres 150 – ♦Córdoba 197 – Mérida 82 – ♦Sevilla 97.

🍽 **Moya,** paseo de Extremadura 278 𝒫 51 61 36, Fax 51 63 24 – ▤ **❼**. **⓵ E** *VISA*. ⅀℅
Com 1000 – ⌦ 200 – **36 hab** 5000.

MONFORTE DE LEMOS 27400 Lugo [441] E 7 – 20 506 h. alt. 298 – ☎ 982.
♦Madrid 501 – Lugo 65 – ♦Orense/Ourense 49 – Ponferrada 112.

🍽 **Puente Romano** sin rest, pl. Doctor Goyanes 6 𝒫 40 35 51 – |⧉| **tv** ☎. **E** *VISA*
⌦ 200 – **15 hab** 2300/3800.

XX **La Fortaleza,** Campo de la Virgen (subida al Castillo) 𝒫 40 06 04 – **E** *VISA*. ⅀℅
Com carta aprox. 3200.

XX **O Grelo,** Chantada 16 𝒫 40 47 01 – ▤. **AE ⓵ E** *VISA*. ⅀℅
Com carta 2200 a 3800.

MONNEGRE o **MONTNEGRE** 03115 Alicante [445] Q 28 – ☎ 96.
♦Madrid 435 – ♦Alicante/Alacant 18 – ♦Valencia 176.

🏨 **Valle del Sol** ⅏, 𝒫 565 19 73, Fax 565 18 85, ⸖, ⅀, ⸖, ⅍ – **❼**. ⅀℅ rest
Com 1600 – **24 hab** ⌦ 5400/7800 – PA 2880.

MONREAL DEL CAMPO 44300 Teruel [443] J 25 – 2 477 h. alt. 939 – ☎ 978.
♦Madrid 245 – Teruel 56 – ♦Zaragoza 126.

🏨 **El Botero,** av. de Madrid 2 𝒫 86 31 66, Fax 86 34 96 – |⧉| ▤ rest **tv** ☎ ⟷ **❼**. *VISA*. ⅀℅
Com 1100 – ⌦ 275 – **30 hab** 2000/3600 – PA 2100.

MONTANEJOS 12448 Castellón de la Plana [443] L 29 – 568 h. – ☎ 964.
♦Madrid 408 – Castellón de la Plana Castelló de la Plana 62 – Teruel 106 – ♦ Valencia 95.

🏨 **Rosaleda del Mijares** ⅏, carret. de Tales 28 𝒫 13 10 79, Fax 13 14 66 – |⧉| ▤ rest ☎
VISA. ⅀℅
cerrado del 20 al 28 de diciembre – Com 1350 – ⌦ 500 – **57 hab** 2350/3700 – PA 3200

🏨 **Xauen** ⅏, av. Fuente de los Baños 26 𝒫 13 11 51 – |⧉|. *VISA*. ⅀℅
marzo- 15 diciembre – Com 1400 – ⌦ 400 – **20 hab** 2200/3600 – PA 2480.

MONTAÑAS DEL FUEGO Las Palmas – ver Canarias (Lanzarote).

MONTBLANCH o **MONTBLANC** 43400 Tarragona [443] H 33 – 5 749 h. alt. 350 – ☎ 977
🛈 Muralla de Sta Tecia 18, 𝒫 86 12 32, ✉ 43400, Fax 86 24 24.
♦Madrid 518 – ♦Barcelona 112 – ♦Lérida/Lleida 61 – Tarragona 36.

🏨 **Ducal,** Diputació 11 𝒫 86 00 25, Fax 86 21 31 – ▤ rest **tv** ☎ **❼** – ⚐ 25/50. **AE ⓵ E**
VISA. ⅀℅ rest
Com 975 – ⌦ 425 – **41 hab** 2650/4600 – PA 2375.

X El Molí dels Capellans, Muralla Santa Ana 2 𝒫 86 05 91 – ▤.

en la carretera N 240 – ✉ 43414 Lilla – ☎ 977 :

🏨🏨 Coll de Lilla, SE : 7,5 km 𝒫 86 09 07, Fax 86 04 23, 🔲, ⅍ – ▤ **tv** ☎ **❼** – ⚐ 25
26 hab.

X **Les Fonts de Lilla,** SE : 6 km 𝒫 86 03 03, ⩽, Decoración rústica – **❼**. **AE ⓵ E** *VISA*. ⅀℅
cerrado lunes noche, martes y 15 junio-15julio – Com carta aprox. 3850.

MONTBRIÓ DEL CAMP 43340 Tarragona [443] I 33 – ☎ 977.
♦Madrid 554 – ♦Barcelona 125 – ♦Lérida/Lleida 97 – Tarragona 21.

X **Torre dels Cavallers,** carret. de Cambrils 𝒫 82 60 53, Fax 82 60 53, ⸖, Decoració
rústica – **❼**. **AE E** *VISA*. ⅀℅
cerrado martes – Com carta 2300 a 3200.

`MONTE` – ver el nombre propio del monte.

`MONTEAGUDO` **30160** Murcia 445 R 26 – 🕓 968.
◆Madrid 400 – ◆Alicante/Alacant 77 – ◆Murcia 5.

XX **Monteagudo,** av. Constitución 93 ℰ 85 00 64 – 🍽 🅿. 🆎 ⓞ 🅴 𝘝𝘐𝘚𝘈. 🛇
cerrado domingo noche – Com carta 3200 a 4100.

`MONTE HACHO` Ceuta – ver Ceuta.

`MONTEMAYOR` **14530** Córdoba 446 T 15 – 3 366 h. alt. 387 – 🕓 957.
◆ Madrid 433 – ◆ Córdoba 33 – Jaén 117 – Lucena 37.

🏛 **Castillo de Montemayor,** carret. N 331 ℰ 38 42 00, Fax 38 43 06, ㄺ, ⊐ – 🛗 🍽 📺 ☎
🕭 🅿. 🆎 ⓞ 🅴 𝘝𝘐𝘚𝘈. 🛇
Comida carta aprox. 2200 – ⊐ 400 – **52 hab** 2900/5500 – PA 2900.

`MONTFERRER` **25711** Lérida 443 E 34 – 🕓 973.
◆Madrid 599 – ◆Lérida/Lleida 130 – Seo de Urgel/La Seu d'Urgell 3.

X **La Masía,** carret. N 260 ℰ 35 24 45 – 🍽 🅿. ⓞ 🅴 𝘝𝘐𝘚𝘈 𝗝𝗖𝗕. 🛇
cerrado miércoles y 20 junio-19 julio – Com carta 1750 a 2950.

`MONTILLA` **14550** Córdoba 446 T 16 – 21 373 h. alt. 400 – 🕓 957.
◆Madrid 443 – ◆Córdoba 45 – Jaén 117 – Lucena 28.

🏛 **Don Gonzalo,** carret. N 331 ℰ 65 06 58, Fax 65 06 66, ㄺ, ⊐, ℀ – 🛗 🍽 ☎ 🅿
29 hab.

XX **Las Camachas,** carret. N 331 ℰ 65 00 04, ㄺ – 🍽 🅿. 🆎 ⓞ 🅴 𝘝𝘐𝘚𝘈. 🛇
Com carta 2350 a 3500.

en la carretera N 331 NO : 5 km – ✉ 14540 La Rambla – 🕓 957 :

🏛 **Alfar,** ℰ 65 11 11, Fax 65 11 20 – 🍽 📺 ☎ 🅿. 🅴 𝘝𝘐𝘚𝘈. 🛇
Com 900 – ⊐ 225 – **32 hab** 3000/5500 – PA 2025.

`MONTMELÓ` **08160** Barcelona 443 H 36 – 7 470 h. alt. 72 – 🕓 93.
◆ Madrid 627 – ◆ Barcelona 18 – ◆ Gerona/Girona 80 – Manresa 54.

X **Picnic,** av. Pompeu Fabra 24 ℰ 568 17 45, Fax 572 15 06 – 🍽. 🆎 ⓞ 🅴 𝘝𝘐𝘚𝘈. 🛇
cerrado domingo, Semana Santa y 15 días en agosto – Com carta 2750 a 4250.

`MONTRÁS` o `MONT-RAS` **17253** Gerona 443 G 39 – 1 358 h. alt. 88 – 🕓 972.
◆ Madrid 718 – ◆ Gerona/Girona 38 – Palafrugell 3 – Palamós 8.

X **Madame Zozo,** av. de Cataluña 6-carret C 255 ℰ 30 01 17, ㄺ, Decoración regional – 🍽
🅿. 🆎 ⓞ 🅴 𝘝𝘐𝘚𝘈. 🛇
abril-septiembre – Com carta 2600 a 5400.

`MONTSENY` **08460** Barcelona 443 G 37 – 269 h. alt. 522 – 🕓 93.
Alred. : Sierra de Montseny★.
◆Madrid 673 – ◆Barcelona 60 – Gerona/Girona 68 – Vich/Vic 36.

XX **Can Barrina** 🦌 con hab, carret. de Palautordera S : 1,2 km ℰ 847 31 84, ㄺ, Antigua casa
de campo, « Césped con ⊐, terraza y ≤ sierra de Montseny » – 🅿. 🆎 🅴 𝘝𝘐𝘚𝘈. 🛇
Com carta 3100 a 4200 – ⊐ 1250 – **11 hab** 6500/9500.

en la carretera de Tona NO : 8 km – ✉ 08460 Montseny – 🕓 93 :

🏛 **Sant Bernat** 🦌, ℰ 847 30 11, Fax 847 30 11, ≤ valle y montañas, « Magnífica situación
en la sierra de Montseny », ㄺ – 📺 ☏ 🅿. 🆎 ⓞ 🅴 𝘝𝘐𝘚𝘈 𝗝𝗖𝗕. 🛇
Com 2710 – ⊐ 720 – **20 hab** 8230/10285.

`MONTSERRAT` **08691** Barcelona 443 H 35 – alt. 725 – 🕓 93.
Ver : Lugar★★★ – La Moreneta★.
Alred. : Carretera de acceso por el oeste ≤★★.
◆Madrid 594 – ◆Barcelona 53 – ◆Lérida/Lleida 125 – Manresa 22.

🏛 Abat Cisneros 🦌, pl. Monestir ℰ 835 02 01, Fax 828 40 06 – 🛗 🍽 rest 📺 ☎
41 hab.

🏛 Monestir 🦌 sin rest y sin ⊐, pl. Monestir ℰ 835 02 01, Fax 828 40 06 – 🛗 📺 ☎
temp. – **34 hab.**

329

MONZÓN 22400 Huesca 443 G 30 – 14 480 h. alt. 368 – 🕿 974.

🗗 pl. Aragón, 🖋 404 854.

◆Madrid 463 – Huesca 70 – ◆Lérida/Lleida 50.

🔝 **Vianetto,** av. de Lérida 25 🖋 40 19 00, Fax 40 45 40 – |🛊| 🗏 rest 🖵 🕿. 🖭 ① 🗲 VISA
　　Com 1500 – 🖙 450 – **84 hab** 3275/5600 – PA 3000.

🔝 **Bellomonte,** av. de Lérida 87 🖋 40 20 44 – 🗏 rest 🖵 🅟. 🖭 ① 🗲 VISA JCB. 🛠
　　cerrado del 15 al 30 de agosto – Com (cerrado domingo en invierno) 950 – 🖙 250 – **16 hab**
　　1750/3500.

XX **Piscis,** pl. de Aragón 1 🖋 40 00 48 – 🗏. 🖭 ① 🗲 VISA
　　Com carta 3100 a 3600.

MONZÓN DE CAMPOS 34410 Palencia 442 F 16 – 1 036 h. alt. 750 – 🕿 979.

◆Madrid 237 – ◆Burgos 95 – Palencia 11 – ◆Santander 190.

XXX **Castillo de Monzón** 🦢 con hab, 🖋 80 80 75, Fax 80 83 03, « Instalado en un castillo
　　medieval dominando la Tierra de Campos » – 🕿 🅟. 🖭 ① 🗲 VISA. 🛠
　　Com carta 2900 a 4200 – 🖙 800 – **10 hab** 6000/13000.

MORA 45400 Toledo 444 M 18 – 9 328 h. alt. 717 – 🕿 925.

◆Madrid 100 – Ciudad Real 92 – Toledo 31.

🔝 **Agripino,** pl. Príncipe de Asturias 8 🖋 30 00 00 – |🛊| 🗏 rest 🕭. 🖭 VISA. 🛠
　　– Com 1400 – 🖙 300 – **20 hab** 2500/4500 – PA 3100.

X **Los Conejos,** Cánovas del Castillo 14 🖋 30 15 04 – 🗏. 🖭 VISA. 🛠
　　cerrado miércoles noche y jueves noche – Com carta 2700 a 4600.

MORA DE RUBIELOS 44400 Teruel 443 L 27 – 1 393 h. – 🕿 978.

◆Madrid 341 – Castellón de la Plana Castelló de la Plana 92 – Teruel 40 – ◆Valencia 129.

🏨 **Jaime I,** pl. de la Villa 🖋 80 00 92, Fax 80 60 50 – |🛊| 🖵 🕿. 🖭 ① 🗲 VISA. 🛠 rest
　　Com 3025 – 🖙 740 – **35 hab** 6465/10875.

MORAIRA 03724 Alicante 445 P 30 – 757 h. – 🕿 96 – Playa.

🏌 Club Ifach SO : 8 km.

🗗 Edificio del Castillo, 🖋 574 51 68, Fax 574 01 66.

◆Madrid 483 – ◆Alicante/Alacant 75 – Gandía 65.

XX **La Sort,** av. de Madrid 1 🖋 574 51 35, Fax 574 51 35 – 🗏. 🖭 🗲 VISA JCB
　　cerrado sábado en invierno, del 1 al 15 de febrero y del 1 al 20 de noviembre – Com carta
　　2800 a 4200.

X Casa Dorita, Iglesia 6 🖋 574 48 61.

por la carretera de Calpe – ⊠ 03724 Moraira – 🕿 96 :

🏰 **Swiss Moraira** 🦢, O : 2,5 km 🖋 574 71 04, Telex 63855, Fax 574 70 74, 🏊, 🛠 – 🗏 🖵
　　🕿 🕭 🅟 – 🏂 30/100. 🖭 ① 🗲 VISA. 🛠 rest
　　cerrado 2 enero-4 febrero – Com (sólo cena salvo en verano) – 🖙 1100 – **25 hab**
　　12000/16000 – PA 6000.

🔝 **Moradix** 🦢 sin rest, Moncayo 1, O : 1,5 km 🖋 574 40 56, Fax 574 45 25, ← – |🛊| 🕿 🅟.
　　VISA. 🛠
　　🖙 450 – **30 hab** 3750/5000.

🔝 **Gema H.** 🦢, SO : 2,5 km, ⊠ apartado 330, 🖋 574 71 88, Fax 574 71 88, ←, 🎇, 🏊, 🐎,
　　🛠 – |🛊| 🕿 🅟. 🖭 ① 🗲 VISA. 🛠 rest
　　Com (cerrado miércoles) 1300 – 🖙 500 – **39 hab** 4750/6950 – PA 2635.

XXX ❀❀ **Girasol,** SO : 1,5 km 🖋 574 43 73, Fax 649 05 45, 🎇, « Villa acondicionada con
　　elegancia » – 🗏 🅟. 🖭 ① 🗲 VISA JCB. 🛠
　　cerrado lunes (salvo julio-agosto) y enero-febrero – Com (sólo cena en verano salvo
　　domingo) carta 4800 a 6700
　　Espec. Crujiente de cigalas con sésamo al curry Madras (temp), Salmonetes con salsa de crus-
　　táceos, Raviolis de chocolate con salsa azafrán y sorbete de pera.

en El Portet NE : 1,5 km – ⊠ 03724 Moraira – 🕿 96 :

XXX **Le Dauphin,** ⊠ apartado 324 Moraira, 🖋 649 04 32, Fax 649 04 32, 🎇, Cocina francesa
　　« Villa mediterránea con terraza y ← peñón de Ifach, Calpe y mar » – 🗲 VISA
　　cerrado lunes y noviembre-febrero – Com (sólo cena) carta 4150 a 4650.

MORALZARZAL 28411 Madrid 444 J 18 – 1 600 h. – 🕿 91.

◆Madrid 42 – Ávila 77 – ◆Segovia 57.

XXX ❀ **El Cenador de Salvador,** av. de España 30 🖋 857 77 22, Fax 857 77 80, 🎇,
　　« Terraza-jardín » – 🅟. 🖭 ① 🗲 VISA. 🛠
　　cerrado domingo noche, lunes y del 15 al 30 octubre – Com carta 5400 a 6300
　　Espec. Foie de pato asado sobre fondo de alcachofas (octubre-mayo), Pelimeñís rellenos a los
　　tres gustos, Peras rellenas de marrons glacés con coulis de mango.

ORELLA **12300** Castellón de la Plana 445 K 29 - 3 337 h. alt. 1 004 - ☎ 964.

r : Emplazamiento★ - Basílica de Santa María la Mayor★ - Castillo ⋞★.

Torres de San Miguel ℘ 17 30 02, ✉ 12300.

adrid 440 - Castellón de la Plana/Castelló de la Plana 98 - Teruel 139.

⌂ **Rey Don Jaime,** Juan Giner 6 ℘ 16 09 11, Fax 16 09 11 - ⇅ ▤ rest 📺 ☎. AE ⓓ E VISA. ✗
Com 1300 - ☕ 500 - **44 hab** 4000/7000 - PA 2500.

⌂ **Elías,** Colomer 7 ℘ 16 00 92, Fax 16 00 92 - ✗
Com 1200 - ☕ 350 - **17 hab** 3700.

✕ **Meson del Pastor,** cuesta Jovaní 5 ℘ 16 02 49 - ▤. E VISA. ✗
cerrado miércoles no festivos - Com carta aprox. 2300.

ÓSTOLES **28900** Madrid 444 L 18 - 149 649 h. - ☎ 91.

ladrid 19 - Toledo 64.

✕ **Mesón Gregorio I,** Reyes Católicos 16, ✉ 28938, ℘ 613 22 75, Decoración típica - ▤. E VISA. ✗
Com carta aprox. 4300.

en la autovía N V SO : 5,5 km - ✉ 28935 Móstoles - ☎ 91 :

✕✕ **La Fuencisla,** ℘ 647 22 89, « Decoración rústica » - ▤ Ⓟ. E VISA. ✗
Com carta 3100 a 4300.

OTA DEL CUERVO **16630** Cuenca 444 N 21 - 5 496 h. alt. 750 - ☎ 969.

ed. : Belmonte (castillo : artesonados★ mudéjares, antigua colegiata : sillería★) NE : 14 km - laescusa de Haro (capilla de la Asunción★) NE : 20 km.

ladrid 139 - ♦Albacete 108 - Alcázar de San Juan 36 - Cuenca 113.

⌂ Mesón de Don Quijote, carret. N 301 ℘ 18 02 00, Fax 18 07 11, Decoración regional, ⛱ - ▤ ☎ 🚗 Ⓟ - **36 hab.**

OTILLA DEL PALANCAR **16200** Cuenca 444 N 24 - 4 392 h. alt. 900 - ☎ 969.

ladrid 202 - Cuenca 68 - ♦Valencia 146.

⌂ **Del Sol,** carret. N III ℘ 33 10 25, Fax 33 10 30 - ▤ rest 📺 ☎ 🚗 Ⓟ. AE ⓓ E VISA. ✗
Com 1900 - ☕ 450 - **38 hab** 3200/5400 - PA 3400.

✕ **Seto,** carret N III-O : 1,5 km ℘ 33 32 28 - ▤ Ⓟ. AE ⓓ E VISA. ✗
Comida carta 2150 a 4300.

OTRICO o **MUTRIKU** **20830** Guipúzcoa 442 C 22 - 5 244 h. - ☎ 943 - Playa.

r : Emplazamiento★.

ladrid 464 - ♦Bilbao/Bilbo 75 - ♦San Sebastián/Donostia 46.

✕✕ **Jarri-Toki,** carret. de Deva E : 1 km ℘ 60 32 39, ⋞ mar, ⛱ - Ⓟ. AE E VISA. ✗
cerrado domingo noche y lunes (invierno) - Com carta 3300 a 4100.

✕ **Mendixa,** pl. Churruca 13 ℘ 60 34 94, ⛱, Pescados y mariscos - AE ⓓ E VISA
cerrado lunes y enero-15 abril - Com carta 3100 a 4300.

OTRIL **18600** Granada 446 V 19 - 39 784 h. alt. 65 - ☎ 958.

Playa Granada SO : 8 km ℘ 60 04 12 - ⛳9 Los Moriscos, carret. de Bailén : 8 km ℘ 60 04 12.

Madrid 501 - ♦Almería 112 - Antequera 147 - ♦Granada 71 - ♦Málaga 96.

⌂ **Costa Nevada,** Martín Cuevas 31 ℘ 60 05 00, Fax 82 16 08, ⛱ - ▤ 🚗 Ⓟ - 🏛 25/140. AE E VISA
Com 1650 - ☕ 520 - **65 hab** 5775/8100.

⌂ **Tropical** sin ☕, Rodríguez Acosta 23 ℘ 60 04 50, Fax 60 04 50 - ⇅ ▤ 📺 ☎. AE ⓓ E VISA. ✗
Com *(cerrado domingo)* 1350 - **21 hab** 3600/5400.

OYÁ o **MOIÁ** Barcelona 443 G 38 - 3 076 h. alt. 776 - ☎ 93.

red. : Estany (iglesia : capiteles del claustro★★) N : 8 km.

Madrid 611 - ♦Barcelona 72 - Manresa 26.

UNDACA o **MUNDAKA** **48360** Vizcaya 442 B 21 - 1 501 h. - ☎ 94 - Playa.

Madrid 436 - ♦ Bilbao/Bilbo 35 - ♦ San Sebastián/Donostia 105.

⌂ **Atalaya** sin rest, paseo de Txorrokopunta 2 ℘ 687 68 88, Fax 687 68 99 - ⇅ 📺 ☎ Ⓟ - 🏛 25. AE ⓓ E VISA
☕ 900 - **15 hab** 7900/11900.

⌂ **El Puerto** sin rest, Portu 1 ℘ 687 67 25, Fax 617 70 64, ⋞ - 📺 ☎ 🚗. ⓓ VISA
☕ 800 - **11 hab** 7500/9000.

✕ La Fonda, pl. Olazábal ℘ 687 65 43.

MUNGUÍA o **MUNGIA** 48100 Vizcaya 442 B 21 – alt. 20 – ⚙ 94.
♦Madrid 449 – Bermeo 17 – ♦Bilbao/Bilbo 16 – ♦San Sebastián/Donostia 114.

🏠 **Lauaxeta,** Lauaxeta 4 ℰ 674 43 80 – ▤ rest 📺 ☎ 𝘝𝘐𝘚𝘈. ⋌
Com *(cerrado domingo y agosto)* 1600 – � 550 – **17 hab** 5800/6800.

ELS MUNTS Tarragona – ver Torredembarra.

MURCIA 30000 ℙ 445 S 26 – 288 631 h. alt. 43 – ⚙ 968.
Ver : Catedral★ (Fachada★, Capilla de los Vélez★, Museo : San Jerónimo★, campanario : ≼★) D
– Museo Salzillo★ CY **M1**.

✈ de Murcia-San Javier por ② : 50 km ℰ 57 05 50 – Iberia : av. Alfonso X El Sabio 11, ⊠ 3000
ℰ 24 00 50 DY.

🚆 Alejandro Seiquer 4, ⊠ 30001, ℰ 21 37 16 – R.A.C.E. av. de la Libertad 2, ⊠ 30009, ℰ 23 02 6
♦Madrid 395 ① – ♦Albacete 146 ① – ♦Alicante/Alacant 81 ① – Cartagena 49 ② – Lorca 64 ③ – ♦Valencia 256 ①.

Plano página siguiente

🏨 **Meliá 7 Coronas,** paseo de Garay 5, ⊠ 30003, ℰ 21 77 72, Telex 67067, Fax 22 12 9
🍽, « Terraza jardín » – 🛗 ▤ 📺 ☎ ⟷ – 🔬 25/400. 𝔸𝔼 ⓞ 𝐄 𝘝𝘐𝘚𝘈. ⋌   X
Com 3200 – ⊐ 1300 – **150 hab** 11000/16300, 3 – PA 6545.

🏨 **Rincón de Pepe,** pl. Apóstoles 34, ⊠ 30001, ℰ 21 22 39, Telex 67116, Fax 22 17 44 –
▤ 📺 ☎ ⟷ – 🔬 25/120. 𝔸𝔼 ⓞ 𝐄 𝘝𝘐𝘚𝘈. ⋌   D
Com (ver rest. **Rincón de Pepe**) – ⊐ 1500 – **162 hab** 13750/17600.

🏨 **Arco de San Juan,** pl. de Ceballos 10, ⊠ 30003, ℰ 21 04 55, Fax 22 08 09 – 🛗 ▤ 📺
☎ ⟷ – 🔬 25/80. 𝔸𝔼 ⓞ 𝐄 𝘝𝘐𝘚𝘈. ⋌   DZ
Com (ver Rest. **Del Arco**) – ⊐ 1250 – **115 hab** 9975/14250.

🏨 **Conde de Floridablanca,** Princesa 18, ⊠ 30002, ℰ 21 46 26, Fax 21 32 15 – 🛗 ▤ 📺 ☎
⟷. 𝔸𝔼 ⓞ 𝐄 𝘝𝘐𝘚𝘈. ⋌   DZ
Com *(cerrado sábado, domingo y agosto)* 2300 – ⊐ 900 – **85 hab** 8800/12000.

🏨 **Hispano 2,** Radio Murcia 3, ⊠ 30001, ℰ 21 61 52, Fax 21 68 59 – 🛗 ▤ 📺 ☎ ⟷
🔬 25/100. 𝔸𝔼 ⓞ 𝐄 𝘝𝘐𝘚𝘈. ⋌   DY
Com (ver rest. **Hispano**) – ⊐ 900 – **35 hab** 8500/11500.

🏨 **Churra-Vistalegre,** Arquitecto Juan J. Belmonte 4, ⊠ 30007, ℰ 20 17 50, Fax 20 17 9
– 🛗 ▤ 📺 ☎ ⟷. 𝔸𝔼 ⓞ 𝐄 𝘝𝘐𝘚𝘈. ⋌   X
Com (ver rest. **El Churra**) – ⊐ 600 – **57 hab** 6500/8500.

🏨 **Fontoria** sin rest, Madre de Dios 4, ⊠ 30004, ℰ 21 77 89, Fax 21 07 41 – 🛗 ▤ 📺 ☎ ⟷
– 🔬 25/120. 𝔸𝔼 ⓞ 𝐄 𝘝𝘐𝘚𝘈. ⋌   DY
⊐ 700 – **110 hab** 9900/12500.

🏨 **Pacoche Murcia,** Cartagena 30, ⊠ 30002, ℰ 21 33 85, Fax 21 33 85 – 🛗 ▤ 📺 ☎ 🅕 ⟷
𝔸𝔼 𝐄 𝘝𝘐𝘚𝘈. ⋌   DZ
Com (ver Rest. **Universal Pacoche**) – ⊐ 450 – **72 hab** 6000/9000.

🏨 **La Huertanica,** Infante 5, ⊠ 30001, ℰ 21 76 68, Fax 21 25 04 – 🛗 ▤ 📺 ☎ ⟷. 𝔸𝔼 ⓞ
𝐄 𝘝𝘐𝘚𝘈. ⋌ – Com 1600 – ⊐ 750 – **31 hab** 5000/7000.   DY

🏨 **El Churra,** Obispo Sancho Dávila 1, ⊠ 30007, ℰ 23 84 00, Fax 23 77 93 – 🛗 ▤ 📺 ☎ ⟷
𝔸𝔼 ⓞ 𝐄 𝘝𝘐𝘚𝘈. ⋌   X
Com 1600 – ⊐ 600 – **97 hab** 5500/7500.

🏨 **Casa Emilio** sin rest, Alameda de Colón 9, ⊠ 30005, ℰ 22 06 31, Fax 21 30 29 – 🛗 ▤
📺 ☎. 𝐄 𝘝𝘐𝘚𝘈. ⋌   DZ
⊐ 390 – **37 hab** 5000/7000.

🏠 **Universal Pacoche,** Cartagena 21, ⊠ 30002, ℰ 21 76 05, Fax 21 76 05 – 🛗 ▤ 📺 ☎. 𝔸
𝐄 𝘝𝘐𝘚𝘈. ⋌   DZ
Com (ver Rest. **Universal Pacoche**) – ⊐ 300 – **47 hab** 3500/5500.

XXX **Rincón de Pepe,** pl. Apóstoles 34, ⊠ 30001, ℰ 21 22 39, Telex 67116, Fax 22 17 44 – ▤
⟷. 𝔸𝔼 ⓞ 𝐄 𝘝𝘐𝘚𝘈. ⋌
cerrado domingo (junio/julio) domingo noche resto del año y agosto – Com carta 3550
a 4800.

XXX **Alfonso X,** av. Alfonso X el Sabio 8, ⊠ 30008, ℰ 23 10 66, Fax 24 26 26, Decoració
moderna – ▤. 𝔸𝔼 ⓞ 𝐄 𝘝𝘐𝘚𝘈. ⋌   X
Com carta 2650 a 3900.

XXX Los Apóstoles, pl. de los Apóstoles 1, ⊠ 30001, ℰ 21 11 32 – ▤   DY

XXX **Del Arco,** pl. de San Juan 1, ⊠ 30003, ℰ 21 04 55, Fax 22 08 09, 🍽 – ▤ ⟷. 𝔸𝔼 ⓞ
𝐄 𝘝𝘐𝘚𝘈 𝐉𝐂𝐁. ⋌   DZ
cerrado domingo y agosto – Com carta aprox. 4200.

XXX **Baltasar,** Apóstoles 10, ⊠ 30001, ℰ 22 09 24 – ▤. 𝘝𝘐𝘚𝘈   DY
cerrado domingo y agosto – Com carta aprox. 3175.

XX **Rocío,** Batalla de las Flores, ⊠ 30008, ℰ 24 29 30 – ▤. 𝔸𝔼 ⓞ 𝐄 𝘝𝘐𝘚𝘈. ⋌   X
cerrado domingo noche – Com carta 3150 a 3900.

XX **Hispano,** Arquitecto Cerdán 7, ⊠ 30001, ℰ 21 61 52, Fax 21 68 59 – ▤. 𝔸𝔼 ⓞ 𝐄 𝘝𝘐𝘚𝘈
⋌   DY
cerrado sábado en julio y agosto – Com carta 2900 a 3900.

MURCIA

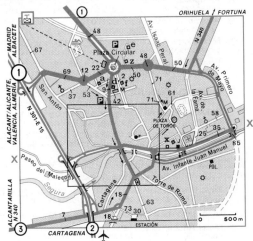

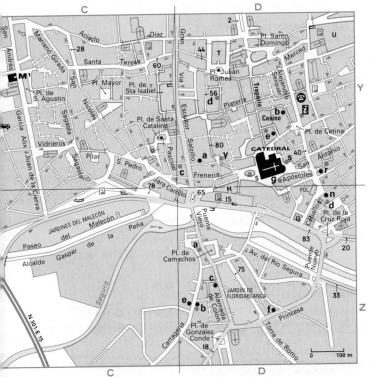

XX **El Churra,** av. Marqués de los Vélez 12, ⊠ 30007, ℰ 23 84 00, Fax 23 77 93 – 🗐. 🖭 ①
🖪 *VISA*. ⋘ X ✗
Com carta 2500 a 3200.

XX **Pacopepe,** Madre de Dios 15, ⊠ 30004, ℰ 21 95 87 – 🗐. 🖭 ① 🖪 *VISA* DY c
cerrado domingo y del 13 al 25 de agosto – Com carta 3100 a 3500.

XX **Acuario,** pl. Puxmarina 1, ⊠ 30004, ℰ 21 99 55 – 🗐. 🖭 ① 🖪 *VISA*. ⋘ DY y
cerrado domingo – Com carta 2350 a 3600.

X **Morales,** av. de la Constitución 12, ⊠ 30008, ℰ 23 10 26 – 🗐. 🖪 *VISA*. ⋘ X c
cerrado sábado noche y domingo – Com carta 2900 a 3800.

X **Paco's,** Alfaro 7, ⊠ 30001, ℰ 21 42 96 – 🗐. 🖭 ① 🖪 *VISA*. ⋘ DY c
cerrado domigo noche (septiembre-mayo) y resto del año fines de semana – Com carta
2350 a 3650.

X **Roses,** pl. de Camachos 17, ⊠ 30002, ℰ 21 13 25, Fax 21 13 25 – 🗐. 🖭 *VISA*. ⋘ DZ a
cerrado del 15 al 31 de agosto – Com carta 1950 a 3100.

X **Universal Pacoche,** Cartagena 25, ⊠ 30002, ℰ 21 13 38 – 🗐. 🖭 ① 🖪 *VISA*. ⋘ DZ b
cerrado sábado y 15 días en agosto – Com carta 1350 a 2800.

X **Torro's,** Jerónimo Yáñez de Alcalá, ⊠ 30003, ℰ 21 02 62 – 🗐. 🖭 ① 🖪 *VISA*. ⋘ X x
cerrado domingo y agosto – Com carta 1800 a 3200.

MURGUÍA 01130 Álava 442 D 21 – alt. 620 – ☎ 945.
♦Madrid 362 – ♦Bilbao/Bilbo 45 – ♦Vitoria/Gasteiz 19.

🏠 **Zuya,** Domingo Sautu 30 ℰ 43 03 00, Fax 43 00 27 – 📺 ☎ 🅿 – 🔬 25. 🖭 ① 🖪 *VISA*. ⋘ rest
Com 1700 – ☲ 700 – **15 hab** 5000/7000 – PA 4000.

en la autopista A 68 NO : 5 km – ⊠ 01130 Murguia – ☎ 945 :

🏠 **Motel Altube,** ℰ 43 01 50, Fax 43 02 51 – 🗐 rest ☎ 🅿. 🖭 ① 🖪 *VISA*. ⋘
Com 1350 – ☲ 600 – **20 hab** 6480/8100 – PA 2800.

🏠 **Altube,** ℰ 43 01 73, Fax 43 02 51 – 🗐 rest ☎ 🅿. 🖭 ① 🖪 *VISA*. ⋘
Com 1350 – ☲ 600 – **20 hab** 5200/6300 – PA 2800.

MURIEDAS 39600 Cantabria 442 B 18 – ☎ 942.
♦Madrid 392 – ♦Bilbao/Bilbo 102 – ♦Burgos 149 – ♦Santander 7.

🏠 **Parayas** sin rest. con cafetería, av. de la Concordia 6 ℰ 25 13 00 – 🛗 📺 ☎ 🚗. 🖭 🖪
VISA. ⋘ – **22 hab** ☲ 4950/7400.

MUROS 15250 La Coruña 441 D 2 – 12 036 h. – ☎ 981 – Playa.
♦Madrid 674 – Pontevedra 97 – Santiago de Compostela 72.

🏠 **Muradana y Rest. A Maia,** av. Marina Española, 107 ℰ 82 68 85 – 🛗 ☎. ⋘
Com 1300 – ☲ 250 – **16 hab** 5000.

X **A Esmorga,** paseo del Bombé ℰ 82 65 28, ≼ – 🖪 *VISA*
cerrado domingo noche – Com carta 1600 a 2650.

MUTRIKU Guipúzcoa – ver Motrico.

NÁJERA 26300 La Rioja 442 E 21 – 6 172 h. – ☎ 941.
Ver : Monasterio de Santa María la Real★, (claustro★★, iglesia : panteón real★, sepulcro de Blanca
de Navarra★ - coro alto : sillería★).
Alred. : San Millán de la Cogolla (Monasterio de Suso★, Monasterio de Yuso : marfiles tallados★★
SO : 18 km.
♦Madrid 324 – ♦Burgos 85 – ♦Logroño 28 – ♦Vitoria/Gasteiz 84.

X **Mesón Duque Forte,** San Julián 13 ℰ 36 37 84 – 🖭 🖪 *VISA*. ⋘
cerrado lunes – Com carta 1300 a 2800.

NAVA 33520 Asturias 441 B 13 – 5 786 h. – ☎ 98.
♦Madrid 463 – Gijón 41 – ♦Oviedo 32 – ♦Santander 173.

en la carretera N 634 E : 7 km – ⊠ 33582 Ceceda – ☎ 98 :

🏠 **La Cueva de Narciso,** ℰ 570 41 37, Fax 570 42 02 – ☎ 🚗 🅿. 🖭 🖪 *VISA*. ⋘
Com 1400 – ☲ 400 – **20 hab** 4850/5850 – PA 3200.

If you are thinking of staying in a Parador
or in a very quiet secluded hotel, we suggest that you reserve,
especially during the tourist season.

AVACERRADA 28491 Madrid 📖📖📖 J 17 – 1 270 h. alt. 1 203 – 😊 91 – Deportes de invierno
el puerto de Nauacerrada : ⚡ 11.
.adrid 50 – El Escorial 21 – ♦Segovia 35.

⚡ **Ricardo,** Audiencia ℘ 853 11 23 – 🍽. 🅔 𝘝𝘐𝘚𝘈
  cerrado lunes y noviembre – Com carta aprox. 2450.

⚡ **La Galería,** Iglesia 9 ℘ 856 05 79 – 🍽. 🅐🅔 𝘝𝘐𝘚𝘈. ⚜
  cerrado del 15 al 30 de septiembre – Com carta 2750 a 4750.

⚡ **Felipe,** av. de Madrid 2 ℘ 856 08 34 – 🍽. 🅐🅔 ⓞ 🅔 𝘝𝘐𝘚𝘈. ⚜
  Com carta 3125 a 5725.

⚡ **Asador Felipe,** del Mayo 3 ℘ 853 10 41, 🌿, Decoración castellana – 🅐🅔 🅔 𝘝𝘐𝘚𝘈. ⚜
  cerrado martes – Com carta 3100 a 4550.

⚡ **Espinosa,** Santísimo 6 ℘ 856 08 02 – 🅐🅔 ⓞ 🅔 𝘝𝘐𝘚𝘈. ⚜
  cerrado 13 octubre-5 noviembre – Com (sólo almuerzo en invierno salvo fines de semana)
  carta 2500 a 3700.

⚡ **La Cocina del Obispo,** Dr Villasante 7 ℘ 856 09 36, 🌿 – 🅐🅔 ⓞ 🅔 𝘝𝘐𝘚𝘈. ⚜
  Com carta 2950 a 5475.

  en la carretera M 601 – ✉ 28491 Navacerrada – 😊 91 :

🏨 **Arcipreste de Hita,** NO : 1,5 km ℘ 856 01 25, Fax 856 02 70, ⬉ pantano y montañas, 🛁,
  🏊, ◻ – 🛗 🍽 rest 📺 ☎ ℗ – 🏧 25/60. ⓞ 🅔 𝘝𝘐𝘚𝘈. ⚜
  Com 3000 – 🍽 800 – **40 hab** 10000/12000 – PA 6000.

🏨 **Las Postas,** SO : 1,5 km ℘ 856 02 50, Fax 853 11 51, ⬉, 🌿 – 🍽 rest 📺 ☎ ℗ – 🏧 25/40.
  🅐🅔 ⓞ 🅔 𝘝𝘐𝘚𝘈
  Com 3000 – 🍽 490 – **20 hab** 5600/7000 – PA 6000.

⚡⚡ **La Fonda Real,** NO : 2 km ℘ 856 03 52, Fax 856 03 52, « Decoración castellana del siglo
  XVIII » – ℗. 🅐🅔 🅔 𝘝𝘐𝘚𝘈. ⚜
  Com (sólo almuerzo de domingo a jueves) carta 3850 a 5600.

  en el valle de La Barranca NE : 3,5 km – ✉ 28491 Navacerrada – 😊 91 :

🏨 **La Barranca** ⬥, pinar de La Barranca alt. 1 470 ℘ 856 00 00, Fax 856 03 52, ⬉, 🛁, ⚜
  – 🛗 📺 ☎ ℗ – 🏧 25/35. 🅐🅔 🅔 𝘝𝘐𝘚𝘈
  Com 3500 – **44 hab** 🍽 7480/9350 – PA 5720.

AVACERRADA (Puerto de) 28470 Madrid-Segovia 📖📖📖 J 17 – alt. 1 860 – 😊 91 – Deportes
⚡ invierno : ⚡ 11 – **Ver** : Puerto★ (⬉★).
.ladrid 57 – El Escorial 28 – ♦Segovia 28.

🏠 **Pasadoiro,** carret. N 601 ℘ 852 14 27, ⬉ – ℗. 🅐🅔 𝘝𝘐𝘚𝘈
  Com 2250 – 🍽 375 – **36 hab** 5000/7000 – PA 4250.

AVAL 22320 Huesca 📖📖📖 F 30 – 305 h. alt. 637 – 😊 974.
.ladrid 471 – Huesca 81 – ♦Lérida/Lleida 108.

🏠 **Olivera** ⬥, San Miguel ℘ 30 40 72, ⬉, ⚜ – 🍽 rest ℗. 🅔 𝘝𝘐𝘚𝘈. ⚜
  cerrado del 1 al 10 de enero – Com *(cerrado domingo de octubre a marzo)* carta aprox.
  1650 – 🍽 350 – **30 hab** 2400/3700.

NAVALCARNERO 28600 Madrid 📖📖📖 L 17 – 8 034 h. alt. 671 – 😊 91.
.ladrid 32 – El Escorial 42 – Talavera de la Reina 85.

🏨 **Real Villa de Navalcarnero,** paseo San Damián 3 ℘ 811 24 93, Fax 811 11 42, ⬉, 🛁 –
  🛗 🍽 📺 ☎ ⬅➡ ℗ – 🏧 25/300. 🅐🅔 ⓞ 🅔 𝘝𝘐𝘚𝘈. ⚜ hab
  Com 1750 – 🍽 350 – **36 hab** 7000/8500 – PA 3500.

⚡⚡ Hostería de las Monjas, pl. de la Iglesia 1 ℘ 811 18 19, 🌿, Decoración castellana – 🍽.

  en la carretera N V – ✉ 28600 Navalcarnero – 😊 91 :

🏨 El Labrador G. H., SO : 5 km ℘ 813 94 20, Fax 813 94 44, 🌿, 🛁 – 🍽 ☎ ℗ – **82 hab.**
⚡⚡ **Felipe IV,** E : 3 km ℘ 811 09 13, 🌿 – 🍽 ℗. 🅐🅔 ⓞ 🅔 𝘝𝘐𝘚𝘈 🅹🅲🅱.
  Com carta 4300 a 5100.

NAVALMORAL DE LA MATA 10300 Cáceres 📖📖📖 M 13 – 12 922 h. alt. 514 – 😊 927.
.ladrid 180 – ♦Cáceres 121 – Plasencia 69.

🏠 **Brasilia,** antigua carret. N V ℘ 53 07 50, 🛁 – 🍽 ☕ ℗. ⚜ rest
  Com carta aprox. 2850 – 🍽 350 – **43 hab** 3665/6325.

⚡ **Los Arcos de Baram,** Regimiento Argel 6 ℘ 53 30 60 – 🍽. ⓞ 🅔 𝘝𝘐𝘚𝘈. ⚜
  Com carta aprox. 2650.

Las NAVAS DEL MARQUÉS 05230 Ávila 📖📖📖 K 17 – 3 888 h. alt. 1 318 – 😊 91.
.ladrid 81 – Ávila 40 – El Escorial 26.

⚡ Montecarlo, García del Real 22 ℘ 897 06 49 – 🍽.

NAVIA 33710 Asturias 🔠🔠🔠 B 9 – 8 728 h. – �[98] – Playa.

🖪 El Muelle 3, 🖉 563 00 94, (temp)

♦Madrid 565 – ♦La Coruña/A Coruña 203 – Gijón 118 – ♦ Oviedo 122.

🏨 **Palacio Arias** sin rest, av. José Antonio 11 🖉 547 36 75, Fax 547 36 83, « Antiguo palacete » – 🔃 📺 🕾 ⇦⇨ 🅟. 🝡 𝐕𝐈𝐒𝐀. ⚘
15 hab ⇆ 7000/14000.

🏨 **Blanco** ⚘, La Colorada N : 1 km 🖉 563 07 75, Fax 547 32 01 – 🔃 🗏 rest 📺 🕾 🅟 –
🛦 25/300. 🝡 ⴺ 𝐕𝐈𝐒𝐀. ⚘
Com 1200 – ⇆ 350 – **38 hab** 3000/5300.

🏨 **Palacio Arias II,** av. José Antonio 11 🖉 547 36 75, Fax 547 36 83 – 🔃 📺 🕾 ⇦⇨ 🅟. 🝡
ⴺ 𝐕𝐈𝐒𝐀. ⚘ rest
Com 1000 – ⇆ 425 – **29 hab** 3700/7400, 4 apartamentos – PA 2425.

🍴 **El Sotanillo,** Mariano Luiña 24 🖉 563 08 84 – 🝡 ⓞ ⴺ 𝐕𝐈𝐒𝐀. ⚘
Com carta 3400 a 5200.

NA XAMENA (Urbanización) Baleares – ver Baleares (Ibiza) : San Miguel.

NEGREIRA 15830 La Coruña 🔠🔠🔠 D 3 – 7 711 h. alt. 183 – �[981].

♦Madrid 633 – ♦La Coruña/A Coruña 92 – Santiago de Compostela 20.

🏨 **Tamara,** carret. de Santiago 🖉 88 52 01, Fax 88 58 13 – 🔃 🕾 🅟. ⴺ 𝐕𝐈𝐒𝐀. ⚘
Com 1000 – ⇆ 250 – **40 hab** 3500/6000, 20 apartamentos – PA 1900.

NEGURI 48990 Bilbao 🔠🔠🔠 B 20 – �[94].

🏌 de Neguri NO : 4 km.

♦ Madrid 405 – Algorta 2 – ♦ Bilbao/Bilbo 11.

🍴🍴🍴 **Jolastoki,** av. Los Chopos 🖉 469 30 31, Fax 460 35 89, 🌤 – 🗏 🅟. 🝡 ⓞ ⴺ 𝐕𝐈𝐒𝐀. ⚘
cerrado domingo noche, lunes, Semana Santa y del 1 al 15 de agosto – Com carta 3630
a 5300.

NERJA 29780 Málaga 🔠🔠🔠 V 18 – 12 012 h. – �[95] – Playa.

Alred. : Cuevas de Nerja★★ NE : 4 km – Carretera★ de Nerja a La Herradura ≤★★.

🏌 Golf Nerja 🖉 252 02 08.

🖪 Puerta del Mar 2 🖉 252 15 31.

♦Madrid 549 – ♦Almería 169 – ♦Granada 120 – ♦Málaga 52.

🏨🏨 **Parador de Nerja,** playa de Burriana - Tablazo 🖉 252 00 50, Fax 252 19 97, ≤ mar, « Césped frente al mar », ⚘, 🏊, ⚘ – 🔃 🗏 📺 🕾 🅟 – 🛦 25/80. 🝡 ⓞ 𝐕𝐈𝐒𝐀. ⚘
Com 3200 – ⇆ 1100 – **73 hab** 14000 – PA 6375.

🏨 **Perla Marina,** Mérida 7 🖉 252 33 50, Fax 252 40 83, ≤, 🏊 – 🔃 🗏 🕾 ⴺ ⇦⇨. 🝡 ⓞ ⴺ
𝐕𝐈𝐒𝐀. ⚘ rest
Com 2200 – ⇆ 650 – **106 hab** 8500/14000 – PA 4400.

🏨 **Plaza Cavana,** pl. Cavana 10 🖉 252 40 00, Fax 252 40 00, 🏊 – 🔃 🗏 📺 🕾 ⇦⇨ –
🛦 25/175. 🝡 ⓞ 𝐕𝐈𝐒𝐀. ⚘ rest
Com 1450 – ⇆ 500 – **22 hab** 7800/10300 – PA 3100.

🏨 **Balcón de Europa,** paseo Balcón de Europa 1 🖉 252 08 00, Fax 252 44 90, ≤, 🌤 – 🔃
🗏 📺 🕾 – 🛦 25/100. 🝡 ⓞ ⴺ 𝐕𝐈𝐒𝐀. ⚘ rest
Com 2100 – ⇆ 650 – **102 hab** 8250/10975 – PA 4100.

🏠 **Don Peque** sin rest, Diputación Provincial 13 - 1° 🖉 252 13 18 – 🗏 🝡 ⴺ 𝐕𝐈𝐒𝐀. ⚘
⇆ 300 – **10 hab** 3500/4000.

🏠 **Estrella del Mar,** Bella Vista 5 🖉 252 04 61, 🌤
cerrado febrero – Com 975 – ⇆ 350 – **12 hab** 3280/4100 – PA 1900.

🍴🍴 **Pepe Rico,** Almirante Ferrándiz 28 🖉 252 02 47, Fax 252 44 98, 🌤 – ⓞ ⴺ 𝐕𝐈𝐒𝐀. ⚘
cerrado martes y domingo mediodía – Com carta 2215 a 3275.

🍴🍴 **De Miguel,** Pintada 2 🖉 252 29 96 – 🗏
Com (sólo cena de octubre a mayo).

🍴 **Verano Azul,** Almirante Ferrándiz 31 🖉 252 18 95 – 🝡 ⓞ ⴺ 𝐕𝐈𝐒𝐀. ⚘
cerrado miércoles y 15 noviembre-15 diciembre – Com carta 1900 a 3525.

en la carretera N 340 E : 1,5 km – ⊠ 29780 Nerja – �[95] :

🏨 **Nerja Club,** 🖉 252 01 00, Fax 252 26 08, ≤, 🌤, 🏊, ⚘ – 🔃 🗏 🕾 🅟. 🝡 ⓞ ⴺ 𝐕𝐈𝐒𝐀. ⚘
Com 1550 – ⇆ 575 – **67 hab** 7000/8700 – PA 3350.

NIGRÁN 36209 Pontevedra 🔠🔠🔠 F 3 – �[986].

♦Madrid 619 – Orense/Ourense 108 – Pontevedra 44 – ♦Vigo 17.

🍴🍴 **Los Abetos,** carret. C 550 N : 1 km entrada Los Abetos-Nigrán 🖉 36 81 47, Fax 36 55 67,
🌤 – 🗏 🅟. 🝡 ⓞ ⴺ 𝐕𝐈𝐒𝐀. ⚘
Com carta 2750 a 4850.

Los NOGALES o **AS NOGAIS** 27677 Lugo **441** D 8 – 2 283 h. – **۞** 982.

◆Madrid 451 – Lugo 53 – Ponferrada 69.

☖ **Fonfría,** carret. N VI ℰ 36 00 44 – ⇌ **ⓟ**. **VISA**. ⅏
   Com 1100 – ⊑ 300 – **27 hab** 3000/4500 – PA 2100.

NOALLA 36990 Pontevedra **441** E 3 – **۞** 986 – Playa.

◆ Madrid 633 – Pontevedra 27 – Santiago de Compostela 79.

   en la playa de La Lanzada O : 1,3 km – ⊠ 36990 Noalla – **۞** 986 :

☖ **Delfín Azul,** ℰ 74 36 22, Fax 74 56 09, ≼ – 🛗 ☎ ⇌ **ⓟ**. **E** **VISA**. ⅏
   Com 1900 – ⊑ 250 – **38 hab** 4500/7000 – PA 3240.

☖ **Marola** ⌕, ℰ 74 57 77, Fax 74 30 58, ≼, ⅀ – ☎ **ⓟ**
   temp. – **58 hab.**

NOIA La Coruña – ver Noya.

NOJA 39180 Cantabria **442** B 19 – 1 273 h. – **۞** 942 – Playa.

◆Madrid 422 – ◆Bilbao/Bilbo 79 – ◆Santander 44.

   en la playa de Ris NO : 2 km – ⊠ 39184 Ris – **۞** 942 :

🏨 **Torre Cristina** ⌕, La Sierra 9 ℰ 67 54 20, Fax 63 10 24, ≼, ⅀ – 🛗 **TV** ☎ **ⓟ**. **VISA**. ⅏
   Semana Santa-septiembre – Com 1300 – ⊑ 400 – **49 hab** 6600/9800 – PA 2100.

☖ **Montemar** ⌕, sin rest, Arenal 21 ℰ 63 03 20, ⅀ – 🛗 ☎ **ⓟ**. ⅏
   15 junio-15 septiembre – ⊑ 385 – **59 hab** 4270/6930.

☖ **La Encina,** av. de Ris 75 ℰ 63 01 41, Fax 63 01 41, ≼ – 🛗 ☎ **ⓟ**. **VISA**. ⅏
   Semana Santa-septiembre – Com 1400 – ⊑ 415 – **47 hab** 4400/7300 – PA 2400.

☖ **Los Nogales,** av. de Ris 21 ℰ 63 02 65 – **ⓟ**
   27 hab.

NOREÑA 33180 Asturias **441** B 12 – 4 155 h. – **۞** 98.

◆Madrid 447 – ◆Oviedo 12.

☖ **Cabeza,** Javier Lauzurica 4 ℰ 574 02 74, Fax 574 12 71 – 🛗 **TV** ☎ ⇌. **AE** **E** **VISA**. ⅏
   Com *(cerrado domingo)* 1380 – ⊑ 480 – **40 hab** 5830/6995.

NOVO SANCTI PETRI (Urbanización) Cádiz – ver Chiclana de la Frontera.

NOYA o **NOIA** 15200 La Coruña **441** D 3 – 13 867 h. – **۞** 981.

Ver : Iglesia de San Martín★.

Alred. : O : Ría de Muros y Noya★★.

Excurs. : Mirador del Curota★★★ SO : 35 km.

◆Madrid 639 – ◆La Coruña/A Coruña 109 – Pontevedra 62 – Santiago de Compostela 35.

🏨 **Park** ⌕, carret. de Muros-Barro ℰ 82 37 29, Fax 82 31 33, ≼, ⅀ – **TV** ☎ **ⓟ**. **E** **VISA**. ⅏
   Com 1500 – ⊑ 500 – **35 hab** 5000/7500 – PA 2800.

✗ **Ceboleiro** con hab, Galicia 15 ℰ 82 05 31, Fax 82 44 97 – 🛏 rest **TV** ☎. **AE** **⓪** **E** **VISA**. ⅏
   Com 1500 – ⊑ 300 – **13 hab** 5000/8000.

La NÚCIA o **La NUCIA** 03530 Alicante **445** Q 29 – 3 726 h. alt. 85 – **۞** 96.

◆Madrid 450 – ◆Alicante/Alacant 56 – Gandía 64.

   en la carretera de Benidorm – ⊠ 03530 La Nucía – **۞** 96

✗✗ **Alcázar,** S : 5 km ℰ 587 32 08, « Bonita terraza evocando el patio de los Leones de la
    Alhambra granadina » – **ⓟ**. **AE** **⓪** **E** **VISA**. ⅏
    cerrado lunes salvo julio y agosto, del 15 al 30 de mayo y del 1 al 15 de diciembre – Com
    carta 1720 a 3095.

✗ Kaskade II, urbanización Panorama I S : 5 km y desvío a la derecha 0,3 km ℰ 587 33 37,
   ⌂, ⅀ – **ⓟ**.

✗ **Kaskade I,** urb. Panorama III S : 4,5 km y desvío a la derecha 1 km ℰ 587 31 40, ⌂, ⅀
   – **VISA**
   Com carta 1400 a 2600.

NUEVA EUROPA (Urbanización) Las Palmas – ver Canarias (Gran Canaria) : Maspalomas.

NULES 12520 Castellón de la Plana **445** M 29 – 10 957 h. – **۞** 964.

◆Madrid 402 – Castellón de la Plana Castelló de la Plana 19 – Teruel 125 – ◆Valencia 54.

✗ **Barbacoa,** carret. de Burriana ℰ 67 05 04 – 🛏 **ⓟ**. **AE** **⓪** **VISA**. ⅏
   cerrado domingo noche y lunes noche – Com carta 1900 a 2900.

OCHANDIANO u **OTXANDIO** 48210 Bilbao 442 C 22 - 😊 94.
- ◆ Madrid 377 - ◆ Bilbao/Bilbo 50 - ◆ Vitoria/Gasteiz 23.

  ✗ **María Jesús,** pl. Nausia 15 ℰ 45 00 28 - ⬛ VISA. ❀
  cerrado lunes y agosto - Com carta 3050 a 4850.

OIARTZUN Guipúzcoa - ver Oyarzun.

OIEREGI Navarra - ver Oyeregui.

OJEDO 39585 Cantabria 442 C 16 - 😊 942

  🏨 **Infantado,** carret. N 621 ℰ 73 09 39, Fax 73 05 78, ⊒ - 📶 ▤ rest 📺 ☎ 🚗 🅿. ⬛ ⓒ
  E VISA. ❀
  Com 2000 - ⊒ 400 - **48 hab** 5900/8700 - PA 4400.

  ✗ **Martín,** carret. N 621 ℰ 73 02 33, ← - VISA. ❀
  cerrado enero - Com carta 1650 a 2450.

OJÉN 29610 Málaga 446 W 15 - 2 038 h. alt. 780 - 😊 95.
- ◆Madrid 610 - Algeciras 85 - ◆Málaga 64 - Marbella 8.

  en la Sierra Blanca NO : 10 km por C 337 y carretera particular - ✉ 29610 Ojen - 😊 95

  🏨 **Refugio de Juanar** ⟋, ℰ 288 10 00, Fax 288 10 01, « Refugio de caza », ⊒, ≈, ❀
  📺 ☎ 🅿. ❀ VISA 🇯🇨🇧. ❀
  Com 2550 - ⊒ 750 - **25 hab** 6600/8200 - PA 4950.

OLABERRÍA 20212 Guipúzcoa 442 C 23 - 1 111 h. alt. 332 - 😊 943.
- ◆ Madrid 419 - ◆ Pamplona/Iruñea 65 - ◆ San sebastián/Donostia 42 - ◆ Vitoria/Gasteiz 72.

  en la carretera N I NO : 2,4 km - ✉ 20212 Olaberría - 😊 943 :

  🏨 **Castillo,** ℰ 88 19 58, Fax 88 34 60 - 📶 ▤ rest 📺 ☎ 🚗 🅿. ⓐ E VISA. ❀ rest
  Com *(cerrado domingo noche)* 3000 - ⊒ 750 - **28 hab** 5060/8030 - PA 5550.

OLAVE u **OLABE** 31799 Navarra 442 D 25 - 😊 948.
- ◆Madrid 411 - ◆Bayonne 106 - Pamplona/Iruñea 12.

  🏨 **Sayoa,** carret. N 121 ℰ 33 02 12, Fax 33 02 12, ←, �, ⊒, ❀ - ▤ 📺 ☎ 🅿 - 🔬 25/300
  ⬛ ⓐ E VISA
  Com *(cerrado domingo noche)* 1500 - ⊒ 450 - **42 hab** 7000/9000.

  ✗ **Sarasate,** carret. N 121 ℰ 33 08 20 - 🅿. VISA. ❀
  cerrado domingo noche, lunes, del 7 al 30 de enero y del 19 al 30 de diciembre - Com
  carta aprox. 2950.

OLEIROS 15173 La Coruña 441 B 5 - 2 015 h. alt. 79 - 😊 981.
- ◆Madrid 580 - ◆La Coruña/A Coruña 8 - Ferrol 24 - Santiago de Compostela 78.

  ✗✗ **El Refugio,** pl. de Galicia 11 ℰ 61 08 03 - ▤. ⬛ ⓐ E VISA
  cerrado domingo - Com carta 3200 a 5100.

OLITE 31390 Navarra 442 E 25 - 2 829 h. alt. 380 - 😊 948.
Ver : Castillo de los Reyes de Navarra★ - Iglesia de Santa María la Real (fachada★).
🇧 Castillo Palacio ℰ 74 00 35 (Semana Santa-octubre).
- ◆Madrid 370 - ◆Pamplona/Iruñea 43 - Soria 140 - ◆Zaragoza 140.

  🏨 **Parador de Olite** ⟋, pl. de los Teobaldos 2 ℰ 74 00 00, Fax 74 02 01, « Instalado par
  cialmente en el antiguo castillo de los Reyes de Navarra » - 📶 ▤ 📺 ☎ - 🔬 25/110. ⬛
  ⓐ VISA. ❀
  Com 3200 - ⊒ 1100 - **43 hab** 12000 - PA 6375.

  🏨 **Carlos III el Noble,** Rua de Medios 1 ℰ 74 06 44 - 📺. VISA. ❀
  Com 1200 - ⊒ 500 - **14 hab** 4000/6500.

  ✗✗ **Casa Zanito** con hab, Mayor 16 ℰ 74 00 02, Fax 71 20 87 - 📶 ▤ 📺 🅿. ⬛ ⓐ E VISA
  ❀
  cerrado 23 diciembre-7 enero - Com carta aprox. 3900 - **15 hab** ⊒ 8000.

OLIVA 46780 Valencia 445 P 29 - 19 580 h. - 😊 96.
- ◆Madrid 424 - ◆Alicante/Alacant 101 - Gandía 8 - ◆Valencia 76.

  en la playa E : 2 km - ✉ 46780 Oliva - 😊 96 - playa

  🏤 **Pau-Pi** sin rest, Roger de Lauria 2 ℰ 285 12 02, Fax 285 10 49 - ☎ 🅿. E VISA
  cerrado del 17 al 24 de octubre - **40 hab** 2895/5700.

a OLIVA (Monasterio de) 31310 Navarra 442 E 25.

r : Monasterio★ (iglesia★★, claustro★).

Madrid 366 – ◆Pamplona/Iruñea 73 – ◆Zaragoza 117.

LOST u **OLOST DE LLUÇANÉS** 08519 Barcelona 443 G 36 – 961 h. alt. 669 – ✪ 93.

Madrid 618 – ◆Barcelona 85 – Gerona/Girona 98 – Manresa 71.

X ✿ **Sala** con hab, pl. Major 4 ℰ 888 01 06 – 🍴 rest 📺. 🆎 ⓞ 🄴 *VISA*. ✸
cerrado del 1 al 18 septiembre y Navidades – Com *(cerrado domingo noche)* carta 2750
a 6100 – ⏛ 500 – **12 hab** 2000/4000
Espec. Salmis de becada (diciembre-febrero), Trufas naturales del Lluçanés a la crema (Navidades-
marzo), Rodaballo al horno con patatas buffet.

LOT 17800 Gerona 443 F 37 – 24 892 h. alt. 443 – ✪ 972.

Lorenzana 15 ℰ 26 01 41, ✉ 17800.

Madrid 700 – ◆Barcelona 130 – Gerona/Girona 55.

🏨 **Riu Olot** sin rest, carret. de Santa Pau ℰ 26 94 44, Fax 26 67 03, ≼ – 🛗 🖻 📺 ☎ 🚗 🄿
– 🕍 25/40. 🆎 🄴 *VISA*. ✸
32 hab ⏛ 8000/10200.

🏨 **Borrell** sin rest, Nónit Escubós 8 ℰ 26 92 75, Fax 27 04 08 – 🛗 🖻 📺 ☎ 🚗. 🆎 ⓞ 🄴
VISA. ✸
⏛ 750 – **24 hab** 4225/7375.

🏨 **Perla D'Olot**, av. Santa Coloma 97 ℰ 26 23 26, Fax 27 07 74 – 🛗 🖻 📺 ☎ 🚗. 🆎 ⓞ
🄴 *VISA*. ✸
Com *(cerrado junio)* 1010 – ⏛ 420 – **20 apartamentos** 3600/5500.

🏨 **La Perla**, carret. La Deu 9 ℰ 26 23 26, Fax 27 07 74 – 🛗 🖻 rest ☎ 🚗. 🆎 ⓞ 🄴 *VISA*.
✸
Com *(cerrado junio)* 1010 – ⏛ 420 – **32 hab** 1600/3000 – PA 1950.

XX **Les Cols,** Mas les Cols-carret. de La Canya ℰ 26 92 09, 🍽 – 🖻. 🆎 ⓞ 🄴 *VISA*
cerrado domingo, festivos y 25 julio-15 agosto – Com carta 2400 a 3300.

XX **Purgatori,** Bisbe Serra 58 ℰ 26 16 06 – 🖻. 🆎 ⓞ 🄴 *VISA*. ✸
cerrado domingo noche, lunes y 2ª quincena de julio – Com carta 1850 a 4150.

XX **Ramón,** pl. Clarà 10 ℰ 26 10 01 – 🖻. 🆎 🄴 *VISA*. ✸
cerrado jueves, 2ª quincena mayo y 2ª quincena octubre – Com carta 2800 a 4300.

X **La Deu,** carret. La Deu - S : 2 km por carret. de Vich ℰ 26 10 04, Fax 26 64 36, 🍽 – 🖻
🄿. 🆎 ⓞ 🄴 *VISA*. ✸
Com carta 2310 a 3700.

OLULA DEL RÍO 04860 Almería 446 T 23 – 4 837 h. alt. 487 – ✪ 950.

Madrid 528 – Almería 116 – ◆Murcia 142.

🏨 **La Tejera,** carret. N 336 ℰ 44 22 12, Fax 44 15 12, 🍽 – 🖻 📺 ☎ 🄿. 🆎 🄴 *VISA*. ✸
Com 1000 – **36 hab** ⏛ 3750/6000 – PA 2225.

ÓLVEGA 42110 Soria 442 G 24 – 3 038 h. – ✪ 976.

Madrid 257 – ◆Pamplona/Iruñea 127 – Soria 45 – ◆Zaragoza 114.

🏨 Los Infantes, La Pista ℰ 64 53 87
21 hab.

ONDÁRROA 48700 Vizcaya 442 C 22 – 12 150 h. – ✪ 94 – Playa.

er : Pueblo típico★.

Alred. : Carretera en cornisa★ de Ondárroa a Lequeitio ≼★.

Madrid 427 – ◆Bilbao/Bilbo 61 – ◆San Sebastián/Donostia 49 – ◆Vitoria/Gasteiz 72.

ONTENIENTE u **ONTINYENT** 46870 Valencia 445 P 28 – 28 123 h. alt. 400 – ✪ 96.

◆Madrid 369 – ◆Albacete 122 – ◆Alicante/Alacant 91 – ◆Valencia 84.

X Rincón de Pepe, av. de Valencia 1 ℰ 238 32 10 – 🖻.

Los hoteles y restaurantes agradables
se indican en la guía con un símbolo rojo.

Ayúdenos señalándonos los establecimientos
que, a su juicio, lo merecen.

La guía del próximo año será aún mejor.

🏨🏨🏨 ... 🏠

XXXXX ... X

OÑATE u **OÑATI** **20560** Guipúzcoa 442 C 22 – 10 770 h. alt. 231 – ☎ 943.

Alred. : Carretera★ a Arantzazu.

♦Madrid 401 – ♦San Sebastián/Donostia 74 – ♦Vitoria/Gasteiz 45.

por la carretera de Mondragón O : 1,5 km – ✉ 20560 Oñate – ☎ 943 :

XX **Etxe-Aundi,** Torre Auzo 9 ✆ 78 19 56, Edificio de estilo regional – P. AE ① E VISA. ✻
cerrado domingo noche, lunes noche y 22 diciembre-2 enero – Com carta 2550 a 410

en la carretera de Aránzazu – ✉ 20560 Oñate – ☎ 943 :

Soraluze ⛰, SO : 2 km ✆ 71 61 79, Fax 71 60 70, ← – ▤ rest TV ☎ ⇐ P. AE E VISA
✻
Com 900 – ☕ 475 – **12 hab** 5500/6400 – PA 2275.

X Urtiagain, SO : 4 km ✆ 78 08 14 – ▤ P.

ORDENES u **ORDES** **15680** La Coruña 441 C 4 – ☎ 981.

♦ Madrid 599 – ♦La Coruña/A Coruña 39 – Santiago de Compostela 27.

Nogallas, Alfonso Senra 110 ✆ 68 01 55, Fax 68 01 31 – |‡| TV ☎. AE VISA. ✻
Com 1400 – ☕ 400 – **38 hab** 2500/4700 – PA 3400.

ORDESA Y MONTE PERDIDO (Parque Nacional de) Huesca 443 E 29 y 30 – alt. 1 320.

Ver : Parque Nacional★★★.

♦Madrid 490 – Huesca 100 – Jaca 62.

Hoteles y restaurantes ver : Torla SO : 8 km.

ORDINO Andorra – ver Andorra (Principado de).

ORDUÑA **48460** Vizcaya 442 D 20 – 4 396 h. alt. 283 – ☎ 945.

Alred. : S : Carretera del Puerto de Orduña ✻★.

♦Madrid 357 – ♦Bilbao/Bilbo 41 – ♦Burgos 111 – ♦Vitoria/Gasteiz 40.

XX **Llarena,** Burgos 6 ✆ 38 39 99 – ▤. AE ① E VISA. ✻
cerrado del 1 al 15 de julio – Com (sólo almuerzo salvo viernes, sábado y agosto) cart 2800 a 4100.

ORENSE u **OURENSE** **32000** P 441 E 6 – 96 085 h. alt. 125 – ☎ 988.

Ver : Catedral★ (Pórtico del Paraíso★★) AY **B** – Museo Arqueológico y de Bellas Artes (Camin del Calvario★) AZ **M** – Claustro de San Francisco★ AY.

Excurs. : Ribas de Sil (Monasterio de San Esteban : paraje★) 27 km por ② - Gargantas del Sil 26 km por ② – Iberia ✆ 22 84 00.

ℹ Curros Enríquez 1 (Torre de Orense), ✉ 32003, ✆ 23 47 17 – R.A.C.E. Juan XXIII-1, ✉ 3200 ✆ 21 04 60.

♦Madrid 499 ④ – Ferrol 198 ① – ♦La Coruña/A Coruña 183 ① – Santiago de Compostela 111 ① – ♦Vigo 101 ⑤

Plano página siguiente

G. H. San Martín sin rest, Curros Enriquez 1, ✉ 32003, ✆ 23 56 11, Fax 23 65 85 – |‡| ▤ TV ☎ ⇐ – 🏛 25/150. AE ① E VISA. ✻ AY
☕ 1100 – **90 hab** 9500/14500, 1 suite.

Padre Feijoó sin rest, Cruz Bermella 2, ✉ 32005, ✆ 22 31 00, Fax 22 31 00 – |‡| TV ☎ ① E VISA. ✻ AY
☕ 660 – **71 hab** 3900/6100.

Altiana sin rest, con cafetería, Ervedelo 14, ✉ 32002, ✆ 37 09 52, Fax 37 01 28 – |‡| TV ☎ – 🏛 25/40 AY
32 hab.

Zarampallo, Hermanos Villar 29, ✉ 32005, ✆ 23 00 08 – |‡| ▤ rest TV ☎. AE E VISA
✻ AY
Com *(cerrado domingo)* 1000 – ☕ 600 – **14 hab** 3500/5000 – PA 2500.

XX **Sanmiguel,** San Miguel 12, ✉ 32005, ✆ 22 12 45, Fax 24 27 49 – ▤ ⇐. AE ① E VIS JCB AY
cerrado martes salvo festivos y vísperas, y del 10 al 30 de enero – **Comida** carta 260 a 3800.

XX **Martín Fierro,** Sáenz Díez 17, ✉ 32003, ✆ 37 26 43, Fax 37 22 63 – ▤ P. AE ① E VIS JCB. ✻ AY
cerrado domingo – Com carta 2800 a 5100.

XX **Marmite,** Santo Domingo 33, ✉ 32003, ✆ 24 32 55 – ▤. AE ① E VISA. ✻ AY
cerrado domingo – Com carta aprox. 2850.

en El Cumial por ④ : 6 km – ✉ 32970 Cumial – ☎ 988

Auriense ⛰, ✆ 23 49 00, Fax 24 50 01, ←, 🏊 – |‡| ▤ TV ☎ P – 🏛 25/500. AE E VISA
✻
Com 1700 – ☕ 500 – **137 hab** 5000/8000 – PA 3500.

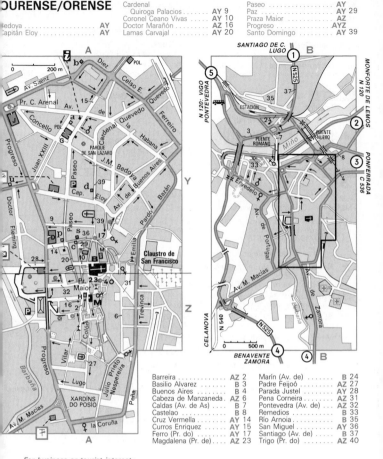

For business or tourist interest :
MICHELIN Red Guide : main cities EUROPE.

ORGAÑA u ORGANYÁ **25794** Lérida 443 F 33 – 1 143 h. alt. 558 – ✪ 973.

Alred. : Grau de la Granta ★ S : 6 km.

🅱 pl. Hormilles, ✉ 25794, ✆ 38 30 07, Fax 38 35 36.

◆Madrid 579 – ◆Lérida/Lleida 110 – Seo de Urgel/La Seu d'Urgell 23.

ÓRGIVA **18400** Granada 446 V 19 – 4 859 h. – ✪ 958.

◆Madrid 485 – ◆Almería 121 – ◆Granada 55 – ◆Málaga 121.

🏨 **Alpujarras,** El Empalme ✆ 78 55 49, Fax 78 43 90 – |🛗| 🍽 rest ☎ 🅿. 🖭 💳. ❄
  Com 1000 – 🍽 250 – **22 hab** 5000 – PA 2250.

ORIENT Baleares – ver Baleares (Mallorca).

ORIHUELA **03300** Alicante 445 R 27 – 49 851 h. alt. 24 – ✪ 96.

🅱 Francisco Diez 25 ✆ 530 27 47.

◆Madrid 415 – ◆Alicante/Alacant 59 – ◆Murcia 25.

🏡 **Rey Teodomiro** sin rest y sin 🍽, av. Teodomiro 10 ✆ 674 33 48 – |🛗|
  30 hab 2000/3500.

ORIO 20810 Guipúzcoa 442 C 23 – 4 358 h. – ✆ 943 – Playa.

Alred. : Carretera de Zarauz ≤★.

♦Madrid 479 – ♦Bilbao/Bilbo 85 – ♦Pamplona/Iruña 100 – ♦San Sebastián/Donostia 20.

XXX **Itsas-Ondo,** Kaia 7 ℘ 13 11 79 – 🍽, ⒶⒺ Ⲉ 𝘝𝘐𝘚𝘈. ⚜
cerrado martes y 20 octubre-20 noviembre – Com carta aprox. 4100.

X **Aitzondo,** carret. N 634 ℘ 83 27 00 – ❷
cerrado domingo noche, lunes y 21 diciembre-21 enero – Com carta 3450 a 4650.

OROPESA 45460 Toledo 444 M 14 – 3 069 h. alt. 420 – ✆ 925.

Ver : Castillo★.

♦Madrid 155 – Ávila 122 – Talavera de la Reina 33.

🏛 **Parador de Oropesa,** pl. del Palacio 1 ℘ 43 00 00, Fax 43 07 77, Instalado en un palacio feudal, ⌣, ☞ – ⧮ 🍽 📺 ☎ ❷ – ⟐ 25/45. ⒶⒺ ⓞ Ⲉ 𝘝𝘐𝘚𝘈. ⚜
Com 3200 – ⌷ 1100 – **48 hab** 10000/12500 – PA 6375.

OROPESA DEL MAR u **ORPESA** 12594 Castellón de la Plana 445 L 30 – 1 724 h. alt. 16
– ✆ 964 – Playa.

🖪 av. de la Plana 4 ℘ 31 00 20.

♦Madrid 447 – Castellón de la Plana/Castelló de la Plana 22 – Tortosa 100.

🏚 **Sancho Panza,** carret. N 340 km 996,3 ℘ 31 04 94, 🍴 – ❷. Ⲉ 𝘝𝘐𝘚𝘈
cerrado octubre – Com *(cerrado domingo de noviembre a mayo)* 1100 – ⌷ 375 – **15 hab**
2800/3800 – PA 2575.

en la zona de la playa – ⊠ 12594 Oropesa del Mar – ✆ 964 :

🏩 **Neptuno Playa** sin rest, paseo Marítimo La Concha 1 ℘ 31 00 40, Fax 31 00 75, ≤ – 🍽
☎. ⒶⒺ Ⲉ 𝘝𝘐𝘚𝘈
abril-septiembre – ⌷ 500 – **88 hab** 5500/6800.

🏨 **Oropesa Sol** ⚘ sin rest, av. de Madrid 11 ℘ 31 01 50 – ⧮ ☎ ❷. ⚜
25 marzo-septiembre – ⌷ 180 – **50 hab** 3150/4450.

XX **Blasori,** carret. del Faro 66 ℘ 31 00 81 – 🍽. ⒶⒺ ⓞ Ⲉ 𝘝𝘐𝘚𝘈 𝘑𝘊𝘉. ⚜
abril-septiembre – Com *(cerrado lunes)* carta aprox. 3400.

X Mervi, paseo Mediterráneo 18 ℘ 31 01 58, 🍴.

en la autopista A 7 NO : 5 km – ⊠ 12594 Oropesa del Mar – ✆ 964 :

🏨 La Ribera sin rest, con cafetería, ℘ 31 00 25, Fax 31 06 24 – 🍽 ❷
13 hab.

en Las Playetas-carretera de Benicasim (por la costa) S : 5 km – ⊠ 12594 Oropesa del
Mar – ✆ 964 :

🏛 **El Cid,** ℘ 30 07 00, Fax 30 48 78, ⌣, ⚜ – ⧮ ☎ ❷. ⒶⒺ ⓞ Ⲉ 𝘝𝘐𝘚𝘈. ⚜
Semana Santa-septiembre – Com 1700 – ⌷ 650 – **52 hab** 5000/6400 – PA 3300.

La OROTAVA Santa Cruz de Tenerife – ver Canarias (Tenerife).

ORREAGA Navarra – ver Roncesvalles.

ORRIOLS 17468 Gerona 443 F 38 – ✆ 972.

♦ Madrid 730 – Figueras/Figueres 21 – Gerona/Girona 20.

XXX **Castell Palau d'Orriols,** av. del Castell 6 ℘ 56 04 18, Fax 56 04 18, 🍴, « Palacio de estilo
renacentista » – 🍽. ⓞ Ⲉ 𝘝𝘐𝘚𝘈
cerrado al mediodía de lunes a jueves en invierno – Com carta 2540 a 4700.

ORTIGOSA DEL MONTE 40421 Segovia 442 J 17 – ✆ 921.

♦Madrid 72 – Ávila 56 – ♦Segovia 15.

en la carretera N 603 – ⊠ 40421 Ortigosa del Monte – ✆ 921 :

X Venta Vieja, E : 2,5 km ℘ 48 91 64, 🍴, Decoración rústica – ❷.

X **Becea,** E : 2,3 km ℘ 48 90 49, 🍴 – ❷. Ⲉ 𝘝𝘐𝘚𝘈. ⚜
cerrado lunes noche – Com carta 1900 a 2750.

ORTIGUEIRA 15330 La Coruña 441 A 6 – 15 576 h. – ✆ 981 – Playa.

♦Madrid 601 – ♦La Coruña/A Coruña 110 – Ferrol 54 – Lugo 97.

🏨 La Perla sin rest, av. de la Penela ℘ 40 01 50, Fax 40 01 50 – ⧮ 📺 ☎ ❷
22 hab.

342

OSEJA DE SAJAMBRE 24916 León 四四① C 14 – 505 h. alt. 760.

Alred. : Mirador★★ ≤★★ N : 2 km – Desfiladero de los Beyos★★★ NO : 5 km – Puerto del Pontón★ ≤★★) S : 11 km – Puerto de Panderruedas★ (mirador de Piedrafitas ≤★★ 15 mn a pie) SE : 17 km.

◆Madrid 385 – ◆León 122 – ◆Oviedo 108 – Palencia 159.

OSORNO LA MAYOR 34460 Palencia 四四② E 16 – 2 075 h. – ❸ 979.

◆Madrid 277 – ◆Burgos 58 – Palencia 51 – ◆Santander 150.

🏠 **Tierra de Campos,** La Fuente 🖉 81 72 16 – |≇| 🕾 🅿. 🖪 𝘝𝘐𝘚𝘈. ⋘
cerrado febrero – Com 2100 – 🖵 550 – **30 hab** 4400/5700 – PA 4000.

OSUNA 41640 Sevilla 四四⑥ U 14 – 16 866 h. alt. 328 – ❸ 95.

Ver : Zona monumental★ – Colegiata (sepulcro Ducal★).

🛈 Sepulcro Ducal 🖉 81 04 44.

◆Madrid 489 – ◆Córdoba 85 – ◆Granada 169 – ◆Málaga 123 – ◆Sevilla 92.

💥 **Doña Guadalupe,** pl. de Guadalupe 6 🖉 481 05 58 – 🗐. 🖭 ⓞ 𝘝𝘐𝘚𝘈. ⋘
cerrado martes y del 1 al 15 de agosto – Com carta 2350 a 3550.

💥 **Mesón del Duque,** pl. de la Duquesa 2 🖉 481 13 01, 😤 – 🗐. 🖭 𝘝𝘐𝘚𝘈. ⋘
cerrado lunes, 1ª quincena de mayo y 1ª quincena de septiembre – Com carta aprox. 2500.

OTUR Asturias – ver Luarca.

OTURA 18630 Granada 四四⑥ V 18 – 1 979 h. – ❸ 958.

◆Madrid 443 – ◆Almería 172 – ◆Granada 13 – ◆Málaga 148.

al Suroeste : – ✉ 18630 Otura – ❸ 958 :

💥 Mesón Mayerling, cruce carret. de Malá : 1 km 🖉 55 52 81 – 🗐 🅿.

💥 **Suspiro del Moro,** carret. N 323 : 3 km 🖉 55 51 05, Fax 55 51 05, ≤, 🔟 – 🗐 🅿. 🖭 ⓞ
🖪 𝘝𝘐𝘚𝘈. ⋘
Com carta 1875 a 2450.

OURENSE – ver Orense.

OVIEDO 33000 🅿 Asturias 四四① B 12 – 190 123 h. alt. 236 – ❸ 98.

Ver : Catedral★ (retablo mayor★, Cámara Santa : estatuas-columnas★★, tesoro★★) BYZ – Antiguo Hospital del Principado (escudo★) AY P.

Alred. : Santuarios del Monte Naranco★ (Santa María del Naranco★★, San Miguel de Lillo★ : ambas★★) NO : 4 km por av. de los Monumentos AY.

Excurs. : Iglesia de Santa Cristina de Lena★ ≤★ 34 km ② – Teverga ≤★ de Peñas Juntas, desfiladero de Teverga★ 43 km ③.

🏌 Club Deportivo La Barganiza : 12 km 🖉 525 63 61 (ext. 54).

✈ de Asturias por ① : 47 km 🖉 554 77 33 – Iberia : Uría 21 (AY), ✉ 33003, 🖉 523 24 00.

🛈 pl. Alfonso-II El Casto 6, ✉ 33003, 🖉 521 33 85 – R.A.C.E. pl. Congoría Carbajal 3, ✉ 33004, 🖉 522 31 06.

◆Madrid 445 ② – ◆Bilbao/Bilbo 306 ① – ◆La Coruña/A Coruña 326 ③ – Gijón 29 ① – ◆León 121 ② – ◆Santander 203 ②.

Plano página siguiente

🏨 **De la Reconquista,** Gil de Jaz 16, ✉ 33004, 🖉 524 11 00, Telex 84328, Fax 524 11 66, « Lujosa instalación en un magnífico edificio del siglo XVIII » – |≇| 🗐 🖾 🕿 ⬛
🏋 25/800. 🖭 ⓞ 🖪 𝘝𝘐𝘚𝘈. ⋘
Com carta 5000 a 5800 – 🖵 1700 – **131 hab** 19500/24400, 11 suites.
AY P

🏨 **G. H. España** sin rest, Jovellanos 2, ✉ 33003, 🖉 522 05 96, Fax 522 05 96 – |≇| 🗐 🖾 🕿
⬛ – 🏋 25/200. 🖭 ⓞ 🖪 𝘝𝘐𝘚𝘈. ⋘
🖵 750 – **86 hab** 11700/15800, 3 suites.
BY m

🏨 **Regente** sin rest, Jovellanos 31, ✉ 33003, 🖉 522 23 43, Fax 522 93 31 – |≇| 🖾 🕿 ⬛
🅿 – 🏋 25/140. ⋘
🖵 750 – **126 hab** 8900/12500.
BY a

🏨 **Principado,** San Francisco 6, ✉ 33003, 🖉 521 77 92, Telex 84026, Fax 521 39 46 – |≇|
🗐 rest 🖾 🕿 – 🏋 25/200. 🖭 ⓞ 🖪 𝘝𝘐𝘚𝘈. ⋘
Com 2100 – 🖵 950 – **62 hab** 9000/12200, 4 suites – PA 4375.
AZ e

🏨 **Clarín** sin rest. con cafetería, Caveda 23, ✉ 33002, 🖉 522 72 72, Fax 522 80 18 – |≇| 🖾
🅿 – 🏋 25/60. 🖭 𝘝𝘐𝘚𝘈. ⋘
🖵 700 – **47 hab** 8000/11200.
AY b

🏨 **Ramiro I** sin rest, con cafetería, av. Calvo Sotelo 13, ✉ 33007, 🖉 523 28 50, Telex 84042, Fax 523 63 29 – |≇| 🖾 🕿 ⬛ – 🏋 25/30. 🖭 ⓞ 🖪 𝘝𝘐𝘚𝘈. 𝘑𝘊𝘉. ⋘
83 hab 🖵 8775/12575.
AZ a

343

OVIEDO

🏨 **La Gruta,** alto de Buenavista, ⊠ 33006, 𝒫 523 24 50, Fax 525 31 41, ≼, Vivero propio
🛗 🗐 📺 ☎ 🅿 – 🔬 25/600. 🆎 ⓞ 🗉 𝘝𝘐𝘚𝘈. ⬧   por ④
Com carta 3500 a 4600 – ⇌ 750 – **101 hab** 7000/10900, 4 suites.

🏨 **La Jirafa** sin rest, Pelayo 6, ⊠ 33002, 𝒫 522 22 44, Telex 89951, Fax 522 50 48, ≼ – 🛗
📺 ☎ – 🔬 25/30. 🆎 ⓞ 🗉 𝘝𝘐𝘚𝘈. ⬧   AY
⇌ 650 – **84 hab** 8350/11970, 5 suites.

🏨 **Favila** sin rest., Uría 37, ⊠ 33003, 𝒫 525 38 77, Fax 527 61 69 – 🛗 📺 ☎. 🆎 🗉 𝘝𝘐𝘚𝘈
⬧   AY
⇌ 500 – **24 hab** 6000/7400.

🍴🍴🍴 **Del Arco,** pl. de América, ⊠ 33005, 𝒫 525 55 22, Fax 527 58 79 – 🗐. 🆎 ⓞ 𝘝𝘐𝘚𝘈. ⬧
cerrado domingo y agosto – Com carta 3650 a 5650.   AZ

🍴🍴🍴 ❀ **Casa Fermín,** San Francisco 8, ⊠ 33003, 𝒫 521 64 52, Fax 522 92 12 – 🗐. 🆎 ⓞ 🗉
𝘝𝘐𝘚𝘈. ⬧   AZ
cerrado domingo noche – Com carta 3700 a 4850
Espec. Fabes con almejas y frutos de mar, Merluza a la sidra, Tornedó Rossini al nido (octubre-
marzo).

🍴🍴 **Marchica,** Dr Casal 10, ⊠ 33004, 𝒫 521 30 27, Fax 521 26 99 – 🗐. 🆎 ⓞ 🗉 𝘝𝘐𝘚𝘈. ⬧
Com carta 4600 a 5900.   AY

🍴🍴 **Casa Lobato,** av. de los Monumentos 67, ⊠ 33012, 𝒫 529 77 45, Fax 511 18 25, ≼, 🖤
– 🅿. 🆎 ⓞ 🗉 𝘝𝘐𝘚𝘈. ⬧   hacia Monte Naranco AY
cerrado martes y noviembre – Com carta 3220 a 3820.

🍴🍴 **Casa Conrado,** Argüelles 1, ⊠ 33003, 𝒫 522 39 19, Fax 521 26 09 – 🗐. 🆎 ⓞ 🗉 𝘝𝘐𝘚𝘈 𝘑𝘊𝘉
⬧   BY
cerrado domingo y agosto – Com carta 3200 a 5275.

🍴🍴 **Peñarronda,** Valentín Masip 15, ⊠ 33013, 𝒫 523 18 42 – 🗐. 🆎 ⓞ 🗉 𝘝𝘐𝘚𝘈. ⬧ AZ
cerrado lunes y agosto – Com carta aprox. 3800.

XX **La Goleta,** Covadonga 32, ✉ 33002, ℰ 522 07 73, Fax 521 26 09 – ▤. ▣ ⓞ ▤ 𝗩𝗜𝗦𝗔 𝗝𝗖𝗕. ⚞
cerrado domingo y julio – Com carta 3175 a 5075. AY **b**

XX **Pelayo,** Pelayo 15, ✉ 33003, ℰ 521 26 52 – ▤. ▣ ⓞ ▤ 𝗩𝗜𝗦𝗔. ⚞
cerrado domingo – Com carta 2700 a 4800. AY **v**

XX **Logos,** San Francisco 10, ✉ 33003, ℰ 521 20 70 – ▤. ▣ ⓞ ▤ 𝗩𝗜𝗦𝗔. ⚞ AZ **c**
cerrado domingo, julio y agosto – Com carta 3050 a 4600.

X **La Querencia,** av. del Cristo 29, ✉ 33006, ℰ 525 73 70, Carnes a la brasa – ▤. ▣ ▤ 𝗩𝗜𝗦𝗔. ⚞ AZ **f**
cerrado agosto – Com carta 2700 a 4500.

X **El Raitán,** pl. de Trascorrales 6, ✉ 33009, ℰ 521 42 18, Fax 522 83 21, Cocina regional, « Decoración rústica regional » – ▤. ▣ ⓞ ▤ 𝗩𝗜𝗦𝗔. ⚞ BZ **a**
cerrado en verano – Com carta aprox. 3500.

X **Cabo Peñas,** Melquíades Álvarez 24, ✉ 33002, ℰ 522 03 20, Rest. típico – ▤. ▣ ⓞ ▤ 𝗩𝗜𝗦𝗔. ⚞ AY **r**
Com carta 2600 a 4300.

X **La Campana,** San Bernabé 7, ✉ 33002, ℰ 522 49 32 – ⚞ AY **t**
cerrado domingo y agosto – Com carta 1950 a 2950.

en la carretera N 634 por Tenderina Alta BY – ✉ 33010 Oviedo – ✪ 98 :

🏨 **Las Lomas,** ℰ 528 22 61, Fax 529 96 95 – ⧖ ▣ ☎ ❷ – 🔏 25/300. ▣ ⓞ ▤ 𝗩𝗜𝗦𝗔. ⚞
Com 1500 – ⚌ 600 – **102 hab** 8400/11100.

OYARZUN u **OIARTZUN** 20180 Guipúzcoa 🔢🔢 C 24 – 7 664 h. alt. 81 – ✪ 943.

♦Madrid 481 – ♦Bayonne 42 – ♦Pamplona/Iruñea 98 – ♦San Sebastián/Donostia 13.

XXX ✪✪ **Zuberoa,** barrio Iturrioz 8 ℰ 49 12 28, Fax 47 16 08, ⚞, Caserío vasco, « Bonita terraza con plantas y ≼ » – ▤ ❷. ▣ ⓞ ▤ 𝗩𝗜𝗦𝗔. ⚞
cerrado domingo noche, lunes, del 1 al 15 de enero, 25 mayo-7 junio y del 15 al 31 de octubre – Com carta 4950 a 6350
Espec. Ensalada de cigalitas, mollejas y manitas de cerdo, Rissoto de pichón con pasas al Armagnac, Mousse de limón con compota de frutas templada.

XX ✪ **Matteo,** barrio Ugaldetxo 11 ℰ 49 11 94 – ▤. ▣ ⓞ ▤ 𝗩𝗜𝗦𝗔 𝗝𝗖𝗕. ⚞
cerrado domingo noche, lunes, Semana Santa y Navidades – Com carta 3550 a 4750
Espec. Ensalada de bogavante sobre fondo de verduritas y aguacate, Lomos de rodaballo al horno, Degustación de pato.

X **Albistur,** pl. Martintxo 38-barrio de Alcibar ℰ 49 07 11, ⚞ – ⓞ ▤ 𝗩𝗜𝗦𝗔. ⚞
cerrado domingo noche, martes y del 15 al 30 de junio – Com carta aprox. 4900.

en la carretera de Irún NE : 2 km – ✉ 20180 Oyarzun – ✪ 943 :

XXX Gurutze-Berri ⚞ con hab, ℰ 49 06 25, Fax 49 37 23 – ▤ rest ☎ ❷
18 hab.

OYEREGUI u **OIEREGUI** 31720 Navarra 🔢🔢 C 25 – ✪ 948.
Alred. : NO : Valle del Bidasoa★.

♦Madrid 449 – ♦Bayonne 68 – ♦Pamplona/Iruñea 50.

🏨 **Mugaire,** ℰ 59 20 50, Fax 59 20 50 – ▤ rest ☎ ❷. ▣ ⓞ ▤ 𝗩𝗜𝗦𝗔. ⚞
Com *(cerrado martes de octubre a marzo)* 2500 – ⚌ 450 – **14 hab** 4000/6500 – PA 4800.

OYÓN 01320 Álava 🔢🔢 E 22 – 2 250 h. alt. 440 – ✪ 941.

♦Madrid 339 – ♦Logroño 4 – ♦Pamplona/Iruñea 90 – ♦Vitoria/Gasteiz 89.

🏨 **Felipe IV,** av. Navarra 28 ℰ 11 00 56, Fax 11 04 00, ⌇ – ▣ ☎ ⇔ ❷. ▤ 𝗩𝗜𝗦𝗔. ⚞
cerrado del 1 al 9 de enero y del 10 al 31 de diciembre – Com 2500 – ⚌ 500 – **30 hab** 4500/8000 – PA 4500.

XX **Mesón la Cueva,** Concepción 15 ℰ 11 00 22, « Instalado en una antigua bodega » – ▤. ▤ 𝗩𝗜𝗦𝗔. ⚞
cerrado lunes – Com carta 1900 a 2950.

PADRÓN 15900 La Coruña 🔢🔢 D 4 – 9 796 h. – ✪ 981.
Excurs. : Mirador del Curota★★★ SO : 39 km.

♦Madrid 634 – ♦La Coruña/A Coruña 94 – Orense/Ourense 135 – Pontevedra 37 – Santiago de Compostela 20.

XX **Chef Rivera** con hab, enlace Parque 7 ℰ 81 04 13 – ⧖ ▤ rest ☎ ⇔. ▣ ⓞ ▤ 𝗩𝗜𝗦𝗔. ⚞
Com *(cerrado domingo noche en invierno)* carta 2700 a 4400 – ⚌ 500 – **20 hab** 4850.

en la carretera N 550 N : 2 km – ✉ 15900 Padrón – ✪ 981 :

🏨 **Scala,** ℰ 81 13 12, Fax 81 15 00, ≼ – ❷. ▤ 𝗩𝗜𝗦𝗔. ⚞
Com 1300 – ⚌ 275 – **150 hab** 5000/8000 – PA 2780.

Baleares – ver Baleares (Mallorca).

PAJARES (Puerto de) 33693 Asturias **441** C 12 alt. 1 364 – **☺** 98 – Deportes de invierno :
✠ 13.

Ver : Puerto★★ – Carretera del puerto★★.

◆Madrid 378 – ◆León 59 – ◆Oviedo 59.

🏠 **Puerto de Pajares,** carret. N 630 🖉 595 70 23, Fax 595 70 23, ≤ valle y montañas – **☎**
🅿 – **🏄** 25/80. **🆎 🈁 📼**. **🌮**
Com 1200 – 🖵 350 – **34 hab** 4900/7300 – PA 2300.

Los PALACIOS Y VILLAFRANCA 41720 Sevilla **446** U 12 – 24 349 h. alt. 12 – **☺** 95.

◆Madrid 551 – ◆Cádiz 95 – ◆Sevilla 29 – Utrera 15.

🏠 Al-Andalus sin rest, av. de Cádiz 71 🖉 581 00 24 – **▮📲 🈁 📺 ☎**
17 hab.

PALAFRUGELL 17200 Gerona **443** G 39 – 15 030 h. alt. 87 – **☺** 972 – Playas : Calella, Llafranch
y Tamariu.

Alred. : Cap Roig : jardín botá-
nico★ : ≤★★ SE : 5 km.

🚩 Carrilet 2 🖉 30 02 28, ✉
17200, Fax 61 12 61.

◆Madrid 736 ② – ◆Barcelona 123
② – Gerona/Girona 39 ① – Port-Bou
108 ①.

XX **La Xicra,** Estret 17
🖉 30 56 30 – 🍴. **🆎 ①**
🈁 📼. **🌮**   **e**
cerrado miércoles y
noviembre – Com carta
3200 a 4700.

X **La Casona,** paraje La
Sauleda 4 🖉 30 36 61 –
🍴 **🅿**. **🆎 🈁 📼**.
🌮   **c**
cerrado domingo
noche, lunes y noviem-
bre-15 diciembre – Com
carta 1825 a 3000.

X **Reig,** Torres Jonama 53
🖉 30 07 95 – 🍴   **a**
cerrado domingo noche
en invierno – Com carta
2175 a 4095.

Ver también : *Llofriu* por
① : 2,5 km
Montràs por ② : 2 km
Calella de Palafrugell
SE : 3,5 km
Llafranch SE : 3,5 km
Tamariu E : 4,5 km

CAP ROIG, LLAFRANC, CALELLA

☞ *When in a hurry use the Michelin Main Road Maps :*

970 Europe, **980** Greece, **984** Germany, **985** Scandinavia-Finland,
986 Great Britain and Ireland, **987** Germany-Austria-Benelux, **988** Italy,
989 France, **990** Spain-Portugal *and* **991** Yugoslavia.

PALAMÓS 17230 Gerona **443** G 39 – 12 178 h. – **☺** 972 – Playa.

🚩 passeig del Mar, 🖉 31 43 90, ✉ 17230, Fax 31 43 90.

◆Madrid 726 – ◆Barcelona 109 – Gerona/Girona 49.

🏨 **Trias,** passeig del Mar 🖉 60 18 00, Fax 60 18 19, ≤, **⌇** – **▮📲 🍴** rest **☎ 🚗 🅿. 🆎 ① 🈁**
📼. **🌮** rest
abril-2 octubre – Com 3200 – 🖵 850 – **70 hab** 7500/16000.

🏨 **Marina,** av. 11 de Setembre 48 🖉 31 42 50, Telex 57077, Fax 60 00 24 – **▮📲 🍴** rest **☎. 🆎**
① 🈁 📼. **🌮** rest
Com *(cerrado del 24 al 31 de diciembre)* 1275 – 🖵 525 – **62 hab** 5750/7350.

🏨 Vostra Llar, av. President Macià 12 🖉 31 42 62, Fax 31 43 07, **🍱** – **▮📲 🍴** rest
temp. – **45 hab.**

XXX **Port Reial,** passeig del Mar 8 ☞ 31 85 99, 🛳 – ▤. 🖭 ⓞ 🕒 *VISA*
cerrado domingo noche, lunes y 7 enero-7 febrero – Com carta 3175 a 5300.

XX **La Cuineta,** Adrián Álvarez 111 ☞ 31 40 01 – ▤. 🖭 ⓞ 🕒 *VISA* 🖭 ✇
15 junio-15 septiembre – Com carta 3825 a 6150.

XX **La Gamba,** pl. Sant Pere 1 ☞ 31 46 33, Fax 31 85 26, 🛳, Pescados y mariscos – ▤. 🖭
ⓞ 🕒 *VISA*
cerrado miércoles mediodía en verano, miércoles resto del año y noviembre – Com carta
aprox. 4400.

XX **Plaça Murada,** pl. Murada 5 ☞ 31 53 76, ≤ – ▤. 🖭 ⓞ 🕒 *VISA*
cerrado martes (octubre-15 junio) y noviembre – Com carta 2700 a 3400.

X **La Menta,** Tauler i Servià 1 ☞ 31 47 09 – ▤. 🖭 ⓞ 🕒 *VISA* ✇
cerrado miércoles y noviembre – Com carta 2900 a 4300.

X **María de Cadaqués,** Notaries 39 ☞ 31 40 09, Pescados y mariscos – ▤. 🖭 ⓞ 🕒 *VISA*
cerrado lunes, domingo noche (invierno) y 15 diciembre-1 enero – Com carta 3050 a 4600.

X **L'Art,** passeig del Mar 7 ☞ 31 55 32 – ▤. 🖭 ⓞ 🕒 *VISA*
cerrado jueves noche, domingo noche y enero – Com carta 2950 a 5450.

en La Fosca NE : 2 km – ✆ 972 :

🏨 **Áncora** ⏣, Josep Plá, ✉ 17230 apartado 242 Palamós, ☞ 31 48 58, Fax 60 24 70, ≤, ⏚,
✇ – ▤ rest ☎ ⓟ. 🖭 🕒 *VISA* ✇ rest
cerrado enero – Com 2250 – ⏥ 650 – **44 hab** 5800/8100.

en Plà de Vall-Llobregà - carretera de Palafrugell C 255 N : 3,5 km – ✉ 17253 Vall
Llobregà – ✆ 972 :

XX **Mas dels Arcs,** ✉ 17230 apartado 115 Palamós, ☞ 31 51 35, Fax 60 01 12 – ▤ ⓟ. 🕒 *VISA* ✇
cerrado jueves (salvo junio-septiembre) y 10 enero-22 febrero – Com carta aprox. 3350.

PALAU SAVERDERA 17495 Gerona 🖽🖽🖽 F 39 – 666 h. – ✆ 972.
✦Madrid 763 - Figueras/Figueres 17 - Gerona/Girona 56.

X **Terra Nostra,** San Onofre 12 ☞ 53 03 04, ≤, 🛳 – ⓟ. 🖭 🕒 *VISA* ✇
cerrado domingo noche y lunes en invierno, lunes mediodía en verano, enero y febrero
– Com carta 1670 a 2920.

en la carretera de Castelló d'Empuries SO : 3 km – ✉ 17495 Palau Saverdera – ✆ 972 :

X **Aiguamolls,** Veïnat les Torroelles ☞ 55 20 63, 🛳 – ▤ ⓟ. 🖭 🕒 *VISA*
cerrado lunes salvo festivos y del 15 a 30 de enero – Com carta 2700 a 3270.

PALENCIA 34000 ℗ 🖽🖽🖽 F 16 – 79 080 h. alt. 781 – ✆ 979.
Ver : Catedral✶✶ (interior✶✶ : tríptico✶, Museo✶ : tapices✶).
Alred. : Baños de Cerrato (Basílica de San Juan Bautista✶) 14 km por ②.
🖪 Mayor 105, ✉ 34001, ☞ 74 00 68 – R.A.C.E. av. Casado del Alisal 25, ✉ 34001, ☞ 74 69 50.
✦Madrid 235 ② - ✦Burgos 88 ② - ✦León 128 ③ - ✦Santander 203 ① - ✦Valladolid 47 ②.

Plano página siguiente

🏨 Rey Sancho, av. Ponce de León, ✉ 34005, ☞ 72 53 00, Fax 71 03 34, 🛳, ⏚, ✇ – 🛗 ▤ rest
📺 ☎ ⟵ ⓟ – 🕭 25/300   a
100 hab.

🏨 Castilla Vieja, av. Casado del Alisal 26, ✉ 34001, ☞ 74 90 44, Fax 74 75 77 – 🛗 ▤ rest
📺 ☎ ⟵ – 🕭 25/250. 🖭 ⓞ 🕒 *VISA* ✇ rest   x
Com 1800 – ⏥ 700 – **87 hab** 6800/9500.

🏨 Monclús sin rest, Menéndez Pelayo 3, ✉ 34001, ☞ 74 43 00, Fax 74 43 00 – 🛗 📺 ☎. 🖭
ⓞ 🕒 *VISA* 🖭   c
⏥ 350 – **40 hab** 3600/5800.

🏨 Colón 27 sin rest y sin ⏥, Colón 27, ✉ 34002, ☞ 74 07 00 – 🛗 📺 ☎. 🕒 *VISA*   f
22 hab 4100/6000.

🏨 Ávila sin rest, Conde Vallellano 5, ✉ 34002, ☞ 71 19 10, Fax 71 19 10 – 📺 ☎ ⟵. 🖭
VISA. ✇   n
⏥ 400 – **20 hab** 3600/5700.

XX La Fragata, Pedro Fernández del Pulgar 6, ✉ 34005, ☞ 75 01 29 – ▤. 🖭 ⓞ 🕒 *VISA* 🖭 ✇   u
cerrado domingo noche y del 1 al 15 de agosto – Com carta aprox. 4100.

XX Lorenzo, av. Casado del Alisal 6, ✉ 34001, ☞ 74 35 45 – ▤. 🖭 ⓞ 🕒 *VISA*. ✇   h
cerrado domingo y 7 septiembre-7 octubre – Com carta 3000 a 3700.

XX Isabel, Valentín Calderón 6, ✉ 34001, ☞ 74 99 98 – ▤. 🖭 🕒 *VISA*. ✇   b
cerrado lunes noche y 1ª quincena julio – Com carta aprox. 2675.

X Casa Damián, Martínez de Azcoitia 9, ✉ 34001, ☞ 74 46 28 – ▤. 🖭 ⓞ 🕒 *VISA*. ✇ rest   r
cerrado lunes y 25 julio-27 agosto – Com carta 3800 a 4600.

X José Luis, Pedro Fernández del Pulgar 11, ✉ 34005, ☞ 74 15 10 – ▤   u
Ver también : *Magaz* por ② : 10km.

PALENCIA

Mayor
Mayor (Pl.) 24

Asturias (Av. de) 2
Barrio y Mier 3
Cardenal Almaraz 4
Cardenal Cisneros (Av.) . . 5
Cervantes (Pl.) 8
Don Sancho 10
Eduardo Dato 14
España (Pl. de) 15
General Franco 16
Ignacio Martínez
de Azcoitia 20
Jorge Manrique 21
José Antonio Primo
de Rivera (Av.) 22
Mayor (Puente) 26
Miguel Primo
de Rivera (Av.) 27
Padre Faustino
Calvo (Pas. del) 28
República Argentina (Av.) . 32
Salvino Sierra 33
San Marcos 34
Santander (Av. de) 38

Los nombres de las principales calles comerciales figuran en rojo al principio del indice de calles de los planos de ciudades.

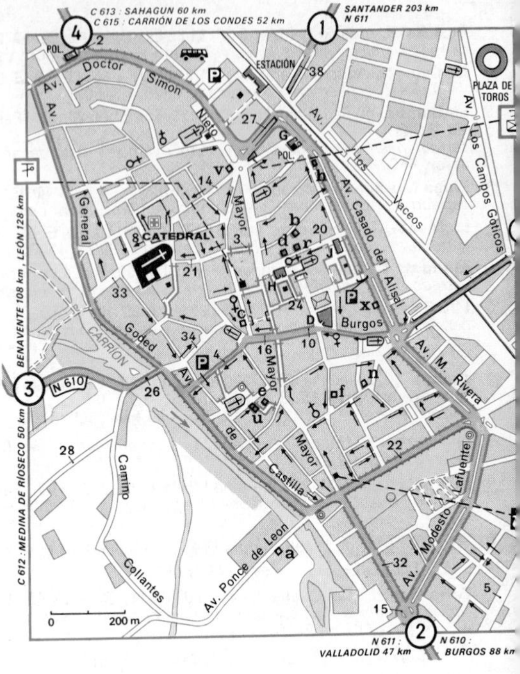

La PALMA Santa Cruz de Tenerife – ver Canarias.

PALMA DEL RÍO **14700** Córdoba 446 S 14 – 18 854 h. – ☎ 957.

♦Madrid 462 – ♦Córdoba 55 – ♦Sevilla 92.

XX **Hospedería de San Francisco** con hab, av. Pío XII-35 ☎ 71 01 83, Fax 71 01 83, Antiguo convento – ▤ TV ☎ ⇐. E VISA
Com *(cerrado domingo y agosto)* carta aprox. 2650 – ☕ 350 – **17 hab** 6000/8000.

PALMA DE MALLORCA Baleares – ver Baleares (Mallorca).

PALMA NOVA Baleares – ver Baleares (Mallorca).

El PALMAR **46012** Valencia 445 O 29 – ☎ 96.

♦Madrid 368 – Gandía 48 – ♦Valencia 20.

X Racó de L'Olla, carret. de El Saler N : 1,5 km ☎ 161 00 72, Fax 162 70 68, ≤, 佘, « En un paraje verde junto a la Albufera » – ▤ P
Com (sólo almuerzo salvo en julio-agosto).

Las PALMAS DE GRAN CANARIA Las Palmas – ver Canarias (Gran Canaria).

PALMONES (Playa de) Cádiz – ver Algeciras.

El PALO (Playa de) Málaga – ver Málaga.

PALOS DE LA FRONTERA **21810** Huelva 446 U 9 – 7 330 h. alt. 26 – ☎ 959.

♦ Madrid 623 – ♦ Huelva 12 – ♦ Sevilla 93.

🏨 **La Pinta,** Rábida 79 ☎ 35 05 11, Fax 53 01 64 – ▤ TV ☎. AE ⓓ E VISA. ✻
Com 1400 – ☕ 150 – **30 hab** 6000/10000 – PA 2300.

ALS 17256 Gerona 443 G 39 – 1 722 h. – ✪ 972.

r : Pueblo medieval★.

de Pals ✆ 63 60 06.

Aniceta Figueras 11, ✉ 17256, ✆ 63 61 61, Fax 66 75 18.

Madrid 744 – Gerona/Girona 41 – Palafrugell 8.

XX **Alfred,** La Font 7 ✆ 63 62 74 – 🍴 **ℙ.** 🆎 **E** 𝑉𝐼𝑆𝐴. ✻
cerrado domingo noche y lunes (salvo en verano) y 15 octubre-15 noviembre – Com carta 2075 a 3050.

en la playa – ✉ 17256 Pals – ✪ 972 :

🏨 **Sa Punta** ⑤, E : 6 km ✆ 66 73 76, Fax 66 73 15, « 🏊 con terrazas ajardinadas » – 🛗 🍴
📺 ☎ ⇐ **ℙ** – 🕭 25/60. 🆎 ① **E** 𝑉𝐼𝑆𝐴. ✻ rest
Com (ver a continuación rest. **Sa Punta**) – 🖙 1000 – **11 hab** 14000/18000, 1 suite.

🏨 **La Costa** ⑤, E : 8 km ✆ 66 77 40, Fax 66 77 36, ≤, 🈂, « Gran 🏊 junto a un pinar », 🎇,
✻, ⌕₁₈ – 🛗 🍴 📺 ☎ ❀ ⇐ **ℙ** – 🕭 25/70. 🆎 ① **E** 𝑉𝐼𝑆𝐴. ✻
15 febrero-15 noviembre – Com carta 2850 a 3725 – 🖙 1200 – **120 hab** 14000/17000.

XX ✿ **Sa Punta,** E : 6 km ✆ 66 73 76, Fax 66 73 15 – 🍴 **ℙ.** 🆎 ① **E** 𝑉𝐼𝑆𝐴 𝐽𝐶𝐵. ✻
Com carta 3650 a 5600
Espec. Ensalada del huerto con colitas de gambas y vinagreta de lentejas, Merluza al vapor con juliana de verduras, Frutas rojas con salsa sabayón gratinadas.

ALLEJÀ 08780 Barcelona 443 H 35 – 5 728 h. – ✪ 93.

Madrid 606 – ◆Barcelona 20 – Manresa 48 – Tarragona 89.

XX **Pallejà Paradis,** av. Prat de la Riba 119 ✆ 668 15 02, Fax 668 18 00, Decoración rústica
en una antigua casa señorial – 🍴 **ℙ.** 🆎 ① **E** 𝑉𝐼𝑆𝐴. ✻
Com carta 2975 a 4250.

AMPLONA o **IRUÑEA** 31000 ℙ Navarra 442 D 25 – 183 126 h. alt. 415 – ✪ 948.

r : Catedral★ (sepulcro★, claustro★) BY – Museo de Navarra★ (mosaicos★, capiteles★, pinturas urales★, arqueta hispano-árabe★) AY **M**.

de Ulzama por ① : 21 km ✆ 30 51 62.

✈ de Pamplona por ② : 7 km ✆ 31 75 51 – Aviaco : aeropuerto ✉ 31003, ✆ 31 71 82.

Duque de Ahumada 3, ✉ 31002, ✆ 22 07 41, Fax 21 20 59 – **R.A.C.V.N.** av. Sancho el Fuerte 29,
🏛 31007, ✆ 26 65 62, Fax 17 68 83.

Madrid 385 ② – ◆Barcelona 471 ② – ◆Bayonne 118 ① – ◆Bilbao/Bilbo 157 ④ – ◆San Sebastián/Donostia 94 ① – ◆Zaragoza 169 ②.

Plano página siguiente

🏨 **Iruña Park H.,** ronda Ermitagaña, ✉ 31008, ✆ 17 32 00, Telex 37948, Fax 17 23 87 – 🛗
🍴 📺 ☎ ⇐ ❀ – 🕭 25/1000. 🆎 ① **E** 𝑉𝐼𝑆𝐴. ✻   por ③
Com 3000 – 🖙 1420 – **219 hab** 13600/17000, 6 suites.

🏨 **Tres Reyes,** jardines de la Taconera, ✉ 31001, ✆ 22 66 00, Telex 37720, Fax 22 29 30,
🎇, 🏊 climatizada – 🛗 🍴 📺 ☎ ⇐ **ℙ** – 🕭 25/400. 🆎 ① **E** 𝑉𝐼𝑆𝐴. ✻ rest   AY **x**
Com (cerrado domingo y 15 julio-31 agosto) 4000 – 🖙 1600 – **168 hab** 13500/17000 –
PA 9500.

🏨 **Blanca de Navarra,** Av. Pío XII 43, ✉ 31008, ✆ 17 10 10, Telex 37888, Fax 17 54 14 – 🛗
🍴 📺 ☎ ❀ – 🕭 25/400. 🆎 **E** 𝑉𝐼𝑆𝐴. ✻   por ③
Com 2600 – 🖙 1100 – **102 hab** 11300/14200 – PA 5350.

🏨 **NH Ciudad de Pamplona,** Iturrama 21, ✉ 31007, ✆ 26 60 11, Telex 37913, Fax 17 36 26
– 🛗 🍴 📺 ☎ ❀ – 🕭 25/80. 🆎 ① **E** 𝑉𝐼𝑆𝐴. ✻ rest   por Esquiroz AZ
Com carta 3200 a 4550 – 🖙 1050 – **117 hab** 24550/25600.

🏨 **Maisonnave,** Nueva 20, ✉ 31001, ✆ 22 26 00, Telex 37994, Fax 22 01 66 – 🛗 🍴 rest 📺
☎ ❀ – 🕭 25/60. 🆎 ① **E** 𝑉𝐼𝑆𝐴. ✻ rest   AY **e**
Com 1600 – 🖙 900 – **152 hab** 10300/12900.

🏨 Sancho Ramírez, Sancho Ramírez 11, ✉ 31008, ✆ 27 17 12, Fax 17 11 43 – 🛗 🍴 📺 ☎
❀ – 🕭 25/120   por ③
86 hab.

🏨 **Avenida y Rest. Leyre,** av. de Zaragoza 5, ✉ 31003, ✆ 24 54 54, Fax 23 23 23 – 🛗 🍴
📺 ☎. 🆎 ① **E** 𝑉𝐼𝑆𝐴 𝐽𝐶𝐵. ✻   BZ **a**
Com (cerrado domingo y del 1 al 15 de agosto) carta 3200 a 4350 – 🖙 900 – **24 hab**
8300/13500.

🏨 **Orhi** sin rest, Leyre 7, ✉ 31002, ✆ 22 85 00, Fax 22 83 18 – 🛗 📺 ☎. ① **E**
𝑉𝐼𝑆𝐴   BZ **c**
🖙 500 – **55 hab** 9240/13620.

🏨 **Yoldi** sin rest, con cafetería, av. San Ignacio 11, ✉ 31002, ✆ 22 48 00, Fax 21 20 45 – 🛗
📺 ☎ ❀. ① **E** 𝑉𝐼𝑆𝐴   BZ **p**
🖙 800 – **48 hab** 7000/11500.

🏨 **Eslava** ⑤ sin rest, pl. Virgen de la O-7, ✉ 31001, ✆ 22 22 70, Fax 22 51 57 – 🛗 📺 ☎.
🆎 ① **E** 𝑉𝐼𝑆𝐴. ✻   AY **m**
cerrado del 24 al 31 de diciembre – 🖙 500 – **28 hab** 4850/9850.

IRUÑEA PAMPLONA

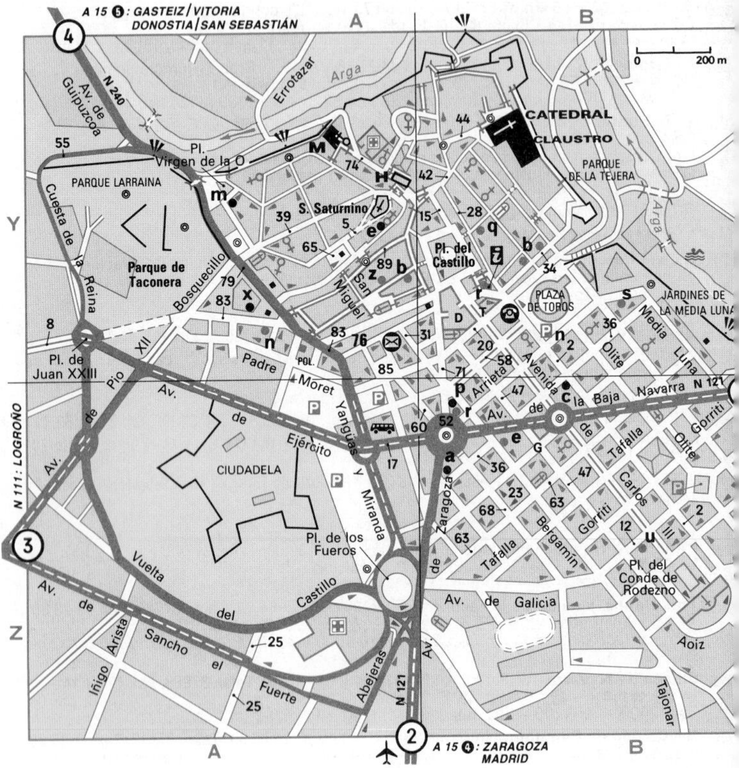

XXXX ✿ **Josetxo,** pl. Príncipe de Viana 1, ✉ 31002, ✆ 22 20 97, « Decoración elegante » – ▤ AE ① E VISA. ✗ BZ
cerrado domingo y agosto – Com carta 5750 a 7900
Espec. Pequeños pimientos rellenos de tartar de langostinos, Suprema de mero a la vinagre suave, Carré de costillitas de cordero lechal.

XXX **Rodero,** Arrieta 3, ✉ 31002, ✆ 22 80 35 – ▤. AE ① E VISA. ✗ BY
cerrado domingo y agosto – Com carta 4400 a 5200.

XXX ✿ **Europa** con hab, Espoz y Mina 11 - 1º, ✉ 31002, ✆ 22 18 00, Fax 22 92 35 – |♦| ▤ ☎. AE ① E VISA. ✗ BY
Com *(cerrado domingo)* carta 4225 a 6175 – ☕ 800 – **25 hab** 6900/12300
Espec. Carpaccio de rape y salmón con vinagreta de trufas, Lenguado relleno de cigalitas c crema de espárragos, Carré de cordero relleno de lechezuelas.

XXX **Alhambra,** Francisco Bergamín 7, ✉ 31003, ✆ 24 50 07 – ▤. AE ① E VISA. ✗ BZ
cerrado domingo – Com carta 3600 a 5900.

XXX ✿ **Hartza,** Juan de Labrit 19, ✉ 31001, ✆ 22 45 68 – ▤. AE ① E VISA BY
cerrado domingo noche, lunes, agosto y 10 días en Navidades – Com carta 5200 a 62
Espec. Yemitas de espárrago gratinadas, Besugo a la brasa con vinagre viejo, Canutil crujientes.

XX **Don Pablo,** Navas de Tolosa 19, ⊠ 31002, ℰ 22 52 99 – 🍽. 🖭 ⓞ 🗲 𝒱𝒾𝒮𝒜. ⋙   AY **n**
cerrado domingo noche y agosto – Com carta 3600 a 4900.

XX **La Chistera,** San Nicolás 40, ⊠ 31001, ℰ 21 05 12 – 🍽   AY **z**
Com carta 3800 a 4900.

XX **Otano,** San Nicolás 5 - 1º, ⊠ 31001, ℰ 22 70 36, Fax 21 20 12, Decoración regional – 🍽.
🖭 🗲 𝒱𝒾𝒮𝒜 𝒿𝒸ᴮ.   AY **b**
cerrado domingo noche y del 17 al 19 de julio – Com carta 3300 a 4200.

XX **Juan de Labrit,** Juan de Labrit 29, ⊠ 31001, ℰ 22 90 92 – 🍽. 🖭 ⓞ 🗲 𝒱𝒾𝒮𝒜. ⋙ BY **b**
cerrado domingo noche y agosto – Com carta 3100 a 4450.

X Shanti, Castillo de Maya 39, ⊠ 31003, ℰ 23 10 04 – 🍽   BZ **u**

X **Casa Eugenio,** Amaya 3, ⊠ 31002, ℰ 21 13 34 – 🍽. 🗲 𝒱𝒾𝒮𝒜. ⋙   BY **n**
Com carta 2475 a 3050.

X **Castillo de Javier,** bajada de Javier 2 -1º, ⊠ 31001, ℰ 22 18 94 – 🍽. 🖭 ⓞ 🗲 𝒱𝒾𝒮𝒜 𝒿𝒸ᴮ.
⋙   BY **q**
cerrado lunes noche salvo julio y agosto – Com carta 2675 a 3200.

a PANADELLA 08289 Barcelona 👪👪👪 H 34 – ✪ 93.
Madrid 539 – ✦Barcelona 90 – ✦Lérida/Lleida 70.

🏠 **Bayona,** carret. N II, ⊠ 08289 Montmaneu, ℰ 809 20 11, Fax 809 21 75 – 🍽 rest 📞 ⓟ.
🖭 ⓞ 🗲 𝒱𝒾𝒮𝒜. ⋙
Com 1300 – ⊊ 525 – **64 hab** 3200/5500 – PA 3125.

ANCORBO 09280 Burgos 👪👪👪 E 20 – 728 h. alt. 635 – ✪ 947.
Madrid 308 – ✦Bilbao/Bilbo 99 – ✦Burgos 65 – ✦Vitoria/Gasteiz 49.

🏠 **Pancorbo,** carret. N I ℰ 35 40 00, Fax 35 42 90 – 📞 ⟿ ⓟ. 🖭 𝒱𝒾𝒮𝒜
Com 1600 – ⊊ 450 – **30 hab** 3200/4800 – PA 3000.

ANES 33570 Asturias 👪👪👪 C 16 – alt. 50 – ✪ 98.
red.: Desfiladero de la Hermida★★ SO : 12 km – O : Gargantas del Cares★★ : carretera de
ancebos (desfiladero★).
Mayor ℰ 541 42 97.
Madrid 427 – ✦Oviedo 128 – ✦Santander 89.

🏠 Tres Palacios, Mayor ℰ 541 40 32 – 🛗 ⓟ
28 hab.

X **Covadonga** con hab, Virgilio Linares ℰ 541 40 35, 🏤 – 📞. 𝒱𝒾𝒮𝒜. ⋙
Com carta 2350 a 3200 – ⊊ 300 – **10 hab** 3000/5000.

en la carretera de Cangas de Onís – ✪ 98 :

🔶 **La Molinuca,** O : 6 km, ⊠ 33570 Panes, ℰ 541 40 30, ≼, 🏤 – ⓟ. 🗲 𝒱𝒾𝒮𝒜. ⋙
Com 1500 – ⊊ 400 – **18 hab** 5000/7000 – PA 3400.

X **Casa Julián** con hab, O : 9 km, ⊠ 33578 Llonin, ℰ 541 41 79, ≼ – ⓟ. 🖭 ⓞ 🗲 𝒱𝒾𝒮𝒜 ⋙
marzo-septiembre – Com carta 2800 a 5300 – ⊊ 500 – **4 hab** 4000/6000.

en Alles, por la carretera de Cangas de Onís O : 10,5 km – ⊠ 33578 Alles – ✪ 98 :

🏠 **La Tahona de Besnes** 🦫, ℰ 541 42 49, Fax 541 44 72, « Rústico regional » – 📺 📞. 🗲
𝒱𝒾𝒮𝒜.
Com 1500 – ⊊ 575 – **19 hab** 5760/7200 – PA 3575.

PANTICOSA 22661 Huesca 👪👪👪 D 29 – 749 h. alt. 1 185 – ✪ 974 – Balneario – Deportes de
vierno : ⋤ 17.
red.: Balneario de Panticosa★ – N : Garganta del Escalar★★.
Madrid 481 – Huesca 86.

🏠 **Sabocos** 🦫, acceso Telesilla ℰ 48 75 11, Fax 48 74 17, ≼ – 🛗 📺 📞 ⓟ. 🗲 𝒱𝒾𝒮𝒜. ⋙
Com 1400 – ⊊ 550 – **18 hab** 3300/5500 – PA 2847.

🏠 **Escalar** 🦫, La Cruz ℰ 48 70 08, Fax 48 70 03, ≼, 🏊 climatizada – 📺 📞 ⟿. 🖭. ⋙
diciembre-20 abril y 20 junio-septiembre – Com 1200 – ⊊ 400 – **32 hab** 5000 – PA 2200.

🏠 **Arruebo** 🦫, La Cruz 8 ℰ 48 70 52, ≼ – 📺 📞. 🗲 𝒱𝒾𝒮𝒜. ⋙
Com *(cerrado noviembre)* 1500 – ⊊ 500 – **18 hab** 4000/6000 – PA 2800.

🏠 **Morlans** 🦫, San Miguel ℰ 48 70 57, Fax 48 73 86 – 🍽 rest 📞 ⓟ. 🖭 𝒱𝒾𝒮𝒜. ⋙
cerrado mayo-20 junio y 15 octubre-noviembre – Com *(cerrado lunes)* 1300 – ⊊ 500 –
25 hab 3500/5000 – PA 2900.

🏠 **Panticosa** 🦫, La Cruz ℰ 48 70 00 – ⓟ. ⋙
20 diciembre-abril y julio-15 septiembre – Com 1200 – ⊊ 400 – **30 hab** 3600/5000 –
PA 2200.

🏠 **Valle de Tena** 🦫, La Cruz ℰ 48 70 73, Fax 48 70 92 – ⓟ. 🗲 𝒱𝒾𝒮𝒜. ⋙
cerrado primavera y otoño – Com 1200 – ⊊ 400 – **28 hab** 3600/5000.

PARAÍSO (Playa del) Santa Cruz de Tenerife - ver Canarias (Tenerife) : Adeje.

El PARDO **28048** Madrid 444 K 18 - ☎ 91.
Ver : Palacio Real★ - Convento de Capuchinos : Cristo yacente★.
♦Madrid 13 - ♦Segovia 93.

- ✗ **Pedro's,** av. de La Guardia ℘ 376 08 83, 🏖 - ▤. AE E VISA. ✗
  Com carta aprox.3300.
- ✗ Menéndez, av. de La Guardia 25 ℘ 376 15 56, 🏖 - ▤.
- ✗ **La Marquesita,** av. de La Guardia 29 ℘ 376 19 15, 🏖 - ▤. AE ⓞ E VISA. ✗
  Com carta 2975 a 5025.

PAREDES Pontevedra - ver Vilaboa.

PARETS o **PARETS DEL VALLÈS** **08150** Barcelona 443 H 36 - 8 745 h. alt. 94 - ☎ 93
♦Madrid 637 - ♦Barcelona 26 - Gerona/Girona 81 - Manresa 64.

- ✗✗ **El Jardí,** Major 1 ℘ 573 02 97, 🏖, « Terraza » - ▤. AE ⓞ E VISA. ✗
  cerrado martes, Semana Santa y agosto - Com carta 3100 a 4900.

PASAJES DE SAN JUAN o **PASAI DONIBANE** **20110** Guipúzcoa 442 B 24 - 20 696 h.
☎ 943.
Ver : Localidad pintoresca★.
Alred. : Trayecto★★ de Pasajes de San Juan a Fuenterrabía por el Jaizkíbel.
⛴ para Canarias : Cía. Trasmediterránea, Herrera, zona portuaria ℘ 39 92 40.
♦Madrid 477 - ♦Pamplona/Iruñea 100 - St-Jean-de-Luz 27 - ♦San Sebastián/Donostia 10.

- ✗✗ **Casa Cámara,** San Juan 79 ℘ 52 36 99, ←, Pescados y mariscos - VISA. ✗
  cerrado domingo noche y lunes - Com carta 2700 a 5050.
- ✗ **Nicolasa,** San Juan 59 ℘ 51 54 69, ← - VISA. ✗
  cerrado domingo noche, lunes y 15 diciembre-15 enero - Com carta 2500 a 3800.
- ✗ **Txulotxo,** San Juan 71 ℘ 52 39 52, ←, Pescados y mariscos - AE ⓞ E VISA JCB. ✗
  cerrado domingo noche, martes y 15 octubre-15 noviembre - Com carta 2300 a 345

PATALAVACA (playa de) Las Palmas - ver Canarias (Gran Canaria) : Arguineguín.

PAU **17494** Gerona 443 F 39 - 312 h. - ☎ 972.
♦Madrid 760 - Figueras/Figueres 14 - Gerona/Girona 53.

- ✗✗ **L'Olivar D'En Norat,** carret. de Rosas E : 1 km ℘ 53 03 00, 🏖, Cocina vasca - ▤
  AE ⓞ E VISA
  cerrado lunes - Com carta 3600 a 4650.

El PAULAR (Monasterio de) **28741** Madrid 444 J 18 - alt. 1 073 - ☎ 91.
Ver : Monasterio★ (retablo★★).
♦Madrid 76 - ♦Segovia 55.

Hoteles y restaurantes ver : Rascafría N : 1,5 km.

PAXARIÑAS (Playa de) Pontevedra - ver Portonovo.

PECHINA **04259** Almería 446 V 22 - 2 137 h. alt. 98 - ☎ 950 - Balneario.
♦ Madrid 566 - Almería 12 - Guadix 102.

al Noreste : 8 km - ☎ 950 :

- 🏨 **Baln. de Sierra Alhamilla** ⛰, Los Baños ℘ 31 74 13, Fax 31 74 13, ← sierra, valle y ma
  🏖, « Antiguas albercas », 🏊 de agua termal - TV ☎. VISA. ✗
  Com 1750 - ☕ 500 - **22 hab** 5500/7000 - PA 3000.

PEDRAZA DE LA SIERRA **40172** Segovia 442 I 18 - 481 h. alt. 1 073 - ☎ 921.
Ver : Pueblo histórico★★.
♦Madrid 126 - Aranda de Duero 85 - ♦Segovia 35.

- 🏨 **La Posada de Don Mariano** ⛰, Mayor 14 ℘ 50 98 86, Fax 50 98 87, « Elegante dec
  ración interior » - TV ☎. AE ⓞ E VISA. ✗
  Com *(cerrado domingo noche y lunes)* 3800 - ☕ 950 - **18 hab** 9000/11000.
- ✗ **La Olma,** pl. del Ganado 1 ℘ 50 99 81 - ⓞ E VISA. ✗
  cerrado martes y de lunes a viernes la 2ª quincena de junio - Com carta 2850 a 425
- ✗ **El Corral de Joaquina,** Íscar 3 ℘ 50 98 19 - AE ⓞ E VISA. ✗
  Com carta 3100 a 4100.

LE GUIDE MICHELIN DU PNEUMATIQUE

MICHELIN

QU'EST-CE QU'UN PNEU ?

Produit de haute technologie, le pneu constitue le seul point de liaison de la voiture avec le sol. Ce contact correspond, pour une roue, à une surface équivalente à celle d'une carte postale.Le pneu doit donc se contenter de ces quelques centimètres carrés de gomme au sol pour remplir un grand nombre de tâches souvent contradictoires:

Porter le véhicule à l'arrêt, mais aussi résister aux transferts de charge considérables à l'accélération et au freinage.

Transmettre la puissance utile du moteur, les efforts au freinage et en courbe.

Rouler régulièrement, plus sûrement, plus longtemps pour un plus grand plaisir de conduire.

Guider le véhicule avec précision, quels que soient l'état du sol et les conditions climatiques.

Amortir les irrégularités de la route, en assurant le confort du conducteur et des passagers ainsi que la longévité du véhicule.

Durer, c'est-à-dire, garder au meilleur niveau ses performances pendant des millions de tours de roue.

Afin de vous permettre d'exploiter au mieux toutes les qualités de vos pneumatiques, nous vous proposons de lire attentivement les informations et les conseils qui suivent.

Le pneu est le seul point de liaison de la voiture avec le sol.

Comment lit-on un pneu ?

(1) «Bib» repérant l'emplacement de l'indicateur d'usure.

(2) Marque enregistrée. **(3)** Largeur du pneu: ≃ 185 mm.

(4) Série du pneu H/S: 70. **(5)** Structure: R (radial).

(6) Diamètre intérieur: 14 pouces (correspondant à celui de la jante). **(7)** Pneu: MXV. **(8)** Indice de charge: 88 (560 kg).

(9) Code de vitesse: H (210 km/h).

(10) Pneu sans chambre: Tubeless. **(11)** Marque enregistrée.

Codes de vitesse maximum:

Q : 160 km/h

R : 170 km/h

S : 180 km/h

T : 190 km/h

H : 210 km/h

V : 240 km/h

W: 270 km/h

ZR : supérieure à 240 km/h.

GONFLEZ VOS PNEUS, MAIS GONFLEZ-LES BIEN

POUR EXPLOITER AU MIEUX LEURS PERFORMANCES ET ASSURER VOTRE SECURITE.

Contrôlez la pression de vos pneus, sans oublier la roue de secours, dans de bonnes conditions:

Un pneu perd régulièrement de la pression. Les pneus doivent être contrôlés, une fois toutes les 2 semaines, à froid, c'est-à-dire une heure au moins après l'arrêt de la voiture ou après avoir parcouru 2 à 3 kilomètres à faible allure.

En roulage, la pression augmente; ne dégonflez donc jamais un pneu qui vient de rouler: considérez que, pour être correcte, sa pression doit être au moins supérieure de 0,3 bar à celle préconisée à froid.

Le surgonflage: si vous devez effectuer un long trajet à vitesse soutenue, ou si la charge de votre voiture est particulièrement importante, il est généralement conseillé de majorer la pression de vos pneus. Attention; l'écart de pression avant-arrière nécessaire à l'équilibre du véhicule doit être impérativement respecté. Consultez les tableaux de gonflage Michelin chez tous les professionnels de l'automobile et chez les spécialistes du pneu, et n'hésitez pas à leur demander conseil.

Le sous-gonflage: lorsque la pression de gonflage est  insuffisante, les flancs du pneu travaillent anormalement, ce qui entraîne une fatigue excessive de la carcasse, une élévation de température et une usure anormale.

Vérifiez la pression de vos pneus régulièrement et avant chaque voyage.

Le pneu subit alors des dommages irréversibles qui peuvent entraîner sa destruction immédiate ou future.

En cas de perte de pression, il est impératif de consulter un spécialiste qui en recherchera la cause et jugera de la réparation éventuelle à effectuer.

Le bouchon de valve: en apparence, il s'agit d'un détail; c'est pourtant un élément essentiel de l'étanchéité. Aussi, n'oubliez pas de le remettre en place après vérification de la pression, en vous assurant de sa parfaite propreté.

Voiture tractant caravane, bateau...

Dans ce cas particulier, il ne faut jamais oublier que le poids de la remorque accroît la charge du véhicule. Il est donc nécessaire d'augmenter la pression des pneus arrière de votre voiture, en vous conformant aux indications des tableaux de gonflage Michelin. Pour de plus amples renseignements, demandez conseil à votre revendeur de pneumatiques, c'est un véritable spécialiste.

POUR FAIRE DURER VOSPNEUS, GARDEZ UN OEIL SUR EUX.

Afin de préserver longtemps les qualités de vos pneus, il est impératif de les faire contrôler régulièrement, et avant chaque grand voyage. Il faut savoir que la durée de vie d'un pneu peut varier dans un rapport de 1 à 4, et parfois plus, selon son entretien, l'état du véhicule, le style de conduite et l'état des routes ! L'ensemble roue-pneumatique doit être parfaitement équilibré pour éviter les vibrations qui peuvent apparaître à partir d'une certaine vitesse. Pour supprimer ces vibrations et leurs désagréments, vous confierez l'équilibrage à un professionnel du pneumatique car cette opération nécessite un savoir-faire et un outillage très spécialisé.

Les facteurs qui influent sur l'usure et la durée de vie de vos pneumatiques:

les caractéristiques du véhicule (poids, puissance...), le profil

Une conduite sportive réduit la durée de vie des pneus.

des routes (rectilignes, sinueuses), le revêtement (granulométrie: sol lisse ou rugueux), l'état mécanique du véhicule (réglage des trains avant, arrière, état des suspensions et des freins...), le style de conduite (accélérations, freinages, vitesse de passage en courbe...), la vitesse (en ligne droite à 120 km/h un pneu s'use deux fois plus vite qu'à 70 km/h), la pression des pneumatiques (si elle est incorrecte, les pneus s'useront beaucoup plus vite et de manière irrégulière).

D'autres événements de nature accidentelle (chocs contre trottoirs, nids de poule...), en plus du risque de déréglage et

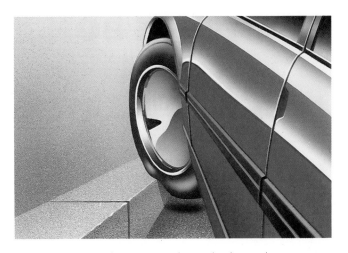

Les chocs contre les trottoirs, les nids de poule... peuvent endommager gravement vos pneus.

de détérioration de certains éléments du véhicule, peuvent provoquer des dommages internes au pneumatique dont les conséquences ne se manifesteront parfois que bien plus tard. Un contrôle régulier de vos pneus vous permettra donc de détecter puis de corriger rapidement les anomalies (usure anormale, perte de pression...). A la moindre alerte, adressez-vous immédiatement à un revendeur spécialiste qui interviendra pour préserver les qualités de vos pneus, votre confort et votre sécurité.

SURVEILLEZ L'USURE DE VOS PNEUMATIQUES:

Comment ? Tout simplement en observant la profondeur de la sculpture. C'est un facteur de sécurité, en particulier sur sol mouillé. Tous les pneus possèdent des indicateurs d'usure de 1,6 mm d'épaisseur. Ces indicateurs sont repérés par un Bibendum situé aux «épaules» des pneus Michelin. Un examen visuel suffit pour connaître le niveau d'usure de vos pneumatiques. Attention: même si vos pneus n'ont pas encore atteint la limite d'usure légale (en France, la profondeur restante de la sculpture doit être supérieure à 1,6 mm sur l'ensemble de la bande de roulement), leur capacité à évacuer l'eau aura naturellement diminué avec l'usure.

FAITES LE BON CHOIX POUR ROULER EN TOUTE TRANQUILLITE.

Le type de pneumatique qui équipe d'origine votre véhicule a été déterminé pour optimiser ses performances. Il vous est cependant possible d'effectuer un autre choix en fonction de votre style de conduite, des conditions climatiques, de la nature des routes et des trajets effectués.

Dans tous les cas, il est indispensable de consulter un spécialiste du pneumatique, car lui seul pourra vous aider à trouver la solution la mieux adaptée à votre utilisation.

Montage, démontage, équilibrage du pneu; c'est l'affaire d'un professionnel:

un mauvais montage ou démontage du pneu peut le détériorer et mettre en cause votre sécurité.

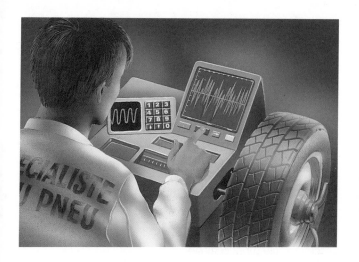

Sauf cas particulier et exception faite de l'utilisation provisoire de la roue de secours, les pneus montés sur un essieu donné doivent être identiques. Il est conseillé de monter les pneus neufs ou les moins usés à l'AR pour assurer la meilleure tenue de route en situation difficile (freinage d'urgence ou courbe serrée) principalement sur chaussée glissante.

En cas de crevaison, seul un professionnel du pneu saura effectuer les examens nécessaires et décider de son éventuelle réparation.

Il est recommandé de changer la valve ou la chambre à chaque intervention.

Il est déconseillé de monter une chambre à air dans un ensemble tubeless.

L'utilisation de pneus cloutés est strictement réglementée; il est important de s'informer avant de les faire monter.

Attention: la capacité de vitesse des pneumatiques Hiver «M+S» peut être inférieure à celle des pneus d'origine. Dans ce cas, la vitesse de roulage devra être adaptée à cette limite inférieure.

INNOVER POUR ALLER PLUS LOIN

En 1889, Edouard Michelin prend la direction de l'entreprise qui porte son nom. Peu de temps après, il dépose le brevet du pneumatique démontable pour bicyclette. Tous les efforts de l'entreprise se concentrent alors sur le développement de la technique du pneumatique. C'est ainsi qu'en 1895, pour la première fois au monde, un véhicule automobile baptisé «l'Eclair» roule sur pneumatiques. Testé sur ce véhicule lors de la course Paris-Bordeaux-Paris, le pneumatique démontre immédiatement sa supériorité sur le bandage plein.

Créé en 1898, le Bibendum symbolise l'entreprise qui, de recherche en innovation, du pneu vélocipède au pneu avion, impose le pneumatique à toutes les roues.

En 1946, c'est le dépôt du brevet du pneu radial ceinturé acier, l'une des découvertes majeures du monde du transport.

Cette recherche permanente de progrès a permis la mise au point de nouveaux produits. Ainsi, depuis 1991, le pneu dit "vert" ou "basse résistance au roulement", est devenu une réalité. Ce concept contribue à la protection de l'environnement, en permettant une diminution de la consommation de carburant du véhicule, et le rejet de gaz dans l'atmosphère.

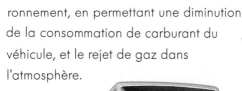

Concevoir les pneus qui font tourner chaque jour 2 milliards de roues sur la terre, faire évoluer sans relâche plus de 3 500 types de pneus différents, c'est le combat permanent des 4 500 chercheurs Michelin.

Leurs outils : les meilleurs supercalculateurs, des laboratoires à la pointe de l'innovation scientifique, des centres de recherche et d'essais installés sur 6 000 hectares en France, en Espagne, aux Etats-Unis et au Japon. Et c'est ainsi que quotidiennement sont parcourus plus d'un million de kilomètres, soit 25 fois le Tour du Monde.

Leur volonté: écouter, observer puis optimiser chaque fonction du pneumatique, tester sans relâche, et recommencer.

C'est cette volonté permanente de battre demain le pneu d'aujourd'hui pour offrir le meilleur service à l'utilisateur, qui a permis à Michelin de devenir le leader mondial du pneumatique.

RENSEIGNEMENTS UTILES.

POUR PREPARER VOTRE VOYAGE

Pour vos itinéraires routiers en France et en Europe :

36 15 ou 36 16 MICHELIN

Vous trouverez : itinéraires détaillés, distances, péages, temps de parcours.

Mais aussi : hôtels-restaurants, curiosités touristiques, renseignements pneumatiques.

VOS PNEUMATIQUES :

Vous avez des observations, vous souhaitez des précisions concernant l'utilisation de vos pneumatiques Michelin,... écrivez-nous à :

Manufacture Française des Pneumatiques Michelin.
Boîte Postale Consommateurs
63040 Clermont-Ferrand Cedex.

ou téléphonez-nous à :

Agen 53 96 28 47	Clermont-Fd 73 91 29 31	Pau 59 32 56 33
Ajaccio 95 20 30 55	Dijon 80 67 35 38	Périgueux 53 03 98 13
Amiens 22 92 47 28	Grenoble 76 98 51 54	Perpignan 68 54 53 10
Angers 41 43 65 52	Le Havre 35 25 22 20	Reims 26 09 19 32
Angoulême 45 69 30 02	Lille 20 98 40 48	Rennes 99 50 72 00
Annecy 50 51 59 70	Limoges 55 05 18 18	Rodez 65 42 17 88
Arras 21 71 12 08	Lorient 97 76 03 60	Rouen 35 73 63 73
Aurillac 71 64 90 33	Lyon 78 69 49 48	St-Étienne 77 74 22 88
Auxerre 86 46 98 66	Marseille 91 02 08 02	Strasbourg 88 39 39 40
Avignon 90 88 11 10	Montélimar 75 01 80 91	Toulouse 61 41 11 54
Bayonne 59 55 13 73	Montpellier 67 79 50 79	Tours 47 28 60 59
Besançon 81 80 24 53	Nancy 83 21 83 21	Région parisienne
Bordeaux 56 39 94 95	Nantes 40 92 15 44	Aubervilliers 48 33 07 58
Bourg 74 45 24 24	Nice 93 31 66 09	Buc 39 56 10 66
Brest 98 02 21 08	Niort 49 33 00 42	Maisons-Alfort 48 99 55 60
Caen 31 26 68 19	Orléans 38 88 02 20	Nanterre 47 21 67 21

PEDREZUELA 28723 Madrid 444 J 19 – 727 h. – © 91.

Madrid 44 – Aranda de Duero 117 – Guadalajara 72.

XX **Los Nuevos Hornos (Ángel),** carret. NI-N : 2 km *&* 843 35 71, Fax 843 38 73, 佘 – 国 **P**. 歴 **E** *VISA*. 邪
    cerrado martes y agosto – Com carta 3550 a 5350.

las PEDROÑERAS 16660 Cuenca 444 N 21 y 22 – 6 241 h. – © 969.

Madrid 160 – ♦Albacete 89 – Alcázar de San Juan 58 – Cuenca 111.

XX ⊛ **Las Rejas,** av. del Brasil *&* 16 10 89, « Decoración regional » – 国. 歴 ① **E** *VISA* Jcb
    Com carta 3300 a 4600
    Espec. Setas con foie-gras en salsa de perdiz, Costillar de cordero asado al vino tinto, Manzana asada con helado de queso.

PEÑAFIEL 47300 Valladolid 442 H 17 – 5 204 h. alt. 755 – © 983.

Ver : Castillo★.

Madrid 176 – Aranda de Duero 38 – ♦Valladolid 55.

X **Asador Mauro,** subida a San Vicente *&* 87 30 14, Cordero asado – 国. 歴 ① **E** *VISA*. 邪
    cerrado por la noche de lunes a miércoles – Com carta 2300 a 3600.

PEÑARANDA DE BRACAMONTE 37300 Salamanca 441 J 14 – 6 114 h. alt. 730 – © 923.

Madrid 164 – Ávila 56 – ♦Salamanca 43.

X **Las Cabañas,** Carmen 10 *&* 54 02 03 – 国. 歴 ① **E** *VISA*. 邪
    cerrado lunes noche – Com carta 2550 a 3900.

PEÑARROYA PUEBLONUEVO 14200 Córdoba 446 R 14 – 13 940 h. alt. 577 – © 957.

Madrid 394 – Azuaga 46 – ♦ Córdoba 83 – ♦ Sevilla 232.

🏦 **Gran Hotel** sin rest. con cafetería, Trinidad 7 *&* 57 00 58, Fax 57 01 94 – 国 **TV** ☎. *VISA*.
    邪
    � 400 – **20 hab** 4000/6300.

PEÑÍSCOLA 12598 Castellón de la Plana 445 K 31 – 3 077 h. – © 964 – Playa.

Ver : Ciudad Vieja★ (castillo ≤★).

    paseo Marítimo, ⊠ 12598, *&* 48 02 08, Fax 48 02 08.

Madrid 494 – Castellón de la Plana/Castelló de la Plana 76 – Tarragona 124 – Tortosa 63.

🏦 **Prado,** av. Papa Luna 3 *&* 48 91 20, Fax 48 95 17, ≤, 夕, – 劇 国 rest ☎ **P**. 歴 **E** *VISA*. 邪
    abril-octubre – Com 1500 – � 450 – **154 hab** 4500/6500.

🏦 **Porto Cristo,** av. Papa Luna 2 *&* 48 07 18, Fax 48 90 49, ≤ – 劇 国 rest **P**. 邪
    Semana Santa-20 noviembre – Com 1300 – � 400 – **26 hab** 3400/5600.

🏠 **Playa,** Primo de Rivera 32 *&* 48 00 00, ≤ – ☎. **E** *VISA*. 邪
    Com 1500 – � 450 – **38 hab** 2800/4900 – PA 2935.

🏠 **Marina,** av. José Antonio 42 *&* 48 08 90, Fax 48 08 90 – 国 rest ☎. **E** *VISA*. 邪
    abril-noviembre – Com 1300 – � 400 – **19 hab** 2000/3800 – PA 2700.

🏠 **Ciudad de Gaya,** av. Papa Luna 1 *&* 48 00 24, ≤, 佘 – **P**. 歴 **E** *VISA*. 邪 rest
    Semana Santa-octubre – Com 1400 – � 600 – **27 hab** 5700 – PA 3400.

🔹 **Tío Pepe,** av. José Antonio 32 *&* 48 06 40 – 邪 rest
    marzo-noviembre – Com *(cerrado domingo)* 1200 – � 300 – **10 hab** 3000/4000.

X **Simó** con hab, Porteta 5 *&* 48 06 20, Fax 48 06 20, ≤, 佘 – 歴 ① **E** *VISA*. 邪
    marzo-septiembre – Com *(cerrado lunes)* carta 3200 a 4900 – � 500 – **10 hab** 2900/6000.

    en la carretera de Benicarló – ⊠ 12598 Peñíscola – © 964 :

🏦 **Hostería del Mar** (Parador Colaborador), av. Papa Luna 18 *&* 48 06 00, Fax 48 13 63, ≤
    mar y Peñíscola, Cenas medievales los sábados, « Interior castellano », 夕 climatizada, 🐾,
    栗, 邪 – 劇 国 **TV** ☎ **P**. 歴 **E** *VISA*. 邪 rest
    Com 2300 – � 1050 – **85 hab** 9700/12900 – PA 4800.

XX **Les Doyes,** *&* 48 07 95, 佘 – 国. 歴 ① **E** *VISA*. 邪
    26 marzo-septiembre – Com carta 2950 a 4900.

    en la urbanización Las Atalayas-por la carretera CS 500 – ⊠ 12598 Peñíscola – © 964 :

🏦 **Benedicto XIII** ⊰, NO : 1 km *&* 48 08 01, Fax 48 95 23, ≤, 佘, 夕, 栗 – 劇 国 rest **TV**
    ☎ **P**. 歴 ① **E** *VISA* Jcb. 邪
    15 marzo-octubre – Com 1925 – � 650 – **30 hab** 5680/7100 – PA 3825.

X **Casa Severino,** NO : 1 km *&* 48 07 03 – 国 **P**. 歴 ① **E** *VISA*. 邪
    cerrado miércoles (salvo julio-agosto) y noviembre-2 diciembre – Com carta 3550 a 4950.

X **Las Atalayas,** NO : 1,5 km *&* 48 07 81, Fax 48 04 77, 佘, 夕, 栗 – **P**. 邪
    26 marzo-29 octubre – Com carta 1850 a 3150.

PERALES DE TAJUÑA 28540 Madrid 444 L 19 – 1 821 h. alt. 585 – ✿ 91.
♦Madrid 40 – Aranjuez 44 – Cuenca 125.

  XX **Las Vegas,** carret. N III 𝒫 874 83 90, 🏠 – 🍴 **P**. 𝖠𝖤 ⓞ 𝘝𝘐𝘚𝘈. ⅀
     Com carta aprox. 2900.

PERALTA 31350 Navarra 442 E 24 – 4 298 h. alt. 292 – ✿ 948.
♦Madrid 347 – ♦Logroño 70 – ♦Pamplona/Iruña 59 – ♦Zaragoza 122.

  XX **Atalaya con hab,** Dabán 11 𝒫 75 01 52 – 🛗 🍴 rest 📺 ☎
     30 hab.

PERAMOLA 25790 Lérida 443 F 33 – 450 h. alt. 566 – ✿ 973.
♦Madrid 567 – ♦Lérida/Lleida 98 – Seo de Urgel/La Seu d'Urgell 47.

  🏨 **Can Boix** ⤸ (anexo 🔺), NO : 2,5 km 𝒫 47 02 66, Fax 47 02 66, ≤, 🔟, ⅀ – 🍴 📺
     🔥 **P**. 𝖠𝖤 ⓞ 𝗘 𝘝𝘐𝘚𝘈. ⅀ rest
     cerrado del 15 al 30 de noviembre y 10 enero-10 febrero – Com 2300 – ⨅ 750 – **45 h**
     3310/4400.

PERATALLADA 17113 Gerona 443 G 39 – ✿ 972.
♦Madrid 752 – Gerona/Girona 33 – Palafrugell 16.

  XXX **Castell de Peratallada** ⤸ con hab, pl. del Castell 𝒫 63 40 21, Fax 63 40 11, 🔥
     « Instalado en un castillo medieval », 🌸 – 🍴 hab ☎. 𝖠𝖤 𝘝𝘐𝘚𝘈
     cerrado de lunes a jueves de noviembre a marzo – Com *(cerrado domingo noche, lun*
     y enero-marzo) carta 4450 a 6050 – ⨅ 1200 – **5 hab** 25000.

  XX **La Riera,** pl. les Voltes 3 𝒫 63 41 42, Decoración rústica, « Instalado en una antigua ca
     medieval » – **P**. 𝖠𝖤 ⓞ 𝗘 𝘝𝘐𝘚𝘈
     cerrado martes y enero-10 marzo – Com carta 2300 a 3700.

  X **Can Nau,** d'en Bas 12 𝒫 63 40 35, « Instalado en una antigua casa de estilo regiona
     – 🍴. 𝗘 𝘝𝘐𝘚𝘈. ⅀
     cerrado domingo noche salvo agosto, miércoles salvo festivos y 31 enero-10 marzo – Co
     carta 2550 a 3450.

  X **El Borinot,** del Forn 15 𝒫 63 40 84 – **P**. 𝖠𝖤 𝗘 𝘝𝘐𝘚𝘈. ⅀
     cerrado martes no festivos y enero – Com carta 2100 a 3430.

La PEREDA Asturias – ver Llanes.

PERELADA 17491 Gerona 443 F 39 – 1 248 h. – ✿ 972.
♦Madrid 738 – Gerona/Girona 42 – Perpignan 61.

  XX **Cal Sagristà,** Rodona 2 𝒫 53 83 01, 🏠 – 𝖠𝖤 ⓞ 𝗘 𝘝𝘐𝘚𝘈
     cerrado martes y 15 días en febrero – Com carta aprox. 3600.

PERELLÓ o **El PERELLÓ** 43519 Tarragona 443 J 32 – 3 524 h. – ✿ 977.
♦Madrid 519 – Castellón de la Plana/Castelló de la Plana 132 – Tarragona 59 – Tortosa 33.

  X **Censals,** carret. N 340 𝒫 49 00 59, 🌸 – 🍴 **P** 𝗘 𝘝𝘐𝘚𝘈. ⅀
     cerrado miércoles y del 1 al 15 de noviembre – Com carta 2400 a 4100.

El PERELLÓ 46420 Valencia 445 O 29 – ✿ 96 – Playa.
♦Madrid 373 – Gandía 38 – ♦Valencia 25.

  🟊 **Antina** sin rest, Buenavista 18 𝒫 177 00 19 – 🛗 🕾. ⓞ 𝗘 𝘝𝘐𝘚𝘈
     julio-septiembre – **30 hab** ⨅ 4000/5883.

PERILLO La Coruña – ver La Coruña.

PIEDRA (Monasterio de) Zaragoza 443 I 24 – alt. 720 – ✉ 50210 Nuévalos – ✿ 976.
Ver : Parque y cascadas★★.
♦Madrid 231 – Calatayud 29 – ♦Zaragoza 118.

  🏨 **Monasterio de Piedra** ⤸, 𝒫 84 90 11, Fax 84 90 54, « Instalado en el antig
     monasterio », 🔟, ⅀ – 🍴 rest 📺 ☎ **P** – 🔺 25/100. 𝖠𝖤 ⓞ 𝗘 𝘝𝘐𝘚𝘈. ⅀ rest
     Com 2300 – ⨅ 500 – **62 hab** 6500/9500 – PA 4100.

El PÍ DE SANT JUST 25286 Lérida 443 G 34 – ✿ 973.
♦Madrid 582 – ♦Lérida/Lleida 113 – Manresa 47 – Solsona 5.

  X **El Pí de Sant Just** con hab, carret. C 1410 𝒫 48 07 00, Fax 48 09 38, 🔟, ⅀ – 🍴 rest **P**
     𝘝𝘐𝘚𝘈. ⅀
     Com *(cerrado martes)* carta aprox.3100 – ⨅ 400 – **11 hab** 2000/4500.

PIEDRAFITA DEL CEBRERO o **PEDRAFITA DO CEBREIRO** 27670 Lugo 441 D 8 – 2 500 h.
t. 1 062 – ۞ 982.
Madrid 433 – Lugo 71 – Ponferrada 51.

🏠 **Rebollal,** carret. N VI 𝒫 36 71 15 – ≫
Com carta aprox. 2100 – ☲ 275 – **18 hab** 1900/3700.

PIEDRALAVES 05440 Ávila 442 L 15 – 2 096 h. alt. 730 – ۞ 91.
Madrid 95 – Ávila 83 – Plasencia 159.

🏠 **Almanzor,** Progreso 4 𝒫 866 50 00, « Terraza con arbolado y 🎇 » – 🔲 rest ☎ 🅿. VISA.
≫
cerrado octubre y noviembre – Com 1400 – ☲ 500 – **59 hab** 3300/4300 – PA 2500.

LA PINEDA (Playa de) Tarragona – ver Salou.

PINEDA DE MAR 08397 Barcelona 443 H 38 – 11 739 h. – ۞ 93 – Playa.
Sant Joan Nonell ⊠ 08397, 𝒫 767 15 60, Fax 767 12 12.
Madrid 694 – ◆Barcelona 51 – Gerona/Girona 46.

🏠 **Mercè y Rest. La Taverna,** Rdo Antoni Doltra 2 𝒫 767 00 78, Fax 767 10 10, 🎇, ≫ –
🔄 🔲 rest. 🅰 ⓞ Ⲉ VISA. ≫ rest
mayo-octubre – Com (cerrado domingo noche, lunes y 8 enero-Semana Santa) carta 2600
a 3240 – ☲ 500 – **170 hab** 2500/4500.

🏠 **Mont Palau,** Roig i Jalpi 1 𝒫 767 14 66, Fax 767 05 83, 🎇 – 🔄 🅿. 🅰 ⓞ Ⲉ VISA. ≫ rest
Semana Santa y mayo-octubre – Com 1000 – ☲ 425 – **138 hab** 3200/4900 – PA 2000.

PINETA (Valle de) Huesca – ver Bielsa.

PINOS GENIL 18191 Granada 446 U 19 – 910 h. alt. 774 – ۞ 958 – ◆Madrid 443 – ◆Granada 13
en la carretera de Granada O : 3 km – ⊠ 18191 Pinos Genil – ۞ 958.

ⅩⅩ **Los Pinillos,** 𝒫 48 61 09, Fax 48 72 16, 🌳 – 🔲 🅿. 🅰 ⓞ VISA. ≫
cerrado martes y agosto – Com carta 2750 a 4900.

PLÀ DE SANT LLORENÇ Barcelona – ver Matadepera.

PLÀ DE VALL - LLOBREGÀ Gerona – ver Palamós.

PLASENCIA 10600 Cáceres 444 L 11 – 32 178 h. alt. 355 – ۞ 927.
er : Catedral★ (retablo★, sillería★).
🇮 Trujillo 17 𝒫 41 27 66.
Madrid 257 – ◆Ávila 150 – ◆Cáceres 85 – Ciudad Real 332 – ◆Salamanca 132 – Talavera de la Reina 136.

🏠 **Alfonso VIII,** Alfonso VIII-34 𝒫 41 02 50, Fax 41 80 42 – 🔄 🔲 📺 ☎ ⟨⟩. 🅰 ⓞ Ⲉ VISA.
≫
Com 2700 – ☲ 700 – **57 hab** 6500/10000.

Ⅹ **Florida 2,** av. de España 22 𝒫 41 38 58 – 🔲. 🅰 Ⲉ VISA. ≫
Com carta aprox. 3600.

en la carretera de Salamanca N : 1,5 km – ⊠ 10600 Plasencia – ۞ 927 :

🏠 **Real,** 𝒫 41 29 00, Fax 41 68 24 – 🔄 🔲 📺 ☎ 🅿. ⓞ Ⲉ VISA. ≫
Com 1000 – ☲ 300 – **56 hab** 3000/5000 – PA 1955.

PLASENCIA DEL MONTE 22810 Huesca 443 F 28 – 263 h. alt. 535 – ۞ 974.
Madrid 407 – Huesca 17 – ◆Pamplona/Iruñea 147.

Ⅹ **El Cobertizo con hab,** carret. A 132 𝒫 27 00 11, 🎇 – 🔲 rest 📺 🅿
24 hab.

PLATJA D'ARO Gerona – ver Playa de Aro.

PLAYA – ver el nombre propio de la playa.

PLAYA BARCA Las Palmas – ver Canarias (Fuerteventura).

PLAYA BLANCA Las Palmas – ver Canarias (Fuerteventura) : Puerto del Rosario.

PLAYA BLANCA DE YAIZA Las Palmas – ver Canarias (Lanzarote).

PLAYA CANELA Huelva – ver Ayamonte.

PLAYA CANYELLES (Urbanización) Gerona – ver Lloret de Mar.

PLAYA DE ARO o **PLATJA D'ARO** 17250 Gerona 443 G 39 – 🕲 972 – Playa.

🏗 Costa Brava, Santa Cristina de Aro O : 6 km 🏖 83 71 50 – 🏗 Mas Nou NO : 6 km 🏖 82 60 84.
🖪 Jacinto Verdaguer 11, ⌧ 17250, 🏖 81 71 79, Fax 82 56 57.
◆Madrid 715 – ◆Barcelona 102 – Gerona/Girona 37.

🏨 **Columbus** ॐ, passeig del Mar 🏖 81 71 66, Fax 81 75 03, ≼, 🍴, ☂, ❦, ※ – 📲 🗐 📺 ☎
   🕭 – 🔏 25/250. ÆE ① Ɛ 𝗩𝗜𝗦𝗔. ※
   Com 3400 – **108 hab** ⌑ 11100/17200, 2 suites – PA 6100.

🏨 **Guitart Platja d'Aro**, av. d'Estrasburg 🏖 81 72 20, Fax 81 61 68, ↾₆, ☂ – 📲 🗐 📺 ☎ ᕯ,
   ⫘ – 🔏 25/400. ÆE ① Ɛ 𝗩𝗜𝗦𝗔. ※
   Com 2500 – **186 hab** ⌑ 8850/11700, 11 suites – PA 3500.

🏨 **Cosmopolita**, Pinar del Mar 1 🏖 81 73 50, Fax 81 74 50, ≼, 🍴 – 📲 🗐 rest ☞. Ɛ 𝗩𝗜𝗦𝗔
   ※ rest
   marzo-14 noviembre – Com 1700 – ⌑ 700 – **90 hab** 7000/10000.

🏨 **Costa Brava y Rest. Can Poldo** ॐ, carret. de Palamós – Punta d'en Ramís 🏖 81 73 08
   Fax 82 63 48, ≼, « Al borde del mar » – ☞ 🕭. ÆE ① Ɛ 𝗩𝗜𝗦𝗔. ※ rest
   abril-octubre – Com carta 2200 a 4200 – ⌑ 900 – **46 hab** 5500/9500.

🏨 **Mar Condal II** ॐ, paseo Marítimo 102 🏖 81 80 69, Fax 81 61 14, ≼, 🍴 – 📲 🗐 rest ☎
   🕭 ① Ɛ 𝗩𝗜𝗦𝗔. ※
   Semana Santa y 15 mayo- 15 octubre – Com 1000 – **120 hab** ⌑ 8000/14000, 5 suites
   – PA 2500.

🏨 **Xaloc**, carret. de Palamós - playa de Rovira 🏖 81 73 00, Fax 81 61 00 – 📲 📺 ☎ 🕭. ÆE
   ① Ɛ 𝗩𝗜𝗦𝗔. ※ rest
   mayo-octubre – Com (sólo cena) 1800 – ⌑ 700 – **47 hab** 5650/9700.

🏨 **Els Pins**, Nostra Señora del Carme 34 🏖 81 72 19, Fax 81 75 46 – 📲 ☎. ÆE Ɛ 𝗩𝗜𝗦𝗔. ※ res
   31 marzo-octubre – Com 1050 – ⌑ 515 – **65 hab** 5400/8000 – PA 1800.

🏨 **Miramar**, Virgen del Carmen 45 🏖 81 71 50, Fax 81 71 50, ≼ – 📲 ☞
   temp. – **45 hab.**

🍴 **Aradi**, carret. de Palamós 🏖 81 73 76, Fax 81 75 72, 🍴 – 🗐 🕭.

🍴 **Japet** con hab, carret. de Palamós 50 🏖 81 73 66, 🍴 – ☞ ᕯ. ÆE Ɛ 𝗩𝗜𝗦𝗔. ※ rest
   cerrado noviembre – Com (cerrado lunes y martes) 1500 – ⌑ 400 – **20 hab** 3500/5600
   – PA 2890.

   en la carretera de Mas Nou O : 1,5 km – ⌧ 17250 Playa de Aro – 🕲 972 :

🍴🍴🍴 ❧ **Carles Camós-Big Rock** ॐ con hab, barri de Fanals 5 🏖 81 80 12, Fax 81 89 71, 🍴
   « Antigua masía señorial », ☂ – 🗐 📺 ☎ 🕭. ÆE ① Ɛ 𝗩𝗜𝗦𝗔
   cerrado enero – Com (cerrado domingo noche en invierno y lunes) carta 3600 a 4800 –
   ⌑ 1150 – **5 suites** 16000/20000
   Espec. Lomo de merluza al horno con patatitas, "Suquet" de rape y langostinos, "Capriccio" de
   crema con fresitas.

   en Condado de San Jorge NE : 2 km – ⌧ 17251 Calonge – 🕲 972 :

🏨 **Park H. San Jorge**, 🏖 65 23 11, Fax 65 25 76, « Agradable terraza con arbolado, ≼ roca
   y mar », ↾₆, ☂, ※ – 📲 🗐 rest 📺 ☎ 🕭 – 🔏 25/100. ÆE ① Ɛ 𝗩𝗜𝗦𝗔. ※ rest
   cerrado diciembre – Com 2700 – ⌑ 1300 – **99 hab** 13500/17000, 5 suites – PA 6000

   en la carretera de San Felíu de Guixols – ⌧ 17250 Playa de Aro – 🕲 972 :

🏨 **Panamá** sin rest, SO : 1 km 🏖 81 76 39, ☂ – 📲 ☞. ÆE Ɛ 𝗩𝗜𝗦𝗔
   abril-octubre – ⌑ 400 – **42 hab** 4700/6700.

🍴 **Mas Candell**, desvío a la derecha SO : 2,5 km 🏖 81 88 81, Fax 81 52 18, 🍴, Carnes a l
   brasa, « Masía típica del siglo XVI » – 🗐 🕭. ÆE ① Ɛ 𝗩𝗜𝗦𝗔. ※
   abril-septiembre – Com (sólo cena) carta 2500 a 4100.

   en la urbanización Mas Nou NO : 4,5 km – ⌧ 17250 Playa de Aro – 🕲 972

🍴🍴🍴 **Mas Nou**, 🏖 81 78 53, Telex 57205, Fax 82 61 17, ≼, Decoración rústica, ☂, ※ – 🗐 🕭
   ÆE ① Ɛ 𝗩𝗜𝗦𝗔
   cerrado martes noche y miércoles salvo julio y agosto – Com carta 3700 a 5875.

PLAYA DE LAS AMÉRICAS Santa Cruz de Tenerife – ver Canarias (Tenerife).

Gli alberghi o ristoranti ameni sono indicati nella guida
con un simbolo rosso.   🏨🏨🏨 ... 🏠

Contribuite a mantenere
la guida aggiornata segnalandoci   ✗✗✗✗✗ ... ✗
gli alberghi e ristoranti dove avete soggiornato piacevolmente.

PLAYA DE SAN JUAN o **PLATJA DE SAN JUAN** 03540 Alicante 445 Q 28 – 10 522 h.
🏖 96 – Playa.
Madrid 424 – ✦Alicante/Alacant 7 – Benidorm 33.

🏨 **Sidi San Juan** ⌂, 𝒫 516 13 00, Telex 66263, Fax 516 33 46, < mar, 🎏, ℥, ◻, ☞, ℀
– 🛗 🗏 🔟 ☎ 🅿 – 🔏 25/250. 🖭 ◑ 🖪 ▥▥. ℀ rest
Com 3450 – ☲ 1400 – **176 hab** 13600/17700.

🏨 **Almirante y Rest. Pocardy** ⌂, av. de Niza 38 𝒫 565 01 12, Fax 565 71 69, <, 🎏, ℥,
☞, ℀ – 🛗 🗏 🔟 ☎ 🖘 🅿 – 🔏 25/150. 🖭 ◑ 🖪 ▥▥. ℀
Com carta aprox. 2450 – ☲ 510 – **64 hab** 5980/9740.

🏨 **Castilla,** av. países Escandinavos 7 𝒫 516 20 33, Telex 66305, Fax 516 20 61, ℥ – 🛗 🗏
☎ – 🔏 25/120. 🖭 ◑ 🖪 ▥▥. ℀
Com 2275 – ☲ 550 – **154 hab** 6075/9275 – PA 4750.

XX **Estella,** av. Costa Blanca 125 𝒫 516 04 07 – 🗏, 🖭 🖪 ▥▥. ℀
domingo noche, lunes y 20 noviembre-20 diciembre – Com carta 2790 a 3990.

X **Regina,** av. de Niza 19 𝒫 526 41 39, 🎏 – 🗏, 🖭 🖪 ▥▥. ℀
cerrado 15 octubre-15 marzo – Com carta 2590 a 3890.

X **Max's,** Cabo La Huerta - Torre Estudios 𝒫 516 59 15, Cocina francesa – 🖭 🖪 ▥▥
Com carta 2300 a 3200.

X **Marcolisa,** av. La Condomina 62 𝒫 516 41 38, 🎏, Cocina franco-belga – 🖪 ▥▥
cerrado martes noche, miércoles, 2ª quincena de febrero y 1ª de marzo – Com (sólo cena julio y agosto) carta aprox. 2900.

PLAYA GRANDE Murcia – ver Puerto de Mazarrón.

PLAYA MIAMI Tarragona – ver San Carlos de la Rápita.

PLAYA MITJORN Baleares – ver Baleares (Formentera).

Las PLAYAS Santa Cruz de Tenerife – ver Canarias (Hierro) : Valverde.

Las PLAYETAS Castellón de la Plana – ver Oropesa del Mar.

La POBLA DE CLARAMUNT 08787 Barcelona 443 H 35 – 1 683 h. – 🕽 93.
Madrid 570 – ✦Barcelona 71 – ✦Lérida/Lleida 101 – Manresa 35.

en la carretera C 244 S : 2 km – ✉ 08787 La Pobla de Claramunt – 🕽 93 :

X **Corral de la Farga,** residencial El Xaro 𝒫 808 61 85, Fax 808 61 85, « Césped con ℥ »,
℀ – 🗏 🅿. 🖪 ▥▥. ℀ rest
cerrado domingo noche, lunes y febrero – Com carta 2725 a 4370.

La POBLA DE FARNALS Valencia – ver Puebla de Farnals.

POBLET (Monasterio de) 43448 Tarragona 443 H 33 – alt. 490 – 🕽 977.
er : Monasterio★★★ (claustro★★ : capiteles★, iglesia★★ : panteón real★★, retablo del altar mayor★★).
Madrid 528 – ✦Barcelona 122 – ✦Lérida/Lleida 51 – Tarragona 46.

🏨 **Monestir** ⌂, Les Másies, ✉ 43440 L'Espluga de Francolí, 𝒫 87 00 58, 🎏, ℥, ☞ – 🛗
🗏 rest ☎ 🖭 ▥▥. ℀
Semana Santa- octubre – Com 1900 – ☲ 650 – **30 hab** 4500/6300 – PA 3700.

X **Masía del Cadet** ⌂ con hab, Les Masies 𝒫 87 08 69, Fax 87 03 26, <, 🎏, ℥ – 🛗 ☎
🅿. 🖭 ◑ 🖪 ▥▥. ℀
Com carta 2150 a 3600 – ☲ 575 – **12 hab** 4500/6500.

X **Fonoll** ⌂, pl. Ramón Berenguer IV - 2 𝒫 87 03 33, Fax 87 03 33, 🎏 – 🖭 ◑ 🖪 ▥▥
cerrado jueves (octubre-15 junio) y 20 diciembre-20 enero – Com carta 2145 a 3070.

POBRA DO CARAMIÑAL La Coruña – ver Puebla del Caramiñal.

Los POCILLOS Las Palmas – ver Canarias (Lanzarote) : Puerto del Carmen.

POLA DE ALLANDE 33880 Asturias 441 C 10 – 710 h. alt. 524 – 🕽 98.
Madrid 500 – Cangas 21 – Luarca 84 – ✦Oviedo 106.

🛖 **La Nueva Allandesa,** Donato Fernández 3 𝒫 580 70 27 – 🔟. 🖪 ▥▥. ℀ rest
Com (cerrado domingo noche) 1000 – ☲ 300 – **24 hab** 2500/5000.

33510 Asturias 🔢🔢🔢 B 12 – ✪ 98.

• Madrid 470 – Gijón 23 – ✦ Oviedo 17.

🏨 **Lóriga** sin rest, Valeriano León 22 🖋 572 00 26, Fax 572 07 98 – 🛗 📺 ☎ ⇔. 🖭 ⑩ 🗐
🟥🟥. ⇘
⊑ 500 – **40 hab** 5500/8950.

POLOP **03520** Alicante 🔢🔢🔢 Q 29 – 1 766 h. alt. 230 – ✪ 96.

Alred. : Guadalest★ : Situación★ NO : 14 km.

✦Madrid 449 – ✦Alicante/Alacant 57 – Gandía 63.

🍴 **Ca L'Àngeles,** Gabriel Miró 36 🖋 587 02 26 – 🟥🟥. ⇘
cerrado martes y 22 junio-22 julio – Com carta aprox. 3500.

POLLENSA Baleares – ver Baleares (Mallorca).

PONFERRADA **24400** León 🔢🔢🔢 E 10 – 52 499 h. alt. 543 – ✪ 987.

🅱 Gil y Carrasco, 4 (junto al Castillo) 🖋 42 42 36.

✦Madrid 385 – Benavente 125 – ✦León 105 – Lugo 121 – Orense/Ourense 159 – ✦Oviedo 210.

🏨🏨 **Del Temple,** av. de Portugal 2 🖋 41 00 58, Telex 89658, Fax 42 35 25, « Decoración evo
cadora de la época de los Templarios » – 🛗 🗐 📺 ☎ ⇔ – 🛡 25/50. 🖭 ⑩ 🗐 🟥🟥. ⇘
Com *(cerrado domingo noche)* – ⊑ 775 – **102 hab** 7150/10500.

🏨 **Madrid,** av. de la Puebla 44 🖋 41 15 50, Fax 41 18 61 – 🛗 🗐 rest 📺 ☎. 🖭 🗐 🟥🟥 🍴📳. ⇘
Com *(cerrado domingo noche)* 975 – ⊑ 400 – **55 hab** 3100/4750 – PA 2000.

🏨 **Bérgidum** sin rest, con cafetería, av. de la Plata 2 🖋 40 15 99, Telex 89893, Fax 40 16 0◀
– 🛗 🗐 📺 ☎ ⇔. 🖭 ⑩ 🗐 🟥🟥. ⇘
⊑ 750 – **71 hab** 6000/9000.

🍴 **Ballesteros,** Fueros de León 12 🖋 41 11 60 – 🗐. 🖭 ⑩ 🗐 🟥🟥. ⇘
cerrado domingo – Com carta 2250 a 3500.

en la carretera N VI - NE : 6 km – ✉ 24400 Ponferrada – ✪ 987 :

🍴🍴 **Azul Montearenas,** 🖋 41 70 12, Fax 42 48 21, ≼ – 🗐 🅿. 🖭 ⑩ 🗐 🟥🟥. ⇘
cerrado domingo noche – Com carta 2550 a 3300.

PONS o **PONTS** **25740** Lérida 🔢🔢🔢 G 33 – 2 230 h. alt. 363 – ✪ 973.

✦Madrid 533 – ✦Barcelona 131 – ✦Lérida/Lleida 64.

🏨 **Boncompte,** pl. Sant Cristòfol 1 🖋 46 10 02, Fax 46 10 04 – 🛗 🗐 📺 ☎ 🕭 ⇔ 🅿. 🅰
⑩ 🗐 🟥🟥. ⇘
Com 1950 – ⊑ 500 – **34 hab** 3600/6600 – PA 3740.

🏨 **Pedra Negra,** carret. de Seo de Urgel NE : 1km 🖋 46 01 00, 🏊 – 🗐 rest 🕮 🅿. 🖭 🟥🟥. ⇘
Com *(cerrado lunes)* 1590 – ⊑ 320 – **10 hab** 4895.

🍴 **Ventureta,** carret. de Seo de Urgel 2 🖋 46 03 45, Fax 46 03 45 – 🗐 rest. 🟥🟥. ⇘
Com carta aprox. 3500 – ⊑ 600 – **7 hab** 1800/3000.

PONT D'ARRÓS Lérida – ver Viella.

EL PONT DE BAR **25723** Lérida 🔢🔢🔢 E 34 – 169 h. – ✪ 973.

• Madrid 614 – Puigcerdà 34 – Seu de Urgel/La Seu d'Urgell 23.

en la carretera N 260 E : 3,5 km – ✉ 25723 El Pont de Bar – ✪ 973 :

🍴🍴 **La Taverna dels Noguers,** 🖋 38 40 20 – 🗐 🅿. 🖭 🗐 🟥🟥
cerrado jueves, enero y del 1 al 15 de julio – Com (sólo almuerzo, salvo sabado) carta 345◀
a 4750.

PONT DE MOLINS **17706** Gerona 🔢🔢🔢 F 38 – 353 h. – ✪ 972.

✦Madrid 749 – Figueras/Figueres 6 – Gerona/Girona 42.

🍴 **El Molí** 🌄 con hab, carret. Les Escaules O : 2 km 🖋 52 80 11, Fax 52 81 01, ☂, Antiguo
molino, ⇘ – ☎ 🅿. 🖭 ⑩ 🗐 🟥🟥. ⇘ hab
Semana Santa-octubre – Com *(cerrado martes noche, miércoles y 15 diciembre-15 enero*
carta 1850 a 2800 – ⊑ 600 – **7 hab** 4500/8000.

PONT DE SUERT **25520** Lérida 🔢🔢🔢 E 32 – 2 879 h. alt. 838 – ✪ 973.

Alred. : Embalse de Escales★ S : 5 km.

✦Madrid 555 – ✦Lérida/Lleida 123 – Viella 40.

en la carretera de Bohí N : 2,5 km – ✉ 25520 Pont de Suert – ✪ 973 :

🍴 **Mesón del Remei,** 🖋 69 02 55, Carnes a la brasa – 🅿. 🟥🟥. ⇘
Com carta 1400 a 3100.

PONT D'INCA Baleares – ver Baleares (Mallorca).

PONTEVEDRA 36000 ℗ 441 E 4 – 65 137 h. – ✆ 986.

er : Barrio antiguo★ : Plaza de la Leña★ BY - Museo Provincial : (tesoros célticos★) BY M1 – Iglesia
e Santa María la Mayor★ (fachada oeste★) AY.

lred. : Mirador de Coto Redondo★★ ✳★★ 14 km por ③ – Iberia ✆ 85 66 22.

✈ ✆ 85 13 13.

General Mola 3, ✉ 36002, ✆ 85 08 14, Fax 85 10 48 – R.A.C.E. av. de Vigo 31, ✉ 36003,
✆ 85 25 12.

Madrid 599 ② – Lugo 146 ① – Orense/Ourense 100 ② – Santiago de Compostela 57 ① – ◆Vigo 27 ③.

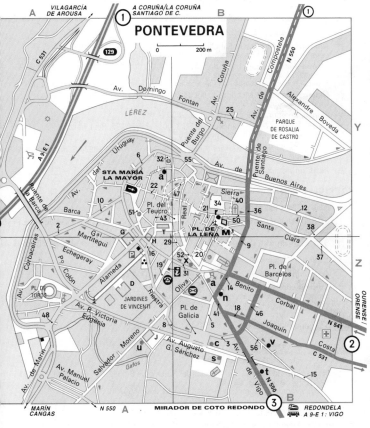

359

🏨 **Parador de Pontevedra,** Barón 19, ⊠ 36002, ℰ 85 58 00, Fax 85 21 95, 🍴, « Antigu pazo acondicionado », ⌂ – 🛗 📺 ☎ ❷ – 🔬 25/40. ◧ ◑ 𝘝𝘐𝘚𝘈. ✑ AY a
Com 3200 – 😋 1100 – **47 hab** 11000 – PA 6375.

🏨 **Galicia Palace,** av. de Vigo 3, ⊠ 36003, ℰ 86 44 11, Fax 86 10 26 – 🛗 🗐 📺 ☎ 🚗 – 🔬 25/300. ◧ ◑ 𝘝𝘐𝘚𝘈. ✑ BZ
Com 3300 – 😋 900 – **80 hab** 9200/11500, 5 suites – PA 6000.

🏨 **Rías Bajas** sin rest, con cafetería, Daniel de la Sota 7, ⊠ 36001, ℰ 85 51 00, Telex 88068 Fax 85 51 00 – 🛗 📺 ☎ 🚗 – 🔬 25/90. ◧ ◑ 𝐄 𝘝𝘐𝘚𝘈. ✑ BZ r
😋 600 – **93 hab** 6600/10000, 7 suites.

🏨 **Don Pepe** sin rest, carret. de La Toja 24, ⊠ 36163 Poyo, ℰ 84 17 11, Fax 86 18 21 – 🛗 📺 ☎ ❷. ◧ ◑ 𝐄 𝘝𝘐𝘚𝘈. ✑   por Puente de la Barca AY
😋 500 – **25 hab** 7800/9800.

🏨 **Virgen del Camino** sin rest. Virgen del Camino 55, ⊠ 36001, ℰ 85 59 00, Fax 85 09 0 – 🛗 📺 ☎ 🚗 – 🔬 25/50. ◧ ◑ 𝐄 𝘝𝘐𝘚𝘈. ✑ BZ v
😋 600 – **53 hab** 6600/10000.

🏨 **Ruas** sin rest. con cafetería, Sarmiento, ⊠ 36002, ℰ 84 64 16, Fax 84 64 11 – 🗐 📺 ☎ 𝐄 𝘝𝘐𝘚𝘈. ✑ BY
😋 500 – **22 hab** 5500/7500.

XX **Román,** Augusto García Sánchez 12, ⊠ 36001, ℰ 84 35 60 – 🗐. ◧ ◑ 𝐄 𝘝𝘐𝘚𝘈 BZ s
cerrado domingo noche salvo julio y agosto – Com carta aprox. 3100.

XX ❀ **Doña Antonia,** soportales de la Herrería 4, ⊠ 36002, ℰ 84 72 74 – ◧ ◑ 𝐄 𝘝𝘐𝘚𝘈. ✑ BZ
cerrado domingo – Com carta 2850 a 4050
Espec. Ensalada templada de rape y calabacín, Merluza al romero, Cordero al horno con mie

XX **Gallego,** Gagos de Mendoza 2, ⊠ 36003, ℰ 86 10 28 – 🗐. ✑ AZ u
Com carta 2350 a 3800.

X **Chipén,** Peregrina 3, ⊠ 36201, ℰ 85 26 61 – 🗐 BZ a

X **Carla,** Augusto García Sánchez 15, ⊠ 36001, ℰ 84 09 72, Rest. italiano – 🗐. ◧ 𝘝𝘐𝘚𝘈. ✑ BZ c
cerrado lunes – Com carta aprox. 2950.

en San Salvador de Poyo por Puente de la Barca AY – ⊠ 36994 San Salvador de Poy – ❹ 986 :

🏨 **Paris** sin rest, carret. de La Toja : 3 km ℰ 85 68 62, Fax 85 68 62, ⌁ – 📺 ☎ ❷. 𝘝𝘐𝘚𝘈. ✑
😋 375 – **39 hab** 2500/5000.

XX ❀ **Casa Solla,** carret. de La Toja : 2 km ℰ 85 26 78, Fax 85 60 29 – 🗐 ❷. 𝐄 𝘝𝘐𝘚𝘈. ✑
cerrado domingo noche, jueves noche y Navidades – Com carta aprox. 4600
Espec. Filloas rellenas de marisco, Lubina Rías Baixas, Paletilla de cordero.

en San Juan de Poyo por Puente de la Barca 4 km AY – ⊠ 36994 San Juan de Poyo – ❹ 986 :

🏨 **San Juan** sin rest, Cesteiro 6 ℰ 77 00 20, Fax 77 05 11 – 🛗 📺 ☎ 🚗 ❷. ◧ ◑ 𝐄 𝘝𝘐𝘚𝘈 ✑
😋 300 – **72 hab** 4000/5000.

en la carretera N 550 por ① : 4 km – ⊠ 36157 Alba – ❹ 986 :

X **Corinto** con hab, ℰ 87 03 45 – ❷. 𝐄 𝘝𝘐𝘚𝘈. ✑
cerrado 20 diciembre-20 enero – Com (*cerrado lunes*) carta 1800 a 3100 – 😋 300 – **16 hab** 2500/4000.

PONTS Lérida – ver Pons.

PÓO DE CABRALES 33554 Asturias 𝟒𝟒𝟏 C 15 – ❹ 98.
♦Madrid 453 – ♦Oviedo 104 – ♦Santander 113.

🏨 **Principado de Europa** 🍴, Mirador del Naranjo de Bulnes 2 ℰ 584 54 74, Fax 584 54 74 ⌕ – 🛗 📺 ☎ 🚗 ❷. ◧ 𝘝𝘐𝘚𝘈. ✑
cerrado febrero – Com 1500 – 😋 475 – **32 hab** 5500/9000 – PA 3475.

PORRIÑO 36400 Pontevedra 𝟒𝟒𝟏 F 4 – 13 517 h. alt. 29 – ❹ 986.
♦Madrid 585 – Orense/Ourense 86 – Pontevedra 34 – ♦Porto 142 – ♦Vigo 15.

🏨 **Motel Acapulco y Rest. Albariño,** Antonio Palacios 147 ℰ 33 15 07, Fax 33 64 65 – 🗐 📺 🚗 ❷. ◧ ◑ 𝐄. ✑
Com 1200 – 😋 500 – **40 hab** 4500/8500 – PA 2900.

🏨 **Parque** sin rest, con cafetería, parque del Cristo ℰ 33 16 04, Fax 33 15 79 – 🛗 📺 ☎ 🚗 ◧ ◑ 𝐄 𝘝𝘐𝘚𝘈 𝐉𝐂𝐁. ✑
😋 700 – **47 hab** 5900/7500.

PORTALS NOUS Baleares – ver Baleares (Mallorca).

PORTALS VELLS Baleares – ver Baleares (Mallorca) : Palma Nova.

ORT-BOU 17497 Gerona 📖📖📖 E 39 - 2 281 h. - ✪ 972 - Playa.
 og. Lluís Companys, ✉ 17497, ✆ 39 02 84, Fax 12 51 23.
4adrid 782 - Banyuls 17 - Gerona/Girona 75.

🏠 **Comodoro**, Méndez Núñez 1 ✆ 39 01 87, 🍴 – **E** 𝗩𝗜𝗦𝗔
junio-septiembre – Com 1000 – ☲ 500 – **14 hab** 2500/5000 – PA 2500.

🏡 **Bahía** sin rest y sin ☲, Cerbere 2 ✆ 39 01 96, ≤
temp. – **33 hab.**

🏡 **Costa Blava**, Cerbere 20 ✆ 39 03 86 – **E** 𝗩𝗜𝗦𝗔. ⛊
junio-septiembre – Com 1300 – ☲ 500 – **21 hab** 2500/5000.

✗ **L'Áncora**, passeig de la Sardana 3 ✆ 39 00 25, Fax 39 03 60, 🍴, Decoración rústica – **E**
𝗩𝗜𝗦𝗔
cerrado martes y noviembre – Com carta 2400 a 4100.

ORT DE LA SELVA Gerona – ver Puerto de la Selva.

ORT-ESCALA Gerona – ver La Escala.

ORTELA DE VALCARCE León – ver Vega de Valcarce.

---

l PORTET Alicante – ver Moraira.

ORTO COLOM Baleares – ver Baleares (Mallorca).

ORTO CRISTO Baleares – ver Baleares (Mallorca).

ORTOMARÍN Lugo – ver Puertomarín.

ORTONOVO 36970 Pontevedra 📖📖📖 E 3 - ✪ 986 - Playa.
4adrid 626 - Pontevedra 22 - Santiago de Compostela 79 - ◆Vigo 49.

🏠 **Caneliñas** sin rest, av. de Pontevedra 40 ✆ 69 03 63, Fax 69 08 90 – 🛗 📺 ☎. **E** 𝗩𝗜𝗦𝗔. ⛊
abril-octubre – ☲ 450 – **29 hab** 5850/7500.

🏠 **Siroco** sin rest, av. de Pontevedra 12 ✆ 72 08 43, Fax 69 10 16, ≤ – 🛗 📺 ☎. 𝖠𝖤 **E** 𝗩𝗜𝗦𝗔.
⛊
Semana Santa-octubre – ☲ 400 – **32 hab** 5000/8000.

🏠 **Nuevo Cachalote**, Marina ✆ 72 34 54, Fax 72 34 55 – 🛗 🍽 rest ☎. **E** 𝗩𝗜𝗦𝗔. ⛊
abril-octubre – Com 1550 – ☲ 375 – **31 hab** 4000/6950 – PA 2950.

🏠 **Cachalote** sin rest, Marina ✆ 72 08 52, Fax 72 34 55 – 🛗 ☎. **E** 𝗩𝗜𝗦𝗔. ⛊
mayo-octubre – ☲ 375 – **27 hab** 3400/5600.

🏠 **Punta Lucero**, av. de Pontevedra 18 ✆ 72 02 24, Fax 69 02 58, ≤ – 🛗. **E** 𝗩𝗜𝗦𝗔. ⛊
abril-septiembre – Com 1700 – ☲ 400 – **35 hab** 4300/5500 – PA 2800.

✗✗ **Titanic**, Rafael Pico 46 ✆ 72 36 45 – 🍽. ➊ **E** 𝗩𝗜𝗦𝗔. ⛊
cerrado lunes salvo julio-septiembre – Com carta 2525 a 3685.

en la playa de Canelas O : 1 km – ✉ 36970 Portonovo – ✪ 986 :

🏠 **Villa Cabicastro**, ✆ 69 08 48, Fax 69 02 58, ⚓, – 📺 ☎ ➋ – 🏛 25/100. **E** 𝗩𝗜𝗦𝗔. ⛊
marzo-octubre – Com 1900 – ☲ 450 – **34 apartamentos** 10000/14000.

🏠 **Duna** ⛊, ✆ 69 14 11, Fax 69 14 43, ≤ – 🛗 🍽 hab ☎ ⟸. **E** 𝗩𝗜𝗦𝗔. ⛊
abril-octubre – Com 1550 – ☲ 375 – **33 hab** 5150/9200 – PA 2950.

🏠 **Canelas**, ✆ 72 08 67, Fax 69 08 90 – 🛗 🍽 rest 📺 ☎ ⟸ ➋. **E** 𝗩𝗜𝗦𝗔. ⛊
abril-octubre – Com 1400 – ☲ 375 – **36 hab** 4600/5300 – PA 2485.

en la playa de Paxariñas O : 2 km – ✉ 36970 Portonovo – ✪ 986 :

🏠 **Luz de Luna**, ✆ 69 09 09, Fax 69 12 63, ≤, ⚓, ✗ – 🛗 ☎ ➋. 𝖠𝖤 **E** 𝗩𝗜𝗦𝗔. ⛊
Semana Santa y junio-septiembre – Com 1600 – ☲ 500 – **67 hab** 6950/8150 – PA 3145.

Ver también : *Sangenjo* E : 1,5 km - *Noalla* NO : 9 km.

PORTO PETRO Baleares – ver Baleares (Mallorca).

PORTO PI Baleares – ver Baleares (Mallorca) : Palma de Mallorca.

PORTUGOS 18415 Granada 📖📖📖 V 20 - 522 h. alt. 1 305 - ✪ 958.
◆Madrid 506 - ◆Granada 77 - Motril 56.

🏠 **Nuevo Malagueño** ⛊, ✆ 76 60 98, Fax 85 73 37, ≤ – 📺 ➋. ➊ **E** 𝗩𝗜𝗦𝗔. ⛊
Com *(cerrado lunes)* 1200 – ☲ 520 – **30 hab** 4200/7300.

PORT SALVI Gerona – ver San Feliú de Guixols.

POSADA DE VALDEÓN 24915 León **441** C 15 – 496 h. alt. 940 – ✪ 987.
♦ Madrid 411 – ♦ León 123 – ♦ Oviedo 140 – ♦ Santander 170.

　🏡 **Casa Abascal** ⑭, El Salvador ℰ 74 05 07 – 🖵 🅿. 🗉 𝑉𝐼𝑆𝐴. ⌘
　　Com 2000 – ☲ 400 – **40 hab** 5500/6500 – PA 3825.

POTES 39570 Cantabria **442** C 16 – 1 444 h. alt. 291 – ✪ 942.
Ver : Paraje★.
Alred. : Santo Toribio de Liébana ≼★ SO : 3 km – Desfiladero de la Hermida★★ N : 18 km – Puer‑
de San Glorio★ (Mirador de Llesba ≼★★) SO : 27 km y 30 mn a pie.
🛈 pl. Jesús de Monasterio ℰ 73 07 87 (temp.).
♦ Madrid 399 – Palencia 173 – ♦ Santander 115.

　🏨 **Picos de Valdecoro y Rest. Paco Wences,** Roscabado 5 ℰ 73 00 25, Fax 73 03 15,
　　– 📶 🗏 rest 🕿 🅿. 🕮 ⊙ 🗉 𝑉𝐼𝑆𝐴. ⌘
　　Com carta 2150 a 2950 – ☲ 400 – **41 hab** 4500/7500.

　　en la carretera de Fuente Dé O : 1,5 km – ✉ 39570 Potes – ✪ 942 :

　🏨 **La Cabaña** ⑭ sin rest, ℰ 73 00 50, ≼, ◪, – 🕿 🅿. 🕮 𝑉𝐼𝑆𝐴. ⌘
　　Semana Santa y junio-septiembre – ☲ 400 – **24 hab** 4500/7500.

POZOBLANCO 14400 Córdoba **446** Q 15 – 13 612 h. – ✪ 957.
🎌 Club de Pozoblanco : 3 km ℰ 10 02 39.
♦ Madrid 361 – Ciudad Real 164 – ♦ Córdoba 67.

　🏨 **Los Godos,** Villanueva de Córdoba 32 ℰ 10 00 22, Fax 10 00 22 – 📶 🗏 rest 🕿. 🗉 𝑉𝐼𝑆
　　⌘
　　Com 1100 – ☲ 600 – **35 hab** 4500/7500 – PA 2600.

　　en la carretera de Alcaracejos O : 2,3 km – ✉ 14400 Pozoblanco – ✪ 957 :

　🏨 **San Francisco** ⑭, ℰ 10 15 12 – 📶 🗏 rest 🕿 🅿. 🗉 𝑉𝐼𝑆𝐴. ⌘
　　Com 1100 – ☲ 600 – **40 hab** 5400/8500 – PA 2800.

POZUELO DE ALARCÓN 28023 Madrid **444** K 18 – 31 228 h. – ✪ 91.
♦ Madrid 10.

　🎖🎖🎖 **Bracamonte,** General Mola 44 ℰ 351 04 02, 🍴 – 🗏 🅿. 🕮 ⊙ 🗉 𝑉𝐼𝑆𝐴. ⌘
　　cerrado domingo, lunes mediodía y 15 agosto-15 septiembre – Com carta aprox. 4200
　🎖🎖 **La Española,** av. Juan XXIII 5 ℰ 715 87 85, Fax 352 67 93, 🍴 – 🗏 🅿. 🕮 𝑉𝐼𝑆𝐴
　　cerrado domingo noche y lunes – Com carta 4200 a 5850.
　🎖🎖 **El Fogón de Pozuelo,** Tahona 17 ℰ 715 99 94, 🍴 – 🗏. 🕮 🗉 𝑉𝐼𝑆𝐴. ⌘
　　cerrado domingo noche y lunes – Com carta aprox. 3500.
　🎖🎖 **Tere,** av. Generalísimo 64 ℰ 352 19 98, 🍴 – 🗏. 🕮 ⊙ 🗉 𝑉𝐼𝑆𝐴. ⌘
　　Com carta aprox. 5100.
　🎖 **Bodega La Salud,** Jesús Gil González 36 ℰ 715 33 90, Fax 352 67 93, Carnes a la brasa
　　– 🗏. 🕮 ⊙ 🗉 𝑉𝐼𝑆𝐴
　　cerrado domingo noche, jueves, Semana Santa y agosto – Comida carta 2425 a 3775

　　en la carretera M 602 SE : 2,5 km – ✉ 28023 Pozuelo de Alarcón – ✪ 91 :

　🎖 **Chaplin,** Zoco ℰ 715 75 59, 🍴 – 🗏. 🕮 🗉 𝑉𝐼𝑆𝐴. ⌘
　　cerrado domingo y festivos noche – Com carta 3150 a 3950.

　　en Húmera SE : 3 km – ✉ 28023 Pozuelo de Alarcón – ✪ 91 :

　🎖🎖 **El Montecillo,** ℰ 715 18 18, 🍴, « En un pinar », ⌘ – 🗏 🅿. ⊙ 🗉 𝑉𝐼𝑆𝐴. ⌘
　　cerrado lunes y agosto – Com carta aprox. 3500.

PRADERA DE NAVALHORNO Segovia – ver La Granja.

PRADES 43364 Tarragona **443** I 32 – 547 h. – ✪ 977.
♦ Madrid 530 – ♦ Lérida/Lleida 68 – Tarragona 50.

　🎖 **L'Estanc,** pl. Mayor 9 ℰ 86 81 67, Carnes – 🗉 𝑉𝐼𝑆𝐴. ⌘
　　cerrado miércoles y 15 enero-15 febrero – Com carta 2500 a 3300.

PRADO 33344 Asturias **441** B 14 – alt. 135 – ✪ 98.
♦ Madrid 498 – Gijón 56 – ♦ Oviedo 96 – ♦ Santander 141.

　🏡 **Caravia,** carret. N 632 ℰ 585 30 14 – 🅿. 🗉 𝑉𝐼𝑆𝐴. ⌘
　　Com *(cerrado domingo noche salvo en Semana Santa y verano)* 1500 – ☲ 375 – **20 hab**
　　3100/6000.

362

PRATS DE CERDAÑA o **PRATS DE CERDANYA** 25721 Lérida 443 E 35 – alt. 1 100 – 972 – Deportes de invierno en Masella E : 9 km : ⚡ 7.
Madrid 639 – ◆Lérida/Lleida 170 – Puigcerdà 14.

🏠 Moixaró ⊗, carret. de Alp ℘ 89 02 38, ≤, ⌇, ☞ – ☎ ℗
  40 hab.

PRAVIA 33120 Asturias 441 B 11 – 12 407 h. alt. 17 – ✪ 98.
Alred. : Cabo de Vidio★★ (≤★★) – Cudillero (típico pueblo pesquero★) N : 15 km – Ermita del Espíritu Santo (≤★) N : 15 km.
Madrid 490 – Gijón 49 – ◆Oviedo 55.

❌ **Balbona,** Pico Meras 2 ℘ 582 11 62 – 🍽. 🆎 ◐ 🄴 𝓥𝓘𝓢𝓐. ⅏
  cerrado martes y 2ª quincena de septiembre – Com carta 2200 a 3700.

  en Beifar SE : 3,5 km – ⊠ 33129 Beifar – ✪ 98 :

❌ **Juan de la Tuca,** carret. C 632 ℘ 582 06 94 – 🍽. 𝓥𝓘𝓢𝓐
  cerrado jueves y enero – Com carta aprox. 2600.

  Sie möchten in einem Parador
  oder in einem ruhigen, abgelegenen Hotel übernachten ?
  Wir empfehlen Ihnen – vor allem in der Hauptreisezeit –
  Ihr Zimmer rechtzeitig zu reservieren.

PREMIÀ DE DALT 08338 Barcelona 443 H 37 – ✪ 93.
Madrid 627 – ◆Barcelona 22 – Gerona/Girona 82.

❌ **La Granja,** de la Cisa 52 ℘ 752 28 73, 🌇, ⌇ – ℗. 🆎 ◐ 🄴 𝓥𝓘𝓢𝓐
  cerrado jueves, del 1 al 20 de febrero y del 1 al 10 de septiembre – Com carta 2600 a 4400.

  en la carretera de Premià de Mar S : 2 km – ⊠ 08338 Premià de Dalt – ✪ 93 :

❌❌ **Sant Antoni,** Penedés 43 ℘ 752 34 81, 🌇, Decoración regional – ℗. 🆎 ◐ 🄴 𝓥𝓘𝓢𝓐. ⅏
  Com carta 2450 a 3550.

PREMIÀ DE MAR 08330 Barcelona 443 H 37 – 19 935 h. – ✪ 93 – Playa.
Madrid 653 – ◆Barcelona 20 – Gerona/Girona 82.

❌❌ **Jordi,** Mossèn Jacint Verdaguer 128 ℘ 751 09 10 – 🍽. 🆎 🄴 𝓥𝓘𝓢𝓐
  cerrado domingo noche y lunes – Com carta 2800 a 4300.

PRENDES 33438 Asturias 441 B 12 – ✪ 98.
Madrid 484 – Avilés 17 – Gijón 10 – ◆Oviedo 39.

❌❌ ✿ **Casa Gerardo,** carret. N 632 ℘ 588 77 97, Fax 588 77 98 – 🍽 ℗. 🆎 𝓥𝓘𝓢𝓐. ⅏
  cerrado lunes y junio – Com (sólo almuerzo salvo viernes y sábado) carta 4350 a 5700
  Espec. Fabada de Prendes, Ventresca de bonito al horno con salsa de pollo (verano), Patatas con almejas y angulas en guiso (otoño-invierno).

La PROVIDENCIA Asturias – ver Gijón.

PRULLANS 25727 Lérida 443 E 35 – 183 h. alt. 1 096 – ✪ 973.
Madrid 632 – ◆Lérida/Lleida 163 – Puigcerdà 22.

🏠 **Muntanya** ⊗, Puig 3 ℘ 51 02 60, Fax 51 06 06, ≤, ⌇, ☞ – 📶 ☎ ℗. 🄴 𝓥𝓘𝓢𝓐. ⅏
  cerrado noviembre – Com 1600 – ☲ 520 – **32 hab** 4650/6300 – PA 3300.

PUÇOL Valencia – ver Puzol.

La PUEBLA DE ARGANZÓN 09294 Burgos 442 D 21 – 481 h. – ✪ 945.
◆Madrid 338 – ◆Bilbao/Bilbo 75 – ◆Burgos 95 – ◆Logroño 75 – ◆Vitoria/Gasteiz 17.

❌ Palacios, carret. N I – km 333 ℘ 37 30 30 – ℗.

PUEBLA DE FARNALS o **LA POBLA DE FARNALS** 46137 Valencia 445 N 29 – 971 h. – ✪ 96.
◆Madrid 369 – Castellón de la Plana/Castelló de la Plana 58 – ◆Valencia 18.

  en la playa E : 5 km – ⊠ 46137 Puebla de Farnals – ✪ 96 :

❌❌ **Bergamonte,** ℘ 146 16 12, 🌇, « Típica barraca valenciana », ⌇, ❌ – 🍽 ℗. 🆎 𝓥𝓘𝓢𝓐. ⅏
  cerrado lunes – Com carta 2500 a 3300.

363

PUEBLA DEL CARAMIÑAL o **POBRA DO CARAMIÑAL** 15940 La Coruña 441 E 3 - 9 813 h. - 🕿 980 - Playa.

◆Madrid 665 - ◆La Coruña/A Coruña 123 - Pontevedra 68 - Santiago de Compostela 51.

XX O'Lagar, Condado 5 ℰ 83 00 37 - 🗐.

PUEBLA DE SANABRIA 49300 Zamora 441 F 10 - 1 858 h. alt. 898 - 🕿 980.

Alred. : Carretera a San Martín de Castañeda ≤★ NE : 20 km.

◆Madrid 341 - ◆León 126 - Orense/Ourense 158 - ◆Valladolid 183 - Zamora 110.

🏨 **Parador Puebla de Sanabria** 🏖, carret. del lago 18 ℰ 62 00 01, Fax 62 03 51, ≤ - 🆃🆅 🕿 ⇔ 🅿 - 🔬 25/40. 🖭 ⓞ 🖼 🛠
Com 3000 - 🖵 1000 - **44 hab** 8500 - PA 5950.

🏨 **Los Perales** 🏖 sin rest, colonia Los Perales ℰ 62 00 25, Fax 62 03 85 - 🆃🆅 🕿 🅿. 🖭 ⓞ E 🖼
🖵 600 - **18 hab** 5600/7000.

🏠 Carlos V sin rest, av. Braganza 6 ℰ 62 01 61
10 hab.

🏠 Victoria sin rest y sin 🖵, Ánimas, 20 ℰ 62 00 12
temp. - **10 hab.**

PUENTE ARCE 39478 Cantabria 442 B 18 - 🕿 942.

◆Madrid 380 - ◆Bilbao/Bilbo 110 - ◆Santander 13 - Torrelavega 14.

XXX ❀ **El Molino,** carret. N 611 ℰ 57 50 55, Fax 57 40 04, « Instalado en un antiguo molino » - 🅿. 🖭 ⓞ E 🖼. 🛠
cerrado domingo noche y lunes salvo en verano - Com carta 3550 a 5200
Espec. Ensalada de bacalao con langostinos y yemas de espárragos blancos, Pescado de roc estofado al tomillo, Pularda rellena con salsa de trufas y colmenillas.

XX **Puente Arce (Casa Setien),** barrio del Puente 5 ℰ 57 40 01, Fax 57 50 35, �, Decoració rústica, « Terraza-jardín » - 🗐 🅿. 🖭 ⓞ E 🖼 🗴🗂 🛠
cerrado octubre - Com carta 3100 a 4300.

en la carretera de Vioño S : 2 km - ⊠ 39478 Puente Arce - 🕿 942 :

X **Paraíso del Pas,** ⊠ 39478 Oruña, ℰ 57 42 70, 🌠, « Decoracion rústica » - 🅿. 🖭 ⓞ E 🖼. 🛠
cerrado lunes y noviembre - Com carta 2825 a 3500.

PUENTEÁREAS o **PONTEAREAS** 36860 Pontevedra 441 F 4 - 15 013 h. - 🕿 986.

◆Madrid 576 - Orense/Ourense 75 - Pontevedra 45 - ◆Vigo 26.

X **La Fuente,** Alcázar de Toledo 4 ℰ 64 09 32 - 🗐. 🖭 ⓞ E 🖼. 🛠
cerrado del 15 al 30 de septiembre - Com carta 2025 a 3225.

PUENTE DE SAN MIGUEL 39530 Cantabria 442 B 17 - 🕿 942.

◆ Madrid 376 - Burgos 141 - ◆ Santander 25 - Torrelavega 4.

XX **La Ermita 1883** con hab, pl. Javier Irastorza 89 ℰ 83 82 47, Fax 71 90 71 - 🗐 🆃🆅. 🖭 🖼
Comida *(cerrado miércoles salvo julio, agosto y festivos)* carta 2700 a 3400 - 🖵 350 **5 hab** 5200.

PUENTE DE SANABRIA 49350 Zamora 441 F 10 - 🕿 980.

Alred. : N : Carretera a San Martín de Castañeda ≤★.

◆Madrid 347 - Benavente 90 - ◆León 132 - Orense/Ourense 164 - Zamora 116.

🏠 Gela sin rest, carret. del lago ℰ 62 03 40
11 hab.

PUENTEDEUME o **PONTEDEUME** 15600 La Coruña 441 B 5 - 8 459 h. - 🕿 981 - Playa

◆Madrid 599 - ◆La Coruña/A Coruña 48 - Ferrol 15 - Lugo 95 - Santiago de Compostela 85.

XX Brasilia, carret. N VI ℰ 43 02 49.

X **Yoli,** Ferreiros 8 ℰ 43 01 86 - 🖼. 🛠
cerrado domingo noche y del 1 al 10 de octubre - Com carta 2100 a 3100.

PUENTE GENIL 14500 Córdoba 446 T 15 - 25 615 h. - 🕿 957.

◆Madrid 469 - ◆Córdoba 71 - ◆Málaga 102 - ◆Sevilla 128.

🏠 **Xenil** sin rest y sin 🖵, Poeta García Lorca 3 ℰ 60 02 00, Fax 60 04 43 - 📶 🗐 📶 🅿. E 🖼. 🛠
35 hab 4500/7000.

UENTE LA REINA 31100 Navarra 442 D 24 – 1 987 h. alt. 346 – 948.

r : Iglesia del Crucifijo (Cristo★) – Iglesia Santiago (portada★).

red. : Eunate★ E : 5 km – Cirauqui★ (iglesia de San Román : portada★) O : 6 km.

Madrid 403 – ◆Logroño 68 – ◆Pamplona/Iruñea 24.

Jakue, carret. de Pamplona NE : 1 km 34 10 17, Fax 34 11 20, ≤, 🏊 – 🍴 rest 📺 ☎ 🅿, 🖭 ⓘ 🄴 VISA, ✄ rest
Com 1500 – ☲ 500 – **28 hab** 5000/8000 – PA 2975.

Mesón del Peregrino con hab, carret. de Pamplona NE : 1 km 34 00 75, Fax 34 11 90, 🍴, « Decoración original y jardín con 🏊 » – 🍴 rest 📺 ☎ 🅿, 🄴 VISA
cerrado del 1 al 15 de enero y Navidades – Com carta 3550 a 4850 – ☲ 1000 – **15 hab.**

UENTE VIESGO 39670 Santander 442 C 18 – 942 – Balneario.

r : Cueva del castillo★.

Madrid 364 – ◆ Bilbao/Bilbo 128 – ◆ Burgos 125 – ◆ Santander 30.

G. H. Puente Viesgo, barrio la Iglesia 59 80 61, Fax 59 82 61, **Ⅰ⑤**, 🏊, 🎋, ✵ – 🍴 🍴 rest 📺 ☎ 🚗 🅿 – 🔬 25/300. 🄴 ⓘ 🄴 VISA, ✄
Com 2400 – ☲ 800 – **98 hab** 13000/15000, 3 suites – PA 4450.

UERTO – Puerto de montaña, ver el nombre propio del puerto.

UERTO – Puerto de mar, ver a continuación.

UERTO BANÚS Málaga 446 W 15 – ✉ 29660 Nueva Andalucía – 95 – Playa.

r : Puerto deportivo★.

Madrid 622 – Algeciras 69 – ◆Málaga 67 – Marbella 8.

Taberna del Alabardero, muelle Benabola 281 27 94, Fax 281 86 30, 🍴 – 🍴. 🄴 ⓘ 🄴 VISA, ✄
cerrado domingo en invierno y 15 enero o 15 febrero – Com carta 4100 a 5375.

Cipriano, edificio Levante - local 4 y 5 281 10 77, Fax 281 10 77, 🍴, Pescados y mariscos – 🄴 ⓘ 🄴 VISA JCB, ✄
Com carta 4350 a 6000.

PUERTO DE ALCUDIA Baleares – ver Baleares (Mallorca).

PUERTO DE ANDRAITX Baleares – ver Baleares (Mallorca).

PUERTO DE LA CRUZ Santa Cruz de Tenerife – ver Canarias (Tenerife).

PUERTO DE LA SELVA o **El PORT DE LA SELVA** 17489 Gerona 443 E 39 – 725 h. – 972 – Playa.

◆Madrid 776 – Banyuls 39 – Gerona/Girona 69.

Amberes, Selva de Mar 38 70 30, 🍴 – 🅿. VISA
Semana Santa-septiembre – Com 1500 – ☲ 525 – **24 hab** 5000/7000 – PA 3000.

Ca l'Herminda, l'Illa 7 38 70 75, ≤, 🍴, Decoración rústica – 🍴. 🄴 VISA
cerrado domingo noche, lunes y octubre-marzo – Com carta 2820 a 3825.

Bellavista, Platja 3 38 70 50, ≤, 🍴.

PUERTO DEL CARMEN Las Palmas – ver Canarias (Lanzarote).

PUERTO DEL ROSARIO Canarias – ver Canarias (Fuerteventura).

PUERTO DE MAZARRÓN 30860 Murcia 445 T 26 – 968 – Playa.

🛈 av. Dr. Meca (edificio Bahía Mar) 59 44 26.

◆Madrid 459 – Cartagena 33 – Lorca 55 – ◆Murcia 69.

La Cumbre 🏊, urb. La Cumbre 59 48 61, Fax 59 44 50, ≤, 🏊 – 🍴 🍴 📺 ☎ 🚗 🅿. 🄴 🄴 VISA, ✄
Com 1900 – ☲ 650 – **119 hab** 6600/9500 – PA 3700.

Virgen del Mar, paseo Marítimo 2 59 50 57, ≤, 🍴, Pescados y mariscos – 🍴. 🄴 🄴 VISA, ✄
cerrado lunes y noviembre – Com carta 1750 a 3350.

en la playa de la Isla O : 1 km – ⊠ 30860 Puerto de Mazarrón – 🕿 968 :

🏨 **Durán,** 𝒫 59 40 50, Fax 59 15 83 – 🕿. 🅰🅴 ⑪ 🅴 𝘝𝘐𝘚𝘈. ⅏
junio-septiembre – Com (ver rest. **Miramar**) – ⊊ 300 – **29 hab** 4000/5800.

✗ **Miramar,** 𝒫 59 40 08, ≤ – 🗐 🅿. 🅰🅴 ⑪ 🅴 𝘝𝘐𝘚𝘈. ⅏
mayo-septiembre – Com carta 2500 a 3750.

en la playa de la Reya O : 1,5 km – ⊠ 30860 Puerto de Mazarrón – 🕿 968 :

🏨 **Bahía** ⌂, 𝒫 59 40 00, Fax 15 40 23, ≤ – 🛗 🕿 🅿. 🅴 𝘝𝘐𝘚𝘈. ⅏
Com 1950 – ⊊ 400 – **53 hab** 3800/9000 – PA 3440.

✗ **Barbas,** 𝒫 59 41 06, ≤, Pescados y mariscos – 🗐. 🅰🅴 ⑪ 🅴 𝘝𝘐𝘚𝘈. ⅏
cerrado martes noche y 20 diciembre-20 febrero – Com aprox. 3200.

en Playa Grande O : 3 km – ⊠ 30870 Mazarrón – 🕿 968 :

🏨 **Playa Grande,** carret. de Bolnuevo 𝒫 59 44 81, Fax 15 34 30, ≤, ⅏, ⅃, – 🛗 🗐 🕿 ⟵
– 🏷 25/250. 🅴 𝘝𝘐𝘚𝘈. ⅏
Com 1850 – ⊊ 1000 – **38 hab** 6500/8500 – PA 3500.

PUERTO DE POLLENSA Baleares – ver Baleares (Mallorca).

EL PUERTO DE SANTA MARÍA 11500 Cádiz 𝟦𝟦𝟨 W 11 – 61 032 h. – 🕿 956 – Playa.

🏊 Vista Hermosa O : 1,5 km 𝒫 85 00 11.

🗒 Guadalete 1 𝒫 48 31 44.

♦Madrid 610 – ♦Cádiz 22 – Jerez de la Frontera 12 – ♦Sevilla 102.

🏨 **Monasterio de San Miguel,** Larga 27 𝒫 54 04 40, Telex 76255, Fax 54 26 04, ⅏
« Antiguo convento », ⅃, – 🛗 🗐 📺 🕿 ⟵ – 🏷 25/400. 🅰🅴 ⑪ 🅴 𝘝𝘐𝘚𝘈. ⅏
Com carta 2250 a 3900 – ⊊ 1200 – **150 hab** 11850/15950.

🏨 **Santa María** sin rest, con cafetería, av de la Bajamar 𝒫 87 32 11, Telex 76251, Fax 87 36 52
⅃ – 🛗 🗐 📺 🕿 ⟵ – 🏷 25/280. 🅰🅴 ⑪ 🅴 𝘝𝘐𝘚𝘈. ⅏
⊊ 650 – **100 hab** 7000/10000.

🏨 **Los Cántaros** sin rest, con cafetería, Curva 6 𝒫 54 02 40, Fax 54 11 21 – 🛗 🗐 📺 🕿 🅿
🅰🅴 ⑪ 🅴 𝘝𝘐𝘚𝘈.
⊊ 300 – **39 hab** 7200/9500.

🏨 **Chaikana** sin rest, Javier de Burgos 17 𝒫 54 29 02, Fax 54 29 22 – 🗐 📺 🕿. 🅰🅴 ⑪ 🅴 𝘝𝘐𝘚𝘈
⅏
⊊ 500 – **25 hab** 5000/7500.

✗✗ **Casa Flores,** Ribera del Río 9 𝒫 54 35 12, Fax 54 02 64 – 🗐. 🅰🅴 ⑪ 🅴 𝘝𝘐𝘚𝘈. ⅏
Com carta 2300 a 4200.

✗ **El Patio,** Rufina Vergara 1 𝒫 54 05 06, Instalado en una antigua posada – 🗐. 🅰🅴 ⑪ 🅴
𝘝𝘐𝘚𝘈. ⅏
cerrado lunes – Com carta 2295 a 3800.

✗ **Los Portales,** Ribera del Río 13 𝒫 54 21 16, Fax 54 03 29 – 🗐. 🅰🅴 ⑪ 🅴 𝘝𝘐𝘚𝘈. ⅏
Com carta 2500 a 3400.

en la carretera de Cádiz S : 2,5 km – ⊠ 11500 El Puerto de Santa María – 🕿 956 :

🏨 **Meliá el Caballo Blanco,** av. Madrid 1 𝒫 56 25 41, Telex 76070, Fax 56 27 12, ⅏, « Jardín
con ⅃ » – 🗐 🕿 🅿 – 🏷 25/150. 🅰🅴 ⑪ 🅴 𝘝𝘐𝘚𝘈. ⅏
Com 2900 – ⊊ 1200 – **94 hab** 10000/12000 – PA 5950.

en Valdelagrana-por la carretera de Cádiz S : 2,5 km – ⊠ 11500 El Puerto de Santa María
– 🕿 956 :

🏨 **Puertobahía,** av. La Paz 38 𝒫 56 27 00, Telex 76174, Fax 56 12 21, ≤, ⅃, ⅏ – 🛗 🗐 📺
🕿 🅿 – 🏷 25/200. 🅰🅴 🅴 𝘝𝘐𝘚𝘈. ⅏
Com 2000 – ⊊ 600 – **328 hab** 7500/10950 – PA 4900.

en la carretera de Rota – ⊠ 11500 El Puerto de Santa María – 🕿 956 :

🏨 **Del Mar** sin rest, con cafetería, av. Marina de Guerra O : 1,5 km 𝒫 87 59 11, Fax 85 87 16
– 🗐 📺 🕿 ⟵. 🅰🅴 ⑪ 🅴 𝘝𝘐𝘚𝘈. ⅏
⊊ 650 – **40 hab** 9000/11000.

✗✗✗ **El Faro del Puerto,** O : 0,5 km 𝒫 87 09 52, Fax 54 04 66, ⅏, Pescados y mariscos – 🗐
🅿. 🅰🅴 ⑪ 🅴 𝘫𝘤𝘣. ⅏
cerrado domingo noche salvo verano – Com carta 3650 a 4800.

✗✗ **La Goleta,** O : 1,5 km 𝒫 85 42 32, ⅏ – 🗐. 🅰🅴 ⑪ 🅴 𝘝𝘐𝘚𝘈. ⅏
cerrado lunes y del 15 al 29 de noviembre – Com carta 2400 a 3700.

✗ **Asador de Castilla,** O : 3 km 𝒫 87 16 01, ⅏, Cordero asado – 🗐 🅿. ⑪ 🅴 𝘝𝘐𝘚𝘈. ⅏
cerrado lunes salvo julio y agosto – Com carta 2900 a 3950.

en Puerto Sherry SO : 3,5 km – ⊠ 11500 El Puerto de Santa María – 🕿 956 :

🏨 **Yacht Club y Rest. La Regata,** ⊠ apartado 233 𝒫 87 20 00, Fax 85 33 00, ≤, ⅏, ⅃
🗏 – 🛗 🗐 📺 🕿 🅿 – 🏷 25/450. 🅰🅴 ⑪ 🅴 𝘝𝘐𝘚𝘈. ⅏ rest
Com carta 2650 a 3800 – ⊊ 700 – **58 hab** 11000/17500.

PUERTO DE SANTIAGO Santa Cruz de Tenerife – ver Canarias (Tenerife).

PUERTO DE SÓLLER Baleares – ver Baleares (Mallorca).

PUERTO LÁPICE 13650 Ciudad Real 444 O 19 – 1 267 h. alt. 676 – 🕲 926.
◆Madrid 135 – Alcázar de San Juan 25 – Ciudad Real 62 – Toledo 85 – Valdepeñas 65.

🏠 Aprisco, carret. N IV - N : 1 km 🖉 57 61 50, « Conjunto de estilo manchego », 🗲 – 🗐 rest
🕿 **Ⓟ**
17 hab.

✗ **Venta del Quijote,** El Molino 4 🖉 57 61 10, Fax 57 61 10, 🏤, Cocina regional, « Antigua
venta manchega » – 🖭 ⓞ 🖻 ꭐꞩꞩ. ⅏
Com carta 2900 a 4550.

PUERTO LUMBRERAS 30890 Murcia 445 T 24 – 8 495 h. alt. 333 – 🕲 968.
◆Madrid 466 – ◆Almería 141 – ◆Granada 203 – ◆Murcia 80.

🏛 **Parador de Puerto Lumbreras,** av. de Juan Carlos I – 77 🖉 40 20 25, Fax 40 28 36, 🗲,
🞿 – 🕼 🗐 🗐 🕿 🥁 **Ⓟ**. 🖭 ⓞ ꭐꞩꞩ. ⅏
Com 3000 – ⚏ 1000 – **60 hab** 8500 – PA 5950.

🏦 **Riscal,** av. Juan Carlos I-5 🖉 40 20 50, Telex 67713, Fax 40 32 91, 🏤 – 🗐 🗐 🕿 **Ⓟ** –
🛦 25/800. 🖻 ꭐꞩꞩ. ⅏ rest
Com 1500 – ⚏ 550 – **48 hab** 3650/5225 – PA 3500.

🏠 **Salas,** carret. N 340 🖉 40 21 00, Fax 40 23 88 – 🗐 rest 🕿 **Ⓟ**. 🖭 ⓞ 🖻 ꭐꞩꞩ. ⅏ rest
Com 1200 – ⚏ 300 – **37 hab** 2500/4200 – PA 2500.

PUERTO NAOS Santa Cruz de Tenerife – ver Canarias (Tenerife).

PUERTO SHERRY Cádiz – ver El Puerto de Santa María.

PUERTOLLANO 13500 Ciudad Real 444 P 17 – 48 h. alt. 708 – 🕲 926.
◆Madrid 235 – Ciudad Real 38.

🏛 **Sambo,** Lope de Vega 3 🖉 43 11 24, Fax 41 08 28 – 🕼 🗐 🗐 🕿 🥁 – 🛦 25/150. 🖭
ⓞ ꭐꞩꞩ. ⅏
Com (cerrado lunes) 1800 – **39 hab** 5760/9000 – PA 4000.

🏦 León sin rest, Alejandro Prieto 6 🖉 42 73 00 – 🕼 🗐 🕿
89 hab.

🏠 Cabañas, carret. de Ciudad Real 3 🖉 42 06 50 – 🕼 🗐 🗐 🕿
45 hab.

✗ Casa Gallega, Vélez 5 🖉 42 01 00 – 🗐.

en la carretera de Ciudad Real NE : 2 km – ⊠ 13500 Puertollano – 🕲 926 :

🏦 Verona, 🖉 42 54 79 – 🗐 🗐 🕿
30 hab.

PUERTOMARÍN o **PORTOMARÍN** 27170 Lugo 441 D 7 – 2 499 h. – 🕲 982.
Ver : Iglesia★.
◆Madrid 515 – Lugo 40 – Orense/Ourense 80.

🏛 **Pousada de Portomarín** 🌭, av. de Sarria 🖉 54 52 00, Fax 54 52 70, ≤, 🖪, 🗲 – 🕼 🗐 rest
🗐 🕿 🥁 **Ⓟ** – 🛦 25/300. 🖭 ⓞ 🖻 ꭐꞩꞩ. ⅏
Com carta 2500 a 3600 – ⚏ 800 – **32 hab** 7800/9900, 2 suites.

Los PUERTOS DE SANTA BÁRBARA 30396 Murcia 445 T 26 – 🕲 968.
◆ Madrid 436 – Cartagena 12 – Lorca 58 – ◆ Murcia 46.

✗ **María Zapata,** S : 1 km 🖉 16 30 30, Antigua casa de campo – 🗐 **Ⓟ**. 🖭 ⓞ 🖻 ꭐꞩꞩ. ⅏
cerrado domingo noche y lunes – Com carta aprox.3500.

PUIG o **EL PUIG** 46540 Valencia 445 N 29 – 5 148 h. alt. 50 – 🕲 96.
◆Madrid 367 – Castellón de la Plana/Castelló de la Plana – ◆Valencia 20.

🏦 **Ronda II,** ronda Este 15 🖉 147 12 28, Fax 147 12 28 – 🕼 🗐 🗐 🕿. 🖭 🖻 ꭐꞩꞩ. ⅏
Com (ver rest. **L'Horta**) – **59 hab** ⚏ 5000/7500.

🏠 **Ronda I,** ronda Este 9 🖉 147 12 79, Fax 147 12 79 – 🕼 🗐 🕿 🥁. 🖭 🖻 ꭐꞩꞩ. ⅏
Com (ver rest. **L'Horta**) – ⚏ 400 – **45 hab** 3300/5000.

🔌 **Pensión ronda,** Ronda Este 5 🖉 147 12 79 – 🕼. 🖭 🖻 ꭐꞩꞩ. ⅏
Com (ver rest. **L'Horta**) – ⚏ 400 – **19 hab** 1500/2800.

✗✗ **L'Horta,** ronda Este 9 🖉 147 12 79, Fax 147 12 79 – 🗐. 🖭 🖻 ꭐꞩꞩ. ⅏
cerrado domingo noche – Com carta aprox. 3000.

17520 Gerona 443 E 35 – 5 818 h. alt. 1 152 – © 972.

🏌 de Cerdaña SO : 1 km ℰ 88 09 50.

🛈 Querol, ℰ 88 05 42, ⊠ 17520.

◆Madrid 653 – ◆Barcelona 169 – Gerona/Girona 152 – ◆Lérida/Lleida 184.

🏡 **Del Lago** 🦢 sin rest, av. Dr Piguillem, 7 ℰ 88 10 00, Fax 14 15 11, « Amplio jardín c‹
   🔟 » – 🔟 🕿 🅿. 🖃 VISA. 🕸
   ☷ 700 – **13 hab** 5500/8500, 2 suites.

🏡 **Puigcerdà**, av. Catalunya 42 ℰ 88 21 81, Fax 88 12 56 – 🛗 🖃 rest 🔟 🕿. 🖃 🖃 VISA. 🕸 re‹
   Com 1400 – ☷ 600 – **42 hab** 6000/8500 – PA 3400.

🏠 Estació, pl. Estació 2 ℰ 88 03 50 – **23 hab.**

🍴🍴 Casa Clemente, av. Dr. Piguillem 6 ℰ 88 11 66.

🍴🍴 **El Caliú,** Alfons I-1 ℰ 88 00 12 – 🖃 🖃 VISA. 🕸
   cerrado miércoles y del 16 al 31 de octubre – Com carta 2500 a 3750.

🍴🍴 **La Tieta,** dels Ferrers 20 ℰ 88 01 56 – VISA. 🕸
   cerrado martes y miércoles (salvo en temporada) y del 1 al 20 de junio – Com carta 24‹
   a 4400.

🍴🍴 ✿ **La Vila,** Alfons I-34 ℰ 14 08 04 – 🖃. 🖃 🖃 VISA. 🕸
   cerrado lunes (salvo festivos y agosto) – Com carta 3100 a 3850
   Espec. Mosaico de bacalao en salsa de aceitunas negras, Confit de pato con setas en lecho d‹
   patatas, Biscuit de plátano con caramelo de naranja y chocolate.

   en la carretera de Llivia NE : 1 km – ⊠ 17520 Puigcerdà – © 972 :

🏨 **Del Prado,** ℰ 88 04 00, Fax 14 11 58, 🔟, 🐎, 🕸 – 🛗 🖃 rest 🔟 🕿 ⟺ 🅿 – 🔬 25/10‹
   🖃 🅞 🖃 VISA
   Com 2550 – ☷ 550 – **54 hab** 5200/7700 – PA 4650.

   Ver también : **Bolvir** SO : 6 km.

Baleares – ver Baleares (Ibiza) : San Antonio de Portmany.

Baleares – ver Baleares (Formentera) : Es Pujols.

21100 Huelva 446 U 9 – 8 490 h. – © 959 – Playa.

◆Madrid 648 – Huelva 21.

🏡 **Ayamontino,** av. de Andalucía 35 ℰ 31 14 50, Fax 31 03 16 – 🛗 🕿 ⟺ 🅿. 🖃 🅞 🖃 VISA‹
   🕸
   Com 2200 – ☷ 450 – **45 hab** 4750/8000 – PA 4200.

🏡 **Ayamontino Ría,** paseo de la Ría 1 ℰ 31 14 58, Fax 31 14 62, 🛎 – ☜. 🖃 🅞 🖃 VISA. 🕸‹
   Com 1400 – ☷ 400 – **22 hab** 6500/7500.

   en la antigua carretera de Huelva NO : 7,5 km – ⊠ 21100 Punta Umbría – © 959 :

🍴 **El Paraíso,** ℰ 31 27 56, Fax 31 27 56 – 🖃 🅿. 🖃 🅞 🖃 VISA. 🕸
   Com carta 3200 a 4300.

46530 Valencia 445 N 29 – 11 466 h. – © 96.

◆Madrid 373 – Castellón de la Plana/Castelló de la Plana 54 – ◆Valencia 25.

🏰 **Monte Picayo** 🦢, urb. Monte Picayo ℰ 142 01 00, Telex 62087, Fax 142 21 68, 🛎, « E‹
   la ladera de un monte con ≤ », 🔟, 🐎, 🕸 – 🛗 🖃 🔟 🕿 🅿 – 🔬 25/600. 🖃 🅞 🖃 VISA‹
   🕸
   Com carta 3100 a 4200 – ☷ 1250 – **39 hab** 16750/20950, 43 suites.

🍴🍴 **Asador Mares,** carret. de Barcelona 17 ℰ 142 07 21, 🛎 – 🖃. 🖃 🅞 🖃 VISA. 🕸
   cerrado domingo – Com carta 2400 a 3275.

🍴 **Rincón del Faro,** carret. de Barcelona 49 ℰ 142 01 20 – 🖃. 🖃 🅞 🖃 VISA. 🕸
   cerrado domingo noche, lunes noche y septiembre – Com carta 3000 a 4600.

46930 Valencia 445 N 28 – © 96.

◆Madrid 343 – ◆Valencia 8.

🍴 **Casa Gijón,** Joanot Martorell 16 ℰ 154 50 11, Fax 154 10 65, Decoración típica – 🖃. 🖃‹
   🅞 🖃 VISA. 🕸
   Com carta 2355 a 3500.

Cantabria – ver Isla.

39314 Cantabria 442 B 17 – 623 h. alt. 41 – © 942.

◆ Madrid 382 – ◆ Santander 22 – Santillana del Mar 6 – Torrelavega 6.

🏡 **La Casona de Luis,** carret C 6316 ℰ 89 50 05 – 🔟 🕿 🅿. 🖃 VISA. 🕸
   Com 1000 – ☷ 300 – **12 hab** 6000/7000 – PA 2040.

QUIJAS 39590 Cantabria 442 B 17 – 🕲 942.
•Madrid 386 – •Burgos 147 – •Oviedo 172 – •Santander 32.

🏨 **El Hidalgo de Quijas,** carret. N 634 🖉 83 83 60, Fax 83 80 50, ≤, 🍴, « Antigua casona »
– 📺 🕿 🅿. 🖭 ⑩ 𝕍𝕀𝕊𝔸.
cerrado 23 diciembre-3 enero – Com *(cerrado martes)* carta 2350 a 3400 – � 700 – **11 hab**
11500.

XXX **Hostería de Quijas** con hab, carret. N 634 🖉 82 08 33, Fax 83 80 50, 🍴, « Casa señorial
del siglo XVIII con amplio jardín y 🏊 » – 📺 🕿 🅿. 🖭 ⑩ 𝕍𝕀𝕊𝔸.
cerrado 23 diciembre-3 enero – Com *(cerrado lunes)* carta 3450 a 5025 – ⊊ 700 – **14 hab**
6800/8500, 5 suites.

QUINTANAR DE LA ORDEN 45800 Toledo 444 N 20 – 8 673 h. alt. 691 – 🕲 925.
•Madrid 120 – •Albacete 127 – Alcázar de San Juan 27 – Toledo 98.

🏨 **Castellano,** carret. N 301 🖉 18 00 50, Fax 18 00 54 – 🍽 rest 🕿 🅿. 🖭 𝐄 𝕍𝕀𝕊𝔸.
Com 1500 – ⊊ 400 – **38 hab** 2500/4500.

🏨 Santa Marta, carret. N 301 🖉 18 03 50 – 🍽 rest ☎ 🅿
33 hab.

X **Costablanca,** carret. N 301 🖉 18 05 19 – 🍽 🅿. 🖭 𝐄 𝕍𝕀𝕊𝔸.
Com carta 2250 a 3200.

QUINTANAR DE LA SIERRA 09670 Burgos 442 G 20 – 2 417 h. alt. 1 200.
Alred. : Laguna Negra de Neila★★ (carretera★★) NO : 15 km.
•Madrid 253 – •Burgos 76 – Soria 70.

QUIROGA 27320 Lugo 441 E 8 – 5 037 h. – 🕲 982.
•Madrid 461 – Lugo 89 – Orense/Ourense 79 – Ponferrada 79.

🕏 **Marcos,** carret. C 533 🖉 42 84 52, ≤, 🏊 – 🍽 rest 🅿. 𝕍𝕀𝕊𝔸.
Com 1500 – ⊊ 450 – **16 hab** 4500.

en la carretera de Monforte de Lemos C 533 NO : 13,5 km – ✉ 27391 Freigeiro – 🕲 982

🏨 **Río Lor,** 🖉 42 81 09 – 🅿. 𝕍𝕀𝕊𝔸.
Com 1500 – ⊊ 200 – **28 hab** 2000/4000 – PA 3500.

La RÁBITA 18760 Granada 446 V 20 – 🕲 958 – Playa.
•Madrid 549 – •Almería 69 – •Granada 120 – •Málaga 152.

🏨 **Las Conchas,** paseo Marítimo 55 🖉 82 90 17, ≤ – 🛗 🍽 hab 🕿 🚗 🅿. ⑩ 𝐄 𝕍𝕀𝕊𝔸.
abril-septiembre – Com 1300 – ⊊ 440 – **25 hab** 4600/7800.

RACÓ DE SANTA LLÚCIA Barcelona – ver Villanueva y Geltrú.

RAJÓ o RAXÓ 36992 Pontevedra 441 E 3 – 🕲 986 – Playa.
• Madrid 617 – Orense/Ourense 103 – Pontevedra 13 – Santiago de Compostela 68.

🏨 **Gran Proa,** playa 🖉 74 04 33, Fax 74 03 17 – 🛗 🍽 rest 📺 🕿. 𝐄 𝕍𝕀𝕊𝔸.
Com 1600 – ⊊ 400 – **43 hab** 5500/6500 – PA 3050.

RAMALES DE LA VICTORIA 39800 Cantabria 442 C 19 – 2 439 h. alt. 84 – 🕲 942.
•Madrid 368 – •Bilbao/Bilbo 64 – •Burgos 125 – •Santander 51.

XX 🕸 **Río Asón** con hab, Barón de Adzaneta 17 🖉 64 61 57, Fax 67 83 60 – 🍽 rest. 🖭 ⑩ 𝐄 𝕍𝕀𝕊𝔸.
cerrado 22 diciembre-enero – Com *(cerrado lunes noche en verano, domingo noche y lunes
resto del año)* carta 3600 a 5100 – ⊊ 385 – **9 hab** 3000/5000
Espec. Ensalada de marisco y bacalao con milhojas de sésamo, Salmón Río Asón asado
(marzo-julio), Hojaldre de peras caramelizadas con salsa de chocolate.

RASCAFRÍA 28740 Madrid 444 J 18 – alt. 1 163 – 🕲 91.
Madrid 78 – Segovia 54.

🕏 **Rosaly** sin rest, av. del Valle 39 🖉 869 12 13, Fax 869 12 55 – 🅿. 𝕍𝕀𝕊𝔸.
⊊ 350 – **22 hab** 2900/4600.

X **Los Calizos** 🕸 con hab, carret. de Miraflores E : 1 km 🖉 869 11 12, Fax 869 11 12, 🍴,
🍱 – ☎ 🅿. 🖭 ⑩ 𝐄 𝕍𝕀𝕊𝔸.
Com carta aprox. 3400 – ⊊ 550 – **12 hab** 6000/8000.

en la carretera N 604 – 🕲 91 :

🏨 **Santa María de El Paular** 🕸, S : 1,5 km, ✉ 28741 El Paular, 🖉 869 10 11, Telex 23222,
Fax 869 10 06, « Antigua cartuja del siglo XIV », 🏊 climatizada, 🍴, 🌂 – 📺 🕿 🅿 –
🔚 25/100. 🖭 ⑩ 𝐄 𝕍𝕀𝕊𝔸.
Com 4500 – ⊊ 1600 – **58 hab** 8500/19000 – PA 9000.

X **Pinos Aguas,** S : 5,5 km, ✉ 28740 Rascafría, 🖉 869 10 25, « En un pinar » – 𝕍𝕀𝕊𝔸.
cerrado martes y octubre – Com carta 2540 a 2875.

RAXÓ Pontevedra – ver Rajó.

Los REALEJOS Santa Cruz de Tenerife – ver Canarias (Tenerife).

REBOREDO 36988 Pontevedra **441** E 3 – **۞** 986 – Playa.
♦ Madrid 650 – ♦ La Coruña/A Coruña 116 – Pontevedra 52 – Santiago de Compostela 36.

  🏠 **Bosque-Mar** (anexo 🏠), 🖉 73 10 55, Fax 73 05 12, 🕳, 🚗 – 📺 ☎ ⇐⇒ 🅿. **E** 𝘝𝘐𝘚𝘈
    🛠 rest
    abril-septiembre – Com 2000 – ⊑ 900 – **39 hab** 7000/9500, 12 apartamentos.

  🏠 **Mirador Ría de Arosa**, 🖉 73 08 38, Fax 73 06 48, ≼ – 📺 ☎ ⇐⇒ 🅿. 🆀 ⓪ **E** 𝘝𝘐𝘚𝘈
    🛠
    Semana Santa-octubre – Com 2500 – ⊑ 500 – **24 hab** 4000/6500.

REINOSA 39200 Cantabria **442** C 17 – 13 172 h. alt. 850 – **۞** 942 – Balneario en Fontibre
Deportes de invierno en Alto Campóo O : 25 km : ≰5.
Alred. : Cervatos★ (colegiata★ : decoración escultórica★) S : 5 km.
Excurs. : Pico de Tres Mares★★★ ❄★★★ O : 26 km y telesilla.
♦Madrid 355 – ♦Burgos 116 – Palencia 129 – ♦Santander 74.

  🏠 **Vejo**, av. Cantabria 83 🖉 75 17 00, Telex 39100, Fax 75 47 63, ≼, 🕳, 🛠 – 🛗 📺 ☎ ⇐⇒
    🅿 – 🛝 25/500. 🆀 ⓪ **E** 𝘝𝘐𝘚𝘈. 🛠 rest
    Com 2400 – ⊑ 475 – **71 hab** 5650/8250.

  🔸 **Tajahierro** sin rest y sin ⊑, Pelilla 8 🖉 75 35 24 – 🛠
    13 hab 2000/3000.

    en Alto Campóo O : 25 km – ✉ 39200 Reinosa – **۞** 942 :

  🏠 **Corza Blanca** ⑃, alt. 1 660 🖉 77 92 51, Fax 77 92 50, ≼, 🕳 – 🛗 ☎ 🅿. 🆀 ⓪ **E** 𝘝𝘐𝘚𝘈
    🛠
    Com 1950 – ⊑ 430 – **69 hab** 5500/7900.

RENEDO DE CABUÉRNIGA 39516 Cantabria **441** C 17 – **۞** 942.
♦Madrid 400 – ♦Burgos 156 – ♦Santander 60.

  🏠 **Reserva del Saja** ⑃, carret. de Reinosa 🖉 70 61 90, Fax 70 61 08, ≼ – ▤ rest ☎ 🅿. 𝘝𝘐𝘚𝘈
    Com 1400 – ⊑ 550 – **27 hab** 6000/7600 – PA 6970.

RENEDO DE PIÉLAGOS 39470 Santander **442** B 18 – **۞** 942.
♦ Madrid 372 – ♦ Bilbao/Bilbo 120 – ♦ Burgos 133 – ♦ Santander 22.

  🏠 **Romano I**, carret N 623 🖉 57 20 60 – 🛗 📺 ☎ ⇐⇒. 🆀 ⓪ **E** 𝘝𝘐𝘚𝘈. 🛠
    Com 1400 – ⊑ 400 – **35 hab** 5500/9000 – PA 3300.

RENTERÍA o **ERRENTERIA** 20100 Guipúzcoa **442** C 24 – 45 789 h. alt. 11 – **۞** 943.
♦Madrid 479 – ♦Bayonne 45 – ♦Pamplona/Iruñea 98 – ♦San Sebastián/Donostia 8.

  🏠 **Lintzirin**, carret. N I - E 1,5 km, ✉ apartado 30, 🖉 49 20 00, Fax 49 25 04 – 🛗 ▤ rest ⇐⇒
    🅿. 🆀 ⓪ **E** 𝘝𝘐𝘚𝘈. 🛠 rest
    Com *(cerrado domingo noche)* 1750 – ⊑ 600 – **132 hab** 4000/6800 – PA 3700.

REQUENA 46340 Valencia **445** N 26 – 18 152 h. alt. 292 – **۞** 96.
♦Madrid 279 – ♦Albacete 103 – ♦Valencia 69.

  ✗ **Mesón del Vino**, av. Arrabal 11 🖉 230 00 01, Decoración rústica – 🆀 **E** 𝘝𝘐𝘚𝘈. 🛠
    cerrado martes y septiembre – **Comida** carta 2400 a 2375.

REUS 43200 Tarragona **443** I 33 – 80 710 h. alt. 134 – **۞** 977.
🛝 Aigüesverdes : carret de Cambrils km 1,8-Mas Guardià 🖉 75 27 25.
✈ de Reus E : 3 km 🖉 30 37 90.
🇮 pl. Llibertat, 🖉 75 96 32, ✉ 43201, Fax 34 00 10.
♦Madrid 547 – ♦Barcelona 118 – Castellón de la Plana/Castelló de la Plana 177 – ♦Lérida/Lleida 90 – Tarragona 14.

  🏠 **Gaudí** sin rest, con cafetería, Raval Robuster 49, ✉ 43204, 🖉 34 55 45, Fax 34 28 08 – 🛗
    📺 ☎ – 🛝 25/175. 🆀 ⓪ **E** 𝘝𝘐𝘚𝘈
    ⊑ 550 – **71 hab** 5150/6500.

  🏠 **Quality Inn**, carret. de Salou SE : 1,5 km, ✉ 43205, 🖉 75 57 40, Fax 75 57 45, ㊟ – 🛗
    ▤ ☎ ᘒ ⇐⇒ – 🛝 25/50. 🆀 **E** 𝘝𝘐𝘚𝘈. 🛠
    Com 1500 – ⊑ 625 – **60 hab** 5950/8400.

  🏠 **Simonet**, raval Santa Anna 18, ✉ 43201, 🖉 34 59 74, Fax 34 45 81, ㊟ – ▤ 📺 ☎ ⇐⇒
    E 𝘝𝘐𝘚𝘈. 🛠
    cerrado 25 diciembre-1 enero – Com *(cerrado domingo noche)* 1900 – ⊑ 450 – **45 hab**
    4500/7500 – PA 3700.

La Glorieta del Castell, pl. Castell 2, ⊠ 43201, 𝒫 34 08 26 – 🗐. 🖭 ⓞ 🗲 𝑉𝐼𝑆𝐴. 🛠
cerrado domingo y del 15 al 30 de agosto – Com carta 3100 a 4450.

Gallau's, av. Sant Jordi (palau de Fires i Congressos), ⊠ 43201, 𝒫 31 78 00, Fax 31 78 00
– 🗐. 🖭 ⓞ 🗲 𝑉𝐼𝑆𝐴. 🛠
cerrado domingo noche, lunes y agosto – Com carta 2750 a 3500.

Prim, passeig Prim 3, ⊠ 43202, 𝒫 31 57 52 – 🗐.

en la carretera de Tarragona SE : 1 km – ⊠ 43206 Reus – 𝟋 977 :

Masia Típica Crusells, 𝒫 75 40 60, Fax 77 24 12, Decoración regional – 🗐 🅟. 🖭 ⓞ 🗲
𝑉𝐼𝑆𝐴. 🛠
Com carta 2800 a 3300.

en Castellvell (Baix Camp) N : 2 km – ⊠ 43392 Castellvell – 𝟋 977 :

El Pa Torrat, av. de Reus 24 𝒫 85 52 12 – 🗐. 🗲 𝑉𝐼𝑆𝐴. 🛠
cerrado martes, festivos noche, del 15 al 31 de agosto y Navidades – Comida carta 2150 a
3400.

REYA (Playa de) Murcia – ver Puerto de Mazarrón.

ALP o **RIALB** 25594 Lérida 𝟦𝟦𝟹 E 33 – 375 h. alt. 725 – 𝟋 973.
adrid 593 – ✦Lérida/Lleida 141 – Sort 5.

Condes del Pallars, av. Flora Cadena 2 𝒫 62 03 50, Fax 62 12 32, ≤, 𝑓ₐ, ⅃, 🔲, 🛲, 🛠
– 🛗 🗐 📺 ☎ 🅟 – 🔏 25/150. 🖭 ⓞ 🗲 𝑉𝐼𝑆𝐴 𝐽𝐶𝐵. 🛠
Com 2500 – 🖙 1000 – **171 hab** 6500/10500 – PA 5200.

AÑO 24900 León 𝟦𝟦𝟷 D 14 – 465 h. alt. 1 125 – 𝟋 987.
av. Valcayo, 𝒫 74 06 65 (temp.).
Madrid 374 – ✦ León 95 – ✦ Oviedo 112 – ✦ Santander 166.

Presa, av. Valcayo 𝒫 74 06 37, ≤ – 🛗 🗐 📺 ☎ 🚗. 🗲 𝑉𝐼𝑆𝐴. 🛠
Com 1300 – 🖙 375 – **33 hab** 5000/7000.

Abedul sin rest, av. Valcayo 𝒫 74 07 06, ≤ – ☎ 🚗. 🛠
🖙 400 – **14 hab** 6000.

AZA 40500 Segovia 𝟦𝟦𝟸 I 19 – 1 434 h. alt. 1 200 – 𝟋 921 – Deportes de invierno en la Pinilla
: 9 km : 🚠2 🎿8.
Madrid 116 – Aranda de Duero 60 – ✦Segovia 70.

La Trucha 🏖, av. Dr. Tapia 17 𝒫 55 00 61, Fax 55 00 86, ≤, �...., ⅃ – 🗐 rest 📺 ☎. 🗲 𝑉𝐼𝑆𝐴. 🛠
Com carta aprox. 2650 – 🖙 350 – **30 hab** 4320/6615.

Casaquemada, Isidro Rodríguez 18 𝒫 55 00 51, Decoración rústica – 🗐. 🖭 ⓞ 🗲 𝑉𝐼𝑆𝐴. 🛠
Com carta 2700 a 4200.

Casa Marcelo, pl. del Generalísimo 16 𝒫 55 03 20.

La Taurina, pl. del Generalísimo 6 𝒫 55 01 05.

IBADEO 27700 Lugo 𝟦𝟦𝟷 B 8 – 9 068 h. alt. 46 – 𝟋 982.
red. : Puente ≤★.
pl. de España 𝒫 11 06 89.
Madrid 591 – ✦La Coruña/A Coruña 158 – Lugo 90 – ✦Oviedo 169.

Parador de Ribadeo 🏖, Amador Fernández 𝒫 11 08 25, Fax 11 03 46, ≤ ría del Eo y
montañas – 🛗 📺 ☎ 🚗 🅟. 🖭 ⓞ 𝑉𝐼𝑆𝐴. 🛠
Com 3200 – 🖙 1100 – **46 hab** 11000, 1 suite – PA 6375.

Eo 🏖 sin rest, av. de Asturias 5 𝒫 11 07 50, Fax 11 00 21, ≤, ⅃ – ☎. 🖭 ⓞ 🗲 𝑉𝐼𝑆𝐴
15 junio-15 septiembre – 🖙 400 – **24 hab** 7000/7700.

Voar, carret. N 634 𝒫 11 06 85, Fax 13 06 85, 🛠 – 📺 ☎ 🚗 🅟 – 🔏 25/300. 🖭 ⓞ
🗲 𝑉𝐼𝑆𝐴. 🛠 rest – Com 1100 – 🖙 350 – **42 hab** 5600/6800 – PA 2200.

Mediante, pl. de España 8 𝒫 13 04 53 – 📺 ☎. ⓞ 🗲 𝑉𝐼𝑆𝐴. 🛠
Com *(cerrado lunes salvo en verano y noviembre)* 1200 – 🖙 300 – **20 hab** 5200/6500.

O Forno, av. de Asturias 4 𝒫 13 08 02, Fax 13 08 03 – 🗐 rest 📺 ☎ 🚗. 🖭 🗲 𝑉𝐼𝑆𝐴. 🛠
Com 950 – 🖙 300 – **17 hab** 5000/7000 – PA 2200.

Santa Cruz, Diputación 22 𝒫 13 05 49 – 📺 🚗. 🖭 🗲 𝑉𝐼𝑆𝐴. 🛠
Com *(cerrado lunes en invierno)* 900 – 🖙 350 – **17 hab** 4200/6200 – PA 2150.

Presidente sin rest, Virgen del Camino 3 𝒫 11 00 92 – 🗲 𝑉𝐼𝑆𝐴
🖙 350 – **19 hab** 5000/6000.

O Xardín, Reinante 20 𝒫 11 02 22 – ⓞ 🗲 𝑉𝐼𝑆𝐴
cerrado lunes en invierno y 23 diciembre-enero – Com carta 2500 a 4100.

Oviedo Bar I con hab, Amando Pérez 5 𝒫 11 01 31 – 🛗 📺 ☎. 🖭 ⓞ 🗲 𝑉𝐼𝑆𝐴. 🛠
Com carta aprox. 2800 – 🖙 300 – **14 hab** 3500/5000.

RIBADESELLA 33560 Asturias 🔢🔢🔢 B 14 – 6 688 h. – ✪ 98 – Playa.

Ver : Cuevas Tito Bustillo★ (pínturas rupestres★).

🄱 Puente Río Sella - carret. de la Piconera 𝒫 586 00 38.

◆Madrid 485 – Gijón 67 – ◆Oviedo 84 – ◆Santander 128.

🏠 **Marina** sin rest, Gran Vía 𝒫 586 00 50, Fax 586 13 31 – 🛗 ☎
44 hab.

🍴🍴 La Bohemia, Gran Vía 53 𝒫 586 11 50, Fax 586 13 31 – 🗏.

🍴 **Náutico,** Marqués de Argüelles 9 𝒫 586 00 42, < – 𝘝𝘐𝘚𝘈. ⋘
Com carta 4900 a 6150.

🍴 **Xico,** López Muñiz 9 𝒫 586 03 45 – 🄰🄴 🅞 🄴 𝘝𝘐𝘚𝘈. ⋘
cerrado del 16 al 28 de septiembre – Com carta 1700 a 3100.

en la playa :

🏨 **G.H. del Sella** ⏚, 𝒫 586 01 50, Fax 585 74 49, <, ⏚, ☞, ⋘ – 🛗 📺 ☎ 🄿 – 🕿 25/30
🄰🄴 🅞 🄴 𝘝𝘐𝘚𝘈. ⋘
abril-15 octubre – Com 2700 – ☱ 600 – **82 hab** 9600/16500 – PA 5235.

🏠 **Don Pepe** sin rest, con cafetería, Dionisio Ruisánchez 12 𝒫 585 78 81, Fax 585 78 77,
– 🛗 📺 ☎ ⇌ 🄰🄴 🅞 𝘝𝘐𝘚𝘈. ⋘
abril-15 octubre – ☱ 550 – **28 hab** 8000/10000.

🏠 **Ribadesella Playa,** Ricardo Cangás 3 𝒫 586 07 15, Fax 586 02 20, < – ☎ 🄿 🄰🄴 🅞
𝘝𝘐𝘚𝘈 𝙅𝘾𝘽. ⋘
cerrado 15 diciembre-15 enero – Com (cerrado octubre-abril) 1800 – ☱ 450 – **17 ha**
5500/7900.

🏠 La Playa ⏚, 𝒫 586 01 00, < – 📺 ☎ 🄿
temp. – **11 hab.**

🏡 **Derby** sin rest, 𝒫 586 00 92 – 🛗 ☎. ⋘
15 marzo-octubre – ☱ 350 – **24 hab** 3700/5400.

en Santianes-carretera N 634 S : 3,5 km – ✉ 33560 Ribadesella – ✪ 98 :

🏡 La Ribera, 𝒫 586 02 31 – 🄿
Com (ver rest. La Ribera) – **16 hab.**

🍴 La Ribera, 𝒫 586 06 26 – 🗏 🄿.

Recorra los países de **Europa** con los **mapas Michelin** de la serie roja (n° 𝟿𝟾𝟶 a 𝟿𝟿𝟷).

RIBAFORADA 31550 Navarra 🔢🔢🔢 G 25 – 3 032 h. alt. 262 – ✪ 948.

◆Madrid 326 – ◆Logroño 113 – Soria 95 – Tudela 10 – ◆Zaragoza 71.

en la carretera N 232 SO : 2 km – ✉ 31550 Ribaforada – ✪ 948 :

🏠 **NH Sancho el Fuerte,** 𝒫 86 40 25, Fax 81 91 52, ⏚, ⋘ – 🗏 📺 ☎ ⇌ 🄿 – 🕿 25/12
🄴 𝘝𝘐𝘚𝘈. ⋘
Com 1650 – ☱ 650 – **68 hab** 5700/7700.

RIBAS DE FRESER o **RIBES DE FRESER** 17534 Gerona 🔢🔢🔢 F 36 – 2 810 h. alt. 920
✪ 972 – Balneario –.

🄱 pl. Ajuntament 3, ✉ 17534, 𝒫 72 77 28.

◆Madrid 689 – ◆Barcelona 118 – Gerona/Girona 101.

🏠 **Catalunya Park H.** ⏚, passeig Mauri 9 𝒫 72 71 98, Fax 72 70 17, <, « Césped con ⏚
– 🛗 ⇌. ⋘
Semana Santa y julio-septiembre – Com 2000 – ☱ 670 – **45 hab** 3500/6750 – PA 410

🏡 **Catalunya,** Sant Quintí 37 𝒫 72 70 17, Fax 72 70 17 – 🛗. ⋘
Com (sólo cena) 2000 – ☱ 550 – **22 hab** 2800/5000.

🏡 **Sant Antoni,** Sant Quintí 55 𝒫 72 70 18, ☞, ⏚ climatizada – 🄴 𝘝𝘐𝘚𝘈. ⋘
cerrado del 15 al 31 de octubre – Com 2050 – ☱ 650 – **24 hab** 3500/6500 – PA 399

RIBERA DE CARDÓS 25570 Lérida 🔢🔢🔢 E 33 – alt. 920 – ✪ 973.

Alred. : Valle de Cardós★.

◆Madrid 614 – ◆Lérida/Lleida 157 – Sort 21.

🏡 **Cardós** ⏚, Reguera 2 𝒫 62 31 00, Fax 62 31 58, <, ⏚ – 🛗 ⇌. 𝘝𝘐𝘚𝘈. ⋘ rest
26 marzo-octubre – Com 1700 – ☱ 475 – **50 hab** 3500/6300.

🏡 **Sol i Neu** ⏚, Llimera 1 𝒫 62 31 37, Fax 62 31 37, <, ⏚, ⋘ – 🄿 🄴 𝘝𝘐𝘚𝘈. ⋘
cerrado 20 diciembre- febrero – Com 1500 – ☱ 450 – **32 hab** 4000/5400 – PA 2850

RIBES DE FRESER Gerona – ver Ribas de Freser.

RINCÓN DE LA VICTORIA 29730 Málaga 🔢🔢🔢 V 17 – 7 935 h. – ✪ 95 – Playa.
◆Madrid 568 – ◆Almería 208 – ◆Granada 139 – ◆Málaga 13.

🏨 **Rincón Sol** sin rest, con cafetería, av. del Mediterráneo 24 ℰ 240 11 00, Fax 240 43 79,
≼ – 🕴 🗏 📺 ☎. 🝙 ⓪ 🗲 🎫 🎫.
⫧ 600 – **60 hab** 6500/8500.

junto a la cueva del Tesoro NO : 1 km – ⊠ 29730 Rincón de la Victoria – ✪ 95 :

✗ La Cueva del Tesoro, Cantal Alto ℰ 240 23 96, Fax 240 30 74, ≼ mar – ⓟ.

RIPOLL 17500 Gerona 🔢🔢🔢 F 36 – 12 035 h. alt. 682 – ✪ 972.
Ver : Antiguo Monasterio de Santa María★ (portada★★).
Alred. : San Juan de las Abadesas★ (iglesia de San Juan★ : descendimiento de la Cruz★★,
claustro★) NE : 10 km.
🛈 pl. de l'Abat Oliba 3 ℰ 70 23 51, ⊠ 17500.
◆Madrid 675 – ◆Barcelona 104 – Gerona/Girona 86 – Puigcerdá 65.

🕯 **Del Ripollés,** pl. Nova 11 ℰ 70 02 15 – 📺 ☎. 🝙 ⓪ 🗲 🎫. 🦃
Com 1600 – ⫧ 400 – **8 hab** 4500/6500 – PA 3200.

✗ El Racó del Francès, Plà d'Ordina 11 ℰ 70 18 94, Cocina francesa – ⓟ.

en la carretera N 152 – ⊠ 17500 Ripoll – ✪ 972 :

🏨 **Solana del Ter,** S : 2 km ℰ 70 10 62, Fax 71 43 43, ≼, 🏊, 🛖, 🎾, 🖗 – 📺 ☎ 🚗 ⓟ
– 🛎 25/300. 🗲 🎫. 🦃
cerrado noviembre – Com 2400 – ⫧ 650 – **37 hab** 5800/8800 – PA 4800.

✗ Grill El Gall, NO : 3 km por vía de servicio ℰ 70 24 51, Carnes a la parrilla – ⓟ.

RIPOLLET 08291 Barcelona 🔢🔢🔢 H 36 – ✪ 93.
◆Madrid 625 – ◆Barcelona 11 – Gerona/Girona 74 – Sabadell 6.

✗✗ **Eulalia,** Casanovas 29 ℰ 692 04 02 – 🗏 ⓟ. 🝙 ⓪ 🗲 🎫. 🦃
cerrado domingo, lunes noche y del 10 al 30 de agosto – Com carta 3100 a 4300.

RIS (Playa de) Cantabria – ver Noja.

RIUDARENAS o **RIUDARENES** 17421 Gerona 🔢🔢🔢 G 38 – 1 143 h. alt. 84 – ✪ 972.
◆Madrid 693 – ◆Barcelona 80 – Gerona/Girona 32.

✗ **La Brasa,** carret. Santa Coloma 21 ℰ 85 60 17, Fax 85 62 38, Cocina regiona – 🗏. 🝙 ⓪
🗲 🎫 🎫. 🦃
cerrado lunes y 2 enero-15 febrero – Comida carta 2100 a 2900.

ROA DE DUERO 09300 Burgos 🔢🔢🔢 G 18 – 2 556 h. – ✪ 947.
◆Madrid 181 – Aranda de Duero 20 – ◆Burgos 82 – Palencia 72 – ◆Valladolid 76.

✗✗ **Chuleta,** av. de la Paz 7 ℰ 54 03 12 – 🗏. 🗲 🎫. 🦃
Com carta aprox. 4500.

ROCAFORT 46111 Valencia 🔢🔢🔢 N 28 – 3 087 h. – ✪ 96.
◆Madrid 361 – ◆Valencia 11.

✗✗ **L'Été,** Francisco Carbonell 33 ℰ 131 11 90 – 🗏. 🝙 🗲 🎫 🎫. 🦃
cerrado domingo, festivos y 15 días en Semana Santa – Com carta 3300 a 4775.

La RODA 02630 Albacete 🔢🔢🔢 O 23 – 12 287 h. alt. 716 – ✪ 967.
◆Madrid 210 – ◆Albacete 37.

🏨 **Flor de la Mancha,** Alfredo Atienza 139 ℰ 44 05 55 – 🕴. 🗲 🎫. 🦃
Com 1800 – ⫧ 450 – **26 hab** 2800/5600 – PA 3440.

🏨 Juanito, antigua carret. N 301 ℰ 44 12 40 – 🗏 rest 🚗 🚗
33 hab.

en la carretera N 301 NO : 2,5 km – ⊠ 02630 La Roda – ✪ 967 :

✗ **Juanito,** ℰ 44 15 12, Fax 44 15 12 – 🗏 ⓟ. 🝙 🗲 🎫. 🦃
Com carta aprox.3100.

ROIS 15911 La Coruña 🔢🔢🔢 D 4 – ✪ 981.
◆Madrid 638 – ◆La Coruña/A Coruña 98 – Pontevedra 41.

✗ **Casa Ramallo,** Castro 5 ℰ 80 41 80, �ு
 – ⓟ. 🝙 ⓪ 🗲 🎫. 🦃
cerrado lunes y 24 diciembre-7 enero – Com carta aprox. 3100.

RONCESVALLES u **ORREAGA** 31650 Navarra [442] C 26 – 44 h. alt. 952 – © 948.

Ver : Pueblo★, Conjunto Monumental : (museo★).

🛈 Antiguo Molino, ℘ 76 01 93 (Semana Santa-octubre).

♦Madrid 446 – ♦Pamplona/Iruñea 47 – St-Jean-Pied-de-Port 29.

  🏠 **La Posada** ⤴, ℘ 76 02 25 – [VISA]. ℀
    cerrado noviembre – Com 1650 – ⊊ 525 – **11 hab** 4500/5500 – PA 3775.

Para viajes rápidos,
utilice los mapas Michelin "principales carreteras" :

[920] Europa, [980] Grecia, [984] Alemania, [985] Escandinavia-Finlandia,
[986] Gran Bretaña-Irlanda, [987] Alemania-Austria-Benelux, [988] Italia,
[989] Francia, [990] España-Portugal, [991] Yugoslavia.

RONDA 29400 Málaga [446] V 14 – 33 567 h. alt. 750 – © 95.

Ver : Situación★★ – Barrio de la ciudad★ YZ – Camino de los Molinos ⩽★ Z – Puente Nuevo ⩽★ Y – Plaza de Toros★ Y.

Alred. : Cueva de la Pileta★ (carretera de acceso ⩽★★) por ① : 27 km..

Excurs. : Carretera★★ de Ronda a San Pedro de Alcántara (cornisa★★) por ② – Carretera★ de Ronda a Algeciras por ③.

🛈 pl. de España 1 ℘ 287 12 72.

♦Madrid 612 ① – Algeciras 102 ③ – Antequera 94 ① – ♦Cádiz 149 ① – ♦Málaga 96 ② – ♦Sevilla 147 ①.

RONDA

Un consejo Michelin :

Para que sus viajes
sean un éxito,
prepárelos de antemano.
Los mapas
y las guías Michelin
le proporcionan todas
las indicaciones útiles sobre :
itinerarios,
visitas de curiosidades,
alojamiento, precios, etc...

374

🏨 **Reina Victoria** 🦢, av. Dr. Fleming 25 ☎ 287 12 40, Fax 287 10 75, « Al borde del tajo, ≼ valle y serranía de Ronda », ⬛, ✿ – 🛗 ▤ 📺 ☎ 🅿. 🄰🄴 ⓪ 🄴 *VISA*. ✵ por ①
Com 3000 – ⫴ 900 – **87 hab** 8500/13000.

🏨 **Don Miguel,** Villanueva 8 ☎ 287 77 22, Fax 287 83 77, ≼ – 🛗 ▤ 📺 ⊛ ⇔. 🄰🄴 ⓪ 🄴 *VISA*. ✵ u
cerrado del 10 al 24 enero – Com (ver rest. **Don Miguel**) – ⫴ 375 – **20 hab** 5500/9000.

🏨 **Polo,** Mariano Souvirón 8 ☎ 287 24 47, Fax 287 43 78 – 🛗 ⊛. 🄰🄴 ⓪ 🄴 *VISA*. ✵ Y a
⫴ 375 – **33 hab** 6000/8500.

🏨 **Virgen de los Reyes** sin rest, Lorenzo Borrego 13 ☎ 287 11 40 – 🛗 📺 ⊛ ⇔ Y e
30 hab.

🍴🍴 **Don Miguel,** pl. de España 3 ☎ 287 10 90, Fax 287 83 77, ⛱, « Terrazas sobre el tajo » – ▤. 🄰🄴 ⓪ 🄴 *VISA*. ✵ Y u
cerrado domingo en verano y del 10 al 24 de enero – Com carta 2050 a 3100.

🍴🍴 **Tenorio,** Tenorio 1 ☎ 287 49 36, Fax 287 43 78, ⛱, Patio andaluz – ▤. 🄰🄴 ⓪ 🄴 *VISA*. ✵
cerrado miércoles y febrero – Com carta 2375 a 3200. Y r

🍴🍴 **Pedro Romero,** Virgen de la Paz 18 ☎ 287 11 10, Fax 287 10 61, « Decoración típica » – ▤. 🄰🄴 ⓪ 🄴 *VISA*. ✵ Y t
Com carta 2750 a 3475.

🍴 **Alhambra,** Pedro Romero 9 ☎ 287 69 34, ⛱ – ▤. 🄰🄴 ⓪ 🄴 *VISA*. ✵ Y x
cerrado lunes y del 1 al 15 enero – Com carta aprox. 2700.

ROQUETAS DE MAR 04740 Almería **446** V 22 – 19 006 h. – ✪ 950 – Playa.

🕿 Playa Serena ☎ 32 20 55.

◆Madrid 605 – ◆Almería 18 – ◆Granada 176 – ◆Málaga 208.

Al Sur : 4 km – ⊠ 04740 Roquetas de Mar – ✪ 950 :

🍴🍴 **Al-Baida,** av. Las Gaviotas ☎ 33 38 21, ⛱ – ▤. 🄰🄴 ⓪ 🄴 *VISA* 🄹🄲🄱. ✵
cerrado lunes (salvo festivos de octubre a junio) y enero – Com carta 3100 a 4100.

🍴 **La Colmena,** Lago Como - edificio Concordia I ☎ 33 35 65, ⛱, ⬛ – ▤. 🄰🄴 ⓪ 🄴 *VISA* 🄹🄲🄱
cerrado lunes y febrero – Com carta 3300 a 4100.

ROSAS o **ROSES** 17480 Gerona **443** F 39 – 8 131 h. – ✪ 972 – Playa.

🛈 pl. de les Botxes, ☎ 25 73 31, ⊠ 17480, Fax 15 09 96.

◆Madrid 763 – Gerona/Girona 56.

🏨 **Terraza,** passeig Marítim 16 ☎ 25 61 54, Fax 25 68 66, ≼, ⛱, ⬛ climatizada, ✵ – 🛗 ▤ 📺 ☎ ⇔ 🅿. 🄰🄴 ⓪ 🄴 *VISA*. ✵ rest
Semana Santa-octubre – Com *(cerrado abril)* (sólo almuerzo) carta 3600 a 4150 – ⫴ 1000 – **112 hab** 8000/12000.

🏨 **Coral Platja,** av. de Rhode 28 ☎ 25 62 50, Fax 15 18 11, ≼ – 🛗 📺 ☎ 🅿
temp. – **123 hab.**

🏨 **Goya,** Riera Ginjolers ☎ 25 61 23, Fax 15 14 61, ⬛ – 🛗 ▤ rest 📺 ☎ 🅿. 🄰🄴 🄴 *VISA*. ✵
abril-20 octubre – Com 1200 – ⫴ 500 – **65 hab** 5500/8000.

🏨 **Novel Risech,** av. de Rhode 183 ☎ 25 62 84, Fax 25 68 11, ≼, ⛱ – 🛗 ▤ rest. 🄴 *VISA*. ✵ rest
cerrado 13 noviembre-17 diciembre – Com 1300 – ⫴ 600 – **83 hab** 2400/4600 – PA 2600.

🏨 **Casa del Mar** sin rest, av. de Rhode 21 ☎ 25 64 50, Fax 25 64 54 – 🅿. 🄰🄴 🄴 *VISA*
abril-octubre – ⫴ 500 – **28 hab** 5500.

🍴🍴 ✿ **Flor de Lis,** Cosconilles 47 ☎ 25 43 16, Cocina francesa – ▤. 🄰🄴 ⓪ 🄴 *VISA*. ✵
cerrado martes (salvo julio-septiembre), 5 enero-Semana Santa y 20 noviembre-22 diciembre – Com (sólo cena) carta 4900 a 6200
Espec. Parfait de hígado de pato con trufas negras, Cocktail de bogavante y gambas, Pescado del día en su propia salsa.

🍴 **L'Entrecot,** Joan Badosa 9 ☎ 25 42 63, Fax 25 41 19, ⛱, Decoración rústico-catalán – 🄰🄴 ⓪ 🄴 *VISA*
cerrado miércoles (enero-marzo) y 14 noviembre-16 diciembre – Com carta 2100 a 3450.

🍴 **Llevant,** av. de Rhode 145 ☎ 25 68 35, ⛱ – ▤. 🄰🄴 ⓪ 🄴 *VISA*. ✵
cerrado martes mediodía en verano lunes noche y martes resto del año, 15 noviembre-15 diciembre y 15 días en enero – Com carta 1900 a 3100.

en la urbanización Santa Margarita O : 2 km – ⊠ 17480 Rosas – ✪ 972 :

🏨 **Sant Marc,** av. de la Bocana 42 ☎ 25 44 00, Telex 56246, Fax 25 47 50, ⬛ – 🛗 ▤ rest ⊛ 🅿
288 hab.

🏨 **Goya Park,** Port de Reig 25 ☎ 25 75 50, Fax 25 43 41, ≼, ⬛ – 🛗 ▤ rest ☎ 🅿. 🄰🄴 ⓪ 🄴 *VISA*. ✵
15 marzo- 1 noviembre – Com 1500 – ⫴ 650 – **245 hab** 8750/15000 – PA 3100.

🏨 **Montecarlo,** av. de la Platja ☎ 25 66 73, Fax 25 57 03, ≼, ◫ – 🛗 ▤ rest ☎. 🄰🄴 ⓪ 🄴 *VISA*. ✵ rest – *24 marzo-octubre* – Com 1550 – ⫴ 625 – **126 hab** 5150/8000.

⌂⌂⌂ **Monterrey,** passeig Marítim 72 ℘ 25 66 76, Fax 25 38 69, <, 🏊 - ⇕ ▤ rest ☎ 🚗 Ⓟ
AE ⓓ E VISA. ⊘ rest
26 marzo-octubre y 26 diciembre-5 enero - Com 1600 - **135 hab** ☕ 7000/10000.

⌂⌂⌂ **Marítim,** Jacinto Benavente 2 ℘ 25 63 90, Fax 25 68 75, <, 🏊, 🎾 - ⇕ ☎ Ⓟ. AE ⓓ E
VISA. ⊘ rest
marzo-15 noviembre - Com 1350 - **132 hab** ☕ 5300/8600 - PA 2840.

⌂⌂ **Rosamar,** av. Nautilus 25 ℘ 25 47 12, Fax 25 48 50, ☂ - ⇕ Ⓟ. AE ⓓ E VISA. ⊘ res
abril-octubre - Com 1000 - ☕ 400 - **56 hab** 4700/8000 - PA 2000.

X **El Jabalí,** platja Salatá ℘ 25 65 25, ☂, Decoración rústica - Ⓟ. AE ⓓ E VISA
abril-octubre - Com carta 2050 a 3400.

en la playa de Canyelles Petites SE : 2,5 km - ✉ 17480 Rosas - ☏ 972 :

⌂⌂⌂⌂ **Vistabella** 🐚, ℘ 25 62 00, Fax 25 32 13, <, ☂, « Terraza ajardinada », 🏋, [🏊] - ▤ res
☎ 🚗 Ⓟ. AE ⓓ E VISA JCB. ⊘ rest
Semana Santa-octubre - Com carta 3150 a 4500 - ☕ 1150 - **46 hab** 9430/15860.

⌂⌂⌂ **Canyelles Platja,** av. Díaz Pacheco 7 ℘ 25 65 00, Fax 25 66 47, <, ☂, 🏊 - ⇕ ▤ res
☎ 🚗. AE ⓓ E VISA. ⊘ rest
20 mayo-25 septiembre - Com 1950 - ☕ 700 - **100 hab** 6300/10800 - PA 3900.

en la playa de la Almadraba SE : 4 km - ✉ 17480 Roses - ☏ 972 :

⌂⌂⌂⌂ **Almadraba Park H.** 🐚, ℘ 25 65 50, Fax 25 67 50, < mar, ☂, « Terrazas ajardinadas »
🏊, 🎾 - ⇕ ▤ 📺 ☎ Ⓟ - 👥 25/190. AE ⓓ E VISA. ⊘ rest
22 abril-14 octubre - Com 3900 - ☕ 1100 - **66 hab** 8500/13300 - PA 7565.

en la carretera de Figueras O : 4,5 km - ✉ 17480 Rosas - ☏ 972 :

XXX ✿ **La Llar,** ✉ apartado 315, ℘ 25 53 68 - ▤ Ⓟ. AE ⓓ E VISA
cerrado jueves (salvo julio-agosto) y 15 diciembre- febrero - Com carta 3850 a 5750
Espec. Raviolis crujientes de gambas, Lubina con emulsión de aceite virgen y aceitunas negras
Gratén de limón y fresitas de bosque..

en Cala Montjoi SE : 7 km - ✉ 17480 Rosas - ☏ 972 :

XXX ✿✿ **El Bulli,** ✉ apartado 30, ℘ 15 04 57, Fax 15 07 17, ☂, Decoración rústica - ▤ Ⓟ
AE ⓓ E VISA
cerrado lunes y martes salvo de julio a septiembre, y 15 octubre-15 marzo - Com cart
6800 a 8150
Espec. Carpaccio de ceps ahumados con rostbeef de cordero, El suquet de crustáceos, Arroz co
leche, trufas y parmesano.

ROTA 11520 Cádiz [446] W 10 - 25 291 h. - ☏ 956 - Playa.
♦Madrid 632 - ♦Cádiz 44 - Jerez de la Frontera 34 - ♦Sevilla 125.

en la carretera de Chipiona O : 2 km - ✉ 11520 Rota - ☏ 956 :

⌂⌂⌂⌂ **Playa de la Luz** 🐚, av. Diputación ℘ 81 05 00, Telex 76063, Fax 81 06 06, ☂, « Conjunto
típico andaluz », 🏊, 🏖, 🎾 - ▤ rest 📺 ☎ ♿ Ⓟ - 👥 25/300. AE ⓓ E VISA. ⊘
Com 2400 - ☕ 1000 - **289 hab** 8625/11500 - PA 4930.

X **Bodegón La Almadraba,** av. Diputación 138 ℘ 81 18 82, Fax 81 18 82, ☂ - ▤ Ⓟ. AE
ⓓ E VISA
Com carta aprox. 3600.

LAS ROZAS 28230 Madrid [444] K 18 - 13 405 h. alt. 718 - ☏ 91.
♦Madrid 16 - ♦Segovia 91.

por la carretera N VI - ✉ 28230 Las Rozas - ☏ 91 :

XX Gobolem, La Cornisa 18 SE : 2km ℘ 634 05 44, ☂.

XX **El Asador de Aranda,** SE : 1,5 km ℘ 639 30 27, ☂, Cordero asado, « Decoración
castellana. Patio-terraza » - ▤ Ⓟ. E VISA. ⊘
cerrado domingo noche y agosto - **Comida** carta 3165 a 3965.

en la vía de servicio de la autopista A 6 N : 4,5 km - ✉ 28230 Las Rozas - ☏ 91 :

XX Nuevo Rancho, ℘ 637 07 84, Fax 637 07 84, ☂ - ▤ Ⓟ.

La RUA o **A RUA** 32350 Orense [441] E 8 - 5 712 h. alt. 371 - ☏ 988.
♦Madrid 448 - Lugo 114 - Orense/Ourense 109 - Ponferrada 61.

⌂⌂ Os Pinos, carret. N 120 O : 1,5 km ℘ 31 17 16, Fax 31 22 91 - 📺 ☎ 🚗 Ⓟ
26 hab.

RUBÍ 08191 Barcelona [443] H 36 - 43 839 h. alt. 123 - ☏ 93.
♦Madrid 616 - ♦Barcelona 24 - ♦Lérida/Lleida 160 - Mataró 43.

⌂⌂ **Sant Pere II** sin rest, Riu Segre 27 ℘ 588 59 95, Fax 588 50 36, < - ⇕ 📺 ☎ 🚗. E VIS
JCB. ⊘
☕ 950 - **18 hab** 6750/9450.

en la urbanización Els Avets SO : 2 km – ⊠ 08191 Rubí – ✪ 93 :

X **Macxim,** Guatlla 20 ℰ 699 55 58, Fax 697 45 55, 龠 – ▤. ⅋ 匡 **VISA**. ⅋
cerrado domingo noche y del 15 al 30 de agosto – Com carta 3095 a 3760.

RUBIELOS DE MORA 44415 Teruel 443 L 28 – 666 h. – ✪ 978.

🛈 pl. de Hispano América 1 ℰ 80 40 96.

▸Madrid 357 – ◆Castellón de la Plana 93/Castelló de la Plana – ◆Teruel 56.

🏨 **Montaña Rubielos** 🐾, av. de los Mártires ℰ 80 42 36, Fax 80 42 84 – ▥ ☎ ◗ –
🛄 25/300. ⅋ 匡 **VISA**. ⅋ – Com 1450 – ☷ 430 – **30 hab** 3300/6000 – PA 2825.

X **Portal del Carmen** 🐾, Glorieta 2 ℰ 80 41 53, Fax 80 42 38, 龠, Instalado en un convento
del siglo XVII – ⅋ 匡 **VISA**. ⅋
cerrado jueves y del 1 al 11 de septiembre – Com carta aprox. 3050.

RUIDERA 13249 Ciudad Real 444 P 21 – ✪ 926.

▸Madrid 215 – ◆Albacete 106 – Ciudad Real 94.

🏨 León, av. Castilla la Mancha ℰ 52 80 65 – ◗
25 hab.

en Las Lagunas SE : 5 km – ⊠ 13249 Ruidera – ✪ 926 :

🏨 La Colgada 🐾, ℰ 52 80 25, ≤ – ▤ rest ◗
33 hab.

RUPIT 08569 Barcelona 443 F 37 – 409 h. – ✪ 93.

▸Madrid 668 – ◆Barcelona 97 – Gerona/Girona 75 – Manresa 93.

🕏 **Estrella,** pl. Bisbe Font 1 ℰ 856 50 05, Fax 856 50 05 – ⧉ ▤ rest. ⅋ ◉ 匡 **VISA**. ⅋ rest
Com *(cerrado martes)* 1750 – ☷ 650 – **30 hab** 4000/5900 – PA 3750.

RUTE 14960 Córdoba 446 U 16 – 10 097 h. alt. 637 – ✪ 957.

▸Madrid 494 – Antequera 60 – ◆Córdoba 96 – ◆Granada 127.

🏨 **María Luisa,** carret. Lucena-Loja ℰ 53 80 96, Fax 53 90 37, ⅏, ⧈, 龠 – ▤ ▥ ☎ ◗. ⅋
匡 **VISA**. ⅋ – Com carta 2600 a 3450 – **29 hab** ☷ 5000/8000.

SA RIERA (Playa de) Gerona – ver Bagur.

SABADELL 08200 Barcelona 443 H 36 – 184 943 h. alt. 188 – ✪ 93 – Iberia : paseo Manresa
14 ℰ 725 49 87.

▸Madrid 626 – ◆Barcelona 20 – ◆Lérida/Lleida 169 – Mataró 47 – Tarragona 108.

🏨 **Sabadell,** pl. Catalunya 10, ⊠ 08201, ℰ 727 92 00, Fax 727 86 17 – ⧉ ▤ ▥ ☎ ᗱ ⇌
– 🛄 25/300. ⅋ ◉ 匡 **VISA** **JCB**. ⅋
Com 2900 – ☷ 900 – **110 hab** 8900/11500.

🏨 G.H. Alexandra y Rest. Gran Mercat, av. Francesc Macià 62, ⊠ 08206, ℰ 723 11 11,
Fax 723 12 32 – ⧉ ▤ ▥ ☎ ᗱ ⇌ – 🛄 25/400
106 hab.

🏨 **Alfa Sabadell** sin rest. con cafetería, av. Francesc Macià 66, ⊠ 08206, ℰ 723 14 41,
Fax 723 10 17 – ⧉ ▤ ▥ ☎ ᗱ ⇌. ⅋ ◉ 匡 **VISA**
☷ 900 – **66 hab** 7000/9000.

🏨 **Urpi,** av. 11 Septembre 38, ⊠ 08208, ℰ 723 48 48, Fax 723 35 28 – ⧉ ▤ ▥ ☎ ⇌ – 🛄 25.
⅋ ◉ 匡 **VISA**. ⅋ rest
Com 600 – **112 hab** 3500/7500.

XX ⛭ **Marcel,** Advocat Cirera 40, ⊠ 08201, ℰ 727 53 00, Fax 725 23 00 – ▤. ⅋ ◉ 匡 **VISA**
cerrado sábado mediodía, domingo, festivos, Semana Santa y agosto – Com carta 4400
a 6200
Espec. Escabeche de perdiz con pasta fresca, Lubina con verduritas y crostillant de vieiras al jugo
de cigalas, Rustido de buey con foie y vinagre de Módena.

X **Forrellat,** Horta Novella 27, ⊠ 08201, ℰ 725 71 51 – ▤. ⅋ 匡 **VISA**. ⅋
cerrado domingo, Semana Santa y agosto – Com carta 2900 a 5150.

SABANELL Playa de Gerona – ver Blanes.

SABIÑÁNIGO 22600 Huesca 443 E 28 – 9 538 h. alt. 798 – ✪ 974.

▸Madrid 443 – Huesca 53 – Jaca 18.

🏨 **La Pardina** 🐾, Santa Orosia 36 - carret. de Jaca ℰ 48 09 75, Fax 48 10 73, ⅏, 龠 – ⧉
▤ rest ▥ ☎ ◗. ⅋ ◉ 匡 **VISA**. ⅋ rest
Com 1350 – ☷ 450 – **64 hab** 5100/7500 – PA 3150.

🏨 **Mi Casa,** av. del Ejército 32 ℰ 48 04 00, Fax 48 29 79 – ⧉ ▤ rest ▥ ☎. ⅋ ◉ 匡 **VISA**. ⅋
Com *(cerrado domingo noche salvo verano)* 1400 – ☷ 550 – **72 hab** 4800/6500 – PA 3350.

SACEDÓN 19120 Guadalajara **444** K 21 – 1 806 h. alt. 740 – ✪ 949.

♦Madrid 107 – Guadalajara 51.

🏠 **Mariblanca,** glorieta de los Mártires 2 ℰ 35 00 44 – 🍴 rest. ⅄ ☰ ▨ ⋘
– Com 1300 – ⊇ 425 – **27 hab** 3000/4500 – PA 2570.

✗ **Pino,** carret. de Cuenca ℰ 35 01 48, ≼ – 🍴 🅿. ⅄ ▥ ▨ ⋘
cerrado martes y 15 diciembre-30 enero – Com carta 3200 a 4400.

SADA 15160 La Coruña **441** B 5 – 7 998 h. – ✪ 981 – Playa.

♦Madrid 584 – ♦La Coruña/A Coruña 20 – Ferrol 38.

🏨 **Sada Palace H.,** paseo Marítimo ℰ 62 34 06, Fax 62 38 06, ≼ – 🛗 🍴 🅃🅅 ☎ ⋘ 🅿 –
🛁 25/1000
76 hab.

Prices	For full details of the prices quoted in this Guide, consult the introduction.

S' AGARÓ 17248 Gerona **443** G 39 – ✪ 972 – Playa.

Ver : Centro veraniego★ (≼★).

🖥 Costa Brava, Santa Cristina de Aro O : 6 km ℰ 83 71 50.

♦Madrid 717 – ♦Barcelona 103 – Gerona/Girona 38.

🏯🏯 **Hostal de La Gavina** ⌂, pl. de la Rosaleda ℰ 32 11 00, Telex 57132, Fax 32 15 73, ≼
☆, « Lujosa instalación, con mobiliario de gran estilo », ⛴, ⌧, ☷, ✗ – 🛗 🍴 🅃🅅 ☎ 🅿
– 🛁 25/130. ⅄ ▥ ⅃ ▨ ⋘
Semana Santa-octubre – Com 5500 **Grill Candlelight** (sólo cena) carta 4600 a 6650 – ⊇
1750 – **74 hab** 22500/34000.

🏨 **S'Agaró H.** ⌂, platja de Sant Pol ℰ 32 52 00, Fax 32 45 33, ☆, ☷, ✗ – 🛗 🍴 🅃🅅 ☎
🅿 – 🛁 25/250. ⅄ ▥ ⅃ ▨ ⋘
cerrado diciembre – Com 3300 – ⊇ 1200 – **70 hab** 11150/16800 – PA 6375.

🏤 **Caleta Park** ⌂, platja de Sant Pol ℰ 32 00 12, Fax 32 40 96, ≼, ☷, ✗ – 🛗 ☎ ⋘
🅿 – 🛁 25/100. ⅄ ▥ ⅃ ▨ ⋘ rest
26 marzo-15 octubre – Com 2200 – **100 hab** ⊇ 7000/12000 – PA 3700.

✗ **Alicia - Can Joan,** carret. de Castell d'Aro 47, ⊠ 17220 San Feliú de Guixols, ℰ 32 48 99
Pescados y mariscos – ☰ 🅿. ⅃ ▨ ⋘
cerrado de lunes a viernes (en invierno) y diciembre – Com carta 2475 a 7100.

SAGUNTO o **SAGUNT** 46500 Valencia **445** M 29 – 54 759 h. alt. 45 – ✪ 96.

🅱 pl. Cronista Chabret ℰ 266 22 13.

♦Madrid 375 – Castellón de la Plana/Castelló de la Plana 56 – Teruel 126 – ♦Valencia 27.

🏠 **Azahar** sin rest, av. País Valencià 8 ℰ 266 33 68, Fax 265 01 75 – 🛗 🍴 🅃🅅 ☎ ⋘. ⅄ ▥
⅃ ▨ ⋘
⊇ 500 – **25 hab** 4700/6800.

✗ **L'Armeler,** subida del Castillo 44 ℰ 266 43 82, ☆ – ☰. ⅄ ▥ ⅃ ▨
cerrado domingo noche y lunes noche – Com carta 3000 a 4250.

en el puerto E : 6 km – ⊠ 46520 Puerto de Sagunto – ✪ 96 :

🏠 **Teide,** av. 9 de Octubre 53 ℰ 267 22 44, Fax 267 57 85 – 🍴 rest 🅃🅅 ☎. ⅄ ⅃ ▨ ⋘
Com 1300 – ⊇ 450 – **23 hab** 3500/6000 – PA 2875.

🏠 **El Bergantín,** pl. del Sol ℰ 267 33 23, Fax 267 33 23 – 🛗 🍴 🅃🅅. ⅃ ▨ ⋘
cerrado 8 diciembre-8 enero – Com (cerrado domingo) 1200 – ⊇ 300 – **27 hab** 2100/4900
– PA 2300.

✗✗ **Violeta,** av. 9 de Octubre 40 ℰ 267 00 03, ☆ – ☰.

en la playa de Corinto NE : 12 km – ⊠ 46500 Sagunto – ✪ 96 :

✗✗ **Coll Verd de Corinto,** av. Danesa 43-E ℰ 260 91 04, ☆ – ☰. ▥ ⅃ ▨ ⋘
cerrado lunes y 10 enero-febrero – Com carta 2850 a 3600.

SAHAGÚN 24320 León **441** E 14 – 2 580 h. alt. 816 – ✪ 987.

♦ Madrid 298 – ♦ León 66 – ♦ Palencia 63 – ♦ Valladolid 110.

🏠 **La Codorniz,** av. de la Constitución 93 ℰ 78 02 76, Fax 78 01 86 – 🍴 rest 🅃🅅 ☎ ⋘ –
🛁 25/60. ⅄ ⅃ ▨ ⋘
Com 1400 – ⊇ 500 – **26 hab** 3500/4500.

🏠 **Alfonso VI,** Antonio Nicolás 6 ℰ 78 11 44 – ☎. ⅄ ⅃ ▨ ⋘
cerrado del 1 al 15 de enero – Com (cerrado domingo en invierno) 850 – ⊇ 275 – **10 hab**
2800/4000 – PA 1900.

r : El centro monumental★★★ : Plaza Mayor★★★ ABY, Casa de las Conchas★ AY, Patio de las
cuelas★★★ (fachada de la Universidad★★★) AZ U – Escuelas Menores (patio★, cielo de
lamanca★) – Catedral Nueva★★ (fachada occidental★★) AZ A – Catedral Vieja★★ (retablo
yor★★, sepulcro★★ del obispo Anaya) AZ B – Convento de San Esteban★ (fachada★, medal-
es del claustro★) BZ – Convento de las Dueñas (claustro★★) BZ F – Palacio de Fonseca (patio★)
Y D – Otras curiosidades : Iglesia de la Purísima Concepción (retablo de la Inmaculada
ncepción★) AY P – Convento de las Úrsulas (sepulcro★) AY X, Colegio Fonseca (capilla★,
tio★) AY E.

Gran Vía 41, ✉ 37001, ℰ 26 85 71 pl. Mayor 10, ✉ 37002, ℰ 21 83 42 – R.A.C.E. España 6,
 37001, ℰ 21 29 25.

ladrid 205 ② – Ávila 98 ② – ◆Cáceres 217 ③ – ◆Valladolid 115 ① – Zamora 62 ⑤.

Plano página siguiente

🏨 **Parador de Salamanca,** Teso de la Feria 2, ✉ 37008, ℰ 26 87 00, Telex 23585,
Fax 21 54 38, ≤, 🌊, 🐎 – 🛗 🗐 📺 ☎ 🚗 🄿 – 🛄 25/220. 🆎 ⑩ 💟💲. 🦌   AZ **a**
Com 3200 – ☲ 1100 – **108 hab** 13500 – PA 6375.

🏨 **NH Palacio de Castellanos,** San Pablo 58, ✉ 37001, ℰ 26 18 18, Fax 26 18 19, 🍽 – 🛗
🗐 📺 ☎ 🚗 – 🛄 25/200. 🆎 ⑩ E 💟💲. 🦌 hab   ABZ **r**
Com carta 3000 a 4600 – ☲ 1100 – **63 hab** 13200/17900.

🏨 **Gran Hotel y Rest. Feudal,** pl. Poeta Iglesias 3, ✉ 37001, ℰ 21 35 00, Telex 26809,
Fax 21 35 00 – 🛗 🗐 📺 ☎ – 🛄 25/450. 🆎 ⑩ E 💟💲. 🦌 rest   BY **r**
Com 3800 – ☲ 1200 – **100 hab** 13900/18500.

🏨 **Rector** sin rest, Rector Esperabé 10, ✉ 37008, ℰ 21 84 82, Fax 21 40 08 – 🛗 🗐 📺 ☎
🚗. 🆎 ⑩ E 💟💲. 🦌   AZ **e**
☲ 950 – **14 hab** 12000/16000.

🏨 **Monterrey y Rest. El Fogón,** Azafranal 21, ✉ 37001, ℰ 21 44 00, Telex 27836,
Fax 21 44 00 – 🛗 🗐 📺 📺 ☎. 🆎 ⑩ E 💟💲. 🦌   BY **u**
Com 3600 – ☲ 1100 – **89 hab** 12700/17300.

🏨 **Sol Salamanca** sin rest, Álava 8, ✉ 37001, ℰ 26 11 11, Fax 26 24 29 – 🛗 🗐 📺 ☎ 🚗.
🆎 ⑩ E 💟💲 𝐽𝐶𝐵. 🦌   BYZ **f**
59 hab 10000/12500, 4 suites.

🏨 **Castellano III** sin rest, con cafetería, San Francisco Javier 2, ✉ 37003, ℰ 26 16 11,
Telex 48097, Fax 26 67 41 – 🛗 🗐 📺 ☎ 🚗. 🆎 ⑩ E 💟💲. 🦌   BY **z**
☲ 750 – **73 hab** 8500/11000.

🏨 **Las Torres,** Concejo 4, ✉ 37002, ℰ 21 21 00, Fax 21 21 01 – 🛗 🗐 📺 ☎. 🆎 ⑩ E 💟💲.
🦌   BY **e**
Com 2000 – ☲ 900 – **44 hab** 8500/11500 – PA 3900.

🏨 **Condal** sin rest, con cafetería, pl. Santa Eulalia 3, ✉ 37002, ℰ 21 84 00, Fax 21 84 00 –
🛗 📺 ☎. E 💟💲. 🦌   BY **v**
☲ 525 – **70 hab** 4950/7920.

🏨 **Gran Vía** sin rest, con cafetería, Rosa 4, ✉ 37001, ℰ 21 54 01 – 🛗 📺 🚗. 🆎 E 💟💲. 🦌
☲ 500 – **47 hab** 4500/6000.   BY **h**

🏨 **Ceylán** sin rest, San Juan de la Cruz 7, ✉ 37001, ℰ 21 26 03, Fax 21 12 57 – 🛗 📺 ☎.
💟💲   BY **c**
☲ 490 – **35 hab** 4435/6225.

🏨 **Amefa** sin rest y sin ☲, Pozo Amarillo 18, ✉ 37002, ℰ 21 81 89, Fax 26 02 00 – 🛗 🗐 📺
☎. 🆎 E 💟💲   BY **t**
33 hab 5500/7975.

🏨 **Castellano II** sin rest, Pedro Mendoza 36, ✉ 37004, ℰ 24 28 12, Telex 48097, Fax 26 67 41
– 📺 🚗 🚗. 🆎 ⑩ E 💟💲. 🦌   BY **a**
☲ 450 – **29 hab** 6000/7500.

🏨 **Milán** sin rest, pl. del Ángel 5, ✉ 37001, ℰ 21 75 18 – 🛗 ☎. E 💟💲. 🦌   BY **c**
☲ 300 – **25 hab** 3350/5000.

🏨 **París** sin rest, Padilla 1, ✉ 37001, ℰ 26 29 70 – 📺 ☎. E 💟💲. 🦌   BY **q**
☲ 300 – **13 hab** 3700/4800.

🏨 **Reyes Católicos** sin rest, paseo de la Estación 32, ✉ 37003, ℰ 24 10 64 – 🛗 ☎ 🚗. 🦌
☲ 450 – **33 hab** 3750/5200.   BY **y**

🏨 **Castellano I** sin rest, av. de Portugal 29, ✉ 37004, ℰ 22 85 16, Telex 48097, Fax 26 67 41
– ☎. ⑩ E 💟💲. 🦌   BY **m**
☲ 400 – **22 hab** 5200/6500.

🏨 **Mindanao** sin rest y sin ☲, paseo de San Vicente 2, ✉ 37007, ℰ 26 30 80 – 🛗   AY **b**
30 hab.

🍴🍴 ❀ **Chez Víctor,** Espoz y Mina 26, ✉ 37002, ℰ 21 31 23, Fax 21 76 99 – 🗐. 🆎 ⑩ E 💟💲
𝐽𝐶𝐵. 🦌   ABY **d**
cerrado domingo noche, lunes y agosto – Com carta 4100 a 5200
Espec. Pan tostado con foie, mermelada de cebolla y jamón ibérico, Carré de cerdo relleno de
ciruelas con salsa de miel y mostaza, Marquise de chocolate y café.

🍴🍴 **Albatros,** Obispo Jarrín 10, ✉ 37001, ℰ 26 93 87 – 🗐. 🆎 ⑩ E 💟💲. 🦌   BY **p**
Com carta 3150 a 4350.

SALAMANCA

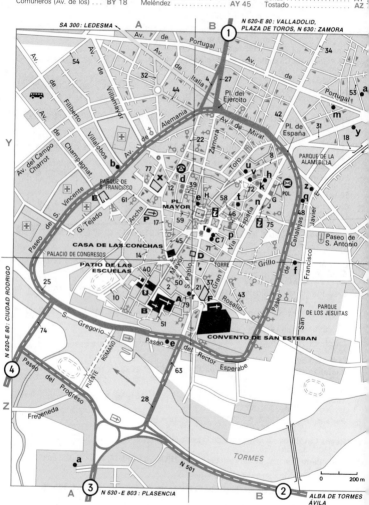

Un consejo Michelin :

Para que sus viajes sean un éxito, prepárelos de antemano.
Los mapas y las guías **Michelin** le proporcionan todas las indicaciones útiles sobre :
itinerarios, visitas de curiosidades, alojamiento, precios, etc.

XX **Chapeau,** Gran Vía 20, ⊠ 37001, ℰ 27 18 33 – ▤. 🝤 ⓪ 🝡 𝑉𝐼𝑆𝐴. 🎉   BY **n**
cerrado del 15 al 31 de agosto – Com carta 3300 a 4600.

XX **La Posada,** Aire 1, ⊠ 37001, ℰ 21 72 51 – ▤. 🝤 ⓪ 𝑉𝐼𝑆𝐴. 🎉   BY **k**
cerrado del 1 al 15 de agosto – Com carta 2750 a 4100.

X **El Botón Charro,** Hovohambre 6, ⊠ 37001, ℰ 21 64 62, Rest. típico – ▤. 🝤 ⓪ 🝡 𝑉𝐼𝑆𝐴.
🎉   BY **p**
cerrado domingo – Com carta 2800 a 3450.

X **Le Sablon,** Espoz y Mina 20, ⊠ 37002, ℰ 26 29 52 – ▤. 🝤 ⓪ 🝡 𝑉𝐼𝑆𝐴. 🎉   ABY **d**
cerrado martes y 27 de junio-27 julio – Com carta 2850 a 3750.

X **Río de la Plata,** pl. del Peso 1, ⊠ 37001, ℰ 21 90 05 – ▤. 𝑉𝐼𝑆𝐴. 🎉   BY **r**
cerrado lunes y julio – Com carta 3500 a 4400.

X **Asador Arandino,** Azucena 5, ⊠ 37001, ℰ 21 73 82 – ▤. 🝤 🝡 𝑉𝐼𝑆𝐴. 🎉   BY **v**
cerrado lunes y del 1 al 15 de julio – Com carta 3200 a 4550.

en la carretera de Valladolid por ① : 2,5 km – ⊠ 37184 Villares de la Reina – 🝆 923 :

X El Quinto Pino con hab, ℰ 22 86 93 – ▤ 🝂
13 hab.

en la carretera N 630 por ③ : 1,5 km – ⊠ 37008 Salamanca – 🝆 923 :

🏠 Lorenzo sin rest, ℰ 21 43 06 – 🕾 ⇐⇒ 🝂
22 hab.

en la carretera de Ciudad Rodrigo por ④ : 3 km – ⊠ 37008 Salamanca – 🝆 923 :

X **Picosa,** av. de la Salle 76 ℰ 21 67 87 – ▤ 🝂. 🝡 𝑉𝐼𝑆𝐴. 🎉
Com carta 1475 a 2650.

en la carretera de Zamora por ⑤ : 3 km – ⊠ 37005 Salamanca – 🝆 923 :

🏨 **Helmántico,** ℰ 22 12 20, Fax 24 53 41 – 🛗 ▤ 📺 ☎ ⇐⇒ 🝂. 🝤 ⓪ 🝡 𝑉𝐼𝑆𝐴. 🎉
Com 1900 – ⊇ 850 – **55 hab** 7300/10900 – PA 4000.

Ver también : *Santa Marta de Tormes* por ② : 6 km
Arapiles por ③ : 7 km

SALARDÚ 25598 Lérida 𝟰𝟰𝟯 D 32 – alt. 1 267 – 🝆 973 – Deportes de invierno en Baqueira
Beret E : 6 km : ✦11.

🛈 Balmes 2, ⊠ 25598, ℰ 64 50 30.
◆Madrid 611 – ◆Lérida/Lleida 172 – Viella 9.

🏠 **Petit Lacreu** sin rest, carret. de Viella ℰ 64 41 42, Fax 64 42 43, ≼, 🝌 climatizada, 🌱 –
🛗 📺 ☎ 🝂. 🝡 𝑉𝐼𝑆𝐴. 🎉
cerrado mayo-junio y octubre-noviembre – ⊇ 750 – **30 hab** 5000/9000.

🏨 **Lacreu,** carret. de Viella ℰ 64 42 22, Fax 64 42 43, ≼, 🝌 climatizada, 🌱 – 🛗 📺 ☎ 🝂.
🝡 𝑉𝐼𝑆𝐴. 🎉
cerrado mayo-junio y octubre-noviembre – Com 1900 – ⊇ 600 – **70 hab** 3500/6000.

🏨 **Garona,** ℰ 64 50 10, ≼ – 🛗 📺 ☎ ⇐⇒. 𝑉𝐼𝑆𝐴. 🎉
julio-septiembre y diciembre-abril – Com 1875 – ⊇ 575 – **28 hab** 3750/6000.

🏨 **Deth País** 🝗, pl. de la Pica ℰ 64 58 36, Fax 64 45 00, ≼ – 🛗 📺 ☎ 🝂. 🝡 𝑉𝐼𝑆𝐴. 🎉
julio-septiembre y diciembre-abril – Com 1500 – ⊇ 475 – **18 hab** 4425/5900.

en Bagergue N : 2 km – ⊠ 25598 Salardú – 🝆 973 :

X **Casa Perú,** Sant Antoni 6 ℰ 64 54 37, Fax 64 54 37 – 🎉
cerrado mayo y junio – Com carta 2300 a 2650.

En Tredós por la carretera del Port de la Bonaigua – ⊠ 25598 Salardú – 🝆 973 :

🏠 **De Tredós** 🝗 sin rest, E : 1,4 km ℰ 64 40 14, Fax 64 43 00, ≼ – 🛗 📺 ☎ ⓰ 🝂. 𝑉𝐼𝑆𝐴. 🎉
cerrado mayo, junio y noviembre – ⊇ 900 – **37 hab** 9200/11500.

🏨 **Orri** 🝗, E : 1,2 km ℰ 64 60 86 – 🛗 📺 ☎ 🝂. 🝤 𝑉𝐼𝑆𝐴. 🎉
diciembre - mayo y julio - octubre – Com 1900 – ⊇ 9000/16000 – PA 3825.

en Baqueira - por la carretera del Port de la Bonaigua E : 4 km – ⊠ 25598 Salardú –
🝆 973 :

🏠 **Montarto y Rest. La Perdiu Blanca,** ℰ 64 44 44, Telex 57707, Fax 64 52 00, ≼ alta montaña, 🝌 climatizada, 🎾 – 🛗 📺 ☎ ⇐⇒ 🝂 – 🛆 25/75. 🝤 ⓪ 🝡 𝑉𝐼𝑆𝐴. 🎉
diciembre-abril y julio-septiembre – Com carta aprox. 4100 – ⊇ 1100 – **166 hab**
9000/17000.

🏠 **Tuc Blanc,** ℰ 64 43 50, Fax 64 60 08 – 🛗 📺 ☎ ⇐⇒ 🝂 – 🛆 25/250. 🝤 ⓪ 🝡 𝑉𝐼𝑆𝐴. 🎉
cerrado mayo-junio y octubre-noviembre – Com 2375 – ⊇ 950 – **165 hab** 9050/13800.

🏠 **Val de Ruda** sin rest, ℰ 64 52 58, Fax 64 58 11, ≼, Decoración típica aranesa – 📺 ☎ 🝂.
🝤 ⓪ 🝡 𝑉𝐼𝑆𝐴 𝐽𝐶𝐵
diciembre-mayo y 15 julio-15 septiembre – ⊇ 925 – **34 hab** 7700/12500.

33860 Asturias 441 B 11 – alt. 239 – © 98.
♦Madrid 480 – Oviedo 47.

  🏤 **Castillo de Valdés Salas**, pl. de la Campa 𝒫 583 10 37, Fax 583 10 37, « Castillo
    medieval » – 📺 ☎ – 🛅 25. 🄰🄴 ⓪ 🄴 𝚅𝙸𝚂𝙰
    cerrado 20 días en enero – Com *(cerrado lunes)* 1500 – ☑ 700 – **12 hab** 4200/5990 –
    PA 3700.

SALAS DE LOS INFANTES 09600 Burgos 442 F 20 – 2 010 h. – © 947.
♦Madrid 230 – Aranda de Duero 69 – ♦Burgos 53 – ♦Logroño 118 – Soria 92.

  🏠 **Moreno,** Filomena Huerta 5 𝒫 38 01 35 – ⟅⟆ 🄴 𝚅𝙸𝚂𝙰 ✼
    cerrado febrero – Com *(cerrado lunes)* 1300 – ☑ 300 – **15 hab** 2200/3900.

SALDAÑA 34100 Palencia 442 E 15 – 3 042 h. – © 979.
♦Madrid 291 – ♦Burgos 92 – ♦León 101 – Palencia 65.

  🏤 **Dipo's** ⟅, carret. de Relea N : 1,5 km 𝒫 89 01 44, ≤, 🌧, ⌁, ✼ – 📺 ⊛ 🅟
    40 hab.

El SALER 46012 Valencia 445 N 29 – © 96 – Playa.
🛝 El Saler, Parador Luis Vives S : 7 km 𝒫 161 11 86.
♦Madrid 356 – Gandía 55 – ♦Valencia 8.

  al Sur :

  🏨 **Sidi Saler** ⟅, playa : 3 km 𝒫 161 04 11, Telex 64208, Fax 161 08 38, ≤, ⌁, 🗆, ⇙, ✼
    – 🛗 ☰ 📺 ☎ 🅟 – 🛅 25/300. 🄰🄴 ⓪ 🄴 𝚅𝙸𝚂𝙰 ✼ rest
    Com 3000 – ☑ 1400 – **260 hab** 14500/20500, 16 suites – PA 5900.

  🏨 **Parador Luis Vives** ⟅, 7 km 𝒫 161 11 86, Telex 61069, Fax 162 70 16, ≤, « En el centro
    de un campo de golf », ⌁, ✼, 🛝 – 🛗 ☰ 📺 ☎ 🅟 – 🛅 25/300. 🄰🄴 ⓪ 🄴 𝚅𝙸𝚂𝙰 ✼
    Com 3500 – ☑ 1200 – **58 hab** 16000 – PA 6970.

SALINAS 33400 Asturias 441 B 12 – © 98.
Ver : Desde la Peñona perspectiva★ de la playa.
♦ Madrid 488 – Avilés 5 – Gijón 24 – ♦ Oviedo 37.

  🏠 **El Pinar,** Pablo Laloux, 15 𝒫 550 18 22, Fax 550 06 61, ≤ – 📺 ☎ ⟅⟆
    17 hab.

  XXX **Real Balneario,** Juan Sitges 3 𝒫 551 86 13, ≤, 🌧 – ☰. 🄰🄴 🄴 𝚅𝙸𝚂𝙰 ✼
    Com carta aprox. 4800.

  X **Las Conchas,** Pablo Laloux - edificio Espartal 𝒫 550 14 45, ≤, 🌧 – 🄰🄴 ⓪ 🄴 𝚅𝙸𝚂𝙰 🄹🄲🄱
    ✼
    cerrado lunes y octubre – Com carta 3450 a 4900.

  X **Piemonte,** Príncipe de Asturias 71 𝒫 550 00 25, 🌧 – 🄰🄴 ⓪ 🄴 𝚅𝙸𝚂𝙰 ✼
    cerrado miércoles – Com carta 2875 a 4500.

SALINAS DE LENIZ o **LEINTZ-GATZAGA** 20530 Guipúzcoa 442 D 22 – 207 h. – © 943.
♦Madrid 377 – ♦Bilbao/Bilbo 66 – ♦San Sebastián/Donostia 83 – Vitoria/Gasteiz 22.

  en el puerto de Arlabán - carretera C 6213 SO : 3 km – ✉ 20530 Salinas de Leniz –
  © 943 :

  XX **Gure Ametsa** con hab, 𝒫 71 49 52, Fax 71 49 52 – ☰ rest 🅟. 🄰🄴 𝚅𝙸𝚂𝙰 ✼
    cerrado del 8 al 31 agosto – Com *(cerrado lunes noche)* carta 2800 a 3300 – ☑ 400 –
    5 hab 3500/4000.

SALINAS DE SIN 22365 Huesca 443 E 30 – alt. 725 – © 974.
♦Madrid 541 – Huesca 146.

  X **Mesón de Salinas** con hab, cruce carret. de Bielsa 𝒫 50 51 71 – ☰ rest 🅟. 🄰🄴 ⓪ 🄴 𝚅𝙸𝚂𝙰
    ✼
    cerrado del 1 al 27 de diciembre – Com carta 1750 a 3400 – ☑ 500 – **16 hab** 2300/3900

SALOBREÑA 18680 Granada 446 V 19 – 8 119 h. alt. 100 – © 958 – Playa.
🛝 Los Moriscos, SE : 5 km 𝒫 60 04 12.
♦Madrid 499 – Almería 119 – ♦Granada 70 – ♦Málaga 102.

  en la carretera de Málaga – ✉ 18680 Salobreña – © 958 :

  🏤 **Salobreña** ⟅, O : 4 km 𝒫 61 02 61, Fax 61 01 01, ≤ mar y costa, ⌁, ✼ – 🛗 🅟 –
    🛅 25/200. 🄰🄴 ⓪ 🄴 𝚅𝙸𝚂𝙰 ✼ rest
    Com 1895 – ☑ 525 – **130 hab** 4950/7800.

  🏠 **Salambina,** O : 1 km 𝒫 61 00 37, Fax 61 13 28, ≤ plantaciones de cañas y mar, 🌧 – ☰ rest
    ☎ 🅟. 🄰🄴 ⓪ 🄴 𝚅𝙸𝚂𝙰 ✼
    Com 1750 – ☑ 470 – **14 hab** 3700/5390 – PA 3175.

ALOU 43840 Tarragona 443 I 33 – 5 120 h. – ☺ 977 – Playa.

Montblanc 1, ⊠ 43840, ℰ 38 01 36, Fax 38 07 47 y Montblanc 1, ℰ 38 01 36.

Madrid 556 – ◆Lérida/Lleida 99 – Tarragona 10.

🏨 **Regente Aragón,** Llevant 5 ℰ 35 20 02, Fax 35 20 03, ⊥ – 🛊 ≣ 📺 ☎ ⇔. ⅋ ⓪ 🄴 *VISA*. ⅍
Com 1900 – ⊡ 700 – **60 hab** 7500/10500 – PA 3800.

🏨 **Planas,** pl. Bonet 3 ℰ 38 01 08, ㎡, « Terraza con arbolado » – 🛊 ≣ rest ☎. 🄴 *VISA*. ⅍
abril-septiembre – Com 1600 – ⊡ 550 – **100 hab** 3520/6460.

🏨 **Casablanca Playa** sin rest, con cafetería, paseo Miramar 12 ℰ 38 01 07, Fax 35 01 17, ≤,
⊥ – 🛊 ≣ 📺 ☎ ь ⇔. ⅋ 🄴 *VISA*
63 hab ⊡ 8500/12500.

XX **Albatros,** Bruselas 60 ℰ 38 50 70, ㎡ – ≣ ⓟ. ⅋ ⓪ 🄴 *VISA*
cerrado domingo noche, lunes y 20 diciembre-20 enero – Com carta 3450 a 5850.

XX **Casa Font,** Colón 17 ℰ 38 57 45, Fax 38 24 36, ≤ – ≣. ⅋ ⓪ 🄴 *VISA*
cerrado Navidades – Com carta 3300 a 4450.

XX Casa Soler, Virgen del Carmen ℰ 38 04 63, ㎡ – ≣ ⓟ.

XX **La Goleta,** Gavina – playa Capellans ℰ 38 35 66, ≤, ㎡ – ≣ ⓟ. ⅋ ⓪ 🄴 *VISA*. ⅍
cerrado domingo noche y del 22 al 28 de diciembre – Com carta 2600 a 3800.

XX **Ondar-Bide,** vía Augusta 18 ℰ 38 13 55 – ≣. ⅋ ⓪ 🄴 *VISA*. ⅍
cerrado martes y 24 diciembre-5 enero – Com carta 2800 a 3800.

X **Can Felip,** vía Augusta 19 ℰ 38 55 55, Pescados y mariscos – ≣. 🄴 *VISA*
cerrado lunes y 20 diciembre-enero – Com carta 3150 a 5100.

en la playa de la Pineda E : 7 km – ⊠ 43840 Salou – ☺ 977 :

🏨 Carabela Roc sin rest, con cafetería, Pau Casals 108 ℰ 37 01 66, Fax 37 07 62, ≤, « Terraza
bajo los pinos » – 🛊 ≣ ☎ ⓟ
temp. – **96 hab.**

SALT 17190 Gerona 443 G 38 – 22 298 h. alt. 86 – ☺ 972.

Madrid 695 – ◆ Gerona/Girona 3 – Palafrugell 40 – Palamós 46.

X **Vilanova,** passeig Marqués de Camps 51 ℰ 23 30 26 – ≣. ⅋ ⓪ 🄴 *VISA*. ⅍
cerrado domingo y tres semanas en agosto – Com carta 2225 a 3435.

SALLENT DE GÁLLEGO 22640 Huesca 443 D 29 – 1 142 h. alt. 1 305 – ☺ 974 – Deportes
de invierno en El Formigal ⅌4.

Madrid 485 – Huesca 90 – Jaca 52 – Pau 78.

X **Garmo Blanco,** ℰ 48 82 19, ≤ – 🄴 *VISA*. ⅍
cerrado noviembre – Com carta 2150 a 3500.

en El Formigal NO : 4 km alt. 1 480 – ⊠ 22640 El Formigal – ☺ 974 :

🏨 **Formigal** ⅏, ℰ 48 80 00, Telex 58885, Fax 48 82 67, ≤ alta montaña, ⅃ᕒ – 🛊 📺 ☎ ⇔
ⓟ – 🛆 25/120. ⅋ ⓪ 🄴 *VISA*. ⅍ rest
cerrado 16 octubre-25 noviembre – Com 2350 – ⊡ 900 – **125 hab** 8500/15000 – PA 4750.

🏨 **Villa de Sallent** ⅏, ℰ 48 83 11, Fax 48 81 34, ≤ alta montaña – 🛊 📺 ☎ ⇔. ⅋ ⓪
🄴 *VISA*. ⅍
Com 2050 – ⊡ 800 – **40 hab** 8000/13000 – PA 3960.

🏨 Eguzki-Lore ⅏, ℰ 48 80 75, Fax 48 80 68, ≤ alta montaña – ☎
32 hab.

SAMIEIRA 36992 Pontevedra 441 E 3 – ☺ 986.

Madrid 616 – Pontevedra 12 – Santiago de Compostela 69 – ◆Vigo 38.

🏨 Covelo, carret. de La Toja ℰ 74 11 21, Fax 74 15 20, ≤, ⊥ – 🛊 📺 ☎ ⓟ
53 hab.

🏨 **Covelmar,** carret de La Toja ℰ 74 10 00, Fax 74 10 98 – 🛊 📺 ☎ ⇔. 🄴 *VISA*. ⅍
15 abril- 30 octubre – Com 1800 – **65 hab** ⊡ 5000/8000.

SAMIL (Playa de) Pontevedra – ver Vigo.

SAN ADRIÁN 31570 Navarra 442 E 24 – 4 362 h. – ☺ 948.

◆Madrid 324 – ◆Logroño 56 – ◆Pamplona/Iruñea 74 – ◆Zaragoza 131.

☺ **Ochoa,** Delicias 3 ℰ 67 08 26 – ⅍
Com *(cerrado 15 días en septiembre)* 950 – ⊡ 400 – **15 hab** 1800/3000 – PA 1850.

XX **Ríos,** av. Celso Muerza 18 ℰ 69 60 87, Fax 67 05 95 – ≣ ⓟ. ⅋ *VISA*. ⅍
cerrado domingo y del 1 al 15 de agosto – Comida carta 2600 a 3500.

SAN AGUSTÍN (Playa de) Las Palmas – ver Canarias (Gran Canaria) : Maspalomas.

SAN AGUSTÍN Baleares – ver Baleares (Mallorca) : Palma de Mallorca.

SAN AGUSTÍN Baleares – ver Baleares : Ibiza.

SAN AGUSTÍN DEL GUADALIX 28750 Madrid 444 J 19 – 1 920 h. alt. 648 – ❀ 91.
♦Madrid 35 – Aranda de Duero 128.

🏤 **El Figón de Raúl**, av. de Madrid 19 ℰ 841 90 11, Fax 841 90 50 – ▤ 📺 ☎ 🚗 🅿. 🖎
    ① 🗨 ☒ 📆 ⚄
    cerrado agosto – Com 3000 – 🖙 450 – **16 hab** 6500/8000 – PA 4900.

✕✕ **Araceli**, av. de Madrid 10 ℰ 841 85 31, Fax 841 90 50, 🛱 – ▤ 🅿. 🗚 ① 🗨 ☒ 📆 ⚄
    Com carta 3600 a 4750.

SAN ANDRÉS Santa Cruz de Tenerife – ver Canarias (Tenerife).

SAN ANDRÉS DE LLAVANERAS o **SANT ANDREU DE LLAVANERES** 08392 Barcelona
443 M 37 – 2 949 h. alt. 114 – ❀ 93.
♦Madrid 666 – ♦Barcelona 33 – Gerona/Girona 67.

✕✕ La Bodega, av. Sant Andreu 6 ℰ 792 67 79, Fax 795 28 64, 🛱 – ▤ 🅿.

SAN ANDRÉS DEL RABANEDO 24191 León 441 E 13 – 15 743 h. alt. 825 – ❀ 987.
♦Madrid 331 – ♦Burgos 196 – ♦León 4 – Palencia 132.

✕ **Casa Teo**, Corpus Christi 203 ℰ 22 30 05, 🛱
    cerrado domingo noche, lunes y marzo – Com carta 1900 a 3700.

SAN ANTONIO DE CALONGE o **SANT ANTONI DE CALONGE** 17252 Gerona 443 G 39
– ❀ 972 – Playa.
🛈 av. Catalunya, ✉ 17252, ℰ 65 17 14, Fax 66 10 80.
♦Madrid 717 – ♦Barcelona 107 – Gerona/Girona 47.

🏤 **Rosa dels Vents**, passeig Josep Mundet ℰ 65 13 11, Fax 65 06 97, ≼, ✕ – 🛗 ☎ 🚗
    🅿. 🗨 ☒ 📆 ⚄ rest
    abril-septiembre – Com 1500 – 🖙 600 – **48 hab** 7000/10000.

🏤 **Rosamar**, passeig Josep Mundet 43, ℰ 65 05 48, Fax 65 21 61, ≼ – 🛗 ▤ rest ☎ 🅿. 🗚
    🗨 ⚄
    Semana Santa-septiembre – Com 1800 – **50 hab** 🖙 6000/9800 – PA 3500.

🏤 **Reymar**, Torre Valentina ℰ 65 22 11, Telex 50077, Fax 65 12 13, ≼, ⊿, ✕ – 🚗 🅿. 🗨 ☒
    ⚄ rest
    Semana Santa y junio-septiembre – Com 1500 – 🖙 500 – **49 hab** 6500/9000.

✕✕ Costa Brava con hab, av. Catalunya 28 ℰ 65 10 61 – ▤ rest 🅿
    7 hab.

✕✕ **Refugi de Pescadors**, passeig Josep Mundet 55 ℰ 65 06 64, 🛱, Imitación del interior
    de un barco. Pescados y mariscos – ▤. 🗚 ① 🗨 ☒ 📆 ⚄
    Com carta 2900 a 4300.

SAN ANTONIO DE PORTMANY Baleares – ver Baleares (Ibiza).

SAN BAUDILIO DE LLOBREGAT o **SANT BOI DE LLOBREGAT** 08830 Barcelona 443
H 36 – 74 550 h. – ❀ 93.
♦Madrid 626 – ♦Barcelona 11 – Tarragona 83.

🏤 **El Castell** ⌂, Castell 1 ℰ 640 07 00, Fax 640 07 04, ⊿ – 🛗 ▤ rest 📺 ☎ 🅿 – 🔬 25/100.
    🗚 ① 🗨 ☒ 📆 ⚄
    Com 1300 – **43 hab** 🖙 7000/9500.

SAN CARLOS DE LA RÁPITA o **SANT CARLES DE LA RÁPITA** 43540 Tarragona
443 K 31 – 9 960 h. – ❀ 977.
🛈 pl. Carles III 13 – ✉ 43540, ℰ 74 01 00, Fax 74 43 87.
♦Madrid 505 – Castellón de la Plana/Castelló de la Plana 91 – Tarragona 90 – Tortosa 29.

🏤 **Aparthotel La Rápita** ⌂, pl. Lluís Companys ℰ 74 15 07, Telex 53594, Fax 74 19 54, ⊿
    – 🛗 ▤ rest 📺 ☎ 🚗 – 🔬 25/80. 🗚 ① 🗨 ☒ 📆 ⚄
    25 marzo-octubre – Com (sólo buffet) 1400 – 🖙 550 – **232 apartamentos** 7210/9010 –
    PA 2680.

🏤 **Miami Park**, av. Constitución 33 ℰ 74 03 51, Fax 74 11 66 – 🛗 ☎ 🚗, 🗚 ① 🗨 ☒ 📆
    abril-octubre – Com (ver rest. Miami) – 🖙 575 – **80 hab** 3650/6600.

384

🏨 **Llansola,** San Isidro 98 ℘ 74 04 03, 😐 – 📺 ☎ 🚗 🅿. 🆎 **E** 𝘝𝘐𝘚𝘈. ℘
cerrado noviembre – Com *(cerrado domingo noche y lunes mediodía)* – ⌷ 475 – **18 hab**
3200/6550 – PA 2700.

🏨 **Plaça Vella y Rest. l'Áncora,** Arsenal 31 ℘ 74 24 53, Fax 74 43 97 – |⧉| ☰ rest 📺 ☎
21 hab.

XX **Varadero,** av. Constitución 1 ℘ 74 10 01, 😐, Pescados y mariscos – ☰. 🆎 ⓪ **E** 𝘝𝘐𝘚𝘈
cerrado lunes y 15 diciembre-15 enero – Com carta 3100 a 4600.

XX Miami, av. Constitución 37 ℘ 74 05 51, Fax 74 11 66, Pescados y mariscos – ☰.

X **Can Víctor,** Vista Alegre 8 ℘ 74 29 05, Fax 74 29 05, 😐, Pescados y mariscos – ☰. 🆎
⓪ **E** 𝘝𝘐𝘚𝘈. ℘
Com carta 3000 a 3875.

X **Casa Ramón,** Pou de les Figueretes 7 ℘ 74 14 58, Fax 74 53 30, Pescados y mariscos –
☰ 🅿. 🆎 ⓪ **E** 𝘝𝘐𝘚𝘈. ℘
Com carta 3000 a 3875.

X **Brasseria Elena,** pl. Lluís Companys 1 ℘ 74 29 68, 😐, Carnes a la brasa – **E** 𝘝𝘐𝘚𝘈. ℘
cerrado martes y 18 octubre-1 noviembre – Com carta 1475 a 2525.

X Can Batiste con hab, Sant Isidre 204 ℘ 74 23 08 – ☰ rest 📺 ☎
10 hab.

en Playa Miami S : 1 km – ✉ 43540 Sant Carles de la Rápita – ✆ 977 :

🏨 **Juanito** 🦮, ℘ 74 04 62, ≤, 😐 – 🅿. **E** 𝘝𝘐𝘚𝘈. ℘ rest
abril-septiembre – Com 1600 – ⌷ 400 – **35 hab** 3500/5840 – PA 2880.

SAN CELONI o **SANT CELONI** 08470 Barcelona 📗📗📗 G 37 – 11 929 h. alt. 152 – ✆ 93.
Alred. : NO : Sierra de Montseny★ : itinerario★★ de San Celoni a Santa Fé – Carretera★ de San Celoni a Tona por Montseny.
◆Madrid 662 – ◆Barcelona 49 – Gerona/Girona 57.

🏨 **Suis** sin rest, Major 152 ℘ 867 00 02, Fax 867 43 43 – 📺 ☎. **E** 𝘝𝘐𝘚𝘈. ℘
⌷ 600 – **30 hab** 4000/6500.

XXX ✿✿✿ **El Racó de Can Fabes,** Sant Joan 6 ℘ 867 28 51, Fax 867 38 61, Decoración rústica
– ☰ 🚗. 🆎 ⓪ **E** 𝘝𝘐𝘚𝘈
cerrado domingo noche, lunes, 31 enero-14 febrero y 27 junio-11 julio – Com carta 6600
a 7750
Espec. Cuello de cordero del Montseny relleno y su gelatina, Raviolis de gambas al aceite de
"ceps", Milhojas de crema a la hierbaluisa.

X **Can Botey,** pl. de la Vila 22 ℘ 867 37 90 – ☰. 🆎 ⓪ **E** 𝘝𝘐𝘚𝘈. ℘
cerrado domingo noche, martes, del 1 al 15 de febrero y del 15 al 30 de septiembre –
Com carta 2475 a 3225.

X Les Tines, passeig dels Esports 16 ℘ 867 25 54, 😐 – ☰.

en la carretera C 251 SO : 5,5 km – ✉ 08460 Santa María de Palautordera – ✆ 93 :

X **Palautordera,** ℘ 848 94 51 – ☰ 🅿. **E** 𝘝𝘐𝘚𝘈. ℘
cerrado lunes y del 1 al 8 de febrero – Com carta 2600 a 3550.

SAN COSME 33155 Asturias 📗📗📗 B 11 – ✆ 98.
◆ Madrid 530 – Gijón 58 – Luarca 37 – ◆ Oviedo 71.

🏨 **El Chisco** 🦮, ℘ 559 73 21, Fax 559 72 65 – 📺 ☎ 🅿. **E** 𝘝𝘐𝘚𝘈
cerrado 20 septiembre-octubre – Com 1100 – ⌷ 300 – **22 hab** 5500/7000 – PA 2500.

SAN CUGAT DEL VALLÉS o **SANT CUGAT DEL VALLÈS** 08190 Barcelona 📗📗📗 H 36 –
31 184 h. alt. 180 – ✆ 93.
Ver : Monasterio★ (claustro★).
📍₁₈ de Sant Cugat ℘ 674 39 08.
◆Madrid 615 – ◆Barcelona 18 – Sabadell 9.

al Noroeste : 3 km

🏨 **Novotel Barcelona-Sant Cugat** 🦮, pl. Xavier Cugat, ✉ apartado 122, ℘ 589 41 41,
Fax 589 30 31, ≤, 😐, ⌿ – |⧉| ☰ 📺 ☎ ⅙ 🚗 🅿 – 🔥 25/300. 🆎 ⓪ **E** 𝘝𝘐𝘚𝘈
Com carta 2420 a 3930 – ⌷ 1200 – **146 hab** 11000/13750, 4 suites.

en Valldoreix SO : 3,5 km – ✉ 08190 Valldoreix – ✆ 93 :

🏨 **La Reserva,** rambla Mossèn Jacint Verdaguer 41 ℘ 589 21 21, Fax 674 21 00, ≤, « Antigua
casa señorial », ⌿, ⌿ – |⧉| ☰ 📺 ☎ 🚗. 🆎 ⓪ **E** 𝘝𝘐𝘚𝘈. ℘
Com 3000 – ⌷ 1000 – **16 hab** 18500/33000.

🏨 **Rossinyol** 🦮, av. Juan Borrás 64 ℘ 674 23 00, Fax 589 48 55, ≤, 😐, ⌿ – ☎ 🅿. 🆎 **E**
𝘝𝘐𝘚𝘈. ℘
Com 1500 – ⌷ 400 – **36 hab** 5000/7000 – PA 2720.

por la carretera de Rubí y desvío a la izquierda O : 3,5 km – ⊠ 08190 Sant Cugat del Vallés – ❀ 93 :

 ✗ **Can Ametller,** junto a la autopista A7 🎣 674 91 51, 🏤 – ▤ 🅿. 🆎 ⓪ 🇪 𝘝𝘐𝘚𝘈. 🛇
cerrado domingo noche, lunes y del 1 al 23 de agosto – Com carta 2575 a 3500.

en la carretera de Barcelona SE : 6 km. – ⊠ 08190 San Cugat del Vallés – ❀ 93 :

 ✗ **Can Cortés,** urbanización Can Cortés 🎣 674 17 04, Fax 675 27 07, ≼, 🏤, Enoteca de vinos y cavas catalanes, « Antigua masía », ⌿, – 🅿. 🆎 ⓪ 🇪 𝘝𝘐𝘚𝘈. 🛇
cerrado del 19 al 30 octubre – Com carta 2750 a 3550.

SAN ELMO o **SANT ELM** Gerona – ver San Feliú de Guixols.

SAN EMILIANO 24144 León 𝟒𝟒𝟏 D 12 – 1 224 h. – ❀ 987.
♦Madrid 386 – ♦León 69 – ♦Oviedo 70 – Ponferrada 89.

 ⌂ **Asturias,** 🎣 59 41 50 – 🛇 rest
Com 1200 – ⌑ 300 – **23 hab** 1800/3400 – PA 2100.

SAN ESTEBAN DE BAS o **SANT ESTEVE D'EN BAS** 17176 Gerona 𝟒𝟒𝟑 F 37 – ❀ 972
♦Madrid 692 – ♦Barcelona 122 – Gerona/Girona 48.

 ⌂ **Sant Antoni,** carret. C 152 🎣 69 00 33, Fax 69 04 62, ≼, ⌿, 🛇 – ▤ rest 🅿. 🆎 🇪 𝘝𝘐𝘚𝘈 🛇 rest
cerrado enero – Com *(cerrado lunes)* 2000 – ⌑ 600 – **35 hab** 3000/6000.

SAN FELIÚ DE GUIXOLS o **SANT FELIU DE GUÍXOLS** 17220 Gerona 𝟒𝟒𝟑 G 39 – 15 485 h. – ❀ 972 – Playa.

Alred. : Recorrido en cornisa★★ de San Feliú de Guixols a Tossa de Mar (calas★) 23 km por ②
⤒ Costa Brava, Santa Cristina de Aro por ③ : 4 km 🎣 83 71 50.
🛈 pl. Monestir 54 🎣 82 00 51, ⊠ 17220, Fax 82 01 19.
♦Madrid 713 ③ – ♦Barcelona 100 ③ – Gerona/Girona 35 ③.

Plano página siguiente

 🏨 **Murlá Park H.,** passeig dels Guíxols 22 🎣 32 04 50, Fax 32 00 78, ≼, ⌿, – 🛗 ▤ rest 📺 🕿 – 🔼 25/200. 🆎 ⓪ 🇪 𝘝𝘐𝘚𝘈. 🛇 rest   B n
cerrado noviembre – Com *(cerrado noviembre-marzo)* 2200 – ⌑ 700 – **89 hab** 6300/12600 – PA 4500.

 🏨 **Curhotel Hipócrates** ⌕, carret. de Sant Pol 229 🎣 32 06 62, Fax 32 38 04, ≼, Servicios terapéuticos y de cirugía estética, 🛌, ⌿, – 🛗 📺 🕿 🅿 – 🔼 25/180. 🇪 𝘝𝘐𝘚𝘈. 🛇   B c
marzo-12 diciembre – Com 1850 – ⌑ 800 – **84 hab** 5900/9150 – PA 3600.

 🏨 **Plaça** sin rest, pl. Mercat 22 🎣 32 51 55, Fax 82 13 21 – 🛗 ▤ 📺 🕿. 🆎 ⓪ 🇪 𝘝𝘐𝘚𝘈 A ♦
⌑ 600 – **16 hab** 5500/11000.

 🏨 **Turist H.,** Sant Ramón 45 🎣 32 08 41, Fax 32 20 59 – 🛗 ⌕. 🆎 ⓪ 🇪 𝘝𝘐𝘚𝘈 𝘑𝘊𝘉. 🛇 rest
abril-septiembre – Com 1150 – ⌑ 315 – **20 hab** 2400/4800 – PA 2200.   B k

 ✗✗ **Eldorado Petit,** rambla Vidal 23 🎣 32 18 18, Fax 82 14 69 – ▤. 🆎 🇪 𝘝𝘐𝘚𝘈. 🛇   A q
cerrado noviembre- abril salvo fines de semana – Com carta aprox. 4350.

 ✗✗ **Bahía,** passeig del Mar 18 🎣 32 02 19, 🏤 – ▤. 🆎 ⓪ 🇪 𝘝𝘐𝘚𝘈. 🛇   A ♦
Com carta 3600 a 4600.

 ✗ **Montserrat - Can Salvi,** passeig del Mar 23 🎣 32 10 13, 🏤 – ▤. 🆎 ⓪ 🇪 𝘝𝘐𝘚𝘈   A ♦
cerrado miércoles y 15 noviembre-15 diciembre – Com carta 3700 a 4700.

 ✗ ❀ **Can Toni,** Sant Martiriá 29 🎣 32 10 26 – ▤. 🆎 ⓪ 🇪 𝘝𝘐𝘚𝘈   A L
cerrado martes de octubre a mayo – Com carta 3100 a 4200
Espec. Anchoas rellenas de escalivada, Ous de reig con carajos (septiembre-octubre) Suquet de pescados Can Toni.

 ✗ **Cau del Pescador,** Sant Domènc 11 🎣 32 40 52, Pescados y mariscos – ▤. 🆎 ⓪ 🇪 𝘝𝘐𝘚𝘈.   A r
cerrado domingo noche y lunes en invierno y 7 enero-7 febrero – Com carta 2600 a 5500.

 ✗ **Náutic,** puerto deportivo 🎣 32 06 63, ≼, 🏤 – ▤. 🆎 🇪 𝘝𝘐𝘚𝘈   B p
cerrado lunes de octubre a mayo – Com carta 2950 a 5300.

 ✗ **Amura,** pl. Sant Pere 7 🎣 32 10 35, ≼, 🏤 – ▤. 🆎 🇪 𝘝𝘐𝘚𝘈   A m
cerrado martes de octubre a mayo y del 1 al 15 de enero – Com carta 2800 a 3575.

 ✗ **L'Infern,** Sant Ramón 41 🎣 32 03 01 – 🇪 𝘝𝘐𝘚𝘈. 🛇   B k
cerrado domingo noche de octubre-mayo – Com carta 2800 a 3500.

en Sant Elm – ⊠ 17220 San Feliú de Guíxols – ❀ 972 :

 🏨 **Montjoi** ⌕, 🎣 32 03 00, Fax 32 03 04, ≼, ⌿, – 🛗 📺 ⌕ 🕭 🅿. 🆎 ⓪ 🇪 𝘝𝘐𝘚𝘈. 🛇 A z
Com 1700 – **115 hab** ⌑ 8000/12000.

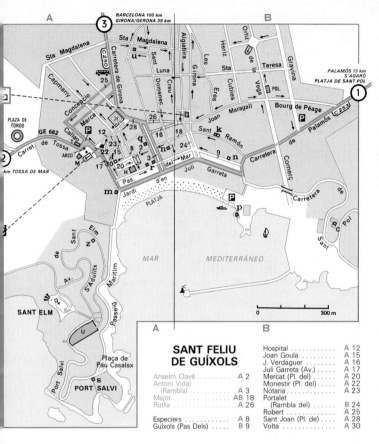

en Port Salvi – ⊠ 17220 Sant Feliu de Guíxols – ✆ 972 :

🏨 **Eden Roc** ⑤, ✆ 32 01 00, Fax 82 17 05, ≤, 🏤, « Agradables exteriores con terrazas, jardín y 🏊 » – 🛗 🗏 rest ☎ ❷ – 🕿 25/350. 🝢 ⓞ 🗉 𝑽𝑰𝑺𝑨. 🍽 rest   A **s**
abril-octubre – Com 1500 – 🖙 890 – **120 hab** 11500/13000 – PA 3300.

SAN FERNANDO Baleares – ver Baleares (Formentera).

SAN FERNANDO 11100 Cádiz 👊👊👊 W 11 – 78 845 h. – ✆ 956 – Playa.

◆Madrid 634 – Algeciras 108 – ◆Cádiz 13 – ◆Sevilla 126.

🏨 **Bahía Sur,** Caño Herrera (Parque Comercial Bahía Sur) ✆ 89 91 04, Fax 88 87 16, 🏤, 🏊
– 🛗 🗏 📺 ☎ ❷ – 🕿 25/850. 🝢 ⓞ 𝑽𝑰𝑺𝑨. 🍽
Com 2700 – 🖙 1025 – **100 hab** 8400/12000.

✗ **Venta de Vargas,** carret. N IV – km 677 ✆ 88 16 22, 🏤, Decoración regional – 🝢 🗉 𝑽𝑰𝑺𝑨
𝑱𝑪𝑩. 🍽
cerrado lunes y noviembre – Com carta 1875 a 3100.

SAN FERNANDO DE HENARES 28830 Madrid 👊👊👊 L 20 – 19 310 h. – ✆ 91.

◆Madrid 17 – Guadalajara 40.

en la carretera de Mejorada del Campo SE : 3 km – ⊠ 28529 Rivas-Vaciamadrid – ✆ 91 :

✗✗✗ **Palacio del Negralejo,** ✆ 669 11 25, Fax 672 54 55, « Instalación rústica en una antigua casa de campo señorial » – 🗏 ❷. 🝢 ⓞ 🗉 𝑽𝑰𝑺𝑨. 🍽
cerrado domingo noche y agosto – Com carta 4350 a 5800.

SAN FRUCTUOSO DE BAGÉS o **SANT FRUITÒS DE BAGÉS** **08272** Barcelona 443 G 35 - 3 752 h. - 93.

◆Madrid 596 - ◆Barcelona 72 - Manresa 5.

Alfa Bagés y Rest. Gran Mercat, carret. de Vic E : 1,5 km 878 86 00, Fax 878 87 00 - 25/180. AE E VISA.
Com 1975 - 950 - **55 hab** 8400/10500.

La Cuina, carret. de Vic 73 876 00 32 - AE E VISA.
cerrado martes - Com carta 2600 a 4600.

SAN HILARIO SACALM o **SANT HILARI SACALM** **17403** Gerona 443 G 37 - 4 321 h. alt. 801 - 972 - Balneario.

carret. de Arbúcies, 17403, 86 88 26, (temp.).

◆Madrid 664 - ◆Barcelona 82 - Gerona/Girona 43 - Vich/Vic 36.

Suizo, pl. Verdaguer 8 86 80 00 -
temp. - **39 hab.**

Ripoll, Vic 26 86 80 25, Fax 86 80 26 - E VISA.
Semana Santa-septiembre - Com 1490 - 500 - **33 hab** 3200/4500 - PA 2920.

Torrás y Tarres, pl. Gravalosa 13 86 80 96, Fax 87 22 34 - rest . AE E VISA.
cerrado enero - Com *(cerrado lunes)* 1900 - 575 - **60 hab** 3300/4800 - PA 3700.

Brugués, Valls 4 86 80 18 - AE E VISA.
cerrado 15 días en octubre o noviembre - Com *(cerrado viernes de octubre a junio)* 1400 - 350 - **15 hab** 1750/3500 - PA 2850.

SAN ILDEFONSO Segovia - ver La Granja.

SAN JAVIER **30730** Murcia 445 S 27 - 12 500 h. - 968.

◆Madrid 440 - ◆Alicante/Alacant 76 - Cartagena 34 - ◆Murcia 45.

Moderno, pl. García Alix 57 00 49, Fax 57 05 66 - AE E VISA.
cerrado 2ª quincena de septiembre - Com carta 2400 a 4500.

SAN JOSÉ **04118** Almería 446 V 23 - 950 - Playa.

◆Madrid 590 - Almería 40.

San José y Rest. Borany, Correo 38 01 16, Fax 38 00 02, ←, , « Villa frente al mar » - E VISA.
cerrado 15 enero-15 marzo - Com carta 3300 a 6000 - 700 - **8 hab** 15000.

SAN JOSÉ Baleares - ver Baleares (Ibiza).

SAN JUAN (Balneario de) Baleares - ver Baleares (Mallorca).

SAN JUAN DE ALICANTE **03550** Alicante 445 Q 28 - 10 522 h. - 96.

◆Madrid 426 - Alcoy 46 - ◆Alicante/Alacant 9 - Benidorm 34.

Plaza sin rest, pl. de la Constitución 6 565 39 54 -
12 hab.

El Patio de San Juan, av. de Alicante 11 (S : 1 km) 565 68 00, Fax 515 30 51, - . E VISA
cerrado domingo noche, miércoles y febrero - Com carta 3150 a 3900.

La Quintería, Dr. Gadea 17 565 22 94, Cocina gallega - AE VISA
cerrado junio - Com carta 2800 a 4600.

SAN JUAN DE AZNALFARACHE Sevilla - ver Sevilla.

SAN JUAN DE POYO Pontevedra - ver Pontevedra.

SAN JULIÁN DE SALES o **SAN XULIÁN DE SALES** **15885** La Coruña 441 D 4 - 981

◆ Madrid 629 - ◆ La Coruña/A Coruña 78 - Lugo 105 - Santiago de Compostela 9.

Roberto con hab, 51 17 69, Fax 51 17 69, , Decoración rústica, « Antigua casa de campo con jardín » - rest . AE E VISA JCB.
cerrado del 1 al 15 de agosto - Com *(cerrado domingo noche)* carta 3250 a 5250 - **4 hab** 10000.

L'EUROPE en une seule feuille
Carte Michelin n° 970.

AN JULIÁN DE VILLATORTA o **SANT JULIÁ DE VILATORTA** 08514 Barcelona 443
36 - 1 721 h. alt. 595 - ✪ 93.
Madrid 643 - ◆Barcelona 72 - Gerona/Girona 85 - Manresa 58.

⚙ **Ca la Manyana** con hab, av. Nostra Senyora de Montserrat 38 ℰ 812 24 94 - ▤ rest ☎.
ⒶⒺ ⓞ Ⓔ 𝘝𝘐𝘚𝘈. ⚹⚹
cerrado 13 octubre- 3 noviembre – Com carta 3300 a 4650 – 🖵 550 – **21 hab** 3950/6000.

AN LORENZO Baleares – ver Baleares (Ibiza).

AN LORENZO DE EL ESCORIAL 28200 Madrid 444 K 17 – 9 518 h. alt. 1 040 – ✪ 91.
r : Monasterio★★★ (Palacios★★ : tapices★, Panteones★★ : Panteón de los Reyes★★-Panteón
los Infantes★) – Salas capitulares★ ; Basílica★★ ; Biblioteca★★ – Nuevos Museos★★ : (El Mario de San Mauricio y la legión Tebana★) – Casita del Príncipe★ (Techos pompeyanos★).
red. : Silla de Felipe II ≤★ S : 7 km..
La Herrería ℰ 890 51 11.
Floridablanca 10 ℰ 890 15 54, ✉ 28200.
Madrid 46 - ◆Ávila 64 - ◆Segovia 52.

🏨 Victoria Palace, Juan de Toledo 4 ℰ 890 15 11, Telex 22227, Fax 890 12 48, « Terraza con
arbolado », ⌂ – 🛗 ▤ rest 📺 ☎ ② – ⚖ 25/80
87 hab.

🏨 **Miranda Suizo,** Floridablanca 18 ℰ 890 47 11, Fax 890 43 58, 🌲 – 🛗 📺 ☎. ⒶⒺ ⓞ 𝘝𝘐𝘚𝘈.
⚹⚹
Com 2300 – 🖵 500 – **48 hab** 6000/8500 – PA 4700.

🏨 **Cristina,** Juan de Toledo 6 ℰ 890 19 61, 🌲 – 🛗 ☎. Ⓔ 𝘝𝘐𝘚𝘈. ⚹⚹
Com 1600 – 🖵 400 – **16 hab** 6000.

ⅩⅩⅩ **Charolés,** Floridablanca 24 ℰ 890 59 75, Fax 890 05 92, 🌲 – ▤. ⒶⒺ ⓞ Ⓔ 𝘝𝘐𝘚𝘈.
Com carta 5100 a 7200.

ⅩⅩ **Parrilla Príncipe** con hab, Floridablanca 6 ℰ 890 16 11, 🌲 – ▤ rest 📺 ☎. ⒶⒺ ⓞ Ⓔ 𝘝𝘐𝘚𝘈.
⚹⚹
Com carta aprox. 5500 – 🖵 700 – **14 hab** 4700/6500.

ⅩⅩ **La Cueva,** San Antón 4 ℰ 890 15 16, Fax 890 15 16, « Antigua posada castellana » – ⒶⒺ
ⓞ Ⓔ 𝘝𝘐𝘚𝘈 ⒿⒸⒷ. ⚹⚹
cerrado lunes – Com carta 2490 a 3400.

Ⅹ **Alaska,** pl. de San Lorenzo 4 ℰ 890 43 65, 🌲 – ⒶⒺ ⓞ Ⓔ 𝘝𝘐𝘚𝘈. ⚹⚹
cerrado lunes – Com carta 2840 a 3680.

Ⅹ Mesón Serrano, Floridablanca 4 ℰ 890 17 04, 🌲.

SAN LORENZO DE MORUNYS o **SANT LLORENÇ DE MORUNYS** 25282 Lérida 443
34 - ✪ 973.
Madrid 596 - ◆Barcelona 148 - Berga 31 - ◆Lérida/Lleida 127.

🏨 **Cas-Tor** ⑤, carret. de La Coma NO : 1 km ℰ 49 21 02, ⌂, ⚹⚹ – 📺 ② Ⓔ 𝘝𝘐𝘚𝘈. ⚹⚹ rest
24 junio-septiembre, fines de semana y puentes resto del año – Com 1765 – 🖵 575 –
17 hab 2800/5000 – PA 3500.

SAN LUIS Baleares – ver Baleares (Menorca).

SAN MARTÍN DE LA VIRGEN DE MONCAYO 50584 Zaragoza 443 G 24 – 332 h. alt. 813
- ✪ 976.
▶Madrid 292 - ◆Zaragoza 100.

🏡 Gomar ⑤, camino de la Gayata ℰ 64 05 41 – ⊜
20 hab.

SAN MARTÍN DE VALDEIGLESIAS 28680 Madrid 444 K 16 – 4 786 h. – ✪ 91.
◆Madrid 73 - Ávila 58 - Toledo 81.

Ⅹ **Los Arcos,** pl. de la Corredera 1 ℰ 861 04 34, Fax 861 02 02, 🌲 – ▤. ⒶⒺ ⓞ Ⓔ 𝘝𝘐𝘚𝘈 ⒿⒸⒷ
cerrado lunes – Com carta aprox. 3300.

SAN MARTÍN SARROCA o **SANT MARTÍ SARROCA** 08731 Barcelona 443 H 34 –
2 326 h. – ✪ 93.
◆Madrid 583 - ◆Barcelona 65 - ◆Tarragona 65.

ⅩⅩ **Ca l'Anna,** Pepet Teixidor 14 - barri La Roca SO : 1,5 km ℰ 899 14 08, « Bonita terraza
acristalada » – ▤. ⒶⒺ ⓞ Ⓔ 𝘝𝘐𝘚𝘈
cerrado domingo noche, lunes, del 15 al 28 de febrero y del 15 al 31 de octubre – Com
carta 3350 a 4625.

SAN MIGUEL Baleares – ver Baleares (Ibiza).

SAN MIGUEL DE LUENA **39687** Cantabria 442 C 18 – ☏ 942.
◆Madrid 345 – ◆Burgos 102 – ◆Santander 54.

en la subida al Puerto del Escudo - carretera N 623 SE : 2,5 km – ⊠ 39687 San Migue de Luena – ☏ 942 :

X Ana Isabel con hab, ✆ 59 41 96 – Ⓟ
temp. – **9 hab.**

SAN MIGUEL DE SALINAS **03193** Alicante 445 S 27 – 2 438 h. alt. 75 – ☏ 96.
◆Madrid 440 – ◆Alicante/Alacant 61 – Cartagena 58 – ◆Murcia 45.

X Jabugo, Padre Jesús 2 ✆ 572 03 57, Decoración rústica.

SAN PEDRO DE ALCÁNTARA **29670** Málaga 446 W 14 – ☏ 95 – Playa.
Excurs. : Carretera★★ de San Pedro de Alcántara a Ronda (cornisa★★).
⛳, Guadalmina O : 3 km ✆ 278 13 77 – ⛳ Aloha O : 3 km ✆ 281 23 88 – ⛳ Atalaya Park O : 3,5 km ✆ 278 18 94 – ⛳ Nueva Andalucía NE : 7 km ✆ 278 72 00 – ⛳ Las Brisas, Nueva Andalucía NE : 11 km ✆ 281 08 75.
ℹ Marqués del Duero 68, ✆ 278 52 52, Fax 278 90 90.
◆Madrid 624 – Algeciras 69 – ◆Málaga 69.

en la carretera de Cádiz – ⊠ 29678 San Pedro de Alcántara – ☏ 95 :

🏨 **Golf H. Guadalmina** 🪑, SO : 2 km y desvío 1,2 km-urb. Guadalmina ✆ 288 50 51 Telex 77058, Fax 288 22 91, <, ⛱, 🏋, 🏊, 🌳, 🎾, ⛳ – ▤ 📺 ☎ Ⓟ. AE ⓓ E VISA. 🚫 rest
Com 3750 – ☕ 1100 – **80 hab** 15600/19900 – PA 7500.

X **Los Nieto,** SO : 2,2 km ✆ 288 34 91, ⛱ – ▤. AE VISA. 🚫
cerrado domingo – Com carta 1650 a 2750.

SAN PEDRO DE RIBAS o **SANT PERE DE RIBES** **08810** Barcelona 443 I 35 – 10 557 h alt. 44 – ☏ 93.
◆Madrid 596 – ◆Barcelona 46 – Sitges 4 – Tarragona 52.

X **El Rebost de l'Avia,** dels Cards 29 ✆ 896 08 35, Fax 896 27 92 – ▤. AE ⓓ E VISA. 🚫
cerrado lunes y del 15 al 30 de septiembre – Com carta 3640 a 4870.

en la carretera de Olivella NE : 1,5 km – ⊠ 08810 San Pedro de Ribas – ☏ 93 :

X **Can Lloses,** ✆ 896 07 46, <, Carnes – ▤ Ⓟ. E VISA. 🚫
cerrado martes y del 3 al 28 octubre – Com carta 1950 a 2775.

SAN PEDRO DE RUDAGUERA **39539** Cantabria 442 B 17 – 442 h. alt. 70 – ☏ 942.
◆ Madrid 387 – ◆ Santander 36 – Santillana del Mar 23 – Torrelavega 14.

X **La Ermita 1826** 🪑 con hab, ✆ 71 90 71, Fax 71 90 71, Decoración rústica-regional – ▤ rest 📺. AE E VISA
cerrado martes (salvo festivos, julio y agosto) – Com carta 2150 a 3550 – ☕ 300 – **6 hab** 4500.

SAN PEDRO DE VIVERO o **SAN PEDRO DE VIVEIRO** **27866** Lugo 441 B 7 – ☏ 982.
◆ Madrid 615 – ◆ La Coruña/A Coruña 142 – Ferrol 97 – Lugo 104.

🏨 **O Val do Naseiro** 🪑, ✆ 59 84 34, Fax 59 82 64 – ⇅ ▤ 📺 ☎ 🚗 Ⓟ – 🏛 25/700. AE E VISA. 🚫
Com 900 – ☕ 450 – **41 hab** 6500/10000.

SAN PEDRO DEL PINATAR **30740** Murcia 445 S 27 – 8 959 h. – ☏ 968 – Playa.
ℹ explanada de lo Pagán, ✆ 18 23 01.
◆Madrid 441 – ◆Alicante/Alacant 70 – Cartagena 40 – ◆Murcia 51.

🏠 **Mariana** sin rest, av. Dr. Artero Guirao 136 ✆ 18 10 13 – ▤ Ⓟ. 🚫
marzo-octubre – ☕ 300 – **25 hab** 2125/3870.

XX **Juan Mari,** Alcalde Julio Albaladejo 12 ✆ 18 38 69 – ▤. AE ⓓ E VISA
Com carta 2800 a 3950.

en Lo Pagán S : 2,5 km – ⊠ 30740 San Pedro del Pinatar – ☏ 968 :

🏨 **Neptuno,** Generalísimo 6 ✆ 18 19 11, Fax 18 33 01, < – ⇅ ▤ 📺 ☎ 🚗. AE ⓓ E VISA 🚫 rest
Com 2350 – ☕ 700 – **40 hab** 4700/8500.

🏠 **Arce** sin rest, Marqués de Santillana 117 ✆ 18 22 47 – ▤ ☎ 🚗. 🚫
cerrado octubre – ☕ 350 – **14 hab** 2970/5300.

X **Venezuela,** Campoamor ✆ 18 15 15, ⛱ – ▤. E VISA. 🚫
cerrado 12 octubre- 1 noviembre – Com carta 2800 a 4100.

SAN POL DE MAR o **SANT POL DE MAR** 08395 Barcelona 443 H 37 – 2 248 h. – ☎ 93.
Playa.
Madrid 679 – ◆Barcelona 44 – Gerona/Girona 53.

🏨 **Gran Sol** (Hotel escuela), carret. N II ℰ 760 00 51, Fax 760 09 85, ≼, ⊼, ℀ – 🛗 📺 ☎
  🅿 – 🕍 25/100. 🖭 ⓞ 🖪 𝚅𝙸𝚂𝙰. ℀ rest
  Com 2200 – ☑ 1150 – **44 hab** 7900/11300 – PA 4600.

🏠 **La Costa,** Nou 32 ℰ 760 01 51, ≼, 斎 – 🖗 ☜. ℀
  15 junio-15 septiembre – Com (sólo almuerzo) carta 1300 a 2400 – ☑ 400 – **17 hab**
  3000/5600.

℀℀ ☼ **Sant Pau,** Nou 10 ℰ 760 06 62, 斎 – ☰ 🅿. 🖭 🖪 𝚅𝙸𝚂𝙰. ℀
  cerrado domingo noche, lunes, 18 abril-2 mayo y del 14 al 30 de noviembre – Com carta
  4900 a 7300
  Espec. Bogavante sobre caldo de su caparazón y arroz, Manitas de cerdo con nabos, cebollitas
  y butifarra negra, Tartita de sablée con frambuesas y fresitas.

SAN QUIRICO DE BESORA o **SANT QUIRZE DE BESORA** 08580 Barcelona 443 F 36 –
064 h. alt. 550 – ☎ 93.
Madrid 661 – ◆Barcelona 90 – Puigcerdá 79.

℀ **Paula,** Berga 8 ℰ 855 04 11 – ☰. 🖭 ⓞ 🖪 𝚅𝙸𝚂𝙰
  cerrado lunes y del 1 al 15 de octubre – Com carta 2600 a 3900.

  en la carretera N 152 S : 1 km – ⊠ 08580 San Quirico de Besora – ☎ 93 :

℀ **El Túnel,** ℰ 852 91 53 – ☰ 🅿. 𝚅𝙸𝚂𝙰. ℀
  cerrado martes y 25 junio-15 julio – Com carta 2200 a 2800.

SAN RAFAEL Baleares – ver Baleares (Ibiza).

SAN ROQUE 11360 Cádiz 446 X 13 – 20 604 h. alt. 110 – ☎ 956.
🖪 Sotogrande del Guadiaro NE : 12 km ℰ 79 20 50.
Madrid 678 – Algeciras 15 – ◆Cádiz 136 – ◆Málaga 123.

🏨 **La Solana** ☜, O : 2,5 km por carret. de Algeciras y desvío ℰ 78 02 36, ≼, 斎, « Antigua
  casa de campo », ⊼, 斎 – 📺 ☜ 🅿. 🖭 🖪 𝚅𝙸𝚂𝙰. ℀ hab
  Com (cerrado lunes) (sólo cena) 2500 – ☑ 500 – **19 hab** 6000/8000.

  en la carretera de La Línea de la Concepción – ⊠ 11360 San Roque – ☎ 956 :

℀℀℀℀ ☼ **Los Remos,** Villa Victoria S : 3 km ℰ 10 68 12, Fax 10 05 87, 斎, « Villa de estilo neo-
  colonial rodeada de jardín » – ☰ 🅿. 🖭 ⓞ 🖪 𝚅𝙸𝚂𝙰. ℀
  cerrado domingo – Com carta 3850 a 5900
  Espec. Tortillitas de camarones y algas marinas, Croquetas de bogavante, Guiso de mero con
  fideos y coquinas.

℀℀ **Pedro,** Santa Rita 3 - barriada Campamento S : 4 km ℰ 76 24 53, 斎 – ☰. 🖭 ⓞ 🖪 𝚅𝙸𝚂𝙰.
  ℀
  cerrado lunes y del 15 al 28 de febrero – Com carta 2900 a 3800.

SAN ROQUE Asturias – ver Llanes.

SAN ROQUE TORREGUADIARO 11312 Cádiz 446 X 14 – ☎ 956 – Playa.
◆Madrid 650 – Algeciras 29 – ◆Cádiz 153 – ◆Málaga 104.

🏠 **Patricia** sin rest, ℰ 61 53 00, Fax 61 58 50, ≼ – ☜ 🅿. ⓞ 🖪 𝚅𝙸𝚂𝙰
  ☑ 475 – **30 hab** 4350/7250.

SAN SADURNÍ DE NOYA o **SANT SADURNÍ D'ANOIA** 08770 Barcelona 443 H 35 –
3 596 h. – ☎ 93.
◆Madrid 578 – ◆Barcelona 44 – ◆Lérida/Lleida 120 – Tarragona 68.

  en la carretera de Ordal SE : 4,5 km – ⊠ 08770 Els Casots – ☎ 93 :

℀℀ **Mirador de las Cavas,** ℰ 899 31 78, Fax 899 33 88, ≼ – ☰ 🅿. 🖭 ⓞ 🖪 𝚅𝙸𝚂𝙰. ℀
  cerrado domingo noche, lunes noche y 15 días en agosto – Com carta aprox. 5600.

SAN SALVADOR Baleares – ver Baleares (Mallorca).

SAN SALVADOR (Playa de) Tarragona – ver Vendrell.

SAN SALVADOR DE POYO Pontevedra – ver Pontevedra.

391

SAN SEBASTIÁN o **DONOSTIA** **20000** P Guipúzcoa 442 C 24 - 175 576 h. - 943 - Playa.

Ver : Emplazamiento y bahía★★★ A - Monte Igueldo ≤★★★ A - Monte Urgull ≤★★ CY.

Alred. : Monte Ulía ≤★ NE : 7km por N I B. Hipódromo de Lasarte por ② : 9 km.

18 de San Sebastián, Jaizkíbel por N I : 14 km (B) ☎ 61 68 45.

✈ de San Sebastián, Fuenterrabía por ① : 20 km ☎ 64 22 40 - Iberia : Bengoetxea 3, ✉ 20004 ☎ 901 33 31 11 CZ y Aviaco : aeropuerto - ✉ 20280 ☎ 64 34 64 - ✉ 20280, ☎ 64 12 67.

☎ 28 57 67. 🅱 Reina Regente, ✉ 20003, ☎ 48 11 66, Fax 48 11 72 y Fueros 1 ✉ 20005 ☎ 42 62 82 Fax 43 17 46 - R.A.C.V.N. Echaide 12, ✉ 20005, ☎ 43 08 00, Fax 42 91 50.

♦Madrid 488 ② - ♦Bayonne 54 ① - ♦Bilbao/Bilbo 100 ③ - ♦Pamplona/Iruñea 94 ② - ♦Vitoria/Gasteiz 115 ②.

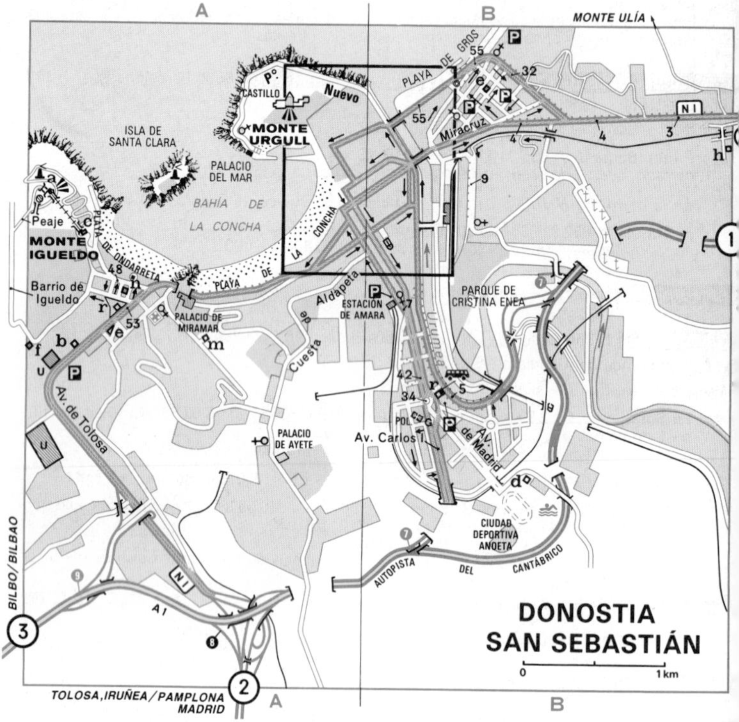

Alcalde J. Elosegui (Av.)	B 3	Duque de Mandas (Pas.)	B 9	Sancho el Sabio (Av. de)	B 42
Ategorrieta (Av. de)	B 4	Navarra (Av. de)	B 32	Satrústegi (Av. de)	A 48
Bizkaia (Paseo de)	B 5	Pío XII (Pl. de)	B 34	Zumalakárregi (Av.)	A 53
Centenario (Pl. del)	B 7			Zurriola (Paseo de)	B 55

Centro :

María Cristina, paseo República Argentina 4, ✉ 20004, ☎ 42 49 00, Telex 38195, Fax 42 39 14, ≤ - 🛗 ▤ TV ☎ - 🔬 25/425. AE ◑ E VISA. ✻ DY h
Com carta aprox.5700 - ☕ 2000 - **109 hab** 25500/32500, 27 suites.

De Londres y de Inglaterra, Zubieta 2, ✉ 20007, ☎ 42 69 89, Telex 36378, Fax 42 00 31, ≤ - 🛗 ▤ TV ☎ - 🔬 25/60. AE ◑ E VISA. ✻ CZ z
Com 1800 - ☕ 1100 - **133 hab** 13500/19000, 12 suites - PA 4700.

Orly, pl. Zaragoza, ✉ 20007, ☎ 46 32 00, Telex 38033, Fax 45 61 01, ≤ - 🛗 ▤ rest TV ☎ 🚗 - 🔬 25/250. AE ◑ E VISA. ✻ CZ a
Com 2500 - ☕ 900 - **60 hab** 12825/16750 - PA 5425.

Europa sin rest, con cafetería, San Martín 52, ✉ 20007, ☎ 47 08 80, Telex 38065, Fax 47 17 30 - 🛗 TV ☎ - 🔬 25/80. AE ◑ E VISA. ✻ CZ v
☕ 850 - **65 hab** 14400/18000.

Niza sin rest, Zubieta 56, ✉ 20007, ☎ 42 66 63, Fax 42 66 63 - 🛗 TV ☎. AE ◑ E VISA ✻ - ☕ 625 - **41 hab** 5950/12600. CZ b

DONOSTIA
SAN SEBASTIÁN

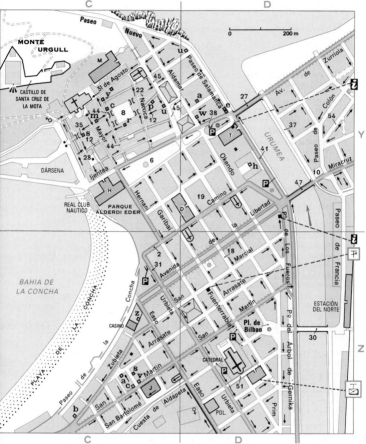

Un conseil Michelin :

pour réussir vos voyages, préparez-les à l'avance.

Les cartes et guides Michelin vous donnent toutes indications utiles sur :
itinéraires, visite des curiosités, logement, prix, etc.

Ferienreisen wollen gut vorbereitet sein.

Die Straßenkarten und Führer von Michelin
geben Ihnen Anregungen und praktische Hinweise zur Gestaltung Ihrer Reise :
Streckenvorschläge, Auswahl und Besichtigungsbedingungen
der Sehenswürdigkeiten, Unterkunft, Preise ... u. a. m.

🏠 **Parma** sin rest, General Jáuregui 11, ✉ 20003, ℰ 42 88 93, Fax 42 40 82 – 📺 ☎. 🆎 🅴
VISA. 🦐
DY **u**
– 🍽 750 – **21 hab** 6500/11600.

🏠 **Bahía** sin rest, San Martín 54 bis, ✉ 20007, ℰ 46 92 11, Telex 38065, Fax 46 39 14 – 📶
📺 ☎. ⓞ 🅴 **VISA**
CZ **c**
🍽 400 – **59 hab** 8000.

XXXX ✿ **Casa Nicolasa,** Aldamar 4 - 1º, ✉ 20003, ℰ 42 17 62 – ▤. 🆎 ⓞ 🅴 **VISA** 🇯🇨🇧 DY **w**
cerrado domingo, lunes noche (salvo agosto y septiembre) y 3 semanas en febrero – Com
carta 5300 a 7200
Espec. Ensalada templada de pato, Bacalao tres sabores, Sesos en camisa de lechuga y
alcaparras.

XXX ✿ **Urepel,** paseo de Salamanca 3, ✉ 20003, ℰ 42 40 40 – ▤. 🆎 ⓞ 🅴 **VISA**
🦐
DY **e**
cerrado Semana Santa, tres primeras semanas en julio y Navidades – Com carta 3650 a
5200
Espec. La clásica sopa de pescado, Bacalao dos sabores, Escalopines de buey con foie.

XXX ✿ **Panier Fleuri,** paseo de Salamanca 1, ✉ 20003, ℰ 42 42 05, Fax 42 42 05 – ▤. 🆎 ⓞ
🅴 **VISA** 🇯🇨🇧. 🦐
DY **e**
cerrado domingo noche, miércoles, del 1 al 23 de junio y 15 diciembre-2 enero – Com
carta 4725 a 6225
Espec. Láminas de bacalao sobre lecho de ajos confitados, Gelatina de poularda y foie con vinagreta de Oporto, Merengue de frutos rojos (verano).

XX **Lanziego,** Triunfo 3, ✉ 20007, ℰ 46 23 84 – ▤
CZ **s**

XX **Pachicu Quintana,** San Jerónimo 22, ✉ 20003, ℰ 42 63 99 – ▤. 🆎 ⓞ 🅴 **VISA** CY **y**
cerrado martes noche, miércoles, 15 junio-1 julio y 20 diciembre-15 enero – Com carta
3300 a 5100.

XX ✿ **El Hidalgo,** San Jerónimo 20, ✉ 20003, ℰ 42 20 98, Fax 43 12 94 – ▤. 🆎 ⓞ 🅴 **VISA**
🦐
CY **c**
cerrado domingo noche, miércoles, 2ª quincena junio y 2ª quincena noviembre – Com carta
3775 a 4950
Espec. Merluza rellena de chipirón, setas y gambas con arroz marinera y salsa negra, Morros de
ternera con pikillos y puré de patata-apio, Tarta de plátano y miel.

XX **Salduba,** Pescadería 6, ✉ 20003, ℰ 42 56 27 – 🆎 🅴 **VISA**. 🦐
CY **p**
cerrado domingo y 10 de junio-10 julio – Com carta 3100 a 4200.

XX **Bodegón Alejandro,** Fermin Calbetón 4, ✉ 20003, ℰ 42 71 58 – ▤. 🆎 🅴 **VISA** CY **u**
cerrado domingo noche, lunes, 2ª quincena de noviembre y dos semanas en febrero –
Com carta 2800 a 4600.

XX **Juanito Kojua,** Puerto 14, ✉ 20003, ℰ 42 01 80 – ▤. 🆎 ⓞ 🅴 **VISA**
CY **m**
cerrado domingo noche – Com carta aprox. 4500.

XX **Beti Jai,** Fermín Calbetón 22, ✉ 20003, ℰ 42 77 37 – ▤. 🆎 ⓞ 🅴 **VISA** 🇯🇨🇧. 🦐 CY **r**
cerrado lunes, martes, 20 junio-10 julio y 20 diciembre-10 enero – Com carta 3900
a 5100.

X **Bretxa,** General Echagüe 5, ✉ 20003, ℰ 42 05 49, Pescados y mariscos – ▤. 🆎 ⓞ 🅴
VISA. 🦐
DY **a**
cerrado domingo y 26 diciembre-2 enero – Com carta aprox. 4500.

X **Casa Urbano,** 31 de Agosto 17, ✉ 20003, ℰ 42 04 34 – ▤. 🆎 ⓞ 🅴 **VISA**. 🦐 CY **y**
cerrado domingo, miércoles noche, 2ª quincena de junio y Navidades – Com carta 3000
a 3700.

X **Barbarín,** Puerto 21, ✉ 20003, ℰ 42 18 86, Fax 47 21 84, Decoración regional – ▤. 🆎 ⓞ
🅴 **VISA**. 🦐
CY **s**
cerrado lunes (salvo julio-agosto) del 1 al 15 noviembre y del 1 al 15 marzo – Com carta
3025 a 4800.

al Este :

🏨 **Pellizar,** paseo Zubiaurre 70 (barrio Inchaurrondo), ✉ 20015, ℰ 28 12 11, Fax 28 16 55 –
📶 📺 ☎ ⓟ. 🆎 **VISA**. 🦐
B **h**
cerrado 9 diciembre-12 enero – Com *(cerrado domingo)* 1500 – 🍽 525 – **46 hab**
6000/9000 – PA 3525.

XXXX ✿✿✿ **Arzak,** alto de Miracruz 21, ✉ 20015, ℰ 27 84 65, Fax 27 27 53 – ▤ ⓟ. 🆎 ⓞ 🅴
VISA 🇯🇨🇧.
B **a**
cerrado domingo noche, lunes, 19 junio-6 julio y del 6 al 30 de noviembre – Com carta
6250 a 7750
Espec. Langostinos con karraspinas, Pescado del día con vinagreta de cebollino y aceite de chipirones, Galleta de naranja con crema de limón y frutas rojas.

XX **Hidalgo,** en sótano, San Francisco 29 (barrio de Gros), ✉ 20002, ℰ 27 50 60 –
B **e**

X **Mirador de Ulía,** subida al Monte Ulía, 5 km, ✉ 20013, ℰ 27 27 07, Fax 27 27 07, ≼ ciudad
y bahía, 🍴 – 🆎 🅴 **VISA**. 🦐
cerrado de lunes a miércoles (mayo-noviembre) y de lunes a viernes resto del año – Com
carta 3250 a 4100.

al Sur :

🏨 **Amara Plaza**, pl. Pío XII, ⊠ 20010, 𝒫 46 46 00, Fax 47 25 48 – 📶 🗐 📺 ☎ � 🚐 –
🍴 25/350.
160 hab, 3 suites.
B **r**

🏨 **Anoeta y Rest. Xanti**, ciudad deportiva de Anoeta, ⊠ 20014, 𝒫 45 14 99, Fax 45 20 36,
🍽️ – 📶 🗐 📺 ☎ 🚐 – 🍴 25/100. 🖭 ⓞ E 𝘝𝘐𝘚𝘈 ᴊᴄʙ. ❄
Com carta 3400 a 4900 – 🖙 600 – **26 hab** 11500/14000.
B **d**

al Oeste :

🏨 **Aránzazu Donostia**, Vitoria-Gasteiz 1, ⊠ 20009, 𝒫 21 90 77, Fax 21 86 95 – 📶 🗐 📺 ☎
⅃ 🚐 – 🍴 25/400. 🖭 ⓞ E 𝘝𝘐𝘚𝘈. ❄
Com 2700 – 🖙 1200 – **176 hab** 11000/17000, 4 suites – PA 6800.
A **b**

🏨 **Costa Vasca** ⑤, av. Pío Baroja 15, ⊠ 20008, 𝒫 21 10 11, Telex 36551, Fax 21 24 28, 🍽️,
⅃, ❄ – 📶 🗐 📺 ☎ 🚐 🅿 – 🍴 25/350. 🖭 ⓞ E 𝘝𝘐𝘚𝘈. ❄
Com 3000 – 🖙 1200 – **196 hab** 11000/17000, 7 suites.
A **m**

🏨 **Monte Igueldo** ⑤, paseo del Faro 134, 5 km, ⊠ 20008, 𝒫 21 02 11, Telex 38096,
Fax 21 50 28, ⚞ mar, bahía y ciudad, « Magnífica situación dominando la bahía », ⅃ – 📶
🗐 rest 📺 ☎ 🅿 – 🍴 25/200. 🖭 ⓞ E 𝘝𝘐𝘚𝘈 ᴊᴄʙ. ❄
Com 2200 – 🖙 980 – **125 hab** 9400/16000 – PA 4500.
A **a**

🏨 **San Sebastián** sin rest, con cafetería, av. Zumalacárregui 20, ⊠ 20008, 𝒫 21 44 00,
Telex 36302, Fax 21 72 99, ⅃ – 📶 📺 ☎ 🚐 – 🍴 25/120. 🖭 ⓞ E 𝘝𝘐𝘚𝘈. ❄
🖙 1200 – **88 hab** 10000/15500, 4 suites.
A **r**

🏨 **Gudamendi** ⑤ sin rest, barrio de Igueldo 6 km, ⊠ 20008, 𝒫 21 41 11, Fax 21 40 00,
« Terraza con ⅃ y ⚞ mar » – 📺 ☎ 🅿. 🖭 E 𝘝𝘐𝘚𝘈
🖙 600 – **20 hab** 7000/12000.

🏨 **Codina**, av. Zumalacárregui 21, ⊠ 20008, 𝒫 21 22 00, Telex 38187, Fax 21 25 23 – 📶 📺
☎. 🖭 ⓞ E 𝘝𝘐𝘚𝘈. rest
Com 1600 – **77 hab** 🖙 9650/11300 – PA 3270.
A **e**

🍴🍴🍴 ❀❀ **Akelaře**, paseo del Padre Orcolaga 56-barrio de Igueldo 7,5 km, ⊠ 20008, 𝒫 21 20 52,
Fax 21 92 68, ⚞ mar – 🗐 🅿. 🖭 ⓞ E 𝘝𝘐𝘚𝘈. ❄
*cerrado domingo noche y lunes (salvo festivos), 21 enero-28 febrero y del 3 al 19 de
octubre* – Com carta 5800 a 6550
Espec. Lasagna de txangurro al aroma de estragón, Lomo de besugo con calabacines al eneldo,
Melocotón con angélica confitada, (15 julio-15 septiembre).
A

🍴🍴🍴 **Chomin**, av. Infanta Beatriz 16, ⊠ 20008, 𝒫 21 07 05, Fax 21 14 01, 🍽️ – 🖭 ⓞ E 𝘝𝘐𝘚𝘈
ᴊᴄʙ. ❄
cerrado domingo – Com carta 3750 a 5300.
A **n**

🍴🍴 **Rekondo**, paseo de Igueldo 57, ⊠ 20008, 𝒫 21 29 07, 🍽️ – 🗐 🅿. 🖭 ⓞ E 𝘝𝘐𝘚𝘈. ❄
cerrado miércoles y noviembre – Com carta aprox. 4800.
A **f**

🍴 **Buena Vista** con hab, paseo Balenciaga, 42 - barrio de Igueldo 5 km, ⊠ 20008, 𝒫 21 06 00,
⚞ – ☎ 🅿. 🖭 E 𝘝𝘐𝘚𝘈. ❄
cerrado 22 enero-15 marzo – Com *(cerrado domingo noche, lunes y 30 enero-12 marzo)*
carta 2500 a 3500 – 🖙 400 – **8 hab** 4200/7000.
A

🍴 **San Martín**, plazoleta del Funicular 5, ⊠ 20008, 𝒫 21 40 84, ⚞, 🍽️ – 🖭 ⓞ 𝘝𝘐𝘚𝘈. ❄
cerrado domingo noche y del 1 al 20 de abril – Com carta 3900 a 4900.

Ver también : *Lasarte* por ② : 9 km
Oyarzun por ① : 13 km.

SAN SEBASTIÁN DE LA GOMERA Tenerife – ver Canarias (Gomera).

SAN SEBASTIÁN DE LOS REYES 28700 Madrid 🄳🄳🄳 K 19 – 39 866 h. – ❀ 91.

Madrid 17.

🍴🍴🍴 **Izamar**, av. Matapiñonera 6 - Polígono Industrial 𝒫 654 38 93, 🍽️, Pescados y mariscos
– 🗐 🅿. 🖭 𝘝𝘐𝘚𝘈. ❄
cerrado domingo noche y lunes – Com carta 3800 a 4700.

en la autovía N I – ⊠ 28700 San Sebastián de Los Reyes – ❀ 91 :

🍴🍴🍴 **Mesón Tejas Verdes**, 𝒫 652 73 07, 🍽️, Decoración castellana, ⚘ – 🗐 🅿. 🖭 ⓞ E 𝘝𝘐𝘚𝘈.
❄
cerrado domingo noche, festivos noche y agosto – Com carta 3100 a 3900.

🍴🍴 **Vicente**, NE : 6,5 Km 𝒫 657 02 62 – 🗐 🅿.

🍴🍴 **Pablo**, 𝒫 652 65 65, Fax 663 69 00, 🍽️ – 🗐 🅿. 🖭 𝘝𝘐𝘚𝘈. ❄
cerrado martes noche, Semana Santa y del 7 al 24 de agosto – Com carta 2900 a 4300.

en la carretera de Algete NE : 7 km – ⊠ 28700 San Sebastián de los Reyes – ❀ 91 :

🍴 **El Molino**, 𝒫 653 59 83, 🍽️, Decoración castellana - Asados – 🗐 🅿. 🖭 ⓞ E 𝘝𝘐𝘚𝘈. ❄
Com carta 3200 a 5650.

SAN VICENTE DE LA BARQUERA 39540 Cantabria 🆒🆒🆒 B 16 – 3 956 h. – ✪ 942 – Playa

Ver : Emplazamiento★.

Alred. : Carretera de Unquera ⩽★.

🅸 av. Generalísimo 6, 𝒫 71 07 97.

◆Madrid 421 – Gijón 131 – ◆Oviedo 141 – ◆Santander 64.

🏨 **Resid. Miramar** ⑤ sin rest, La Barquera N : 1 km 𝒫 71 03 63, Fax 71 00 75, ⩽ – 🛗 🖭
🕿 ⇦ 🅿. 🕮 🄴 𝘝𝘐𝘚𝘈. ⋘
marzo-octubre – ⌑ 650 – **21 hab** 6500/8000.

🏨 **Boga-Boga,** pl. José Antonio 9 𝒫 71 01 35, 🌧 – 🛗 🕾. 🕮 🄾 🄴 𝘝𝘐𝘚𝘈 𝐉𝐂𝐁. ⋘
cerrado 15 diciembre-15 enero – Com *(cerrado martes de octubre - mayo)* 1900 – ⌑ 425
– **18 hab** 5300/7075 – PA 3700.

🏨 **Luzón** sin rest, av. Miramar 1 𝒫 71 00 50, Fax 71 00 50, ⩽ – 🕾. 𝘝𝘐𝘚𝘈. ⋘
⌑ 400 – **36 hab** 4500/7200.

🏨 **Miramar** ⑤, La Barquera N : 1 km 𝒫 71 00 75, Fax 71 00 75, ⩽ playa, mar y montaña
🌧 – 🖭 🕿 🅿. 🕮 🄴 𝘝𝘐𝘚𝘈. ⋘
cerrado 15 diciembre-1 marzo – Com 2100 – ⌑ 650 – **15 hab** 5200/6700 – PA 4100

🏨 **Noray** ⑤ sin rest, paseo de la Barquera 𝒫 71 21 41, ⩽ – 🖭 🕿 ⇦ 🅿. 🄾 🄴 𝘝𝘐𝘚𝘈. ⋘
⌑ 400 – **20 hab** 4500/6800.

🍴🍴 **Maruja,** av. Generalísimo 𝒫 71 00 77 – 🕮 🄾 🄴 𝘝𝘐𝘚𝘈. ⋘
Com carta 2800 a 5000.

SAN VICENTE DEL HORTS o **SANT VICENÇ DELS HORTS** 08620 Barcelona 🆒🆒🆒 H 3
– 19 975 h. – ✪ 93.

◆Madrid 612 – ◆Barcelona 20 – Tarragona 92.

en la carretera de Sant Boi SE : 1,5 km – ✉ 08620 Sant Vicenç dels Horts – ✪ 93 :

🍴 **Las Palmeras,** 𝒫 656 13 16, Fax 676 80 47 – 🍽 🅿. 🕮 🄴 𝘝𝘐𝘚𝘈. ⋘
Com carta 3100 a 4700.

SAN VICENTE DEL MAR Pontevedra – ver El Grove.

SAN VICENTE DE TORANZO 39699 Cantabria 🆒🆒🆒 C 18 – alt. 168 – ✪ 942.

◆Madrid 354 – ◆Bilbao/Bilbo 124 – ◆Burgos 115 – ◆Santander 40.

🏨 **Posada del Pas,** carret. N 623 𝒫 59 44 11, Fax 59 43 86, 🛋, 🍴 – 🍽 rest 🖭 🕿 ⇦ 🅿
🕮 🄾 🄴 𝘝𝘐𝘚𝘈. ⋘
Com carta aprox. 2900 – ⌑ 475 – **32 hab** 5000/9700.

SAN XULIÁN DE SALES La Coruña – ver San Julián de Sales.

SANGENJO o **SANXENXO** 36960 Pontevedra 🆒🆒🆒 E 3 – 13 899 h. – ✪ 986 – Playa.

🅸 av. del Generalísimo 36 𝒫 72 02 85.

◆Madrid 622 – Orense/Ourense 123 – Pontevedra 18 – Santiago de Compostela 75.

🏨🏨 **Sanxenxo,** av. Generalísimo 3 𝒫 69 11 11, Fax 72 37 79, ⩽, 🌧, 🛋 – 🛗 🍽 🖭 🕿 ⇦ –
🔒 25/35. 🕮 🄾 🄴 𝘝𝘐𝘚𝘈. ⋘
Semana Santa-noviembre – Com 3000 – ⌑ 750 – **47 hab** 11500/14500 – PA 5740.

🏨🏨 Rotilio, av. del Puerto 7 𝒫 72 02 00, Fax 72 41 88, ⩽ – 🛗 🖭 🕿
40 hab.

🏨🏨 **Minso** sin rest, av. do Porto 1 𝒫 72 01 50, Fax 69 09 32, ⩽ – 🛗 🖭 🕾. 🕮 🄾 🄴 𝘝𝘐𝘚𝘈. ⋘
cerrado 15 diciembre-15 enero – ⌑ 475 – **44 hab** 4800/8000.

🏨🏨 **Ton,** El Castañal 𝒫 69 10 03, Fax 69 10 06 – 🛗 🕿 🅿. 🄴 𝘝𝘐𝘚𝘈. ⋘
78 hab ⌑ 7800.

🏨 **Faro Salazón** sin rest, Sol 6 𝒫 72 33 99, Fax 72 40 68 – 🛗 🕿 ⇦. 𝘝𝘐𝘚𝘈. ⋘
primavera-verano – **30 hab** ⌑ 8800.

🏨 **Punta Vicaño** sin rest, av. de Silgar 94 𝒫 72 00 11, Fax 72 07 81, 🛋 – 🕾 ⇦ 🅿. 🕮 🄾
🄴 𝘝𝘐𝘚𝘈. ⋘
junio-septiembre – ⌑ 375 – **30 hab** 3725/6350.

🏨 **Cervantes 2** sin rest, Progreso 27 𝒫 72 43 34, Fax 72 07 01 – 🛗 🕿. 🄴 𝘝𝘐𝘚𝘈. ⋘
mayo-septiembre – ⌑ 350 – **20 hab** 3750/5900.

🏨 **Cervantes,** Progreso 29 𝒫 72 07 00, Fax 72 07 01, 🌧 – 🕿. 🄴 𝘝𝘐𝘚𝘈. ⋘
mayo-septiembre – Com 1850 – ⌑ 350 – **18 hab** 3750/5900.

🍴🍴 La Taberna de Rotilio, av. del Puerto 𝒫 72 02 00, Fax 72 41 88 – 🍽.

🍴 **Casa Román** con hab, Carlos Casas 2 𝒫 72 00 31, Fax 72 00 31 – 🛗 🍽 rest. 🕮 🄾 🄴 𝘝𝘐𝘚𝘈
⋘
julio-septiembre – Com carta 2400 a 2800 – ⌑ 350 – **32 hab** 5000.

🍴 **Mesón Don Camilo,** Emilia Pardo Bazán 9 𝒫 69 11 24 – 🍽. 𝘝𝘐𝘚𝘈. ⋘
cerrado miércoles y del 1 al 15 de octubre – **Comida** carta 1600 a 2450.

en la carretera C 550 E : 3,5 km – ⊠ 36960 Sangenjo – ✿ 986 :

🏠 **Áncora** sin rest, La Granja-Dorrón 𝒫 74 10 74, Fax 74 13 90 – **❶**. **E** *VISA*. ⋘
junio-septiembre – **26 hab** ⊆ 5500/6300.

Ver también : *Portonovo O : 1,5 km.*

SANGÜESA **31400** Navarra 𝟜𝟜𝟚 E 26 – 4 752 h. – ✿ 948.
Ver : Iglesia de Santa María la Real★ (portada sur★★).
🛃 Alfonso el Batallador 20, 𝒫 87 03 29.
◆Madrid 408 – Huesca 128 – ◆Pamplona/Iruñea 46 – ◆Zaragoza 140.

🏠 **Yamaguchy,** carret. de Javier E : 0,5 km 𝒫 87 01 27, Fax 87 07 00, ⌿ – ▤ rest ☎ ⇔
❶. 𝔸𝔼 ⓞ **E** *VISA* 𝙹𝙲𝙱. ⋘
Com 2700 – ⊆ 750 – **40 hab** 4300/7200 – PA 5225.

SANLÚCAR DE BARRAMEDA **11540** Cádiz 𝟜𝟜𝟞 V 10 – 48 390 h. – ✿ 956 – Playa.
Ver : Nuestra Señora de la O : (portada★) – Iglesia de Santo Domingo★ : (Bóvedas★).
🛃 Calzada del Ejército 𝒫 36 61 10.
◆Madrid 669 – ◆Cádiz 45 – Jerez 23 – ◆Sevilla 106.

🏬 **Doñana,** av. Cabo Noval 𝒫 36 50 00, Fax 36 71 41, ⊿ – ⌷▤ ▤ 🆅 ☎ ⇔ **❶** – 𝔸 25/350.
𝔸𝔼 **E** *VISA*. ⋘
Com 1750 – ⊆ 700 – **96 hab** 8000/10000 – PA 3400.

🏠 **Tartaneros** sin rest, Tartaneros 8 𝒫 36 73 61, Fax 36 00 45 – ▤ 🆅 ☎. 𝔸𝔼 ⓞ **E** *VISA*. ⋘
⊆ 600 – **22 hab** 8000/10000.

🏠 **Los Helechos** sin rest, pl. Madre de Dios 9 𝒫 36 13 49, Fax 36 96 50 – ▤ ☎ ⇔. 𝔸𝔼 **E**
VISA. ⋘
⊆ 375 – **56 hab** 5000/7000.

🏠 **Posada de Palacio,** Caballeros 11 (barrio alto) 𝒫 36 48 40, Fax 36 50 60 – ☜. 𝔸𝔼 ⓞ **E**
VISA. ⋘
cerrado 8 enero-28 febrero – Com 1200 – ⊆ 700 – **13 hab** 5000/8000 – PA 2550.

✗ **Mirador Doñana,** bajo de Guía 𝒫 36 42 05, ⬱, 🏠, Pescados y mariscos – ▤. 𝔸𝔼 ⓞ **E**
VISA. ⋘
cerrado 15 enero-15 febrero – Com carta aprox. 2900.

✗ **El Veranillo,** prolongación av. Cerro Falón 𝒫 36 27 19, 🏠 – ▤. 𝔸𝔼 *VISA*. ⋘
cerrado domingo noche – Com carta 2100 a 3350.

SANLÚCAR LA MAYOR **41800** Sevilla 𝟜𝟜𝟞 T 11 – 7 758 h. alt. 143 – ✿ 95.
Madrid 569 – Huelva 72 – ◆Sevilla 27.

🏰 **Hacienda Benazuza** 🦢, carret. de Benacazón 𝒫 570 33 44, Fax 570 34 10, ⬱, « Instalado
en una alquería árabe del siglo X », ⊿, 🐎, 🎾 – ⌷▤ ▤ 🆅 ☎ **❶** – 𝔸 25/300. 𝔸𝔼 ⓞ **E**
VISA. ⋘ rest
cerrado 15 julio- agosto – Com 5500 - **La Alquería** carta 4700 a 5900 – ⊆ 1500 – **26 hab**
24000/31000, 18 suites.

SANT ANDREU DE LLAVANERES Barcelona – ver San Andrés de Llavaneras.

SANT ANTONI DE CALONGE Gerona – ver San Antonio de Calonge.

SANT ANTONI DE PORTMANY Baleares – ver Baleares (Ibiza) : San Antonio de Portmany.

SANT BOI DE LLOBREGAT Barcelona – ver San Baudilio de Llobregat.

SANT CARLES DE LA RÁPITA Tarragona – ver San Carlos de la Rápita.

SANT CELONI Barcelona – ver San Celoni.

SANT CUGAT DEL VALLÉS Barcelona – ver San Cugat del Vallés.

SANT ELM Gerona – ver San Feliú de Guixols.

SANT ESTEVE D'EN BAS Gerona – ver San Esteban de Bas.

SANT FELIÚ DE GUÍXOLS Gerona – ver San Feliú de Guixols.

SANT HILARI SACALM Gerona – ver San Hilario Sacalm.

SANT JULIÁ DE VILATORTA Barcelona – ver San Julián de Villatorta.

SANT JULIÁ DE LÓRIA Andorra – ver Andorra (Principado de).

SANT JUST DESVERN Barcelona – ver Barcelona : Alrededores.

SANT LLORENÇ DE MORUNYS Lérida – ver San Lorenzo de Morunys.

SANT MARTÍ D'EMPURIES Gerona – ver La Escala.

SANT MARTÍ SARROCA Barcelona – ver San Martín Sarroca.

SANT PERE DE RIBES Barcelona – ver San Pedro de Ribas.

SANT POL DE MAR Barcelona – ver San Pol de Mar.

SANT QUIRZE DE BESORA Barcelona – ver San Quirico de Besora.

SANT QUIRZE SAFAJA Barcelona – ver San Quirico Safaja.

SANT SADURNÍ D'ANOIA Barcelona – ver San Sadurní de Noya.

SANTA BRÍGIDA – ver Canarias (Gran Canaria).

SANTA COLOMA Andorra – ver Andorra (Principado de).

SANTA COLOMA DE FARNÉS o **SANTA COLOMA DE FARNERS** 17430 Gerona 443
G 38 – 6 990 h. alt. 104 – ۞ 972 – Balneario.
♦Madrid 700 – ♦Barcelona 87 – Gerona/Girona 30.

　🏠　**Baln. Termas Orión** ঌ, afueras S : 2 km ℰ 84 00 65, Fax 84 04 66, En un gran parque
　　　🏊, 🏊, ※ – 🛗 🗐 rest 📺 ☎ 🅿. 🅴 𝘝𝘐𝘚𝘈. ※
　　　cerrado 15 enero-20 febrero – Com 1975 – ⌸ 500 – **66 hab** 5650/9300 – PA 3700.

　🍴　**Can Gurt** con hab, carret. de Sils ℰ 84 02 60, Fax 84 02 60 – 🗐 rest. 🅰🅴 ⓞ 🅴 𝘝𝘐𝘚𝘈. ※
　　　cerrado del 4 al 10 de abril y del 26 al 30 de septiembre – Com carta 1600 a 2350 – ⌸
　　　300 – **17 hab** 2200/4000.

　　　en la carretera de Sils SE : 2 km – ⊠ 17430 Santa Coloma de Farnés – ۞ 972 :

　🍴🍴　Mas Solá, ℰ 84 08 48, Decoración rústica regional, « Antigua masía », 🏊 de pago, ※
　　　🗐 🅿.

SANTA CRISTINA (Playa de) La Coruña – ver La Coruña.

SANTA CRISTINA (Playa de) Gerona – ver Lloret de Mar.

SANTA CRISTINA DE ARO o **SANTA CRISTINA D'ARO** 17246 Gerona 443 G 39 –
1 269 h. – ۞ 972.
🏌 Club Costa Brava ℰ 83 71 50.
🄱 pl. Mn. B. Reixac 1, ⊠ 17246, ℰ 83 70 10, Fax 83 74 12.
♦Madrid 709 – ♦Barcelona 96 – Gerona/Girona 31.

　　　junto al golf O : 2 km – ⊠ 17246 Santa Cristina de Aro – ۞ 972 :

　🏠🏠　**Golf Costa Brava** ঌ, ℰ 83 51 51, Fax 83 75 88, ≼, 🍴, 🏊, 🌳, ※, 🏌 – 🛗 🗐 ☎ 🅿
　　　🛎 25/200. 🅰🅴 ⓞ 🅴 𝘝𝘐𝘚𝘈. ※ rest
　　　abril-octubre – Com 2500 – ⌸ 900 – **91 hab** 7000/12600.

　　　en la carretera de Playa de Aro E : 2 km – ⊠ 17246 Santa Cristina de Aro – ۞ 972

　🏠　**Mas Torrellas** ঌ, ℰ 83 75 26, Fax 83 75 27, 🍴, Antigua masía, 🏊, ※ – 📺 ☎ 🅿. 🅰
　　　ⓞ 🅴 𝘝𝘐𝘚𝘈. ※ hab
　　　Com 2000 – **17 hab** ⌸ 6000/11000 – PA 4000.

　　　en la carretera de Gerona NO : 2 km – ⊠ 17246 Santa Cristina d'Aro – ۞ 972 :

　🍴🍴　**Les Panolles**, ℰ 83 70 11, Fax 83 72 54, 🍴, « Masía típica decorada en estilo rústico »
　　　– 🗐 🅿. 🅰🅴 ⓞ 🅴 𝘝𝘐𝘚𝘈
　　　cerrado miércoles y 10 enero-4 febrero – Com carta 3645 a 4800.

　　　en la carretera de Romanyá NO : 3 km – ⊠ 17246 Santa Cristina d'Aro – ۞ 972 :

　🍴　Bell-Lloch (chez Raymond's), urb. Bell-Lloch 2A ℰ 83 72 61, Decoración rústica – 🅿.

SANTA CRUZ 15179 La Coruña 441 B 4 – ۞ 981 – Playa.
Madrid 584 – ◆La Coruña/A Coruña 4 – Ferrol 28 – Santiago de Compostela 82.

🏨 **Porto Cobo** ⟆, Casares Quiroga 16 ℘ 61 41 00, Fax 61 49 20, ≤ bahía y La Coruña, ⊼
– 🛗 📺 ☎ 🅿 – 🔏 25/150. 🆎 ⓞ 🇪 𝑉𝐼𝑆𝐴 𝐽𝐶𝐵. ॐ
Com 2000 – 🖃 650 – **58 hab** 7000/10000 – PA 3955.

SANTA CRUZ DE LA PALMA Tenerife – ver Canarias (La Palma).

SANTA CRUZ DE LA SERÓS 22792 Huesca 443 E 27 – 141 h. – ۞ 974.
er : Pueblo★.
Madrid 480 – Huesca 85 – Jaca 14 – ◆Pamplona Iruñea 105.

en la carretera N 240 N : 4,5 km – ⊠ 22792 Santa Cruz de la Serós – ۞ 974 :

🏨 **Aragón,** ℘ 36 21 89, Fax 35 54 90, ≤, ⊼ – 🅿. 🆎 🇪 𝑉𝐼𝑆𝐴. ॐ
cerrado 15 septiembre-10 octubre – Com 1400 – 🖃 350 – **21 hab** 3450/4450 – PA 3150.

SANTA CRUZ DE LA ZARZA 45370 Toledo 444 M 20 – 4 134 h. – ۞ 925.
Madrid 74 – Cuenca 100 – Toledo 80 – ◆Valencia 285.

♤ **Santa Cruz** sin rest, Magallanes 17 ℘ 14 31 18 – 🅿. 𝑉𝐼𝑆𝐴. ॐ
🖃 160 – **12 hab** 2800.

SANTA CRUZ DE MUDELA 13730 Ciudad Real 444 Q 19 – 5 018 h. – ۞ 926 – Balneario.
Madrid 218 – Ciudad Real 77 – Jaén 118 – Valdepeñas 15.

🏨 **Santa Cruz,** carret. N IV – km 217 ℘ 34 25 54, Fax 34 29 22 – 🔲 ☎ 🅿. 🆎 ⓞ 🇪 𝑉𝐼𝑆𝐴. ॐ
Com 950 – 🖃 200 – **26 hab** 4000.

al Noreste : 3,5 km – ۞ 926 :

🏨 **Baln. Cervantes** ⟆, Camino de los Molinos ℘ 33 13 13, Fax 34 28 25, ☞ – 🔲 📺 ☎ 🅿.
𝑉𝐼𝑆𝐴. ॐ
Com 1500 – 🖃 500 – **85 hab** 4950/6900.

SANTA CRUZ DE TENERIFE Tenerife – ver Canarias (Tenerife).

SANTA ELENA 23213 Jaén 446 Q 19 – 1 045 h. alt. 742 – ۞ 953.
Madrid 255 – ◆Córdoba 143 – Jaén 78.

✗ El Mesón con hab, av. Andalucía 91 ℘ 62 31 00, ≤, 🌤 – 🔲 rest 🕾 🅿
22 hab.

SANTA EUGENIA DE BERGA 08519 Barcelona 443 G 36 – 1 129 h. alt. 538 – ۞ 93.
Madrid 641 – ◆Barcelona 70 – Gerona/Girona 83 – Vich/Vic 4.

🏨 **L'Arumi H.,** carret. d'Arbúcies 1 ℘ 889 53 32, Fax 889 55 73, ≤ – 🛗 🔲 📺 ☎ ⟵ 🅿. 🆎
ⓞ 🇪 𝑉𝐼𝑆𝐴. ॐ
Com (ver rest. **L'Arumi**) – 🖃 500 – **18 hab** 6600/8900.

✗ **L'Arumi,** carret. d'Arbúcies 21 ℘ 885 56 03 – 🔲 🅿. 🆎 ⓞ 🇪 𝑉𝐼𝑆𝐴. ॐ
cerrado domingo noche, lunes y julio – Com carta 2350 a 3700.

SANTA EULALIA DEL RÍO Baleares – ver Baleares (Ibiza).

SANTA FÉ 18320 Granada 446 U 18 – 10 582 h. – ۞ 958.
Madrid 441 – Antequera 8 – ◆Granada 11.

🏨 **Colón y Rest. La Cúpula,** Buenavista ℘ 44 09 89, Fax 44 08 55, 🌤 – 🔲 📺 ☎ ⟵. 🆎
ⓞ 🇪 𝑉𝐼𝑆𝐴. ॐ
Com (cerrado lunes) carta 1800 a 3400 – 🖃 300 – **25 hab** 6000/8900.

🏨 **Santa Fé,** carret. N 342 ℘ 44 11 11, ⊼ – 🔲 hab 🕾 ⟵ 🅿. 🆎 ⓞ 🇪 𝑉𝐼𝑆𝐴. ॐ
Com (cerrado domingo) 1275 – 🖃 250 – **20 hab** 3000/5000.

SANTA GERTRUDIS Baleares – ver Baleares (Ibiza).

SANTA MARGARITA (Urbanización) Gerona – ver Rosas.

SANTA MARGARITA Y MONJÓS o **SANTA MARGARIDA i ELS MONJÓS** 08730 Barcelona 443 I 34 y 35 – 3 325 h. alt. 161 – ۞ 93.
Madrid 571 – ◆Barcelona 59 – Tarragona 43.

🏨 **Hostal del Penedés,** carret. N 340 ℘ 898 00 61, Fax 818 60 32 – 🔲 📺 ☎ 🅿. 🆎 🇪 𝑉𝐼𝑆𝐴
Com 1250 – 🖃 550 – **32 hab** 3500/6500 – PA 2400.

SANTA MARIA DE HUERTA 42260 Soria 📊 I 23 – 615 h. alt. 764 – 🕿 975.

Ver : Monasterio★★ (claustro de los Caballeros★, refectorio★★).

♦Madrid 182 – Soria 84 – ♦Zaragoza 131.

🏛 Santa María de Huerta, antigua carret. N II N : 1 km ℘ 32 70 11, Fax 32 70 11, 🏊, 🚗
📺 🕿 🕭 🚐 🅿 – 🏛 25/130
40 hab.

SANTA MARÍA DE MAVE 34492 Palencia 📊 D 17 – 🕿 979.

♦Madrid 323 – ♦Burgos 79 – ♦Santander 116.

🏛 **Hostería El Convento** 🦐, ℘ 12 36 11, Antiguo convento – 🅿. 🖭 **E** 𝘝𝘐𝘚𝘈. 🏖
Com 1500 – 🖵 500 – **19 hab** 3500/6000.

SANTA MARIA DEL MAR 33457 Asturias 📊 B 11 – 🕿 98.

♦ Madrid 500 – Avilés 12 – Luarca 53 – ♦ Oviedo 50.

🏛 **Aeromar** 🦐, carret. del aeropuerto SO : 1 km, ✉ 33457 Naveces, ℘ 551 96 4
Fax 551 97 62, 🚗 – 📺 🕿 🅿. 🖭 ⑩ **E** 𝘝𝘐𝘚𝘈 𝗝𝗖𝗕. 🏖
Com 3000 – 🖵 750 – **16 hab** 9600/12000.

✗ **Román** con hab, paseo Marítimo 11 ℘ 553 06 01, Fax 553 31 23, ≤ – 🕿. 🖭 **E** 𝘝𝘐𝘚𝘈.
Com carta 2050 a 4600 – 🖵 300 – **15 hab** 4500/5500.

SANTA MARTA DE TORMES 37900 Salamanca 📊 S 13 – 2 567 h. alt. 778 – 🕿 923.

♦Madrid 187 – Avila 81 – Plasencia 123 – ♦Salamanca 4.

en la carretera N 501 E : 1,5 km – ✉ 37900 Santa Marta de Tormes – 🕿 923 :

🏛 **Regio y Rest. Lazarillo de Tormes,** ℘ 13 88 88, Telex 22895, Fax 13 80 44, 🏧, 🏊, 🚗
🍴 – 🛗 📺 🕿 🚐 🅿 – 🏛 25/600. 🖭 ⑩ **E** 𝘝𝘐𝘚𝘈 𝗝𝗖𝗕. 🏖
Com carta 3775 a 5525 – 🖵 900 – **115 hab** 8000/12000.

SANTA OLALLA 45530 Toledo 📊 L 16 – 1 928 h. alt. 487 – 🕿 925.

♦Madrid 81 – Talavera de la Reina 36 – Toledo 42.

🏛 Recio, antigua carret. N V ℘ 79 72 09, Fax 79 72 10, 🏊 – 📺 rest 🕿 🅿
40 hab.

SANTA PAU 17811 Gerona 📊 F 37 – 🕿 972.

♦Madrid 690 – Figueras/Figueres 55 – Gerona/Girona 45.

✗ **Cal Sastre,** placeta dels Balls 6 ℘ 68 04 21 – 🖭 ⑩ **E** 𝘝𝘐𝘚𝘈. 🏖
cerrado domingo noche, lunes, 18 enero-1 febrero y del 8 al 20 de junio – Com carta 197
3050.

SANTA PERPETUA DE MOGODA 08130 Barcelona 📊 H 36 – 13 459 h. alt. 74 – 🕿 93

♦Madrid 632 – ♦Barcelona 14 – Mataró 41 – Sabadell 6.

en Santiga-por la carretera de Sabadell B 140 O : 3 km – ✉ 08130 Santiga – 🕿 93

✗✗ Castell de Santiga, pl. Santiga 6 ℘ 560 71 53, Fax 574 24 20, 🏧 – 📺 🅿.

SANTA POLA 03130 Alicante 📊 R 28 – 12 022 h. – 🕿 96 – Playa.

🅿 pl. de la Diputación ℘ 541 59 11.

♦Madrid 423 – ♦Alicante/Alacant 19 – Cartagena 91 – ♦Murcia 75.

🏛 **Polamar,** playa de Levante 6 ℘ 541 32 00, Fax 541 31 83, ≤, 🏧 – 🛗 📺 🕿 🅿. 🖭 ⑩
E 𝘝𝘐𝘚𝘈. 🏖
Com *(julio-septiembre)* 3000 – 🖵 1100 – **76 hab** 8400/10750 – PA 6050.

🏛 **Patilla,** Elche 29 ℘ 541 10 15 – 🛗 📺 rest 📺 🕿 🅿. 🖭 ⑩ **E** 𝘝𝘐𝘚𝘈. 🏖
Com 2000 – 🖵 550 – **72 hab** 4800/6600 – PA 4200.

🏛 **Pícola,** Alicante 64 ℘ 541 10 44 – 📺 rest. 🖭 **E** 𝘝𝘐𝘚𝘈. 🏖
Com *(cerrado lunes)* 1500 – 🖵 475 – **20 hab** 1975/3650 – PA 4000.

✗✗ Batiste, playa de Poniente ℘ 541 14 85, ≤, 🏧 – 📺 🅿.

✗✗ Miramar, av. Pérez Ojeda ℘ 541 10 00, ≤, 🏧 – 📺 🅿.

✗ **El Galeón,** Virgen del Carmen 3 ℘ 541 25 21 – 📺. 🖭 𝘝𝘐𝘚𝘈. 🏖
cerrado miércoles en invierno – Com carta 1600 a 3300.

✗ Gaspar's, av. González Vicens 2 ℘ 541 35 44 – 📺.

en la playa del Varadero E : 1,5 km – ✉ 03130 Santa Pola – 🕿 96 :

✗✗ **Varadero,** Santiago Bernabeu ℘ 541 17 66, ≤, 🏧 – 📺 🅿. 🖭 ⑩ **E** 𝘝𝘐𝘚𝘈. 🏖
Com carta aprox. 3600.

en la carretera N 332 N : 2,5 km – ⊠ 03130 Santa Pola – ✆ 96 :

✗ **El Faro,** ✆ 541 21 36, 🌣 – 🔳 **🅿**. 🆎 **E** 𝖵𝖨𝖲𝖠. ⌦
Com carta 2700 a 4400.

en la carretera de Elche NO : 3 km – ⊠ 03130 Santa Pola – ✆ 96 :

✗ **María Picola,** ✆ 541 35 13, 🌣 – **🅿**. 🆎 **①** **E** 𝖵𝖨𝖲𝖠. ⌦
cerrado lunes y octubre – Com carta aprox. 4800.

ANTA PONSA Baleares – ver Baleares (Mallorca).

ANTA ÚRSULA Tenerife – ver Canarias (Tenerife).

ANTANDER 39000 🅿 Cantabria 𝟒𝟒𝟐 B 18 – 180 328 h. – ✆ 942 – Playa.

r : Museo Regional de Prehistoria y Arqueología★ (bastones de mando★) BY **D** – El Sardinero★★

de Pedreña por ② : 24 km ✆ 50 00 01.

✈ de Santander por ② : 7 km ✆ 25 10 04 – Iberia : paseo de Pereda 18, ⊠ 39004, ✆ 22 97 00 y Aviaco : aeropuerto ✆ 25 10 07.

🚢 ✆ 22 71 61.

🚢 Cia. Trasmediterránea, paseo de Pereda 13, ⊠ 39004, ✆ 22 14 00, Telex 35834.

pl. Porticada 1, ⊠ 39001, ✆ 31 07 08 – **R.A.C.E.** Santa Lucía 51, ⊠ 39003, ✆ 36 21 98.

Madrid 393 ① – ◆Bilbao/Bilbo 116 ② – ◆Burgos 154 ① – ◆León 266 ① – ◆Oviedo 203 ① – ◆Valladolid 250 ①.

Plano página siguiente

🏨 **NH Ciudad de Santander,** Menéndez Pelayo, 13, ⊠ 39006, ✆ 22 79 65, Telex 35616, Fax 21 73 03 – 🛗 🔳 📺 ☎ 🚗 **🅿** – 🔬 25/220. 🆎 **①** **E** 𝖵𝖨𝖲𝖠. ⌦   AX **c**
Com 2800 – 🖵 900 – **60 hab** 12700/15900, 2 suites.

🏨 **Central** sin rest, con cafetería, General Mola 5, ⊠ 39004, ✆ 22 24 00, Fax 36 38 29 – 🛗 🔳 📺 ☎. 🆎 **①** **E** 𝖵𝖨𝖲𝖠 𝖩𝖢𝖡. ⌦   AY **c**
41 hab 🖵 8400/13200.

🏨 **Piñamar,** Ruiz de Alda 15, ⊠ 39009, ✆ 36 18 66, Fax 36 19 36 – 🔳 📺 ☎. **E** 𝖵𝖨𝖲𝖠. ⌦   AX **x**
Com 1750 – **34 hab** 🖵 9350/12500 – PA 3230.

🏨 **México** sin rest, Calderón de la Barca 3, ⊠ 39002, ✆ 21 24 50, Fax 22 92 38 – 🛗 📺 ☎. **E** 𝖵𝖨𝖲𝖠   AZ **w**
🖵 500 – **35 hab** 4800/8300.

🏨 Alisas sin rest, con cafetería, Nicolás Salmerón 3, ⊠ 39009, ✆ 22 27 50, Telex 35771, Fax 22 24 86 – 📺 ☎   AX **r**
70 hab.

🏨 San Glorio 2 sin rest, con cafetería, Federico Vial 3, ⊠ 39009, ✆ 22 16 66, Fax 31 21 09 – 📺 ☎   AX **e**
33 hab.

🏨 **San Glorio** sin rest, con cafetería, Ruiz Zorrilla 18, ⊠ 39009, ✆ 31 29 62, Fax 22 89 27 – 📺 ☎. 🆎 **E** 𝖵𝖨𝖲𝖠. ⌦   AX **x**
🖵 400 – **30 hab** 6000/8000.

🏨 **Romano** sin rest, Federico Vial 8, ⊠ 39009, ✆ 22 30 71, Fax 22 30 71 – 📺 ☎. 🆎 **E** 𝖵𝖨𝖲𝖠. ⌦   AX **u**
🖵 375 – **25 hab** 4500/8000.

🏨 **Liébana** sin rest, Nicolás Salmerón 9, ⊠ 39009, ✆ 22 32 50, Fax 22 99 10 – 🛗 ☎. 🆎 **①** **E** 𝖵𝖨𝖲𝖠. ⌦   AX **r**
🖵 335 – **30 hab** 5090/6360.

✗✗ **Zacarías,** General Mola 41, ⊠ 39003, ✆ 21 23 33 – 🔳. 🆎 **①** **E** 𝖵𝖨𝖲𝖠   BY **r**
Com carta 4100 a 5050.

✗✗ Puerto, Hernán Cortés 63, ⊠ 39003, ✆ 21 93 93, Pescados y mariscos – 🔳   BY **m**

✗✗ Iris, Castelar 5, ⊠ 39004, ✆ 21 52 25 – 🔳   BY **e**

✗✗ **Cañadío,** Gómez Oreña 15 (pl. Cañadío), ⊠ 39003, ✆ 31 41 49 – 🔳. 🆎 **①** **E** 𝖵𝖨𝖲𝖠. ⌦   BY **c**
Com carta 2250 a 4400.

✗✗ **La Bombi,** Casimiro Sainz 15, ⊠ 39003, ✆ 21 30 28 – 🔳. 🆎 **E** 𝖵𝖨𝖲𝖠. ⌦   BY **b**
Com carta 3100 a 4500.

✗✗ **Mesón Segoviano,** Menéndez Pelayo 49, ⊠ 39006, ✆ 31 10 10, Decoración castellana – 🔳. 🆎 **①** **E** 𝖵𝖨𝖲𝖠. ⌦   AX **a**
cerrado domingo – Com carta 3300 a 4100.

✗✗ **Posada del Mar,** Juan de la Cosa 3, ⊠ 39004, ✆ 21 56 56, « Decoración rústica » – 🔳. 🆎 **①** **E** 𝖵𝖨𝖲𝖠. ⌦   BY **p**
cerrado domingo y 10 septiembre-10 octubre – Com carta 3700 a 4700.

✗ **Laury,** av. Pedro San Martín, 4 (Cuatro Caminos), ⊠ 39010, ✆ 33 01 09, Fax 34 63 85, Pescados y mariscos – 🔳. **①** **E** 𝖵𝖨𝖲𝖠 𝖩𝖢𝖡. ⌦   AX **v**
cerrado domingo – Com carta 3500 a 6500.

✗ **Machinero,** Ruiz de Alda 16, ⊠ 39009, ✆ 31 49 21 – 🔳. 🆎 𝖵𝖨𝖲𝖠   AX **t**
cerrado domingo noche – Comida carta 3050 a 3500.

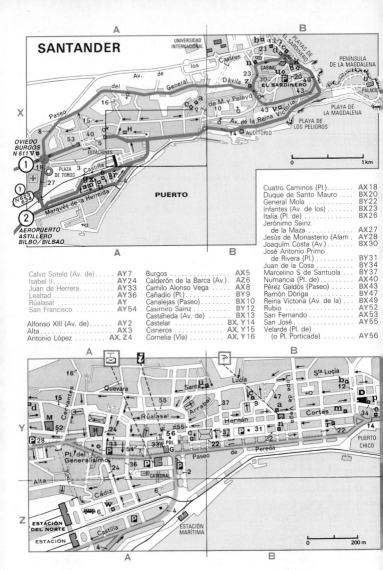

SANTANDER

X **El Marinero,** Florida 15, ⊠ 39007, ℘ 23 95 17 – 𝖠𝖤 ① 𝖤 𝘝𝘐𝘚𝘈 AY
cerrado domingo, 1ª quincena enero y 1ª quincena septiembre – Com carta 270
a 3350.

X **Bodega del Riojano,** Río de la Pila 5, ⊠ 39003, ℘ 21 67 50, Fax 57 40 04, « Mesón típico
– 𝖠𝖤 ① 𝖤 𝘝𝘐𝘚𝘈 ABY
cerrado domingo noche y lunes salvo en verano – Com carta aprox. 3300.

X **Bodega Cigaleña,** Daoiz y Velarde 19, ⊠ 39003, ℘ 21 30 62, Museo del vino-Decoració
rústica – 🝙 𝖠𝖤 ① 𝖤 𝘝𝘐𝘚𝘈 ⚶ BY
cerrado domingo, 20 al 30 de junio y 20 octubre-20 noviembre – Com carta 310
a 4300.

X **Mesón Gele,** Eduardo Benot 4, ⊠ 39003, ℘ 22 10 21 – 🝙 𝖠𝖤 ① 𝖤 𝘝𝘐𝘚𝘈 ⚶ BY
cerrado domingo noche, lunes mediodía y 15 mayo-15 junio – Com car
aprox.3200.

en El Sardinero – ⊠ 39005 Santander – ✪ 942 :

🏨 **Real** ⑤, paseo Pérez Galdós 28 ✆ 27 25 50, Fax 27 45 73, « Magnífica situación con ≤ bahía », 📯 – 🛗 ≣ 📺 ☎ 🄿 – 🔏 25/200. 🄰🄴 ⓞ 🄴 𝘝𝘐𝘚𝘈. ⟨⟨
    Com 4700 – 🖙 1250 – **116 hab** 22000/33000, 9 suites – PA 8520.   BX **v**

🏨 **Chiqui y Rest. Los Molinucos,** av. Manuel García Lago ✆ 28 27 00, Fax 27 30 32, ≤ playa y mar – 🛗 ≣ rest 📺 ☎ 🕭 ⟷ 🄿 – 🔏 25/700. 🄰🄴 🄴 𝘝𝘐𝘚𝘈. ⟨⟨
    Com carta 2500 a 3900 – 🖙 900 – **157 hab** 9900/16000, 4 suites.
        por av. de Castañeda BX

🏨 **Santemar,** Joaquin Costa 28 ✆ 27 29 00, Telex 35963, Fax 27 86 04, ⟨⟨ – 🛗 ≣ 📺 ☎ ⟷
    – 🔏 25/600. ⟨⟨   BX **u**
    Com carta aprox. 4100 – 🖙 995 – **344 hab** 14840/18550, 6 suites.

🏨 **Sardinero,** pl. Italia 1 ✆ 27 11 00, Telex 35795, Fax 27 16 98, ≤ – 🛗 ≣ rest 📺 ☎ –
    🔏 25/90. 🄰🄴 ⓞ 🄴 𝘝𝘐𝘚𝘈. ⟨⟨   BX **d**
    Com 1700 – 🖙 650 – **112 hab** 9100/13500.

🏨 **Rhin,** av. Reina Victoria 153 ✆ 27 43 00, Fax 27 86 53, ≤ – 🛗 📺 ☎ – 🔏 25/60. 🄰🄴 ⓞ
    🄴 𝘝𝘐𝘚𝘈. ⟨⟨   BX **k**
    Com 1900 – 🖙 575 – **95 hab** 7650/11700.

🏨 **Don Carlos,** Duque de Santo Mauro 20 ✆ 28 00 66, Fax 28 11 77 – 🛗 📺 ☎ ⟷ 🄴 𝘝𝘐𝘚𝘈.
    ⟨⟨ rest   BX **k**
    Com 1950 – 🖙 575 – **28 apartamentos** 23400 – PA 3700.

🏨 **Colón** sin rest y sin 🖙, pl. de las Brisas 1 ✆ 27 23 00, ≤ – ☎. ⟨⟨   BX **b**
    julio-septiembre – **31 hab** 3900/6600.

🏨 **Carlos III** sin rest, av. Reina Victoria 135 ✆ 27 16 16 – ☎. 🄰🄴 🄴 𝘝𝘐𝘚𝘈. ⟨⟨   BX **k**
    17 marzo-octubre – 🖙 340 – **20 hab** 5600/7000.

XX **La Sardina,** Dr. Fleming 3 ✆ 27 10 35, Fax 57 40 04, Interior barco de pesca – ≣. 🄰🄴 ⓞ
    🄴 𝘝𝘐𝘚𝘈. ⟨⟨   por av. de Castañeda BX
    cerrado domingo noche y martes salvo en verano – Com carta 3700 a 5650.

XX **La Cabaña,** av. de Maura 1, ⊠ 39005, ✆ 27 05 91, 🎇, « Terraza en un parque » – 🄰🄴
    🄴 𝘝𝘐𝘚𝘈. ⟨⟨   BX **n**
    cerrado domingo noche, lunes y febrero – Com carta 2800 a 3500.

XX **Rhin,** pl. de Italia 2, ⊠ 39005, ✆ 27 30 34, Fax 27 86 53, ≤, 🎇 – ≣. 🄰🄴 ⓞ 🄴 𝘝𝘐𝘚𝘈. ⟨⟨
    Com carta 3350 a 4250.   BX **e**

XX **Piquio,** pl. de las Brisas ✆ 27 55 03, Fax 27 55 05, ≤ – ≣   BX **d**

X **La Flor de Miranda,** av. de Los Infantes 1, ⊠ 39004, ✆ 27 10 56 – ≣. 🄰🄴 ⓞ 𝘝𝘐𝘚𝘈. ⟨⟨
    Com carta 2450 a 4050.   BX **z**

    Ver también : *Puente Arce por* ① : 13 km.

En haute saison, et surtout dans les stations, il est prudent de retenir à l'avance.

SANTES CREUS (Monasterio de) 43815 Tarragona 🄸🄸🄸 H 34 – alt. 340 – ✪ 977.

er : Monasterio★★ (gran claustro★★ ; sala capitular★ ; iglesia★ : rosetón★).

Madrid 555 – ◆Barcelona 95 – ◆Lérida/Lleida 83 – Tarragona 32.

🏠 **Grau** ⑤, Pere El Gran 3 ✆ 63 83 11 – ≣ rest. 🄰🄴 🄴 𝘝𝘐𝘚𝘈. ⟨⟨
    cerrado 15 diciembre-15 enero – Com *(cerrado lunes)* 1400 – 🖙 375 – **15 hab** 2300/3700
    – PA 2695.

SANTIAGO DE COMPOSTELA 15700 La Coruña 🄸🄸🄸 D 4 – 93 695 h. alt. 264 – ✪ 981.

er : Plaza del Obradoiro o Plaza de España★★★ V – Catedral★★★ (Fachada del Obradoiro★★★, órtico de la Gloria★★★, Museo de tapices★★, Claustro★, Puerta de las Platerías★★) V – Palacio elmírez(Salón sinodal★) V **A** – Hostal de los Reyes Católicos★ : fachada★ V – Barrio antiguo★★ X : Plaza de la Quintana★★ - Puerta del Perdón★, Monasterio de San Martín Pinario★ V – Colegiata e Santa María del Sar★ (arcos geminados★) Z.

lred. : Pazo de Oca★ : parque★★ 25 km por ③.

; Aero Club de Santiago por ② : 9 km ✆ 59 24 00.

🛫 de Santiago de Compostela, Labacolla por ② : 12 km ✆ 59 74 00 – Iberia : General Pardiñas 6 ✆ 57 20 24 Z.

▮ Vilar 43 ⊠ 15705, ✆ 58 40 81 – R.A.C.E. Romero Donallo 1, ✆ 53 18 00.

Madrid 613 ② – ◆La Coruña/A Coruña 72 ② – Ferrol 103 ② – Orense/Ourense 111 ③ – ◆Vigo 84 ④.

Plano página siguiente

🏨 **Hostal de los Reyes Católicos,** pl. del Obradoiro 1, ⊠ 15705, ✆ 58 22 00, Telex 86004, Fax 56 30 94, « Lujosa instalación en un magnífico edificio del siglo XVI, mobiliario de gran estilo » – 🛗 📺 ☎ ⟷ – 🔏 25/300. 🄰🄴 ⓞ 𝘝𝘐𝘚𝘈. ⟨⟨   V **B**
    Com 3500 – 🖙 1200 – **130 hab** 23000, 6 suites – PA 6970.

🏨 **Araguaney y Rest. O'Portón,** Alfredo Brañas 5, ⊠ 15701, ✆ 59 59 00, Telex 86108, Fax 59 02 87, 🏊 climatizada – 🛗 ≣ 📺 ☎ ⟷ – 🔏 25/300   Z **c**
    65 hab.

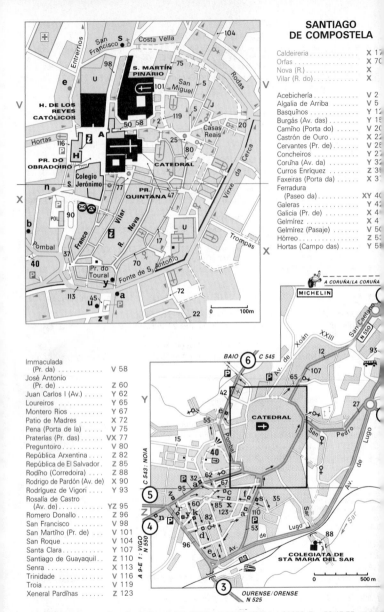

SANTIAGO DE COMPOSTELA

Peregrino, av. Rosalía de Castro, ✉ 15706, ☎ 52 18 50, Telex 82352, Fax 52 17 77, ≤, 🏌️
 ☑ climatizada, ☞ – |≋| ≣ rest ☑ ☎ ℗ – 🕍 25/250. ⌶ ⓞ ℇ 𝘝𝘐𝘚𝘈. 🦶 rest Z
 Com 4100 – ☑ 1200 – **148 hab** 12400/15500.

Compostela sin rest, con cafetería, Hórreo 1, ✉ 15702, ☎ 58 57 00, Telex 82387
 Fax 56 32 69 – |≋| ☑ ☎ – 🕍 25/200. ⌶ ⓞ ℇ 𝘝𝘐𝘚𝘈. 🦶 X
 ☑ 800 – **98 hab** 8500/13000, 1 suite.

Gelmírez sin rest, con cafetería, Hórreo 92, ✉ 15702, ☎ 56 11 00, Telex 82387
 Fax 56 32 69 – |≋| ☑ ☎ – 🕍 25/50. ⌶ ⓞ ℇ 𝘝𝘐𝘚𝘈. 🦶 Z
 ☑ 575 – **138 hab** 6800/9600.

🏫 **Hogar San Francisco** sin rest, Campillo de San Francisco 3, ⊠ 15705, ℰ 58 16 00, Fax 57 19 16, « Instalado en el convento de San Francisco » – 🛗 ☎ 🅟 – 🏛 25/70. 🆎 🅔
🆅🆂🅰. ❄
V s
🖵 480 – **71 hab** 6700/8900.

🏫 **Windsor** sin rest, República de El Salvador 16-A, ⊠ 15701, ℰ 59 29 39 – 🛗 📺
📨
Z x
50 hab.

🏠 **Universal** sin rest, pl. de Galicia 2, ⊠ 15706, ℰ 58 58 00 – 🛗 📺 ☎. 🆎 🅞 🅔 🆅🆂🅰.
❄
X u
🖵 400 – **54 hab** 4000/6000.

🏠 **México** sin rest, República Argentina 33 - 4°, ⊠ 15706, ℰ 59 80 00, Fax 59 80 16 – 🛗 📨.
🅔 🆅🆂🅰. ❄
Z d
🖵 350 – **57 hab** 3500/5900.

🏠 **Rey Fernando** sin rest, Fernando III el Santo 30 - 6°, ⊠ 15702, ℰ 59 35 50, Fax 59 00 96
– 🛗 📨. 🅔 🆅🆂🅰. ❄
Z e
🖵 400 – **24 hab** 4550/6500.

🏠 **Vilas**, av. Romero Donallo 9 - A, ⊠ 15706, ℰ 59 11 50, Fax 59 11 50 – ☎. 🆎 🅞 🅔 🆅🆂🅰.
Z r
Com (ver rest. **Anexo Vilas**) – 🖵 400 – **28 hab** 4000/6500.

🏠 **Alameda** sin rest, San Clemente 32, ⊠ 15705, ℰ 58 81 00 – 📺 📨 🚗. 🆎 🅔 🆅🆂🅰.
X b
🖵 400 – **20 hab** 4400/6500.

🏯 **Mapoula** sin rest y sin 🖵, Entremurallas 10 - 3°, ⊠ 15702, ℰ 58 01 24, Fax 58 40 89 – 🛗
☎. ❄
X y
12 hab 3000/4200.

🏵🏵🏵 ❀ **Toñi Vicente**, Rosalía de Castro 24, ⊠ 15706, ℰ 59 41 00, Fax 59 35 54 – ▤. 🆎 🅞
🅔 🆅🆂🅰 🅹🅲🅱. ❄
Y a
cerrado domingo y del 1 al 15 de agosto – Com carta 3550 a 5100
Espec. Ensalada marinada de lubina, Ensalada tibia de rape, vieiras y calabacín, Lubina braseada
en fondo oscuro de buey.

🏵🏵 **Anexo Vilas**, av. de Villagarcía 21, ⊠ 15706, ℰ 59 86 37, Fax 59 11 50 – ▤. 🆎 🅞 🅔 🆅🆂🅰
🅹🅲🅱.
Z y
cerrado lunes – Com carta 3900 a 5800.

🏵🏵 **La Tacita d'Juan**, Hórreo 31, ⊠ 15702, ℰ 56 20 41, Fax 59 27 14 – ▤. 🆎 🅔 🆅🆂🅰.
❄
Z s
cerrado domingo – Com carta 3250 a 4950.

🏵🏵 **Nixon**, Santiago de Chile 15, ⊠ 15702, ℰ 53 15 31 – ▤. 🆎 🅔 🆅🆂🅰. ❄
Z k
cerrado domingo y agosto – Com carta 3050 a 4350.

🏵🏵 **Don Gaiferos**, Rua Nova 23, ⊠ 15705, ℰ 58 38 94 – ▤. 🆎 🅞 🅔 🆅🆂🅰
X t
cerrado domingo y del 22 al 31 diciembre – Com carta 4050 a 5850.

🏵🏵 **Fornos**, Hórreo 24, ⊠ 15702, ℰ 56 57 21, Fax 57 17 27 – ▤. 🆎 🅞 🅔 🆅🆂🅰. ❄
X z
cerrado domingo noche – Com carta 3500 a 5050.

🏵🏵 **Carretas**, Carretas 21, ⊠ 15705, ℰ 56 31 11, Fax 56 29 39 – ▤. 🆎 🅞 🅔 🆅🆂🅰. ❄
V e
cerrado domingo noche – Com carta 3375 a 4800.

🏵🏵 **San Clemente**, San Clemente 6, ⊠ 15705, ℰ 58 08 82, Fax 56 29 39, 🌂 – ▤. 🆎 🅞 🅔
🆅🆂🅰. ❄
X n
cerrado domingo noche – Com carta 3200 a 4200.

🏵🏵 **Don Quijote**, Galeras 20, ⊠ 15705, ℰ 58 68 59, Fax 57 29 69 – ▤. 🆎 🅞 🅔 🆅🆂🅰. ❄
Y e
Com carta 2150 a 4200.

🏵 **Vilas**, Rosalía de Castro 88, ⊠ 15706, ℰ 59 21 70, Fax 59 11 50 – 🆎 🅞 🅔 🆅🆂🅰.
❄
Z z
cerrado domingo – Com carta aprox. 5000.

en la carretera N 550 por ① : 6 km – ⊠ 15884 Sionlla – 🕿 981 :

🏫 **Castro**, Formarís ℰ 88 81 14, Fax 88 80 63, ≼ – 🛗 ▤ 📺 ☎ 🚗 🅟. 🆎 🆅🆂🅰. ❄
Com (ver rest. **Castro**) – 🖵 700 – **60 hab** 5850/9750.

🏵 **Castro**, Formarís ℰ 58 25 91, Fax 88 80 63 – 🅟. 🆎 🆅🆂🅰. ❄
cerrado domingo – Com carta 1850 a 2950.

en la carretera N 634 por ② – ⊠ 15820 Labacolla – 🕿 981 :

🏫 **Santiago Apóstol**, cuesta de San Marcos- 4 km ℰ 58 71 99, Fax 58 64 99, ≼ – 🛗 📺 ☎
🚗 🅟 – 🏛 25/200. 🆎 🅞 🅔 🆅🆂🅰. ❄
Com 2000 – 🖵 850 – **97 hab** 6600/9500, 1 suite – PA 3880.

🏵🏵 **Sexto**, San Marcos - 5 km ℰ 57 14 07, Fax 57 14 07, 🌂, Vivero propio – ▤ 🅟. 🆎 🅞 🅔
🆅🆂🅰. ❄
Com carta 2800 a 3900.

en la carretera N 525 por ③ : 3,5 km – ⊠ 15893 Santa Lucía – 🕿 981 :

🏫 **Santa Lucía** sin rest, ℰ 54 92 83, Fax 54 93 00 – 🛗 📺 ☎ 🅟. 🆎 🆅🆂🅰. ❄
🖵 450 – **81 hab** 8900.

en la carretera de La Estrada C 541 por ③ – ✉ 15894 Montouto – ☻ 981 :

🔼 **Los Tilos** ⑤ sin rest, con cafetería, 3 km ♪ 52 36 06, Telex 88169, Fax 80 15 14, ≤, ※ – ⌀ 📺 ☎ – 🛆 25/500. 🖭 ⓪ 🗲 VISA JCB. ✤
☲ 750 – **88 hab** 9500/13500, 4 suites.

🏨 **Congreso,** 4,5 km ♪ 52 38 08, Telex 86585, Fax 52 37 43 – ⌀ 📺 ☎ ⓟ – 🛆 25/400.
⓪ 🗲 VISA – Com 2000 – ☲ 675 – **85 hab** 7000/10700.

Ver también : **Labacolla** por ② : 9 km
San Julián de Sales por ③ : 9 km
Ameneiro por ④ : 7 km.

S.A.F.E. Neumáticos MICHELIN, Sucursal, Polígono El Tambre, vía Edison-Parcela 68 por
♪ 58 02 57 y 58 84 10, Fax 58 82 59

SANTIAGO DE LA RIBERA 30720 Murcia 445 S 27 – ☻ 968 – Playa.

🛥 Club Mar Menor ♪ 57 00 21.

◆Madrid 438 – ◆Alicante/Alacant 76 – Cartagena 37 – ◆Murcia 48.

🏨 **Ribera,** explanada de Barnuevo 12 ♪ 57 02 00, – ⌀ ☜. 🗲 VISA
cerrado 20 diciembre-20 enero – Com *(cerrado lunes y 20 diciembre-1 febrero)* 1600
☲ 410 – **40 hab** 3100/6200 – PA 3200.

SANTIAGO DEL MONTE 33459 Asturias 441 B 11 – ☻ 98.

◆Madrid 487 – Gijón 37 – Oviedo 44.

🏨 **Cristal Aeropuerto,** carret. del aeropuerto 91 ♪ 551 95 45, Fax 551 98 01 – ⌀ 🗏 📺
☜ ⓟ – 🛆 25/300. 🖭 ⓪ 🗲 VISA. ✤ rest
Com 1800 – ☲ 750 – **35 hab** 6800/8500 – PA 3480.

SANTIANES Asturias – ver Ribadesella.

SANTIGA Barcelona – ver Santa Perpetua de Mogoda.

SANTILLANA DEL MAR 39330 Cantabria 442 B 17 – 3 884 h. alt. 82 – ☻ 942.

Ver : Pueblo pintoresco★★ : Colegiata★ (interior : cuatro Apóstoles★, retablo★, claustro★
capiteles★★).

Alred. : Cueva prehistórica★★ de Altamira (techo★★★) SO : 2 km.

🛈 pl. Mayor ♪ 81 82 51.

◆Madrid 393 – ◆Bilbao/Bilbo 130 – ◆Oviedo 171 – ◆Santander 30.

🔼 **Parador de Santillana** ⑤, pl. Ramón Pelayo 8 ♪ 81 80 00, Fax 81 83 91, « Antigua ca
señorial », ☞ – ⌀ 📺 ☎ ☜ ⓟ – 🛆 25/120. 🖭 ⓪ VISA. ✤
Com 3200 – ☲ 1100 – **56 hab** 14500 – PA 6375.

🏨 **Altamira** ⑤, Cantón 1 ♪ 81 80 25, Fax 84 01 36, « Casa señorial del siglo XVII » – 🗏 re
📺 ☎. 🖭 ⓪ 🗲 VISA. ✤
Com 1500 – ☲ 475 – **32 hab** 5000/10000 – PA 3475.

🏨 **Los Infantes,** av. Le Dorat 1 ♪ 81 81 00, Fax 84 01 03, « Fachada de época » – 📺
🖭 ⓪ 🗲 VISA. ✤ rest
Com 1800 – ☲ 500 – **50 hab** 8000/11000 – PA 3450.

🏨 **Santillana,** El Cruce ♪ 81 80 11, Fax 84 01 03 – 📺 ☎. 🖭 ⓪ 🗲 VISA. ✤ rest
cerrado 10 enero-10 febrero – Com 1800 – ☲ 500 – **38 hab** 8000/11000 – PA 320◆

🏨 **Siglo XVIII** ⑤ sin rest, barrio Revolgo ♪ 84 02 10, Fax 84 02 11, 🔼 – 📺 ☎ ⓟ. 🖭 VISA.
☲ 600 – **16 hab** 6500/10000.

🏨 **Cuevas** sin rest, av. Antonio Sandi ♪ 81 83 84, Fax 81 83 89 – ☎ ⓟ. 🖭 🗲 VISA. ✤
marzo-noviembre – ☲ 350 – **40 hab** 6000/7000.

🏨 **Los Ángeles** ⑤, Campo de Revolgo 13 ♪ 81 81 40, Fax 84 01 77 – 📺 ☎. 🖭 VISA. ✤
marzo-noviembre – Com 1300 – ☲ 400 – **25 hab** 6000/8000 – PA 2550.

🏨 **Los Hidalgos** ⑤ sin rest, Campo de Revolgo ♪ 81 81 01, Fax 84 01 70 – ☎ ⓟ. 🖭 ⓪
🗲 VISA. ✤ – *marzo-noviembre* – ☲ 375 – **26 hab** 5200/6800.

🏨 **San Marcos** sin rest, av. Antonio Sandi ♪ 84 01 88, Fax 81 81 85 – ☎ ⓟ. 🖭 🗲 VISA. ✤
marzo-15 noviembre – ☲ 350 – **19 hab** 6000/7000.

🏨 Salldemar sin rest, av. Marcelino Sanz de Sautuola ♪ 84 01 80, Fax 81 80 23 – ☎ ⓟ
14 hab.

🏨 **Conde Duque** ⑤ sin rest, Campo de Revolgo ♪ 81 83 36, Fax 84 01 70 – ☎ ⓟ. 🖭 ⓪ 🗲 VI
abril-octubre – ☲ 375 – **14 hab** 5200/6800.

✗ **Los Blasones,** pl. de la Gándara ♪ 81 80 70 – 🖭 ⓪ 🗲 VISA. ✤
cerrado diciembre-febrero – Com carta 2950 a 4100.

✗ La Robleda, Campo de Revolgo ♪ 84 02 02, Fax 82 02 61 – ⓟ.

en la carretera de Suances N : 1 km – ⊠ 39330 Santillana del Mar – 🕲 942 :

🏨 **Colegiata** ◔, Los Hornos 🖉 84 02 16, Fax 84 02 17, « En una ladera con ≼ », 🔫 – 🗐 📺 🕿 🅿. 🕮 ⓪ 🖪 *VISA*. 🛠
Com 2500 – 🖵 500 – **27 hab** 6500/9500 – PA 4675.

SANTO DOMINGO DE LA CALZADA 26250 La Rioja 👭👭 E 21 – 5 544 h. alt. 639 – 🕲 941.
er : Catedral★ (retablo mayor★).
Madrid 310 – ◆Burgos 67 – ◆Logroño 47 – ◆Vitoria/Gasteiz 65.

🏨 **Parador de Santo Domingo de la Calzada,** pl. del Santo 3 🖉 34 03 00, Fax 34 03 25, Antiguo hospital de peregrinos – 🗐 🗏 hab 📺 🕿. 🕮 ⓪ *VISA*. 🛠
Com 3200 – 🖵 1100 – **61 hab** 12500 – PA 6375.

🏨 El Corregidor, Mayor 14 🖉 34 21 28, Fax 34 21 15 – 🗐 🗏 rest 📺 🕿 ⟷ – 🔏 25/300 **32 hab.**

🎇 **El Rincón de Emilio,** pl. Bonifacio Gil 7 🖉 34 09 90 – 🖪 *VISA*
cerrado martes noche y febrero – Com (sólo almuerzo salvo fines de semana y verano) carta aprox. 2300.

🎇 **Mesón El Peregrino,** av. de Calahorra 19 🖉 34 02 02, Decoración rústica – 🕮 ⓪ 🖪 *VISA*. 🛠
cerrado lunes y 23 diciembre- 7 enero – Com carta 2300 a 3700.

SANTO DOMINGO DE SILOS (Monasterio de) 09610 Burgos 👭👭 G 19 – 376 h. – 🕲 947.
er : Monasterio★★ (claustro★★★).
Madrid 203 – ◆Burgos 58 – Soria 99.

🏨 **Tres Coronas de Silos** ◔, pl. Mayor 6 🖉 38 07 27, Fax 38 00 25, « Conjunto castellano » – 🕿. 🕮 🖪 *VISA*
Com 3500 – 🖵 750 – **16 hab** 5300/8400 – PA 5000.

🏠 Cruces, pl. Mayor 1 🖉 39 00 64 **13 hab.**

SANTO TOMÉ DEL PUERTO 40590 Segovia 👭👭 I 19 – 424 h. – 🕲 921.
Madrid 100 – Aranda de Duero 61 – ◆Segovia 54.

🏨 **Mirasierra,** carret. N I 🖉 55 71 05, 🔫 – 🕾 🅿. 🕮 ⓪ 🖪 *VISA* 🗟🖪. 🛠
cerrado 24 diciembre-24 enero – Com 1700 – 🖵 750 – **16 hab** 5000/7500 – PA 3525.

SANTOÑA 39740 Cantabria 👭👭 B 19 – 11 642 h. – 🕲 942 – Playa.
Madrid 441 – ◆Bilbao/Bilbo 81 – ◆Santander 48.

🏨 **Castilla,** Manzanedo 29 🖉 66 22 61, Fax 66 24 51 – 🗐 🗏 rest 📺 🕿. 🕮 ⓪ 🖪 *VISA*. 🛠
cerrado 22 diciembre- 10 enero – Com (cerrado domingo noche y octubre-mayo) carta aprox. 2900 – 🖵 500 – **42 hab** 5500/8000.

en la playa de Berria NO : 3 km – ⊠ 39740 Santoña – 🕲 942 :

🏨 **Juan de la Cosa** ◔, 🖉 66 12 38, Fax 66 16 32, ≼ – 🗏 rest 📺 🕿 ⟷ 🅿 – 🔏 25/300. 🕮 ⓪ 🖪 *VISA*. 🛠
cerrado enero- 15 febrero – Com 2200 – 🖵 750 – **18 apartamentos** 8000/10500 – PA 4000.

SANTPEDOR 08251 Barcelona 👭👭 G 35 – 3 411 h. alt. 320 – 🕲 93.
Madrid 638 – ◆Barcelona 69 – Manresa 6 – Vich/Vic 54.

🎇🎇 **Ramón,** camí de Juncadella 🖉 832 08 50, Fax 827 22 41, 🌳 – 🗏 🅿. 🕮 ⓪ 🖪 *VISA*
cerrado domingo noche – Com carta 3900 a 5600.

SANTURCE o **SANTURTZI** 48980 Vizcaya 👭👭 B 20 – 53 329 h. – 🕲 94.
Madrid 411 – Bilbao/Bilbo 15 – ◆Santander 97.

🎇🎇 **Currito,** av. Murrieta 21 🖉 483 32 14, Fax 483 35 29, ≼, 🌳 – 🅿. 🕮 ⓪ 🖪 *VISA*. 🛠
cerrado domingo noche – Com carta aprox. 4800.

🎇🎇 **Kai-Alde,** Capitán Mendizábal 7 🖉 461 00 34, 🌳 – 🕮 ⓪ 🖪 *VISA*. 🛠
Com carta aprox. 3900.

🎇 **Lucas,** Iparraguirre 34 🖉 461 68 00, Fax 461 68 00, 🌳 – 🅿. 🕮 🖪 *VISA*. 🛠
Com carta 2850 a 4200.

SANXENXO Pontevedra – ver Sangenjo.

El SARDINERO Cantabria – ver Santander.

SARDÓN DE DUERO 47340 Valladolid 442 H 16 – 610 h. – ✆ 983.
◆Madrid 208 – Aranda de Duero 66 – ◆Valladolid 26.

🏠 **Sardón,** carret. N 122 ✆ 68 03 07, Fax 68 03 07 – ▤ rest. AE ⓓ E VISA. ⊘
Com 1400 – ☕ 300 – **12 hab** 2600/4200 – PA 3100.

S'ARGAMASSA (Urbanización) Baleares – ver Baleares (Ibiza) : Santa Eulalia del Río.

SARRIA 27600 Lugo 441 D 7 – 12 000 h. alt. 420 – ✆ 982.
Alred. : Portomarín : Iglesia★ E : 20 km.
◆Madrid 491 – Lugo 32 – Orense/Ourense 81 – Ponferrada 109.

🏨 **Alfonso IX** §, Peregrino 29 ✆ 53 00 05, Fax 53 12 61 – |≑| ▤ TV ☎ 🚗 Ⓟ – 👥 25/40
AE ⓓ E VISA JCB. ⊘ rest – Com 2500 – ☕ 750 – **60 hab** 7000/10000 – PA 4750.

🏨 **Villa de Sarria,** Benigno Quiroga 49 ✆ 53 19 38, Fax 53 25 05 – |≑| ▤ rest TV ☎. E VISA.
Com *(cerrado domingo y del 1 al 16 septiembre)* 1400 – ☕ 500 – **23 hab** 4000/6500
PA 2925.

⌂ Londres, Calvo Sotelo 153 ✆ 53 24 56, Fax 53 30 06 – **20 hab.**

SARRIÓN 44460 Teruel 443 L 27 – 1 116 h. – ✆ 978.
◆Madrid 338 – Castellón de la Plana/Castelló de la Plana 118 – Teruel 37 – ◆Valencia 109.

⌂ Atalaya, carret. N 234 ✆ 78 04 59 – Ⓟ – **15 hab.**

⌂ **El Asturiano,** carret. N 234 ✆ 78 10 00 – TV ☎ 🚗 Ⓟ. ⊘
Com 1200 – ☕ 300 – **15 hab** 3000/4500 – PA 2295.

en La Escaleruela E : 9 km – ✉ 44460 Sarrión – ✆ 974 :

✕ **La Escaleruela,** ✆ 78 01 40, Decoración rústica, ⛲ – Ⓟ. ⊘
cerrado del 24 al 31 de diciembre – Com carta 1500 a 2550.

SEGOVIA 40000 P 442 J 17 – 53 237 h. alt. 1 005 – ✆ 921.
Ver : Emplazamiento★★ - Acueducto romano★★★ BY – Ciudad vieja★★ : Catedral★★ AY (claustro
tapices★) – Plaza de San Martín★ (iglesia de San Martín★) BY 78 – Iglesia de San Esteban : (torre
AX – Alcázar★ AX - Iglesia de San Millán★ BY – Monasterio de El Parral★ AX.
Alred. : La Granja de San Ildefonso★ (Palacio : Museo de Tapices★★, jardines★★ : surtidores★
SE : 11 km por ③ – Palacio de Riofrío★ S : 11 km por ⑤.
ℹ pl. Mayor 10, ✉ 40001, ✆ 43 03 28, Fax 44 27 34 – R.A.C.E. pl. Ezequiel González 24, ✉ 4000
✆ 44 36 26.
◆Madrid 87 ④ – Ávila 67 ⑤ – ◆Burgos 198 ② – ◆Valladolid 110 ①.

Plano página siguiente

🏨 **Los Arcos,** paseo de Ezequiel González 26, ✉ 40002, ✆ 43 74 62, Telex 4982
Fax 42 81 61 – |≑| ▤ TV ☎ 🚗 – 👥 25/225. AE ⓓ E VISA JCB. ⊘ BY
Com (ver rest. **La Cocina de Segovia**) – ☕ 975 – **59 hab** 8000/11500.

🏨 **Infanta Isabel** sin rest, Isabel la Católica 1, ✉ 40001, ✆ 44 31 05, Fax 43 32 40 – |≑|
TV ☎ 🚗 – 👥 25. AE ⓓ E VISA. ⊘ – ☕ 800 – **29 hab** 7000/10300. BY

🏨 **Acueducto,** av. del Padre Claret 10, ✉ 40001, ✆ 42 48 00, Fax 42 84 46 – |≑| ▤ TV
🚗 – 👥 25/200. E VISA. ⊘ BY
Com 2400 – ☕ 700 – **78 hab** 6000/9000 – PA 4675.

🏨 **Los Linajes** § sin rest, con cafetería, Dr. Velasco 9, ✉ 40003, ✆ 43 17 12, Fax 43 15 C
– |≑| TV ☎ 🚗 – 👥 25/200. AE ⓓ E VISA. ⊘ AX
☕ 725 – **55 hab** 6800/10500.

🏨 **Las Sirenas** sin rest y sin ☕, Juan Bravo 30, ✉ 40001, ✆ 43 40 11, Fax 43 06 33 – |≑|
TV ☎. AE ⓓ E VISA JCB. ⊘ BY
39 hab 5000/7500.

🏨 **Corregidor,** carret. de Ávila 1, ✉ 40002, ✆ 42 57 61, Fax 44 24 36 – |≑| TV ☎ – 👥 25/7
E VISA. ⊘ BY
Com 1325 – ☕ 500 – **54 hab** 4750/6800 – PA 2650.

🏠 **Don Jaime** sin rest, Ochoa Ondátegui 8, ✉ 40001, ✆ 44 47 87 – TV ☎. E VISA BY
☕ 325 – **16 hab** 2800/4800.

✕✕✕ **La Cocina de Segovia,** paseo de Ezequiel González, 26, ✉ 40002, ✆ 43 74 6
Fax 42 81 61 – ▤ 🚗. AE ⓓ E VISA JCB. ⊘ BY
Com carta 3150 a 4600.

✕✕ **Mesón de Cándido,** pl. Azoguejo 5, ✉ 40001, ✆ 42 59 11, Fax 42 81 03, « Casa del sig
XV, decoración castellana » – ▤. AE ⓓ E VISA. ⊘ BY
Com carta 3200 a 3900.

✕✕ **José María,** Cronista Lecea 11, ✉ 40001, ✆ 43 44 84, Fax 42 88 19 – ▤. AE ⓓ E VIS
Com carta 2600 a 4500. BY

✕✕ **Duque,** Cervantes 12, ✉ 40001, ✆ 43 05 37, Fax 44 12 66, « Decoración castellana » – ▤
AE ⓓ E VISA JCB BY
Com carta 2990 a 4705.

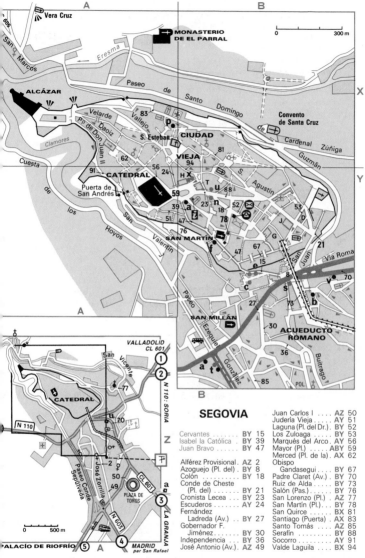

SEGOVIA

Cervantes	BY	15
Isabel la Católica	BY	39
Juan Bravo	BY	47

Alférez Provisional	AZ	2
Azoguejo (Pl. del)	BY	8
Colón	BY	18
Conde de Cheste		
(Pl. del)	BY	21
Cronista Lecea	BY	23
Escuderos	AY	24
Fernández		
Ladreda (Av.)	BY	27
Gobernador F.		
Jiménez	BY	30
Independencia	BY	36
José Antonio (Av.)	AZ	49

Juan Carlos I	AZ	50
Judería Vieja	AY	51
Laguna (Pl. del Dr.)	BY	52
Los Zuloaga	BY	53
Marqués del Arco	AY	56
Mayor (Pl.)	ABY	59
Merced (Pl. de la)	AX	62
Obispo		
Gandasegui	BY	67
Padre Claret (Av.)	BY	70
Ruiz de Alda	BY	73
Salón (Pas.)	BY	76
San Lorenzo (Pl.)	AZ	77
San Martín (Pl.)	BY	78
San Quirce	BX	81
Santiago (Puerta)	AX	83
Santo Tomás	AZ	85
Serafín	BY	88
Socorro	BY	91
Valde Laguila	BX	94

※ **El Bernardino,** Cervantes 2, ⊠ 40001, ℰ 43 32 25, Fax 43 17 41 – ▤. ◪ ① Ε 𝑉𝐼𝑆𝐴 ᴊᴄʙ. ✻
cerrado 9 enero-5 febrero – Com carta 2125 a 3475.
BY **e**

※ **Mesón Mayor,** pl. Mayor 3, ⊠ 40001, ℰ 42 89 42, Fax 42 00 94, ⇔ – ▤. ◪ 𝑉𝐼𝑆𝐴. ✻
Com carta 2900 a 3750.
BY **x**

※ **Solaire,** Santa Engracia 3, ⊠ 40001, ℰ 43 55 25 – ▤. ◪ ① 𝑉𝐼𝑆𝐴. ✻
Com carta 2400 a 3400.
BY **c**

※ **La Oficina,** Cronista Lecea 10, ⊠ 40001, ℰ 43 16 43, Decoración castellana – ◪ ① Ε
𝑉𝐼𝑆𝐴 ᴊᴄʙ
Com carta 2050 a 3550.
BY **n**

※ **Mesón de los Gascones,** av. del Padre Claret 14, ⊠ 40001, ℰ 42 10 95 – ▤. ◪ Ε 𝑉𝐼𝑆𝐴
ᴊᴄʙ. ✻
cerrado lunes – Com carta 2050 a 4250.
AZ **u**

409

X **La Taurina,** pl. Mayor 8, ⌧ 40001, 𝒫 43 05 77, Fax 43 74 86, Decoración castellana –
⓪ 🄴 𝘝𝘐𝘚𝘈 𝐉𝐂𝐁. 🎇 – Com carta 2650 a 3400. BY

X **Solaire 2,** carret. de Palazuelos, ⌧ 40004, 𝒫 42 10 63, Fax 44 45 42, 😭 – 🄰🄴 ⓪ 🄴 𝘝𝘐𝘚𝘈.
Com carta 2200 a 4150. AZ

en la carretera N 601 por ① : 3 km – ⌧ 40003 Segovia – ✪ 921 :

🏨 **Parador de Segovia** 🐾, 𝒫 44 37 37, Telex 47913, Fax 43 73 62, ≤ Segovia y sierra
Guadarrama, 𝙇𝒅, 🔳, 🔳, 🎇 – 🛗 🔳 📺 ☎ 🚙 🄿 – 🏛 25/300. 🄰🄴 ⓪ 𝘝𝘐𝘚𝘈 🎇
Com 3500 – 🖙 1200 – **113 hab** 15000 – PA 6970.

en la carretera N 110 por ② – ⌧ 40196 La Lastrilla – ✪ 921 :

🏨 **Puerta de Segovia,** 2,8 km 𝒫 43 71 61, Telex 22336, Fax 43 79 63, 𝙇𝒅, 🔳, 🎇 – 🛗 🔳
☎ 🚙 🄿 – 🏛 25/1000. 🄰🄴 ⓪ 🄴 𝘝𝘐𝘚𝘈. 🎇
Com 2580 – 🖙 755 – **205 hab** 6065/10070 – PA 5025.

🏨 **Avenida del Sotillo,** 3 km 𝒫 44 54 14, Fax 435 669 – 🛗 🔳 📺 ☎ 🚙 🄿. 🄴 𝘝𝘐𝘚𝘈. 🎇 ▸
Com 1350 – 🖙 600 – **29 hab** 5000/7000 – PA 2650.

🏠 **Venta Magullo,** 2,5 km 𝒫 43 50 11, Fax 44 07 63, 𝙇𝒅 – 🔳 📺 ☎ 🚙 🄿. 🄰🄴 🄴 𝘝𝘐𝘚𝘈.
Com *(cerrado 9 diciembre-3 enero)* 1100 – 🖙 235 – **65 hab** 4200/6000 – PA 2000.

SEGUR DE CALAFELL Tarragona – ver Calafell.

SELLÉS o **CELLERS** 25631 Lérida 𝟦𝟦𝟥 F 32 – alt. 325 – ✪ 973.
♦Madrid 551 – ♦Lérida/Lleida 82.

🏨 **Terradets** sin rest, carret. C 147 𝒫 65 11 20, Fax 65 13 04, ≤, 🔳 – 🛗 🔳 📺 ☎ 🚙
🄰🄴 ⓪ 🄴 𝘝𝘐𝘚𝘈. 🎇 – 🖙 700 – **40 hab** 4200/6000.

La SÉNIA Tarragona – ver La Cenia.

SEO DE URGEL o **La SEU D'URGELL** 25700 Lérida 𝟦𝟦𝟥 E 34 – 10 681 h. alt. 700 – ✪ 9
Ver : Catedral de Santa María★★ (claustro★, museo diocesano★ : Beatus★★), retablo de la Abe
de la Conca★.
🛈 av. Valira, 𝒫 35 15 11, Fax 35 01 65.
♦Madrid 602 – ♦Andorra la Vieja 20 – ♦Barcelona 200 – ♦Lérida/Lleida 133.

🏨 **Parador de la Seo de Urgel,** Santo Domingo 6 𝒫 35 20 00, Fax 35 23 09, 🔳 – 🛗 🔳 ▮
☎ 🚙 – 🏛 25/60. 🄰🄴 ⓪ 𝘝𝘐𝘚𝘈. 🎇
Com 3200 – 🖙 1100 – **77 hab** 11000, 1 suite – PA 6375.

🏨 **Nice,** av. Pau Claris 4 𝒫 35 21 00, Fax 35 12 21 – 🛗 🔳 rest 📺 ☎ 🚙. 🄰🄴 ⓪ 𝘝𝘐𝘚𝘈.
Com 1350 – 🖙 700 – **51 hab** 3750/5850, 5 suites – PA 3400.

🏠 **Avenida** sin rest, av. Pau Claris 24 𝒫 35 01 04, Fax 35 35 45 – 🛗 📺 ☎. 🄰🄴 ⓪ 🄴 𝘝𝘐𝘚𝘈. ◂
🖙 500 – **47 hab** 5500/6500.

🏠 **Duc d'Urgell** sin rest y sin 🖙, Josep de Zulueta 43 𝒫 35 21 95 – 🛗. 𝘝𝘐𝘚𝘈. 🎇
36 hab 3300/4600.

X **Mesón Teo,** av. Pau Claris 38 𝒫 35 10 29 – 🔳. 🎇
cerrado lunes, domingo noche, del 1 al 20 junio y 23 diciembre-2 enero – Com carta 27
a 4575.

en Castellciutat SO : 1 km – ⌧ 25710 Castellciutat – ✪ 973 :

🏨 ✿ **El Castell** 🐾, carret. N 260, ⌧ apartado 53 Seo de Urgel, 𝒫 35 07 04, Fax 35 15 7
≤ valle, Seo de Urgel y montañas, « 🔳 rodeada de césped », – 🔳 📺 ☎ 🄿 – 🏛 25/7
🄰🄴 ⓪ 🄴 𝘝𝘐𝘚𝘈. 🎇 rest
Com *(cerrado 15 enero-15 febrero)* carta 4200 a 6800 – 🖙 1400 – **37 hab** 10000/1450
1 suite
Espec. Raviolis de cigalas con mousse de calabacín, Rissotto de bogavante con "moixernor
y trufa, Las manitas de cerdo rellenas de ceps y trufas de Fígols.

🏠 **La Glorieta** 🐾, Afueras 𝒫 35 10 45, Fax 35 42 61, ≤ valle y montañas, 🔳 – 🛗 ☎ 🄿.
⓪ 🄴 𝘝𝘐𝘚𝘈. 🎇
Com *(cerrado lunes)* 1500 – 🖙 700 – **27 hab** 3500/7000 – PA 3315.

SEPÚLVEDA 40300 Segovia 𝟦𝟦𝟤 I 18 – 1 590 h. alt. 1 014 – ✪ 921.
Ver : Emplazamiento★.
♦Madrid 123 – Aranda de Duero 52 – ♦Segovia 59 – ♦Valladolid 107.

X **Cristóbal,** Conde Sepúlveda 9 𝒫 54 01 00, Fax 54 01 00, Decoración castellana – 🔳.
⓪ 𝘝𝘐𝘚𝘈. 🎇
cerrado martes, del 1 al 15 de septiembre y del 15 al 30 de diciembre – Com carta 260
a 3400.

X **Casa Paulino,** Calvo Sotelo 2 𝒫 54 00 16 – 🔳. 🄰🄴 ⓪ 🄴 𝘝𝘐𝘚𝘈. 🎇
cerrado lunes (salvo agosto), 20 junio-10 julio y del 10 al 30 de noviembre – Com car
2000 a 3100.

SERRADUY 22483 Huesca 🔢🔢🔢 F 31 - alt. 917 - ۞ 974.
Alred. : Roda de Isábena (enclave montañoso, Catedral : sepulcro de San Ramón*).
◆Madrid 508 - Huesca 118 - ◆Lérida/Lleida 100.

🏠 **Casa Peix** 🦢, ℰ 54 07 38, 🔥 - 🅿. 𝘝𝘐𝘚𝘈. ⚹⚹ rest
Semana Santa -1 noviembre – Com 1350 - ⌑ 400 - **26 hab** 3000/5500 - PA 2480.

SES FIGUERETES (Playa de) Baleares - ver Baleares (Ibiza) : Ibiza.

SES ILLETAS Baleares - ver Baleares (Formentera) : Es Pujols.

S'ESTANYOL (Playa de) Baleares - ver Baleares (Ibiza) : San Antonio de Portmany.

SESTAO 48910 Bilbao 🔢🔢 C 20 y 21 - 34 250 h. alt. 67 - ۞ 94.
◆ Madrid 406 - ◆ Bilbao/Bilbo 16 - ◆ Santander 96.
⚹⚹ Edurmendi, Gran Vía 3 ℰ 496 79 71 - ▤.

SETCASAS o **SETCASES** 17869 Gerona 🔢🔢🔢 E 36 - 148 h. - ۞ 972 - Deportes de invierno
en Vallter ✍5.
◆Madrid 710 - ◆Barcelona 138 - Gerona/Girona 91.

🏠 **La Coma** 🦢, ℰ 74 05 58, Fax 74 12 65, ≤, 🔥, 🌳 - 🕿 🅿. 𝘝𝘐𝘚𝘈. ⚹⚹
Com 1700 - ⌑ 500 - **20 hab** 5300 - PA 3300.

La SEU D'URGELL Lérida - ver Seo de Urgel.

SEVILLA 41000 🅿 🔢🔢🔢 T 11 y 12 - 653 833 h. alt. 12 - ۞ 95.
Ver : Giralda*** BX - Catedral*** (retablo Capilla Mayor**, Capilla Real**) BX - Reales
Alcázares*** BXY (Cuarto del Almirante : retablo de la Virgen de losMareantes* - Palacio de
Pedro el Cruel*** : (bóveda** del Salón de Embajadores ;) Palacio de Carlos V : tapices** ;
Jardines*) - Barrio de Santa Cruz** BCX - Museo de Bellas Artes** AV - Casa de Pilatos**
(azulejos**, cúpula de la escalera*)CX - Parque de María Luisa** FR (Museo Arqueológico **M2** :
tesoro de Carambolo*) - Hospital de la Caridad* BY.
🏌 e Hipódromo del Club Pineda FS ℰ 461 14 00 - 🏌 Club Las Minas (Aznalcázar) SO : 25 km
por ④ ℰ 575 04 14.
⌖ de Sevilla-San Pablo por ① : 14 km ℰ 451 61 11 - Iberia : Almirante Lobo 2 ⊠ 41001,
ℰ 422 89 01, BX.
🚆 Santa Justa ℰ 453 86 86.
🚢 Cia. Trasmediterránea : av. Bonanza 2, ⊠ 41012, ℰ 462 43 11.
🛈 av. de la Constitución 21 B ⊠ 41004, ℰ 422 14 04 y paseo de Las Delicias, ⊠ 41012, ℰ 423 44 65
- **R.A.C.E.** (R.A.C. de Andalucía) av. Eduardo Dato 22, ⊠ 41002, ℰ 463 13 50.
◆Madrid 550 ① - ◆La Coruña/A Coruña 950 ⑤ - ◆Lisboa 417 ⑤ - ◆Málaga 217 ② - ◆Valencia 682 ①.

Planos páginas siguientes

🏨🏨🏨 **Alfonso XIII,** San Fernando 2, ⊠ 41004, ℰ 422 28 50, Telex 72725, Fax 421 60 33, 🌇,
« Majestuoso edificio de estilo andaluz », 🔥, 🌳 - 🛗 ▤ 📺 🕿 ⟷ 🅿 - 🔬 25/500. 🅰🅴
⊙ 🅴 𝘝𝘐𝘚𝘈 𝘑𝘤𝘣. ⚹⚹   BY **c**
Com 6800 - ⌑ 2225 - **130 hab** 28000/38000, 19 suites.

🏨🏨🏨 **Príncipe de Asturias Radisson H. Sevilla** 🦢, Isla de La Cartuja, ⊠ 41092, ℰ 446 22 22,
Fax 446 04 28, 🔥 - 🛗 ▤ 📺 🕿 ⟷ - 🔬 25/900. 🅰🅴 ⊙ 🅴 𝘝𝘐𝘚𝘈. ⚹⚹ rest   FP **n**
Com 3500 - ⌑ 1500 - **288 hab** 17000/21000, 7 suites.

🏨🏨 **Tryp Colón,** Canalejas 1, ⊠ 41001, ℰ 422 29 00, Telex 72726, Fax 422 09 38, 🍸 - 🛗 ▤
📺 🕿 ⟷ - 🔬 25/240. 🅰🅴 ⊙ 🅴 𝘝𝘐𝘚𝘈 𝘑𝘤𝘣. ⚹⚹   AX **s**
Com 4100 - ⌑ 1500 - **203 hab** 14400/18000, 15 suites - PA 7760.

🏨🏨 **Meliá Lebreros,** Luis Morales 2, ⊠ 41005, ℰ 457 94 00, Telex 72772, Fax 457 27 26, 🌇,
🍸, 🔥 - 🛗 ▤ 📺 🕿 ⟷ - 🔬 25/500. 🅰🅴 ⊙ 🅴 𝘝𝘐𝘚𝘈. ⚹⚹   FR **v**
Com (ver rest. La Dehesa) - ⌑ 1500 - **439 hab** 11350/15350.

🏨🏨 **Meliá Sevilla,** Doctor Pedro de Castro 1, ⊠ 41004, ℰ 442 15 11, Telex 73094,
Fax 442 16 08, 🔥 - 🛗 ▤ 📺 🕿 ⟷ - 🔬 25/1000. 🅰🅴 ⊙ 🅴 𝘝𝘐𝘚𝘈. ⚹⚹   FR **n**
cerrado julio y agosto - Com 3500 - ⌑ 1500 - **361 hab** 28000/32500, 5 suites - PA 7225.

🏨🏨 **Porta Coeli,** av. Eduardo Dato 49, ⊠ 41018, ℰ 453 35 00, Telex 72913, Fax 453 23 42, ⛉
- 🛗 ▤ 📺 🕿 ⟷ - 🔬 25/700. 🅰🅴 ⊙ 🅴 𝘝𝘐𝘚𝘈. ⚹⚹   FR **a**
Com (ver rest. **Florencia**) - ⌑ 1200 - **241 hab** 9500/16000, 3 suites.

🏨🏨 **Sol Macarena,** San Juan de Ribera 2, ⊠ 41009, ℰ 437 58 00, Telex 72815, Fax 438 18 03,
🔥 - 🛗 ▤ 📺 🕿 - 🔬 25/500. 🅰🅴 ⊙ 🅴 𝘝𝘐𝘚𝘈. ⚹⚹   FR **e**
Com carta aprox. 3450 - ⌑ 1500 - **317 hab** 12500/15150, 10 suites.

🏨🏨 **Occidental Sevilla,** av. Kansas City, ⊠ 41018, ℰ 458 20 00, Fax 458 46 15, 🔥 - 🛗 ▤
📺 🕿 ⟷ - 🔬 25/320. 🅰🅴 ⊙ 🅴 𝘝𝘐𝘚𝘈 𝘑𝘤𝘣. ⚹⚹   FR **s**
Com (ver rest. **Florencia Pórtico**) - ⌑ 1200 - **228 hab** 21000/25000, 14 suites.

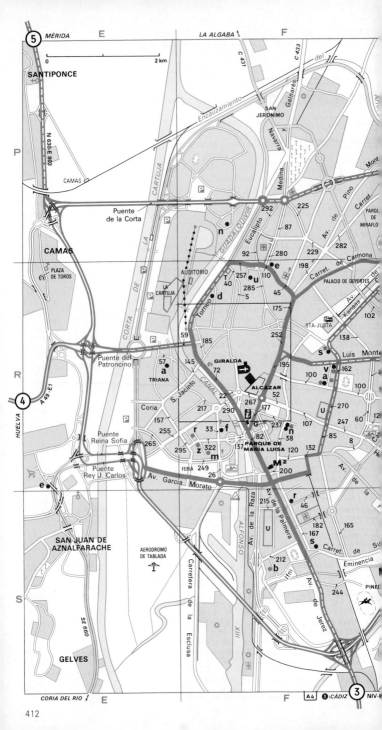

Map labels:
BRENES
G
de Pino Montano
Carret.
Miraflores
VALDEZORRAS
SIQUIATRICO
de
P
MADRID
SAN PABLO
N IV-E 5
535
Tamarguillo
de S. Pablo
Secoya
PARQUE ALCOSA
Av. Aeropuerto
537
536
a
PALACIO DE CONGRESOS
Carret. de
Amarilla
SEVILLA ESTE
305
Carret.
Su Eminencia
POLIGONO AEROPUERTO
R
A 92-N 334
MALAGA
MERCASEVILLA
Av. de Andalucia
V
2
117
50
Amor
MICHELIN
275
PARQUE AMATE
Muñoz León
U
170
LA NEGRILLA
142
POLIGONO INDUSTRIAL EL PINO
de Toledo
Guadaira
Guadalquivir
S
UNIVERSIDAD LABORAL
Bajo
b
Canal del
SE 401
G
UTRERA

*En esta guía,
un mismo símbolo
en rojo o en **negro**
una misma palabra
en fino o en **grueso**,
no significan lo mismo.*

*Lea atentamente los detalles
de la introducción.*

SEVILLA

*Nuestras guías de hoteles,
nuestras guías turísticas
y nuestros mapas
de carreteras
son complementarios.
Utilícelos conjuntamente.*

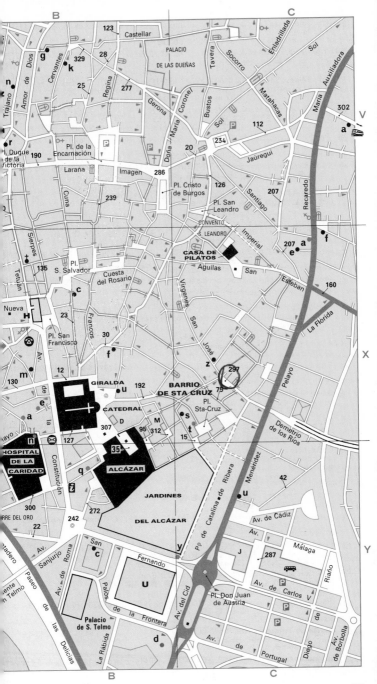

NH Ciudad de Sevilla, av. Manuel Siurot 25, ✉ 41013, ℰ 423 05 05, Fax 423 85 39, – |≡| 🗐 📺 ☎ ⇦⇨ – 🛗 25/300. 🆎 ⓞ Ɛ 𝘝𝘐𝘚𝘈 𝙅𝘊𝘽. ⚅ rest   FS
Com carta 3800 a 4700 – ☲ 1400 – **90 hab** 12000/18000, 4 suites.

Inglaterra, pl. Nueva 7, ✉ 41001, ℰ 422 49 70, Telex 72244, Fax 456 13 36 – |≡| 🗐 📺 ⇦⇨. 🆎 ⓞ Ɛ 𝘝𝘐𝘚𝘈 𝙅𝘊𝘽. ⚅ rest   AX
Com *(cerrado agosto)* 3000 – ☲ 750 – **113 hab** 16000/23000.

Los Seises, Segovia, ✉ 41004, ℰ 422 94 95, Fax 422 43 34, « Instalado en el tercer pa del Palacio Arzobispal », ⤴ – |≡| 🗐 📺 ☎ – 🛗 25/100. 🆎 ⓞ Ɛ 𝘝𝘐𝘚𝘈. ⚅   BX
Com 3000 – ☲ 1100 – **37 hab** 12000/15000, 5 suites – PA 6885.

Sevilla Congresos, av. Montes Sierra, ✉ 41020, ℰ 425 90 00, Telex 73224, Fax 425 95 (🛁, ⤴ – |≡| 🗐 📺 ⇦⇨ Ⓟ – 🛗 25/270. 🆎 ⓞ Ɛ 𝘝𝘐𝘚𝘈. ⚅ rest   GP
Com 2500 – ☲ 1500 – **202 hab** 10000/13000, 16 suites – PA 5200.

Pasarela sin rest, av. de la Borbolla 11, ✉ 41004, ℰ 441 55 11, Telex 72486, Fax 442 07 2 🛁 – |≡| 🗐 📺 ☎. 🆎 ⓞ Ɛ 𝘝𝘐𝘚𝘈. ⚅   FR
☲ 1000 – **77 hab** 10500/16000, 5 suites.

G. H. Lar, pl. Carmen Benítez 3, ✉ 41003, ℰ 441 03 61, Telex 72816, Fax 441 04 52 – 🗐 📺 ☎ ⇦⇨ – 🛗 25/250. 🆎 ⓞ Ɛ 𝘝𝘐𝘚𝘈. ⚅   CX
Com 2600 – ☲ 1100 – **129 hab** 12500/18000, 8 suites – PA 4900.

Husa Sevilla, Pagés del Corro 90, ✉ 41010, ℰ 434 24 12, Fax 434 27 07 – |≡| 🗐 📺 ⇦⇨ – 🛗 25/220. 🆎 Ɛ 𝘝𝘐𝘚𝘈 𝙅𝘊𝘽. ⚅   AY
Com 3250 – ☲ 1100 – **112 hab** 10500/16000, 16 suites – PA 6400.

NH Plaza de Armas, av. Marqués de Paradas, ✉ 41001, ℰ 490 19 92, Fax 490 12 3 ⤴ climatizada – |≡| 🗐 📺 ☎ ⇦⇨ – 🛗 25/150. 🆎 ⓞ Ɛ 𝘝𝘐𝘚𝘈 𝙅𝘊𝘽. ⚅ rest   AV
Com 3000 – ☲ 1200 – **260 hab** 9200/14000, 2 suites.

Armendariz, av. de Su Eminencia 15, ✉ 41013, ℰ 423 29 60, Fax 423 42 30 – |≡| 🗐 🗖 ☎ Ⓟ ⇦⇨ – 🛗 25/150. 🆎 ⓞ Ɛ 𝘝𝘐𝘚𝘈. ⚅   FS
Com carta 2800 a 5200 – **89 apartamentos** ☲ 12000/16000.

Emperador Trajano, José Laguillo 8, ✉ 41003, ℰ 441 11 11, Fax 453 57 02 – |≡| 🗐 🗖 ☎ ⇦⇨ – 🛗 25/150. 🆎 ⓞ Ɛ 𝘝𝘐𝘚𝘈 𝙅𝘊𝘽. ⚅   CV
Com 2000 – ☲ 1000 – **77 hab** 14500/16900.

San Gil sin rest, Parras 28, ✉ 41002, ℰ 490 68 11, Fax 490 69 39, « Instalado parcialmen en un edificio típico sevillano de principios de siglo, patio ajardinado », ⤴ – 🗐 📺 ☎. Ⓓ ⓞ Ɛ 𝘝𝘐𝘚𝘈. ⚅   FR
☲ 950 – **4 hab** 11200/12800, 5 suites, 30 apartamentos.

Álvarez Quintero sin rest, Álvarez Quintero 9, ✉ 41004, ℰ 422 12 98, Fax 456 41 41 – |⁝ 🗐 📺 ☎ ⇦⇨ – **40 hab.**   BX

Giralda, Sierra Nevada 3, ✉ 41003, ℰ 441 66 61, Telex 72417, Fax 441 93 52 – |≡| 🗐 🗖 ☎ – 🛗 25/250. 🆎 ⓞ Ɛ 𝘝𝘐𝘚𝘈 𝙅𝘊𝘽. ⚅   CX
Com 2000 – ☲ 950 – **90 hab** 13500/15900.

Derby sin rest, pl. del Duque 13, ✉ 41002, ℰ 456 10 88, Telex 72709, Fax 421 33 91, Terraz con ⇐ – |≡| 🗐 📺 ☎. 🆎 ⓞ Ɛ 𝘝𝘐𝘚𝘈.   BV
☲ 550 – **75 hab** 7000/9500.

Bécquer sin rest, Reyes Católicos 4, ✉ 41001, ℰ 422 89 00, Telex 72884, Fax 421 44 0 – |≡| 🗐 📺 ☎ ⇦⇨ – 🛗 25/45. 🆎 ⓞ Ɛ 𝘝𝘐𝘚𝘈. ⚅   AX ◂
☲ 750 – **120 hab** 10000/15000.

Doña María sin rest, Don Remondo 19, ✉ 41004, ℰ 422 49 90, Fax 421 95 46 « Decoración clásica elegante-Terraza con ⤴ y ⇐ » – |≡| 🗐 📺 ☎ – 🛗 25/40. 🆎 ⓞ 𝘝𝘐𝘚𝘈 𝙅𝘊𝘽. ⚅   BX ◂
☲ 1000 – **57 hab** 16000/24000, 2 suites.

Monte Triana sin rest, Clara de Jesús Montero 24, ✉ 41010, ℰ 434 31 11, Fax 434 33 2 – |≡| 🗐 📺 ☎ ⇦⇨ – 🛗 25/50. 🆎 Ɛ 𝘝𝘐𝘚𝘈. ⚅   ER ◂
☲ 600 – **117 hab** 7000/10000.

Alcázar sin rest, Menéndez Pelayo 10, ✉ 41004, ℰ 441 20 11, Telex 72360, Fax 442 16 5 – |≡| 🗐 📺 ☎ ⇦⇨. 🆎 Ɛ 𝘝𝘐𝘚𝘈. ⚅   CY ◂
99 hab ☲ 6000/12000, 1 suite.

Fernando III, San José 21, ✉ 41004, ℰ 421 77 08, Telex 72491, Fax 422 02 46, ⤴ – |≡ 🗐 📺 ☎ ⇦⇨ – 🛗 25/250. 🆎 ⓞ Ɛ 𝘝𝘐𝘚𝘈. ⚅ rest   CX ◂
Com 2300 – ☲ 890 – **156 hab** 7800/10980, 1 suite.

América sin rest, con cafetería, Jesús del Gran Poder 2, ✉ 41002, ℰ 422 09 51 Telex 72709, Fax 421 06 26 – |≡| 🗐 📺 ☎. 🆎 ⓞ Ɛ 𝘝𝘐𝘚𝘈. ⚅   BV ◂
☲ 550 – **100 hab** 9500.

Hispalis, av. de Andalucía 52, ✉ 41006, ℰ 452 94 33, Telex 73208, Fax 467 53 13 – |≡| 🗐 📺 Ⓟ ☎ – 🛗 25/40. 🆎 ⓞ Ɛ 𝘝𝘐𝘚𝘈 𝙅𝘊𝘽. ⚅   GR
Com carta aprox. 3650 – ☲ 550 – **67 hab** 8900/11500, 1 suite.

Puerta de Triana sin rest, Reyes Católicos 5, ✉ 41001, ℰ 421 54 04, Fax 421 54 01 – |≡ 🗐 📺 ☎. 🆎 ⓞ Ɛ 𝘝𝘐𝘚𝘈 𝙅𝘊𝘽. ⚅   AX
☲ 300 – **65 hab** 6500/9000.

Regina sin rest, San Vicente 97, ✉ 41002, ℰ 490 75 75, Fax 490 75 62 – |≡| 🗐 📺 ☎ ⇦⇨ 🆎 ⓞ Ɛ 𝘝𝘐𝘚𝘈. ⚅   FR ◂
☲ 800 – **70 hab** 7500/11000, 2 suites.

Monte Carmelo sin rest, Turia 7, ✉ 41011, ✆ 427 90 00, Telex 73195, Fax 427 10 04 – 🛗 ▤ TV ☎ 🚗. AE VISA — FR f
☕ 600 – **68 hab** 7000/10000.

Cervantes sin rest., Cervantes 10, ✉ 41003, ✆ 490 05 52, Fax 490 05 36 – 🛗 ▤ TV ☎ 🚗. AE ⓓ E VISA — BV k
☕ 800 – **46 hab** 9200/11500, 1 suite.

La Rábida, Castelar 24, ✉ 41001, ✆ 422 09 60, Telex 73062, Fax 422 43 75, 🏛 – 🛗 ▤ hab TV ☎. AE E VISA. ✻ rest — AX d
Com 1750 – ☕ 350 – **100 hab** 5000/8000 – PA 3250.

Corregidor sin rest, Morgado 17, ✉ 41003, ✆ 438 51 11, Fax 437 61 02 – 🛗 ▤ TV ☎. AE ⓓ E VISA JCB — BV g
☕ 450 – **77 hab** 8000/12000, 1 suite.

Venecia sin rest, Trajano 31, ✉ 41002, ✆ 438 11 61, Fax 490 19 55 – 🛗 ▤ TV ☎ 🚗. AE E VISA. ✻ rest — BV n
☕ 500 – **24 hab** 5500/10000.

Murillo sin rest, Lope de Rueda 7, ✉ 41004, ✆ 421 60 95, Fax 421 96 16 – 🛗 ▤ ☎. AE ⓓ E VISA. ✻ — CX s
☕ 400 – **57 hab** 7000/12000.

Montecarlo, Gravina 51, ✉ 41001, ✆ 421 75 03, Telex 72729, Fax 421 68 25 – 🛗 ▤ rest TV ☎. AE ⓓ E VISA. ✻ — AX e
Com 1800 – ☕ 500 – **47 hab** 6000/8000, 4 suites – PA 3280.

Europa sin rest y sin ☕, Jimios 5, ✉ 41001, ✆ 421 43 05, Fax 421 00 16 – 🛗 ▤ TV ☏. AE E VISA — BX m
16 hab 8000/10000.

XX ✿ **Egaña Oriza,** San Fernando 41, ✉ 41004, ✆ 422 72 11, Fax 421 04 29, « Jardín de invierno » – ▤. AE ⓓ E VISA. ✻ — BY y
cerrado sábado mediodía, domingo y agosto – Com carta 4500 a 6000
Espec. Ensalada de perdiz escabechada al vinagre de vino (otoño-invierno), Salmorejo con ostras y jamón al aceite virgen, Lubina en salsa de pan y ajos.

XXX **Florencia,** av. Eduardo Dato 49, ✉ 41018, ✆ 453 35 00, Telex 72913, Fax 453 23 42, Decoración elegante – ▤. AE ⓓ E VISA. ✻ — FR a
cerrado agosto – Com carta 3700 a 6250.

XXX **Taberna del Alabardero** con hab, Zaragoza 20, ✉ 41001, ✆ 456 06 37, Fax 456 36 66, « Antigua casa palacio » – 🛗 ▤ TV ☎ 🚗. AE E VISA. ✻ — AX n
Com carta 4050 a 7000 – **7 hab** ☕ 15000/20000.

XXX **El Burladero,** Canalejas 1, ✉ 41001, ✆ 422 29 00, Telex 72726, Fax 422 09 38, Decoración evocando la tauromaquia – ▤. AE ⓓ E VISA. ✻ — AX a
cerrado agosto – Com carta 3200 a 3850.

XXX ✿ **Pello Roteta,** Farmacéutico Murillo Herrera 10, ✉ 41010, ✆ 427 84 17, Cocina vasca – ▤. AE ⓓ E VISA JCB. ✻ — AY y
cerrado domingo y 15 agosto-15 septiembre – Com carta aprox. 3900
Espec. Ensalada de mariscos con juliana de verduras en salsa de aguacate, Blanqueta de rape con colas de cigalitas, Gelatina de frutas frescas.

XXX **Florencia Pórtico,** av. Kansas City, ✉ 41018, ✆ 458 20 00, Fax 458 46 15 – ▤. AE ⓓ E VISA. ✻ — FR s
cerrado agosto – Com carta 3800 a 6200.

XXX La Dehesa, Luis Morales 2, ✉ 41005, ✆ 457 94 00, Telex 72772, Fax 458 23 09, Decoración típica andaluza, Carnes a la brasa – ▤ — FR v

XXX **Rincón de Curro,** Virgen de Luján 45, ✉ 41011, ✆ 445 02 38, Fax 422 17 52 – ▤. AE ⓓ VISA. ✻ — FR z
cerrado domingo y agosto – Com carta 4100 a 5000.

XX **Ox's,** Betis 61, ✉ 41010, ✆ 427 95 85, Fax 427 84 65, Cocina vasca – ▤. AE ⓓ E VISA — AY b
cerrado domingo en verano, domingo noche en invierno y agosto – Com carta aprox.5500.

XX **La Isla,** Arfe 25, ✉ 41001, ✆ 421 26 31, Fax 456 22 19 – ▤. AE ⓓ E VISA. ✻ — BX a
cerrado lunes y 15 agosto-15 septiembre – Com carta 4100 a 6100.

XX **Río Grande,** Betis, ✉ 41010, ✆ 427 39 56, Fax 427 98 46, ≤, 🏛, « Amplia terraza a la orilla del río » – ▤. AE ⓓ E VISA JCB. ✻ — AY r
Com carta aprox. 4100.

XX **Figón del Cabildo,** pl. del Cabildo, ✉ 41001, ✆ 422 01 17, Fax 422 17 52 – ▤. AE ⓓ E VISA. ✻ — BX e
cerrado domingo y agosto – Com carta 3700 a 5300.

XX **Jamaica,** Jamaica 16, ✉ 41012, ✆ 461 12 44, Fax 461 10 50 – ▤. AE ⓓ E VISA JCB. ✻ — FS b
cerrado domingo y agosto – Com carta aprox. 4400.

XX **Enrique Becerra,** Gamazo 2, ✉ 41001, ✆ 421 30 49, Fax 422 70 93 – ▤. AE ⓓ E VISA. ✻ — BX b
cerrado domingo – Com carta aprox. 3500.

XX **La Albahaca,** pl. Santa Cruz 12, ✉ 41004, ✆ 422 07 14, Fax 456 12 04, 🏛, « Instalado en una antigua casa señorial » – ▤. AE ⓓ E VISA JCB. ✻ — CX t
cerrado domingo – Com carta 4200 a 5800.

XX **Rincón de Casana,** Santo Domingo de la Calzada 13, ⊠ 41018, ℘ 453 17 1
Fax 464 49 74, Decoración regional – 🗐, 🖭 ◑ 🗉 𝑉𝐼𝑆𝐴. 🛠
FR
cerrado domingo en julio-agosto – Com carta 3300 a 4600.

XX **La Raza,** av. Isabel la Católica 2, ⊠ 41013, ℘ 423 38 30, Fax 423 20 24, ≼, 🌣 – 🗐.
◑ 🗉 𝑉𝐼𝑆𝐴
BY
cerrado lunes – Com carta aprox. 3950.

XX **El Mero,** Betis 1, ⊠ 41010, ℘ 433 42 52, Fax 433 49 24, Pescados y mariscos – 🗐, 🖭 (
🗉 𝑉𝐼𝑆𝐴. 🛠
AX
cerrado martes – Com carta 3410 a 4040.

XX **Manolo García,** Virgen de las Montañas 25, ⊠ 41011, ℘ 445 46 77 – 🗐. 🖭 ◑ 🗉 𝑉
𝐉𝐂𝐁. 🛠
FR
cerrado domingo – Com carta aprox. 3500.

XX **Bodegón El Riojano,** Virgen de las Montañas 12, ⊠ 41011, ℘ 445 06 82 – 🗐. 🖭 ◑ 𝑉
🛠
FR
Com carta 3500 a 4500.

X **El Cantábrico,** Jesús del Gran Poder 20, ⊠ 41002, ℘ 438 73 03 – 🗐. 🖭 🗉 𝑉𝐼𝑆𝐴. 🛠
BV
cerrado domingo – Com carta 2350 a 3200.

X **Don José,** av. Dr. Pedro Castro - edificio Portugal, ⊠ 41004, ℘ 441 44 02 – 🗐. 🖭 ◑
𝑉𝐼𝑆𝐴. 🛠
FR
cerrado domingo y 2ª quincena de agosto – Com carta 2600 a 3700.

X **Becerrita,** Recaredo 9, ⊠ 41003, ℘ 441 20 57, Fax 422 70 93 – 🗐. 🖭 ◑ 🗉 𝑉𝐼𝑆𝐴. 🛠
CX
cerrado domingo y agosto – Com carta 2900 a 4450.

X **Los Alcázares,** Miguel de Mañara 10, ⊠ 41004, ℘ 421 31 03, Fax 456 18 29, 🌣, Dec
ración regional – 🗐. 🖭 🗉 𝑉𝐼𝑆𝐴. 🛠
BY
cerrado domingo – Com carta 3250 a 4350.

X **Taberna del Postigo,** Tomás de Ibarra 2, ⊠ 41001, ℘ 421 61 91, Fax 422 17 52 – 🗐. 🖪
◑ 🗉 𝑉𝐼𝑆𝐴. 🛠
BX
Com carta 2500 a 3000.

en la carretera de Utrera - GS – ⊠ 41089 Sevilla – ✆ 95 :

🏩 **Palmera Real,** ℘ 412 41 11, Fax 412 43 44, 🏊, 🎾 – 🛗 🗐 📺 ☎ 🅿 – 🔬 25/300. 🖭 (
🗉 𝑉𝐼𝑆𝐴. 🛠 rest
GS
Com carta 2100 a 2800 – ⊑ 600 – **128 hab** 6400/8000, 6 suites.

en San Juan de Aznalfarache - ER y ES – ⊠ 41920 San Juan de Aznalfarache – ✆ 9

🏨 **Alcora** ⊗, carret. de Tomares ℘ 476 94 00, Fax 476 94 98, ≼, « Bonito patio con plantas »
𝄡, 🏊 – 🛗 🗐 📺 ☎ 🕭 ⇔ 🅿 – 🔬 25/600. 🖭 ◑ 🗉 𝑉𝐼𝑆𝐴. 🛠
ERS
Com carta aprox. 3200 – ⊑ 1000 – **366 hab** 11200/14000, 55 suites.

en Bellavista por ③ – ⊠ 41014 Sevilla – ✆ 95

🏨 **Bellavista Sevilla,** carret. N IV, 7 km ℘ 469 35 00, Fax 469 35 18, 🏊 – 🛗 🗐 📺 ☎ ⇔
🅿. 🖭 𝑉𝐼𝑆𝐴. 🛠 rest
Com 1400 – ⊑ 750 – **102 hab** 12000/16000, 2 suites.

🏨 **Doña Carmela,** av. de Jerez 14 - 5,5 km ℘ 469 29 03, Fax 469 34 37 – 🛗 🗐 📺 ☎ ⇔
🖭 𝑉𝐼𝑆𝐴. 🛠 rest
Com 1500 – **29 hab** ⊑ 6000/8500.

Ver también : *Benacazón* por ④ : 23 km
Sanlúcar la Mayor por ④ : 27 km.

S.A.F.E. Neumáticos MICHELIN, Sucursal, Polígono Industrial El Pino - carretera de Málaga kr
5,5, ⊠ 41016, GR ℘ 451 08 44 y 452 22 22, Fax 451 84 88

SIERRA BLANCA Málaga – ver Ojén.

SIERRA DE CAZORLA Jaén – ver Cazorla.

POUR VOYAGER EN EUROPE UTILISEZ :

les cartes Michelin grandes routes ;

les cartes Michelin détaillées ;

les guides Rouges Michelin *(hôtels et restaurants)* :

Benelux - Deutschland - España Portugal - Main Cities **Europe - France -
Great Britain and Ireland, Italia, Suisse.**

les guides Verts Michelin *(curiosités et routes touristiques)* :

**Allemagne - Autriche - Belgique - Canada - Espagne - Grèce - Hollande - Irlande - Italie -
Londres - Maroc - New York - Nouvelle Angleterre - Portugal - Rome - Suisse,**
... et la collection sur la France.

18196 Granada 446 U 19 – alt. 2 080 – 🕲 958 – Deportes de invierno 🎿 1 🎿7.

Madrid 461 – ◆Granada 32.

🏨 **Meliá Sierra Nevada,** pl. Pradollano 🖉 48 04 00, Telex 78507, Fax 48 04 58, ≤ – 🛗 📺
🕿 – 🔥 25/250. 🖭 ⑩ Ε 𝚅𝙸𝚂𝙰 𝙹𝙲𝙱. 🛠
diciembre-abril – Com (sólo cena, buffet) 3200 – 🖵 1200 – **221 hab** 12000/18500.

🏨 **Kenia Nevada,** 🖉 48 09 11, Fax 48 08 07, ≤, « Conjunto de estilo alpino », 🔏, 🖵 – 🛗
📺 🕿 ⇦. 🖭 ⑩ Ε 𝚅𝙸𝚂𝙰. 🛠
Com 2500 – 🖵 950 – **67 hab** 7850/14500 – PA 5055.

🏨 **Maribel** 🦶, Balcón de Pradollano 🖉 48 06 00, Fax 48 05 06, ≤, « Conjunto de estilo
alpino », 🔏 – 🛗 📺 🕿 🅿
23 hab.

🏨 **Meliá Sol y Nieve,** pl Pradollano 🖉 48 03 00, Telex 78507, Fax 48 08 54, ≤ – 🛗 📺 🕿
temp. – Com (sólo buffet) – **186 hab.**

🏨 **Navasur** 🦶, pl. Pradollano 🖉 48 03 50, Fax 48 03 65, ≤ Sierra Nevada y valle, 🖵 – 🛗 📺
🕿. 🖭 Ε 𝚅𝙸𝚂𝙰
cerrado 1 octubre-25 noviembre – Com 1500 – **65 hab** 🖵 10000/19200 – PA 4000.

🏨 **Santa Helena** 🦶 sin rest, edificio Muley Hacen 🖉 48 07 12, Fax 48 09 32, ≤ Sierra Nevada
y valle – 🛗 📺 🕿 ⇦. 🖭 ⑩ 𝚅𝙸𝚂𝙰
diciembre-abril – 🖵 950 – **40 hab** 15500/18500.

🏨 **Mont Blanc,** pl. Pradollano 🖉 48 06 50, Fax 48 06 11 – 📺 🕿
46 hab.

🕱🕱 **Ruta del Veleta Sierra Nevada,** edificio Bulgaria 🖉 48 12 01 – 🖭 ⑩ Ε 𝚅𝙸𝚂𝙰 𝙹𝙲𝙱. 🛠
Com carta aprox. 4050.

en la carretera del Pico de Veleta SE : 5,5 km – ⊠ 18196 Sierra Nevada – 🕲 958 :

🏨 Parador Sierra Nevada 🦶 (posible cierre por obras), alt. 2 500 🖉 48 02 00, Fax 48 02 12,
≤ – 📺 🕿 ⇦ 🅿.
32 hab.

en la carretera de Granada – ⊠ 18196 Sierra Nevada – 🕲 958 :

🏨 **Santa Cruz** 🦶, NO : 10 km. y desvío a la derecha 0,5 km 🖉 48 48 00, Fax 48 48 06, ≤,
🔏, 🔻, 🛠 – 🛗 🕾 🅿 – 🔥 25/250. 🖭 ⑩ Ε 𝚅𝙸𝚂𝙰 🛠
Com 1700 – 🖵 500 – **66 hab** 6600/11000.

🏨 **Don José y Rest. Los Jamones,** NO : 9 km 🖉 26 48 78, Fax (903) 15 94 58, ≤ – 📺 🅿.
🖭 ⑩ Ε 𝚅𝙸𝚂𝙰. 🛠
Com carta aprox. 2400 – 🖵 350 – **28 hab** 8000/9000.

46392 Valencia 445 N 27 – 🕲 96.

Madrid 298 – ◆Albacete 122 – Requena 19 – ◆Valencia 50.

en la antigua carretera N III SE : 5,5 km – ⊠ 46360 Buñol – 🕲 96 :

🕱 **Venta l'Home,** 🖉 250 35 15, Decoración rústica, Carnes, Casa de Postas del siglo XVII,
🔻 – 🅿. 🖭 ⑩ Ε 𝚅𝙸𝚂𝙰. 🛠
cerrado del 1 al 20 de junio y del 20 al 30 de noviembre – Com carta 2400 a 4250.

19250 Guadalajara 444 I 22 – 5 656 h. alt. 1 070 – 🕲 949.

Ver : Catedral★★ (Interior : puerta capilla de la Anunciación★, conjunto escultórico del crucero★★,
echo de la sacristía★ – cúpula de la capilla de las Reliquias★, púlpitos presbiterio★, crucifijo capilla
irola★, capilla del Doncel : sepulcro del Doncel★★).

Madrid 129 – ◆Guadalajara 73 – Soria 96 – ◆Zaragoza 191.

🏨 **Parador Castillo de Sigüenza** 🦶, 🖉 39 01 00, Fax 39 13 64, « Instalado en un castillo
medieval » – 🛗 🖿 📺 🕿 🅿 – 🔥 25/120. 🖭 ⑩ 𝚅𝙸𝚂𝙰. 🛠
Com 3200 – 🖵 1100 – **77 hab** 13000 – PA 6375.

🏨 **El Doncel,** paseo de la Alameda 3 🖉 39 00 01, Fax 39 00 80 – 🖿 rest 📺 🕿. ⑩ Ε 𝚅𝙸𝚂𝙰.
🛠
Com 1400 – 🖵 600 – **20 hab** 3500/5900 – PA 2720.

🏨 **El Motor,** Av. Juan Carlos I - 2 🖉 39 08 27, Fax 39 00 07 – 🖿 rest 📺 🕾 ⇦ 🅿. Ε 𝚅𝙸𝚂𝙰.
🛠
Com 900 – 🖵 300 – **18 hab** 3000/5500 – PA 2100.

🕱 **El Motor,** Calvo Sotelo 12 🖉 39 03 43, Fax 39 00 07 – 🖿. Ε 𝚅𝙸𝚂𝙰. 🛠
cerrado lunes, 15 días en abril y 15 días en septiembre – Com carta 2300 a 3200.

17410 Gerona 443 G 38 – 1 853 h. alt. 75 – 🕲 972.

Madrid 689 – ◆Barcelona 76 – Gerona/Girona 30.

🕱 **Hostal de la Granota,** carret. N II E : 1,5 km 🖉 85 30 44, Fax 85 31 85, 🍴, « Ambiente
típico catalán-Antigua casa de postas » – 🅿. 🖭 Ε 𝚅𝙸𝚂𝙰. 🛠
cerrado miércoles y 10 julio-10 agosto – Comida carta 2800 a 3400.

Baleares – ver Baleares (Mallorca).

SIMANCAS 47130 Valladolid **442** H 15 – 1 417 h. alt. 725 – ✆ 983.

♦Madrid 197 – Ávila 117 – ♦Salamanca 103 – ♦Segovia 125 – ♦Valladolid 11 – Zamora 85.

en la carretera del pinar SE : 4 km – ✉ 47130 Simancas – ✆ 983 :

XXX **El Bohío,** ℰ 59 00 55, Fax 59 00 55, 佘, « Lindando con un pinar al borde del Duero, ⅃ – 🗏 **Ⓟ**. **AE ① E VISA**. ⅃
cerrado lunes y martes – Com carta aprox. 3950.

SINARCAS 46320 Valencia **445** M 26 – 1 355 h. – ✆ 96.

♦Madrid 289 – ♦Albacete 137 – Cuenca 104 – Teruel 93 – ♦Valencia 103.

🎄 Valencia, carret. de Teruel 2 ℰ 218 40 14 – **15 hab.**

SÍSAMO 15106 La Coruña **441** C 3 – ✆ 981.

♦ Madrid 640 – Carballo 3 – ♦ La Coruña/A Coruña 43 – Santiago de Compostela 46.

XX **Pazo do Souto** ⌂ con hab, ℰ 75 60 65, Fax 70 21 14, « Antiguo pazo » – 🖵 ☎ **Ⓟ**. **VISA**. ⅃
cerrado 1ª quincena de octubre – Com (cerrado lunes) carta 2400 a 3900 – ⌷ 500 – **4 ha**
9000.

SITGES 08870 Barcelona **443** I 35 – 11 850 h. – ✆ 93 – Playa.

Ver : Localidad veraniega★.

🏠 Club Terramar ℰ 894 05 80 AZ.

🎫 passeig Vilafranca ℰ 894 93 57, ✉ 08870, Fax 894 43 05.

♦Madrid 597 ① – ♦Barcelona 43 ② – ♦Lérida/Lleida 135 ① – Tarragona 53 ③.

Plano página siguiente

🏨 **Terramar** ⌂, passeig Marítim 80 ℰ 894 00 50, Telex 53186, Fax 894 56 04, ≤, 佘, ⅃,
⅂, 🏠 – |🛗| 🗏 📺 ☎ – 🔏 25/300. **AE ① E VISA**. ⅃
mayo-octubre – Com 2000 – ⌷ 950 – **209 hab** 9450/15650.   AZ

🏨 **San Sebastián Playa y Rest. La Concha**, Port Alegre 53 ℰ 894 86 76, Fax 894 04 3
« Bonita decoración », ⅃ – |🛗| 🗏 📺 ☎ ⇐. **AE ① E VISA**. ⅃
Com carta 3100 a 6100 – ⌷ 1100 – **51 hab** 13500/17000.   BY

🏨 **Calípolis**, passeig Marítim ℰ 894 15 00, Fax 894 07 64, ≤ – |🛗| 🗏 📺 ☎ – 🔏 25/150.
① E VISA. ⅃
Com 1600 – ⌷ 950 – **170 hab** 13200/16500 – PA 4150.   BZ

🏨 **Aparthotel Mediterráneo**, av. Sofía 3 ℰ 894 51 34, Fax 894 51 34, ≤, ⅃⅂, ⅃ – |🛗| 🗏
☎ ⇐ – 🔏 25/100. **AE ① VISA**. ⅃ rest
Com 1400 – ⌷ 1200 – **84 apartamentos** 17500/21500.   BZ

🏨 **Antemare** ⌂, Verge de Montserrat 48 ℰ 894 70 00, Telex 52962, Fax 894 63 01,
Servicios de talasoterapia, ⅃⅂, ⅃ – |🛗| 🗏 📺 ☎ – 🔏 25/150. **① E VISA**. ⅃
Com 4255 – ⌷ 1300 – **117 hab** 13000/17300.   AY

🏨 **Subur Marítim**, passeig Marítim ℰ 894 15 50, Fax 894 04 27, ≤, « Césped con ⅃ » –
🗏 📺 ☎ **Ⓟ**. **AE ① E VISA**. ⅃ rest
Com 2250 – ⌷ 990 – **46 hab** 11500/15000 – PA 4665.   AZ

🏨 **Subur**, passeig de la Ribera ℰ 894 00 66, Telex 52962, Fax 894 69 86, 佘 – |🛗| 🗏 hab 🗏
☎ ⇐. **AE ① E VISA**. ⅃ rest
Com 1750 – ⌷ 825 – **95 hab** 5300/9480 – PA 3675.   BZ

🏨 **Galeón**, San Francisco 44 ℰ 894 06 12, Fax 894 63 35, ⅃ – |🛗| 🗏 ☎. **E VISA**. ⅃   BZ
mayo-octubre – Com 1400 – ⌷ 600 – **74 hab** 5600/8200 – PA 2800.

🏨 **La Santa María,** passeig de la Ribera 52 ℰ 894 09 99, Fax 894 78 71, 佘 – |🛗| 🗏 📺 ☎
AE ① E VISA
cerrado diciembre-15 febrero – Com 1500 – **48 hab** ⌷ 6500/9800 – PA 3300.   BZ

🏨 **Platjador**, passeig de la Ribera 35 ℰ 894 50 54, Fax 894 63 35, ⅃ – |🛗| 🗏 rest ☎. **E VISA**. ⅃
abril-octubre – Com 1400 – ⌷ 600 – **59 hab** 5200/9200 – PA 2800.   BZ **n**

🏨 **Romàntic y la Renaixença** sin rest, Sant Isidre 33 ℰ 894 83 75, Fax 894 81 67
« Patio-jardín con arbolado » – ☎. **AE ① E VISA**
abril-octubre – ⌷ 800 – **55 hab** 5800/8400.

XXX **El Greco**, passeig de la Ribera 70 ℰ 894 29 06, Fax 894 29 06, 佘 – **AE ① E VISA**. ⅃
cerrado martes, del 10 al 20 de enero y del 7 al 29 de noviembre – Com carta 2750
4200.   BZ

XX **El Velero**, passeig de la Ribera 38 ℰ 894 20 51 – 🗏. **AE ① E VISA**. ⅃
cerrado domingo noche y lunes en invierno – Com carta 2850 a 3875.   BZ **n**

XX **Fragata**, passeig de la Ribera 1 ℰ 894 10 86, 佘 – 🗏. **AE ① E VISA**. ⅃
Com carta 2225 a 3950.   BZ

X **Mare Nostrum**, passeig de la Ribera 60 ℰ 894 33 93, 佘 – **AE ① E VISA**. ⅃   BZ
cerrado miércoles y 15 diciembre-enero – Com carta 2875 a 4325.

X **La Masía**, passeig Vilanova 164 ℰ 894 10 76, Fax 894 73 31, 佘, Decoración rústica regio
nal – **Ⓟ**. **AE ① E VISA JCB**. ⅃   AY
Com carta 2575 a 3900.

420

SITGES

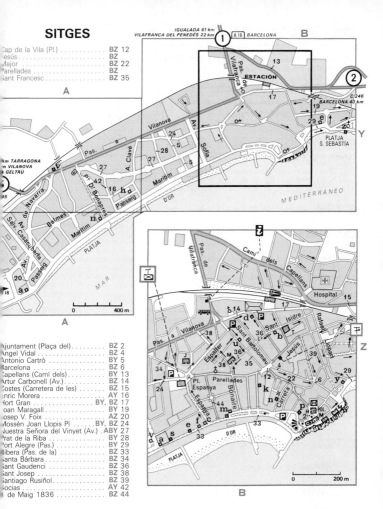

✗ **Vivero,** passeig Balmins ✆ 894 21 49, ≤, ⟨, Pescados y mariscos – ▤ **🅿**. 🆔 ⓘ 🇪
 VISA   BY **z**
 cerrado martes de enero a mayo y 13 diciembre-14 enero – Com carta 2325 a 3600.

✗ **Oliver's,** Isla de Cuba 39 ✆ 894 35 16 – ▤. **VISA**. ⅍   BZ **d**
 cerrado lunes y 15 diciembre-15 enero – Com (sólo cena) carta 1950 a 3050.

✗ **Rafecas "La Nansa",** Carreta 24 ✆ 894 19 27, Fax 894 73 31 – ▤. 🆔 ⓘ 🇪 **VISA**. ⅍
 cerrado miércoles (salvo festivos) y enero-4 febrero – Com carta 2650 a 4100.   BZ **n**

✗ **La Torreta,** Port Alegre 17 ✆ 894 52 53, Fax 894 73 31, ⟨ – 🆔 ⓘ 🇪 **VISA**. ⅍   BZ **y**
 cerrado martes y enero – Com carta 3150 a 4900.

✗ **Els 4 Gats,** Sant Pau 13 ✆ 894 19 15 – ▤. 🆔 ⓘ 🇪 **VISA**. ⅍   BZ **k**
 15 abril-20 octubre – Com *(cerrado miércoles)* carta 2250 a 3475.

en el puerto de Aiguadolç por ② : 1,5 km – ⊠ 08870 Sitges – ☎ 93 :

🏨 **Radisson H. Gran Sitges Barcelona** 🐾, ✆ 811 08 11, Fax 894 90 97, ≤, ⟨, Teatro-audito-
 rio, « Césped con ⌿ », 🏋, 🔲 – 🛗 ▤ 📺 ☎ 🅗 🐾 – 🔏 25/1400. 🆔 ⓘ 🇪 **VISA**. ⅍
 Com carta aprox. 4600 – **307 hab** ⊡ 15600/19500.

🏨 **Estela Barcelona y Rest Iris** 🐾, av. Port d'Aiguadolç ✆ 894 79 18, Fax 811 04 89, ≤, ⟨,
 Frente al puerto deportivo, 🏋, ⌿ – 🛗 ▤ 📺 ☎ 🅗 🐾 🅿 – 🔏 25/350. 🆔 ⓘ 🇪 **VISA**.
 ⅍
 Com carta 2900 a 4800 – **48 hab** ⊡ 11000/17000, 9 apartamentos.

SOBRADO DE LOS MONJES 15312 La Coruña 🗺️ C 5 – 3 466 h. – 🕿 981.
◆Madrid 552 – ◆La Coruña/A Coruña 64 – Lugo 46 – Santiago de Compostela 61.

🏠 **San Marcus,** 𝒫 78 75 27, ⬛ – 📺 ☎ ﹐ 🏧 E 𝑉𝐼𝑆𝐴, ⋘
cerrado enero – Com 2050 – ☲ 475 – **12 hab** 3500/5500.

La SOLANA 13240 Ciudad Real 🗺️ P 20 – 13 548 h. alt. 770 – 🕿 926.
◆Madrid 188 – Alcázar de San Juan 78 – Ciudad Real 67 – Manzanares 15.

🏠 San Jorge, carret. de Manzanares 𝒫 63 34 02 – 🚗 ﹐ 🅿
21 hab.

SOLARES 39710 Cantabria 🗺️ B 18 – 5 723 h. alt. 70 – 🕿 942.
◆ Madrid 387 – ◆ Bilbao/Bilbo 85 – ◆ Burgos 152 – ◆ Santander 16.

✕✕ **Don Pablo** con hab, General Mola 6 𝒫 52 21 20, Fax 52 05 26, 🏠 , « Casa señorial del sig
XVI » – ▤ hab 📺 ☎ 🅿 – 🛁 25/300. 🏧 E 𝑉𝐼𝑆𝐴, ⋘ rest
Com carta 3250 a 3950 – ☲ 400 – **27 hab** 4000/8000.

SOLDEU Andorra – ver Andorra (Principado de).

SOLIVELLA 43412 Tarragona 🗺️ H 33 – 🕿 977.
◆Madrid 525 – ◆Lérida/Lleida 66 – Tarragona 51.

✕ **Travé,** carret. d'Andorra 56 𝒫 89 21 65, Decoración típica. Carnes a la brasa – ▤. 🏧 ﹐
E 𝑉𝐼𝑆𝐴 𝐽𝐶𝐵, ⋘
cerrado miércoles y del 15 al 30 de septiembre – Comida carta 2550 a 4750.

SOLSONA 25280 Lérida 🗺️ G 34 – 6 230 h. alt. 664 – 🕿 973.
Ver : Museo diocesano★ (pinturas★★ románicas y góticas) – Catedral (Virgen del Claustro★)
🅱 av. del Pont, edifici Piscis, 𝒫 48 23 10, ⊠ 25280, Fax 48 25 14.
◆Madrid 577 – ◆Lérida/Lleida 108 – Manresa 52.

✕✕ **La Cabana d'en Geli,** carret. de Sant Llorenç de Morunys 𝒫 48 29 57, 🏠 – ▤ 🅿 ,
① E 𝑉𝐼𝑆𝐴, ⋘
cerrado martes noche, miércoles y noviembre – Com carta 2800 a 3900.
✕ **Crimasi** con hab, carret. de Manresa 𝒫 48 04 13 – E 𝑉𝐼𝑆𝐴, ⋘
Com carta aprox. 2900 – ☲ 450 – **11 hab** 4000/6000.

en la carretera de Manresa E : 1 km – ⊠ 25280 Solsona – 🕿 973 :

✕✕ **Gran Sol,** 𝒫 48 10 00 – ▤ 🅿 , 𝑉𝐼𝑆𝐴
cerrado lunes y 6 enero-7 febrero – Com carta 2100 a 3200.

SÓLLER Baleares – ver Baleares (Mallorca).

SOMIÓ Asturias – ver Gijón.

SON BOU (Playa de) Baleares – ver Baleares (Menorca) : Alayor.

SON SERVERA Baleares – ver Baleares (Mallorca).

SON VIDA Baleares – ver Baleares (Mallorca) : Palma de Mallorca.

SOPELANA 48600 Vizcaya 🗺️ B 21 – 6 259 h. – 🕿 94.
◆Madrid 439 – ◆Bilbao/Bilbo 20.

en Larrabasterra O : 1 km – ⊠ 48600 Sopelana – 🕿 94 :

✕✕ Itxas-Alde, carret. Arriatera 64 𝒫 676 00 15, ≼, 🏠 – ▤ 🅿 .

SORIA 42000 🅿 🗺️ G 22 – 32 039 h. alt. 1 050 – 🕿 975.
Ver : Iglesia de Santo Domingo★ (portada★★) A – Catedral de San Pedro (claustro ★) B – Sa
Juan de Duero (claustro ★) B.
Excurs. : Sierra de Urbión★★ : Laguna Negra de Urbión★★ (carretera★★) 56 km por ④, Lagun
Negra de Neila★★ (carretera ★★) 86 km por ④.
🅱 pl. Ramón y Cajal, ⊠ 42003, 𝒫 21 20 52 – R.A.C.E. Fco. López de Gómara 2, ⊠ 42001, 𝒫 22 26 63
◆Madrid 225 ③ – ◆Burgos 142 ④ – Calatayud 92 ② – Guadalajara 169 ③ – ◆Logroño 106 ① – ◆Pamplona
Iruñea 167 ②.

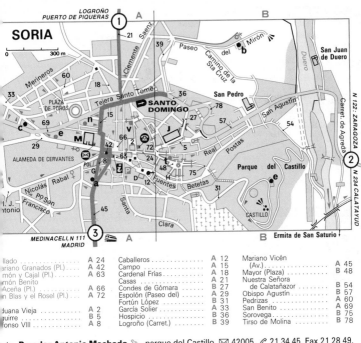

SORIA

Parador Antonio Machado ⌂, parque del Castillo, ⌧ 42005, ℰ 21 34 45, Fax 21 28 49, ≤ valle del Duero y montañas – 📺 ☎ 🅿 – 🔺 25/140. 🆎 🅾 💳 ⛬   B **e**
Com 3200 – ⌱ 1100 – **34 hab** 12000 – PA 6375.

Alfonso VIII, Alfonso VIII - 10, ⌧ 42003, ℰ 22 62 11, Fax 21 36 65 – 🛗 ▤ rest 📺 ☎ 🚗 – 🔺 25/150 – **102 hab.**   A **a**

Mesón Leonor ⌂, paseo del Mirón, ⌧ 42005, ℰ 22 02 50, Fax 22 99 53, ≤ – ▤ rest 📺 ☎ 🅿 🆎 🅾 💳 ⛬ rest   B **b**
Com 1800 – ⌱ 450 – **32 hab** 5000/8500 – PA 3500.

Viena sin rest y sin ⌱, García Solier 1, ⌧ 42001, ℰ 22 21 09 – 🛗 🚗. 💳 💳   A **c**
24 hab 1950/5400.

Maroto, paseo del Espolón 20, ⌧ 42001, ℰ 22 40 86 – ▤. 🆎 🅾 💳 ⛬   A **e**
cerrado 20 días en febrero – Com carta aprox. 5200.

Santo Domingo II, Aduana Vieja 15, ⌧ 42002, ℰ 21 17 17 – ▤   A **v**

Mesón Castellano, pl. Mayor 2, ⌧ 42002, ℰ 21 30 45 – ▤. 🆎 🅾 💳 ⛬   B **t**
cerrado 2ª quincena de enero – Com carta 2400 a 4500.

Casa Garrido, Vicente Tutor 8, ⌧ 42001, ℰ 22 20 68 – ▤. 🆎 🅾 💳 💳   A **n**
cerrado miércoles noche y del 15 al 30 de noviembre – Com carta 2600 a 3400.

en la carretera N 122 por ② : 6 km – ⌧ 42004 Soria – 🕾 975 :

Cadosa, ℰ 21 31 43, Fax 21 31 43, 🍴, ⛬ – ▤ rest 📺 ☎ 🚗 🅿 – 🔺 25/275. 🆎 🅾 💳 ⛬ rest – Com 1500 – ⌱ 500 – **64 hab** 5000/7500.

SORPE 25587 Lérida 📙📙📙 E 33 – alt. 1 113 – 🕾 973.
Madrid 627 – ♦Lérida/Lleida 174 – Seo de Urgel/La Seu d'urgell 90.

en la carretera del puerto de la Bonaigua O : 4,5 km – ⌧ 25587 Sorpe – 🕾 973 :

Els Avets ⌂, ℰ 62 63 55, Fax 62 63 38, ≤, 🍴 climatizada – 📺 ☎ 🚗 🅿. 💳 💳 ⛬
julio-septiembre – Com 2400 – ⌱ 850 – **28 hab** 5200/10400 – PA 4450.

SORT 25560 Lérida 📙📙📙 E 33 – 1 496 h. alt. 720 – 🕾 973.
Alred. : NO : Valle de Llessui★★ – 🛈 av. Comtes de Pallars 21, ⌧ 25560, ℰ 63 10 02, Fax 62 00 10.
Madrid 593 – ♦Lérida/Lleida 136.

Pessets, carret. de Seo de Urgel ℰ 62 00 00, Fax 62 08 19, ≤, 🍴, 🌳, ⛬ – 🛗 📺 ☎ – 🔺 30/200. 🆎 💳 💳 ⛬ rest
cerrado noviembre – Com 1900 – ⌱ 690 – **80 hab** 4500/6930.

423

SOS DEL REY CATÓLICO 50680 Zaragoza 443 E 26 – 1 120 h. alt. 652 – 🕿 948.

Ver : Iglesia de San Esteban★ (cripta★, coro★).

Alred. : Uncastillo (iglesia de Santa María : portada Sur★, sillería★, claustro★) SE : 22 km.

◆Madrid 423 – Huesca 109 – ◆Pamplona/Iruñea 59 – ◆Zaragoza 122.

🏨 **Parador Fernando de Aragón** ⟋, ℰ 88 80 11, Fax 88 81 00, ≼, Conjunto de estilo aragonés – 🛗 🗐 📺 🕿 🅿 – 🔏 25/45. 🖭 ⑩ 𝓥𝓘𝓢𝓐. ⋘
Com 3200 – ☲ 1100 – **65 hab** 9000 – PA 6375.

SOTO DE CANGAS 33559 Asturias 441 B 14 – 155 h. alt. 84 – 🕿 98.

◆ Madrid 439 – ◆ Oviedo 73 – ◆ Santander 134.

🏠 **La Balsa** sin rest, carret de Covadonga ℰ 594 00 56 – 📺 🕿. 🖭 🎫 𝓥𝓘𝓢𝓐. ⋘
☲ 500 – **14 hab** 7000.

SOTO DEL BARCO 33126 Asturias 441 B 11 – 5 006 h. – 🕿 98.

◆Madrid 495 – Avilés 18 – Gijón 43 – ◆Oviedo 50.

🏨 El Figón, Puerta del Sol ℰ 558 86 50 – 📺 🕿
18 hab.

SOTO DEL REAL 28791 Madrid 444 J 18 – 2 697 h. alt. 921 – 🕿 91.

◆ Madrid 47 – El Escorial 47 – Guadalajara 92.

🏨 **Suite H. Prado Real,** El Prado (urb. Prado Real) ℰ 847 86 98, Fax 847 84 32, ⅃, ⋙ – 🗐 📺 🕿 🅿 – 🔏 25/90. 🖭 ⑩ 𝓥𝓘𝓢𝓐. ⋘
Com *(cerrado sábado)* 1900 – **45 hab** ☲ 12000/15000 – PA 4505.

SOTOGRANDE 11310 Cádiz 446 X 14 – 🕿 956 – Playa.

🏌₁₈, 🏌₉ de Sotogrande ℰ 79 50 50 – 🏌₉ de Valderrama ℰ 79 27 75.

◆Madrid 666 – Algeciras 27 – ◆Cádiz 148 – ◆Málaga 111.

✗ **Bernardo** con hab, carret. N 340 km 134 ℰ 79 41 32 – 🗐 🅿. 🎫 𝓥𝓘𝓢𝓐. ⋘
cerrado noviembre – Com *(cerrado miércoles)* carta aprox. 2400 – ☲ 450 – **8 hab**
2600/4800.

en el puerto deportivo :

🏨 **Club Marítimo** ⟋ sin rest, ✉ apartado 3, ℰ 79 02 00, Fax 79 03 77, ≼, Patio con plantas, ⌂₅ – 🛗 🗐 📺 🕿 – 🔏 25. 🖭 ⑩ 🎫 𝓥𝓘𝓢𝓐. ⋘
☲ 1000 – **37 hab** 15000/20000.

✗✗✗ **Cabo Mayor,** ℰ 79 03 90, Fax 79 03 89, ≼, 😤 – 🗐. 🖭 🎫 𝓥𝓘𝓢𝓐. ⋘
cerrado domingo y 20 diciembre-20 enero – Com carta 4200 a 5500.

✗✗ **Vicente,** local A-8 ℰ 79 02 12, 😤 – 🖭 ⑩ 🎫 𝓥𝓘𝓢𝓐. ⋘
cerrado lunes – Com carta 2900 a 3550.

SOTOSALBOS 40170 Segovia 442 I 18 – 96 h. – 🕿 921.

◆Madrid 106 – Aranda de Duero 98 – ◆Segovia 19.

✗ **A. Manrique,** carret. N 110 ℰ 40 30 66, Decoración castellana – 🗐 🅿. 𝓥𝓘𝓢𝓐. ⋘
cerrado lunes salvo festivos – Com carta 2250 a 3900.

SOTOSERRANO 37657 Salamanca 441 K 11 – 802 h. alt. 522 – 🕿 923.

◆Madrid 311 – Béjar 36 – Ciudad Rodrigo 61 – ◆Salamanca 106.

🏠 Mirador ⟋, carret. de Coria ℰ 42 21 55, ≼ – 🗐 🅿
14 hab.

SUANCES 39340 Cantabria 442 B 17 – 5 473 h. – 🕿 942 – Playa.

◆Madrid 394 – ◆Bilbao/Bilbo 131 – ◆Oviedo 182 – ◆Santander 31.

🏡 **Posada del Mar** sin rest, Cuba de Arriba 2 ℰ 81 12 33, Fax 81 12 53 – 📺 🕿. ⑩ 🎫 𝓥𝓘𝓢𝓐
☲ 300 – **11 hab** 4300/7000.

en la zona de la playa :

🏨 **Suances** sin rest, con cafetería, Ceballos 45 ℰ 84 42 22, Fax 84 42 11, ≼, ⅃ – 🛗 📺 🅿. 🎫 𝓥𝓘𝓢𝓐
☲ 400 – **32 hab** 6500/8500.

🏠 Vivero II, Ceballos 75 A ℰ 81 13 02, Fax 81 13 02 – 🕿 🅿
temp. – **29 hab.**

✗ **Sito,** av. de la Marina Española 3 ℰ 81 04 16 – 🗐. 🎫 𝓥𝓘𝓢𝓐. ⋘
cerrado lunes y febrero – Com carta 2000 a 3100.

424

en la zona del faro :

🏨 **Albatros** ⅏, Madrid 20 - carret. de Tagle ℰ 84 41 40, Fax 81 03 74, ≼, 🍴, 🏊 – 🛗 📺 ☎ 🅿. E 📰 🏧. ⚶ rest
marzo-noviembre – Com 2500 – ⇌ 700 – **40 hab** 9500/10000.

🏠 **El Castillo** ⅏ sin rest, av. Acacio Gutiérrez 142 ℰ 81 03 83, Fax 81 03 74, ≼, Reproducción de un pequeño castillo – 🍴 rest 📺 ☎. 🅰🅴 E 📰. ⚶
⇌ 550 – **11 hab** 8000/8500.

✗ El Caserío ⅏ con hab, av. Acacio Gutiérrez 159 ℰ 81 05 75, Fax 81 05 76, 🍴 – 🍴 rest 📺 ☎ 🅿
9 hab.

SURIA 08260 Barcelona 📒📒📒 G 35 – 6 745 h. alt. 280 – ✪ 93.
Madrid 596 – ◆Barcelona 80 – ◆Lérida/Lleida 127 – Manresa 15.

✗ **Guilá "Can Pau"** con hab, Salvador Vancell 19 ℰ 869 53 28, Fax 868 21 78 – 🍴 rest. 📰
Com carta 1500 a 3400 – ⇌ 550 – **36 hab** 3250/4250.

TAFALLA 31300 Navarra 📒📒📒 E 24 – 9 863 h. alt. 426 – ✪ 948.
red. : Ujué★ E : 19 km.
Madrid 365 – ◆Logroño 86 – ◆Pamplona/Iruñea 38 – ◆Zaragoza 135.

✗✗ ✿ **Tubal,** pl. de Navarra 2 1° ℰ 70 08 52 – 📖. 🅰🅴 ⓪ E 📰. ⚶
cerrado domingo noche, lunes y 22 agosto-6 septiembre – Com carta 3450 a 4450
Espec. Milhojas de patatas con foie, Hojaldre relleno de cigalas y borrajas (octubre-junio), Lomos de merluza sobre fondo de espinacas y gambas.

en la carretera N 121 S : 3 km – ✉ 31300 Tafalla – ✪ 948 :

🏨 **Tafalla,** ℰ 70 03 00, Fax 70 30 52 – 🍴 rest ☎ 🅿. 🅰🅴 ⓪ E 📰 🅹🅲🅱. ⚶
cerrado 20 diciembre-6 enero – Com *(cerrado viernes)* carta 3300 a 4900 – ⇌ 700 – **28 hab**
4500/7000.

TAFIRA ALTA Gran Canaria – ver Canarias (Gran Canaria).

TALAMANCA (Playa de) Baleares – ver Baleares (Ibiza).

TALAVERA DE LA REINA 45600 Toledo 📒📒📒 M 15 – 64 136 h. alt. 371 – ✪ 925 – R.A.C.E.
Portiña de San Miguel 47 ℰ 80 85 57.
Madrid 120 – Ávila 121 – ◆Cáceres 187 – ◆Córdoba 435 – Mérida 227.

🏨 **Beatriz y Rest. Anticuario,** av. de Madrid 1 ℰ 80 76 00, Telex 47941, Fax 81 58 08 – 🛗 🍴 📺 ☎ – 🔬 25/1000. 🅰🅴 ⓪ E 📰. ⚶
Com carta 2875 a 4100 – ⇌ 600 – **161 hab** 6050/8580.

🏨 **Perales** sin rest, av. Pio XII - 3 ℰ 80 39 00, Fax 80 39 00 – 🛗 📞. E 📰. ⚶
⇌ 250 – **65 hab** 3100/4800.

🏨 **Talavera,** av. Gregorio Ruiz 1 ℰ 80 02 00, Fax 82 13 46 – 🛗 🍴 📞 🚗. 📰. ⚶ rest
Com 1720 – ⇌ 390 – **78 hab** 3630/5830.

🏠 **Auto-Estación** sin rest y sin ⇌, av. de Toledo 1 ℰ 80 03 00, Fax 80 03 00 – ☎. 🅰🅴 ⓪ 📰.
⚶
40 hab 2800/4700.

en la antigua carretera N V O : 1,8 km – ✉ 45600 Talavera de la Reina – ✪ 925 :

✗ **Un Alto en el Camino,** ℰ 80 41 07 – 🅿. E 📰. ⚶
cerrado martes – Comida carta aprox. 3100.

TAMARITE DE LITERA 22550 Huesca 📒📒📒 G 31 – ✪ 974.
Madrid 506 – Huesca 96 – ◆Lérida/Lleida 36.

✗✗ **Casa Toro,** av. Florences Gili ℰ 42 03 52 – 🍴 🅿. 🅰🅴 E 📰. ⚶
cerrado domingo noche, lunes y del 15 al 30 noviembre – Com carta 2900 a 4350.

TAMARIU 17212 Gerona 📒📒📒 G 39 – ✪ 972 – Playa.
Madrid 731 – ◆ Gerona/Girona 47 – Palafrugell 10 – Palamós 21.

🏨 **Hostalillo,** Bellavista 22 ℰ 61 02 50, Fax 61 02 17, « Terrazas con ≼ cala » – 🛗 🍴 rest ☎ 🚗. 🅰🅴 E 📰. ⚶
mayo-septiembre – Com 2000 – ⇌ 800 – **70 hab** 11000/14000 – PA 3800.

🏠 **Tamariu,** passeig del Mar 3 ℰ 30 01 08, 🍴 – 🚗. E 📰. ⚶
15 mayo-septiembre – Com *(abril-septiembre)* 1850 – ⇌ 450 – **54 hab** 3600/6950 –
PA 3350.

TAPIA DE CASARIEGO 33740 Asturias 𝟒𝟒𝟏 B 9 – 5 328 h. – ☼ 98 – Playa.

🖥 pl. Constitución 🖉 562 82 05, temp.

◆Madrid 578 – ◆La Coruña/A Coruña 184 – Lugo 99 – ◆Oviedo 143.

  🏠 **San Antón** sin rest, pl. San Blas 2 🖉 562 80 00 – ☎. 𝗔𝗘 𝗘 𝘝𝘐𝘚𝘈. ⌽
    15 junio-15 septiembre – ⌷ 375 – **18 hab** 4050/6575.

  XX **Palermo,** Bonifacio Amago 13 🖉 562 83 70 – 𝗘 𝘝𝘐𝘚𝘈. ⌽
    cerrado domingo noche – Com carta 2900 a 4200.

TARAMUNDI 33775 Asturias 𝟒𝟒𝟏 B 8 – 1 234 h. – ☼ 98.

◆Madrid 571 – Lugo 65 – ◆Oviedo 195.

  🏡 **La Rectoral** ⌔, La Villa 🖉 564 67 67, Fax 564 67 77, ≤ valle y montañas, ⌂, « Rústico regional del siglo XVII », 𝗙𝟼 – ▤ 𝗧𝗩 ☎ 🅟 – 𝗔 25. 𝗔𝗘 𝟬 𝗘 𝘝𝘐𝘚𝘈. ⌽
    Com 2000 – ⌷ 900 – **18 hab** 10000/13000.

TARANCÓN 16400 Cuenca 𝟒𝟒𝟒 L 20 y 21 – 9 799 h. alt. 806 – ☼ 969.

◆Madrid 81 – Cuenca 82 – ◆Valencia 267.

  X **Mesón del Cantarero,** antigua carret. N III 🖉 11 05 33, Fax 32 42 12, ⌂ – ▤ 🅟. 𝗔𝗘 𝟬
    𝗘 𝘝𝘐𝘚𝘈. ⌽
    cerrado domingo noche y lunes – Com carta 2550 a 4500.

  X **Stop** con hab, antigua carret. N III 🖉 11 01 00, Fax 11 06 42, ⌂ – ▤ rest 🅟. 𝗔𝗘 𝘝𝘐𝘚𝘈. ⌽
    Com carta 3100 a 4200 – ⌷ 300 – **14 hab** 1700/2800.

  X **Celia,** Juan Carlos I - 14 🖉 11 00 84 – ▤. 𝗘 𝘝𝘐𝘚𝘈. ⌽
    cerrado domingo y del 1 al 15 de julio – Com carta 2250 a 4450.

TARAZONA 50500 Zaragoza 𝟒𝟒𝟑 G 24 – 11 195 h. alt. 480 – ☼ 976.

Ver : Catedral (capilla★).

Alred. : Monasterio de Veruela★★ (iglesia abacial★★, claustro★ : sala capitular★).

🖥 Iglesias 5 🖉 64 00 74.

◆Madrid 294 – ◆Pamplona/Iruñea 107 – Soria 68 – ◆Zaragoza 88.

  🏡 **Ituri-Asso,** Virgen del Rio 3 🖉 64 31 96, Fax 64 04 66 – ⌷ ▤ 𝗧𝗩 ☎ ⌑ – 𝗔 25/300.
    𝗔𝗘 𝟬 𝗘 𝘝𝘐𝘚𝘈. ⌽
    Com *(cerrado domingo noche)* 850 – ⌷ 350 – **17 hab** 5000/8500 – PA 2050.

  🏡 **Brujas de Bécquer,** carret. de Zaragoza, SE : 1 km 🖉 64 04 04, Fax 64 01 98 – ⌷ ▤ res
    ☎ ⌑ 🅟 – 𝗔 25/800. 𝗔𝗘 𝟬 𝗘 𝘝𝘐𝘚𝘈. ⌽ rest
    Com 1000 – ⌷ 400 – **60 hab** 3150/5500 – PA 2400.

  X **El Galeón,** av. La Paz 1 🖉 64 29 65 – ▤. 𝗔𝗘 𝟬 𝗘 𝘝𝘐𝘚𝘈. ⌽ – Com carta 2100 a 3200.

TARIFA 11380 Cádiz 𝟒𝟒𝟔 X 13 – 15 220 h. – ☼ 956 – Playa.

Ver : Castillo de Guzmán el Bueno ≤★.

⌑. para Tánger : Cia Transtour - Touráfrica, estación Marítima 🖉 68 47 51.

◆Madrid 715 – Algeciras 22 – ◆Cádiz 99.

  en la carretera de Cádiz – ✉ 11380 Tarifa – ☼ 956 :

  🏡 **Balcón de España** ⌔, La Peña 2, NO : 8 km, ✉ apartado 57, 🖉 68 43 26, Fax 68 43 26
    ⌂, ⌸, ⌖, ⌽ – ☎ 🅟. 𝗔𝗘 𝗘 𝘝𝘐𝘚𝘈. ⌽ rest
    abril-20 octubre – Com 2900 – ⌷ 600 – **38 hab** 7700/10000.

  🏠 **San José del Valle,** cruce de Bolonia, NO : 15 km 🖉 68 70 92 – ▤ 𝗧𝗩 ☎ 🅟. 𝗘 𝘝𝘐𝘚𝘈. ⌽
    Com 1100 – **17 hab** ⌷ 5000/8000.

  🏠 **La Codorniz,** NO : 6,5 km 🖉 68 47 44, Fax 68 41 01, ⌂, ⌖ – ▤ rest ☎ 🅟. 𝗔𝗘 𝟬 𝗘 𝘝𝘐𝘚𝘈
    ⌽ rest – Com 1400 – ⌷ 435 – **35 hab** 5920/8800.

  en la carretera de Málaga NE : 11 km – ✉ 11380 Tarifa – ☼ 956 :

  🏡 **Mesón de Sancho,** ✉ apartado 25, 🖉 68 49 00, Fax 68 47 21, ≤, ⌸ – ☎ 🅟. 𝗔𝗘 𝟬 𝗘
    𝘝𝘐𝘚𝘈. ⌽ rest – Com 1700 – ⌷ 490 – **45 hab** 5300/7000.

TARRAGONA 43000 𝗣 𝟒𝟒𝟑 I 33 – 111 869 h. alt. 49 – ☼ 977 – Playa.

Ver : Tarragona romana★ : Passeig Arqueològic★ BZ, Museo Arqueológico (cabeza de Medusa★★
BZ **M** – Necrópolis Paleocristiana (sarcófago de los leones★) AY – Ciudad medieval : Catedral★
(retablo de Santa Tecla★★, claustro★) BZ.

Alred. : Acueducto de las Ferreres★ 4 km por ④ – Mausoleo de Centcelles★ (mosaicos★) NO :
5 km por av. Ramón i Cajal.

𝗙𝟲 de la Costa Dorada E : 8 km 🖉 65 54 16 – Iberia : rambla Nova 116, ✉ 43001, 🖉 23 03 0
AZ.

⌑ Cía. Trasmediterránea, Nou de Sant Oleguer 16, ✉ 43004, 🖉 22 55 06, Telex 56613 BY

🖥 Fortuny 4, ✉ 43001 🖉 23 34 15, Fax 24 47 02 y Major 39, ✉ 43003 🖉 29 62 24 – R.A.C.E. rambla
Nova 114, ✉ 43001, 🖉 21 19 62.

◆Madrid 555 ④ – ◆Barcelona 109 ④ – Castellón de la Plana/Castelló de la Plana 184 ③ – ◆Lérida/Lleida 97 ④

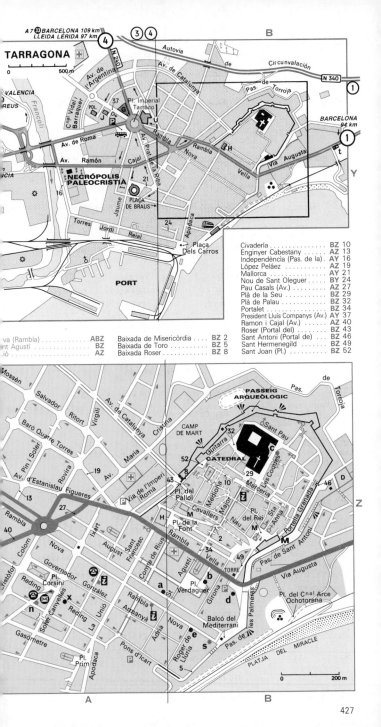

TARRAGONA

A7 ③ BARCELONA 109 km
LLEIDA LÉRIDA 97 km

Autovia de Circunvalación

N 340 ①

BARCELONA 94 km ①

VALENCIA
REUS

N 240

Av. de l'Argentina

Pl. Imperial Tàrraco

Av. de Roma

Av. Ramón

Cajal

NECRÓPOLIS PALEOCRISTIÀ

PLAÇA DE BRAUS

Torres Jordi Reial

Plaça Dels Carros

PORT

Av. de Catalunya

Pas. de Torroja

Rambla Nova

Rambla Vella

Via Augusta

Y

Mossèn Salvador Ritort Virgili

Baró Quatre Torres

Pin i Soler Rovira

Av. d'Estanislau Figueres

Av. de Catalunya Cristina

Maria

Av. de l'Imperi Roma

PASSEIG ARQUEOLÒGIC

Pas. de Torroja

CAMP DE MART

Guitarra

Sant Pau

CATEDRAL

Mercería

Lluís Corçes

D 46

Z

Rambla

Colom

Cristòfor

Reding

Corsini

Pl.

Governador González

Soler Canyelles

Reding

Unió

La

Gasòmetre

Ixart

Comte de Rius

Aupust

Sant Francesc

Pl. del Pallol

Cavallers Major

Pl. de la Font

Rambla

Vella

Agustí

Pl. Verdaguer

Girona

Adrià

Amanyá

Rambla

Nova

Roger de Llúria

Pons d'Icart

Apodaca

Pl. Prim

Mediona

Pl. del Rei

Nau

Sta. Anna

Portella Granada

Pl. del Cnal Arce Ochotorena

Pas. de Sant Antoni

Via Augusta

TORRE

Balcó del Mediterrani

Pas. de les Palmeres

PLATJA DEL MIRACLE

0   200 m

A   B

Imperial Tarraco, paseo Palmeras, ⊠ 43003, ℰ 23 30 40, Telex 56441, Fax 21 65 66, ⊃, ⁂ – ⧉ ▤ 🖵 ☎ ❷ – 🛦 25/500. 🖭 ⓘ ㄷ 🚾. ⁂
Com 2900 – **170 hab** � 11900/15500.   BZ

Lauria sin rest, rambla Nova 20, ⊠ 43004, ℰ 23 67 12, Fax 23 67 00, ⊃ – ⧉ ▤ 🖵 ☎ ⊷
🖭 ⓘ ㄷ 🚾   BZ
⊆ 575 – **72 hab** 6000/9000.

Urbis sin rest, Reding 20 bis, ⊠ 43001, ℰ 24 01 16, Fax 24 36 54 – ⧉ ▤ 🖵 ☎. 🖭
ㄷ 🚾. ⁂   AZ
⊆ 775 – **44 hab** 5300/9500.

Astari, vía Augusta 95, ⊠ 43003, ℰ 23 69 00, Fax 23 69 11, ≼, ⊃, 🌳 – ⧉ 🖵 ⊠ ⊷
❷. 🖭 ⓘ ㄷ 🚾. ⁂ rest   BY
mayo-octubre – Com (ver rest. **Grasset**) – ⊆ 500 – **83 hab** 5000/6500.

París sin rest, Maragall 4, ⊠ 43003, ℰ 23 60 12, Fax 23 86 54 – ⧉ 🖵 ☎. 🖭 ⓘ ㄷ 🚾
⊆ 550 – **45 hab** 4500/8000.   BZ

España sin rest, rambla Nova 49, ⊠ 43003, ℰ 23 27 07 – ⧉ ⊠   AZ
40 hab.

La Guingueta, Les Coques 9, ⊠ 43003, ℰ 23 15 68 – 🖭 ⓘ ㄷ 🚾. ⁂   BZ
cerrado agosto – Com carta 3100 a 5500.

Grasset, vía Augusta 95, ⊠ 43003, ℰ 23 14 45, �།, ⊃ – ▤ ❷. ⓘ ㄷ 🚾   BY
cerrado domingo noche y lunes de noviembre a marzo – Com carta aprox. 4100.

La Rambla, rambla Nova 10, ⊠ 43002, ℰ 23 87 29, �། – ▤. 🖭 ⓘ ㄷ 🚾. ⁂   BZ
cerrado Navidad – Com carta aprox. 3300.

Pà amb Tomaca, Lérida 8, ⊠ 43001, ℰ 24 00 45 – ▤. 🖭 ㄷ 🚾. ⁂   AZ
cerrado domingo y 19 diciembre-23 enero – Com carta 2125 a 3275.

en la carretera de Barcelona por ① – ⊠ 43007 Tarragona – ✆ 977 :

Nuria, vía Augusta 217 : 1,8 km ℰ 23 50 11, Fax 24 41 36, �། – ⧉ ⊠ ⊷ ❷. ㄷ 🚾. ⁂ re
abril-octubre – Com 1350 – ⊆ 475 – **61 hab** 3800/6100 – PA 2700.

Sant Jordi sin rest, 2 km ℰ 20 75 15, ≼ – ⧉ 🖵 ⊠ ❷
⊆ 475 – **40 hab** 3850/5800.

Sol Ric, vía Augusta 227 : 1,9 km ℰ 23 20 32, �།, Decoración rústica catalana, « Terra
con arbolado » – ▤ ❷. 🖭 ⓘ ㄷ 🚾
cerrado domingo noche, lunes y 16 diciembre-15 enero – Com carta 2800 a 4750.

Jaime I, 4 km ℰ 20 80 03, ≼ – ❷. 🖭 ⓘ ㄷ 🚾. ⁂
Com carta 1700 a 3500.

en la carretera N 240 por ④ : 2 km – ⊠ 43007 Tarragona – ✆ 977 :

Les Fonts de Can Sala, ℰ 22 85 75, Fax 23 59 22, �།, Decoración rústica catalan
« Terraza con arbolado » – ❷. 🖭 ⓘ ㄷ 🚾
Com carta 2550 a 3800.

TARRASA o **TERRASSA** 08220 Barcelona 443 H 36 – 155 360 h. alt. 277 – ✆ 93.
Ver : Ciudad de Egara★★ : iglesia de Sant Miquel★, iglesia de Santa María (retablo de San Abdó
y San Senen★★) – Museo Textil★.
🏢 Raval de Monserrat 14, ⊠08221, ℰ 733 21, Fax 788 60 30.
◆Madrid 613 – ◆Barcelona 28 – ◆Lérida/Lleida 156 – Manresa 41.

Don Cándido, rambleta Pare Alegre 98, ⊠ 08224, ℰ 733 33 00, Fax 733 08 49, ≼ – ⧉ ▤
🖵 ☎ ♿ ⊷ – 🛦 25/250. 🖭 ⓘ ㄷ 🚾. ⁂
Com 3250 – ⊆ 1300 – **126 hab** 12400/15500 – PA 7800.

Burrull-Hostal del Fum, carret. de Moncada 19, ⊠ 08221, ℰ 788 83 37, Fax 788 57 7
– ▤ ❷. 🖭 ⓘ ㄷ 🚾. ⁂
cerrado domingo noche, lunes y agosto – Com carta 3650 a 4600.

Casa Toni, carret. de Castellar 124, ⊠ 08222, ℰ 786 47 08, Museo del vino – ▤. 🖭 ⓘ
ㄷ 🚾. ⁂
cerrado domingo, lunes noche y Semana Santa – Com carta 2350 a 4175.

TAZACORTE Tenerife – ver Canarias (La Palma).

TEGUESTE Tenerife – ver Canarias (Tenerife).

TEMBLEQUE 45780 Toledo 444 M 19 – 2 202 h. – ✆ 925.
Ver : Plaza Mayor★.
◆Madrid 92 – Aranjuez 46 – Ciudad Real 105 – Toledo 55.

TENERIFE Tenerife – ver Canarias.

TEROR Gran Canaria – ver Canarias (Gran Canaria).

ERRASSA Barcelona – ver Tarrasa.

ERRENO Baleares – ver Baleares (Mallorca) : Palma de Mallorca.

ERUEL 44000 **P** 443 K 26 – 28 225 h. alt. 916 – © 978.

r : Emplazamiento★ – Museo Provincial★ Y, Torres mudéjares★ YZ – Catedral (techo esonado★) Y.

Tomás Nougués 1, ⊠ 44001, ℘ 60 22 79 – R.A.C.E. av. de Aragón 10, ⊠ 44002, ℘ 60 34 95.

adrid 301 ② – ♦Albacete 245 ② – Cuenca 152 ② – ♦Lérida/Lleida 334 ② – ♦Valencia 146 ② – ♦Zaragoza 4 ②.

TERUEL

ara recorrer Europa
mplee
s Mapas Michelin
Principales Carreteras »
scala 1/1 000 000.

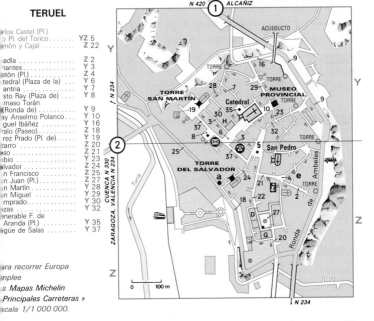

🛏️ **Reina Cristina,** paseo del Óvalo 1, ⊠ 44001, ℘ 60 68 60, Fax 60 53 63 – 🛗 🍽️ rest 📺 ☎ – 🔏 25/100. 🖭 ⓞ Ⓔ 𝘝𝘐𝘚𝘈. ⊱ rest   Z **a**
Com 3025 – ⊆ 740 – **81 hab** 8125/13700.

🛏️ **Civera,** av. de Sagunto 37, ⊠ 44002, ℘ 60 23 00, Fax 60 23 00 – 🛗 ☎ – 🔏 25/150. 🖭 𝘝𝘐𝘚𝘈 𝘫𝘤𝘣. ⊱   por N 234
cerrado 18 diciembre-8 enero – Com (cerrado viernes) 1600 – ⊆ 350 – **73 hab** 3800/5700 – PA 3360.

🛏️ **Oriente** sin rest, av. de Sagunto 7, ⊠ 44002, ℘ 60 15 50, Fax 60 10 64 – ☎. ⓞ Ⓔ 𝘝𝘐𝘚𝘈. ⊱   por N 234
⊆ 415 – **30 hab** 4230/6195.

✗ **La Menta,** Bartolomé Esteban 10, ⊠ 44001, ℘ 60 75 32 – 🍽️. 🖭 Ⓔ 𝘝𝘐𝘚𝘈. ⊱   Z **e**
cerrado domingo y del 15 al 30 de agosto – Com carta 2725 a 4075.

✗ Kalanchoe, av. de Sagunto 39, ⊠ 44002, ℘ 60 01 03 – 🍽️   por N 234

en la carretera N 234 – © 978 :

🛏️ **Parador de Teruel,** NO : 2 km, ⊠ 44080 apartado 67 Teruel, ℘ 60 18 00, Fax 60 86 12, 🏊, 🌳, ✗ – 🛗 🍽️ rest 📺 ☎ Ⓟ – 🔏 25/200. 🖭 ⓞ 𝘝𝘐𝘚𝘈. ⊱
Com 3200 – ⊆ 1100 – **60 hab** 12000 – PA 6375.

🛏️ **Alpino,** E : 5,7 km, ⊠ 44002 Teruel, ℘ 60 61 58 – 🚐 Ⓟ. 🖭 𝘝𝘐𝘚𝘈. ⊱
cerrado enero – Com 1000 – **28 hab** ⊆ 1900/3800.

TEULADA 03725 Alicante 445 0650 – 4 667 h. alt. 620 – 😊 96.
♦Madrid 463 – ♦Alicante/Alacant 76 – Valencia 115.

en la carretera de Benitachell E : 2 km – ✉ 03725 Teulada – 😊 96 :

X **Castel's Blanc,** urb. Castellon's Vida 𝒫 574 00 19, ≤ mar y montañas – 🅿. 𝘝𝘐𝘚𝘈. 𝒮𝒦
cerrado miércoles y 15 diciembre-10 marzo – Com carta aprox. 2500.

en Benimarco S : 4,5 km – ✉ 03725 Teulada – 😊 96 :

X La Naya, en Benimarco 𝒫 574 02 90.

EL TIEMBLO 05270 Ávila 442 K 16 – 3 695 h. alt. 680 – 😊 91.
Alred. : Embalse de Burguillo★ NO : 7 km – Pantano de San Juan ≤★ E : 17 km.
♦Madrid 83 – Avila 50.

🏨 **Toros de Guisando,** av. de Madrid 𝒫 862 71 32, Fax 862 70 82, ≤, 🔟 climatizada, 𝒮𝒦
▤ rest ☎ ⇔ 🅿 – 🔬 25/500. 𝘝𝘐𝘚𝘈. 𝒮𝒦
Com 2400 – **30 hab** 4500/6500 – PA 4800.

TITULCIA 28359 Madrid 444 L 19 – 872 h. alt. 509 – 😊 91.
♦ Madrid 31 – Aranjuez 21 – Ávila 159.

X **El Rincón de Luis,** Grande 31 𝒫 801 01 75 – ▤. 🄰🄴 ① 🄴 𝘝𝘐𝘚𝘈. 𝒮𝒦
cerrado lunes y del 15 al 31 de agosto – Com (sólo almuerzo salvo sábado) carta 27♦
a 3750.

La TOJA (Isla de) o **TOXA (Illa da)** 36991 Pontevedra 441 E 3 – 😊 986 – Balneario
Playa.

Ver : Paraje★★ – Carretera★ de La Toja a Canelas.

🇫 La Toja 𝒫 73 07 26.
♦Madrid 637 – Pontevedra 33 – Santiago de Compostela 73.

🏨🏨🏨 **G. H. La Toja** 🐾, 𝒫 73 00 25, Telex 88042, Fax 73 12 01, ☂, « Suntuoso edificio en ₡
singular paraje verde con ≤ ría de Arosa », 🛁, 🔟 climatizada, 🚗, 𝒮𝒦, 🇫 – 🛗 🔟 ☎ ₡
🔬 25/500. 🄰🄴 ① 🄴 𝘝𝘐𝘚𝘈. 𝒮𝒦
Com 5000 – **173 hab** ☲ 21000/27500, 25 suites – PA 9200.

🏨🏨 **Louxo,** 𝒫 73 02 00, Fax 73 27 91, « Magnífica situación en un singular paraje verde c₡
≤ ría de Arosa », 🔟, 🚗 🔟 ☎ 🅿 – 🔬 25/200. 🄰🄴 𝘝𝘐𝘚𝘈. 𝒮𝒦
Com 3300 – ☲ 1100 – **112 hab** 12700/15500, 3 suites.

TOLEDO 45000 🅿 444 M 17 – 57 769 h. alt. 529 – 😊 925.
Ver : Emplazamiento★★★ – El Toledo Antiguo★★★ – Catedral★★★ BY : (Retablo de la Capil₡
Mayor★★, sillería del coro★★★, artesonado mudéjar de la sala capitular★, Sacristía : obras de ᵛ
Greco★ –, Tesoro : custodia★★) - Iglesia de Santo Tomé : El Entierro del Conde de Orgaz★★★ A₡
- Casa y Museo de El Greco★ AY M1 – Sinagoga del Tránsito★★ (decoración mudéjar★★) AYZ ᵛ
Sinagoga de Santa María la Blanca★ : capiteles★ AY – Monasterio de San Juan de los Reyes᷾
(iglesia : decoración escultórica★) AY – Iglesia de San Román : museo de los concilios y de l᷾
cultura visigoda★ BY – Museo de Santa Cruz★★ (fachada★, colección de pintura de los s. XVI ᵛ
XVII★, obras de El Greco★, obras de primitivos★ –, retablo de la Asunción de El Greco★, pat᷾
plateresco★, escalera de Covarrubias★) CXY – Hospital de Tavera★ : palacio★, iglesia : El bautism᷾
de Cristo de El Greco★ BX.

🅱 Puerta Bisagra, ✉ 45003, 𝒫 22 08 43 – R.A.C.E. Agen 5, 𝒫 21 16 37.
♦Madrid 70 ① – ♦Ávila 137 ⑥ – Ciudad Real 120 ③ – Talavera de la Reina 78 ⑥.

Planos páginas siguientes

🏨🏨 **Parador Conde de Orgaz** 🐾, Cerro del Emperador, ✉ 45002, 𝒫 22 18 50, Telex 47999᷾
Fax 22 51 66, ≤ Tajo y ciudad, ☂, « Edificio de estilo regional », 🔟 – 🛗 ▤ 🔟 ☎ 🅿
🔬 25/100. 🄰🄴 ① 𝘝𝘐𝘚𝘈. 𝒮𝒦
Com 3500 – ☲ 1200 – **76 hab** 15000 – PA 6970.
BZ

🏨🏨 María Cristina y Rest. El Ábside, Marqués de Mendigorría 1, ✉ 45003, 𝒫 21 32 0₡
Telex 42827, Fax 21 26 50 – 🛗 ▤ 🔟 ☎ – 🔬 25/200
63 hab.
BX

🏨🏨 **Doménico** 🐾, cerro del Emperador, ✉ 45002, 𝒫 25 00 40, Fax 25 28 77, ≤, ☂, 🔟 – ₡
▤ 🔟 🅿 – 🔬 25/90. 🄰🄴 ① 🄴 𝘝𝘐𝘚𝘈. 𝒮𝒦
Com 2830 – ☲ 950 – **50 hab** 8800/11150 – PA 5618.
BZ

🏨🏨 **Alfonso VI,** General Moscardó 2, ✉ 45001, 𝒫 22 26 00, Fax 21 44 58 – 🛗 ▤ 🔟 ☎
🔬 25/300. 🄰🄴 ① 🄴 𝘝𝘐𝘚𝘈 𝐉𝐂𝐁. 𝒮𝒦
Com 2335 – ☲ 645 – **88 hab** 6500/9900 – PA 5315.
CY

🏨 **Carlos V,** Trastamara 1, ✉ 45001, 𝒫 22 21 00, Fax 22 21 05 – 🛗 ▤ 🔟 ☎. 🄰🄴 ① 🄴 𝘝𝘐𝘚
𝒮𝒦 rest
Com 2475 – ☲ 685 – **69 hab** 7210/10815 – PA 4785.
BY

🏨 **Pintor El Greco** sin rest, Alamillos del Tránsito 13, ✉ 45002, 𝒫 21 42 50, Fax 21 58 1₡
– 🛗 ▤ 🔟 ☎. 🄰🄴 ① 🄴 𝘝𝘐𝘚𝘈 𝐉𝐂𝐁
☲ 650 – **33 hab** 7440/9300.
AY

Mayoral sin rest, Av. Castilla-La Mancha 3, ⊠ 45003, ℰ 21 60 00, Fax 21 69 54 – 🛗 🗐 📺
☎ – 🛗 25/130
CX **s**
110 hab.

Real de Toledo sin rest, Real del Arrabal 4, ⊠ 45003, ℰ 22 93 00, Fax 22 87 67 – 🛗 🗐
📺 ☎ ⇔. 🖭 ⑩ 🗲 💯. ⁑
BX **n**
⊑ 600 – **56 hab** 6000/8800.

Los Cigarrales, carret. de circunvalación 32, ⊠ 45000, ℰ 22 00 53, Fax 21 55 46, ≼ – 🗐
⇔ 🅿. 🗲 💯. ⁑ rest
AZ **x**
Com 1675 – ⊑ 435 – **36 hab** 3675/5650.

Gavilanes II sin rest, Marqués de Mendigorría 14, ⊠ 45003, ℰ 21 16 28, Fax 22 41 06 –
🗐 📺 ⇔. 🗲 💯
BX **b**
⊑ 325 – **15 hab** 4300/5400.

Santa Isabel sin rest, Santa Isabel 24, ⊠ 45002, ℰ 25 31 20, Fax 25 31 36 – 🛗 🗐 📺 ☎
⇔. 🗲 💯
BY **e**
⊑ 380 – **23 hab** 3710/5775.

Martín sin rest, Covachuelas 12, ⊠ 45003, ℰ 22 17 33 – 🗐 📺 ☎. 🗲 💯. ⁑   BX **d**
⊑ 350 – **15 hab** 4500/6000, 2 apartamentos.

Imperio sin rest, con cafetería, Cadenas 5, ⊠ 45001, ℰ 22 76 50, Fax 25 31 83 – 🛗 🗐 📺
⇔. ⑩ 🗲 💯
BY **v**
⊑ 354 – **21 hab** 3490/5190.

Maravilla, Barrio Rey 7, ⊠ 45001, ℰ 22 33 00, Fax 25 05 58 – 🛗 🗐 ⇔. ⁑   BCY **t**
Com 1750 – ⊑ 475 – **18 hab** 3000/6000 – PA 3475.

XX **Hostal del Cardenal** ⑤ con hab, paseo Recaredo 24, ⊠ 45003, ℰ 22 49 00, Fax 22 29 91,
🍴, « Instalado en la antigua residencia del cardenal Lorenzana ; Jardín con arbolado » –
🗐 🗐 🖭 ⑩ 🗲 💯. ⁑ rest
BX **e**
Com carta 3300 a 3950 – ⊑ 650 – **27 hab** 5900/9500.

XX **Adolfo,** La Granada 6, ⊠ 45001, ℰ 22 73 21, Fax 21 62 63, « Artesonado siglo XIV-XV »
– 🗐. 🖭 ⑩ 🗲 💯 🗾𝗰𝗯
BY **g**
cerrado domingo noche – Com carta 3900 a 5450.

XX **Marcial y Pablo,** Nuñez de Arce 11, ⊠ 45003, ℰ 22 07 00 – 🗐. 🖭 ⑩ 🗲 💯 🗾𝗰𝗯
cerrado domingo en julio, domingo noche resto del año y agosto – Com carta 3400 a
3950.
BX **c**

XX **La Tarasca,** callejón del Fraile, ⊠ 45001, ℰ 25 00 57 – 🗐. 🖭 ⑩ 🗲 💯. ⁑   BY **w**
Com carta 3600 a 4700.

XX **El Pórtico,** av. de América 1, ⊠ 45004, ℰ 21 43 15, Fax 21 43 15 – 🗐. 🖭 💯. ⁑
cerrado 20 junio-20 agosto – Com carta 3400 a 4550.
AX **c**

XX **Venta de Aires,** Circo Romano 35, ⊠ 45004, ℰ 22 05 45, Fax 22 45 09, 🍴, « Amplia
terraza con arbolado » – 🗐. 🖭 ⑩ 🗲 💯 🗾𝗰𝗯. ⁑
AX **s**
cerrado domingo noche – Com carta 3100 a 4300.

X **Emperador,** carret. del Valle 1, ⊠ 45004, ℰ 22 46 91, ≼, 🍴, Decoración castellana – 🗐
🅿 💯. ⁑
AZ **b**
cerrado lunes – Com carta 1900 a 2800.

X **Mesón Aurelio,** Sinagoga 1, ⊠ 45001, ℰ 22 13 92, Fax 25 34 61 – 🗐. 🖭 ⑩ 🗲 💯 🗾𝗰𝗯.
⁑
BY **c**
cerrado lunes y agosto – Com carta 3300 a 4350.

X **Aurelio,** pl. del Ayuntamiento 8, ⊠ 45001, ℰ 22 77 16, Fax 25 34 61, Decoración típica –
🗐. 🖭 ⑩ 🗲 💯 🗾𝗰𝗯. ⁑
BY **b**
cerrado martes y julio – Com carta aprox. 3900.

X **Casa Aurelio,** Sinagoga 6, ⊠ 45001, ℰ 22 20 97, Fax 25 34 61, Decoración típica regional
– 🗐. 🖭 ⑩ 🗲 💯 🗾𝗰𝗯. ⁑
BY **c**
cerrado miércoles y julio – Com carta aprox. 4100.

X **Hierbabuena,** Cristo de la Luz 9, ⊠ 45003, ℰ 22 34 63 – 🗐. 🖭 ⑩ 🗲 💯. ⁑   BX **a**
cerrado lunes y agosto – Com carta 3500 a 4530.

X **La Parrilla,** Horno de los Bizcochos 8, ⊠ 45001, ℰ 21 22 45 – 🗐. 🖭 ⑩ 🗲 💯   CY **e**
Com carta aprox. 2950.

X **Plácido,** Santo Tomé 6, ⊠ 45002, ℰ 22 26 03, 🍴, Típico patio toledano –   BY **r**
cerrado febrero – Com carta 2150 a 2800.

X **Hierbabuena,** callejón de San José 17, ⊠ 45003, ℰ 22 39 24 – 🗐. 🖭 ⑩ 🗲 💯. ⁑
cerrado domingo – Com carta 3500 a 4530.
BX **f**

en la carretera de Madrid por ① : 5 km – ⊠ 45000 Toledo – ☻ 925 :

X **Los Gavilanes** con hab, ℰ 22 46 22, Fax 22 41 06, 🍴 – 🗐 📺 🅿. 🗲 💯
Com *(cerrado 15 diciembre-15 enero)* carta 1600 a 2300 – ⊑ 325 – **12 hab** 4500.

en la carretera de Cuerva SO : 3,5 km – ⊠ 45080 Toledo – ☻ 925 :

🏠 **La Almazara** ⑤ sin rest, ⊠ apartado 6, ℰ 22 38 66, « Antigua casa de campo rodeada
de una finca » – ⇔ 🅿. 🖭 ⑩ 🗲 💯. ⁑
15 marzo-10 diciembre – ⊑ 400 – **21 hab** 3000/4800.

431

TOLEDO

*Si desea pernoctar
en un Parador
o en un hotel
muy tranquilo, aislado,
avise por teléfono,
sobre todo en temporada.*

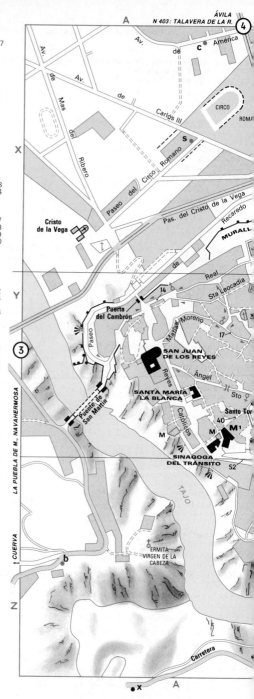

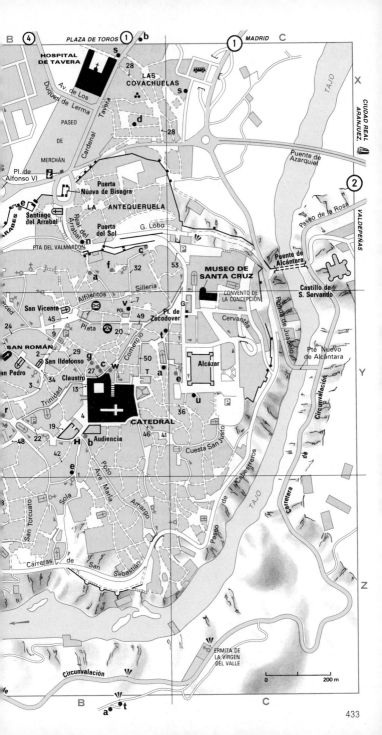

433

en la carretera de Ávila por ④ : 2,7 km – ⊠ 45005 Toledo – ☎ 925 :

🏨 **Beatriz y Rest. Anticuario** ⤸, ℰ 22 22 11, Telex 27835, Fax 21 58 65, ≤, 佘, ⊥, ⋇
🛗 ▤ 📺 ☎ ⟲ ➔ – 🏖 25/2000. 🖭 ⑩ **E** 𝗩𝗜𝗦𝗔 𝗝𝗖𝗕. ⋇
Com carta aprox. 4635 – ⊑ 1085 – **295 hab** 11780/14735.

TOLOSA 20400 Guipúzcoa 𝟦𝟦𝟤 C 23 – 18 399 h. alt. 77 – ☎ 943.
♦Madrid 444 – ♦Pamplona/Iruñea 64 – ♦San Sebastián/Donostia 27 – ♦Vitoria/Gasteiz 89.

XX **Sausta,** Belate Pasalekua 7-8 ℰ 64 54 53 – ▤. 🖭 ⑩ **E** 𝗩𝗜𝗦𝗔. ⋇
cerrado lunes y 23 diciembre- 3 enero – Comida carta 2400 a 3475.

XX **Urrutitxo** con hab, Kondeko Aldapa 7 ℰ 67 38 22, Fax 67 34 28, 佘 – 📺 ☎ ➋ – 🏖 25/1
🖭 **E** 𝗩𝗜𝗦𝗔
cerrado del 1 al 15 de enero – Com *(cerrado domingo noche)* carta 2650 a 3625
⊑ 475 – **10 hab** 3750/6500.

en Ibarra E : 1,5 km – ⊠ 20400 Tolosa – ☎ 943 :

X **Eluska,** Euskal Herria 12 ℰ 67 52 54 – ▤. 🖭 ⑩ **E** 𝗩𝗜𝗦𝗔 𝗝𝗖𝗕. ⋇
cerrado lunes, Semana Santa y del 1 al 15 de julio – Com carta 3150 a 5650.

TOLOX 29109 Málaga 𝟦𝟦𝟨 V 15 – 3 067 h. – ☎ 95 – Balneario.
♦Madrid 600 – Antequera 81 – ♦Málaga 54 – Marbella 46 – Ronda 53.

🏤 **Balneario** ⤸, ℰ 248 01 67, 佘 – ➋. ⋇
15 junio-15 octubre – Com 1100 – ⊑ 350 – **53 hab** 2100/3100 – PA 2200.

TOMIÑO 36740 Pontevedra 𝟦𝟦𝟣 G 3 – 10 499 h. – ☎ 986.
♦Madrid 616 – Orense/Ourense 117 – Pontevedra 60 – ♦Vigo 41.

en la carretera C 550 S : 2,5 km – ⊠ 36740 Tomiño – ☎ 986 :

X **O'Miñoteiro,** Vilar de Matos - Forcadela ℰ 62 24 33 – ➋. 🖭 𝗩𝗜𝗦𝗔. ⋇
Com carta 1700 a 2800.

TONA 08551 Barcelona 𝟦𝟦𝟥 G 36 – 5 114 h. alt. 600 – ☎ 93.
Alred. : Sierra de Montseny★ : Carretera★ de Tona a San Celoni por Montseny.
♦Madrid 627 – ♦Barcelona 56 – Manresa 42.

🏠 **Aloha,** carret. de Manresa 6 ℰ 887 02 77, Fax 887 07 11 – 🛗 ▤ rest ➋. 🖭 ⑩ **E** 𝗩𝗜𝗦
⋇
cerrado 27 diciembre-9 enero – Com *(cerrado domingo noche y del 5 al 20 de septiembre*
1400 – ⊑ 500 – **31 hab** 3500/5000.

🏠 **4 Carreteras,** carret. de Barcelona ℰ 887 04 00, Fax 887 04 00, 佘 – ▤ rest 📺 ⟲ ➋
🖭 ⑩ **E** 𝗩𝗜𝗦𝗔. ⋇
Com 1500 – ⊑ 600 – **21 hab** 3500/6000.

X **La Ferrería,** carret. de Vich ℰ 887 00 92, « Decoración rústica » – ➋. 𝗩𝗜𝗦𝗔. ⋇
cerrado lunes, última semana de agosto y 1ª semana de septiembre – Com carta 290
a 4400.

TORÀ 25750 Lérida 𝟦𝟦𝟥 G 34 – 1 130 h. alt. 448 – ☎ 973.
♦ Madrid 542 – ♦ Barcelona 110 – ♦ Lérida/Lleida 83 – Manresa 49.

X **Hostal Jaumet** con hab, carret de Barcelona-Andorra ℰ 47 30 77, Fax 47 30 77 – ▤ re
⟲ ➋. **E** 𝗩𝗜𝗦𝗔
cerrado del 17 al 30 de enero – Comida *(cerrado domingo noche y lunes mediodía)* car
2275 a 3250 – ⊑ 500 – **19 hab** 4800.

TORDESILLAS 47100 Valladolid 𝟦𝟦𝟤 H 14 y 15 – 6 681 h. alt. 702 – ☎ 983.
Ver : Convento de Santa Clara★ (artesonado★★, patio★).
♦Madrid 179 – Ávila 109 – ♦León 142 – ♦Salamanca 85 – ♦Segovia 118 – ♦Valladolid 30 – Zamora 67.

🏨 **Los Toreros,** av. de Valladolid 26 ℰ 77 19 00, Fax 77 19 54 – ▤ rest 📺 ☎ ➋ – 🏖 25/60
🖭 ⑩ 𝗩𝗜𝗦𝗔. ⋇ rest
Com 1600 – ⊑ 450 – **34 hab** 4000/6000 – PA 3000.

🏠 **Juan Manuel,** cruce antigua carret. N VI y N 620 ℰ 77 00 00, Fax 77 00 16 – ▤ 📺 ☎
⟲ ➋. **E** 𝗩𝗜𝗦𝗔. ⋇
Com 1300 – ⊑ 400 – **24 hab** 2700/4500 – PA 2800.

X **Mesón Valderrey,** antigua carret. N VI ℰ 77 11 72, Decoración castellana – ▤. 🖭 **E** 𝗩𝗜𝗦𝗔
⋇
Com carta 2400 a 3700.

X **Los Duques,** av. de Valladolid 34 ℰ 77 19 92 – ▤. 🖭 **E** 𝗩𝗜𝗦𝗔. ⋇
cerrado lunes y diciembre – Com carta 2550 a 3300.

en la carretera N 620 – ☻ 983 :

🏰 **Parador de Tordesillas,** SO : 2 km, ⊠ 47100 Tordesillas, ℰ 77 00 51, Fax 77 10 13, « En un pinar », 🔽, ☞ – 🛗 ⬛ 📺 ☎ 🚗 🅿 – 🔏 25/100. 🆎 ⓞ 𝚅𝙸𝚂𝙰. ✵
Com 3200 – ⬭ 1100 – **73 hab** 10500 – PA 6375.

🏰 **El Montico,** E : 5 km apartado 12, ⊠47080 Tordesillas, ℰ 77 06 51, Telex 26575, Fax 77 07 51, ☞, « En un pinar », 🏋, 🔽, ☞, ✵ – 📺 ☎ 🚗 🅿 – 🔏 25/500. 🆎 ⓞ E 𝚅𝙸𝚂𝙰. ✵ rest
Com 2750 – ⬭ 900 – **51 hab** 7000/10500, 4 suites.

TORLA 22376 Huesca 𝟒𝟒𝟑 E 29 – 356 h. alt. 1 113 – ☻ 974.
er : Paisaje★★. – Alred. : Parque Nacional de Ordesa y Monte Perdido★★★ NE : 8 km.
Madrid 482 – Huesca 92 – Jaca 54.

🏠 **Edelweiss,** av. de Ordesa 1 ℰ 48 61 73, Fax 48 63 72, ≼, ☞ – 🛗 📺 ☎ 🅿. 🆎 E 𝚅𝙸𝚂𝙰. ✵
15 marzo-10 diciembre – Com 1600 – ⬭ 500 – **57 hab** 3600/6300 – PA 3300.

🏠 **Bujaruelo,** av. de Ordesa ℰ 48 61 74, Fax 48 63 30, ≼ – 📺 ☎ 🅿. E 𝚅𝙸𝚂𝙰. ✵
cerrado 10 enero- 14 marzo – Com 1500 – ⬭ 475 – **27 hab** 3900/5600.

🏡 **Bella Vista** sin rest, av. de Ordesa 6 ℰ 48 61 53, ≼ – 🅿. ✵
abril-septiembre – ⬭ 400 – **15 hab** 3500/5500.

en la carretera del Parque de Ordesa N : 1,5 km – ⊠ 22376 Torla – ☻ 974 :

🏠 Ordesa, ℰ 48 61 25, ≼ alta montaña, 🔽, ☞, ✵ – ☎ 🅿 – **69 hab.**

TORO 49800 Zamora 𝟒𝟒𝟏 H 13 – 9 781 h. alt. 745 – ☻ 980.
er : Colegiata★ (portada occidental★★), interior : (cúpula★ ; cuadro de la Virgen de la Mosca★).
Madrid 210 – ♦Salamanca 66 – ♦Valladolid 63 – Zamora 33.

🏠 **Juan II** ⌦, paseo del Espolón 1 ℰ 69 03 00, Fax 69 23 76, 🔽 – 🛗 ⬛ rest 📺 ☎. 🆎 ⓞ E 𝚅𝙸𝚂𝙰. ✵
Com 1100 – ⬭ 400 – **41 hab** 3950/6450 – PA 2600.

TORÓ (Playa de) Asturias – ver Llanes.

TORQUEMADA 34230 Palencia 𝟒𝟒𝟐 F 17 – 1 305 h. alt. 740 – ☻ 979.
Madrid 253 – ♦ Burgos 63 – Palencia 26 – ♦ Valladolid 61.

en la carretera N 620 E : 6,5 km – ⊠ 34230 Torquemada – ☻ 979 :

🏠 **Las Lagunas,** ℰ 80 04 06, Fax 80 01 11 – 🛗 ⬛ 📺 ☎ 🚗 🅿. E 𝚅𝙸𝚂𝙰. ✵
Com 1200 – ⬭ 375 – **44 hab** 3500/5500 – PA 2500.

TORRE BARONA Barcelona – ver Castelldefels.

TORRECABALLEROS 40160 Segovia 𝟒𝟒𝟐 J 17 – 289 h. alt. 1 152 – ☻ 921.
♦Madrid 97 – ♦Segovia 10.

❌❌ Posada de Javier, carret. N 110 ℰ 40 11 36, ☆, « Decoración rústica ».

❌ **El Rancho de la Aldegüela,** carret. N 110 ℰ 40 10 60, ☆ – 🆎 ⓞ E 𝚅𝙸𝚂𝙰
Com carta aprox.3550.

TORREDELCAMPO 23640 Jaén 𝟒𝟒𝟔 S 18 – 10 593 h. – ☻ 953.
♦Madrid 343 – ♦Córdoba 99 – ♦Granada 106 – Jaén 10.

🏠 **Torrezaf,** carret. de Córdoba 90 ℰ 56 71 00, Fax 41 00 86 – 🛗 ⬛ 📺 ☎ – 🔏 25/100. 🆎 ⓞ E 𝚅𝙸𝚂𝙰. ✵
Com 1075 – ⬭ 500 – **33 hab** 3680/6210 – PA 2250.

TORRE DEL MAR 29740 Málaga 𝟒𝟒𝟔 V 17 – ☻ 95 – Playa.
◪ av. de Andalucía 92 ℰ 254 11 04. – ♦Madrid 570 – ♦Almería 190 – ♦Granada 141 – ♦Málaga 31.

🏠 **Las Yucas** sin rest, av. de Andalucía ℰ 254 22 72 – 🛗 ⬛ 📺 ☎ 🚗. E 𝚅𝙸𝚂𝙰. ✵
⬭ 325 – **36 hab** 5000/8500.

🏡 **Mediterráneo** sin rest y sin ⬭, av. de Andalucía 65 ℰ 254 08 48 – ✵
18 hab 3000/4300.

❌ **Carmen,** av. de Andalucía 94 ℰ 254 04 35, ☆, Cena espectáculo los sábados – ⬛
Com carta 1450 a 2900.

❌ **El Jardín,** paseo Marítimo de Levante 5 ℰ 254 06 36, ☆ – E 𝚅𝙸𝚂𝙰
cerrado martes, 1ª quincena febrero y 1ª quincena octubre – Com carta 1700 a 3050.

TORREDEMBARRA 43830 Tarragona 443 I 34 – 5 302 h. – 977 – Playa.

🚩 av. Pompeu Fabra 3, 🖋 64 03 31.

◆Madrid 566 – ◆Barcelona 94 – ◆Lérida/Lleida 110 – Tarragona 12.

🍴🍴 **Le Brussels,** Antonio Roig 56 🖋 64 05 10, 🌇 – AE ① E VISA. 🍴
Semana Santa -16 octubre – Com carta 3150 a 4300.

🍴 **La Cabaña,** Clará-carret. de La Pobla de Montornés N : 1 km 🖋 64 26 98, 🌇, Pescad
y mariscos – E VISA
cerrado lunes, diciembre y enero – Com carta aprox. 4375.

en Els Munts – ✉ 43830 Torredembarra – 977 :

🏨 **Costa Fina,** av. Montserrat 33 🖋 64 00 75, Fax 64 35 59 – 🛗 ☎ 🚗. AE E VISA. 🍴
Semana Santa-septiembre – Com (sólo cena) – ☲ 650 – **48 hab** 4500/7800.

en el barrio marítimo :

🏨 **Morros,** Pérez Galdós 15 🖋 64 02 25, Fax 64 18 64 – 🛗 TV ① 🚗. AE ① E VISA
Com (ver rest. **Morros**) – ☲ 750 – **79 hab** 4800/7500.

🍴🍴🍴 **Morros,** pl. Narcis Monturiol 🖋 64 00 61, Fax 64 18 64, ≤, 🌇, « Terraza con jardín »
▤ ℗. AE ① E VISA. 🍴
cerrado domingo noche y lunes (salvo abril-septiembre) – Com carta 3550 a 5350.

🍴 **Can Cues,** Tamarit 14 🖋 64 05 73, Pescados y mariscos – AE E VISA. 🍴
Com carta 2000 a 4550.

*Todas las poblaciones de Portugal mencionadas en esta guía
figuran subrayadas en rojo en el mapa Michelin nº 440 a 1/400 000.*

TORREJÓN DE ARDOZ 28850 Madrid 444 K 19 – 75398 h. alt. 585 – 91.

◆Madrid 22.

🏨 **Aida** sin rest, av. de la Constitución 167 🖋 677 65 53, Fax 675 15 54 – 🛗 ▤ TV ☎ 🚗
AE ① E VISA. 🍴
☲ 650 – **68 hab** 8250/11500.

🏨 **Torrejón y Grill Don José,** av de la Constitución 173 🖋 675 26 44, Telex 4830
Fax 676 72 13 – 🛗 ▤ TV ☜ ℗ – 🛗 25/350. AE ① E VISA. 🍴
Com carta 2700 a 3250 – ☲ 550 – **70 hab** 5450/7800.

🏨 **Henares,** av. de la Constitución 128 🖋 677 59 95, Fax 677 63 13 – 🛗 ▤ ☎ ℗. AE ①
VISA. 🍴
Com 1300 – ☲ 400 – **32 hab** 4800/5500 – PA 2500.

🍴🍴🍴 **La Casa Grande** con hab, Madrid 2 🖋 675 39 00, Fax 675 06 91, 🌇, « Instalado en un
Casa de Labor del siglo XVI-Museo de Iconos, Lagar » – ▤ TV ☜ ℗ – 🛗 25/100. AE ①
E VISA. 🍴
Com (cerrado domingo noche) carta 3100 a 4800 – **8 hab** ☲ 18000/25000.

🍴🍴 **Vaquerín,** ronda del Poniente 2 🖋 675 66 20 – ▤. AE ① VISA. 🍴
cerrado sábado – Com carta 4000 a 4800.

TORRELAVEGA 39300 Cantabria 442 B 17 – 55 786 h. alt. 23 – 942.

Alred. : Cueva prehistórica★★ de Altamira (techo★★★) NO : 11 km.

🚩 Ruiz Tagle 6 🖋 89 01 62.

◆Madrid 384 – ◆Bilbao/Bilbo 121 – ◆Oviedo 178 – ◆Santander 27.

🏨🏨 **Torrelavega,** av. Julio Hauzeur 12 🖋 80 31 20, Telex 35675, Fax 80 27 00 – 🛗 ▤ TV ☎
– 🛗 25/450. AE ① E VISA JCB. 🍴
Com (cerrado domingo noche) 2750 – ☲ 950 – **116 hab** 10000/14500 – PA 5480.

🏨 **Marqués de Santillana** sin rest, Marqués de Santillana 8 🖋 89 29 34, Fax 89 29 34 – 🛗
TV ☎ 🚗. AE ① E VISA
32 hab ☲ 8000/12000.

🏨 **Saja** sin rest, Alcalde del Río 22 🖋 89 27 50, Fax 89 24 51 – 🛗 ☎ 🚗 – 🛗 25/200. ①
E VISA
☲ 375 – **45 hab** 6500/9500.

🍴 **Villa de Santillana,** Julián Ceballos 1 🖋 88 30 73 – ▤. AE ① E VISA. 🍴
cerrado lunes (salvo festivos) y 15 junio-15 julio – Com carta 1975 a 2800.

TORRELODONES 28250 Madrid 444 K 18 – 3 495 h. – 91.

◆Madrid 27 – El Escorial 22 – ◆Segovia 60.

🍴 **L'Alsace,** camino de Valladolid (Zoco) 🖋 859 08 69, 🌇 – ▤. AE ① E VISA. 🍴
Com carta 3080 a 3700.

en la Colonia NO : 2,5 km – ✉ 28250 Torrelodones – 91 :

🍴🍴 La Rosaleda, paseo de Vergara 7 🖋 859 11 25, 🌇 – ▤.

436

Club de Campo de Málaga por ① : 5,5 km 🖉 238 11 20 – 🗔 Torrequebrada por ② : 10 km 244 27 42 – Iberia : edificio "La Nogalera" 🖉 238 24 00 AY.

La Nogalera 517 🖉 238 15 78 – R.A.C.E. pl. de la Costa del Sol (edificio Entreplantas Ofc. 194) 38 77 42.

adrid 569 ① – Algeciras 124 ② – ◆Málaga 14 ①.

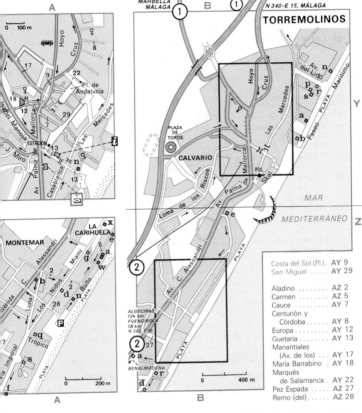

Costa del Sol (Pl.) .	**AY** 9
San Miguel	**AY** 29
Aladino	**AZ** 2
Carmen	**AZ** 5
Cauce	**AY** 7
Centurión y Córdoba	**AY** 8
Europa	**AY** 12
Guetaria	**AY** 13
Manantiales (Av. de los) . . .	**AY** 17
María Barrabino .	**AY** 18
Marqués de Salamanca .	**AY** 22
Pez Espada	**AZ** 27
Remo (del)	**AZ** 28

🏨 **Meliá Costa del Sol,** paseo Marítimo 🖉 238 66 77, Telex 77326, Fax 238 64 17, ≼, Servicios de talasoterapia, ⨪ – ▮ ▤ 🆅 🕿 🅿 – 🔏 25/250. 🕮 ⓪ 🗉 𝘝𝘐𝘚𝘈. ⨯   BY **b**
Com 2300 – 🖵 700 – **540 hab** 7700/11900 – PA 4250.

🏨 **Don Pablo,** paseo Marítimo 🖉 238 38 88, Telex 77252, Fax 238 37 83, ≼, ⨪ climatizada, ▧, ⨯ – ▮ ▤ 🆅 🕿 🅿 – 🔏 25/200. 🕮 ⓪ 🗉 𝘝𝘐𝘚𝘈. ⨯   BY **s**
Com 2200 – 🖵 800 – **443 hab** 10900/13650 – PA 4500.

🏨 **Don Pedro,** av. del Lido 🖉 238 68 44, Telex 79265, Fax 238 69 35, ⨪, ⨯ – ▮ ▤ 🆅 🕿 🅿. 🕮 ⓪ 🗉 𝘝𝘐𝘚𝘈. ⨯   BY **p**
Com (sólo buffet) 1650 – 🖵 650 – **289 hab** 6000/10000 – PA 3300.

🏨 **Isabel** sin rest, paseo Marítimo 97 🖉 238 17 44, Fax 238 11 98, ≼, ⨪ – ▮ 🕿 🗉 𝘝𝘐𝘚𝘈. ⨯   BY **n**
marzo-noviembre – **40 hab** 🖵 6130/7980.

🏨 **Don Paquito** sin rest y sin 🖵, av. del Lido 🖉 238 68 44, Telex 79265, Fax 238 69 35, ⨪, ⨯ – ▮ 🕿. 🕮 ⓪ 🗉 𝘝𝘐𝘚𝘈. ⨯   BY **r**
julio-agosto – **49 hab** 4000/6500.

XX **Cetus,** paseo Marítimo 🖉 237 41 18, Fax 238 24 55, ≼, 🛱 – ▤. 🕮 𝘝𝘐𝘚𝘈. ⨯   BY **a**
cerrado domingo – Com carta aprox. 3900.

X **Los Pampas,** Guetaria 13 - La Nogalera B 14 🖉 238 65 69, Decoración rústica, Carnes a la parrilla – 🕮 ⓪ 🗉 𝘝𝘐𝘚𝘈   AY **n**
cerrado miércoles – Com carta 2200 a 3375.

al Suroeste : barrios de la Carihuela y Montemar – ⊠ 29620 Torremolinos – 🕃 95

🏨 **Meliá Torremolinos,** av. Carlotta Alessandri 109 ⋒ 238 05 00, Telex 77060, Fax 238 05
≼, 佘, « Jardín tropical », 🗶, 🕾 – 🛊 🗐 🔟 ☎ 🅿 – 🔬 25/400. 🖭 ⓞ 🗲 🗷 🛵.
abril-octubre – Com 3050 – 🖙 950 – **281 hab** 9000/15000 – PA 5980.
BZ

🏛 **Pez Espada,** vía Imperial 11 ⋒ 238 03 00, Telex 77655, Fax 237 28 01, ≼, 🗶, 🔲, 佘,
– 🛊 🗐 🔟 ☎ 🅿 – 🔬 25/250. 🖭 ⓞ 🗲 🗷
Com 2600 – 🖙 1200 – **205 hab** 9800/13400 – PA 5400.
AZ

🏛 **Sol Aloha Puerto,** vía Imperial 55 ⋒ 238 70 66, Telex 77339, Fax 238 57 01,
🗶 climatizada, 🗶 – 🛊 🗐 🔟 🕾 – 🔬 25/500. 🖭 ⓞ 🗲 🗷 🗶
Com 1500 – 🖙 670 – **418 hab** 9050/12800.
BZ

🏛 **Las Palomas,** Carmen Montes 1 ⋒ 238 50 00, Telex 77263, Fax 238 64 66, ≼
🗶 climatizada, 佘, 🗶 – 🛊 🗐 🠻 rest 🕾 🅿. 🖭 ⓞ 🗲 🗷 🗶
Com 2000 – 🖙 700 – **298 hab** 6890/9540 – PA 3700.
BZ

🏛 **Sidi Lago Rojo,** Miami 1 ⋒ 238 76 66, Telex 77395, Fax 238 08 91, 🗶 – 🛊 🗐 🔟 ☎.
ⓞ 🗲 🗷 🗶 rest
Com 2075 – 🖙 575 – **144 hab** 7200/9000 – PA 3750.
AZ

🏩 **Tropicana,** Trópico 6 ⋒ 238 66 00, Fax 238 05 68, ≼, 🗶, 佘 – 🛊 🗐 🔟 ☎ – 🔬 25/
🖭 ⓞ 🗲 🗷 🗶
Com 2000 – **85 hab** 🖙 9000/14000.
AZ

🏩 **Nautilus,** Vía Imperial 47 ⋒ 238 52 00, Fax 238 56 23, ≼, 🗶, 🗶 – 🛊 🗐 🔟 ☎ 🅿 – 🔬 25/
🖭 ⓞ 🗲 🗷 🗶
Com 2000 – **117 hab** 🖙 9000/15000.
BZ

🏠 **El Tiburón** sin rest, Los Nidos 7 ⋒ 238 13 20, 🗶 – 🗷
mayo-octubre – 🖙 400 – **40 hab** 4700/6000.
AZ

🏠 **Prudencio,** Carmen 43 ⋒ 238 14 52, ≼ – 🖭 🗲 🗷 🗶
cerrado 26 diciembre-10 febrero – Com (ver rest. Casa Prudencio) – **33 hab** 🖙 3500/500
AZ

🗶 **La Jábega,** del Mar 17 ⋒ 238 63 75, Fax 237 08 16, ≼, 佘 – 🖭 ⓞ 🗲 🗷 🛵. 🗶
Com carta 1725 a 4650.
AZ

🗶 **Casa Prudencio,** Carmen 43 ⋒ 238 14 52, ≼, 佘, Pescados y mariscos.
temp.
AZ

🗶 **La Langosta,** Bulto 53 ⋒ 238 43 81, Fax 237 04 98, ≼, 佘 – 🖭 ⓞ 🗲 🗷 🗶
Com carta 2750 a 4100.
AZ

🗶 **El Roqueo,** Carmen 35 ⋒ 238 49 46, ≼, 佘, Pescados y mariscos – 🖭 🗲 🗷 🗶
cerrado martes y noviembre – Com carta 2300 a 3500.
AZ

🗶 **Casa Guaquín,** Carmen 37 ⋒ 238 45 30, ≼, 佘, Pescados y mariscos – 🖭 🗲 🗷 AZ
cerrado jueves y 15 diciembre-15 enero – Com carta 2050 a 3400.

🗶 **La Barca,** vía Imperial ⋒ 238 47 65, Fax 237 08 16, 佘 – 🗐. 🖭 ⓞ 🗲 🗷. 🗶 AZ
Com carta 1450 a 3100.

🗶 Normandía, av. Carlota Alessandri 57 ⋒ 238 43 58, 佘, Cocina francesa.
AZ

🗶 **El Botalón,** Francia 2 ⋒ 237 24 39, Fax 237 08 16, 佘 – 🖭 ⓞ 🗲 🗷 🛵. 🗶 AZ
Com carta 1350 a 2600.

en la carretera de Málaga por ① – ⊠ 29620 Torremolinos – 🕃 95 :

🏛 **Parador de Málaga del Golf,** junto al golf : 5 km, ⊠ 29080 apartado 324 Málag
⋒ 238 12 55, Fax 238 21 41, ≼, 佘, « Situado junto al campo de golf », 🗶, 🗶, 🞇 –
🔟 ☎ 🅿 – 🔬 25/70. 🖭 ⓞ 🗷 🗶
Com 3200 – 🖙 1100 – **56 hab** 14000, 4 suites – PA 6375.

🗶🗶 **Frutos,** urb. Los Álamos : 3 km ⋒ 238 14 50, Fax 237 13 77, 佘 – 🗐 🅿. 🖭 🗲 🗷
cerrado domingo noche de octubre a junio – Com carta 2500 a 4150.

TORRENT 17123 Gerona 443 G 39 – 206 h. – 🕃 972.
♦Madrid 744 – ♦Barcelona 133 – Gerona/Girona 36 – Palafrugell 4.

🏨 **Mas de Torrent** 🝚, ⋒ 30 32 92, Fax 30 32 93, ≼, 佘, « Masía del siglo XVIII », 🗶, 佘
🗶 – 🗐 🔟 🗶 🕭 🅿 – 🔬 25/40. 🖭 ⓞ 🗷 🗶 rest
Com carta 3500 a 5950 – 🖙 1500 – **30 hab** 20400/24000.

TORRENTE o **TORRENT** 46900 Valencia 445 N 28 – 51 361 h. – 🕃 96.
♦Madrid 345 – ♦Alicante/Alacant 182 – Castellón de la Plana/Castelló de la Plana 86 – ♦Valencia 11.

en El Vedat SO : 4,5 km – ⊠ 46900 Torrente – 🕃 96 :

🏩 **Lido** 🝚, Juan Ramón Jiménez 5 ⋒ 155 15 00, Telex 61730, Fax 155 12 02, ≼, 🗶, 佘
🛊 🗐 rest 🔟 ☎ 🅿 – 🔬 25/500. ⓞ 🗲 🗷 🗶 rest
Com 2760 – 🖙 695 – **60 hab** 7395/10710 – PA 5510.

TORRE SOLÍ NOU (Urbanización) Baleares – ver Baleares (Menorca) : Alayor.

TORREVIEJA 03180 Alicante 445 S 27 - 12 314 h. - 96 - Playa.
Club Villamartín, SO : 7,5 km ✆ 532 03 50.
pl. Capdepon ✆ 571 59 36.
Madrid 435 - ♦Alicante/Alacant 50 - Cartagena 60 - ♦Murcia 45.

Fontana, rambla de Juan Mateo 19 ✆ 670 11 25, Telex 63918, Fax 571 44 50, - 25/300. AE VISA.
Com 950 - 600 - **156 hab** 5200/9900.

La Cibeles sin rest, av. Dr. Gregorio Marañón 26 ✆ 571 00 12 - VISA.
abril-septiembre - 330 - **40 hab** 3200/4350.

Miramar, paseo Vista Alegre 6 ✆ 571 34 15, ←, - AE E VISA
cerrado martes y noviembre - Com carta 2750 a 4175.

Telmo, Torrevejenses Ausentes 5 ✆ 571 54 74 - .

Río Nalón, Clemente Gosálvez 22 ✆ 571 19 08 - . AE E VISA.
cerrado domingo noche y lunes (salvo verano) y febrero - Com carta 2800 a 3800.

La Tortuga, María Parodi 1 ✆ 571 09 60, Decoración neo-rústica - . AE E VISA.
cerrado domingo - Com carta 2350 a 3200.

en la carretera de Cartagena - al Suroeste - 96 :

La Zenia , urb. La Zenia 8,5 km, ✉ 03180 Torrevieja, ✆ 676 02 00, Fax 676 03 91, ←, « Terraza frente al mar », , - rest - . E VISA.
mayo-octubre - Com 2500 - 1000 - **220 hab** 7500/11000 - PA 4500.

Montepiedra , Rosalia de Castro-Dehesa de Campoamor, 11 km, ✉ 03192 Dehesa de Campoamor, ✆ 532 03 00, Telex 67138, Fax 532 01 45, , « rodeada de césped y plantas », , - rest . AE E VISA.
Com 2100 - 600 - **64 hab** 8475/9675.

Torrejoven y Rest. El Cantábrico, 4,7 km, ✉ 03180 Torrevieja, ✆ 571 40 52, Fax 571 53 15, ←, -
110 hab.

Motel Las Barcas sin rest, 4,5 km, ✉ 03180 Torrevieja, ✆ 571 00 81, Fax 571 00 81, ← - . E VISA.
375 - **30 hab** 4900.

Cabo Roig, urb. Cabo Roig, 9 km, ✉ 03192 Dehesa de Campoamor, ✆ 676 02 90, ← mar, - . AE E VISA.
Com carta 2600 a 4000.

Asturias, 5,5 km, ✉ 03180 Torrevieja, ✆ 676 00 44, - .

Don Sandy, 9,5 km, ✉ 03180 Torrevieja, ✆ 532 12 17, - . AE E VISA.
cerrado noviembre - Com carta 2600 a 3900.

Las Villas, Dehesa de Campoamor, 11 km, ✉ 03192 Dehesa de Campoamor, ✆ 532 00 05, - . E VISA.
cerrado 8 enero-8 febrero - Com carta 2450 a 3400.

TORRIJOS 45500 Toledo 444 M 17 - 7 994 h. alt. 529 - 925.
♦Madrid 87 - Ávila 113 - Toledo 29.

Castilla, carret. de Toledo ✆ 76 18 00, Fax 77 00 00, - - 25/250. AE E VISA.
Com 1800 - 400 - **61 hab** 3800/5000 - PA 4000.

El Mesón, carret. de Toledo ✆ 76 04 00, Fax 76 08 56, - rest - 25/400. AE VISA. rest
Com 1900 - 350 - **44 hab** 2710/5830 - PA 4150.

Tinín, carret. de Toledo 62 ✆ 76 11 65 - . AE E VISA.
cerrado miércoles y 15 de agosto-2 septiembre - Com carta 2500 a 3400.

TORROELLA DE MONTGRÍ 17257 Gerona 443 F 39 - 5 599 h. alt. 20 - 972.
Empordá Club Golf S : 1,5 km, ✆ 76 04 50.
av. Lluís Companys 51 ✆ 75 89 10, ✉ 17257, Fax 75 76 19.
♦Madrid 740 - ♦Barcelona 127 - Gerona/Girona 31.

Coll sin rest, carret. de Estartit ✆ 75 81 99, Fax 75 85 12, - . AE E VISA.
cerrado 15 enero-febrero - **24 hab** 8000.

Elías con hab, Major 24 ✆ 75 80 09
17 hab.

en la playa de La Gola SE : 7,5 km - ✉ 17257 Torroella de Montgrí - 972 :

Picasso , carret. de Pals y desvío a la izquierda ✆ 75 75 72, Fax 76 11 00, , - rest . AE E VISA
marzo-octubre - Com 1200 - 450 - **20 hab** 3000/5000.

43500 Tarragona 443 J 31 – 31 445 h. alt. 10 – ✆ 977.

Ver : Catedral★ (tríptico★, púlpitos★).

🛈 av. Generalitat, ✉ 43500, ✆ 44 25 87.

◆Madrid 486 – Castellón de la Plana/Castelló de la Plana 123 – ◆Lérida/Lleida 129 – Tarragona 83 – ◆Zaragoza 20

🏨 **Parador de Tortosa** ⟆, ✆ 44 44 50, Fax 44 44 58, ≼, ⊼, 🐎 – 🛗 🗏 📺 ☎ 🅿 – 🔬 25/15
🆎 ① 🆅🆂🅰 ⚒
Com 3200 – � 1100 – **82 hab** 11000 – PA 6375.

🏨 **Tortosa Parc** sin rest, Conde de Bañuelos 10 ✆ 44 61 12 – 🛗 📺 ☎ 🚗, ① 🅴 🆅🆂🅰
⊑ 600 – **84 hab** 2500/4400.

🍴🍴 **El Parc,** av. Generalitat, ✆ 44 48 66, En un parque – 🗏, 🆎 ① 🅴 🆅🆂🅰 ⚒
Com carta 2725 a 3700.

🍴 **Rosa,** Marqués de Bellet 13 ✆ 44 20 01 – 🗏, 🆎 ① 🅴 🆅🆂🅰, ⚒
cerrado lunes, martes mediodía, del 15 al 30 de agosto y del 12 al 20 de septiembre
Com carta aprox. 3100.

en la carretera Simpática NE : 2,4 km – ✉ 43500 Tortosa – ✆ 977 :

🍴🍴 **Racó de Mig-Camí,** ✆ 44 31 48, 🌤, Decoración rústica, « Terraza entre pinos » – 🅿
🆅🆂🅰 ⚒
cerrado domingo noche y lunes – Com carta 2550 a 3500.

o 17536 Gerona 443 E 36 – 132 h. alt. 1 800
✆ 972.

◆Madrid 679 – Gerona/Girona 131 – Puigcerdá 26.

🏨 **La Collada,** carret. N 152, alt. 1 800 ✆ 89 21 00, ≼ valle y montañas, ⊼ climatizada – ◀
☎ 🚗 🅿. 🆅🆂🅰 ⚒
Com *(cerrado jueves y del 1 al 20 noviembre)* 1600 – ⊑ 550 – **30 hab** 4500/8500.

17320 Gerona 443 G 38 – 2 969 h. – ✆ 972 – Playa.

Ver : Localidad veraniega★.

Alred. : Recorrido en cornisa★★ de Tossa de Mar a San Feliu de Guixols (calas★) 23 km por ②
– Carretera en cornisa★★ de Tossa de Mar a Playa Canyelles 9 km por ③.

🛈 carret. de Lloret - edificio Terminal ✆ 34 01 08, ✉ 17320, Fax 34 07 12.

◆Madrid 707 ③ – ◆Barcelona 79 ③ – Gerona/Girona 39 ①.

TOSSA DE MAR

*Para el buen uso
de los planos de ciudades,
consulte los signos convencionales.*

*Pour un bon usage
des plans de villes,
voir les signes conventionnels.*

*For maximum information
from town plans,
consult the conventional signs key.*

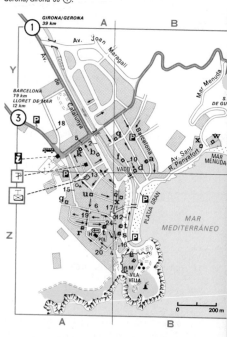

G. H. Reymar ⚶, platja de Mar Menuda ℰ 34 03 12, Telex 57094, Fax 34 15 04, ≤, 🍴, ⅃₆, ⅃, ⅍ – ⌕ ■ 📺 🅿 ⇔ – ⚒ 25/175. 🆎 ⓞ 🄴 𝑽𝑰𝑺𝑨 𝐉𝐂𝐁. ⅍ rest   BY **x**
mayo-octubre – Com 3450 – ⌑ 1250 – **156 hab** 9300/17500.

Mar Menuda ⚶, platja de Mar Menuda ℰ 34 10 00, Fax 34 00 87, ≤, 🍴, « Terraza con arbolado », ⅃, ⅍ – ⌕ 📺 🅿 ⇔. 🅿 🆎 ⓞ 🄴 𝑽𝑰𝑺𝑨. ⅍ rest   BY **w**
cerrado 7 enero-febrero – Com *(cerrado octubre-diciembre)* 2700 – ⌑ 1100 – **50 hab**
5360/10150 – PA 4500.

Florida, av. de la Palma 12 ℰ 34 03 08, Fax 34 09 53 – ⌕ ■ 📺 🕿 🅿. 🆎 ⓞ 🄴 𝑽𝑰𝑺𝑨. ⅍
marzo-octubre – Com 2000 – ⌑ 700 – **51 hab** 6000/10000.   BY **d**

Neptuno ⚶, La Guardia 52 ℰ 34 01 43, Fax 34 19 33, ⅃, 🌳 – ⌕ ■ rest. 🄴 𝑽𝑰𝑺𝑨. ⅍ rest
abril-octubre – Com 850 – ⌑ 3700/6700 – PA 1600.   AZ **g**

Avenida, av. de la Palma 5 ℰ 34 07 56, Fax 34 22 70 – ⌕. 🆎 🄴 𝑽𝑰𝑺𝑨. ⅍ rest   BY **f**
24 marzo-15 octubre – Com 1800 – ⌑ 500 – **50 hab** 7200 – PA 3250.

Corisco sin rest, Pou de la Vila 8 ℰ 34 01 74, Telex 56317, Fax 34 07 12, ≤ – ⌕ ☎. 🄴 𝑽𝑰𝑺𝑨
mayo-octubre – ⌑ 700 – **28 hab** 4500/8800.   BZ **x**

Simeón sin rest, Dr. Trueta 1 ℰ 34 00 79 – ⌕. 𝑽𝑰𝑺𝑨. ⅍   BZ **x**
mayo-15 octubre – ⌑ 500 – **50 hab** 3500/4500.

Mar Bella sin rest, av. Costa Brava 21 ℰ 34 13 63, Fax 34 13 63   AY **b**
temp. – **36 hab.**

Sant March ⚶ sin rest, Nou 9 ℰ 34 00 78, ⅃ – 🆎   AZ **u**
mayo-septiembre – **30 hab** ⌑ 3000/5500.

Canaima sin rest, av. de la Palma 24 ℰ 34 09 95, Fax 34 10 21   BY **q**
mayo-septiembre – ⌑ 450 – **17 hab** 4675.

Horta Rosel sin rest, Pola 29 ℰ 34 04 32 – 🅿   AY **k**
junio-septiembre – ⌑ 325 – **29 hab** 4000.

✗ **Es Molí**, Tarull 5 ℰ 34 14 14, 🍴, « Bajo los porches de un patio ajardinado » – 🅿. 🆎 ⓞ 🄴 𝑽𝑰𝑺𝑨 𝐉𝐂𝐁   AZ **r**
cerrado lunes, martes (noviembre-marzo) y febrero – Com carta 2875 a 5400.

✗ **Castell Vell** – pl. Roig i Soler 2 ℰ 34 10 30, 🍴, « Rest. de estilo regional en el recinto de la antigua ciudad amurallada » – 🆎 ⓞ 🄴 𝑽𝑰𝑺𝑨. ⅍   BZ **v**
abril-octubre – Com *(cerrado lunes salvo junio-agosto)* carta 3565 a 5475.

✗ **Can Tonet**, pl. de l'Esglèsia 2 ℰ 34 05 11, 🍴 – ■. 🆎 ⓞ 🄴 𝑽𝑰𝑺𝑨. ⅍   AZ **t**
cerrado lunes (15 octubre-marzo) – Com carta 2890 a 3330.

✗ **Turisa**, Barcelona 3 – edificio Sa Carbonera ℰ 34 15 00, 🍴 – 🆎 ⓞ 🄴 𝑽𝑰𝑺𝑨   BY **a**
Semana Santa-15 octubre – Com carta aprox. 3350.

✗ **Bahía**, passeig del Mar 19 ℰ 34 03 22, 🍴 – ■. 🆎 ⓞ 🄴 𝑽𝑰𝑺𝑨. ⅍   BZ **s**
cerrado del 10 al 31 diciembre – Com *(sólo almuerzo de 15 octubre-febrero)* carta 2300 a 3550.

✗ Santa Marta, Francesc Aromir 2 ℰ 34 04 72, 🍴, Dentro del recinto amurallado – ■
temp.   BZ **v**

✗ **Victoria**, passeig del Mar 23 ℰ 34 01 66, Fax 34 13 63, 🍴 – 🆎 ⓞ 🄴 𝑽𝑰𝑺𝑨   BZ **t**
15 marzo-30 septiembre – Com carta 2300 a 3850.

TOTANA 30850 Murcia 🅐🅑🅒 S 25 – 18 394 h. – ✆ 968.
Madrid 440 – Cartagena 63 – Lorca 20 – ✦Murcia 45.

🏠 **Plaza** sin rest, pl. Constitución 5 ℰ 42 31 12, Fax 42 25 30 – ⌕ ■ 📺 🕿. 🆎 𝑽𝑰𝑺𝑨. ⅍
⌑ 350 – **12 hab** 4500/6500.

✗✗ **Mariquita II,** Cánovas del Castillo 12 ℰ 42 44 05 – ■. 🆎 ⓞ 🄴 𝑽𝑰𝑺𝑨. ⅍
cerrado domingo noche, lunes y 20 días en agosto – Com carta aprox. 3800.

TOXA (Illa da) Pontevedra – ver La Toja (Isla de).

TRABADELO 24523 León 🅐🅐🅐 E 9 – 922 h. – ✆ 987.
Madrid 416 – Lugo 91 – Ponferrada 30.

🏠 **Nova Ruta,** carret. N VI ℰ 56 64 31 – 🅿. 🆎 ⓞ 🄴 𝑽𝑰𝑺𝑨. ⅍
Com 1100 – ⌑ 375 – **13 hab** 3000/4400 – PA 2375.

TRAGACETE 16170 Cuenca 🅐🅐🅐 K 24 – 460 h. alt. 1 283 – ✆ 969.
⸱Ired. : Nacimiento del Cuervo ★ (cascadas ★) NO : 12 km.
Madrid 235 – Cuenca 71 – Teruel 89.

🏡 Serranía, Fernando Royuela 2 ℰ 28 90 19 – **24 hab.**

🏡 **Júcar** ⚶, Fernando Royuela 1 ℰ 28 91 47, Fax 28 90 18 – ■ rest. 🄴 𝑽𝑰𝑺𝑨. ⅍
Com 1750 – ⌑ 500 – **18 hab** 4000/6000.

TREDÓS Lérida – ver Salardú.

TREMP 25620 Lérida 443 F 32 – 5 469 h. alt. 432 – © 973.

Alred. : NE : Desfiladero de Collegats★★.

🛈 plaça de Capdevila, ℰ 65 13 80, ✉ 25620, Fax 65 20 36.

♦Madrid 546 – Huesca 156 – ♦Lérida/Lleida 93.

🏠 **Siglo XX**, pl. de la Creu 8 ℰ 65 00 00, Fax 65 26 12, ☒ – ⒤ ≣ 🆃🆅 ☎. 𝗩𝗜𝗦𝗔
Com 1500 – ☲ 450 – **50 hab** 3500/6000 – PA 2900.

🏠 **Alegret** sin ☲, pl. de la Creu 30 ℰ 65 01 00 – ⒤ ≣ rest ☎ ⟵. 🄴 𝗩𝗜𝗦𝗔
Com 1250 – **25 hab** 1900/3500 – PA 2600.

TRUJILLO 10200 Cáceres 444 N 12 – 9 445 h. – © 927.

Ver : Pueblo histórico★★ : Plaza Mayor★★ (palacio de los Duques de San Carlos★, palacio de Marqueses de la Conquista : balcón de esquina★ – Iglesia de Santa María★ (retablo★).

🛈 pl. Mayor 18 ℰ 32 06 53.

♦Madrid 254 – ♦Cáceres 47 – Mérida 89 – Plasencia 80.

🏰 **Parador de Trujillo** ⑤, pl. de Santa Clara ℰ 32 13 50, Fax 32 13 66, « Instalado en antiguo convento de Santa Clara », ☒ – ≣ 🆃🆅 ☎ ⟵ 🄿 – 🅐 25/90. 🄰🄴 ⑩ 𝗩𝗜
🎇
Com 3200 – ☲ 1100 – **46 hab** 13000 – PA 6375.

🏠 **Las Cigüeñas**, av. de Madrid ℰ 32 12 50, Fax 32 13 00, ≤, 🍽 – ⒤ ≣ 🆃🆅 ☎ 🄿
🅐 25/300. 🄰🄴 ⑩ 🄴 𝗩𝗜𝗦𝗔 🄹🄲🄱. 🎇
Com 2250 – ☲ 650 – **78 hab** 5000/8000 – PA 3970.

✕ **Pizarro**, pl. Mayor 13 ℰ 32 02 55, Cocina regional – ≣. ⑩ 🄴 𝗩𝗜𝗦𝗔. 🎇
Com carta 2400 a 3700.

✕ **Mesón La Troya,** pl. Mayor 10 ℰ 32 13 64, Mesón típico – ≣. 𝗩𝗜𝗦𝗔. 🎇
Comida carta aprox. 1750.

✕ Mesón la Cadena con hab, pl. Mayor 8 ℰ 32 14 63 – ≣ – **8 hab.**

en la carretera N V O : 6 km – ✉ 10200 Trujillo – © 927 :

✕✕ **La Majada,** ℰ 32 03 49, 🍽 – ≣ 🄿. ⑩ 🄴 𝗩𝗜𝗦𝗔. 🎇 – Com carta 2700 a 3700.

TUDELA 31500 Navarra 442 F 25 – 24 629 h. alt. 275 – © 948.

Ver : Catedral★ (claustro★★, portada del Juicio Final★, interior – capilla de Nuestra Señora de Esperanza★).

🛈 Carrera Gaztambide 11, ℰ 82 15 39 (Semana Santa-octubre).

♦Madrid 316 – ♦Logroño 103 – ♦Pamplona/Iruñea 84 – Soria 90 – ♦Zaragoza 81.

🏨 **Sol Tudela**, av. de Zaragoza 56 ℰ 41 08 02, Fax 41 09 72 – ⒤ ≣ 🆃🆅 ☎ 🄿 – 🅐 25/8
🄰🄴 ⑩ 🄴 𝗩𝗜𝗦𝗔
Com *(cerrado domingo noche)* 1200 – ☲ 475 – **51 hab** 5500/7000.

🏠 **NH Delta** sin rest, av. de Zaragoza 29 ℰ 82 14 00, Fax 82 14 00 – ⒤ ≣ 🆃🆅 ☎ – 🅐 25/6
🄰🄴 ⑩. 🎇
☲ 450 – **43 hab** 5900/8400.

🏠 **Santamaría**, San Marcial 14 ℰ 82 12 00, Fax 82 12 00 – ⒤ ≣ 🆃🆅 ☎ – 🅐 25/300. 🄰🄴
🄴 𝗩𝗜𝗦𝗔. 🎇 rest
Com *(cerrado sábado, domingo, festivos y agosto)* 1200 – ☲ 500 – **56 hab** 5000/750

🏠 **Nueva Parrilla**, Carlos III el Noble 6 ℰ 82 24 00, Fax 82 25 45 – ≣ rest 🆃🆅 ☎ ⟵. 🄴 𝗩
🄹🄲🄱. 🎇
Com 1400 – ☲ 600 – **22 hab** 3500/6000 – PA 2720.

✕✕ **Morase** con hab, paseo de Invierno 2 ℰ 82 17 00, Fax 82 17 04 – ≣ 🆃🆅 ☎ ⟵. 🄰🄴 ⑩
🄴 𝗩𝗜𝗦𝗔. 🎇 rest
cerrado Navidades – Com *(cerrado domingo noche)* carta aprox. 3650 – ☲ 950 – **7 ha**
6750/10000.

✕ **El Choko,** pl. de los Fueros 5 ℰ 82 10 19 – ≣. 🄰🄴 ⑩ 🄴 𝗩𝗜𝗦𝗔. 🎇
cerrado lunes – Com carta 2850 a 4350.

✕ **Iruña,** Muro 11 ℰ 82 10 00 – ≣. 🄰🄴 ⑩ 🄴 𝗩𝗜𝗦𝗔. 🎇
cerrado jueves – Com carta 2700 a 3300.

✕ Mesón Julián, Merced 9 ℰ 82 20 28 – ≣.

en la carretera N 232 SE : 3 km – ✉ 31512 Fontellas – © 948 :

✕✕ **Beethoven,** ℰ 82 52 60 – ≣ 🄿. 🄰🄴 ⑩ 🄴 𝗩𝗜𝗦𝗔. 🎇
cerrado domingo y agosto – Com carta 3100 a 4300.

TUDELA DE DUERO 47320 Valladolid 442 H 16 – 4 537 h. alt. 701 – © 983.

♦Madrid 188 – Aranda de Duero 77 – ♦Segovia 107 – ♦Valladolid 16.

🏠 **Jaramiel** sin rest, carret. N 122 NO : 1 km ℰ 52 10 26, ☒ – 🆃🆅 ☎ 🄿. 🄰🄴 🄴 𝗩𝗜𝗦
🎇
☲ 500 – **16 hab** 4000/6000.

TUY o **TUI** 36700 Pontevedra 441 F 4 – 14 975 h. alt. 44 – ✪ 986.

er : Emplazamiento★, Catedral★ (portada★).

Puente Tripes - av. de Portugal 𝒫 60 17 89.

Madrid 604 – Orense/Ourense 105 – Pontevedra 48 – ◆Porto 124 – ◆Vigo 29.

🏛 **Parador de Tuy** ⌂, 𝒫 60 03 09, Fax 60 21 63, ≤, « Reproducción de una casa señorial gallega », 🏊, 🛋, 🛎 – 📺 ☎ 🄿. 🄰🄴 ⓪ 𝗩𝗜𝗦𝗔. 🛠
Com 3200 – 🖵 1100 – **21 hab** 11500, 1 suite – PA 6375.

🏨 **Colón Tuy,** Colón 11 𝒫 60 02 23, Fax 60 03 27, ≤, 🏊, 🛠 – 📧 🖳 📺 ☎ 🚗 – 🏛 25/100.
🄰🄴 ⓪ 🄴 𝗩𝗜𝗦𝗔. 🛠
Com (cerrado domingo) 1000 – 🖵 500 – **45 hab** 4575/7875.

🍴 **O Cabalo Furado,** pl. Generalísimo 𝒫 60 12 15 – 🄴 𝗩𝗜𝗦𝗔. 🛠
cerrado domingo, festivos mediodía, del 15 al 30 de junio y 15 días en Navidades –
Comida carta aprox. 2800.

ÚBEDA 23400 Jaén 446 R 19 – 28 717 h. alt. 757 – ✪ 953.

er : Barrio Antiguo★★ : plaza Vázquez de Molina★★ BZ, iglesia de El Salvador★★ (sacristía★★, terior★) BZ – Iglesia de Santa María (capilla★, rejas★) BZ – Iglesia de San Pablo (capillas★) BZ.

▮ pl. de los Caídos 𝒫 75 08 97.

Madrid 323 – ◆Albacete 209 – Almería 227 – ◆Granada 141 – Jaén 57 – Linares 27 – Lorca 277.

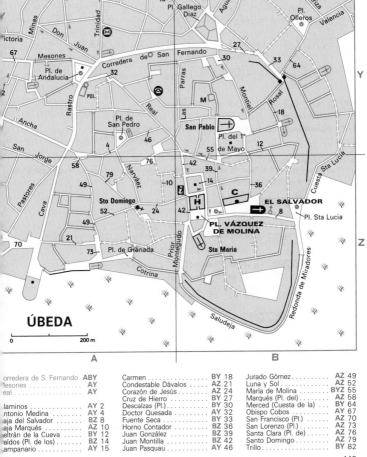

ÚBEDA

0   200 m

🏯 **Parador Condestable Dávalos** ≫, pl. Vázquez Molina 1 ℰ 75 03 45, Fax 75 12 5
« Instalado en un palacio del siglo XVI » – 🗏 📺 ☎ – 🔏 25/90. 🗚 ⑩ 𝚅𝙸𝚂𝙰. ⋘
Com 3200 – ☲ 1100 – **31 hab** 14500 – PA 6375.
BZ

🏨 **La Paz** sin rest, Andalucía 1 ℰ 75 21 46, Fax 75 08 48 – 🛗 🗏 📺 ☎ ⟵. 🗚 ⑩ 𝐄 𝚅𝚂
⋘
por Minas AY
☲ 450 – **51 hab** 4400/6700.

🏠 **Dos Hermanas** sin rest, La Libertad ℰ 75 21 24, Fax 79 13 15 – 🛗 🗏 ⟵. 𝚅𝙸𝚂𝙰. ⋘
☲ 450 – **30 hab** 4500/7000.
por Minas AY

🛖 **Los Cerros** sin rest y sin ☲, Peñarroya 1 ℰ 75 16 21 – ⋘
18 hab 1500/4000.
por Minas AY

🛖 **Victoria** sin rest y sin ☲, Alaminos 5 ℰ 75 29 52 – 🗏 📺. ⋘
15 hab 1900/3000.
por Alaminos AY

✕ **Cusco**, parque de Vandevira 8 ℰ 75 34 13 – 🗏. 𝐄 𝚅𝙸𝚂𝙰. ⋘
por Victoria AY
cerrado domingo noche y julio – Com carta aprox. 3450.

ULLASTRELL 08231 Barcelona 🔢🔢🔢 H 35 – 757 h. alt. 342 – ✆ 93.
◆Madrid 608 – ◆Barcelona 42 – Manresa 47 – Tarragona 42.

en la carretera C 243 E : 4 km – ✉ 08231 Ullastrell – ✆ 93 :

✕ L'Hostal de la Gloria, urb. Ca'n Amat ℰ 780 00 61, ⟨ – 🗏 ℗.

ULLASTRET 17133 Gerona 🔢🔢🔢 F 39 – 292 h. alt. 49 – ✆ 972.
◆Madrid 731 – Gerona/Girona 23 – Figueras/Figueres 40 – Palafrugell 16.

✕ Iberic, Valls 5 ℰ 75 71 08.

ULLDECONA 43550 Tarragona 🔢🔢🔢 K 31 – 5 272 h. alt. 134 – ✆ 977.
◆Madrid 510 – Castellón de la Plana/Castelló de la Plana 88 – Tarragona 104 – Tortosa 30.

✕ **Bon Lloc** con hab, carret. de Vinaroz ℰ 72 02 09, ⟨ – 🗏 rest ℗. 𝐄 𝚅𝙸𝚂𝙰. ⋘
cerrado del 7 al 21 de enero – Com (cerrado lunes) carta 1750 a 2900 – ☲ 400 – **8 ha**
2500/3500.

UÑA 16152 Cuenca 🔢🔢🔢 L 24 – 162 h. – ✆ 969.
◆Madrid 199 – Cuenca 35.

🏠 **Agua-Riscas** ≫, Egido 23 ℰ 28 13 32, ⟨⟨⟨, ☎. 𝚅𝙸𝚂𝙰. ⋘
cerrado del 7 al 31 de enero – Com 1375 – ☲ 175 – **10 hab** 3850/4950 – PA 2800.

URBIÓN (Sierra de) ★★ Soria 🔢🔢🔢 F y G 21 – alt. 2 228 – ✆ 975.
Ver : Laguna Negra de Urbión★★ (carretera★★) – Laguna Negra de Neila★★ (carretera★★).
Hoteles y restaurantes ver : Soria.

URDAX o **URDAZUBI** 31711 Navarra 🔢🔢🔢 C 25 – 537 h. – ✆ 948.
◆Madrid 475 – ◆Bayonne 26 – ◆Pamplona/Iruñea 80.

✕✕ **La Koska,** ℰ 59 90 42, Decoración rústica – ℗. 🗚 ⑩ 𝐄 𝚅𝙸𝚂𝙰
cerrado domingo noche, lunes, 2ª quincena febrero y 2ª quincena noviembre – Com cart
2500 a 3750.

URQUIOLA (Puerto de) 48211 Vizcaya 🔢🔢🔢 C 22 – alt. 700 – ✆ 94.
◆Madrid 386 – ◆Bilbao/Bilbo 40 – ◆San Sebastián/Donostia 79 – ◆Vitoria/Gasteiz 31.

✕ **Bizkarra** con hab, ℰ 681 20 26, Fax 681 20 26, ⟨ – ℗. 🗚 ⑩ 𝐄 𝚅𝙸𝚂𝙰. ⋘
Com carta 1950 a 4050 – ☲ 400 – **9 hab** 2000/3300.

USATEGUIETA (Puerto de) Navarra – ver Leiza.

USURBIL 20170 Guipúzcoa 🔢🔢🔢 C 23 – ✆ 943.
◆Madrid 485 – ◆Bilbao/Bilbo 97 – ◆Pamplona/Iruñea 88 – ◆San Sebastián/Donostia 8.

✕ **Ugarte**, barrio Kale-Zar ℰ 36 26 73, Decoración rústica – ℗. 🗚 ⑩ 𝚅𝙸𝚂𝙰. ⋘
cerrado domingo noche, lunes, semana posterior a Semana Santa y 3 semanas en Nav
dades – Com carta 2700 a 3400.

UTEBO 50180 Zaragoza 🔢🔢🔢 G 27 – 5 673 h. – ✆ 976.
◆Madrid 334 – ◆Pamplona/Iruñea 157 – ◆Zaragoza 13.

en la carretera N 232 O : 2 km. – ✉ 50180 Utebo – ✆ 976 :

🏨 **El Águila,** ℰ 77 03 14, Fax 77 11 05 – 🛗 🗏 📺 ☎ ℗ – 🔏 25/60. 🗚 ⑩ 𝚅𝙸𝚂𝙰. ⋘
Com 1300 – ☲ 450 – **50 hab** 4200/7500 – PA 3050.

VADILLOS 16892 Cuenca 🔢🔢🔢 K 23 – ⚙ 969.
Madrid 234 – Cuenca 70 – Teruel 164.

🔹 **El Batán** ⚓, carret. de Solán de Cabras SE : 1 km ✆ 31 01 42 – ℗. ⚒
   15 junio-15 septiembre – Com carta aprox. 1950 – ⟁ 400 – **19 hab** 3600.

VADOCONDES 09491 Burgos 🔢🔢🔢 H19 – 588 h. alt. 831 – ⚙ 947
Madrid 167 – Aranda de Duero 11 – ♦Burgos 94 – Soria 101 – ♦Valladolid 104.

🔹 **Dos Escudos,** carret. N 122 SO : 1 km ✆ 52 80 12 – ▤ rest ☎ ℗. E ⅤⅠⅭⅭ. ⚒
   Com 1450 – ⟁ 350 – **17 hab** 3200/5300 – PA 2850.

VALCARLOS 31660 Navarra 🔢🔢🔢 C 26 – 582 h. alt. 365 – ⚙ 948.
Madrid 464 – ♦Pamplona/Iruñea 65 – St-Jean-Pied-de-Port 11.

✗ **Maitena** ⚓ con hab, Elizaldea ✆ 79 02 10, ≤, ☂ – ▤ rest. ⚒ rest
   Com carta aprox. 2350 – ⟁ 350 – **6 hab** 4600.

VALDELAGRANA Cádiz – ver El Puerto de Santa María.

VALDEMORILLO 28210 Madrid 🔢🔢🔢 K 17 – 2 063 h. – ⚙ 91.
Madrid 45 – El Escorial 14 – ♦Segovia 66 – Toledo 95.

✗ **Los Bravos,** pl. de la Constitución 2 ✆ 899 01 83, ☂, « Decoración rústica » – ▤
   Com carta 4100 a 6200.

VALDEMORO 28340 Madrid 🔢🔢🔢 L 118 – ⚙ 91.
Madrid 27 – Aranjuez 21 – Toledo 53.

🔹 Rus sin rest y sin ⟁, Estrella de Elola 8 ✆ 895 67 11, Fax 895 24 83 – ☎ – **16 hab.**
✗✗✗ **Chirón,** Alarcón 27 ✆ 895 69 74, Fax 895 69 60 – ▤. AE ⓞ E ⅤⅠⅭⅭ. ⚒
   cerrado agosto – Com carta 2500 a 3900.

VALDEMOSA Baleares – ver Baleares (Mallorca).

VALDEPEÑAS 13300 Ciudad Real 🔢🔢🔢 P 19 – 24 946 h. alt. 720 – ⚙ 926.
Alred. : San Carlos del Valle★ (plaza Mayor★) NE : 22 km.
Madrid 203 – ♦Albacete 168 – Alcázar de San Juan 87 – Aranjuez 156 – Ciudad Real 62 – ♦Córdoba 206 – Jaén
5 – Linares 96 – Toledo 153 – Úbeda 122.

🏨 **Gala,** Arpa 3 ✆ 32 38 57, Fax 32 50 13 – 📶 ▤ 📺 ☎ ⇔ – 🅰 25/250. E ⅤⅠⅭⅭ. ⚒ rest
   Com 1500 – ⟁ 500 – **29 hab** 3700/5700.

   en la carretera N IV – ⊠ 13300 Valdepeñas – ⚙ 926 :

🏨 **Meliá El Hidalgo,** N : 7 km ✆ 32 32 50, Telex 48136, Fax 32 33 04, « ⚊ rodeada de
   césped », ☂ – ▤ 📺 ☎ ℗ – 🅰 25/150. AE ⓞ E ⅤⅠⅭⅭ. JⒸB. ⚒ rest
   Com 2585 – ⟁ 850 – **54 hab** 8400/10500 – PA 5100.

✗ **La Aguzadera,** N : 4 km ✆ 32 32 08, ☂, ⚊ – ▤ ℗. AE E ⅤⅠⅭⅭ. ⚒
   Com carta 2250 a 3050.

VALDERROBRES 44580 Teruel 🔢🔢🔢 J 30 – 1 847 h. – ⚙ 978.
Madrid 421 – ♦Lérida/Lleida 141 – Teruel 195 – Tortosa 56 – ♦Zaragoza 141.

🔹 **Querol,** av. Hispanidad 14 ✆ 85 01 92 – ▤ rest. ⅤⅠⅭⅭ. ⚒
   Com *(cerrado domingo)* 1175 – ⟁ 450 – **19 hab** 2500/4200 – PA 2380.

VALENCIA 46000 ℙ 🔢🔢🔢 N 28 ㉙ – 751 734 h. alt. 13 – ⚙ 96.
Ver : La Ciudad Vieja★ - Catedral★ : El Miguelete★ EX, Palacio de la Generalidad★ : artesonado★
Lonja (sala de la contratación★★, sala del consulado del mar : artesonado★ DY – Museo de
Cerámica★★ : palacio del Marqués de Dos Aguas★ EY M1 – Museo San Pío V★ : primitivos
valencianos★★ FX – Colegio del Patriarca o del Corpus Christi★ (museo : tríptico de la Pasión★)
Y – Torres de Serranos★ EX.
ns de Manises por ④ : 12 km ✆ 379 08 50 – 🔟 Club Escorpión NO : 19 km por carretera de Liria
➁ 160 12 11 – 🔟 Parador Luis Vives por ② : 15 km ✆ 161 11 86.
✈ de Valencia-Manises por ④ : 12,5 km ✆ 370 95 00 – Iberia : Paz 14, ⊠ 46003, ✆ 351 97 37
FY.
🚄 ✆ 351 00 43.
🛳 para Baleares : Cía. Trasmediterránea, av. Manuel Soto 15, ⊠ 46024, ✆ 367 07 04, Fax
67 33 45 CV.
🅘 Pl. del Ayuntamiento 1, ⊠ 46002, ✆ 351 04 17, av. Cataluña 1 ⊠ 46010 ✆ 369 79 32 y Aeropuerto, ✆ 370 96 00 – R.A.C.E. (R.A.C. de Valencia) General Avilés 64, ⊠ 46015, ✆ 348 66 66.
Madrid 351 ④ – ♦Albacete 183 ③ – ♦Alicante/Alacant (por la costa) 174 ③ – ♦Barcelona 361 ① – ♦Bilbao/Bilbo
6 ① – Castellón de la Plana/Castelló de la Plana 75 ① – ♦Málaga 651 ③ – ♦Sevilla 682 ④ – ♦Zaragoza 330 ①.

VALENCIA

Un Consejo Michelin :

Para que sus viajes
sean un éxito,
prepárelos de antemano.
Los mapas
y las guías Michelin
le proporcionan todas
las indicaciones útiles sobre :
itinerarios,
visitas de curiosidades,
alojamiento, precios, etc...

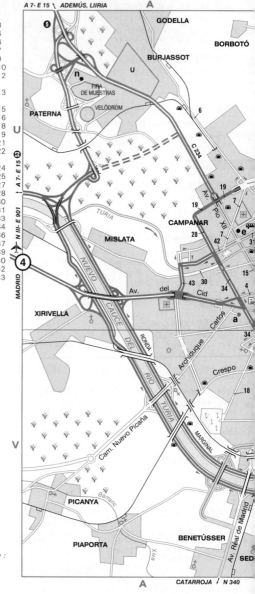

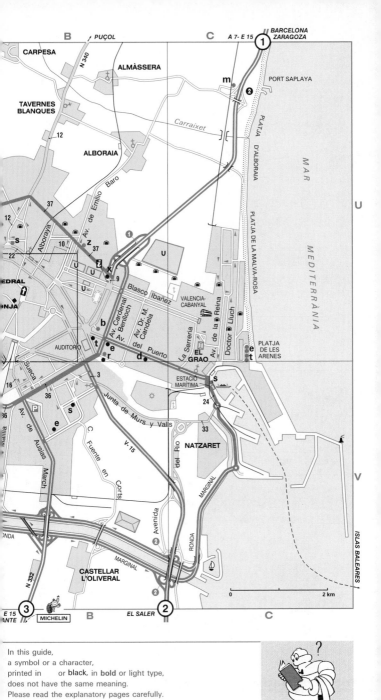

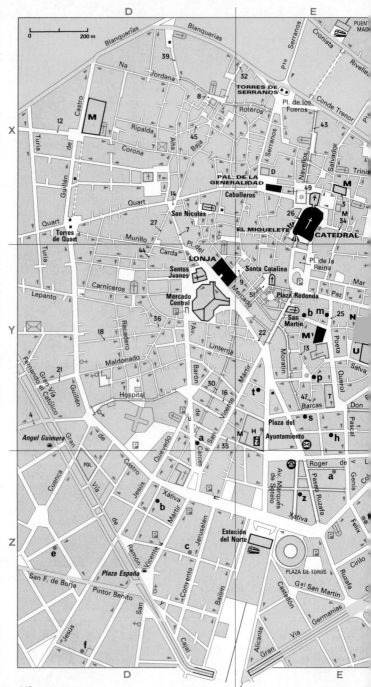

448

VALENCIA

*Para que sus viajes
sean un éxito,
prepárelos de antemano.
Los mapas y
las guías Michelin
le proporcionan todas las
indicaciones útiles sobre :
itinerarios,
visitas de curiosidades,
alojamiento, precios, etc...*

12

🏨 **Valencia Palace** ⓢ, prolongación paseo Alameda, ⊠ 46023, ℰ 393 55 33, Fax 393 55
≼, 🛵, ⍱, – 🛗 ☰ 📺 ☎ & ⟵ – 🏛 25/800. 🆎 ⓪ ℇ 𝗩𝗜𝗦𝗔. ⅏ BU
Com 2900 – ⌑ 1200 – **185 hab** 20000/25000, 16 suites – PA 5600.

🏨 **Meliá Valencia**, av. Baleares 2, ⊠ 46023, ℰ 360 73 00, Telex 64252, Fax 360 89 21,
– 🛗 ☰ 📺 ☎ ❷ – 🏛 25/250. 🆎 ⓪ ℇ 𝗩𝗜𝗦𝗔. ⅏ BU
Com carta aprox. 4400 – ⌑ 1400 – **314 hab** 15725/19950.

🏨 **Astoria Palace y Rest Vinatea,** pl. Rodrigo Botet 5, ⊠ 46002, ℰ 352 67 37, Telex 627⁞
Fax 352 80 78 – 🛗 ☰ 📺 ☎ – 🏛 25/500. 🆎 ⓪ ℇ 𝗩𝗜𝗦𝗔 𝗷𝗰𝗯. ⅏ EY
Com carta aprox. 3500 – ⌑ 1200 – **207 hab** 15500/19500, 8 suites.

🏛 **Conqueridor,** Cervantes 9, ⊠ 46007, ℰ 352 29 10, Fax 352 28 83 – 🛗 ☰ 📺 ☎ ⟵.
ℇ 𝗩𝗜𝗦𝗔. ⅏ DZ
Com 2700 – ⌑ 1100 – **55 hab** 12600/19800, 5 suites – PA 5500.

🏛 **Reina Victoria,** Barcas 4, ⊠ 46002, ℰ 352 04 87, Telex 64755, Fax 352 04 87 – 🛗 ☰ ▮
☎ – 🏛 25/50. 🆎 ⓪ ℇ 𝗩𝗜𝗦𝗔. ⅏ EY
Com 3500 – ⌑ 1100 – **94 hab** 10800/17250, 3 suites.

🏛 **Dimar** sin rest, con cafetería, Gran Vía Marqués del Turia 80, ⊠ 46005, ℰ 395 10 ⁞
Fax 395 19 26 – 🛗 ☰ 📺 ☎ ⟵ – 🏛 25/80. 🆎 ⓪ ℇ 𝗩𝗜𝗦𝗔 𝗷𝗰𝗯
⌑ 1100 – **98 hab** 11400/18500, 9 suites.

🏛 **NH Ciudad de Valencia,** av. del Puerto 214, ⊠ 46023, ℰ 330 75 00, Telex 6306⁞
Fax 330 98 64 – 🛗 ☰ 📺 ☎ ⟵ – 🏛 30/80. 🆎 ⓪ ℇ 𝗩𝗜𝗦𝗔. ⅏ BU
Com 3000 – ⌑ 1000 – **147 hab** 10500/16000, 2 suites – PA 5950.

🏛 **NH Abashiri,** av. Ausias March 59, ⊠ 46013, ℰ 373 28 52, Telex 63017, Fax 373 49 66
🛗 ☰ 📺 ☎ ⟵ – 🏛 30/250. 🆎 ⓪ ℇ 𝗩𝗜𝗦𝗔. ⅏ BV
Com 3000 – ⌑ 1000 – **105 hab** 10500/16000 – PA 7000.

🏛 **N.H. Villacarlos** sin rest, av. del Puerto 60, ⊠ 46023, ℰ 337 50 25, Fax 337 50 74 – 🛗
📺 ☎ ⟵. 🆎 ⓪ ℇ 𝗩𝗜𝗦𝗔. ⅏ BU
⌑ 1000 – **51 hab** 10500/16000.

🏛 **Expo H.** sin rest, con cafetería, av. Pío XII-4, ⊠ 46009, ℰ 347 09 09, Telex 632▮
Fax 348 31 81, ⍱ – 🛗 ☰ 📺 ☎ – 🏛 25/500. 🆎 ⓪ ℇ 𝗩𝗜𝗦𝗔 𝗷𝗰𝗯. ⅏ AU
⌑ 900 – **385 hab** 11200/14000, 11 suites.

🏛 **Inglés,** Marqués de Dos Aguas 6, ⊠ 46002, ℰ 351 64 26, Telex 62228, Fax 394 02 51
🛗 ☰ 📺 ☎. 🆎 ⓪ ℇ 𝗩𝗜𝗦𝗔 𝗷𝗰𝗯. ⅏ EY
Com 1700 – ⌑ 700 – **62 hab** 7500/13750 – PA 3500.

🏛 **Renasa** sin rest, con cafetería, av. Cataluña 5, ⊠ 46010, ℰ 369 24 50, Fax 393 18 24 –
☰ 📺 ☎ – 🏛 25/75. 🆎 ⓪ ℇ 𝗩𝗜𝗦𝗔. ⅏ BU
⌑ 550 – **69 hab** 6700/10900, 4 suites.

🏛 **Oltra** sin rest. con cafetería, pl. del Ayuntamiento 4, ⊠ 46002, ℰ 352 06 12, Fax 352 63 ▮
– 🛗 ☰ 📺 ☎. 🆎 ⓪ ℇ 𝗩𝗜𝗦𝗔. ⅏ EY
⌑ 540 – **93 hab** 6350/10750.

🏛 **Serrano,** General Urrutia 48, ⊠ 46013, ℰ 334 78 00, Fax 334 78 01, ⍱, 🌳, ⅏ – 🛗 ▮
📺 ☎ ⟵ ❷ – 🏛 25/400. 🆎 ⓪ ℇ 𝗩𝗜𝗦𝗔. ⅏ BV
Com *(cerrado sábado, domingo y festivos)* 1980 – ⌑ 1000 – **64 hab** 10164/12650, ⁞
suites – PA 4960.

🏛 **Llar** sin rest, Colón 46, ⊠ 46004, ℰ 352 84 60, Fax 351 90 00 – 🛗 ☰ 📺 ☎ – 🏛 25/⁞
🆎 ⓪ ℇ 𝗩𝗜𝗦𝗔 FZ
⌑ 675 – **50 hab** 7450/10250.

🏛 **Sorolla** sin rest y sin ⌑, Convento de Santa Clara 5, ⊠ 46002, ℰ 352 33 92, Fax 352 14 ▮
– 🛗 ☰ 📺 ☎. 🆎 ℇ 𝗩𝗜𝗦𝗔. ⅏ EZ
50 hab 5600/10000.

🏛 **Mediterráneo** sin rest, Barón de Cárcer 45, ⊠ 46001, ℰ 351 01 42, Fax 351 01 42 –
☰ 📺. 🆎 ⓪ ℇ 𝗩𝗜𝗦𝗔 𝗷𝗰𝗯. ⅏ DY
⌑ 500 – **34 hab** 6200/9400.

🏛 **Continental** sin rest, Correos 8, ⊠ 46002, ℰ 351 09 26, Fax 351 09 26 – 🛗 ☰ 📺 ☎. ▮
𝗩𝗜𝗦𝗔. ⅏ EY
⌑ 400 – **43 hab** 5350/8700.

🏛 **Bristol** sin rest, Abadía San Martín 3, ⊠ 46002, ℰ 352 11 76, Fax 352 85 02 – 🛗 ☎. ▮
⓪ ℇ 𝗩𝗜𝗦𝗔 EY
⌑ 275 – **40 hab** 3500/6600.

XXX **Chambelán,** Chile 4, ⊠ 46021, ℰ 393 37 74, Fax 393 37 72 – ☰. 🆎 ⓪ ℇ 𝗩𝗜𝗦𝗔. ⅏
cerrado sábado mediodía, domingo y Semana Santa – Com carta 5600 a 6900. BU

XXX **Eladio,** Chiva 40, ⊠ 46018, ℰ 384 22 44, Fax 384 22 44 – ☰. 🆎 ⓪ ℇ 𝗩𝗜𝗦𝗔 AU
cerrado domingo y agosto – Com carta 4050 a 5550.

XXX ✿ **Oscar Torrijos,** Dr. Sumsi 4, ⊠ 46005, ℰ 373 29 49 – ☰. 🆎 ⓪ ℇ 𝗩𝗜𝗦𝗔. ⅏ FZ
cerrado domingo y 15 agosto-15 septiembre – Com carta 3700 a 5800
Espec. Ensalada de pasta fresca con gambas en salsa de hinojo, Terrina de foie-gras de pa⁞
(octubre-abril), Merluza rellena de cigalas.

XXX **La Hacienda,** Navarro Reverter 12, ⊠ 46004, ℰ 373 18 59, Fax 395 45 22 – ☰. 🆎 ⓪
𝗩𝗜𝗦𝗔. ⅏ FY
cerrado sábado mediodía, domingo y Semana Santa – Com carta 4500 a 5800.

XX **Derby,** Navarro Reverter 16, ⊠ 46004, ℰ 334 86 02, Fax 374 20 02 – 🍽. 🖭 ⓞ 🗲 🗺. ⅊
cerrado sábado mediodía, domingo y agosto – Com carta aprox. 4100.　　　　　　　FY **a**

XX ❀ **Rías Gallegas,** Matemático Marzal 11, ⊠ 46007, ℰ 357 20 07, Cocina gallega – 🍽. 🖭 ⓞ 🗲 🗺. ⅊　　　　　　　DZ **c**
cerrado domingo – Com carta 4500 a 5900
Espec. Vieiras al horno, Lomos de merluza con almejas de Carril, Repostería casera.

XX **Versalles,** Dolores Alcayde 14, ⊠ 46007, ℰ 342 37 38, Fax 342 18 04, 😤, « Instalado en una villa » – 🍽. 🖭 ⓞ 🗲 🗺. ⅊　　　　　　　AV **b**
cerrado domingo noche y agosto – Com carta aprox. 4300.

XX **Galbis,** Marvá 28, ⊠ 46007, ℰ 380 94 73, Fax 380 06 54 – 🍽. 🖭 🗺. ⅊　　　　　　　DZ **f**
cerrado domingo, Semana Santa y agosto – Com carta 3300 a 4350.

XX **Kailuze,** Gregorio Mayáns 5, ⊠ 46005, ℰ 374 39 99, Cocina vasco-navarra – 🍽. 🖭 🗺. ⅊
cerrado sábado mediodía, domingo, festivos, Semana Santa y agosto – Com carta aprox. 4500.　　　　　　　FZ **d**

XX **El Gastrónomo,** av. Primado Reig 149, ⊠ 46020, ℰ 369 70 36 – 🍽. 🖭 🗲 🗺. ⅊BU **z**
cerrado domingo y agosto – Com carta 3100 a 3800.

XX **El Gourmet,** Taquígrafo Martí 3, ⊠ 46005, ℰ 395 25 09 – 🍽. 🖭 🗲 🗺
cerrado domingo, Semana Santa y agosto – Com carta 2350 a 2950.　　　　　　　FZ **b**

XX **El Timonel,** Félix Pizcueta 13, ⊠ 46004, ℰ 352 63 00, Pescados y mariscos – 🍽. 🖭 ⓞ 🗲 🗺. ⅊　　　　　　　EZ **t**
cerrado lunes y agosto – Com carta 3300 a 4900.

XX **José Mari,** Estación Marítima 1º, ⊠ 46024, ℰ 367 20 15, ≤, Cocina vasca – 🍽. 🖭 ⓞ 🗲 🗺. ⅊　　　　　　　CV **s**
cerrado domingo y agosto – Com carta 2900 a 4100.

XX **Civera,** Lérida 11, ⊠ 46009, ℰ 347 59 17, Pescados y mariscos – 🍽. 🖭 ⓞ 🗲 🗺. ⅊
cerrado domingo noche, lunes y agosto – Com carta aprox. 4600.　　　　　　　BU **s**

XX **Rio Sil,** Mosén Femades 10, ⊠ 46002, ℰ 352 97 64, 😤, Cocina gallega – 🍽. 🖭 ⓞ 🗲 🗺. ⅊ – Com carta 3400 a 4300.　　　　　　　EZ **a**

XX **Mey Mey,** Historiador Diago 19, ⊠ 46007, ℰ 384 07 47, Rest. chino – 🍽. 🖭 🗺DZ **e**
cerrado domingo noche, lunes mediodía, Semana Santa y 15 días en agosto – Com carta 1615 a 2815.

XX **El Asador de Aranda,** Félix Pizcueta 9, ⊠ 46004, ℰ 352 97 91, Cordero asado – 🍽. 🗲 🗺. ⅊　　　　　　　EZ **t**
cerrado domingo noche – Comida carta 2755 a 3435.

X **Alghero,** Burriana 52, ⊠ 46005, ℰ 333 35 79 – 🍽. 🗺　　　　　　　FZ **m**
cerrado sábado mediodía, domingo y Semana Santa – Com carta 2900 a 3450.

X **Eguzki,** av. Baleares, 1, ⊠ 46023, ℰ 337 50 33, Cocina vasca – 🍽. 🗲 🗺. ⅊　　BU **r**
cerrado domingo – Com carta aprox. 3050.

X **Kayuko,** Periodista Badía 6, ⊠ 46010, ℰ 362 88 88, Pescados y mariscos – 🍽. 🖭 ⓞ 🗲 🗺. ⅊　　　　　　　FX **b**
cerrado domingo noche, lunes, Semana Santa y del 15 al 31 de agosto – Com carta 3200 a 5100.

X **Bazterretxe,** Maestro Gozalbo 25, ⊠ 46005, ℰ 395 18 94, Cocina vasca – 🍽. 🖭 🗺. ⅊
cerrado domingo noche y 15 agosto-14 septiembre – Comida carta 1950 a 3150.　　FZ **a**

X **Palace Fesol,** Hernán Cortés 7, ⊠ 46004, ℰ 352 93 23, Fax 352 93 23, « Decoración regional » – 🍽. 🖭 ⓞ 🗲 🗺. ⅊　　　　　　　FZ **s**
cerrado domingo noche, lunes, Semana Santa y del 15 al 30 de agosto – Com carta aprox. 3500.

X **La Petxina,** Dr. Sanchís Bergón 27, ⊠ 46008, ℰ 392 33 14, Arroces y carnes – 🍽. 🖭 🗺
cerrado domingo, festivos y agosto – Com carta aprox. 2800.　　　　　　　AU **f**

X **Alameda,** paseo de La Alameda 5, ⊠ 46010, ℰ 369 58 88, 😤 – 🍽. 🖭 ⓞ 🗲 🗺. ⅊　　　　　　　FX **t**
cerrado sábado mediodía, domingo, Semana Santa y agosto – Com carta aprox. 3500.

X **Gure-Etxea,** Almirante Cadarso 6, ⊠ 46005, ℰ 395 30 09, Cocina vasca – 🍽. 🖭 🗺. ⅊
　　　　　　　FZ **k**

X **El Romeral,** Gran Vía Marqués del Turia 62, ⊠ 46005, ℰ 395 15 17 – 🍽. 🖭 ⓞ 🗲 🗺. ⅊
cerrado lunes y agosto – Com carta 2600 a 2950.　　　　　　　FZ **z**

X **La Semeuse,** Joaquín Costa 61, ⊠ 46005, ℰ 395 90 54, Cocina francesa – 🍽. ⅊FZ **f**
cerrado sábado mediodía, domingo, Semana Santa y 15 días en agosto – Com carta 2450 a 4200.

en la playa de Levante CV – ⊠ 46011 Valencia – ❀ 96 :

X **La Marcelina,** av. de Neptuno 8 ℰ 371 20 25, ≤, 😤 – ⓞ 🗲 🗺 JCB　　　　　CU **t**
cerrado domingo noche (15 junio-15 septiembre) – Com (sólo almuerzo de septiembre a junio) carta aprox. 3440.

X **El Estimat,** av. de Neptuno 16 ℰ 371 10 18, Fax 372 73 85, ≤ – 🗲 🗺　　　　　CU **t**
cerrado domingo noche, lunes noche, martes y 14 agosto-15 septiembre – Com carta 2450 a 3550.

✗ **Chicote** con hab, av. de Neptuno 34 ✆ 371 61 51, ≤ - AE E VISA. ✗ CU
cerrado 15 diciembre-15 enero - Com *(cerrado lunes)* carta 2150 a 3150 - ☐ 375 - **19 h**
2500/4250.

✗ La Rosa, av. de Neptuno 70 ✆ 371 20 76, ≤ mar - ▤ CU
Com (sólo almuerzo salvo en verano).

en la Feria de Muestras - por carretera C 234 NO : 8,5 km - ✉ 46035 Valencia - ☎ 9

Feria, av. de las Ferias, 2 ✆ 364 44 11, Telex 61079, Fax 364 54 83 - |‡| ▤ TV ☎ ⛟
🏛 25/60. AE ⓓ E VISA. ✗ rest AU
Com carta 3750 a 5175 - **136 suites** ☐ 25500.

Ver también : ***Manises*** por ④ : 9,5 km
El Saler por ② : 8 km
Puzol por ① : 25 km.

S.A.F.E. Neumáticos MICHELIN, Sucursal, carret. Valencia - Alicante km 5,4 - MASANAS
por José Soto Mico, ✉ 46470 AV ✆ 125 06 51 y 125 01 16, Fax 125 08 66

VÀLENCIA DE ANEU o VALENCIA D'ÁNEU 25587 Lérida 443 E 33 - alt. 1 075 - ☎ 97

ℹ ctra. de Valencia d'Aneu, ✉ 25587, ✆ 62 60 38.

♦Madrid 626 - ♦Lérida/Lleida 170 - Seo de Urgel/La Seu d'Urgell 86.

La Morera ⛰, ✆ 62 61 24, Fax 62 61 24, ≤ - |‡| TV ☎ P. E VISA. ✗
abril-octubre y 20 diciembre- 10 enero - Com 1750 - ☐ 650 - **27 hab** 3850/6800.

VALENCIA DE DON JUAN 24200 León 441 F 13 - 3 528 h. alt. 765 - ☎ 987.

♦Madrid 285 - ♦León 38 - Palencia 98 - Ponferrada 116 - ♦Valladolid 105.

Villegas, Palacio 10 ✆ 75 01 61, ⛱, ⛱ - TV ☎. ✗
Com 1750 - ☐ 300 - **5 hab** 8000 - PA 2750.

VALMASEDA o BALMASEDA 48800 Vizcaya 442 C 20 - 7 858 h. alt. 147 - ☎ 94.

♦Madrid 411 - ♦Bilbao/Bilbo 29 - ♦Santander 107.

✗ **Abellaneda,** La Cuesta 21 ✆ 680 16 74, Fax 680 16 74 - ▤
cerrado lunes, agosto y Navidades - Com carta 2675 a 3700.

VALSAIN Segovia - ver La Granja.

VALTIERRA 31514 Navarra 442 F 25 - 2 320 h. alt. 265 - ☎ 948.

♦Madrid 335 - ♦Pamplona/Iruñea 80 - Soria 106 - ♦Zaragoza 100.

en la carretera N 121 NO : 3 km - ✉ 31514 Valtierra - ☎ 948 :

Los Abetos, ✆ 86 70 00, Fax 40 75 12, ≤ - ▤ TV ☎ P - 🏛 25/50. AE ⓓ E VISA. ✗ re
Com 1040 - ☐ 440 - **32 hab** 3750/5500 - PA 2520.

VALVANERA (Monasterio de) 26323 La Rioja 442 F 21 - ☎ 941.

♦Madrid 359 - ♦Burgos 120 - ♦Logroño 63.

Hospedería Nuestra Señora de Valvanera ⛰, ✆ 37 70 44, Fax 37 70 44, ≤ - P.
cerrado 22 diciembre- 7 enero - Com 1400 - ☐ 400 - **7 hab** 3100/4700 - PA 2500

VALVERDE Tenerife - ver Hierro.

VALL DE BIANYA 17858 Gerona 443 F 37 - ☎ 972.

♦Madrid 706 - Figueras/Figueres 48 - Gerona/Girona 74 - Vich/Vic 74.

en la carretera de Olot SE : 2,5 km - ✉ 17858 Vall de Bianya - ☎ 972 :

✗ **Cala Násia,** ✆ 29 02 00 - P. AE E VISA. ✗
cerrado lunes, 25 de julio-7 agosto y del 2 al 9 de enero - Com carta 1850 a 2950.

VALL DE UXÓ o La VALL D'UIXÓ 12600 Castellón de la Plana 445 M 29 - 26 145 h. ☎ 964.

♦Madrid 389 - Castellón de la Plana/Castelló de la Plana 26 - Teruel 118 - ♦Valencia 39.

Blanca sin rest y sin ☐, Joaquín París 3 ✆ 66 15 72 - ✗
25 hab 1600/2700.

en las grutas de San José O : 2 km - ✉ 12600 Vall de Uxó - ☎ 964 :

✗ **La Gruta,** ✆ 66 00 08, Fax 66 08 61, En una gruta - AE ⓓ E VISA. ✗
cerrado lunes - Com carta 2100 a 3250.

r : Valladolid isabelino★ : (Museo Nacional de Escultura Policromada★★★ en el colegio de San
egorio, portada ★★, patio★★, capilla★) CX – Iglesia de San Pablo (fachada★★) CX – **Otras curio-
lades** : Catedral ★ CY – Iglesia de las Angustias (Virgen de los siete cuchillos★) CY L.

🛪 de Valladolid 14 km por ⑥ 💠 25 90 12 – Iberia : Gamazo 17, ⊠ 47004, 💠 30 06 66 BYZ.
pl. de Zorrilla 3, ⊠ 47001, 💠 35 18 01 – R.A.C.E. Miguel Iscar 6, ⊠ 47004, 💠 39 20 99, Fax
68 95.

ladrid 188 ④ – ◆Burgos 125 ① – ◆León 139 ⑥ – ◆Salamanca 115 ⑤ – ◆Zaragoza 420 ①.

Planos páginas siguientes

Olid Meliá, pl. San Miguel 10, ⊠ 47003, 💠 35 72 00, Telex 26312, Fax 33 68 28 – 🛗 ▤
📺 🕿 🚗 – 🕍 25/270. 🆎 ⑩ 🅴 🎫. 🎇   BX **a**
Com 2650 – 🖵 1150 – **203 hab** 7800/13100, 7 suites – PA 6450.

Meliá Parque, Joaquín García Morato 17 bis, ⊠ 47007, 💠 22 00 00, Telex 26355,
Fax 47 50 29 – 🛗 ▤ 📺 🕿 🕹 🚗 – 🕍 25/450. 🆎 ⑩ 🅴 🎫. 🎇   BZ **a**
Com 2465 – 🖵 1000 – **293 hab** 7200/11650 – PA 4745.

NH Ciudad de Valladolid, av. Ramón Pradera 10, ⊠ 47009, 💠 35 11 11, Fax 33 50 50 –
🛗 ▤ 📺 🚗 – 🕍 25/500. 🆎 ⑩ 🅴 🎫.   AX **a**
Com carta 2550 a 2950 – 🖵 900 – **80 hab** 7000/12000.

Lasa sin rest, Acera de Recoletos 21, ⊠ 47004, 💠 39 02 55, Fax 30 25 61 – 🛗 ▤ 📺 🕿
– 🕍 25/60. 🆎 ⑩ 🅴 🎫. 🎇 – 🖵 375 – **62 hab** 6500/12000.   BZ **t**

Mozart sin rest, con cafetería, Menéndez Pelayo 7, ⊠ 47001, 💠 29 77 77, Fax 29 21 90
– 🛗 ▤ 📺 🕿 🚗 – 🕍 25/50. 🆎 🅴 🎫. 🎇   BY **q**
🖵 725 – **38 hab** 7500/12800.

Roma, Héroes del Alcázar de Toledo 8, ⊠ 47001, 💠 35 47 77, Fax 35 54 61 – 🛗 ▤ 📺
🕿 🚗. 🅴 🎫. 🎇   BY **f**
Com 1650 – 🖵 300 – **38 hab** 5150/7930 – PA 3300.

Imperial, Peso 4, ⊠ 47001, 💠 33 03 00, Telex 26304, Fax 33 08 13 – 🛗 ▤ rest 📺 🕿. 🆎
🅴 🎫 🎫. 🎇 rest   BY **e**
Com 1450 – 🖵 450 – **81 hab** 5800/7250 – PA 3350.

Feria y Rest. El Horno, av. Ramón Pradera (Feria de Muestras), ⊠ 47009, 💠 33 32 44,
Fax 33 33 00, 😤 – ▤ 📺 🕿 – 🕍 25/400. 🆎 🅴 🎫. 🎇   AX
Com carta 2600 a 3400 – 🖵 250 – **34 hab** 5000/8100.

El Nogal, Conde Ansurez 10, ⊠ 47003, 💠 34 02 33, Fax 35 49 65 – 🛗 ▤ 📺 🕿. 🆎 ⑩
🅴 🎫.   BY **s**
Com *(cerrado domingo noche)* 1375 – 🖵 375 – **14 hab** 4400/6750 – PA 2660.

París sin rest, Especería 2, ⊠ 47001, 💠 37 06 25, Fax 35 83 01 – 🛗 📺 🕿. ⑩ 🅴 🎫. 🎇
🖵 325 – **36 hab** 5200/7550.   BY **u**

Mesón Cervantes, Rastro 6, ⊠ 47001, 💠 30 61 38 – ▤. 🆎 ⑩ 🅴 🎫 🎫   BY **r**
cerrado domingo y agosto – Com carta 3400 a 5350.

Machaquito, Caridad 2, ⊠ 47001, 💠 35 13 51 – ▤   BY **v**

Mesón La Fragua, paseo de Zorrilla 10, ⊠ 47006, 💠 33 87 85, Fax 34 27 38, Decoración
castellana – ▤. 🆎 ⑩ 🅴 🎫 🎫. 🎇   BY **y**
cerrado domingo noche, lunes y agosto – Com carta 3500 a 4000.

El Pórtico, Acera de Recoletos 16, ⊠ 47004, 💠 39 18 76 – ▤. 🆎 ⑩ 🅴 🎫 🎫. 🎇   BZ **e**
cerrado domingo noche y del 9 al 24 de agosto – Com carta 2800 a 3550.

La Rosada, Tres Amigos 1, ⊠ 47006, 💠 22 01 64 – ▤. 🆎 ⑩ 🅴 🎫. 🎇   AZ **a**
Com carta 2650 a 3950.

La Parrilla de San Lorenzo, Pedro Niño 1, ⊠ 47001, 💠 33 50 88, Instalado en los sótanos
de un antiguo monasterio – ▤. 🆎 ⑩ 🅴 🎫. 🎇   BY **a**
Com carta 3125 a 4425.

El Figón de Recoletos, Acera de Recoletos 3, ⊠ 47004, 💠 39 60 43, Cordero asado,
Decoración castellana – ▤. 🅴 🎫. 🎇   BY **x**
cerrado domingo noche y 18 julio-10 agosto – Comida carta 2900 a 3300.

Miguel Ángel, Mantilla 1, ⊠ 47001, 💠 39 85 04 – ▤. 🆎 🎫. 🎇   BY **m**
cerrado domingo en verano, domingo noche resto del año y del 16 al 31 agosto – Com
carta aprox. 4100.

La Goya, puente Colgante 79, ⊠ 47014, 💠 35 57 24, 😤, « Patio castellano » – 🅿. 🎇
cerrado domingo noche, lunes y agosto – Com carta 2950 a 4400.   AZ **b**

Mesón Panero, Marina Escobar 1, ⊠ 47001, 💠 30 70 19, Fax 30 16 73, Decoración castellana – ▤. 🆎 ⑩ 🅴 🎫. 🎇   BY **m**
cerrado domingo en julio-agosto y domingo noche resto del año – Com carta 2900 a 4650.

Portobello, Marina Escobar 5, ⊠ 47001, 💠 30 95 31, Pescados y mariscos – ▤. 🆎 ⑩
🅴 🎫 🎫. 🎇   BY **n**
Com carta 3200 a 4450.

La Pedriza, Colmenares 10, ⊠ 47004, 💠 39 79 51, Cordero asado – ▤. 🅴 🎫. 🎇 BY **c**
cerrado lunes noche y del 12 al 30 de agosto – Comida carta 2750 a 3750.

Lucense, paseo de Zorrilla 86, ⊠ 47006, 💠 27 20 10 – ▤. 🆎 ⑩ 🅴 🎫. 🎇   AZ **g**
Com carta 1925 a 3100.

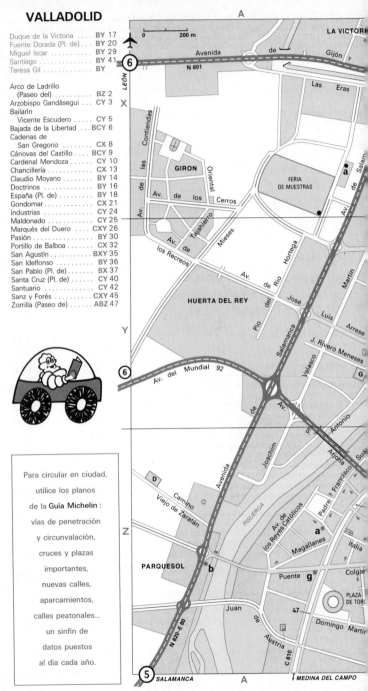

VALLADOLID

Para circular en ciudad,
utilice los planos
de la **Guía Michelin** :
vías de penetración
y circunvalación,
cruces y plazas
importantes,
nuevas calles,
aparcamientos,
calles peatonales...
un sinfín de
datos puestos
al día cada año.

454

VALLADOLID

※ **Los Cedros,** Dos de Mayo 5, ⊠ 47004, ℰ 30 32 70 – 🍽. 🆎 ⓪ 🇪 𝑉𝐼𝑆𝐴. ℅ BCY
cerrado domingo noche, lunes noche y del 1 al 15 de agosto – Com carta aprox. 45

※ **La Solana,** Solanilla 9, ⊠ 47003, ℰ 29 49 72, Decoración castellana – 🍽. 🇪 𝑉𝐼𝑆𝐴. ℅
cerrado miércoles – Com carta 3400 a 5800. CY

※ **Valderrey,** Gregorio Fernández 1, ⊠ 47006, ℰ 33 17 31 – 🍽. 🆎 🇪 𝑉𝐼𝑆𝐴. ℅ BZ
Com carta 2300 a 3500.

※ **Asador de Castilla,** Atrio de Santiago 7, ⊠ 47001, ℰ 35 18 43, Cordero asado – 🍽.
🇪 𝑉𝐼𝑆𝐴 BY
cerrado domingo noche – Com carta aprox. 3500.

VALLDOREIX Barcelona – ver San Cugat del Vallés.

VALLE – ver el nombre propio del valle.

VALLFOGONA DE RIUCORP o **VALLFOGONA DE RIUCORB** 43427 Tarragona 𝟒𝟒𝟑 H
– 128 h. alt. 698 – ❀ 977 – Balneario.
♦Madrid 521 – ♦Lérida/Lleida 64 – Tarragona 75.

🏛 Balneario ⌕, E : 1,8 km ℰ 88 00 25, « En un parque », 𝑓𝑠, ⏦, 🔲, 🐾, ℅ – ▯ 🕿 ⚓
❂
temp. – **94 hab.**

VALLROMANAS o **VALLROMANES** 08188 Barcelona 𝟒𝟒𝟑 H 36 – 383 h. – ❀ 93.
🏌 Club de Golf Vallromanas ℰ 568 03 62.
♦Madrid 643 – ♦Barcelona 22 – Tarragona 123.

※ Mont Bell, carret. de Granollers O : 1 km ℰ 572 90 96, Fax 572 93 61 – 🍽 ❂.

VALLS 43800 Tarragona 𝟒𝟒𝟑 I 33 – 18 753 h. alt. 215 – ❀ 977.
🛈 pl. del Blat 1, ℰ 60 10 50, ⊠ 43800, Fax 61 32 11.
♦Madrid 535 – ♦Barcelona 100 – ♦Lérida/Lleida 78 – Tarragona 19.

en la carretera N 240 – ❀ 977 :

🏛 **Félix,** S : 1,5 km, ⊠ 43800 Valls, ℰ 60 60 82, Fax 60 50 07, ⏦, ℅ – ▯ 🍽 📺 🕿 ❂
🏊 25/100. 🆎 ⓪ 🇪 𝑉𝐼𝑆𝐴. ℅
Com (ver rest. **Casa Félix**) – ⌓ 900 – **53 hab** 4400/8250.

※※ **Casa Félix,** S : 1,5 km, ⊠ 43800 Valls, ℰ 60 13 50, Fax 60 50 07, Calçotades – 🍽 ❂.
⓪ 🇪 𝑉𝐼𝑆𝐴. ℅
Com carta 2425 a 3275.

※ **Les Espelmes,** N : 8,5 km, ⊠ 43813 Fontscaldes, ℰ 60 10 42, ≼ – 🍽 ❂. 🆎 ⓪ 🇪 𝑉
℅
cerrado miércoles y 15 mayo-18 junio – Com carta 2075 a 3200.

VARADERO (Playa del) Alicante – ver Santa Pola.

El VEDAT Valencia – ver Torrente.

VEGA DE ANZO 33892 Asturias 𝟒𝟒𝟏 B 11 – ❀ 98.
♦ Madrid 468 – Avilés 47 – Luarca 82 – ♦ Oviedo 19.

※ Loan, carret. N 634 ℰ 575 03 25, ≼ – ❂.

VEGA DE SAN MATEO Gran Canaria – ver Canarias (Gran Canaria).

VEGA DE VALCARCE 24520 León 𝟒𝟒𝟏 E 9 – 1 454 h. – ❀ 987.
♦Madrid 422 – ♦León 143 – Lugo 85 – Ponferrada 36.

en Portela de Valcarce - carretera N VI SE : 3 km – ⊠ 24524 Portela de Valcarce – ❀ 98

🏠 **Valcarce,** ℰ 56 13 08, Fax 54 31 00 – 🍽 rest ❂. 🆎 ⓪ 🇪 𝑉𝐼𝑆𝐴. ℅
Com 1200 – ⌓ 350 – **42 hab** 3500/6500.

VEGUELLINA DE ÓRBIGO 24350 León 𝟒𝟒𝟏 E 12 – ❀ 987.
♦Madrid 314 – Benavente 57 – ♦León 32 – Ponferrada 79.

※ **La Herrería** con hab, Pío de Cela 27 ℰ 37 63 35, Fax 37 64 27, 🌤, ⏦ de pago, ℅ –
📺 🕿 ❂. 𝑉𝐼𝑆𝐴. ℅
Com carta 1400 a 2050 – ⌓ 350 – **13 hab** 2500/6000.

456

EJER DE LA FRONTERA **11150** Cádiz 446 X 12 - 13 202 h. alt. 193 - ☎ 956.
r : ≤★ del valle de Barbate.
ladrid 667 - Algeciras 82 - ◆Cádiz 50.

ELATE (Puerto de) Navarra 442 C 25 - alt. 847 - ✉ 31797 Arraitz - ☎ 948.
ladrid 432 - ◆Bayonne 85 - ◆Pamplona/Iruñea 33.

en la carretera N 121 S : 2 km - ✉ 31797 Arraitz - ☎ 948 :

Venta de Ulzama con hab, ℘ 30 51 38, ≤ - Ⓟ. AE ⓓ E VISA. ✻
cerrado del 3 al 29 noviembre - Com carta 2700 a 3750 - ☕ 425 - **15 hab** 3780/4950.

ÉLEZ MÁLAGA **29700** Málaga 446 V 17 - 41 937 h. - ☎ 95.
ladrid 530 - ◆Almería 180 - ◆Granada 100 - ◆Málaga 36.

Dila sin rest y sin ☕, av. Vivar Téllez 3 ℘ 250 39 00 - |♦| TV ☎. VISA. ✻
18 hab 5300/8480.

ÉLEZ RUBIO **04820** Almería 446 T 23 - 6 356 h. alt. 838 - ☎ 950.
ladrid 495 - ◆Almería 168 - ◆Granada 175 - Lorca 47 - ◆Murcia 109.

Jardín Casa Pepa, av. de Andalucía 6 ℘ 41 01 06, Fax 41 01 06 - |♦| ▤ rest ☎ Ⓟ.
AE ⓓ E VISA. ✻ - Com 1100 - ☕ 300 - **42 hab** 2000/3800 - PA 2125.

a VELILLA **40173** Segovia 442 I 18 - ☎ 921.
ladrid 130 - Aranda de Duero 80 - ◆Segovia 50.

La Farola, ℘ 50 98 23, 余 - ▤ Ⓟ. AE ⓓ E VISA. ✻
cerrado lunes y del 3 al 22 de enero - Com carta 2650 a 3900.

ELILLA (Playa de) Granada - ver Almuñecar.

ENDRELL o **El VENDRELL** **43700** Tarragona 443 I 34 - 11 597 h. - ☎ 977.
red. : Monasterio de Santa Creus★★ (gran claustro★★ : sala capitular★ ; iglesia★, : rosetón★,
O : 27 km.
Dr Robert 33, ℘ 66 02 92, ✉ 43700, Fax 66 59 24.
Madrid 570 - ◆Barcelona 75 - ◆Lérida/Lleida 113 - Tarragona 27.

Pí, Rambla 2 ℘ 66 00 02 - ▤. E VISA. ✻
cerrado 2ª quincena de octubre y 1ª semana de noviembre - Com carta 2700 a 4700.

El Molí de Cal Tof, av de Santa Oliva 2 ℘ 66 26 51, Decoración rústica - ▤ Ⓟ. AE E VISA
cerrado lunes en verano, domingo noche y lunes en invierno(salvo festivos y vísperas) -
Com carta aprox. 3500.

en la playa de San Salvador S : 3,5 km - ✉ 43130 San Salvador - ☎ 977 :

Europe San Salvador ≫, Llobregat 11 ℘ 68 06 11, Telex 56681, Fax 68 01 89, ⛱, ✻ - |♦|
▤ rest ☎ Ⓟ
temp. - Com (sólo buffet) - **155 hab.**

L'Ermita, Manresa ℘ 68 07 10, Fax 68 17 05, ⛱ - |♦| Ⓟ. AE E VISA. ✻ rest
mayo-septiembre - Com *(cerrado octubre-mayo salvo sábado y festivos de 15 enero-abril)*
1300 - ☕ 350 - **52 hab** 3800/5500 - PA 2950.

en la carret. N 340 SO : 6,5 km - ✉ 43883 Roda de Bará - ☎ 977 :

La Tenalla, ℘ 68 34 34, 余 - ▤ Ⓟ. AE E VISA. ✻
cerrado lunes noche, martes y 15 octubre-15 noviembre - Com carta 2025 a 4175.

VENTAS DE ARRAIZ o **VENTAS DE ARRAITZ** **31797** Navarra 442 C 25 - alt. 588 - ☎ 948.
Madrid 427 - ◆Bayonne 90 - ◆Pamplona/Iruñea 28.

Juan Simón con hab, carret. N 121 ℘ 30 50 52, 余 - Ⓟ. E VISA. ✻ rest
cerrado 15 agosto-14 septiembre - Com *(cerrado jueves en verano, domingo noche y festivos noche en invierno)* carta aprox. 4300 - ☕ 350 - **10 hab** 2800/4000.

VERA **04620** Almería 446 U 24 - 5 478 h. - ☎ 950.
carret. Almería-Murcia, km 208,6, ✉ 04620, ℘ 39 15 12.
Madrid 512 - ◆Almería 95 - ◆Murcia 126.

Terraza Carmona, Manuel Giménez 1 ℘ 39 01 88, Fax 39 13 14 - ▤ TV ☎ Ⓟ. AE ⓓ E
VISA. ✻
Com *(cerrado lunes y del 1 al 15 de septiembre)* 2000 - ☕ 350 - **38 hab** 5900/8400 -
PA 4350.

en la carretera de Garrucha SE : 2 km - ✉ 04620 Vera - ☎ 950 :

Vera H., ℘ 39 03 82, Fax 39 03 61, 余 - ▤ TV ☎. AE ⓓ E VISA. ✻
Com 850 - ☕ 375 - **20 hab** 4000/6500 - PA 1900.

VERA DE BIDASOA o **BERA** 31780 Navarra **442** C 24 – 3 454 h. – **✿** 948.

🚇 paseo Eztegara 11, *℘* 63 12 22.

◆Madrid 470 – ◆Pamplona/Iruñea 75 – ◆San Sebastián/Donostia 35.

XXX Ansonea, pl. de Los Fueros 1 *℘* 63 00 72 – 🍽 **ℙ**.

X **Euskalduna,** Eztegara 2 *℘* 63 03 92 – **ℙ**. **E** *VISA*. ⌘
  cerrado miércoles y octubre – Com carta 1600 a 3050.

VERGARA o **BERGARA** 20570 Guipúzcoa **442** C 22 – 15 759 h. alt. 155 – **✿** 943.

◆Madrid 399 – ◆Bilbao/Bilbo 54 – ◆San Sebastián/Donostia 62 – ◆Vitoria/Gasteiz 44.

🏠 **Ariznoa** sin rest, Telesforo de Aranzadi 3 *℘* 76 18 46 – 🛗 📺 ☎. ⓘ **E** *VISA*
  ⌕ 450 – **26 hab** 3300/6500.

XX **Zumelaga,** San Antonio 5 *℘* 76 20 21 – 🍽. **AE** ⓘ **E** *VISA*. ⌘
  cerrado domingo, lunes noche, y 31 julio-septiembre – Com carta 3300 a 4700.

X ✿ **Lasa,** Bidekurutzeta 34 *℘* 76 10 55, Fax 76 10 28 – 🍽. **E** *VISA*. ⌘
  cerrado lunes, Semana Santa y agosto – Com carta 3800 a 5300
  Espec. Surtido de ahumados caseros sobre tosta, Delicias de rabo y berenjena, Repostería de la casa.

VERÍN 32600 Orense **441** G 7 – 9 983 h. alt. 612 – **✿** 988 – Balneario.

Alred.: Castillo de Monterrey (🌿★, iglesia : portada★) O : 6 km.

◆Madrid 430 – Orense/Ourense 69 – Vila Real 90.

🏠 **Villa de Verín** sin rest, con cafetería, Monte Mayor 14 *℘* 41 19 81, Fax 41 17 70 – 🛗 📺
  ☎ 🚗. **AE** **E** *VISA*. ⌘
  ⌕ 275 – **26 hab** 3500/7500.

🏠 **San Luis,** av. de Castilla *℘* 41 09 00 – 📺. **AE** ⓘ **E** *VISA*
  cerrado octubre – Com *(cerrado sábado)* 900 – ⌕ 250 – **13 hab** 3500.

junto al castillo NO : 4 km – ✉ 32600 Verín – **✿** 988 :

🏰🏰 **Parador de Verín** ⌘, *℘* 41 00 75, Fax 41 20 17, ≤ castillo y valle, « Edificio de estilo
  regional », 🏊, 🎾 – 📺 ☎ 🚗 **ℙ**. **AE** ⓘ *VISA*. ⌘
  Com 3000 – ⌕ 1000 – **23 hab** 10500 – PA 5950.

en la carretera N 525 NO : 4,5 km – ✉ 32611 Albarellos de Monterrei – **✿** 988 :

🏠 **Gallego,** ✉ 32680 apartado 82 Verín, *℘* 41 82 02, Fax 41 82 02, ≤, 🏊, – 🛗 🍽 rest 📺 ☎
  🚗 **ℙ**. **AE** ⓘ **E** *VISA*. ⌘ rest
  Com 2250 – ⌕ 550 – **35 hab** 5000/8000 – PA 3950.

VIANA 31230 Navarra **442** E 22 – 3 413 h. alt. 470 – **✿** 948.

◆Madrid 341 – ◆Logroño 10 – ◆Pamplona/Iruñea 82.

XX ✿ **Borgia,** Serapio Urra *℘* 64 57 81 – **AE** ⓘ **E** *VISA*. ⌘
  cerrado domingo y agosto – Com carta 3600 a 5600
  Espec. Ensalada de setas con queso de cabra (primavera y otoño), Ostras con salsa de cebolla (noviembre-marzo), Gigot de cordero macerado.

VICH o **VIC** 08500 Barcelona **443** G 36 – 30 057 h. alt. 494 – **✿** 93.

Ver : Museo episcopal★★ – Catedral (pinturas★, retablo★★).

🚇 pl. Major 1, *℘* 886 20 91, ✉ 08500.

◆Madrid 637 – ◆Barcelona 66 – Gerona/Girona 79 – Manresa 52.

🏰🏰 **NH Ciutat de Vic,** Jaume I el Conqueridor *℘* 889 25 51, Fax 889 14 47 – 🛗 🍽 📺
  🪑 25/120. **AE** ⓘ **E** *VISA*. ⌘
  Com *(cerrado domingo)* 1750 – ⌕ 750 – **36 hab** 7300/9800.

🏠 **Can Pamplona** sin rest, carret. N 152 - 20 *℘* 883 31 12, Fax 885 20 92 – 🛗 🍽 📺 ☎ 🚗
  ℙ – 🪑 25. **AE** ⓘ **E** *VISA*. ⌘
  ⌕ 600 – **33 hab** 5000/6000.

🏠 **Ausa** sin rest, pl. Major 3 *℘* 885 53 11 – 🛗 📺 🚗. **E** *VISA*
  ⌕ 750 – **26 hab** 5000/7000.

XX **Mamma Meva,** rambla del Passeig 61 *℘* 886 39 98, Fax 889 03 25, Cocina italiana – 🍽
  AE ⓘ **E** *VISA*. ⌘
  cerrado miércoles, 21 febrero-3 marzo y del 12 al 29 de octubre – Com carta 1875 a 3590

X **La Taula,** pl. de Don Miquel de Clariana 4 *℘* 886 32 29 – **AE** **E** *VISA*
  cerrado lunes, domingo de junio a septiembre, domingo noche resto del año, 21 días en febrero y 7 días en agosto – Com carta 3200 a 4450.

X **Basset,** Sant Sadurní 4 *℘* 889 02 12, Fax 889 28 70 – 🍽. **AE** ⓘ **E** *VISA*. ⌘
  cerrado domingo y festivos – Com carta aprox. 3900.

por la carretera de Roda de Ter NE : 15 km – 🏧 93 :

🏨 **Parador de Vic** ⌖, ⌖ 08500 apartado oficial de Vich, 🖉 812 23 23, Fax 812 23 68, ≤ pantano de Sau y montañas, ⌞, ⌦ – 🕮 🍽 📺 ☎ ⇦ ❷ – 🏬 25/100. 🌐 ⓘ *VISA*. ⌖
Com 3200 – ⌤ 1100 – **36 hab** 12000 – PA 6375.

Ver también : *Santa Eugenia de Berga* SE : 4 km.

VIDRERAS o **VIDRERES** 17411 Gerona 👥👥👥 G 38 – 3 199 h. alt. 93 – 🏧 972.
Madrid 687 – ◆Barcelona 74 – Gerona/Girona 24.

🍴 **Can Pou** con hab, Pau Casals 15 🖉 85 00 14, ⌦ – 🍽 rest ❷. 🌐 ⓘ 🗲 *VISA*
Com *cerrado domingo noche* – carta 2425 a 3700 – ⌤ 475 – **14 hab** 2300/3950.

🍴 **La Font del Plá**, Marinada 28 🖉 85 04 91 – 🍽. 🌐 ⓘ 🗲 *VISA*. ⌖
Com carta 1750 a 3175.

al Suroeste : 2 km – ⌖ 17411 Vidreras – 🏧 972 :

🍴 **Can Castells**, entrada por carret. N II, ⌖ apartado 77 Santa Coloma de Farnés, 🖉 85 03 69, Decoración rústica - Carnes – 🍽 ❷. 🗲 *VISA*
cerrado lunes noche y martes, miercoles noche y jueves noche (de diciembre a mayo) y noviembre – Com carta 1500 a 2900.

en la carretera de Llagostera NE : 5 km – ⌖ 17455 Caldes de Malavella – 🏧 972 :

🍴 **El Molí de la Selva**, 🖉 47 03 00, Instalado en un antiguo molino, Decoración rústica – 🍽 ❷. ⓘ 🗲 *VISA*
cerrado domingo noche en invierno – Com carta 2600 a 3600.

VIELLA 33429 Asturias 👥👥👥 B 12 – 🏧 98.
◆ Madrid 459 – Avilés 29 – Gijón 25 – ◆ Oviedo 10.

🏨 **Los Fresnos**, carret AS-17 🖉 526 59 26, Fax 526 49 79, ⌦ – 🍽 rest 📺 ☎ ❷ – 🏬 25/100. 🌐 ⓘ 🗲 *VISA*. ⌖ rest
Com 1800 – ⌤ 650 – **68 hab** 8300/10900 – PA 3600.

🏨 **La Cabaña**, carret. AS-17 🖉 526 53 36, Fax 526 41 57 – 🕮 🍽 rest 📺 ☎ ❷ – 🏬 25/300. 🌐 ⓘ 🗲 *VISA*. ⌖
Com 1200 – ⌤ 500 – **22 hab** 7300/9600.

🏠 **Maruja Nozana** sin rest, carret AS-17 🖉 526 55 21, Fax 526 54 84 – 📺 ☎ ⇦ ❷. 🌐 🗲 *VISA*. ⌖
16 hab 5000/7000.

VIELLA o **VIELHA** 25530 Lérida 👥👥👥 D 32 – 2 961 h. alt. 971 – 🏧 973 – Deportes de invierno.
Ver : Iglesia (Cristo de Mig Arán★).
Alred. : N : Valle de Arán★★ – Vilamós ≤★ NO : 13 km.
🚌 Sarriulera 6 🖉 64 01 10, ⌖ 25530, Fax 64 01 10.
◆Madrid 595 – ◆Lérida/Lleida 163 – St-Gaudens 70.

🏨 **Fonfreda** sin rest, passeig de la Llibertat 14 🖉 64 04 86, Fax 64 24 42 – 🕮 📺 ☎. 🌐 ⓘ 🗲 *VISA*. ⌖
26 hab ⌤ 6800/11500.

🏨 **Urogallo**, av. Castiero 7 🖉 64 00 00, Fax 64 07 54 – 🕮 📺 ⌦. 🗲 *VISA*. ⌖ hab
cerrado noviembre-22 diciembre – Com 1450 – ⌤ 500 – **37 hab** 5500/9000 – PA 2900.

🏨 **Viella**, carret de Gausach 🖉 64 02 75, Fax 64 09 34 – 🕮 ⌦ ♿ ❷. *VISA*. ⌖
cerrado noviembre – Com 1300 – **108 hab** ⌤ 5725/9450 – PA 2450.

🏨 **Arán**, av. Castiero 5 🖉 64 00 50, Fax 64 00 53 – 🕮 📺 ⌦. 🌐 ⓘ 🗲 *VISA*. ⌖ rest
Com 1450 – ⌤ 450 – **44 hab** 6000/9000 – PA 2800.

🏨 **Apart. Serrano**, San Nicolás 2 🖉 64 01 50, Fax 64 01 52 – 🕮 📺 ☎. 🌐 ⓘ 🗲 *VISA*. ⌖ rest
cerrado 12 octubre-5 diciembre – Com 1300 – ⌤ 350 – **10 apartamentos** 20000 – PA 2650.

🏨 **Delavall**, Pas d'Arró 40 🖉 64 02 00, Fax 64 00 13, ≤, ⌞, – 🕮 📺 ☎ ❷. 🌐 ⓘ 🗲 *VISA*. ⌖ rest
cerrado mayo – Com *(Semana Santa, julio-septiembre y Navidades)* 1500 – ⌤ 450 – **28 hab** 3710/7420 – PA 2950.

🏨 **Resid. d'Arán** ⌖ sin rest, carret. del Túnel 🖉 64 00 75, Fax 64 22 95, ≤ Viella, valle y montañas – 🕮 ⌦ ❷. 🌐 🗲 *VISA*. ⌖
⌤ 500 – **36 hab** 5000/7500.

🏠 Ribaeta sin rest. con cafetería, Sarriulera 5 🖉 64 20 36 – 🕮 📺 ☎ ❷
27 hab.

🏠 **D'Òc** sin rest, Castèth 9 🖉 64 15 97 – 🕮 📺. 🗲 *VISA*
⌤ 350 – **15 hab** 5600/6000.

🏠 **Baricauba y Riu Nere**, Mayor 4 🖉 64 01 50, Fax 64 01 52 – 🕮 📺 ☎. 🌐 ⓘ 🗲 *VISA*. ⌖
cerrado 12 octubre-3 diciembre – Com (en el apart. **Serrano**) – ⌤ 350 – **48 hab** 4750/8500.

🏠 **La Bonaigua** sin rest, Castèth 5 bis 🖉 64 01 44 – 🕮 ☎. ⌖
cerrado 2 noviembre-5 diciembre – ⌤ 550 – **20 hab** 3500/5500.

XX **Sascumes,** antigua carret. de Francia ℘ 64 08 55 – 🍴. _VISA_
cerrado martes, mayo y noviembre – Com (sólo cena) carta 4100 a 4900.

XX **Antonio,** carret del Túnel ℘ 64 08 87 – 🖭 ⓞ Ⓔ _VISA_. ⅙
cerrado lunes, 1ª semana de julio y del 10 al 25 de diciembre – Com carta aprox. 310●

X **Era Lucana,** av. Alcalde Calbetó ℘ 64 17 98 – Ⓔ _VISA_ JCB. ⅙
cerrado lunes (salvo festivos o vísperas) y del 1 al 10 de julio – Com carta 3000 a 440●

X **Neguri,** Pas d'Arró 14 ℘ 64 02 11.

X **Gustavo-María José (Era Mola),** Marrec 8 ℘ 64 24 19, Decoración rústica – _VISA_
19 julio-11 septiembre y diciembre-17 abril – Com (sólo cena en invierno salvo sábado
domingo, Semana Santa y Navidades) carta 3100 a 3600.

X **Nicolás,** Castèth 10 ℘ 64 18 20, 🍽 – _VISA_. ⅙
cerrado miércoles y 15 días en julio – Com carta 3050 a 3800.

X **Deth Gorman,** Met Día 8 ℘ 64 04 45 – Ⓔ _VISA_. ⅙
cerrado martes y 2ª quincena de junio – Com carta 2400 a 3600.

en Betrén-por la carretera de Salardú E : 1 km – ✉ 25539 Betrén – ☎ 973 :

🏨 **Tuca** ⑤, ℘ 64 07 00, Fax 64 07 54, ≼, ☖ climatizada – 🛗 📺 ☎ 🚗 🅿 – 🔏 25/16●
🖭 ⓞ Ⓔ _VISA_. ⅙
cerrado 15 octubre-15 diciembre – Com 2300 – ☕ 750 – **117 hab** 9500/17500, 1 sui●
– PA 4280.

X **La Borda de Betrén,** Mayor ℘ 64 00 32, Decoración rústica – 🖭 ⓞ Ⓔ _VISA_
Com carta 2250 a 3600.

en Escunhau - por la carretera de Salardú E : 3 km – ✉ 25539 Escunhau – ☎ 973 :

🏨 **Es Pletieus,** carret. C 142 ℘ 64 07 90, Fax 64 10 04, ≼ – 🛗 📺 ☎ 🅿. 🖭 ⓞ Ⓔ _VISA_. ⅙
Com (ver rest. **Es Pletieus**) – **18 hab** ☕ 4500/8000.

🏠 **Casa Estampa** ⑤, Sortaus 9 ℘ 64 00 48, ≼ – 🅿. Ⓔ _VISA_. ⅙
Com 1600 – ☕ 500 – **26 hab** 3700/5500.

XX **Es Pletieus,** carret. C 142 ℘ 64 04 85, Fax 64 10 04, ≼ – 🅿
15 junio- 15 septiembre y diciembre-abril – Com (en invierno sólo cena y cerrado doming●
carta aprox. 3700.

X **Casa Turnay,** San Sebastián ℘ 64 02 92, Decoración rústica – 🖭
15 julio-15 septiembre y diciembre-abril – Com carta 2450 a 2700.

en la carretera N 230 S : 2,5 km – ✉ 25530 Viella – ☎ 973 :

🏨 **Parador del Valle de Arán** ⑤, ℘ 64 01 00, Fax 64 11 00, ≼ valle y montañas, ☖ – �┃
📺 ☎ 🚗 🅿 – 🔏 25/50. 🖭 ⓞ _VISA_. ⅙
Com 3200 – ☕ 1000 – **135 hab** 10000 – PA 6290.

en Garós - por la carretera de Salardú E : 5 km – ✉ 25539 Garós – ☎ 973 :

X **Et Restillé,** pl. Carrera 2 ℘ 64 15 39, Decoración rústica
temp. – Com (sólo cena en invierno).

en Pont d'Arrós NO : 6 km – ✉ 25537 Pont d'Arrós – ☎ 973 :

🏠 **Peña,** carret. N 230 ℘ 64 08 86, Fax 64 23 29, ≼ – 📺 ☎ 🅿. 🖭 Ⓔ _VISA_. ⅙
cerrado noviembre – Com 1500 – ☕ 500 – **24 hab** 4000/6500 – PA 3000.

X **Cal Manel,** carret. N 230 ℘ 64 11 68 – 🅿. Ⓔ _VISA_. ⅙
cerrado lunes (salvo julio-agosto), 23 junio-10 julio y 15 noviembre-3 diciembre – Comid●
carta 2450 a 3200.

VIGO 36200 Pontevedra 𝟒𝟒𝟏 F 3 – 258 724 h. alt. 31 – ☎ 986.

Ver : Emplazamiento⋆ – El Castro ≼⋆⋆ AZ.

Alred. : Ría de Vigo⋆⋆ – Mirador de la Madroa⋆⋆ ≼⋆⋆ por carret. del aeropuerto : 6 km BZ

🏌 Aero Club de Vigo por ② : 11 km ℘ 22 11 60.

✈ de Vigo por N 550 : 9 km BZ ℘ 48 74 12 – Iberia : Marqués de Valladares 13 ℘ 22 70 0●
AY – Aviaco : aeropuerto ℘ 48 76 25.

🚂 ℘ 22 35 97.

🛳 Cía. Trasmediterránea, Luis Taboada, 6, ✉ 36201, ℘ 43 40 01, Fax 43 14 30.

🛈 Jardines de las Avenidas, ✉ 36202, ℘ 43 05 77 – R.A.C.E. Coruña 40, ✉ 36211, ℘ 20 91 5●
◆Madrid 600 ② – ◆La Coruña/A Coruña 156 ① – Orense/Ourense 101 ② – Pontevedra 27 ① – ◆Porto 157 ②

Plano página siguiente

🏨 **Ciudad de Vigo,** Concepción Arenal 5, ✉ 36201, ℘ 22 78 20, Telex 83307, Fax 43 98 7●
– 🛗 🍴 📺 ☎ 🚗 – 🔏 25/200. 🖭 ⓞ Ⓔ _VISA_. ⅙
Com carta 2200 a 3400 – ☕ 900 – **99 hab** 12240/15300, 2 suites.   BY

🏨 **Bahía de Vigo,** av. Cánovas del Castillo 24, ✉ 36202, ℘ 22 67 00, Telex 8301●
Fax 43 74 87, ≼ – 🛗 🍴 rest 📺 ☎ 🚗 – 🔏 25/150. 🖭 ⓞ Ⓔ _VISA_. ⅙   AY
Com 3500 – ☕ 950 – **108 hab** 11800/15500, 2 suites.

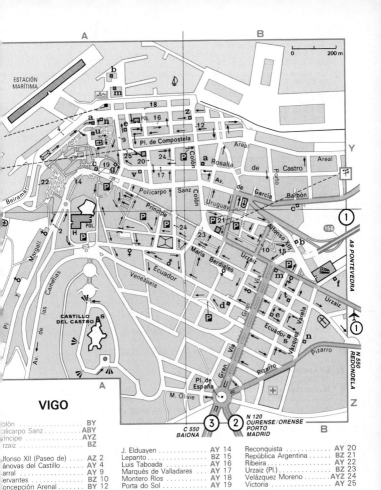

VIGO

🏨 **Coia,** Sanxenxo 1, ✉ 36209, 𝒫 20 18 20, Telex 83462, Fax 20 95 06 – 🛗 ▤ 📺 ☎ ⇦
Ⓟ – 🔥 25/600. ﷼ ⓪ Ⅽ 𝑉𝐼𝑆𝐴. ⋙
Com 2000 – 🖙 900 – **111 hab** 9500/12950, 15 suites – PA 4900.
por ③

🏨 **Tres Luces,** Cuba 19, ✉ 36204, 𝒫 48 02 50, Fax 48 33 27 – 🛗 ▤ 📺 ☎ ⇦ – 🔥 25/150.
﷼ ⓪ Ⅽ 𝑉𝐼𝑆𝐴. ⋙
Com 2200 – 🖙 700 – **70 hab** 6550/10450, 2 suites – PA 4335.
BZ **e**

🏨 **Lisboa,** Gran Vía 1, ✉ 36204, 𝒫 41 72 55, Telex 83736, Fax 48 26 48 – 🛗 📺 ☎ – 🔥 25/50.
﷼ ⓪ Ⅽ 𝑉𝐼𝑆𝐴. ⋙
Com 1950 – 🖙 650 – **96 hab** 6925/11250, 3 suites – PA 3640.
BZ **m**

🏨 México sin rest, con cafetería, Vía del Norte 10, ✉ 36204, 𝒫 43 16 66, Telex 83321,
Fax 43 55 53 – 🛗 📺 ☎ ⇦ – 🔥 25/60
112 hab.
BZ **f**

🏨 **Ipanema** sin rest, con cafetería, Vázquez Varela 31, ✉ 36204, 𝒫 47 13 44, Telex 83671,
Fax 48 20 80 – 🛗 📺 ☎ ⇦ – 🔥 25/60. ﷼ ⓪ Ⅽ 𝑉𝐼𝑆𝐴. ⋙
🖙 700 – **54 hab** 8240/10300, 6 suites – PA 3315.
BZ **n**

🏨 **Compostela** sin rest, con cafetería, García Olloqui 5, ✉ 36201, 𝒫 22 82 27, Fax 22 59 04
– 🛗 📺 ☎ ⇦. ﷼ ⓪ Ⅽ 𝑉𝐼𝑆𝐴. ⋙
🖙 575 – **30 hab** 6300/8700.
AY **e**

🏨 Ensenada, Alfonso XIII - 7, ✉ 36201, 𝒫 22 61 00, Telex 83561, Fax 43 89 72, 🎇 – 🛗 📺
☎ ⇦
109 hab.
BZ **b**

🏨 **Galicia** sin rest, con cafetería, Colón 11, ⊠ 36201, 𝒫 43 40 22, Fax 22 32 28 – ▯ 📺 🕾
🝙 🔟 ① 🗉 𝘝𝘐𝘚𝘈. ⅏
⊈ 600 – **53 hab** 6200/9000.   BY

🏨 **Canaima** sin rest, con cafetería, García Barbón 42, ⊠ 36201, 𝒫 43 09 34, Fax 43 26 41
▯ 📺 🕾. 🝙 ① 🗉 𝘝𝘐𝘚𝘈. ⅏
⊈ 375 – **54 hab** 3800/6000.   BYZ

🏨 **Puerta del Sol** sin rest, Porta do Sol 14, ⊠ 36202, 𝒫 22 71 53, Fax 22 23 64 – ▯ 📺 🕾
🝙 ① 🗉 𝘝𝘐𝘚𝘈
⊈ 500 – **16 hab** 6000/7200.   AY

🏨 **Nilo** sin rest, Marqués de Valladares 8, ⊠ 36201, 𝒫 43 28 99, Fax 43 44 74 – ▯ 📺 🕾. 🝙
① 🗉 𝘝𝘐𝘚𝘈. ⅏
⊈ 575 – **52 hab** 5000/8000.   AY

🏨 **Celta** sin rest, México 22, ⊠ 36204, 𝒫 41 46 99, Fax 48 06 56 – ▯ 📺 🕾. 🅿. 🝙 𝘝𝘐𝘚𝘈. ⅏
⊈ 500 – **45 hab** 5500/7000.   BZ

🏨 **Princesa** sin rest y sin ⊈, Fermín Penzol 14, ⊠ 36201, 𝒫 43 37 00 – ▯ 📺 🕾. ① 🗉 𝘝𝘐𝘚̲.
⅏
19 hab 3500/5500.   AY

🟈🟈🟈 **El Castillo**, paseo de Rosalía de Castro, ⊠ 36203, 𝒫 42 11 11, Fax 42 12 99, ≤ ría de Vigo
y ciudad, « En un parque » – ▯ 🕾 🅿. 🝙 ① 🗉 𝘝𝘐𝘚𝘈   AZ
cerrado domingo noche, lunes y Semana Santa – Com carta aprox. 4800.

🟈🟈 ❀ **Puesto Piloto Alcabre**, av. Atlántida 98, ⊠ 36208, 𝒫 29 79 75, Fax 20 76 82, ≤ – 🗉
🅿. 🝙 ① 🗉 𝘝𝘐𝘚𝘈 𝘑𝘊𝘉. ⅏   por av. Beiramar : 5 km   AY
cerrado domingo noche y 15 días en noviembre – Com carta 2650 a 4200
Espec. Salmón en escabeche, Canelones de marisco, Pote marinero.

🟈🟈 **Ancoradoiro**, As Avenidas, ⊠ 36202, 𝒫 22 26 34, ≤ – 🗉. 🝙 ① 🗉 𝘝𝘐𝘚𝘈. ⅏   AY **n**
cerrado domingo – Com carta 2400 a 4250.

🟈🟈 **Las Bridas**, Ecuador 56, ⊠ 36203, 𝒫 43 00 37, Fax 43 13 91 – 🗉. 🝙 ① 🗉 𝘝𝘐𝘚𝘈. ⅏
cerrado domingo, festivos y Semana Santa – Com carta 2550 a 3900.   BZ

🟈🟈 ❀ **Síbaris**, av. García Barbón 122, ⊠ 36201, 𝒫 22 15 26 – 🗉. 🝙 🗉 𝘝𝘐𝘚𝘈. ⅏   BY
cerrado domingo – Com carta 3250 a 4400
Espec. Ensalada marina de lubina, Rape braseado con ajada, Hígado de pato salteado con manzana.

🟈🟈 **La Oca**, Purificación Saavedra 8 (Teis), ⊠ 36207, 𝒫 37 12 55
por av. de García Barbón   BY

🟈 **La Espuela**, Teófilo Llorente 2, ⊠ 36202, 𝒫 43 73 07 – 🗉. 🝙 ① 🗉 𝘝𝘐𝘚𝘈. ⅏   AY
cerrado 15 diciembre-15 enero – Com carta 2450 a 4100.

🟈 **Maremagnum**, As Avenidas, ⊠ 36201, 𝒫 22 51 02, ≤, 🍴 – 🗉. 🝙 🗉 𝘝𝘐𝘚𝘈. ⅏   AY
Com carta 2780 a 3180.

🟈 **José Luis**, av. de la Florida 34, ⊠ 36210, 𝒫 29 95 22 – 🗉. 🝙 ① 🗉 𝘝𝘐𝘚𝘈. ⅏   por ③
cerrado domingo noche y del 15 al 31 de agosto – Com carta 3000 a 4200.

🟈 **El Mosquito**, pl. da Pedra 4, ⊠ 36202, 𝒫 43 35 70, Pescados y mariscos – 🗉. 🝙 ①
𝘝𝘐𝘚𝘈. ⅏   AY
cerrado domingo y 10 agosto-10 septiembre – Com carta 3300 a 4800.

🟈 **Laxeiro**, Ecuador 80, ⊠ 36204, 𝒫 42 52 04 – 🗉. 🝙 ① 𝘝𝘐𝘚𝘈. ⅏   BZ
cerrado lunes – Com carta 2500 a 3600.

en la playa de Samil por av. Beiramar : 6,5 km AY – ⊠ 36208 Vigo – ☎ 986 :

🏨 **G. H. Samil**, ⊠ apartado 472, 𝒫 24 00 00, Telex 83263, Fax 24 06 56, ≤, 🛵, 🎿, 🎾 – ▯
📺 🕾 ⇦ 🅿 – 🔬 25/600. 🝙 ① 🗉 𝘝𝘐𝘚𝘈. ⅏
Com 3150 – ⊈ 1105 – **135 hab** 11680/15575, 2 suites.

en la playa de La Barca por av. Beiramar : 7,5 km AY – ⊠ 36330 Corujo – ☎ 986 :

🟈 **Timón Playa**, 𝒫 49 08 15, Fax 49 11 26, ≤, Pescados y mariscos – 🅿.
Ver también : *Chapela* por av. de García Barbón : 7 km BY
Canido por av. Beiramar : 9 km AY.

VILABOA 36141 Pontevedra 🏤🏤🏤 E 4 – 6 001 h. – ☎ 986.
♦Madrid 618 – Pontevedra 9 – ♦Vigo 27.

en Paredes SE : 2 km – ⊠ 36141 Vilaboa – ☎ 986 :

🏨 **Las Islas** sin rest, 𝒫 70 88 92, Fax 70 84 84, ≤, 🎿, 🎾 – 📺 🕾 ⇦ 🅿. ⅏
cerrado 24 diciembre-6 enero ⊈ 400 – **26 hab** 2500/4500.

🏠 **San Luis** sin rest, 𝒫 70 83 11 – 🅿. ⅏ – ⊈ 225 – **20 hab** 1270/3500.

VILADRAU 08553 Gerona 🏤🏤🏤 G 37 – 750 h. alt. 821 – ☎ 93.
♦Madrid 647 – ♦Barcelona 76 – Gerona/Girona 61.

🏨 **De la Gloria** 🐾, Torreventosa 12 𝒫 884 90 34, Fax 884 94 65 – 📺 🕾 ⇦ – 🔬 25/200.
🝙 🗉 𝘝𝘐𝘚𝘈. ⅏
cerrado 22 diciembre-7 enero – Com *(cerrado lunes)* 1750 – ⊈ 600 – **26 hab** 3000/6500.

ILAFRANCA DEL PENEDÉS Barcelona – ver Villafranca del Panadés.

ILAGRASA o **VILAGRASSA** 25330 Lérida 443 H 33 – 460 h. – 🕿 973.
adrid 510 – ◆Barcelona 119 – ◆Lérida/Lleida 41 – Tarragona 78.

🏨 **Del Carme,** antigua carret. N II 🖉 31 10 00, Fax 31 07 77, 🔟, 🐎, 🗱 – 🛊 🗏 rest 📺 🕿
   🄿 – 🔬 25/300. **E** 𝓥𝓘𝓢𝓐. 🗱 rest
   Com *(cerrado domingo noche)* 1700 – ☲ 500 – **40 hab** 3800/7000 – PA 3500.

🗶 **Cataluña,** Mayor 2 🖉 31 14 65, Carnes a la brasa – 🗏. 🄰🄴 **E** 𝓥𝓘𝓢𝓐. 🗱
   cerrado domingo noche y lunes salvo festivos o vísperas – Com carta 2300 a 4250.

a VILA JOIOSA Alicante – ver Villajoyosa.

ILAJUIGA 17493 Gerona 443 F 39 – 713 h. – 🕿 972.
adrid 758 – Figueras/Figueres 12 – Gerona/Girona 51.

🗶 **Can Maricanes,** Figueras 15 🖉 53 00 37 – 🗏 **🄿**. 🄰🄴 🄾 **E** 𝓥𝓘𝓢𝓐
   cerrado domingo noche, martes y del 13 al 31 octubre – Com carta 1850 a 2950.

ILALONGA Pontevedra – ver Villalonga.

ILANOVA DE AROUSA Pontevedra – ver Villanueva de Arosa.

ILANOVA DE LA BARCA Lérida – ver Villanueva de La Barca.

ILANOVA I LA GELTRÚ Barcelona – ver Villanueva y Geltrú.

ILA-SACRA 17485 Gerona 443 F 39 – 385 h. – 🕿 972.
adrid 746 – Gerona/Girona 30 – ◆Perpignan 62.

🗶🗶 **Hermes,** carret. de Rosas 🖉 50 98 07 – 🗏 **🄿**. **E** 𝓥𝓘𝓢𝓐
   cerrado martes y del 1 al 15 de noviembre – Com carta 2200 a 2800.

ILAVELLA Orense – ver Villavieja.

ILAXOÁN Pontevedra – ver Villagarcía de Arosa.

ILLABONA 20150 Guipúzcoa 442 C 23 – 5 228 h. alt. 61 – 🕿 943.
Madrid 451 – ◆Pamplona/Iruñea 71 – ◆San Sebastián/Donostia 20 – ◆Vitoria/Gasteiz 96.

   en Amasa E : 1 km – ✉ 20150 Villabona – 🕿 943 :

🗶 **Arantzabi,** 🖉 69 12 55, ≤, 🗭, « Típico caserío vasco » – **🄿**. 🄰🄴 **E** 𝓥𝓘𝓢𝓐. 🗱
   cerrado domingo noche, lunes y 15 diciembre-15 enero – Com (sólo almuerzo de octubre
   a mayo salvo viernes y sábado) carta 2700 a 4100.

VILLACAÑAS 45860 Toledo 444 N 19 – 8 251 h. – 🕿 925.
Madrid 109 – Alcázar de San Juan 35 – Aranjuez 48 – Toledo 72.

🏨 **Quico,** av. de la Mancha 34 🖉 16 04 50 – ⇦⇨
   Com *(cerrado domingo)* 1300 – ☲ 350 – **25 hab** 1750/2850 – PA 2500.

VILLACARRILLO 23300 Jaén 446 R 20 – 11 815 h. alt. 785 – 🕿 953.
Madrid 349 – ◆Albacete 172 – Úbeda 32.

🏨 **Las Villas,** carret. N 322 🖉 44 01 25 – 🛊 🗏 📺 ⊛ ⇦⇨ **🄿**. **E** 𝓥𝓘𝓢𝓐. 🗱
   Com 900 – ☲ 350 – **37 hab** 3500/5700 – PA 2150.

VILLACASTÍN 40150 Segovia 442 J 16 – 1 579 h. alt. 1 100 – 🕿 921.
Madrid 79 – ◆Ávila 29 – ◆Segovia 36 – ◆Valladolid 105.

🏨 **Hostería el Pilar,** carret. N VI 🖉 10 70 50, 🗭 – **🄿**. **E** 𝓥𝓘𝓢𝓐
   Com 1150 – ☲ 350 – **21 hab** 2750/4500 – PA 2250.

   en la autopista A 6 SE : 4,5 km – ✉ 40150 Villacastín – 🕿 921 :

🗶🗶 **Las Chimeneas,** ✉ apartado 11, 🖉 10 76 40, Fax 10 71 69 – 🗏 **🄿**. 🄰🄴 **E** 𝓥𝓘𝓢𝓐. 🗱
   Com carta 2450 a 4600.

VILLADANGOS DEL PÁRAMO 24392 León 441 E 12 – 1 023 h. – 🕿 987.
Madrid 331 – ◆León 18 – Ponferrada 87.

🗶 **Avenida II** con hab, carret. de León NE : 1,5 km 🖉 39 00 81, 🗱 – ⇦⇨ **🄿**. 🄰🄴 🄾 **E** 𝓥𝓘𝓢𝓐.
   🗱
   Com carta 1950 a 2250 – ☲ 275 – **10 hab** 2850/5250.

VILLA DEL PRADO 28630 Madrid 444 L 17 – 2 770 h. – ۞ 91.
•Madrid 61 – Ávila 80 – Toledo 78.

🕈 El Extremeño 🦐, av. del Generalísimo 18 🎤 862 24 28, 🏠 – ➋
16 hab.

VILLADIEGO 09120 Burgos 442 E 17 – 2 759 h. alt. 842 – ۞ 947.
•Madrid 282 – •Burgos 39 – Palencia 84 – •Santander 150.

🏛 **El Condestable,** av. Reyes Católicos 2 🎤 36 17 32 – ➋ *VISA*. 🎉
cerrado del 15 al 30 septiembre – Com 1900 – 🖵 525 – **24 hab** 4268/5335 – PA 367

VILLAFRANCA DEL BIERZO 24500 León 441 E 9 – 4 677 h. alt. 511 – ۞ 987.
•Madrid 403 – •León 130 – Lugo 101 – Ponferrada 21.

🏨 **Parador de Villafranca del Bierzo,** av. de Calvo Sotelo 🎤 54 01 75, Fax 54 00 10 – [
🕾 ➋. *AE* ➀ *VISA*. 🎉
Com 3000 – 🖵 1000 – **40 hab** 10000 – PA 5950.
🏛 **San Francisco** sin rest, pl. Mayor 6 🎤 54 04 65 – 📺 🕾. 🎉
🖵 360 – **29 hab** 3900/5550.
🍴 **Casa Méndez** con hab, pl. de la Concepción 🎤 54 24 08 – 🍽 rest. *AE* *VISA*. 🎉
Com carta 1500 a 2700 – 🖵 300 – **14 hab** 2500/3800.

VILLAFRANCA DEL PANADÉS o **VILAFRANCA DEL PENEDÉS** 08720 Barcelona 44
H 35 – 25 020 h. alt. 218 – ۞ 93.
🖪 Cort 14, ✉ 08720, 🎤 892 03 58.
•Madrid 572 – •Barcelona 54 – Tarragona 54.

🏨 **Domo,** Francesc Macià 2 🎤 817 24 26, Fax 817 08 53 – 🛗 🍽 📺 🕾 🕁 🚗 – 🔏 25/20
AE ➀ 🄴 *VISA*. 🎉 rest
Com *(cerrado domingo, Semana Santa, 15 días en agosto y Navidades)* 1500 – 🖵 87
– **44 hab** 10500/13800 – PA 3875.
🏨 **Pedro III el Grande,** pl. del Penedés 2 🎤 890 31 00, Fax 890 39 21 – 🛗 🍽 📺 🕾 ➋. [
➀ 🄴 *VISA*. 🎉
Com 1550 – 🖵 750 – **52 hab** 4200/7800 – PA 3080.
🟈🟈 **Airolo,** rambla de Nostra Senyora 10 🎤 892 17 98 – 🍽. *AE* ➀ 🄴 *VISA*. 🎉
cerrado domingo noche, lunes y del 1 al 25 de agosto – Com carta 3750 a 4850.
🍴 **Casa Juan,** pl. de l'Estació 8 🎤 890 31 71 – 🍽. *AE* ➀ 🄴 *VISA*
cerrado domingo, Semana Santa, última semana de agosto, 1ª semana de septiembre
Navidades – Com (sólo almuerzo) carta aprox. 3800.

por la carretera N 340 SO : 2,5 km – ✉ 08720 Villafranca del Panadés – ۞ 93 :

🏨 **Alfa Penedès y Rest. Gran Mercat,** 🎤 817 20 26, Fax 817 22 45 – 🛗 🍽 📺 🕾 🕁 ➋
🔏 25/200. *AE* ➀ 🄴 *VISA*. 🎉 rest
Com carta aprox. 3800 – 🖵 900 – **59 hab** 9200/11500.

VILLAGARCÍA DE AROSA o **VILAGARCÍA DE AROUSA** 36600 Pontevedra 441 E 3
29 453 h. – ۞ 986 – Playa.
Alred. : Mirador de Lobeira★ S : 4 km.
🖪 Juan Carlos I 37, 🎤 51 01 44.
•Madrid 632 – Orense/Ourense 133 – Pontevedra 25 – Santiago de Compostela 42.

🏛 **San Luis** sin rest y sin 🖵, av. de la Marina 16 🎤 50 73 18 – 🕾
27 hab.
🏛 **León XIII** sin rest, av. de la Marina 7 🎤 50 63 83 – *AE* 🄴 *VISA*. 🎉
12 hab 5000.

en Vilaxoán – ✉ 36611 Vilaxoán – ۞ 986 :

🟈🟈 **Chocolate** con hab, av. Cambados 151 🎤 50 11 99, Fax 50 67 62 – 🍽 rest 📺 🕾 ➋. [
🄴 *VISA*. 🎉
Com *(cerrado domingo)* carta 5500 a 6100 – 🖵 500 – **18 hab** 5000/6500.

VILLAJOYOSA o **La VILA JOIOSA** 03570 Alicante 445 Q 29 – 20 638 h. – ۞ 96.
🖪 pl. Castelar 2 🎤 589 30 43.
•Madrid 450 – •Alicante/Alacant 32 – Gandía 79.

🍴 **El Panchito,** av. del Puerto 46 🎤 589 28 55, 🏠 – 🍽.
🍴 **El Brasero,** av. del Puerto 🎤 589 03 33, 🏠 – *AE* ➀ 🄴 *VISA*
cerrado martes y diciembre-25 enero – Com carta 2500 a 4250.

por la carretera de Alicante SO : 3 km – ⊠ 03570 Villajoyosa – 🕄 96 :

🏨 **Montíboli** ⤦, 𝒫 589 02 50, Fax 589 38 57, ≤, 🏖, ⤓, �──, ❀ – 🛗 🗐 📺 ☎ 🅿. 🆎 ⓪
🗈 *VISA*. ❀ rest
Com 3250 – **51 hab** ☑ 12250/20500 – PA 6500.

🏨 **Eurotennis**, 𝒫 589 12 50, Telex 66454, Fax 589 11 94, ≤, 𝟳₅, ⤓, �──, ❀ – 🛗 🗐 rest 📺
☎ 🅿 – 🔬 50/200. 🆎 ⓪ 🗈 *VISA*. ❀ rest
Com 2100 – ☑ 1000 – **98 hab** 7400/11400 – PA 4420.

ILLALBA 27800 Lugo ⬛⬛⬛ C 6 – 16 485 h. alt. 492 – 🕄 982.

·adrid 540 – ◆La Coruña/A Coruña 87 – Lugo 36.

🏨 **Parador de Villalba**, Valeriano Valdesuso 𝒫 51 00 11, Fax 51 00 90, « Instalado en la torre
de un castillo medieval » – 🛗 📺 ☎ 🅿. 🆎 ⓪ *VISA*. ❀
Com 3200 – ☑ 1100 – **6 hab** 12500 – PA 6375.

en la carretera de Meira E : 1 km – ⊠ 27800 Villalba – 🕄 982 :

🏨 **Villamartín**, av. Tierra Llana 𝒫 51 12 15, Fax 51 11 35, ⤓, ❀ – 🛗 🗐 rest 📺 ☎ ⇦ 🅿
– 🔬 25/200. 🆎 ⓪ 🗈 *VISA*. ❀
Com 1700 – ☑ 500 – **60 hab** 6000/7000 – PA 3315.

ILLALBA DE LA SIERRA 16140 Cuenca ⬛⬛⬛ L 23 – 487 h. alt. 950 – 🕄 969.

·red. : E : Ventano del Diablo (≤ garganta del Júcar★).

·ladrid 183 – Cuenca 21.

X **Mesón Nelia,** carret. de Cuenca 𝒫 28 10 21, Fax 28 10 78 – 🗐 🅿. 🆎 🗈 *VISA*. ❀
cerrado miércoles (salvo festivos, julio y agosto) y 7 enero-7 febrero – Com carta 1800
a 2900.

VILLALONGA o **VILALONGA** 36990 Pontevedra ⬛⬛⬛ E 3 – 🕄 986.

·ladrid 629 – Pontevedra 23 – Santiago de Compostela 66.

🏨 **Pazo El Revel** ⤦ sin rest, camino de la Iglesia 𝒫 74 30 00, Fax 74 33 90, « Pazo del siglo
XVII con jardín », ⤓, ❀ – ☎ 🅿. 🗈 *VISA*. ❀
junio- 15 septiembre – ☑ 600 – **22 hab** 7250/10000.

VILLALONGA 46720 Valencia ⬛⬛⬛ P 29 – 3 730 h. – 🕄 96.

·ladrid 427 – ◆Alicante/Alacant 112 – Gandía 11 – ◆Valencia 79.

XX **Tarsan**, Partida Reprimala O : 2 km 𝒫 280 50 79, ≤, 🏖 – 🗐 🅿. 🆎 🗈 *VISA*. ❀
cerrado noches de domingo a miércoles salvo julio-septiembre – Com carta aprox. 3250.

VILLAMAYOR DEL RÍO 09259 Burgos ⬛⬛⬛ E 20 – 🕄 947.

·ladrid 294 – ◆Burgos 51 – ◆Logroño 63 – ◆Vitoria/Gasteiz 80.

X **León,** carret. N 120 𝒫 58 02 37, Fax 58 02 37 – 🗐 🅿. 🆎 ⓪ 🗈 *VISA*. ❀
cerrado domingo noche y del 15 al 30 de junio – Com carta 2725 a 4200.

VILLANÚA 22870 Huesca ⬛⬛⬛ D 28 – 241 h. alt. 953 – 🕄 974.

·ladrid 496 – Huesca 106 – Jaca 15.

🏨 **Faus Hütte** sin rest, carret. N 330 𝒫 37 81 36, ≤ – 📺 ⓐ ⇦. 🆎 ⓪ 🗈 *VISA*.
10 hab ☑ 4800/8100.

🏠 **Reno,** carret. N 330 𝒫 37 80 66 – ☎ 🅿. 🆎 ⓪ 🗈 *VISA*. ❀
cerrado noviembre – Com *(cerrado domingo noche y lunes)* 1500 – ☑ 500 – **18 hab**
4000/6000 – PA 3500.

VILLANUEVA DE ARGAÑO 09132 Burgos ⬛⬛⬛ E 18 – 124 h. – 🕄 947.

·Madrid 264 – ◆Burgos 21 – Palencia 78 – ◆Valladolid 115.

X **Las Postas de Argaño** con hab, av. Rodríguez de Valcarce 𝒫 45 01 56, Fax 45 01 56 –
🗐 🅿. 🗈 *VISA*. ❀
cerrado 10 enero-10 febrero – Com *(cerrado domingo noche)* carta 2375 a 3525 – ☑ 500
– **11 hab** 4000/5250.

VILLANUEVA DE AROSA o **VILANOVA DE AROUSA** 36620 Pontevedra ⬛⬛⬛ E 3 –
4 979 h. – 🕄 986 – Playa.

·Madrid 642 – Pontevedra 35 – Santiago de Compostela 52.

X **O'Paspallás,** La Cerca 46 – NE : 1,5 km 𝒫 55 52 21 – 🅿. 🆎 ⓪ 🗈 *VISA*. ❀
cerrado domingo noche y lunes noche (octubre-mayo) – Com carta 2600 a 3250.

VILLANUEVA DE CÓRDOBA 14440 Córdoba 👥👥👥 R 16 – 3 487 h. – ☎ 957.

◆Madrid 340 – Ciudad Real 143 – ◆Córdoba 67.

🏠 **Demetrius** sin rest y sin 🍽, av. de Cardeña 🖉 12 02 94 – 🛇
23 hab 1750/3300.

VILLANUEVA DE GÁLLEGO 50830 Zaragoza 👥👥👥 G 27 – 2 358 h. alt. 243 – ☎ 976.

◆Madrid 333 – Huesca 57 – ◆Lérida/Lleida 156 – ◆Pamplona/Iruñea 179 – ◆Zaragoza 14.

✗ **La Casa del Ventero,** paseo 18 de Julio 24 🖉 18 51 87 – 🔲. 🆎 ⓞ 🗉 🎔. 🛇
cerrado domingo noche, lunes y agosto – Com carta aprox. 3400.

VILLANUEVA DE LA BARCA o **VILANOVA DE LA BARCA** 25690 Lérida 👥👥👥 G 32
871 h. – ☎ 973.

◆Madrid 484 – ◆Lérida/Lleida 14 – Tarragona 108.

en la carretera C 1313 SO : 3,3 km – ✉ 25690 Vilanova de la Barca – ☎ 973 :

✗✗ ☼ **Molí de la Nora,** 🖉 19 00 17, 🌤, Pescados y mariscos – 🔲 ⓟ. 🆎 🗉 🎔. 🛇
cerrado domingo noche, lunes, del 10 al 25 de enero y del 8 al 24 de agosto – Com car
aprox 5100
Espec. Ensalada Molí, Suquet del Molí, Higos a la crema de almendras (julio-diciembre).

VILLANUEVA Y GELTRÚ o **VILANOVA I LA GELTRÚ** 08800 Barcelona 👥👥👥 I 35
43 560 h. – ☎ 93 – Playa.

Ver : Casa Papiol★.

🛈 passeig de Ribes Roges 🖉 815 45 17.

◆Madrid 589 – ◆Barcelona 50 – ◆Lérida/Lleida 132 – Tarragona 46.

en la zona de la playa :

🏨 **César y Rest. La Fitorra,** Isaac Peral 4 🖉 815 11 25, Telex 52075, Fax 815 67 19, 🌤
Terraza con arbolado – 🛗 🔲 hab 📺 ☎ – 🛗 25/120. 🆎 ⓞ 🗉 🎔 rest
Com *(cerrado domingo noche y lunes salvo julio-agosto y 6 enero-8 febrero)* carta apro
3500 – 🍽 850 – **30 hab** 10000/10800.

🏨 **Ceferino,** passeig Ribes Roges 2 🖉 815 17 19, Fax 815 89 31, 🌊 – 🛗 🔲 📺 ☎ 🚗. ⓛ
ⓞ 🗉 🎔 🛇
Com *(cerrado lunes)* 1800 – 🍽 600 – **30 hab** 7500/9000 – PA 3750.

🏠 **Solvi 70,** passeig Ribes Roges 1 🖉 815 12 45, Fax 815 70 02, ≼ – 🛗 🔲 rest 📺 ☎. ≼
cerrado 10 octubre-10 noviembre – Com 1400 – 🍽 500 – **30 hab** 4000/8000 – PA 280

🏠 **Ricard,** passeig Marítim 88 🖉 815 71 00, Fax 815 81 59 – 🛗 📺. 🆎 ⓞ 🗉 🎔
Com (ver rest. **Cossetania**) – 🍽 550 – **12 hab** 8000.

✗✗ **Peixerot,** passeig Marítim 56 🖉 815 06 25, Fax 815 04 50, 🌤, Pescados y mariscos – 🔲
🆎 ⓞ 🗉 🎔. 🛇
cerrado domingo noche salvo en verano – Com carta 2690 a 5050.

✗ **Cossetania,** passeig Maritim 92 🖉 815 55 59, Fax 815 81 59, 🌤, Pescados y mariscos
🔲. 🆎 ⓞ 🗉 🎔 – Com carta aprox. 4550.

✗ **Marítim,** passeig del Carme 40 🖉 815 54 79, Pescados y mariscos – 🔲. 🗉 🎔. 🛇
cerrado martes en invierno y del 15 al 30 de noviembre – Com carta 2950 a 4700.

✗ **Pere Peral,** Isaac Peral 15 🖉 815 29 96, 🌤, Terraza bajo los pinos – 🆎 ⓞ 🗉 🎔. ≼
cerrado lunes y noviembre – Com carta 2750 a 3900.

✗ La Botiga, passeig Marítim 75 🖉 815 60 78, Telex 52095, 🌤, Pescados y mariscos – 🔲
✗ **Chez Bernard et Marguerite,** Ramón Llull 4 🖉 815 56 04, 🌤, Cocina francesa – 🆎
🎔
cerrado martes, del 2 al 7 de enero y del 15 al 30 de junio – Com carta aprox. 3325
✗ Avi Pep, Llibertat 128 🖉 815 17 36.

en Racó de Santa Llúcia O : 2,5 km – ✉ 08800 Villanueva y Geltrú – ☎ 93 :

✗✗ **La Cucanya,** 🖉 815 19 34, Fax 815 43 54, ≼, Cocina italiana, 🌊 – 🔲 ⓟ. 🆎 ⓞ 🗉 🎔
🎔 – Com carta aprox. 3525.

VILLARCAYO 09550 Burgos 👥👥👥 D 22 – 4 558 h. alt. 615 – ☎ 947.

🛈 Santa Marina 10, 🖉 13 0 4 42 ✉ 09550.

◆Madrid 321 – ◆Bilbao/Bilbo 81 – ◆Burgos 78 – ◆Santander 100.

🏠 **Plati,** Nuño Rasura 20 🖉 10 00 15, 🌊 – ⓟ. 🎔 🛇 rest
cerrado Navidades – Com 1500 – 🍽 375 – **27 hab** 3630/5940.

🏠 **La Rubia,** av. de Alemania 3 🖉 10 00 00, 🌊 – 🔲 rest 🚗. 🗉 🎔. 🛇
cerrado 20 diciembre-20 enero – Com 2000 – 🍽 350 – **16 hab** 2600/5200.

en Horna S : 1 km – ✉ 09554 Horna – ☎ 947 :

✗✗ **Mesón El Cid,** 🖉 10 01 71 – ⓟ. 🗉 🎔. 🛇
cerrado 3 noviembre-15 diciembre – Com carta 3325 a 4700.

VILLARLUENGO 44559 Teruel 443 K 28 – 270 h. – ✪ 978.

Madrid 370 – Teruel 94.

en la carretera de Ejulve NO : 7 km – ⊠ 44559 Villarluengo – ✪ 974 :

🏠 **La Trucha** 🦢, Las Fábricas 🖉 77 30 08, Telex 62614, Fax 77 30 08, 🏊, 🛬 – 🎠 🛤 **P**.
  🖭 ⓪ **E** *VISA* – Com 3025 – 🖙 740 – **54 hab** 8700/10875.

VILLARREAL DE ÁLAVA o **LEGUTIANO** 01170 Álava 442 D 22 – 1 321 h. alt. 975 – ✪ 945.

Madrid 370 – ◆Bilbao/Bilbo 51 – ◆Vitoria/Gasteiz 15.

XX Astola, San Roque 1 🖉 45 50 04, ≤ – 🗐.
X **El Crucero,** Kurutxalde (carret. N 240) 🖉 45 50 33 – 🗐. **E** *VISA*. 🛠
  Comida carta aprox. 2100.

VILLARROBLEDO 02600 Albacete 444 O 22 – 20 172 h. alt. 724 – ✪ 967.

Madrid 183 – ◆Albacete 84 – Alcázar de San Juan 82.

🏠 **Castillo** sin rest, av. Reyes Católicos 18 🖉 14 33 11 – 🖭 *VISA*. 🛠
  🖙 300 – **28 hab** 3500/6000.

en la carretera N 310 SO : 5,5 km – ⊠ 02600 Villarrobledo – ✪ 967 :

🏠 Gran Sol, 🖉 14 02 94, Fax 14 02 94 – 🗐 📺 ☎ **P** – **33 hab.**

VILLARRODIS La Coruña – ver Arteijo.

VILLASANA DE MENA 09580 Burgos 442 C 20 – alt. 312 – ✪ 947.

Madrid 358 – ◆Bilbao/Bilbo 44 – ◆Burgos 115 – ◆Santander 101.

🏠 **Cadagua** 🦢, Ángel Nuño 26 🖉 12 61 25, Fax 12 61 26, ≤, 🏊, 🛬 – 🎠 **P**. 🛠
  cerrado 24 diciembre-5 enero – Com (sólo almuerzo en invierno) 2000 – 🖙 600 – **30 hab**
  5000/7000 – PA 3930.

VILLATOBAS 45310 Toledo 444 M 20 – 2 697 h. – ✪ 925.

Madrid 80 – ◆Albacete 169 – Cuenca 129 – Toledo 71.

XX **Seller** con hab, carret. N 301-NO : 1,7 km 🖉 15 20 67, Fax 15 24 30 – 🗐 **P**. 🖭 ⓪ **E** *VISA*.
  🛠 – Com carta 1800 a 3200 – 🖙 400 – **17 hab** 4500/6500.

VILLAVERDE DE PONTONES 39793 Cantabria 442 B 18 – ✪ 942.

Madrid 387 – ◆ Bilbao/Bilbo 86 – ◆ Burgos 153 – ◆ Santander 14.

X **Cenador de Amós,** 🖉 50 82 43 – **P**. 🖭 ⓪ *VISA*. 🛠
  cerrado domingo noche, lunes y del 16 al 31 de octubre – Comida carta 2300 a 2800.

VILLAVICIOSA 33300 Asturias 441 B 13 – 15 094 h. alt. 4 – ✪ 98.

Madrid 493 – Gijón 30 – ◆ Oviedo 41.

🏠 **Carlos I** sin rest, pl. Carlos I-4 🖉 589 01 21 – 📺 ☎. **E** *VISA*. 🛠
  🖙 350 – **11 hab** 6000.

🏠 **Avenida** sin rest, Carmen 10 🖉 589 15 09, Fax 589 15 09 – 📺 ☎. 🖭 **E** *VISA*. 🛠
  🖙 425 – **9 hab** 5500/7500.

  Ver también : *Amandi* S : 1,5 km.

VILLAVICIOSA DE ODÓN 28670 Madrid 444 K 18 – 6 023 h. alt. 672 – ✪ 91.

Madrid 21 – Toledo 69 – El Escorial 38.

XX **Asador Luxia,** Bispo, centro Puzzle, carret. de San Martín de Valdeiglesias 🖉 616 58 74,
  🖙 – 🗐. 🖭 **E** *VISA*. 🛠
  cerrado lunes y del 5 al 20 de agosto – Com (sólo almuerzo salvo fines de semana y vísperas
  de festivos) carta 4450 a 4950.

VILLAVIEJA o **VILAVELLA** 32590 Orense 441 F 8 – ✪ 988.

Madrid 377 – Benavente 120 – Orense/Ourense 122 – Ponferrada 129.

🏠 **Porta Galega,** carret. N 525 🖉 42 55 92, Fax 42 56 08 – 🛬 **P**. **E** *VISA*. 🛠
  Com 1900 – 🖙 250 – **38 hab** 2400/4000.

VILLOLDO 34131 Palencia 442 F 16 – 541 h. – ✪ 979.

1red. : Villalcázar de Sirga (iglesia de Santa María la Blanca : portada Sur★, Sepulcros★)
E : 10 km – Carrión de los Condes : Monasterio de San Zoilo (claustro★).

Madrid 253 – ◆Burgos 96 – Palencia 27.

🏠 **Estrella del Bajo Carrión** 🦢, antigua carret. C 615 🖉 82 70 05, Fax 82 72 69 – ☎ **P**. 🖭
  E *VISA*. 🛠 – *cerrado 20 días en enero* – Com *(cerrado lunes de octubre-mayo)* 1500 –
  🖙 450 – **20 hab** 3300/5500 – PA 2900.

VINAROZ o **VINARÒS** 12500 Castellón de la Plana 445 K 31 – 17 564 h. – ☻ 964 – Playa

🛥 pl. Jovellar ⌀ 45 01 90.

◆Madrid 498 – Castellón de la Plana/Castelló de la Plana 76 – Tarragona 109 – Tortosa 48.

🏨 **Miramar** sin rest, paseo Marítimo 12 ⌀ 45 14 00, ≤ – 🛗 ☜. **VISA**. ✸
　 ☲ 500 – **17 hab** 3200/4900.

🏨 **El Pino** sin rest y sin ☲, San Pascual 47 ⌀ 45 05 53 – ✸
　 7 hab 2000/3000.

🍴 **El Langostino de Oro,** San Francisco 31 ⌀ 45 12 04, Fax 45 17 93, Pescados y marisco
　 – 🍽. **AE** **E** **VISA**. ✸
　 cerrado martes y 2ª quincena de febrero – Com carta 2900 a 4800.

🍴 **Voramar,** av. Colón 34 ⌀ 45 00 37 – 🍽. **E** **VISA**. ✸
　 cerrado noviembre – Com carta 2500 a 3400.

🍴 **La Isla,** San Pedro 5 ⌀ 45 23 58, ≤ – 🍽. **AE** **E** **VISA**. ✸
　 cerrado lunes y 22 diciembre-21 enero – Com carta 2175 a 3750.

🍴 **La Cuina,** paseo Blasco Ibáñez 12 ⌀ 45 47 36 – **AE** ➀ **E** **VISA**. ✸
　 cerrado domingo noche en invierno y Navidades – Com carta aprox. 3680.

　 en la carretera N 340 S : 2 km – ✉ 12500 Vinaroz – ☻ 964 :

🏨 **Roca,** ⌀ 40 13 12, 🖼, ✸ – 🍽 rest ☜ ➾ **P**. **E** **VISA**. ✸ rest
　 Com 1200 – ☲ 450 – **36 hab** 3500/5000 – PA 2600.

VIRGEN DE LA VEGA Teruel – ver Alcalá de la Selva.

VIRGEN DEL CAMINO 24198 León 441 E 13 – ☻ 987.

◆Madrid 333 – ◆Burgos 198 – ◆León 6 – Palencia 134.

🍴🍴 **Las Redes,** ⌀ 30 01 64, Pescados y mariscos – 🍽. **AE** **E** **VISA**. ✸　　　　　　BZ
　 cerrado domingo noche, lunes y 15 días en verano – Com carta 2150 a 3600.

EL VISO DEL ALCOR 41520 Sevilla 446 T 12 – 14 843 h. alt. 143 – ☻ 95.

◆Madrid 524 – ◆Córdoba 117 – ◆Granada 252 – ◆Sevilla 31.

🏨 **Picasso,** av. del Trabajo 11 ⌀ 574 09 00, Fax 594 63 67 – 🛗 🍽 📺 ☎ **P**. **E** **VISA**. ✸
　 Com 1500 – ☲ 475 – **44 hab** 8000/10500.

VITORIA o **GASTEIZ** 01000 🅿 Álava 442 D 21 y 22 – 192 773 h. alt. 524 – ☻ 945.

Ver : Museo de Arqueología (estela del jinete★) BY **M**1 – Museo del Naipe "Fournier"★ AZ **M**.
Museo de Armería★ AZ **M**3.

Alred. : Gaceo★ (iglesia : frescos góticos★) 21 km por ②.

✈ de Vitoria por ④ : 8 km ⌀ 27 33 00 – Iberia : av. Gasteiz 84, ✉ 01012, ⌀ 901 33 31 11 AY
🛥 parque de la Florida, ✉ 01008, ⌀ 13 13 21, Fax 130293 – R.A.C.V.N. pl. San Martín 4, ✉ 01009
⌀ 22 86 00.

◆Madrid 352 ③ – ◆Bilbao/Bilbo 64 ④ – ◆Burgos 111 ③ – ◆Logroño 93 ③ – ◆Pamplona/Iruñea 93 ② – ◆San Sebastián/Donostia 115 ② – Zaragoza 260 ③.

Plano página siguiente

🏨🏨🏨 **Gasteiz,** av. Gasteiz 45, ✉ 01009, ⌀ 22 81 00, Telex 35451, Fax 22 62 58 – 🛗 🍽 📺 ☎
　 ➾ – 🔬 25/250. **AE** ➀ **E** **VISA**. ✸　　　　　　　　　　　　　　　　　　　　　　AY
　 Com *(cerrado domingo, festivos y 10 agosto-5 septiembre)* 2250 – ☲ 1200 – **146 hab**
　 10700/15500, 4 suites.

🏨🏨 **Ciudad de Vitoria,** Portal de Castilla 8, ✉ 01007, ⌀ 14 11 00, Fax 14 36 16, 🏋 – 🛗 🍽
　 📺 ☎ ๋ ➾ – 🔬 25/450. **AE** ➀ **E** **VISA**　　　　　　　　　　　　　　　　　　　　AZ
　 Com 1500 – ☲ 1000 – **149 hab** 10500/13250.

🏨🏨 **NH Canciller Ayala,** Ramón y Cajal 5, ✉ 01007, ⌀ 13 00 00, Fax 13 35 05 – 🛗 🍽 📺 ☎
　 ➾ – 🔬 25/220. **AE** ➀ **E** **VISA**　　　　　　　　　　　　　　　　　　　　　　　　AZ
　 Com 1950 – ☲ 1200 – **175 hab** 12400/15500, 9 suites.

🏨🏨 **General Álava** sin rest, con cafetería, av. Gasteiz 79, ✉ 01009, ⌀ 22 22 00, Telex 35468
　 Fax 24 83 95 – 🛗 📺 ☎ ➾ – 🔬 25/50. **AE** ➀ **E** **VISA**. ✸　　　　　　　　　　AY
　 ☲ 800 – **113 hab** 6600/11600, 1 suite.

🏨 **Páramo** sin rest, General Álava 11 (pasaje), ✉ 01005, ⌀ 14 02 40, Fax 14 04 92 – 🛗 📺
　 ☎. **AE** ➀ **E** **VISA**　　　　　　　　　　　　　　　　　　　　　　　　　　　　　BZ
　 40 hab ☲ 3300/5375.

🏨 **Achuri** sin rest, Rioja 11, ✉ 01005, ⌀ 25 58 00, Fax 26 40 74 – 🛗 📺 ☎. ➀ **E** **VISA**
　 ☲ 375 – **40 hab** 3600/5800.　　　　　　　　　　　　　　　　　　　　　　　　BZ

🏨 **Desiderio** sin rest, Colegio de San Prudencio 2, ✉ 01001, ⌀ 25 17 00, Fax 25 17 22 – 🛗
　 📺 **E** **VISA**. ✸　　　　　　　　　　　　　　　　　　　　　　　　　　　　　　　BY
　 cerrado 23 diciembre-2 enero – ☲ 375 – **21 hab** 3600/5800.

🏨 **Dato 28** sin rest y sin ☲, Dato 28, ✉ 01005, ⌀ 14 72 30, Fax 24 23 22 – 📺 ☎. **AE**
　 E **VISA**　　　　　　　　　　　　　　　　　　　　　　　　　　　　　　　　　　BZ
　 14 hab 3725/4660.

GASTEIZ
VITORIA

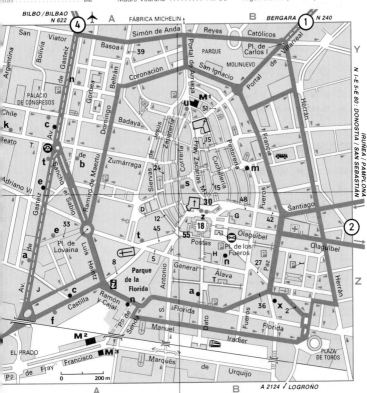

XXXX **Ikea,** Castilla 27, ⊠ 01007, ℰ 14 47 47, Fax 23 35 07 – 🗏 🅿. 🖭 ⓞ 🗲 𝘝𝘐𝘚𝘈. ⁂ AZ **f**
cerrado domingo y lunes noche en verano, domingo noche y lunes resto del año, Semana Santa y del 9 al 31 de agosto – Com carta 4350 a 5650.

XXX **El Portalón,** Correría 151, ⊠ 01007, ℰ 14 27 55, Fax 14 42 01, « Posada del siglo XV »
– 🗏. 🖭 ⓞ 🗲 𝘝𝘐𝘚𝘈. BY **u**
cerrado domingo, del 10 al 30 de agosto y 24 diciembre-3 enero – Com carta 4300 a 5800.

XXX **Dos Hermanas,** Madre Vedruna 10, ⊠ 01008, ℰ 13 29 34 – 🗏. 🖭 ⓞ 🗲 𝘝𝘐𝘚𝘈. ⁂AZ **e**
cerrado domingo y miércoles noche – Com carta 4300 a 5450.

XXX **Andere,** Gorbea 8, ⊠ 01008, ℰ 24 54 05, Fax 22 88 44 – 🗏. 🖭 ⓞ 🗲 𝘝𝘐𝘚𝘈. ⁂ AY **b**
cerrado domingo noche, lunes y agosto – Com carta 3150 a 3700.

XXX **Zaldiarán,** av. Gasteiz 21, ⊠ 01008, ℰ 13 48 22, Fax 13 45 95 – 🗏. 🖭 ⓞ 🗲 𝘝𝘐𝘚𝘈. ⁂
cerrado domingo y martes noche – Com carta 3350 a 4900. AZ **a**

XXX **Teide,** av. Gasteiz 61, ⊠ 01008, ℰ 22 10 23 – 🗏. 🖭 ⓞ 🗲 𝘝𝘐𝘚𝘈. ⁂ AY **t**
cerrado martes, Semana Santa y del 15 al 31 de agosto – Com carta 3225 a 4125.

XX **Conde de Álava,** Cruz Blanca 8, ⊠ 01012, ℰ 22 50 40, Fax 22 71 76 – 🗏. ⓞ 🗲 𝘝𝘐𝘚𝘈. ⁂
cerrado lunes noche – Com carta 2600 a 4300. AY **n**

XX **Olárizu,** Beato Tomás de Zumárraga 54, ⊠ 01009, ℰ 24 77 52, Fax 22 88 46 – 🗏. 🖭 ⓞ
🗲 𝘝𝘐𝘚𝘈. ⁂ AY **k**
cerrado domingo noche, lunes, Semana Santa y del 10 al 25 de agosto – Com carta 3050 a 4300.

XX **Eli Rekondo,** Prado 28, ⊠ 01005, ℘ 28 25 84 – 🍽. 🝙 ⓸ 🄴 ⓥⓘⓢⓐ. 🛇   AZ
    cerrado domingo, Semana Santa y del 10 al 25 de agosto – Com carta 2675 a 3700

XX Arka, Correría 46, ⊠ 01001, ℘ 27 64 64.   BY

X **Mesa,** Chile 1, ⊠ 01009, ℘ 22 84 94 – 🍽. 🝙 🄴 ⓥⓘⓢⓐ ⒿⒸⒷ   AY
    cerrado miércoles y 10 agosto-10 septiembre – Com carta 2350 a 3200.

X **Kintana,** Mateo Moraza 15, ⊠ 01001, ℘ 23 00 10 – 🍽. 🄴 ⓥⓘⓢⓐ   BZ
    Com carta aprox. 3250.

X **Zabala,** Mateo Moraza 9, ⊠ 01001, ℘ 23 00 09 – ⓸ 🄴 ⓥⓘⓢⓐ. 🛇   BZ
    cerrado domingo y agosto – Com carta aprox. 3350.

    en Armentia por ③ : 3 km – ⊠ 01195 Armentia – 🕾 945 :

XXX El Caserón 🦢 con hab, camino del Monte 49 ℘ 23 00 48, Fax 23 00 04, ≼, ⅃, 🚿 – 🍽 res
    🖵 🅿
    5 hab.

    en la carretera N I por ② : 13 km – ⊠ 01192 Argómaniz – 🕾 945 :

🏨 **Parador de Argómaniz** 🦢, ℘ 28 22 00, Fax 28 28 22, ≼ – 📶 🖵 ☎ 🅿 – 🔬 25/65. 🝙
    ⓸ ⓥⓘⓢⓐ. 🛇
    Com 3200 – 🖵 1100 – **54 hab** 11000 – PA 6375.

VIVERO o VIVEIRO 27850 Lugo 🄐🄐🄐 B 7 – 14 562 h. – 🕾 982.
🗷 Puerta de Carlos V ℘ 56 04 86.
♦Madrid 602 – ♦La Coruña/A Coruña 119 – Ferrol 88 – Lugo 98.

🏨 **Orfeo** sin rest, J. García Navia Castrillón 2 ℘ 56 21 01, Fax 56 04 53, ≼ – 📶 🖵 ☎. 🝙 ▶
    ⓥⓘⓢⓐ. 🛇
    🖵 450 – **32 hab** 4500/7000.

🏨 **Tebar** sin rest, av. Nicolás Cora Montenegro 70 ℘ 56 01 00, Fax 55 04 08 – 🖵 🕾 🚗
    🝙 ⓸ 🄴 ⓥⓘⓢⓐ ⒿⒸⒷ. 🛇
    🖵 325 – **27 hab** 4300/7000.

    en la playa de Area-por la carretera C 642 N : 4 km – ⊠ 27850 Vivero – 🕾 982 :

🏨 **Ego** 🦢 sin rest, ℘ 56 09 87, Fax 56 17 62, ≼ – 🖵 ☎ 🅿. 🝙 🄴 ⓥⓘⓢⓐ. 🛇
    🖵 600 – **29 hab** 8000/12000.

XX **Nito,** ℘ 56 09 87, Fax 56 17 62, ≼ ría y playa – 🅿. 🝙 🄴 ⓥⓘⓢⓐ. 🛇
    cerrado domingo noche en invierno – Com carta 3900 a 5900.

XÁTIVA Valencia – ver Játiva.

XÀBIA Alicante – ver Jávea.

XUBIA La Coruña – ver Jubia.

YAIZA Las Palmas – ver Canarias (Lanzarote).

Los YÉBENES 45470 Toledo 🄐🄐🄐 N 18 – 6 009 h. – 🕾 925.
♦Madrid 113 – ♦Toledo 43.

🏨 **Montes de Toledo** 🦢, carret. N 401 NE : 1,6 km ℘ 32 10 99, Fax 34 81 83, ≼ olivare
    y sierra de las Alberquillas – 🍽 rest 🖵 ☎ 🅿. 🝙 ⓥⓘⓢⓐ. 🛇
    Com 2200 – 🖵 650 – **39 hab** 7800/9200 – PA 4360.

YÉQUEDA 22193 Huesca 🄐🄐🄐 F 28 – 🕾 974
♦Madrid 398 – Huesca 6 – Sabiñánigo 48.

🏠 **Fetra,** carret. N 330 ℘ 27 11 08, Fax 27 12 23, ≼ – 📶 🍽 🖵 ☎ 🅿. 🝙 🄴 ⓥⓘⓢⓐ. 🛇 rest
    Com 1200 – 🖵 500 – **22 hab** 3000/5500.

YESA 31410 Navarra 🄐🄐🄐 E 26 – 292 h. alt. 292 – 🕾 948.
Alred. : Monasterio de Leyre★★ : carretera de acceso ☀★★, iglesia★★ (cripta★★, interior★
portada oeste★) NO : 4 km – Hoz de Arbayún★ ≼★★ N : 27 km – Hoz de Lumbier★.
🗷 carret. N 240 ℘ 88 40 40.
♦Madrid 419 – Jaca 64 – ♦Pamplona/Iruñea 47.

🏠 **El Jabalí,** carret. de Jaca ℘ 88 40 42, ≼, ⅃ – 🅿. ⓥⓘⓢⓐ. 🛇 rest
    marzo-octubre y fines de semana – Com 1500 – 🖵 500 – **21 hab** 3000/5000 – PA 3300

X Arangoiti, Don Rene Petit ℘ 88 41 22 – 🍽.

URRE o IGORRE 48140 Vizcaya 442 C 21 – 3 842 h. alt. 90 – ۞ 94.
Madrid 390 – ◆Bilbao/Bilbo 23 – ◆Vitoria/Gasteiz 44.

🏨 **Arantza,** carret. Bilbao-Vitoria km 22 ℰ 673 63 28, Fax 631 90 85 – 📺 ☎ 🅿. 🄰🄴 ① 🄴 𝚅𝙸𝚂𝙰. ⫸
  cerrado 21 diciembre-5 enero – Com 1100 – ⊇ 500 – **34 hab** 5500/8000 – PA 2300.

AFRA 06300 Badajoz 444 Q 10 – 12 902 h. alt. 509 – ۞ 924.
r : Las Plazas★.
pl. de España ℰ 55 10 36. – ◆Madrid 401 – ◆Badajoz 76 – Mérida 58 – ◆Sevilla 147.

🏨 **Parador Hernán Cortés,** pl. Corazón de María 7 ℰ 55 45 40, Fax 55 10 18, « Instalado en un castillo del siglo XV, patio de estilo renacentista », ⅃ – ⫴ 🗐 📺 ☎. 🄰🄴 ① 𝚅𝙸𝚂𝙰. ⫸
  Com 3200 – ⊇ 1100 – **45 hab** 13000 – PA 6375.

🏨 **Huerta Honda y Rest. Barbacana,** López Asme 32 ℰ 55 41 00, Fax 55 25 04, Cocina vasca, ⅃ – ⫴⫴ 📺 ☎ 🚗 – 🛦 25/200. 🄰🄴 ① 🄴 𝚅𝙸𝚂𝙰. ⫸
  Com *(cerrado domingo noche y lunes)* carta 3750 a 5050 – ⊇ 600 – **46 hab** 7000/11900.

✗ **Josefina,** López Asme 1 ℰ 55 17 01 – 🗐. ① 🄴 𝚅𝙸𝚂𝙰. ⫸
  cerrado 15 julio- 1 agosto – Comida carta 2250 a 2850.

AHARA DE LA SIERRA 11688 Cádiz 446 V 13 – ۞ 956.
Madrid 548 – ◆Cádiz 116 – Ronda 34.

🏨 **Marqués de Zahara,** San Juan 3 ℰ 12 30 61, Fax 12 31 14 – 📾. 🄴 𝚅𝙸𝚂𝙰. ⫸
  cerrado julio – Com 1350 – ⊇ 300 – **10 hab** 3250/5000 – PA 3000.

AHARA DE LOS ATUNES 11393 Cádiz 446 X 12 – 1 891 h. – ۞ 956 – Playa.
Madrid 687 – Algeciras 62 – ◆Cádiz 70 – ◆Sevilla 179.

🏨 **Gran Sol,** av. de la Playa ℰ 43 93 01, Fax 43 91 97, ≤, �& – 🗐 📺 ☎. 🄰🄴 🄴 𝚅𝙸𝚂𝙰
  Com 1600 – ⊇ 525 – **28 hab** 7000/7950.

  en la carretera de Atlanterra – ۞ 956 :

🏨 **Sol Atlanterra** ⑤, SE : 4 km, ⊠ 11380 Tarifa, ℰ 43 90 00, Telex 78169, Fax 43 90 51, �& , ⅃, 🌊, ✗ – ⫴ 🗐 📺 ☎ 🅿 – 🛦 25/280. 🄰🄴 ① 🄴 𝚅𝙸𝚂𝙰. ⫸
  mayo-12 octubre – Com (sólo buffet) 2150 – **281 hab** ⊇ 11200/17400.

🏨 **Antonio** ⑤, SE : 1 km, ⊠ 11393 Zahara de los Atunes, ℰ 43 91 41, Fax 43 91 35, ≤, �& – ☎ 🅿. 🄰🄴 ① 🄴 𝚅𝙸𝚂𝙰 𝙹𝙲𝙱. ⫸
  cerrado noviembre – Com 2000 – **30 hab** ⊇ 7500/9500 – PA 4800.

ALDIVIA o ZALDIBIA 20247 Guipúzcoa 442 C 23 – 1 705 h. alt. 164 – ۞ 943.
Madrid 428 – ◆Pamplona/Iruñea 73 – ◆San Sebastián/Donostia 45 – ◆Vitoria/Gasteiz 71.

✗ Arrese, pl. Iztueta ℰ 88 17 14, 🌆.

ZALLA 48860 Vizcaya 442 C 20 – 7 253 h. – ۞ 94.
Madrid 380 – ◆Bilbao/Bilbo 23 – ◆Burgos 132 – ◆Santander 92.

✗ **Asador Zalla,** Juan F. Estefanía y Prieto 5 ℰ 667 06 15 – 🗐. 🄰🄴 🄴 𝚅𝙸𝚂𝙰. ⫸
  cerrado domingo noche, lunes noche y agosto – Com carta 3100 a 4600.

ZAMORA 49000 ℙ 441 H 12 – 59 734 h. alt. 650 – ۞ 980.
er : Catedral★ (cimborrio★, sillería★★) A – Museo Catedralicio (tapices flamencos★★) – Iglesias ománicas★ (La Magdalena, Santa María la Nueva, San Juan, Santa María de la Orta, Santo Tomé, antiago del Burgo) AB. – **Alred.** : Arcenillas (Iglesia : Tablas de Fernando Gallego★) SE : 7 km Iglesia visigoda de San Pedro de la Nave★ NO : 19 km por ④.
▮ Santa Clara 20, ⊠ 49002, ℰ 53 18 45, Fax 53 38 13 – R.A.C.E. av. Requejo 34, ⊠ 49003, ℰ 51 59 72.
Madrid 246 ③ – Benavente 66 ① – Orense/Ourense 266 ① – ◆Salamanca 62 ③ – Tordesillas 67 ②.

Plano página siguiente

🏨 **Parador de Zamora** ⑤, pl. de Viriato 5, ⊠ 49001, ℰ 51 44 97, Fax 53 00 63, 🌆, « Instalado en un palacio renacentista », ⅃ – ⫴ 🗐 rest 📺 ☎ 🚗 – 🛦 25/80. 🄰🄴 ①
  𝚅𝙸𝚂𝙰. ⫸
  Com 3200 – ⊇ 1100 – **25 hab** 12500, 2 suites – PA 6375.   B **a**

🏨 **Il Infantas** sin rest, Cortinas de San Miguel 3, ⊠ 49002, ℰ 53 28 75, Fax 53 35 48 – ⫴
  🗐 📺 ☎ 🚗 – 🛦 25/50. 🄰🄴 ① 🄴 𝚅𝙸𝚂𝙰
  ⊇ 550 – **68 hab** 6150/9200.   B **b**

🏨 **Hostería Real de Zamora y Rest. Pizarro,** Cuesta de Pizarro 7, ⊠ 49001, ℰ 53 45 45,
  Fax 53 45 45, 🌆, « Conjunto castellano en un edificio del siglo XV - Patio » – 📺 ☎. 🄰🄴
  ① 🄴 𝚅𝙸𝚂𝙰   B **e**
  Com carta aprox. 2500 – ⊇ 450 – **16 hab** 5580/6975.

🏨 **Sayagués,** pl. Puentica 2, ⊠ 49002, ℰ 52 55 11, Fax 51 34 51 – ⫴ 🗐 rest 📺 ☎. 🄰🄴 🄴
  𝚅𝙸𝚂𝙰. ⫸
  Com 1500 – ⊇ 500 – **56 hab** 5000/8500 – PA 2800.   A **k**

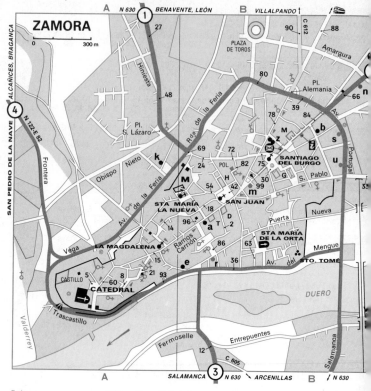

☆ **Luz y Sol** sin rest y sin ⊆, Benavente 2-3°, ⊠ 49002, ℘ 53 31 52 – |₿|. ℀
  29 hab 2500/3800. B

☆ **Chiqui** sin rest y sin ⊆, Benavente 2-2°, ⊠ 49002, ℘ 53 14 80 – |₿| B
  10 hab 2400/3800.

XXX **París,** av. de Portugal 14, ⊠ 49002, ℘ 51 43 25 – ▤. 🖭 ⓞ ⅇ 🗺 B :
  Com carta 2500 a 3850.

XXX **Serafín,** pl. Maestro Haedo 10, ⊠ 49001, ℘ 53 14 22, Fax 52 49 56 – ▤. 🖭 ⓞ ⅇ 🗺. ℀
  Com carta 2650 a 4100. B n

XXX **Rey Don Sancho 2,** parque de la Marina Española, ⊠ 49003, ℘ 52 60 54, ㍲, Decoració
  moderna – ▤. 🖭 ⓞ ⅇ 🗺 B
  cerrado lunes – Com carta 3100 a 3450.

XX **El Figón,** av. de Portugal 28, ⊠ 49002, ℘ 53 31 59, Fax 52 41 40 – ▤. 🖭 ⓞ ⅇ. ℀
  Com carta 2450 a 3150. B

X **El Cordón,** pl. Santa Lucía 4, ⊠ 49001, ℘ 53 42 20, Decoración castellana – ▤. 🖭 ⅇ 🗺
  cerrado domingo – Com carta 1600 a 2850. B

X **Las Aceñas,** Aceñas de Pinilla, ⊠ 49001, ℘ 53 38 78, ㍲, Antiguo molino – ▤ ㎰. 🄰
  ⅇ 🗺. ℀ B
  Com carta 1900 a 2800.

en la carretera N 630 por ① : 2,5 km - ✉ 49002 Zamora - ☎ 980 :

Rey Don Sancho, ☎ 52 34 00, Fax 51 97 60 - |♦| ▤ rest TV ☎ P - 🚶 25/350. AE ⓓ E VISA. ✂ por ①
Com 1250 - ☕ 435 - **84 hab** 3860/6565, 2 suites.

ZARAGOZA 50000 P 443 H 27 - 590 750 h. alt. 200 - ☎ 976.

er : La Seo★★ (retablo del altar mayor★, cúpula★ mudéjar de la parroquieta, Museo capitular★, luseo de tapices★★ Y - La Lonja★ Y - Basílica de Nuestra Señora del Pilar★ (retablo del altar ayor★, Museo pilarista★ Y - Aljafería★ : artesonado de la sala del trono★ AU.

Aero Club de Zaragoza por ⑤ : 12 km ☎ 21 43 78 - ⛳18 La Peñaza por ⑤ : 15 km ☎ 34 28 00.

✈ de Zaragoza por ⑥ : 9 km ☎ 34 90 50 - Iberia : Bilbao 11, ✉ 50004, ☎ 21 34 18 Z.

Torreón de la Zuda-Glorieta Pío XII, ✉ 50003 ☎ 39 35 37 y pl. del Pilar, ✉ 50003, ☎ 20 12 91 ax 20 06 35 - R.A.C.E. San Juan de la Cruz 2, ✉ 50006, ☎ 35 79 72.

Madrid 322 ⑤ - ♦Barcelona 307 ② - ♦Bilbao/Bilbo 305 ⑥ - ♦Lérida/Lleida 150 ② - ♦Valencia 330 ④.

ZARAGOZA

fonso I .... YZ
onso V .... Z 6
onde de Aranda .... YZ
oso .... Z

Don Jaime I .... YZ
Independencia (Av.) .... Z
San Vicente de Paul .... YZ

Candalija .... Z 10
Capitán Portolés .... Z 13
César Augusto (Av.) .... Y 15

Cinco de Marzo .... Z 18
Magdalena .... Z 42
Manifestación .... Y 43
Sancho y Gil .... Z 58
San Pedro Nolasco (Pl. de) .... Z 63
Teniente Coronel Valenzuela .... Z 67

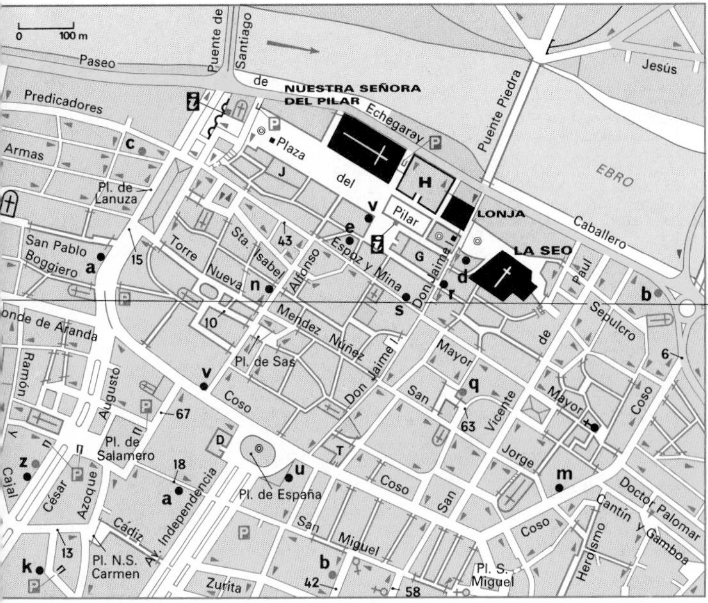

Boston, av. de las Torres 28, ✉ 50008, ☎ 59 91 92, Fax 59 04 46, 🏋 - |♦| ▤ TV ☎ ♿ 🚗 - 🚶 25/700. AE ⓓ E VISA. ✂ BV **e**
Com carta 3800 a 4900 - ☕ 975 - **297 hab** 14000/18000, 16 suites.

Meliá Zaragoza Corona y Rest. El Bearn, av. César Augusto 13, ✉ 50004, ☎ 43 01 00, Telex 58828, Fax 44 07 34, 🏊 - |♦| ▤ TV ☎ - 🚶 25/300. AE ⓓ E VISA. ✂ Z **z**
Com *(cerrado domingo y agosto)* carta 3200 a 5100 - ☕ 1200 - **239 hab** 12000/15500, 9 suites - PA 7000.

Palafox, Casa Jiménez, ✉ 50004, ☎ 23 77 00, Telex 58680, Fax 23 47 05, 🏋, 🏊 - |♦| ▤ TV ☎ 🚗 - 🚶 25/600. AE ⓓ E VISA. ✂ Z **k**
Com 3500 - ☕ 1300 - **180 hab** 14400/18000, 4 suites - PA 6900.

NH Gran Hotel, Joaquín Costa 5, ✉ 50001, ☎ 22 19 01, Telex 58010, Fax 23 67 13 - |♦| ▤ TV ☎ - 🚶 25/450. AE ⓓ E VISA. ✂ BU **d**
Com 2500 - ☕ 1200 - **140 hab** 12500/18000 - PA 6120.

ZARAGOZA

Para viajar más rápido,
utilice los
mapas Michelin
"principales carreteras":

920 Europa
980 Grecia
984 Alemania
985 Escandinavia-
 Finlandia
986 Gran-Bretaña-
 Irlanda
987 Alemania-
 Austria-Benelux
988 Italia
989 Francia
990 España-Portugal
991 Yugoslavia.

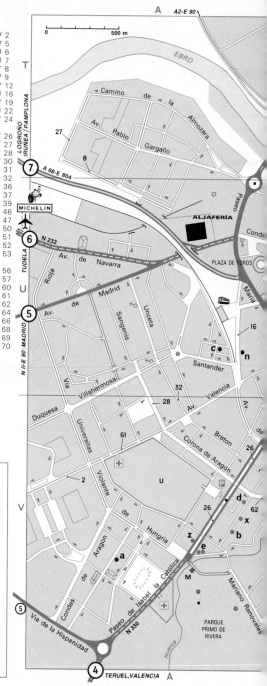

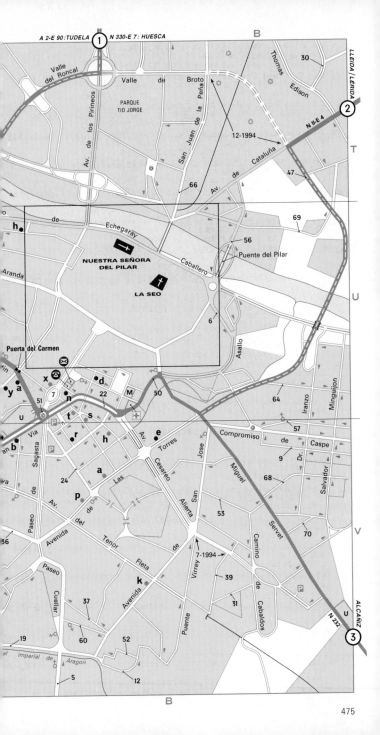

🏨 **Goya,** Cinco de Marzo 5, ⌧ 50004, 𝒫 22 93 31, Telex 58680, Fax 23 21 54 – 🛗 🗏 📺
 🖾 – 🛆 25/200. 🖭 ⓞ 🗉 *VISA*. 🛠 Z
 Com 3000 – ⌸ 900 – **148 hab** 8860/13000 – PA 5800.

🏨 **Don Yo y Rest. Doña Taberna,** Juan Bruil 4 y 6, ⌧ 50001, 𝒫 22 67 41, Telex 58?
 Fax 21 99 56 – 🛗 🗏 📺 ☎ – 🛆 25/150. 🖭 ⓞ 🗉 *VISA*. 🛠 BU
 Com *(cerrado domingo)* carta 3050 a 3700 – ⌸ 850 – **179 hab** 13300/18000, 4 su…

🏨 **Zaragoza Royal y Rest. Ascot,** Arzobispo Doménech 4, ⌧ 50006, 𝒫 21 46
 Telex 57800, Fax 22 03 59 – 🛗 🗏 📺 ☎ 🖾 – 🛆 25/200. 🖭 ⓞ 🗉 *VISA*. 🛠 BV
 Com carta 2175 a 3200 – ⌸ 775 – **92 hab** 8800/11000.

🏨 **Tibur y Rest. Foro Romano,** pl. de La Seo 2, ⌧ 50001, 𝒫 20 20 00, Fax 20 20 02 –
 🗏 📺 🖭 ⓞ 🗉 *VISA*. 🛠 Y
 Com carta aprox. 3350 – ⌸ 725 – **50 hab** 9000/11000.

🏨 **NH Sport,** Moncayo 5, ⌧ 50010, 𝒫 31 11 14, Telex 58534, Fax 33 06 89 – 🛗 🗏 📺 ☎
 – 🛆 25/110. 🖭 ⓞ 🗉 *VISA*. 🛠 AU
 Com 1400 – ⌸ 825 – **64 hab** 7600/12000 – PA 3800.

🏨 **Ramiro I,** Coso 123, ⌧ 50001, 𝒫 29 82 00, Telex 58689, Fax 39 89 52 – 🛗 🗏 📺 ☎
 – 🛆 25/100. 🖭 ⓞ 🗉 *VISA* *JCB*. 🛠 rest Z
 Com *(cerrado del 1 al 16 de enero)* 1300 – ⌸ 650 – **104 hab** 7000/10500.

🏨 **Romareda,** Asín y Palacios 11, ⌧ 50009, 𝒫 35 11 00, Telex 58067, Fax 35 19 50 – 🛗
 📺 ☎ 🖾 – 🛆 25/250. 🖭 ⓞ 🗉 *VISA*. 🛠 rest AV
 Com 1650 – ⌸ 800 – **90 suites** 12500/16500.

🏨 **Rey Alfonso I,** Coso 17, ⌧ 50003, 𝒫 39 48 50, Telex 58226, Fax 39 96 40 – 🛗 🗏 📺
 – 🛆 25/75. 🖭 ⓞ 🗉 *VISA*. 🛠 Z
 Com 1300 – ⌸ 775 – **113 hab** 10800/15700, 4 suites.

🏨 **Vía Romana,** Don Jaime I-54, ⌧ 50001, 𝒫 39 82 15, Fax 29 05 11 – 🛗 🗏 📺 ☎. 🖭
 🗉 *VISA*. 🛠 Y
 Com 1500 – ⌸ 675 – **66 hab** 8400/12500 – PA 3125.

🏨 **Conquistador** sin rest, Hernán Cortés 21, ⌧ 50005, 𝒫 21 49 88, Fax 23 80 21 – 🛗 🗏
 ☎ 🖾. 🖭 ⓞ 🗉 *VISA*. 🛠 BU
 ⌸ 490 – **44 hab** 6500/9900.

🏨 **Cesaraugusta** sin rest, av. Anselmo Clavé 45, ⌧ 50004, 𝒫 28 27 27, Fax 28 28 28 –
 📺 ☎ 🖾. 🖭 ⓞ 🗉 *VISA* *JCB* AU
 ⌸ 475 – **46 hab** 5500/7000, 6 apartamentos.

🏨 **París,** Pedro María Ric 14, ⌧ 50008, 𝒫 23 65 37, Fax 22 53 97 – 🛗 🗏 📺 ☎ – 🛆 25/1
 🖭 ⓞ 🗉 *VISA*. 🛠 rest BV
 Com *(cerrado domingo de noviembre a febrero)* 1500 – ⌸ 675 – **62 hab** 8400/12500
 PA 3125.

🏨 **Gran Vía** sin rest, Gran Vía 38, ⌧ 50005, 𝒫 22 92 13, Fax 22 07 07 – 🗏 📺 ☎. 🖭 ⓞ
 VISA *JCB*. 🛠 BV
 ⌸ 500 – **43 hab** 5000/6500, 1 suite.

🏨 **Las Torres** sin rest y sin ⌸, pl. del Pilar 11, ⌧ 50003, 𝒫 39 42 50, Fax 39 42 54 – 🛗
 📺 ☎ 🖾. 🛠 Y
 40 hab 4500/6800.

🏨 **Sauce** sin rest, Espoz y Mina 33, ⌧ 50003, 𝒫 39 01 00, Fax 39 85 97 – 🛗 🗏 📺 ☎ 🖾
 🖭 🗉 *VISA*. 🛠 YZ
 ⌸ 500 – **20 hab** 4900/7200.

🏨 **Conde Blanco** sin rest, con cafetería, Predicadores 84, ⌧ 50003, 𝒫 44 14 11, Fax 28 03
 – 🛗 🗏 📺 ☎ 🖾. 🖭 🗉 *VISA*. 🛠 BU
 ⌸ 410 – **87 hab** 4500/6000.

🏨 **Avenida** sin rest, av. César Augusto 55, ⌧ 50003, 𝒫 43 93 00, Telex 58570, Fax 43 93
 – 🛗 🗏 📺 ☎. 🖭 ⓞ 🗉 *VISA* Y
 ⌸ 350 – **85 hab** 3500/5500.

🏨 **Río Arga** sin rest, Contamina 20, ⌧ 50003, 𝒫 39 90 65, Fax 39 90 92 – 🛗 🗏 📺 ☎.
 ⓞ 🗉 *VISA*. 🛠 Y
 ⌸ 390 – **24 hab** 5600/8000.

🏨 **El Príncipe** sin rest, Santiago 12, ⌧ 50003, 𝒫 29 41 01, Fax 29 90 47 – 🛗 🗏 📺 ☎
 🛆 25/50. 🗉 *VISA*. 🛠 Y
 ⌸ 500 – **45 hab** 9000/12000.

🏨 **Maza** sin rest., pl. de España 7, ⌧ 50001, 𝒫 22 93 55, Fax 21 39 01 – 🛗 📺 ☎. 🖭 ⓞ
 VISA Z
 ⌸ 400 – **55 hab** 4500/6000.

🏨 **Paraíso** sin rest y sin ⌸, paseo Pamplona 23 - 3°, ⌧ 50004, 𝒫 21 76 08, Fax 21 76 07
 🛗 🗏 📺 ☎ BU
 29 hab.

XXX **La Mar,** pl. Aragón 12, ⌧ 50004, 𝒫 21 22 64, Fax 21 86 36, « Decoración clásica elegante
 – 🗏. 🖭 🗉 *VISA*. 🛠 BU
 cerrado domingo y agosto – Com carta aprox. 4500.

XXX **Risko-Mar,** Francisco Vitoria 16, ⌧ 50008, 𝒫 22 50 53 – 🗏. 🖭 ⓞ 🗉 *VISA*. 🛠 BV
 cerrado domingo y agosto – Com carta aprox. 4150.

XX **Gurrea,** San Ignacio de Loyola 14, ⊠ 50008, ℰ 23 31 61, Fax 23 71 44 – ▤. 🕮 ⓞ 🄴 𝑽𝑰𝑺𝑨.
JCB.　　　　　　　　　　　　　　　　　　　　　　　　　　　　　BU t
cerrado domingo (julio-agosto) – Com carta aprox. 3500.

XX **Goyesco,** Manuel Lasala 44, ⊠ 50006, ℰ 35 68 70, Fax 35 68 70 – ▤. 🕮 ⓞ 🄴 𝑽𝑰𝑺𝑨. ⅏
cerrado domingo y del 6 al 25 agosto – Com carta 3350 a 4300.　　　　　AV e

X **La Gran Bodega,** av. César Augusto 13, ⊠ 50004, ℰ 43 13 73, Fax 43 13 69 – ▤. 🕮 ⓞ
🄴 𝑽𝑰𝑺𝑨. ⅏　　　　　　　　　　　　　　　　　　　　　　　　　　　Z z
cerrado domingo – Com carta 2300 a 2750.

X **La Bastilla,** Coso 177, ⊠ 50001, ℰ 29 84 49, Fax 29 10 81 – ▤ 🄿. 🕮 ⓞ 🄴 𝑽𝑰𝑺𝑨. ⅏
cerrado domingo y 15 días en agosto – Com carta 3200 a 4300.　　　Y b

XX **El Asador de Aranda,** Arquitecto Magdalena 6, ⊠ 50001, ℰ 22 64 17 – ▤. 🄴 𝑽𝑰𝑺𝑨.
⅏　　　　　　　　　　　　　　　　　　　　　　　　　　　　　　　Z b
cerrado domingo noche y agosto – Comida carta aprox. 3100.

XX **Guetaria,** Madre Vedruna 9, ⊠ 50008, ℰ 21 53 16, Asador vasco – ▤. 🕮 ⓞ 🄴 𝑽𝑰𝑺𝑨. ⅏
Com carta 3400 a 4400.　　　　　　　　　　　　　　　　　　　　BUV s

X **Txalupa,** paseo Fernando el Católico 62, ⊠ 50009, ℰ 56 61 70 – ▤. 🕮 ⓞ 🄴 𝑽𝑰𝑺𝑨. ⅏
cerrado domingo noche – Com carta 2950 a 3500.　　　　　　　　　AV z

XX **El Flambé,** José Pellicer 7, ⊠ 50007, ℰ 27 87 31 – ▤. 🕮 ⓞ 🄴 𝑽𝑰𝑺𝑨. ⅏　　BV k
cerrado domingo noche – Com carta aprox. 3250.

XX **Antonio,** pl. San Pedro Nolasco 5, ⊠ 50001, ℰ 39 74 74 – ▤. 🕮 🄴 𝑽𝑰𝑺𝑨 JCB. ⅏　Z q
cerrado domingo noche – Com carta 3300 a 4500.

XX **El Chalet,** Santa Teresa 25, ⊠ 50006, ℰ 56 91 04, « Villa con terraza » – ▤. 🕮 ⓞ 🄴 𝑽𝑰𝑺𝑨
　　　　　　　　　　　　　　　　　　　　　　　　　　　　　　AV x
cerrado domingo y 28 marzo-7 abril – Com carta 2950 a 3700.

XX **La Matilde,** Casta Álvarez 10, ⊠ 50003, ℰ 44 10 08 – ▤. 🕮 ⓞ 🄴 𝑽𝑰𝑺𝑨. ⅏　　Y c
cerrado domingo, festivos, Semana Santa, agosto y Navidades – Com carta 3650 a 4500.

X **El Serrablo,** Manuel Lasala 44, ⊠ 50006, ℰ 35 62 06, Decoración rústica – ▤. 🕮 ⓞ 🄴
𝑽𝑰𝑺𝑨. ⅏　　　　　　　　　　　　　　　　　　　　　　　　　　　AV e
cerrado domingo y agosto – Com carta 2350 a 3800.

X **Aldaba,** Santa Teresa 26, ⊠ 50006, ℰ 35 63 79, Fax 35 63 79 – ▤. 🕮 ⓞ 🄴 𝑽𝑰𝑺𝑨 JCB. ⅏
cerrado domingo noche salvo vísperas de festivos – Com carta 3180 a 4900.　AV d

X **Josean,** Santa Teresa 41, ⊠ 50006, ℰ 56 48 09, Cocina vasca – ▤. 🕮 ⓞ 🄴 𝑽𝑰𝑺𝑨. ⅏
cerrado domingo y lunes noche – Com carta aprox. 4850.　　　　　AV b

X **Alberto,** Pedro María Ric 35, ⊠ 50008, ℰ 23 65 03 – ▤ 🚗. 🕮 𝑽𝑰𝑺𝑨. ⅏　　BV a
cerrado domingo – Com carta 2500 a 3900.

X **Mesón de Tomás,** av. de las Torres 92, ⊠ 50008, ℰ 23 13 02 – ▤. 🕮 🄴 𝑽𝑰𝑺𝑨.
⅏　　　　　　　　　　　　　　　　　　　　　　　　　　　　　　BV p
cerrado domingo noche y del 15 al 30 de agosto – Com carta 2900 a 4250.

en la carretera N II por ⑤ : 8 km – ⊠ 50012 Zaragoza – ✆ 976 :

XX **Venta de los Caballos,** ℰ 33 23 00 – ▤ 🄿. ⓞ 🄴 𝑽𝑰𝑺𝑨. ⅏
cerrado domingo noche y lunes (salvo festivos o ferias) y del 15 al 30 de agosto – Com carta
2775 a 3925.

en la carretera N 232 por ⑥ : 4,5 km – ⊠ 50011 Zaragoza – ✆ 976 :

XX **La Venta del Cachirulo,** ℰ 33 16 74, Fax 53 42 78, « Conjunto típico aragonés » – ▤ 🄿.
🕮 ⓞ 🄴 𝑽𝑰𝑺𝑨. ⅏
cerrado domingo noche y del 1 al 17 de agosto – Com carta 3250 a 4250.

en la carretera del aeropuerto por ⑥ : 8 km – ⊠ 50011 Zaragoza – ✆ 976 :

XXX **Gayarre,** ℰ 34 43 86, Fax 31 16 86 – ▤ 🄿. 🕮 ⓞ 🄴 𝑽𝑰𝑺𝑨
cerrado domingo noche, jueves Santo y Viernes Santo – Com carta 3300 a 3900.

Ver también : **Alfajarín por** ② : 23 km.

.A.F.E. Neumáticos **MICHELIN, Sucursal,** carret. Zaragoza - Logroño km 7,1 por ⑥, ⊠ 50011
ℰ 34 41 05 y 31 35 08, Fax 31 42 67

ZARAUZ o **ZARAUTZ** 20800 Guipúzcoa 𝟒𝟒𝟐 C 23 – 15 071 h. – ✆ 943 – Playa.
Ired. : Carretera en cornisa★★ de Zarauz a Guetaria – Carretera de Orio ≼★.
⸸ Real Golf Club de Zarauz ℰ 83 01 45.
🄑 Navarra ℰ 83 09 90, Fax 83 56 28.
Madrid 482 – ◆Bilbao/Bilbo 85 – ◆Pamplona/Iruñea 103 – ◆San Sebastián/Donostia 22.

🏨 **Zarauz,** Nafarroa 26 ℰ 83 02 00, Fax 83 01 93 – 🛗 ▤ rest 📺 ☎ 🄿 – 🛉 25. 🕮 ⓞ 🄴
𝑽𝑰𝑺𝑨 JCB. ⅏ rest
Com 2300 – ⊇ 700 – **82 hab** 9000/11300 – PA 4400.

🏨 **Alameda,** Gipuzkoa ℰ 83 01 43, Fax 13 24 74, 🍽 – 🛗 ▤ rest 📺 ☎ 🚗 – 🛉 25/70.
🕮 🄴 𝑽𝑰𝑺𝑨. ⅏
cerrado 24 diciembre-7 enero – Com 1925 – ⊇ 660 – **38 hab** 7480/10200 – PA 3830.

XXX ✿ **Karlos Arguiñano** con hab, Mendilauta 13 ✆ 13 00 00, Fax 13 34 50, ≤ mar – ▤ ☎. AE ⓓ E VISA. ✂
cerrado Navidades – Com *(cerrado domingo noche y miércoles)* carta 5400 a 6800 – ☕ 1400 – **12 hab** 19500/26000
Espec. Alubias rojas con morcilla de Beasain, Ensalada de verano (temp.), Becada asada (temp

XXX **Aiten Etxe,** carret. de Guetaria 3 ✆ 83 18 25, Fax 13 15 68, ≤ mar y población – Ⓟ. AE ⓓ E VISA JCB. ✂
cerrado domingo noche, martes, del 8 al 24 de febrero y del 8 al 24 de noviembre – Com carta 3700 a 5700.

XX Otzarreta, Santa Klara 5 ✆ 13 12 43, ☂ – ▤ Ⓟ.

X ✿ **Miguel Ángel,** Vizcaya 9 ✆ 13 27 00 – ▤. AE E VISA
cerrado domingo noche, miércoles y del 1 al 15 de enero – Com carta 3500 a 4500
Espec. Terrina de queso fresco con anchoas y remolacha, Lomos de merluza envueltos en past crujiente, Bavaroise de chocolate con crema de almendras.

X **Kirkilla,** Santa Marina 12 ✆ 13 19 82 – AE VISA
Com carta 2550 a 3350.

en el Alto de Meagas O : 4 km – ✉ 20800 Zarauz – ☏ 943 :

X **Azkue** ⛰ con hab, ✆ 83 05 54, Fax 13 05 00, ≤, ☂, ⛲ – Ⓟ. AE VISA
cerrado diciembre – Com *(cerrado martes)* carta 1800 a 3100 – ☕ 500 – **16 hab** 420(

La ZENIA (Urbanización) Alicante – ver Torrevieja.

ZESTOA Guipúzcoa – ver Cestona.

ZIORDIA Navarra – ver Ciordia.

ZORNOTZA Vizcaya – ver Amorebieta.

ZUERA **50800** Zaragoza 443 G 27 – 5 164 h. alt. 279 – ☏ 976.
♦Madrid 349 – Huesca 46 – ♦Zaragoza 26.

🏨 **Las Galias,** carret. N 330 E : 1 km ✆ 68 02 24, Fax 68 00 26, ⛱, 🎾 – ▤ TV ☎ Ⓟ 🏛 25/60. AE ⓓ E VISA. ✂ rest
Com 1750 – ☕ 375 – **26 hab** 5600/7000.

ZUHEROS **14870** Córdoba 446 T 17 – 942 h. alt. 622 – ☏ 957.
♦ Madrid 414 – Antequera 82 – ♦ Córdoba 83 – ♦ Jaén 66.

🏨 **Zuhayra,** Mirador 10 ✆ 69 46 24, Fax 69 46 88 – |♦| ☎. AE ⓓ E VISA JCB
Com *(cerrado lunes)* 1800 – ☕ 350 – **19 hab** 4500/6000.

ZUMÁRRAGA **20700** Guipúzcoa 442 C 23 – 11 413 h. alt. 354 – ☏ 943.
♦Madrid 410 – ♦Bilbao/Bilbo 65 – ♦San Sebastián/Donostia 57 – ♦Vitoria/Gasteiz 55.

🏨 **Etxe-Berri** ⛰, carret. de Azpeitia N : 1 km ✆ 72 02 68, Fax 72 44 94, « Decoració elegante » – TV ☎ 🚗 Ⓟ. AE E VISA JCB
Com *(cerrado domingo noche)* 2000 – ☕ 600 – **27 hab** 5750/7250 – PA 4200.

Portugal

Cidades
Poblaciones
Villes
Città
Städte
Towns

AS ESTRELAS   LAS ESTRELLAS
LES ÉTOILES   LE STELLE
DIE STERNE   THE STARS

R (Refeição)

REFEIÇÕES CUIDADAS A PREÇOS MODERADOS
BUENAS COMIDAS A PRECIOS MODERADOS
REPAS SOIGNÉS A PRIX MODÉRÉS
PASTI ACCURATI A PREZZI CONTENUTI
SORGFÄLTIG ZUBEREITETE, PREISWERTE MAHLZEITEN
GOOD FOOD AT MODERATE PRICES

ATRACTIVOS
ATRACTIVO Y TRANQUILIDAD
L'AGRÉMENT
AMENITÀ E TRANQUILLITÀ
ANNEHMUCHKEIT
PEACEFUL ATMOSPHERE AND SETTING

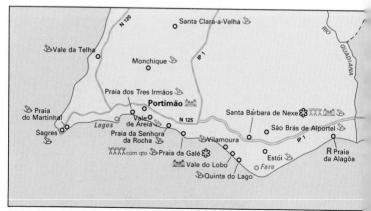

Signos e símbolos essenciais

(lista completa p. 12 a 19)

O CONFORTO

🏨🏨🏨🏨🏨	Grande luxo e tradição	XXXXX
🏨🏨🏨🏨	Grande conforto	XXXX
🏨🏨🏨	Muito confortável	XXX
🏨🏨	Bastante confortável	XX
🏨	Confortável	X
⛱	Simples, mas que convém	
sem rest	O hotel não tem restaurante	
	O restaurante tem quartos	com qto

AS BOAS MESAS

✿	Muito boa mesa na sua categoria
Refeição	Refeìção cuidada a preço moderado

OS ATRACTIVOS

🏨🏨🏨🏨🏨 ... 🏨	Hotéis agradáveis
XXXXX ... X	Restaurantes agradáveis
« Parque »	Elemento particularmente agradável
🐦 🐦	Hotel muito tranquilo ou isolado e tranquilo
⩽ mar	Vista excepcional

AS CURIOSIDADES

★★★	De interesse excepcional
★★	Muito interessante
★	Interessante

NA ESTRADA	EN LA CARRETERA	SUR LA ROUTE	LUNGO LA STRADA	AUF DER STRASSE	ON THE ROAD
acender as luzes	encender las luces	allumer les lanternes	accendere le luci	Licht einschalten	put on lights
à direita	a la derecha	à droite	a destra	nach rechts	to the right
à esquerda	a la izquierda	à gauche	a sinistra	nach links	to the left
atenção! perigo!	¡atención, peligro!	attention! danger!	attenzione! pericolo!	Achtung! Gefahr!	caution! danger!
auto-estrada	autopista	autoroute	autostrada	Autobahn	motorway
bifurcação	bifurcación	bifurcation	bivio	Gabelung	road fork
cruzamento perigoso	cruce peligroso	croisement dangereux	incrocio pericoloso	gefährliche Kreuzung	dangerous crossing
curva perigosa	curva peligrosa	virage dangereux	curva pericolosa	gefährliche Kurve	dangerous bend
dê passagem	ceda el paso	cédez le passage	cedete il passo	Vorfahrt achten	yield right of way
descida perigosa	bajada peligrosa	descente dangereuse	discesa pericolosa	gefährliches Gefälle	dangerous descent
esperem	esperen	attendez	attendete	warten	wait, halt
estacionamento proibido	prohibido aparcar	stationnement interdit	divieto di sosta	Parkverbot	no parking
estrada interrompida	carretera cortada	route coupée	strada interrotta	gesperrte Straße	road closed
estrada em mau estado	carretera en mal estado	route en mauvais état	strada in cattivo stato	Straße in schlechtem Zustand	road in bad condition
estrada nacional	carretera nacional	route nationale	strada statale	Staatsstraße	State road
gelo	hielo	verglas	ghiaccio	Glatteis	ice (on roads)
lentamente	despacio	lentement	adagio	langsam	slowly
neve	nieve	neige	neve	Schnee	snow
nevoeiro	niebla	brouillard	nebbia	Nebel	fog
obras	obras	travaux (routiers)	lavori in corso	Straßenbauarbeiten	road works

paragem obrigatória	parada obligatoria	arrêt obligatoire	fermata obbligatoria	Halt!	compulsory stop
passagem de gado	paso de ganado	passage de troupeaux	passaggio di mandrie	Viehtrieb	cattle crossing
passagem de nível sem guarda	paso de nivel sin barreras	passage à niveau non gardé	passaggio a livello incustodito	unbewachter Bahnübergang	unattended level crossing
pavimento escorregadio	calzada, resbaladiza	chaussée glissante	fondo sdrucciolevole	Rutschgefahr	slippery road
peões	peatones	piétons	pedoni	Fußgänger	pedestrians
perigo !	¡ peligro !	danger !	pericolo !	Gefahr !	danger !
perigoso atravessar	travesia peligrosa	traversée dangereuse	attraversamento pericoloso	gefährliche Durchfahrt	dangerous crossing
ponte estreita	puente estrecho	pont étroit	ponte stretto	enge Brücke	narrow bridge
portagem	peaje	péage	pedaggio	Gebühr	toll
proibido	prohibido	interdit	vietato	verboten	prohibited
proibido ultrapassar	prohibido el adelantamiento	défense de doubler	divieto di sorpasso	Überholverbot	no overtaking
pronto socorro	puesto de socorro	poste de secours	pronto soccorso	Unfall-Hilfsposten	first aid station
prudência	precaucion	prudence	prudenza	Vorsicht	caution
queda de pedras	desprendimientos	chute de pierres	caduta sassi	Steinschlag	falling rocks
rebanhos	cañada	troupeaux	greggi	Viehherde	cattle
saída de camiões	salida de camiones	sortie de camions	uscita di autocarri	LKW-Ausfahrt	lorry exit
sentido proibido	dirección prohibida	sens interdit	senso vietato	Einfahrt verboten	no entry
sentido único	dirección única	sens unique	senso unico	Einbahnstraße	one way

PALAVRAS DE USO CORRENTE	PALABRAS DE USO CORRIENTE	MOTS USUELS	PAROLE D'USO CORRENTE	ALLGEMEINER WORTSCHATZ	COMMON WORDS
abadia	abadia	abbaye	abbazia	Abtei	abbey
aberto	abierto	ouvert	aperto	offen	open
abismo	abismo	gouffre	abisso	Abgrund, Tiefe	gulf, abyss
abóbada	bóveda	voûte	volta	Gewölbe, Wölbung	vault, arch
Abril	abril	avril	aprile	April	April
adega	bodega	chais, cave	cantina	Keller	cellar

agência de viagens	oficina de viajes	bureau de voyages	ufficio viaggi		
Agosto	agosto	août	agosto	August	August
água potável	agua potable	eau potable	acqua potabile	Trinkwasser	drinking water
albergue	albergue	auberge	albergo	Gasthof	inn
aldeia	pueblo	village	villaggio	Dorf	village
alfândega	aduana	douane	dogana	Zoll	customs
almoço	almuerzo	déjeuner	colazione	Mittagessen	lunch
andar	piso	étage	piano (di casa)	Stock, Etage	floor
antigo	antiguo	ancien	antico	alt	ancient
aqueduto	acueducto	aqueduc	acquedotto	Aquädukt	aqueduct
arquitectura	arquitectura	architecture	architettura	Baukunst	architecture
arredores	alrededores	environs	dintorni	Umgebung	surroundings
artificial	artificial	artificiel	artificiale	Kunstlicht	artificial
árvore	árbol	arbre	albero	Baum	tree
avenida	avenida	avenue	viale, corso	Boulevard, breite Straße	avenue
bagagem	équipaje	bagages	bagagli	Gepäck	luggage
baía	bahía	baie	baia	Bucht	bay
bairro	barrio	quartier	quartiere	Stadtteil	quarter, district
baixo-relevo	bajo relieve	bas-relief	bassorilievo	Flachrelief	low relief
balaustrada	balaustrada	balustrade	balaustrata	Balustrade, Geländer	balustrade
barco	barco	bateau	battello	Schiff	boat
barragem	embalse	barrage	sbarramento	Talsperre	dam
beco	callejón sin salida	impasse	vicolo cieco	Sackgasse	no through road
beira-mar	orilla del mar	bord de mer	riva, litorale	Ufer, Küste	shore, strand
biblioteca	biblioteca	bibliothèque	biblioteca	Bibliothek	library
bilhete postal	tarjeta postal	carte postale	cartolina	Postkarte	postcard
bosque	bosque	bois	bosco, boschi	Wäldchen	wood
botânica	botánico	botanique	botanico	botanish	botanical
cabeleireiro	peluquería	coiffeur	parrucchiere	Friseur	hairdresser, barber
caça	caza	chasse	caccia	Jagd	hunting, shooting
cadeiras de coro	sillería del coro	stalles	stalli	Chorgestühl	choir stalls
caixa	caja	caisse	cassa	Kasse	cash-desk
cama	cama	lit	letto	Bett	bed

485

campanário	campanario	clocher	campanile	Glockenturm	belfry, steeple
campo	campo	campagne	campagna	Land	country, countryside
capela	capilla	chapelle	cappella	Kapelle	chapel
capitel	capitel	chapiteau	capitello	Kapitell	capital (of column)
casa	casa	maison	casa	Haus	house
casa de jantar	comedor	salle à manger	sala da pranzo	Speisesaal	dining room
cascata	cascada	cascade	cascata	Wasserfall	waterfall
castelo	castillo	château	castello	Schloß	castle
casula	casulla	chasuble	pianeta	Meßgewand	chasuble
catedral	catedral	cathédrale	duomo	Dom. Münster	cathedral
centro urbano	centro urbano	centre ville	centro città	Stadtzentrum	town centre
chave	llave	clé	chiave	Schlüssel	key
cidade	ciudad	ville	città	Stadt	town
cinzeiro	cenicero	cendrier	portacenere	Aschenbecher	ash-tray
claustro	claustro	cloître	chiostro	Kreuzgang	cloisters
climatizada (piscina)	climatizada (piscina)	chauffée (piscine)	riscaldata (piscina)	geheizt (Freibad)	heated (swimming pool)
climatizado	climatizado	climatisé	con aria condizionata	mit Klimaanlage	air conditioned
colecção	colección	collection	collezione	Sammlung	collection
colher	cuchara	cuillère	cucchiaio	Löffel	spoon
colina	colina	colline	colle, collina	Hügel	hill
confluência	confluencia	confluent	confluente	Zusammenfluß	confluence
conforto	confort	confort	confort	Komfort	comfort
conta	cuenta	note	conto	Rechnung	bill
convento	convento	couvent	convento	Kloster	convent
copo	vaso	verre	bicchiere	Glas	glass
correios	correos	bureau de poste	ufficio postale	Postamt	post office
cozinha	cocina	cuisine	cucina	Kochkunst	kitchen
criado, empregado	camarero	garçon, serveur	cameriere	Ober, Kellner	waiter
crucifixo, cruz	crucifijo, cruz	crucifix, croix	crocifisso, croce	Kruzifix, Kreuz	crucifix, cross
cúpulo	cúpula	coupole, dôme	cupola	Kuppel	dome, cupola
curiosidade	curiosidad	curiosité	curiosità	Sehenswürdigkeit	sight
decoração	decoración	décoration	ornamento	Schmuck,	decoration

dentista	dentista	dentiste	dentista	Zahnarzt	dentist
descida	bajada, descenso	descente	discesa	Gefälle	downward slope
desporto	deporte	sport	sport	Sport	sport
Dezembro	diciembre	décembre	dicembre	Dezember	December
Domingo	domingo	dimanche	domenica	Sonntag	Sunday
edifício	edificio	édifice	edificio	Bauwerk	building
encosta	ladera	versant	versante	Abhang	hillside
engomagem	planchado	repassage	stiratura	Bügelerei	pressing, ironing
envelopes	sobres	enveloppes	buste	Briefumschläge	envelopes
episcopal	episcopal	épiscopal	vescovile	bischöflich	episcopal
equestre	ecuestre	équestre	equestre	Reit-, zu Pferd	equestrian
escada	escalera	escalier	scala	Treppe	stairs
escultura	escultura	sculpture	scultura	Schnitzwerk	carving
esquadra de polícia	comisaria	commissariat de police	commissariato di polizia	Polizeistation	police headquarters
estação	estación	gare	stazione	Bahnhof	station
estância balnear	estación balnearia	station balnéaire	stazione balneare	Seebad	seaside resort
estátua	estatua	statue	statua	Standbild	statue
estilo	estilo	style	stile	Stil	style
estuário	estuario	estuaire	estuario	Mündung	estuary
estrada	carretera	route	strada	Straße	road
estrada escarpada	carretera en cornisa	route en corniche	strada panoramica	Höhenstraße	corniche road
faca	cuchillo	couteau	coltello	Messer	knife
fachada	fachada	façade	facciata	Vorderseite	façade
faiança	loza	faïence	maiolica	Fayence	china
falésia	acantilado	falaise	scogliera	Klippe, Steilküste	cliff, c'face
farmácia	farmacia	pharmacie	farmacia	Apotheke	chemist
fechado	cerrado	fermé	chiuso	geschlossen	closed
2ª feira	lunes	lundi	lunedì	Montag	Monday
3ª feira	martes	mardi	martedì	Dienstag	Tuesday
4ª feira	miércoles	mercredi	mercoledì	Mittwoch	Wednesday
5ª feira	jueves	jeudi	giovedì	Donnerstag	Thursday
6ª feira	viernes	vendredi	venerdì	Freitag	Friday

ferro forjado	hierro forjado	fer forgé	ferro battuto	Schmiedeeisen	wrought iron
Fevereiro	febrero	février	febbraio	Februar	February
floresta	bosque	forêt	foresta	Wald	forest
florido	florido	fleuri	fiorito	mit Blumen	in bloom
folclore	folklore	folklore	folklore	Volkskunde	folklore
fonte, nascente	fuente	source	sorgente	Quelle	source, stream
fortificação	fortificación	fortification	fortificazione	Befestigung	fortification
fortaleza	fortaleza	forteresse, château fort	fortezza	Festung, Burg	fortress, fortified castle
fósforos	cerillas	allumettes	fiammiferi	Zündhölzer	matches
foz	desembocadura	embouchure	foce	Mündung	mouth
fronteira	frontera	frontière	frontiera	Grenze	frontier
garagem	garaje	garage	garage	Garage	garage
garfo	tenedor	fourchette	forchetta	Gabel	fork
garganta	garganta	gorge	gola	Schlucht	gorge
gasolina	gasolina	essence	benzina	Benzin	petrol
gorjeta	propina	pourboire	mancia	Trinkgeld	tip
gracioso	encantador	charmant	delizioso	reizend	charming
igreja	iglesia	église	chiesa	Kirche	church
ilha	isla	île	isola, isolotto	Insel	island
imagem	imagen	image	immagine	Bild	picture
informações	informaciones	renseignements	informazioni	Auskünfte	information
instalação	instalación	installation	installazione	Einrichtung	arrangement
interior	interior	intérieur	interno	Inneres	interior
Inverno	invierno	hiver	inverno	Winter	winter
Janeiro	enero	janvier	gennaio	Januar	January
janela	ventana	fenêtre	finestra	Fenster	window
jantar	cena	dîner	pranzo	Abendessen	dinner
jardim	jardín	jardin	giardino	Garten	garden
jornal	diario	journal	giornale	Zeitung	newspaper
Julho	julio	juillet	luglio	Juli	July

488

lago, lagoa	lago, laguna	lac, lagune	lago, laguna	See, Lagune	lake, lagoon
lavagem de roupa	lavado	blanchissage	lavatura	Wäsche, Lauge	laundry
local	paraje	site	posizione	Lage	site
localidade	localidad	localité	località	Ortschaft	locality
loiça de barro	alfarería	poterie	stoviglie	Tongeschirr	pottery
luxuoso	lujoso	luxueux	sfarzoso	prachtvoll	luxurious
Maio	mayo	mai	maggio	Mai	May
mansão	mansión	manoir	maniero	Gutshaus	manor
mar	mar	mer	mare	Meer	sea
Março	marzo	mars	marzo	März	March
marfim	marfil	ivoire	avorio	Elfenbein	ivory
margem	ribera	rive, bord	riva, banchina	Ufer	shore (of lake), bank (of river)
mármore	mármol	marbre	marmo	Marmor	marble
médico	médico	médecin	medico	Arzt	doctor
medieval	medieval	médiéval	medioevale	mittelalterlich	mediaeval
miradouro	mirador	belvédère	belvedere	Aussichtspunkt	belvedere
mobiliário	mobiliario	ameublement	arredamento	Einrichtung	furniture
moinho	molino	moulin	mulino	Mühle	mill
montanha	montaña	montagne	monte	Berg	mountain
mosteiro	monasterio	monastère	monastero	Kloster	monastery
muralha	muralla	muraille	muraglia	Mauer	walls
museu	museo	musée	museo	Museum	museum
Natal	Navidad	Noël	Natale	Weihnachten	Christmas
nave	nave	nef	navata	Kirchenschiff	nave
Novembro	noviembre	novembre	novembre	November	November
obra de arte	obra de arte	œuvre d'art	opera d'arte	Kunstwerk	work of art
oceano	océano	océan	oceano	Ozean	ocean
oliveira	olivo	olivier	ulivo	Olivenbaum	olive-tree
órgão	órgano	orgue	organo	Orgel	organ
orla	linde	lisière	orlo	Waldrand	forest skirt
ourivesaria	orfebrería	orfèvrerie	oreficeria	Goldschmiedekunst	goldsmith's work
Outono	otoño	automne	autunno	Herbst	autumn

Outubro	octubre	octobre	ottobre	Oktober	October
ovelha	oveja	brebis	pecora	Schaf	ewe
pagar	pagar	payer	pagare	bezahlen	to pay
paisagem	paisaje	paysage	paesaggio	Landschaft	landscape
palácio, paço	palacio	palais	palazzo	Palast	palace
palmar	palmeral	palmeraie	palmeto	Palmenhain	palm grove
papel de carta	papel de carta	papier à lettre	carta da lettere	Briefpapier	writing paper
paragem	parada	arrêt	fermata	Haltestelle	stopping place
parque	parque	parc	parco	Park	park
parque de estacionamento	aparcamiento	parc à voitures	parcheggio	Parkplatz	car park
partida	salida	départ	partenza	Abfahrt	departure
Páscoa	Pascua	Pâques	Pasqua	Ostern	Easter
passageiros	pasajeros	passagers	passeggeri	Fahrgäste	passengers
passeio	paseo	promenade	passeggiata	Spaziergang, Promenade	walk, promenade
pelourinho	picote	pilori	gogna	Pranger	pillory
percurso	recorrido	parcours	percorso	Strecke	course
perspectiva	perspectiva	perspective	prospettiva	Perspektive	perspective
pesca, pescador	pesca, pescador	pêche, pêcheur	pesca, pescatore	Fischfang, Fischer	fisher, fishing
pia baptismal	pila de bautismo	fonts baptismaux	fonte battismale	Taufbecken	font
pinhal	pinar, pineda	pinède	pineta	Pinienhain	pine wood
pinheiro	pino	pin	pino	Kiefer	pine-tree
planície	llanura	plaine	pianura	Ebene	plain
poço	pozo	puits	pozzo	Brunnen	well
polícia	guardia civil	gendarme	gendarme	Polizist	policeman
ponte	puente	pont	ponte	Brücke	bridge
porcelana	porcelana	porcelaine	porcellana	Porzellan	porcelain
portal	portal	portail	portale	Tor	doorway
porteiro	conserje	concierge	portiere, portinaio	Portier	porter
porto	puerto	port	porto	Hafen	harbour, port
povoação	burgo	bourg	borgo	kleiner Ort, Flecken	market town
praça de touros	plaza de toros	arènes	arena	Stierkampfarena	bull ring
praia	playa	plage	spiaggia	Strand	beach

prato	plato	assiette	piatto	Teller	plate
Primavera	primavera	printemps	primavera	Frühling	spring (season)
proibido fumar	prohibido fumar	défense de fumer	vietato fumare	Rauchen verboten	no smoking
promontório	promontorio	promontoire	promontorio	Vorgebirge	promontory
púlpito	púlpito	chaire	pulpito	Kanzel	pulpit
quadro, pintura	cuadro, pintura	tableau, peinture	quadro, pittura	Gemälde, Malerei	painting
quarto	habitación	chambre	camera	Zimmer	room
quinzena	quincena	quinzaine	quindicina	etwa fünfzehn	fortnight
recepção	recepción	réception	ricevimento	Empfang	reception
recife	arrecife	récif	scoglio	Klippe	reef
registado	certificado	recommandé (objet)	raccomandato	Einschreiben	registered
relógio	reloj	horloge	orologio	Uhr	clock
relvado	césped	pelouse	prato	Rasen	lawn
renda	encaje	dentelle	trina	Spitze	lace
retábulo	retablo	retable	postergale	Altaraufsatz	altarpiece, retable
retrato	retrato	portrait	ritratto	Bildnis	portrait
rio	río	fleuve	fiume	Fluß	river
rochoso	rocoso	rocheux	roccioso	felsig	rocky
rua	calle	rue	via	Straße	street
ruínas	ruinas	ruines	ruderi	Ruinen	ruins
rústico	rústico	rustique	rustico	ländlich	rustic, rural
Sábado	sábado	samedi	sabato	Samstag	Saturday
sacristia	sacristia	sacristie	sagrestia	Sakristei	sacristy
saída de socorro	salida de socorro	sortie de secours	uscita di sicurezza	Notausgang	emergency exit
sala capitular	sala capitular	salle capitulaire	sala capitolare	Kapitelsaal	chapterhouse
salão, sala	salón	salon	salone	Salon	drawing room, sitting room
santuário	santuario	sanctuaire	santuario	Heiligtum	shrine
século	siglo	siècle	secolo	Jahrhundert	century
selo	sello	timbre-poste	francobollo	Briefmarke	stamp
sepulcro, túmulo	sepulcro, tumba	sépulcre, tombeau	tomba	Grabmal	tomb
serviço incluído	servicio incluido	service compris	servizio compreso	Bedienung inbegriffen	service included
serra	sierra	chaîne de montagnes	giogaia	Gebirgskette	mountain range

Setembro / **sob pena de multa**	septiembre / bajo pena de multa	septembre / sous peine d'amende	settembre / passibile di contravvenzione	September / bei Geldstrafe	September / under penalty of fine
solar	casa solariega	manoir	maniero	Gutshaus	manor
tabacaria	estanco	bureau de tabac	tabaccaio	Tabakladen	tobacconist
talha	tallas en madera	bois sculpté	sculture lignee	Holzschnitzerei	wood carving
tapeçarias	tapices	tapisseries	tappezzerie, arazzi	Wandteppiche	tapestries
tecto	techo	plafond	soffitto	Zimmerdecke	ceiling
telhado	tejado	toit	tetto	Dach	roof
termas	balneario	établissement thermal	terme	Kurhaus	health resort
terraço	terraza	terrasse	terrazza	Terrasse	terrace
tesouro	tesoro	trésor	tesoro	Schatz	treasure, treasury
toilette, casa de banho	servicios	toilettes	gabinetti	Toiletten	toilets
tríptico	tríptico	triptyque	trittico	Triptychon	triptych
túmulo	tumba	tombe	tomba	Grab	tomb
vale	valle	val, vallée	val, valle, vallata	Tal	valley
ver	ver	voir	vedere	sehen	see
Verão	verano	été	estate	Sommer	summer
vila	pueblo	village	villaggio	Dorf	village
vinhedos, vinhas	viñedos	vignes, vignoble	vigne, vigneto	Reben, Weinberg	vines, vineyard
vista	vista	vue	vista	Aussicht	view
vitral	vidriera	verrière, vitrail	vetrata	Kirchenfenster	stained glass windows
vivenda	morada	demeure	dimora	Wohnsitz	residence

COMIDAS E BEBIDAS	COMIDA Y BEBIDAS	NOURRITURE ET BOISSONS	CIBI E BEVANDE	SPEISEN UND GETRÄNKE	FOOD AND DRINK
açúcar	azúcar	sucre	zucchero	Zucker	sugar
água gaseificada	agua con gas	eau gazeuse	acqua gasata, gasosa	Sprudel	soda water
água mineral	agua mineral	eau minérale	acqua minerale	Mineralwasser	mineral water
alcachofra	alcachofa	artichaut	carciofo	Artischocke	artichoke

ameixas	ciruelas	prunes	prugne	Pflaumen	plums
amêndoas	almendras	amandes	mandorle	Mandeln	almonds
anchovas	anchoas	anchois	acciughe	Anschovis	anchovies
arroz	arroz	riz	riso	Reis	rice
assado	asado	rôti	arrosto	gebraten	roast
atum	atún	thon	tonno	Thunfish	tunny
aves, criação	ave	volaille	pollame	Geflügel	poultry
azeite	aceite de oliva	huile d'olive	olio d'oliva	Olivenöl	olive oil
azeitonas	aceitunas	olives	olive	Oliven	olives
bacalhau fresco	bacalao	morue fraîche, cabillaud	merluzzo	Kabeljau, Dorsch	cod
bacalhau salgado	bacalao en salazón	morue salée	baccalà, stoccafisso	Laberdan	dried cod
banana	plátano	banane	banana	Banane	banana
bebidas	bebidas	boissons	bevande	Getränke	drinks
beringela	berenjena	aubergine	melanzana	Aubergine	egg-plant
besugo, dourada	besugo, dorada	daurade	orata	Goldbrassen	dory
batatas	patatas	pommes de terre	patate	Kartoffeln	potatoes
bolachas	galletas	gâteaux secs	biscotti secchi	Gebäck	biscuits
bolos	pasteles	pâtisseries	dolci	Süßigkeiten	pastries
cabrito	cabrito	chevreau	capretto	Zicklein	kid
café com leite	café con leche	café au lait	caffè-latte	Milchkaffee	coffee with milk
café simples	café solo	café nature	caffè nero	schwarzer Kaffee	black coffee
caldo	caldo	bouillon	brodo	Fleischbrühe	clear soup
camarões	camarones	crevettes roses	gamberetti	Granat	shrimps
camarões grandes	gambas	crevettes (bouquets)	gamberetti	Garnelen	prawns
carne	carne	viande	carne	Fleisch	meat
carne de vitela	ternera	veau	vitello	Kalbfleisch	veal
carneiro	cordero	mouton	montone	Hammelfleisch	mutton
carnes frias	fiambres	viandes froides	carni fredde	kaltes Fleisch	cold meat
castanhas	castañas	châtaignes	castagne	Kastanien	chestnuts
cebola	cebolla	oignon	cipolla	Zwiebel	onion
cerejas	cerezas	cerises	ciliege	Kirschen	cherries
cerveja	cerveza	bière	birra	Bier	beer
charcutaria	charcutería, fiambres	charcuterie	salumi	Aufschnitt	pork-butchers' meat

cherne, mero	mero	mérou	cernia	Rautenscholle	brill
chouriço	chorizo	saucisses au piment	salsice piccanti	Pfefferwurst	spiced sausages
cidra	sidra	cidre	sidro	Apfelwein	cider
cogumelos	setas	champignons	funghi	Pilze	mushrooms
cordeiro	cordero lechal	agneau de lait	agnello	Lammfleisch	lamb
costeleta	costilla, chuleta	côtelette	costoletta	Kotelett	chop, cutlet
couve	col	chou	cavolo	Kohl, Kraut	cabbage
enguia	anguila	anguille	anguilla	Aal	eel
entrada	entremeses	hors d'oeuvre	antipasti	Vorspeise	hors d'œuvre
espargos	espárragos	asperges	asparagi	Spargel	asparagus
espinafres	espinacas	épinards	spinaci	Spinat	spinach
ervilhas	guisantes	petits pois	piselli	junge Erbsen	garden peas
faisão	faisán	faisan	fagiano	Fasan	pheasant
feijão verde	judías verdes	haricots verts	fagiolini	grüne Bohnen	French beans
fígado	hígado	fôie	fegato	Leber	liver
figos	higos	figues	fichi	Feigen	figs
frango	pollo	poulet	pollo	Hähnchen	chicken
fricassé	pepitoria	fricassée	fricassea	Frikassee	fricassée
fruta	frutas	fruits	frutta	Früchte	fruit
fruta em calda	frutas en almíbar	fruits au sirop	frutta sciroppata	Früchte in Sirup	fruit in syrup
gamba	gamba	crevette géante	gamberone	große Garnele	prawns
gelado	helado	glace	gelato	Speiseeis	ice cream
grão	garbanzos	pois chiches	ceci	Kichererbsen	chick peas
grelhado	a la parrilla	à la broche, grillé	allo spiedo	am Spieß	grilled
lagosta	langosta	langouste	aragosta	Languste	craw fish
lagostins	cigalas	langoustines	scampi	Meerkrebse, Langustinen	crayfish
lavagante	bogavante	homard	gambero di mare	Hummer	lobster
legumes	legumbres	légumes	verdura	Gemüse	vegetables
laranja	naranja	orange	arancia	Orange	orange
leitão assado	cochinillo, tostón	cochon de lait grillé	maialino grigliato,	Spanferkelbraten	roast suckling pig

				Linsen	lentils
limão	limón	citron	limone	Zitrone	lemon
língua	lengua	langue	lingua	Zunge	tongue
linguado	lenguado	sole	sogliola	Seezunge	sole
lombo de porco	lomo	échine	lombata, lombo	Rückenstück	spine, chine
lombo de vaca	filete, solomillo	filet	filetto	Filetsteak	fillet
lota	rape	lotte	rana pescatrice, pesce rospo	Aalrutte, Quappe	eel-pout angler fish
lulas, chocos	calamares	calmars	calamari	Tintenfische	squids
maçã	manzana	pomme	mela	Apfel	apple
manteiga	mantequilla	beurre	burro	Butter	butter
mariscos	mariscos	fruits de mer	frutti di mare	"Früchte des Meeres"	sea food
mel	miel	miel	miele	Honig	honey
melancia	sandía	pastèque	cocomero	Wassermelone	water melon
mexilhões	mejillones	moules	cozze	Muscheln	mussels
miolos, mioleira	sesos	cervelle	cervello	Hirn	brains
molho	salsa	sauce	sugo	Sauce	sauce
morangos	fresas	fraises	fragole	Erdbeeren	strawberries
nata	nata	crème fraiche	panna	Sahne	cream
omelete	tortilla	omelette	frittata	Omelett	omelette
ostras	ostras	huitres	ostriche	Austern	oysters
ovo cozido	huevo duro	œuf dur	uovo sodo	hartes Ei	hard boiled egg
ovo quente	huevo pasado por agua	œuf à la coque	uovo al guscio	weiches Ei	soft boiled egg
ovos estrelados	huevos al plato	œufs au plat	uova fritte	Spiegeleier	fried eggs
pão	pan	pain	pane	Brot	bread
pato	pato	canard	anitra	Ente	duck
peixe	pescado	poisson	pesce	Fisch	fish
pepino	pepino, pepinillo	concombre, cornichon	cetriolo, cetriolino	Gurke, kleine Essiggurke	cucumber, gherkin
pêra	pera	poire	pera	Birne	pear
perú	pavo	dindon	tacchino	Truthahn	turkey

pescada	merluza	colin, merlan	merluzzo	Kohlfisch, Weißling	hake
pêssego	melocotón	pêche	pesca	Pfirsich	peach
pimenta	pimienta	poivre	pepe	Pfeffer	pepper
pimento	pimiento	poivron	peperone	Pfefferschote	pimento
pombo, borracho	paloma, pichón	palombe, pigeon	palomba, piccione	Taube	pigeon
porco	cerdo	porc	maiale	Schweinefleisch	pork
pregado, rodovalho	rodaballo	turbot	rombo	Steinbutt	turbot
presunto, fiambre	jamón (serrano, de York)	jambon (cru ou cuit)	prosciutto (crudo o cotto)	Schinken (roh, gekocht)	ham (raw or cooked)
queijo	queso	fromage	formaggio	Käse	cheese
raia	raya	raie	razza	Rochen	skate
rins	riñones	rognons	rognoni	Nieren	kidneys
robalo	lubina	bar	ombrina	Barsch	bass
sal	sal	sel	sale	Salz	salt
salada	ensalada	salade	insalata	Salat	green salad
salmão	salmón	saumon	salmone	Lachs	salmon
salpicão	salchichón	saucisson	salame	Wurst	salami, sausage
salsichas	salchichas	saucisses	salsicce	Würstchen	sausages
sopa	potaje, sopa	potage, soupe	minestra, zuppa	Suppe mit Einlage	soup
sobremesa	postre	dessert	dessert	Nachspeise	dessert
sumo de frutas	zumo de frutas	jus de fruits	succo di frutta	Fruchtsaft	fruit juice
torta, tarte	tarta	tarte, grand gâteau	torta	Torte, Kuchen	tart, pie
truta	trucha	truite	trota	Forelle	trout
uva	uva	raisin	uva	Traube	grapes
vaca	vaca	bœuf	manzo	Rindfleisch	beef
vinagre	vinagre	vinaigre	aceto	Essig	vinegar
vinho branco doce	vino blanco dulce	vin blanc doux	vino bianco amabile	süßer Weißwein	sweet white wine
vinho branco seco	vino blanco seco	vin blanc sec	vino bianco secco	herber Weißwein	dry white wine
vinho « rosé »	vino rosado	vin rosé	vino rosato	« Rosé »	« rosé » wine
vinho de marca	vino de marca	grand vin	vino pregiato	Prädikatswein	famous wine

ABRANTES 2200 Santarém 𝟜𝟜𝟘 N 5 – 5 435 h. alt. 188 – © 041.

er : Local★.

red. : Castelo de Almourol★★ (local★★, ⁂★) O : 18 km.

Largo da Feira ☏ 225 55.

Lisboa 142 – Santarém 61.

🏨 **De Turismo,** Largo de Santo António ☏ 212 61, Telex 43626, Fax 252 18, ≤ Abrantes e vale do Tejo, ℀ – ▤ 📺 📹 **🅿** – 🔏 25/30. 🝓 ⓞ **E** 𝗩𝗜𝗦𝗔. ℀
Ref 3200 – ⌷ 800 – **41 qto** 11000/13700 – PA 6400.

☗ O Pelicano, Rua Nossa Senhora da Conceição 1 ☏ 223 17 – ▤.

AGUADA DE CIMA Aveiro – ver Águeda.

ÁGUEDA 3750 Aveiro 𝟜𝟜𝟘 K 4 – 43 216 h. – © 034.

Largo Dr. João Elisio Sucena ☏ 60 14 12.

Lisboa 250 – Aveiro 22 – ◆Coimbra 42 – ◆Porto 85.

em Borralha – pela estrada N 1 SE : 2 km – ⊠ 3750 Águeda – © 034 :

🏯 **Palacio Águeda** ⌂, Quinta da Borralha ☏ 60 19 77, Fax 60 19 76, « Instalado no antigo palácio do Conde da Borralha - Jardins », ℀ – ▐🇹 📺 ☎ **🅿** – 🔏 25/85. 🝓 ⓞ **E** 𝗩𝗜𝗦𝗔. ℀
Ref 3000 – **42 qto** ⌷ 14000/15000, 6 suites – PA 5900.

em Aguada de Cima SE : 9,5 km – ⊠ 3750 Águeda – © 034 :

☗ **Adega do Fidalgo,** Almas da Areosa ☏ 66 62 26, Fax 66 72 26, Rest típico-Grelhados – **E** 𝗩𝗜𝗦𝗔
Ref lista 3150 a 4550.

ALBERGARIA-A-VELHA 3850 Aveiro 𝟜𝟜𝟘 J 4 – 21 326 h. alt. 126 – © 034.

Lisboa 259 – Aveiro 19 – ◆Coimbra 57.

na estrada N 1 S : 4 Km. – ⊠ 3750 Serém-Águeda – © 034 :

🏨 **Pousada de Santo António** ⌂, ☏ 52 32 30, Telex 37150, Fax 52 31 92, ≤ vale do Vouga e montanha, 🔟, 🛋, ℀ – ☎ 🕾 **🅿**. 🝓 ⓞ **E** 𝗩𝗜𝗦𝗔. ℀
Ref lista 2500 a 3500 – **13 qto** ⌷ 16500/18600.

ALBUFEIRA 8200 Faro 𝟜𝟜𝟘 U 5 – 17 218 h. – © 089 – Praia.

er : Local★.

Rua 5 de Outubro ☏ 51 21 44.

Lisboa 326 – Faro 38 – Lagos 52.

🏨 **Alísios,** av. Infante Dom Henrique ☏ 58 92 84, Telex 56410, Fax 58 92 88, ≤, 🍴, 🔲 – ▐🇹 ▤ 📺 ☎ **🅿**
100 qto.

🏨 **Cerro Alagoa,** ☏ 58 82 61, Telex 58290, Fax 58 82 62, 🍴, *Ⅰ₅*, 🔟, 🔲 – ▐🇹 ▤ 📺 ☎ 🕾 **🅿** – 🔏 50/100. 🝓 ⓞ **E** 𝗩𝗜𝗦𝗔. ℀
Ref 3000 – **310 qto** ⌷ 18000/25000 – PA 4500.

🏨 Estal. Do Cerro, Rua Samora Barros ☏ 58 61 91, Telex 56211, Fax 58 61 74, ≤, 🔟 climatizada – ▐🇹 ▤ rest 🕾
91 qto.

em Montechoro NE : 3,5 km – ⊠ 8200 Albufeira – © 089 :

🏯 **Montechoro,** ☏ 58 94 23, Telex 56288, Fax 58 99 47, ≤, 🔟 – ▐🇹 ▤ 📺 ☎ – 🔏. 🝓 ⓞ **E** 𝗩𝗜𝗦𝗔. ℀
Ref 3500 - **Grill das Amendoeiras** *(só jantar)* lista 4350 a 6400 – **362 qto** ⌷ 18000/21000 – PA 5500.

na Praia da Oura E : 3,5 km – ⊠ 8200 Albufeira – © 089 :

☗ **Borda d'Água,** ☏ 58 65 45, Telex 56264, Fax 58 85 66, ≤, 🍴 – 🝓 ⓞ **E** 𝗩𝗜𝗦𝗔. ℀
Ref lista 2200 a 3800.

em Santa Eulália E : 5,5 km – ⊠ 8200 Albufeira – © 089 :

🏨 Dominio do Sol ⌂, ☏ 58 68 35, Telex 56826, Fax 58 68 40, ≤, 🔟 – ▐🇹 ▤ rest ☎ **🅿**
113 apartamentos.

na Praia da Galé O : 6,5 km – ⊠ 8200 Albufeira – © 089 :

☗☗☗ ۞ **Vila Joya** ⌂ com qto, ☏ 59 17 95, Fax 59 12 01, ≤ mar, 🍴, « Belo jardim com árvores e 🔟 climatizada » – ☎ **🅿**. 🝓 ⓞ **E** 𝗩𝗜𝗦𝗔. ℀
fechado 15 janeiro-12 fevereiro e 5 novembro-17 dezembro – Ref lista 4850 a 6750 – **16 qto** ⌷ 48000/64000
Espec. Salada especial "Terra e Mar", Cherne ao basilic, Parfait de avelãs.

na Praia da Falésia E : 10 km – ⊠ 8200 Albufeira – 🌑 089 :

🏨🏨 **Sheraton Algarve** ≫, ℰ 50 19 99, Telex 58524, Fax 50 19 50, ≤ mar e campo de golf, 🏯, « No alto de uma falésia rodeado de zonas verdes - Bela decoração », ₤₰, ⤫, 🏊, ≉ ☆, ☞ – 🛗 ☰ 📺 ⅋ ☎ ℗ – 🛧 25/250. 🖭 ⓞ Ɛ 𝚅𝚂𝙰 🆓𝙲𝙱. ✠
Ref **Além-Mar** lista aprox. 5000 – **Portulano** *(fechado 2ª e 3ª feira)* lista 5400 a 6400 –
215 qto � 40000/45000.

🏨🏨 **Falésia H.** ≫, Pinhal – ⊠ apartado 785 ℰ 50 12 37, Telex 58204, Fax 50 12 70, 🏯, ⤫ 🏊, ≉, ☆ – 🛗 ☰ 📺 ☎ ℗ – 🛧 25/300. 🖭 Ɛ 𝚅𝚂𝙰. ✠
Ref 2900 – **169 qto** ⊐ 16350/21400.

ALCABIDECHE Lisboa 𝟺𝟺𝟶 P 1 – 25 178 h. – ⊠ 2765 Estoril – 🌑 01.
◆Lisboa 36 – Cascais 4 – Sintra 12.

✗ **Pingo,** Rua Conde Barão 1016 ℰ 469 01 37, 🏯 – ☰. 🖭 ⓞ Ɛ 𝚅𝚂𝙰
fechado 3ª feira – Ref lista 2200 a 4100.

em Alcoitão E : 1,3 km – ⊠ 2765 Estoril – 🌑 01 :

✗ **Recta de Alcoitão,** Estrada N 9 ℰ 469 03 98 – ☰. 🖭 ⓞ Ɛ 𝚅𝚂𝙰 🆓𝙲𝙱
fechado 3ª feira e fevereiro – Ref lista 3950 a 6100.

na estrada de Sintra NE : 2 km – ⊠ 2765 Estoril – 🌑 01 :

🏨🏨 Atlantis Sintra-Estoril, junto ao autódromo ℰ 469 07 20, Telex 16891, Fax 469 07 40, ≤, ₤ 🏊, ≉, ☆ – 🛗 ☰ 📺 ☎ ℗ – 🛧 25/230
187 qto.

ALCOBAÇA 2460 Leiria 𝟺𝟺𝟶 N 3 – 5 383 h. alt. 42 – 🌑 062.
Ver : Mosteiro de Sta María★★ (igreja★, túmulo de D. Inês de Castro★★, túmulo de D. Pedro★* claustro e dependências da abadia★).
🆑 Praça 25 de Abril ℰ 423 77.
◆Lisboa 110 – Leiria 32 – Santarém 60.

🏨 **Santa Maria** sem rest, Rua Dr. Francisco Zagalo ℰ 59 73 95, Telex 40143, Fax 59 67 1 – 🛗 📺 🕾 🚗, Ɛ 𝚅𝚂𝙰. ✠
30 qto ⊐ 6000/8500.

na estrada N 8 E : 1,5 km – ⊠ 2460 Alcobaça – 🌑 062 :

✗ A Curva, ℰ 431 33 – ☰ ℗.

pela estrada da Nazaré NO : 3,5 km – ⊠ 2460 Alcobaça – 🌑 062 :

🏨 **Termas da Piedade** ≫, ℰ 420 65, Fax 59 69 71 – 🛗 📺 ☎ ℗. 🖭 ⓞ Ɛ 𝚅𝚂𝙰. ✠
Ref 2500 – **63 qto** ⊐ 6000/10000.

em Aljubarrota E : 6,5 km – ⊠ 2460 Alcobaça – 🌑 062 :

🏨 **Casa da Padeira** sem rest, Estrada N 8 ℰ 50 82 72, Fax 50 82 72, Situado no campo com ≤, 🏊 – ℗. Ɛ 𝚅𝚂𝙰
12 qto ⊐ 10000/11500.

ALCOITÃO Lisboa – ver Alcabideche.

ALIJÓ 5070 Vila Real 𝟺𝟺𝟶 I 7 – 2 829 h. – 🌑 059.
◆Lisboa 411 – Bragança 58 – Vila Real 44 – Viseu 117.

🏨 **Pousada do Barão de Forrester,** ℰ 95 92 15, Telex 26364, Fax 95 93 04, 🏊, ≉, ✠ 🕾 ℗. 🖭 ⓞ Ɛ 𝚅𝚂𝙰. ✠
Ref lista aprox. 3500 – **11 qto** ⊐ 10900/12700.

ALJEZUR 8670 Faro 𝟺𝟺𝟶 U 3 – 5 059 h. – 🌑 082.
◆Lisboa 249 – Faro 110.

no Vale da Telha SO : 7,5 km – ⊠ 8670 Aljezur – 🌑 082 :

🏨 **Vale da Telha** ≫ sem rest, ℰ 981 80, Telex 57466, Fax 981 76, 🏯, 🏊, ✠ – 🕾 ℗. ₤ ⓞ Ɛ 𝚅𝚂𝙰. ✠
26 qto ⊐ 5200/6900.

ALJUBARROTA Leiria – ver Alcobaça.

ALMAÇA Viseu 𝟺𝟺𝟶 K 5 – alt. 100 – ⊠ 3450 Mortágua – 🌑 031.
◆Lisboa 235 – ◆Coimbra 35 – Viseu 55.

na estrada N 2 NE : 2 km – ⊠ 3450 Mortágua – 🌑 031 :

🏨 Vila Nancy, ℰ 92 01 13, 🏯 – 🕾 ℗
38 qto.

ALMANCIL **8135** Faro 440 U 5 – 5 945 h. – ✪ 089.

er : Igreja de S. Lourenço★ (azulejos★★).

▄, ╔ Club Golf do Vale do Lobo SO : 6 km 𝓕 941 45 – ╔, ╔ Campo de Golf da Quinta do Lago ☎ 943 29.

Lisboa 306 – Faro 12 – Huelva 115 – Lagos 68.

XX **Golfer's Inn,** Rua 25 de Abril 35 𝓕 39 57 25, Telex 56823, Fax 30 27 55, ╤ – ▤. 𝖠𝖤 ⓞ *VISA* JCB. ※
fechado domingo – Ref (só jantar) lista 3100 a 4700.

XX **O Tradicional,** Estrada da Fonte Santa – ⊠ apartado 267 𝓕 39 90 93, Fax 59 15 86 – ▤ ⓟ. 𝖠𝖤 E *VISA*. ※
fechado domingo e 27 novembro- 25 dezembro – Ref (só jantar) lista 4150 a 5550.

X **Dom Gonçalves,** Rua Duarte Pacheco 𝓕 39 53 41, ╤ – ▤ ⓟ. E *VISA*
fechado domingo – Ref lista 2000 a 3150.

pela estrada de Vale do Lobo – ⊠ 8135 Almancil – ✪ 089 :

XXX **Ermitage,** SO : 3 km 𝓕 39 43 29, Fax 39 43 29, ╤, « Bela decoração-Terraço » – ⓟ. 𝖠𝖤 E *VISA*. ※
fechado 2ª feira e 21 novembro-20 dezembro – Ref (só jantar) lista 4100 a 5900.

XXX **São Gabriel,** SO : 3,5 km 𝓕 39 45 21, Fax 39 45 21, ╤, « Vila com terraço » – ⓟ. 𝖠𝖤 ⓞ E *VISA*. ※
fechado 2ª feira e 10 janeiro-15 fevereiro – Ref (só jantar) lista 5200 a 6200.

em Vale do Lobo SO : 6 km – ⊠ 8135 Almancil – ✪ 089 :

▄▄▄ **Dona Filipa** ⚘, 𝓕 39 41 41, Telex 56848, Fax 39 42 88, ≤ pinhal, campo de golfe e mar, ╤, ⌇ climatizada, ✍, ※ – ≡ ▤ ⓣⓥ ☎ ⓟ – 𝖠 25/150. 𝖠𝖤 ⓞ E *VISA*. ※
Ref - **Primavera** *(só jantar)* lista 3820 a 6100 - **Dom Duarte** *(só almoço)* lista aprox. 2500 - Grill São Lorenço *(só jantar)* lista 4800 a 6600 - **132 qto** ⊆ 31850/42350, 15 suites.

XX **Bistro da Praça,** 𝓕 39 44 44, Fax 39 46 53, Original decoração em estilo bistrot – ▤. 𝖠𝖤 E *VISA*. ※
fechado 15 novembro-20 dezembro – Ref (só jantar) lista 4150 a 6025.

X **O Favo,** 𝓕 39 44 44, Fax 39 46 53, ╤ – ▤. 𝖠𝖤 E *VISA*. ※
Ref lista 3030 a 5790.

em Benfarras NO : 9 km – ⊠ 8100 Loulé – ✪ 089 :

▥ **Albergaria Parque das Laranjeiras,** Estrada N 125 𝓕 36 63 68, Telex 56441, Fax 36 63 70, ╤, ⌇ – ⌇ ☞ ⓟ. 𝖠𝖤 ⓞ E *VISA*. ※
Ref (só jantar) lista 2600 a 3700 – **23 qto** ⊆ 10500/13500.

na Quinta do Lago S : 8,5 km – ⊠ 8135 Almancil – ✪ 089 :

▄▄▄ **Quinta do Lago** ⚘, 𝓕 39 66 66, Telex 57118, Fax 39 63 93, ≤ o Atlântico e ria Formosa, ⌇ climatizada, ▧, ✍, ※ – ⌇ ≡ ▤ ⓣⓥ ☎ ⓟ – 𝖠 25/200. 𝖠𝖤 ⓞ E *VISA*. ※
Ref **Ca d'Oro** *(só jantar, fechado 3ª feira)* lista 4150 a 6450 - **Navegadores** lista 4150 a 6300 – **140 qto** ⊆ 39500/49500.

XXX **Casa Velha,** 𝓕 39 49 83, Fax 59 15 86, ╤, Cozinha francêsa, « Antiga quinta com bela explanada » – ▤ ⓟ. 𝖠𝖤 E *VISA* JCB. ※
fechado domingo – Ref (só jantar) lista aprox. 5500.

ALMEIDA **6350** Guarda 440 J 9 – ✪ 071.

Lisboa 410 – Ciudad Rodrigo 43 – Guarda 49.

▥ **Pousada Senhora das Neves** ⚘, 𝓕 542 90, Telex 52713, Fax 543 20, ≤ – ▤ ▯ ☎ ⓟ. 𝖠𝖤 ⓞ E *VISA*. ※
Ref lista aprox. 3500 – **21 qto** ⊆ 10900/12700.

ALMOUROL (Castelo de) Santarém 440 N 4.

er : Castelo★★ (local★★, ≤★).

Hotéis restaurantes ver : Abrantes E : 18 km.

ALTO DO BEXIGA Santarém – ver Santarém.

ALTURA Faro 440 U 7 – ⊠ 8900 Vila Real de Santo António – ✪ 081 – Praia.

Lisboa 352 – Ayamonte 6,5 – Faro 47.

na Praia da Alagôa S : 1 km – ⊠ 8900 Vila Real de Santo António – ✪ 081 :

▥ **Eurotel-Altura** ⚘, 𝓕 95 64 50, Fax 95 63 71, ≤, ⌇, ▧, ※ – ⌇ ☞ ⓟ. 𝖠𝖤 ⓞ E *VISA*. ※
março-outubro – Ref (só jantar) 1500 – **135 qto** ⊆ 11500/14500.

X **A Chaminé,** 𝓕 95 65 61, ╤ – ▤ 𝖠𝖤 *VISA*. ※
fechado 3ª feira e novembro – Refeição lista 1960 a 3100.

ALVITO 9720 Beja ⁨440⁩ R 6 – 1 403 h. – ✪ 084.

◆ Lisboa 161 – Beja 39 – Grândola 73.

🏨 **Pousada Castelo de Alvito** ⬲, Largo do Castelo 🖉 483 43, Fax 483 83, « Antigo castelo Belo jardim con 🏊 » – 🛗 🗐 📺 🕾. 🖭 ⓘ 🗲 𝘝𝘐𝘚𝘈. ⌘
Ref lista 3500 a 4950 – **20 qto** ⌑ 23000/26200.

ALVOR (Praia de) Faro – ver Portimão.

AMARANTE 4600 Porto ⁨440⁩ I 5 – 4 757 h. alt. 100 – ✪ 055.

Ver : Local★, Mosteiro de S. Gonçalo (órgão★) – Igreja de S. Pedro (tecto★).

Arred. : Travanca : Igreja (capitéis★) NO : 18 km por N 15, Estrada★ de Amarante a Vila Real ⬿ Picão de Marão★★.

🖪 Rua Cândido dos Reis 🖉 42 29 80.

◆Lisboa 372 – ◆Porto 64 – Vila Real 49.

🏨 **Navarras** sem rest, Rua António Carneiro 🖉 43 10 36, Telex 28270, Fax 43 29 91, 🔳 – 📺 – 🏋 25/150. 🖭 ⓘ 🗲 𝘝𝘐𝘚𝘈. ⌘
61 qto ⌑ 9000/11000.

🏨 **Amaranto**, Madalena - Estrada N 15 🖉 42 21 06, Telex 29938, Fax 42 59 49, ⬱, 🍽 – 🗐 📺 ⬚ ⓟ. 🖭 ⓘ 🗲 𝘝𝘐𝘚𝘈. ⌘
Ref 1800 – **35 qto** ⌑ 7000/8500 – PA 3600.

✕✕✕ **Zé da Calçada** com qto, Rua 31 de Janeiro 🖉 42 20 23, ⬱, 🍽, « Decoração rústica agradavel terraço » – 📺. 𝘝𝘐𝘚𝘈. ⌘
Ref lista aprox 4000 – **7 qto** ⌑ 8500.

na estrada N 15 SE : 19,5 km – ✉ 4600 Amarante – ✪ 055 :

✕✕ **Pousada de S. Gonçalo** com qto, Serra do Marão, alt. 885 🖉 46 11 23, Telex 2632 Fax 46 13 53, ⬱ Serra do Marão – 🗐 rest ⬚ ⓟ. 🖭 ⓘ 🗲 𝘝𝘐𝘚𝘈. ⌘
Ref lista aprox. 6500 – **15 qto** ⌑ 10900/12700.

APÚLIA Braga – ver Fão.

Para viajar com rapidez, utilize os seguintes mapas da Michelin designados por "grandes routes" :

⁨920⁩ Europa, ⁨980⁩ Grécia, ⁨984⁩ Alemanha, ⁨985⁩ Escandinávia-Finlândia, ⁨986⁩ Grã Bretanha-Irlanda, ⁨987⁩ Alemanha-Áustria-Benelux, ⁨988⁩ Itália, ⁨989⁩ França, ⁨990⁩ Espanha-Portugal, ⁨991⁩ Jugoslávia.

ARCOS DE VALDEVEZ 4970 Viana do Castelo ⁨440⁩ G 4 – ✪ 058.

🖪 Av. Marginal 🖉 660 01.

◆Lisboa 416 – Braga 36 – Viana do Castelo 45.

⌂ Tavares sem rest, Rua M. J. Cunha Brito, 1° 🖉 662 53
16 qto.

ARGANIL 3300 Coimbra ⁨440⁩ L 5 – alt. 115 – ✪ 035.

🖪 Praça Simões Dias 🖉 228 59.

◆Lisboa 260 – ◆Coimbra 60 – Viseu 80.

🏨 **De Arganil** sem rest, Av. das Forças Armadas 🖉 229 59, Fax 231 23 – 🛗 📺 🕾 – 🏋 25/15 🖭 ⓘ 🗲 𝘝𝘐𝘚𝘈. ⌘
34 qto ⌑ 7500/9500.

ARMAÇÃO DE PÊRA 8365 Faro ⁨440⁩ U 4 – 2 894 h. – ✪ 082 – Praia.

Ver : passeio de barco★★ : grutas marinhas★★.

🖪 Av. Marginal 🖉 31 21 45.

◆Lisboa 315 – Faro 47 – Lagos 41.

🏨 **Garbe**, Av. Marginal 🖉 31 51 87, Telex 58590, Fax 31 50 87, ⬱, 🍽, 🏊 climatizada – 🛗 ⓟ. 🗲 𝘝𝘐𝘚𝘈. ⌘
Ref 2400 – **140 qto** ⌑ 12500/24500.

🏨 **Algar** sem rest., Av. Beira Mar 🖉 31 47 32, Telex 58715, Fax 31 47 33, ⬱ – 🛗 🗐 📺 🕾 ⬚ 🖭 🗲 𝘝𝘐𝘚𝘈. ⌘
⌑ 700 – **47 apartamentos** 15000/17000.

✕✕✕ **Vilalara**, SO : 2,5 km 🖉 31 49 10, Telex 57460, Fax 31 49 56, ⬱, 🍽, « Situac num complexo de luxo rodeado de magníficos jardins floridos » – ⓟ. 🖭 ⓘ 🗲 𝘝𝘐𝘚 ⌘
Ref lista aprox. 5600.

✕ **Santola**, Largo da Fortaleza 🖉 31 23 32, Fax 31 36 51, ⬱, 🍽 – 🗲 𝘝𝘐𝘚𝘈 𝘑𝘊𝘉. ⌘
Ref lista aprox 4600.

na Praia da Senhora da Rocha O : 3 km – ✉ 8365 Armação de Péra – ☎ 082 :

Viking ⛹, ☎ 31 48 76, Telex 57492, Fax 31 48 52, ←, Ls, ⛱, 🎾, – |‡| ▤ TV ☎ P – 🏊 25/120
184 qto.

em Areias de Porches NO : 4 km – ✉ 8400 Lagoa – ☎ 082 :

Albergaria D. Manuel ⛹, ☎ 31 38 03, Fax 31 32 66, ←, ⛱, – ☎ P. AE ⓓ E VISA.
Ref *(fechado 3ª feira, janeiro e fevereiro)* 1900 – **43 qto** ☐ 7000/10500.

AVEIRO **3800** P 440 K 4 – 29 646 h. – ☎ 034.

Ver : Antigo Convento de Jesus* : Igreja* (coro**, Túmulo de D. Joana*) Z **M** – Museu* (Retrato da Princesa D. Joana*) Z **M** – Canais* Y.

Arred. : Ria de Aveiro** (passeio de barco**).

🚗 ☎ 244 85.

Rua João Mendonça 8 ☎ 236 80 – **A.C.P.** Av. Dr Lourenço Peixinho 89 - D ☎ 225 71, Fax 252 20.

Lisboa 252 ③ – ♦Coimbra 56 ② – ♦Porto 70 ① – Vila Real 170 ① – Viseu 96 ①.

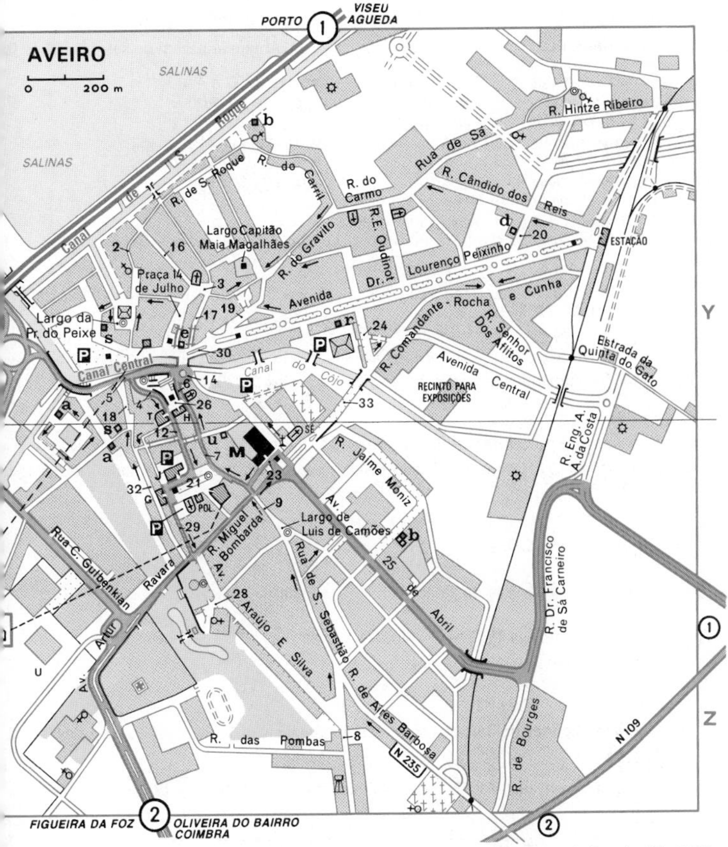

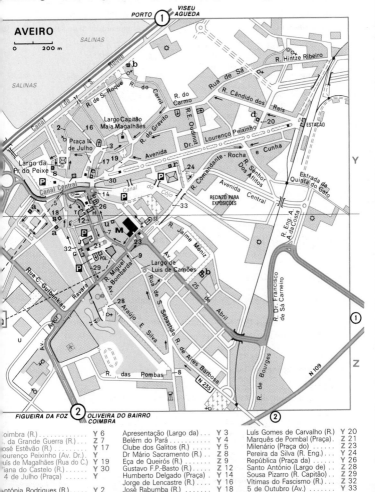

Imperial, Rua Dr Nascimento Leitão $\mathscr{S}$ 221 41, Telex 37594, Fax 241 48 – 🛗 🍴 🆆 🅾
🍴 25/250. 🖭 ⑩ 🗲 𝐕𝐼𝐒𝐀 𝐉𝐂𝐁. ✗ rest Z
Ref lista aprox. 2800 – **103 qto** 🚾 10500/13100, 4 suites – PA 4300.

Afonso V ⑤, Rua Dr Manuel das Neves 65 $\mathscr{S}$ 251 91, Telex 37434, Fax 38 11 11 – 🛗 🍴
🏨 🖚 – 🍴 25/450. 🗲 𝐕𝐼𝐒𝐀 Z
Ref (ver rest. **A Cozinha do Rei**) – **76 qto** 9850/13150, 4 suites.

Paloma Blanca sem rest, Rua Luís Gomes de Carvalho 23 $\mathscr{S}$ 38 19 92, Telex 3735
Fax 38 18 44 – 🛗 🆆 🏨 🖚 ⑫ 🖭 ⑩ 🗲 𝐕𝐼𝐒𝐀. ✗ Y
49 qto 🚾 9300/12500, 1 suite.

Aparthotel Afonso V ⑤, Praceta D. Afonso V $\mathscr{S}$ 265 42, Telex 37904, Fax 241 33 –
🆆 🏨 🖚 – 🍴 25/40. 🗲 𝐕𝐼𝐒𝐀 Z
Ref (ver rest. **A Cozinha do Rei**) – **24 qto** 9850/13150, 16 apartamentos.

Arcada sem rest, Rua Viana do Castelo 4 $\mathscr{S}$ 230 01, Telex 37460, Fax 218 86 – 🛗 🆆 🍴
🖭 ⑩ 🗲 𝐕𝐼𝐒𝐀 Y
44 qto 🚾 7500/9500, 5 suites.

Do Alboi sem rest, Rua da Arrochela 6 $\mathscr{S}$ 251 21, Fax 220 63 – 🆆 🏨 🗲 𝐕𝐼𝐒𝐀 Z
22 qto 🚾 6700/9000.

XX **A Cozinha do Rei,** Rua Dr. Manuel das Neves 66 $\mathscr{S}$ 268 02, Fax 288 20 – 🍽. 🖭 ⑩ 𝐕𝐼
✗ Z
Ref lista aprox. 3500.

XX **Salpoente,** Rua Canal São Roque 83 $\mathscr{S}$ 38 26 74, Antigo armazem de sal – 🍽. 🖭 🗲 𝐕𝐼
✗ Y
fechado domingo e 7 dias en setembro – Ref lista 2200 a 4700.

X **Centenário,** Praça do Mercado 9 $\mathscr{S}$ 227 98, 🍴 – 🍽. 🗲 𝐕𝐼𝐒𝐀 Y
fechado 3ª feira – Ref lista 2700 a 3100.

X **Alexandre 2,** Rua Cais do Alboi 14 $\mathscr{S}$ 204 94, Grelhados – 🍽. 🗲 𝐕𝐼𝐒𝐀 Y
fechado 5ª feira e 23 agosto-13 setembro – Ref lista 1560 a 2480.

X **Alho Porro,** Rua da Arrochea 23 $\mathscr{S}$ 202 85 – 🗲 𝐕𝐼𝐒𝐀. ✗ Z
fechado domingo – Ref lista 2450 a 2900.

X **O Moliceiro,** Largo do Rossio 6 $\mathscr{S}$ 208 58 – Y
fechado 5ª feira, do 6 ao 30 de junho e do 1 ao 15 de outubro – Ref lista aprox. 230

em Cacia por ① : 7 km – ⊠ 3800 Aveiro – ✆ 034 :

João Padeiro, Rua da República $\mathscr{S}$ 91 13 26, Fax 91 27 51, « Elegante decoração » –
🆆 🖚 ⑫. 🖭 ⑩ 🗲 𝐕𝐼𝐒𝐀. ✗ rest
Ref lista aprox. 2600 – **27 qto** 🚾 4800/8100.

na Praia da Barra O : 8 km Y – ⊠ Gafanha da Encarnação 3830 Ilhavo – ✆ 034 :

Barra, Av. Fernandes Lavrador 18 $\mathscr{S}$ 36 91 56, Telex 37430, Fax 36 00 07, 🌊 – 🛗 🍴 re
🆆 🏨
64 qto.

pela estrada de Cantanhede N 335 por ② : 8 km – ⊠ 3800 Aveiro – ✆ 034 :

João Capela ⑤, Quinta do Picado (saída pela rua Dr. Mario Sacramento) $\mathscr{S}$ 94 14 5
Fax 94 15 97, 🌊, ✗ – 🆆 🏨 ⑫
30 qto.

AZOIA Lisboa – ver Colares.

AZURARA Porto – ver Vila do Conde.

BARCELOS 4750 Braga 𝟒𝟒𝟎 H 4 – 4 031 h. alt. 39 – ✆ 053.
Ver : Interior★ da Igreja paroquial.
🛈 Largo da Porta Nova $\mathscr{S}$ 81 18 82.
◆Lisboa 366 – Braga 18 – ◆Porto 48.

Albergaria Condes de Barcelos sem rest, Av. Alcaides de Faria $\mathscr{S}$ 81 10 61, Telex 32532
🛗 – 🏨
30 qto.

Dom Nuno, sem rest, Av. D. Nuno Álvares Pereira $\mathscr{S}$ 81 50 84 – 🛗 🖚
27 qto.

Les hôtels ou restaurants agréables
sont indiqués dans le guide par un signe rouge.   🏨 ... 🏠

Aidez-nous en nous signalant les maisons où,
par expérience, vous savez qu'il fait bon vivre.   ᛫XXXXX ... X

Votre guide Michelin sera encore meilleur.

BATALHA 2440 Leiria 𝟦𝟦𝟢 N 3 – 7 683 h. alt. 71 – ✪ 044.

er : Mosteiro★★★ : Claustro Real★★★, Sala do Capítulo★★ (abóbada★★★, vitral★), Capelas nperfeitas★★ (pórtico★★), Igreja (vitrais★) – Capela do Fundador★, Lavobo dos Monges★, Claus-o de D. Alfonso V★.

◾ Largo Paulo VI 🖋 961 80.

Lisboa 120 – ♦Coimbra 82 – Leiria 11.

🏨 **Pousada do Mestre Afonso Domingues,** 🖋 962 60, Telex 42339, Fax 962 47 – 🗐 ☎ **Ⓟ**. 🆎 ⓞ **E** 𝘝𝘐𝘚𝘈. ⛾
    Ref lista 1950 a 4100 – **21 qto** ⊑ 16500/18600.

🏨 **Batalha** sem rest, Largo da Igreja 🖋 76 75 00, Fax 76 74 67 – 🗐 📺 ☎ **Ⓟ** – 🛆 25. 🆎 ⓞ **E** 𝘝𝘐𝘚𝘈 𝖩𝖢𝖡
    22 qto ⊑ 7000/9000.

🏠 **Casa do Outeiro** sem rest, Largo Carvalho do Outeiro 4 🖋 968 06, ≼, 🛋 – 📺 **Ⓟ**
    6 qto ⊑ 6500.

    na estrada N 1 SO : 1,7 km – ⊠ 2440 Batalha – ✪ 044 :

🏠 **São Jorge** �, 🖋 962 10, Fax 963 13, ≼, 🛋, 🎋, ⛾ – 📺 ☎ **Ⓟ** – 🛆 25/90. **E** 𝘝𝘐𝘚𝘈. ⛾
    Ref *(fechado 3ª feira)* 1600 – **47 qto** ⊑ 6000/7500, 10 apartamentos – PA 3200.

BEJA 7800 **Ⓟ** 𝟦𝟦𝟢 R 6 – 19 968 h. alt. 277 – ✪ 084.

◾ Rua Capitão João Francisco de Sousa 25 🖋 236 93.

Lisboa 194 – Évora 78 – Faro 186 – Huelva 177 – Santarém 182 – Setúbal 143 – ♦Sevilla 223.

🏨 **Cristina** sem rest, Rua da Mértola 71 🖋 32 30 35, Fax 32 98 74 – 🛗 🗐 📺 ☎. 🆎 ⓞ **E** 𝘝𝘐𝘚𝘈 𝖩𝖢𝖡. ⛾
    31 qto ⊑ 6500/8250.

🏠 **Santa Bàrbara** sem rest, Rua da Mértola 56 🖋 32 20 28 – 🛗 ☜. **E** 𝘝𝘐𝘚𝘈. ⛾
    26 qto ⊑ 4500/6500.

BELMONTE 6250 Castelo Branco 𝟦𝟦𝟢 K 7 – ✪ 075.

Praça da República 18, 🖋 91 14 88.

Lisboa 338 – Castelo Branco 82 – Guarda 20.

    na estrada N 18 NO : 3 km – ⊠ 6250 Belmonte – ✪ 075 :

🏠 **Belsol,** 🖋 91 22 06, Fax 91 23 15, ≼, 🛋 – 🛗 🗐 📺 ☎ **Ⓟ** – 🛆 25/300. **E** 𝘝𝘐𝘚𝘈. ⛾
    Ref 2000 – **39 qto** ⊑ 5000/7000.

BENFARRAS Faro – ver Almancil.

BOAVISTA 2400 Leiria 𝟦𝟦𝟢 M 3 – ✪ 044.

Lisboa 136 – ♦Coimbra 64 – Fátima 52 – Leiria 7.

✗ Morgatões, Estrada N I N : 1,5 km 🖋 911 02 – **Ⓟ**.

BOM JESUS DO MONTE Braga – ver Braga.

BORRALHA Aveiro – ver Águeda.

BOTICAS 5460 Vila Real 𝟦𝟦𝟢 G 7 – 852 h. alt. 490 – ✪ 076 – Termas.

rred. : Montalegre (local★) - Estrada de Montalegre ≼★★ N : 10 km.

Lisboa 471 – Vila Real 62.

    em Carvalhelhos O : 9 km – ⊠ 5460 Boticas – ✪ 076 :

🏨 Estal. de Carvalhelhos �, 🖋 421 16, Telex 20527, Num quadro de verdura, 🎋 – 📺 ☜ **Ⓟ**
    20 qto.

BRAGA 4700 **Ⓟ** 𝟦𝟦𝟢 H 4 – 64 113 h. alt. 190 – ✪ 053.

er : Sé Catedral★ : Imagem de Na. Sra. do Leite★, interior★, abóbada★, altar mor★, orgãos★, esouro★ (azulejos★) – Capela da Glória★ (túmulo★), Capela dos Coimbras (esculturais★) **B**.
rred. : Bom Jesus do Monte★★ (perspectiva★) 6 km por ② – Monte Sameiro★ (⛚★★) 9 km or ②.
xcurs. : NE : Cávado (Vale superior do)★ 171 km por ②.

Av. da Liberdade 1 🖋 225 50 – **A.C.P.** Av. Infante D. Henrique 72, 🖋 27 01 51, Fax 61 10 26.

Lisboa 368 ④ – Bragança 223 ① – Pontevedra 122 ② – ♦Porto 54 ④ – ♦Vigo 103 ①.

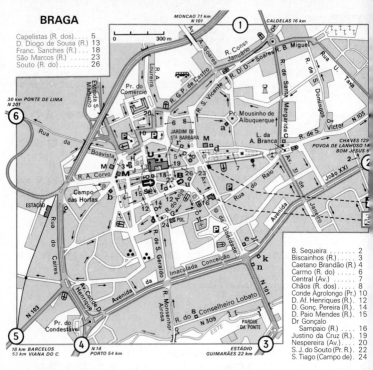

BRAGA

🏨 Turismo, Praceta João XXI ℰ 61 22 00, Telex 32136, Fax 61 22 11, ⤓ – |⍓| ≣ 📺 🅿
   🏊 25/300
   132 qto.

🏨 **Albergaria Senhora-a-Branca** sem rest, Largo da Senhora-a-Branca 58 ℰ 299 3
   Fax 299 37 – |⍓| ≣ 📺 ☎ ⟵ᐧ. 🅰🅴 ⓞ 🄴 𝘝𝘐𝘚𝘈. ⁒
   20 qto ⫘ 7000/9000.

🏨 **Primevère Braga**, Rua Cidade do Porto ℰ 67 38 65, Fax 67 38 72 – ≣ 📺 ☎ 🅿 – 🏊 25/5
   🅰🅴 ⓞ 🄴 𝘝𝘐𝘚𝘈. ⁒ rest   por (
   Ref lista aprox. 2850 – ⫘ 750 – **72 qto** 8250.

🏨 **D. Sofia** sem rest, Largo S. João do Souto 131 ℰ 231 60, Fax 61 12 45 – |⍓| 📺 ☎. 🄴 𝘝𝘐𝘚
   34 qto ⫘ 8500/12500.

🏨 **Dom Vilas** sem rest, Rua Conselheiro Lobato 434 ℰ 61 68 18, Fax 61 68 19 – |⍓| ≣ 📺 ☎
   🄴 𝘝𝘐𝘚𝘈. ⁒
   32 qto ⫘ 6950/8900.

🏨 **Carandá**, Av. da Liberdade 96 ℰ 61 45 00, Telex 32293, Fax 61 45 50 – |⍓| ≣ 📺 ☎
   100 qto.

🏨 **João XXI,** Av. João XXI - 849 ℰ 61 66 30, Telex 20309, Fax 61 66 31 – |⍓| ⟨🅿⟩. 🅰🅴 ⓞ
   𝘝𝘐𝘚𝘈
   Ref 3500 – **28 qto** ⫘ 8500/10000.

🏨 **São Marcos** sem rest, Rua de São Marcos 80 ℰ 771 77, Fax 771 77 – |⍓| 📺 ☎. 🄴 𝘝𝘐𝘚
   ⁒
   13 qto ⫘ 7500/9000.

🏨 **Dos Terceiros** sem rest, Rua dos Capelistas 85 ℰ 704 66, Telex 33228, Fax 757 67 –
   📺 ⟨🅿⟩. 🅰🅴 ⓞ 🄴 𝘝𝘐𝘚𝘈. ⁒
   21 qto ⫘ 7300/8200.

🏨 **Centro Avenida** sem rest, Av. Central 27 ℰ 757 34, Fax 61 63 63 – |⍓| 📺 ⟨🅿⟩. 𝘝𝘐𝘚
   ⁒
   20 qto ⫘ 6000/7000.

🍴🍴 **Brito's,** Praça Mouzinho de Alburquerque 49 A ℰ 61 75 76 – 🄴 𝘝𝘐𝘚𝘈. ⁒
   fechado 4ª feira – Ref lista 2500 a 4000.

🍴 **Inácio,** Campo das Hortas 4 ℰ 61 32 25, Rest. típico – 🅰🅴 ⓞ 🄴 𝘝𝘐𝘚𝘈
   fechado 3ª feira, 15 dias em Semana Santa e 15 dias em setembro – Ref lista aprox. 360

no Bom Jesus do Monte por ② : 6 km – ⊠ 4700 Braga – 🕿 053 :

🏨 **Do Elevador** 🦐, 𝒫 67 66 11, Telex 33401, Fax 67 66 79, ≤ vale e Braga – 🗏 rest 📺 🕿
🅿. 🖭 ⓪ 🖅 𝓥𝓘𝓢𝓐. 🛠 rest
Ref 2650 – **24 qto** ⊑ 10950/12800 – PA 5000.

🏨 **Do Parque** 🦐, 𝒫 67 65 48, Telex 33401, Fax 67 66 79 – 🛗 🗏 📺 🕿 🅿. 🖭 ⓪ 🖅 𝓥𝓘𝓢𝓐. 🛠 rest
Ref (só jantar) lista 2850 a 3900 – **49 qto** ⊑ 10950/12800.

🏨 **Aparthotel Mãe d'Água** 🦐, Lugar da Mãe d'Água 𝒫 67 65 81, Fax 67 67 64 – 🛗 🗏 📺 por ②
🕿 🅿. 🖭 ⓪ 🖅 𝓥𝓘𝓢𝓐. 🛠
Ref (fechado 5ª feira) lista 2090 a 3530 – ⊑ 750 – **30 apartamentos** 9500/12500.

no Sameiro por Avenida 31 de Janeiro : 9 km – ⊠ 4700 Braga – 🕿 053 :

🍴 Sameiro, 𝒫 67 51 14, Ao lado do Santuário – 🗏 🅿.

BRAGANÇA 5300 🅿 440 G 9 – 14 662 h. alt. 660 – 🕿 073.

Ør : Cidade antiga★.

🖪 Av. Cidade de Zamora 𝒫 222 73 – **A.C.P.** Av. Sá Carneiro, edifício Montezinho, loja A-K, 𝒫 250 70
🖷 ax 250 71.

Lisboa 521 – Ciudad Rodrigo 221 – Guarda 206 – Orense/Ourense 189 – Vila Real 140 – Zamora 114.

🏨 **Pousada de São Bartolomeu** 🦐 (possível fecho para obras), Estrada de Turismo
SE : 0,5 km 𝒫 33 14 93, Telex 22613, Fax 234 53, ≤ cidade, castelo e monte – 🅿. 🖭 ⓪
🖅 𝓥𝓘𝓢𝓐.
Ref lista aprox. 3500 – **16 qto** ⊑ 10900/12700.

🏨 **São Roque** 🦐 sem rest, Rua da Estacada 𝒫 38 44 81, Fax 269 37, ≤ – 🛗 ☎
36 qto ⊑ 6000.

🏨 **Albergaria Santa Isabel** sem rest, Rua Alexandre Herculano 67 𝒫 33 14 27, Fax 269 37
– 🛗 ☎
14 qto ⊑ 7000.

🍴 **Solar Bragançano,** Praça da Sé 34-1° 𝒫 238 75, Edifício do século XVIII – 🖭 ⓪ 🖅 𝓥𝓘𝓢𝓐
🌐. 🛠
Refeição lista 3120 a 3940.

🍴 Lá em Casa, Marquês de Pombal 7 𝒫 221 11 – 🗏.

na estrada de Chaves N 103 O : 1,7 km – ⊠ 5300 Bragança – 🕿 073 :

🏨 **Nordeste Shalom** sem rest, Av. Abade de Baçal 𝒫 33 16 67, Fax 33 16 28 – 🛗 📺 🕿 🚗.
🖭 ⓪ 🖅 𝓥𝓘𝓢𝓐. 🛠
30 qto ⊑ 5100/6600.

BUARCOS Coimbra – ver Figueira da Foz.

BUÇACO Aveiro 440 K 4 – alt. 545 – ⊠ 3050 Mealhada – 🕿 031.

Øer : Parque★★★ : Cruz Alta ⁂★★, Obelisco ≤★.

🖪 Posto de Turismo Luso 𝒫 931 33.

Lisboa 233 – Aveiro 47 – ◆Coimbra 31 – ◆Porto 109.

🏨 **Palace H. do Buçaco** 🦐, Floresta do Buçaco, alt. 380 𝒫 93 01 01, Telex 53049,
Fax 93 05 09, ≤, 🌲, « Luxuosas instalações num imponente palácio de estilo manuelino
no centro de una magnifica floresta », 🌳, 🛠 – 🛗 📺 🕿 🚗 🅿. 🖭 ⓪ 🖅 𝓥𝓘𝓢𝓐. 🛠
Ref 6000 – **62 qto** ⊑ 26000/30000 – PA 11000.

BUCELAS Lisboa 440 P 2 – 5 097 h. alt. 100 – ⊠ 2670 Loures – 🕿 01.

◆Lisboa 24 – Santarém 62 – Sintra 40.

🍴 **Barrete Saloio,** Rua Luís de Camões 28 𝒫 969 40 04, Decoração regional – 🖅 𝓥𝓘𝓢𝓐. 🛠
fechado 3ª feira e agosto – **Refeição** lista 2450 a 4150.

BUDENS 8650 Faro 440 U 3 – 1 709 h. – 🕿 082.

Alred. : Percurso de Vila do Bispo a Falésia do Castelejo ≤★ O : 12 km.

na Praia da Salema S : 4 km – ⊠ 8650 Vila do Bispo – 🕿 082 :

🏨 **Salema** sem rest, Rua 28 de Janeiro 𝒫 653 28, Fax 653 29, ≤ – 🛗 🗏 🕿. 🖭 🖅 𝓥𝓘𝓢𝓐. 🛠
março-outubro – **32 qto** ⊑ 10000/11000.

🏨 **Estal. Infante do Mar** 🦐, 𝒫 651 37, Telex 57451, Fax 650 57, ≤ mar, 🌊 – ☎ 🅿. ⓪ 🖅
𝓥𝓘𝓢𝓐. 🛠 rest
março-outubro – Ref 1600 – **30 qto** ⊑ 10300/11000 – PA 3200.

CACIA Aveiro – ver Aveiro.

505

CALDAS DA FELGUEIRA Viseu **440** K 6 - 2 204 h. alt. 200 - ⊠ 3525 Canas de Senhorim
🕲 032 - Termas.
🚺 Em Nelas : Largo Dr. Veiga Simão ℰ 943 48.
◆Lisboa 284 - ◆Coimbra 82 - Viseu 40.

🏨 **Gran Hotel** ⑤, ℰ 94 90 99, Telex 52677, Fax 94 94 87, ⍓, ⛭ - |≉| 🆃🆅 ☎ 🅿. 🆀🅴 ⑩
⬛ *VISA*. ⨘
Ref *(fechado novembro-março)* 3000 - **86 qto** ⌸ 8000/13000.

CALDAS DA RAINHA 2500 Leiria **440** N 2 - 19 128 h. alt. 50 - 🕲 062 - Termas.
Ver : Igreja de Na. Sra. do Pópulo (triptico★).
🚺 Praça da República ℰ 345 11.
◆Lisboa 92 - Leiria 59 - Nazaré 29.

🏨 **Caldas Internacional H.**, Rua Dr. Figueirôa Rego 45 ℰ 83 23 07, Fax 84 44 82, ⍓ -
⬛ 🆃🆅 ☎ &. 🅿 - 🏛 25/180. 🆀🅴 ⑩ 🅴 *VISA* 🇯🇨🇧. ⨘
Ref 2200 - **83 qto** ⌸ 7000/10000.

🏨 **Malhoa,** Rua António Sérgio 31 ℰ 84 21 80, Telex 44258, Fax 84 26 21, ⍓ - |≉| ⬛ 🆃🆅
🚗 - 🏛 25/500. 🆀🅴 *VISA*. ⨘
Ref 2200 - **113 qto** ⌸ 7800/10000 - PA 4400.

🏨 **Dona Leonor** sem rest, Hemiciclo João Paulo II 6 ℰ 84 21 71, Fax 84 21 72 - |≉| 🆃🆅 ☎
- 🏛 25/50. 🆀🅴 ⑩ 🅴 *VISA* 🇯🇨🇧. ⨘
30 qto ⌸ 5000/7000.

🏠 **Europeia** sem rest, Centro Comercial Rua das Montras ℰ 347 92, Fax 83 15 09 - |≉| 🆃🆅
🆀🅴 ⑩ 🅴 *VISA*. ⨘
52 qto ⌸ 6000/7500.

🏠 **Berquó** sem rest, Rua do Funchal 17 ℰ 343 03 - 🆀🅴 ⑩ 🅴 *VISA*
21 qto ⌸ 3500/5000.

na estrada N 115 SE : 3,5 km - ⊠ 2510 Óbidos - 🕲 062

✗ **Frei João,** Alto Das Gaeiras ℰ 337 49, 🍴 - 🅿. 🅴 *VISA*. ⨘
fechado 2ª feira, do 1 ao 15 de junho e do 1 ao 15 outubro - Ref lista 2400 a 4400

CALDAS DE MONCHIQUE Faro - ver Monchique.

CALDAS DE VIZELA 4815 Braga **440** H 5 - 2 234 h. alt. 150 - 🕲 053 - Termas.
🚺 Rua Dr Alfredo Pinto ℰ 482 68.
◆Lisboa 358 - Braga 33 - ◆Porto 40.

🏨 **Sul Americano,** Rua Dr Abílio Torres ℰ 48 12 37 - |≉| 🅿. 🅴 *VISA*. ⨘
Ref lista 2100 a 3000 - **64 qto** ⌸ 7000/9000.

CALDELAS Braga **440** G 4 - 1 120 h. alt. 150 - ⊠ 4720 Amares - 🕲 053 - Termas.
🚺 Av. Afonso Manuel ℰ 361 24.
◆Lisboa 385 - Braga 17 - ◆Porto 67.

🏨 **Grande H. da Bela Vista** ⑤, ℰ 36 15 02, Fax 36 11 36, « Amplo terraço com árvores
⇔ », ⍓, ⛭, ⨯ - |≉| 🚗 🅿. 🆀🅴 ⑩ 🅴 *VISA*. ⨘
maio-15 outubro - Ref 3500 - **70 qto** ⌸ 9500/18000 - PA 7000.

🏠 **De Paços** ⑤, Av. Alfonso Manuel ℰ 36 11 01 - 🅿. *VISA*. ⨘
maio-outubro - Ref 2500 - ⌸ 300 - **50 qto** 4900/7000 - PA 5000.

🏠 **Universal** ⑤, Av. Afonso Manuel ℰ 36 12 36, Fax 36 12 45 - ☎. 🆀🅴 ⑩ 🅴 *VISA*. ⨘
Ref 2500 - **22 qto** ⌸ 5800/8500 - PA 5000.

🏠 **Corredoura** ⑤, Av. Afonso Manuel ℰ 36 14 10 - ☎ 🅿
temp. - **30 qto.**

✗ **Nascimento** ⑤, Lugar do Pereiro ℰ 36 11 27 - 🅿. ⨘ rest
15 maio-septembro - Ref 2000 - **28 qto** ⌸ 3800/6000 - PA 4000.

CAMINHA 4910 Viana do Castelo **440** G 3 - 1 870 h. - 🕲 058.
Ver : Igreja Matriz (tecto★).
🚺 Rua Ricardo Joaquim de Sousa ℰ 92 19 52.
◆Lisboa 411 - ◆Porto 93 - ◆Vigo 60.

✗ Galo d'Ouro sem rest, Rua da Corredoura 15 - 1º ℰ 92 11 60
12 qto.

✗✗ **O Barão,** Rua Barão de São Roque 33 ℰ 72 11 30 - ⬛. ⑩ 🅴 *VISA*. ⨘
fechado 2ª feira noite, 3ª feira e 15 dezembro-15 janeiro - Ref lista 2380 a 3050.

em Seixas NE : 2,5 km - ⊠ 4910 Viana de Castelo - 🕲 058 :

🏠 **São Pedro** ⑤, ℰ 92 14 75, Telex 33337, Fax 92 14 75, ⍓, ⛭ - 🅿. 🅴 *VISA*
Ref *(julho-septembro)* 1500 - **34 qto** ⌸ 8000/8500.

CAMPO MAIOR 7370 Portalegre 440 O 8 - 6 940 h. - © 068.
isboa 244 - ◆Badajoz 16 - Évora 105 - Portalegre 50.

🏠 **Albergaria Progresso,** Av. Combatentes da Grande Guerra ℰ 68 66 57, Fax 68 81 09 -
|≢| ☰ ☎ 𝗣. 🖭 ⓞ Ɛ 𝑉𝐼𝑆𝐴. ⋘
Ref 1500 - **26 qto** ⊊ 4500/4900 - PA 3000.

CANIÇADA Braga - ver Vieira do Minho.

CANIÇO Madeira - ver Madeira (Arquipélago da).

CANTANHEDE 3060 Coimbra 440 K 4 - 748 h. - © 031.
red. : Varziela : retábulo★ NE : 4 km.
Lisboa 222 - Aveiro 42 - ◆ Coimbra 23 - ◆ Porto 112.

XX Marquês de Marialva, Largo do Romal ℰ 42 00 10.

CARAMULO 3475 Viseu 440 K 5 - 1 546 h. alt. 800 - © 032.
red. : Caramulinho★★ (miradouro) SO : 4 km - Pinoucas★ : ☀ NO : 3 km.
Estrada Principal do Caramulo ℰ 86 14 37.
Lisboa 280 - ◆Coimbra 78 - Viseu 38.

na estrada N 230 E : 1,5 km - ⊠ 3475 Caramulo - © 032 :

XX **Pousada de São Jerónimo** ⑤ com qto, ℰ 86 12 91, Telex 53512, Fax 86 16 40, ≼ vale
e Serra da Estrela, « Jardim », ⌁ - ☰ rest ☎ 𝗣. 🖭 ⓞ Ɛ 𝑉𝐼𝑆𝐴. ⋘ rest
fechado temporalmente para obras - Ref lista aprox. 3950 - **6 qto** ⊊ 10600/12300.

CARCAVELOS Lisboa 440 P 1 - 12 717 h. - ⊠ 2775 Parede - © 01 - Praia.
Lisboa 21 - Sintra 15.

na praia :

🏨 Praia-Mar, Rua do Gurué 16 A ℰ 457 31 31, Telex 42283, Fax 457 31 30, ≼ mar, ⌁ - |≢|
☰ rest 🖭 ☎ 𝗣 - 🔬 25/170
158 qto.

XX **A Pastorinha,** Avenida Marginal ℰ 457 18 92, ≼, 🍽, Peixes e mariscos - ☰. 🖭 Ɛ 𝑉𝐼𝑆𝐴.
⋘
Ref lista 3750 a 4750.

CARVALHELHOS Vila Real - ver Boticas.

CARVALHOS 4415 Porto 440 I 4 - © 02.
Lisboa 310 - Amarante 72 - Braga 62 - ◆Porto 8.

XX **Mario Luso,** Largo França Borges 308 ℰ 782 21 11 - ☰. Ɛ 𝑉𝐼𝑆𝐴
fechado setembro - Ref lista aprox. 3400.

CASCAIS 2750 Lisboa 440 P 1 - 29 882 h. - © 01 - Praia.
rred. : SO : Boca do Inferno★ (abismo★) AY - Praia do Guincho★ por ③ : 9 km.
🯅, 🎅 do Estoril E : 3 km ℰ 268 01 76 BX - 🎅 da Quinta da Marinha O : 3 km ℰ 29 90 08.
🅱 Alameda Combatentes da Grande Guerra 25 ℰ 486 82 04.
Lisboa 30 ② - Setúbal 72 ② - Sintra 16 ④.

Plano página seguinte

🏨🏨 **Estoril Sol,** Parque Palmela ℰ 483 28 31, Telex 15102, Fax 483 22 80, ≼ baia e Cascais,
🏋, ⌁ - |≢| ☰ 🖭 ☎ ઠ ⇔ 𝗣 - 🔬 25/1200. 🖭 ⓞ Ɛ 𝑉𝐼𝑆𝐴 𝐽𝐶𝐵. ⋘   BX **h**
Ref 4500 Grill lista 3850 a 5300 - **317 qto** ⊊ 23000/26000.

🏨🏨 **Albatroz,** Rua Frederico Arouca 100 ℰ 483 28 21, Telex 16052, Fax 284 48 27, ≼ baía e
Cascais, ⌁ - |≢| ☰ 🖭 ☎ - 🔬 25. 🖭 ⓞ Ɛ 𝑉𝐼𝑆𝐴. ⋘   AZ **e**
Ref lista 4500 a 6150 - **40 qto** ⊊ 35500/42000.

🏨🏨 **Village Cascais,** Rua Frei Nicolau de Oliveira-Parque da Gandarinha ℰ 483 70 44,
Telex 60712, Fax 483 73 19, ≼, ⌁ - |≢| ☰ 🖭 ☎ 𝗣 - 🔬 25/100. 🖭 ⓞ Ɛ 𝑉𝐼𝑆𝐴 𝐽𝐶𝐵. ⋘
Ref lista aprox. 3850 - **233 qto** ⊊ 17500/20500.   AY **a**

🏨🏨 **Cidadela,** Av. 25 de Abril ℰ 483 29 21, Telex 66895, Fax 486 72 26, ≼, ⌁ - |≢| ☰ 🖭 ☎
𝗣 - 🔬 25/100. 🖭 ⓞ Ɛ 𝑉𝐼𝑆𝐴 𝐽𝐶𝐵. ⋘   AZ **c**
Ref 3100 - **130 qto** ⊊ 18000/20000 - PA 6200.

🏨🏨 **Aparthotel Equador,** Alto da Pampilheira ℰ 484 05 24, Telex 42144, Fax 484 07 03, ≼, ⌁
- |≢| ☰ rest 🖭 ☎ 𝗣. 🖭 ⓞ Ɛ 𝑉𝐼𝑆𝐴. ⋘   AX **d**
Ref lista - **120 qto** ⊊ 11000/14500 - PA 4200.

🏨🏨 **Baia,** av. Marginal ℰ 483 10 33, Telex 43468, Fax 483 10 95, ≼, 🍽, 🯅 - |≢| ☰ 🖭 ☎ 𝗣
- 🔬 25/180. 🖭 ⓞ Ɛ 𝑉𝐼𝑆𝐴. ⋘   AZ **u**
Ref 2500 - **113 qto** ⊊ 14900/17000.

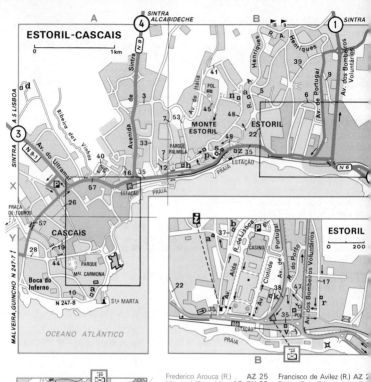

ESTORIL-CASCAIS

0 ____ 1km

SINTRA / ALCABIDECHE

ESTORIL

MONTE ESTORIL

CASCAIS

Boca do Inferno

OCEANO ATLÂNTICO

PRAÇA DE TOUROS

STA MARTA

0 ____ 200

PARQUE MARECHAL CARMONA

CASCAIS

0 ____ 200m

🏛 **Casa da Pérgola** sem rest, Av. Valbom 13 ℰ 484 00 40, Fax 483 47 91, « Morad senhorial », ☞ – ▤. ✜ – abril-outubro – **10 qto** ☑ 14000/15000.   AZ

🏛 Albergaria Valbom sem rest, Av. Valbom 14 ℰ 486 58 01 – 🛗 ▤ ☎ ⟵   AZ
40 qto.

🏛 Nau, Rua Dra. Iracy Doyle 14 ℰ 483 28 61, Telex 42289, Fax 483 28 66 – 🛗 ▤ qto 📺 ☎ ⟵   AZ
59 qto.

✗✗ **Reijos,** Rua Frederico Arouca 35 ℰ 483 03 11, ☞ – ▤. 🖭 ⓞ 🄴 𝗩𝗜𝗦𝗔 JCB. ✜   AZ
fechado domingo e 22 dezembro-21 janeiro – Ref lista 2700 a 4400.

✗✗ **Visconde da Luz,** Jardim Visconde da Luz ℰ 486 68 48, Peixes e mariscos – ▤. 🖭 ⓞ   AZ
🄴 𝗩𝗜𝗦𝗔 JCB. ✜ – fechado 3ª feira – Ref lista 4100 a 5800.

XX **Pimentão,** Rua das Flores 16 $\mathscr{C}$ 284 09 94, Peixes e mariscos – 🍽. 🖭 ⓞ 🗲 *VISA* 🕞. 🕸
Ref lista 4250 a 5200. AZ **f**

XX **O Pipas,** Rua das Flores 18 $\mathscr{C}$ 486 45 01, Fax 484 07 80, Peixes e mariscos – 🍽. 🖭 ⓞ
VISA. 🕸 AZ **f**
Ref lista 4300 a 6800.

XX **Taverna da Villa,** Av. de Sintra-Abuxarda $\mathscr{C}$ 486 67 70, 🛴 – 🍽 ⓟ. ⓞ 🗲 *VISA*. 🕸
fechado 2ª feira – Ref lista aprox 3100. por ④

X **Os Morgados,** Praça de Touros $\mathscr{C}$ 486 87 51, Fax 486 87 51 – 🍽. 🖭 ⓞ 🗲 *VISA*. 🕸
fechado 2ª feira e agosto – Ref lista 2400 a 3600. por AY

X **Dom Leitão,** Av. Vasco da Gama 36 $\mathscr{C}$ 486 54 87, Fax 484 21 09 – 🍽. 🖭 ⓞ 🗲 *VISA*. 🕸
fechado 4ª feira e do 3 ao 31 do janeiro – Ref lista 2950 a 3550. AZ **k**

X **Sol e Mar,** Av. D. Carlos I - 48 $\mathscr{C}$ 284 02 58, ≤, 🕞 – 🖭 ⓞ 🗲 *VISA*. 🕸 rest AZ **p**
fechado 2ª feira e dezembro – Ref lista 3250 a 4250.

X **O Batel,** Travessa das Flores 4 $\mathscr{C}$ 483 02 15 – 🍽. 🖭 ⓞ 🗲 *VISA* AZ **n**
fechado 4ª feira – Ref lista aprox. 4100.

X **Beira Mar,** Rua das Flores 6 $\mathscr{C}$ 483 01 52, Fax 483 52 73 – 🍽. 🖭 ⓞ 🗲 *VISA*. 🕸 AZ **f**
fechado 3ª feira e do 22 ao 31 de dezembro – Ref lista 3900 a 6500.

X **Le Bec Fin,** Beco Torto 1 $\mathscr{C}$ 484 42 96, 🕞, Rest. francês – 🖭 ⓞ 🗲 *VISA* AZ **a**
fechado domingo e janeiro-15 fevereiro – Ref lista 2000 a 3600.

X **Sagres,** Rua das Flores 10-A $\mathscr{C}$ 483 08 30 – 🍽. 🖭 ⓞ 🗲 *VISA* 🕞. 🕸 AZ **f**
fechado 4ª feira e dezembro – Ref lista aprox. 3650.

X O **Anzol,** Rua Afonso Sanches 38 $\mathscr{C}$ 484 64 33 – 🍽 AZ **t**

na estrada do Guincho por ③ – ✉ 2750 Cascais – 🕿 01 :

🏫 **Estal. Sra. da Guia,** 3,5 km $\mathscr{C}$ 486 92 39, Telex 42111, Fax 486 92 27, ≤, 🕞, 🛴, 🖛 –
🍽 📺 🕿 ⓟ. 🖭 ⓞ 🗲 *VISA* 🕞. 🕸
Ref 4000 – **28 qto** ☲ 18000/22000 – PA 8000.

XX **Monte-Mar,** 5 km $\mathscr{C}$ 486 92 70, Fax 486 93 56, ≤ – 🖭 ⓞ 🗲 *VISA* 🕞. 🕸
fechado 2ª feira e do 15 ao 30 de outubro – Ref lista 4200 a 6700.

X Portal da Guia, 2 km $\mathscr{C}$ 484 32 58, ≤, 🕞 – ⓟ.

na Praia do Guincho por ③ : 9 km AY – ✉ 2750 Cascais – 🕿 01 :

🏨 **Do Guincho** 🌦, $\mathscr{C}$ 487 04 91, Telex 43138, Fax 487 04 31, ≤, « Antiga fortaleza num promontório rochoso » – 🍽 📺 🕿 ⓟ – 🔬 25/200. 🖭 ⓞ 🗲 *VISA*. 🕸
Ref 4500 – **31 qto** ☲ 26000/28000 – PA 9000.

XX ✿ **Porto de Santa Maria,** $\mathscr{C}$ 487 02 40, Fax 485 09 49, ≤, Peixes e mariscos – 🍽 ⓟ. 🖭
ⓞ 🗲 *VISA* 🕞
fechado 2ª feira – Ref lista 8850 a 12000
Espec. Peixe assado em sal e no pão, Misto de mariscos ao natural ou grelhado, Arroz de marisco.

X **Panorama,** $\mathscr{C}$ 487 00 62, Fax 485 09 49, ≤, 🕞, Peixes e mariscos – 🍽 ⓟ. 🖭 ⓞ 🗲 *VISA*
🕞
fechado 3ª feira – Ref lista 5400 a 8100.

X O **Faroleiro,** $\mathscr{C}$ 487 02 25, Fax 487 02 25, ≤ – 🍽 ⓟ.

X **Mestre Zé,** $\mathscr{C}$ 487 02 75, ≤, 🕞 – 🍽 ⓟ. 🖭 ⓞ 🗲 *VISA* 🕞. 🕸
Ref lista 3200 a 5500.

Europe	If the name of the hotel is not in bold type, on arrival ask the hotelier his prices.

CASTELO BRANCO 6000 ℗ 440 M 7 – 24 287 h. alt. 375 – 🕿 072.

Ver : Jardim do antigo paço episcopal★.

🚹 Alameda da Liberdade $\mathscr{C}$ 210 02.

◆Lisboa 256 ③ – ◆Cáceres 137 ② – ◆Coimbra 155 ① – Portalegre 82 ③ – Santarém 176 ③.

Plano página seguinte

🏫 **Rainha D. Amélia,** Rua de Santiago 15 $\mathscr{C}$ 32 63 15, Telex 52301, Fax 32 63 90 – 🛗 🍽 📺
🕿 ✿ 🚗 – 🔬 25/350. 🖭 🗲 *VISA*. 🕸 **b**
Ref 2000 – **64 qto** ☲ 10300/13100.

🏠 **Arraiana** sem rest, Av. 1º de Maio 18 $\mathscr{C}$ 216 34, Fax 318 84 – 🍽 📺 🕿. 🗲 *VISA* **s**
31 qto ☲ 4500/8000.

XX **Praça Velha,** Largo Luís de Camões 17 $\mathscr{C}$ 32 86 40, Fax 32 86 20, Decoração rústica – 🍽
ⓟ. 🖭 ⓞ 🗲 *VISA*. 🕸 **a**
fechado sábado – Refeição lista aprox. 2500.

Ver também : **Retaxo por** ③ : 10 km.

CASTELO BRANCO

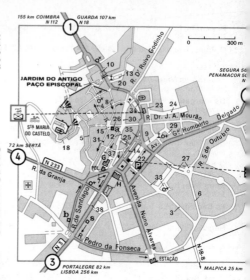

CASTELO DA MAIA 4470 Porto 440 I 4 – ✿ 02.

♦Lisboa 330 – Amarante 59 – Braga 35 – ♦Porto 16.

X **Don Nuno I,** Monte de Santo Ovídio ℰ 981 27 19, 斎 – 🖭 ⓪ 🇪 𝗩𝗜𝗦𝗔 JCB. ⅝
 Ref lista 3100 a 3650.

CASTELO DE VIDE 7320 Portalegre 440 N 7 – 2 558 h. alt. 575 – ✿ 045 – Termas.
Ver : Castelo ≼★ – Judiaria★.
Arred. : Capela de Na. Sra. de Penha ≼★ S : 5 km – Estrada★ escarpada de Castelo de Vide
Portalegre por Carreiras S : 17 km.
🇧 Rua Bartolomeu Alvares da Santa 81 ℰ 913 61.
♦Lisboa 213 – ♦Cáceres 126 – Portalegre 22.

🏨 **Garcia d'Orta,** Estrada de São Vicente ℰ 90 22 15, Fax 90 22 22, ≼, 🏊, – 🛗 🗏 🖭 ☎ &
 🅿 – 🍴 25/80. ⓪ 🇪 𝗩𝗜𝗦𝗔. ⅝
 Com Ref (ver rest **A Castanha**) – 🍽 900 – **52 qto** 12400/14800, 1 suite.

🏨 **Sol e Serra,** Estrada de são Vicente ℰ 913 01, Telex 43332, Fax 913 37, 🏊, – 🛗 🗏 🖭 ☎
 🅿 – 🍴 25/120. 🖭 ⓪ 🇪 𝗩𝗜𝗦𝗔. ⅝
 Ref 2350 – **50 qto** 🍽 9500/13500 – PA 4600.

🏨 **Casa do Parque** ⬩ (possível fecho para obras), Av. da Aramenha 37 ℰ 912 50 – 🖭 𝗩𝗜𝗦𝗔
 ⅝
 Ref (fechado 3ª feira) 1800 – **28 qto** 🍽 5000/6500.

🏨 **Isabelinha** sem rest, Paço Novo ℰ 918 96 – 🖭 ☎
 11 qto 🍽 6000/8000.

XXX **A Castanha,** Estrada de São Vicente ℰ 90 56 40, Fax 90 56 43, ≼ – 🗏 🅿. 🖭 ⓪ 🇪 𝗩𝗜𝗦𝗔. ⅝
 Ref lista 3450 a 5300.

X D. Pedro V, Praça D. Pedro V ℰ 912 36 – 🗏.

CAXIAS Lisboa 440 P 2 – 4 907 h. – ✉ 2780 Oeiras – ✿ 01 – Praia.
♦ Lisboa 13 – Cascais 17.

XXXX Mónaco, Rua Direita 9 ℰ 443 23 39, Fax 443 12 17, ≼, Música ao jantar – 🗏 🅿.

CELORICO DA BEIRA 6360 Guarda 440 K 7 – 2 750 h. – ✿ 071.
🇧 Estrada N 17 ℰ 721 09 – ♦Lisboa 337 – ♦Coimbra 138 – Guarda 27 – Viseu 54.

🏨 **Mira Serra,** Estrada N 17 ℰ 726 04, Telex 53192, Fax 74 13 82, ≼ – 🛗 🖭 ☎ 🅿 ·
 🍴 25/100. 🖭 ⓪ 🇪 𝗩𝗜𝗦𝗔. ⅝ rest
 Ref 3000 – **42 qto** 🍽 7000/11000.

🏨 **Parque** sem rest, Rua Andrade Corvo 48 ℰ 721 97, Fax 737 98 – 🖭 ☎ 🅿. 🇪 𝗩𝗜𝗦𝗔
 27 qto 🍽 3500/4800.

CERDEIRINHAS Braga – ver Vieira do Minho.

CERNACHE DO BONJARDIM Castelo Branco 𝟒𝟒𝟎 M 5 – ✉ 6100 Sertã – ☎ 074.

Lisboa 187 – Castelo Branco 81 – Santarém 110.

pela estrada N 238 SO : 10 km – ✉ 6100 Sertã – ☎ 074 :

🏡 **Estal. Vale da Ursa** ⌂, ℰ 909 81, Fax 909 82, ≤, 😚, « Na margem do rio Zêzere », ⽔,
%% – ⓼ 📺 ☎ ⓟ. E _VISA_. ⤢ rest
Ref 2800 – **17 qto** ⊇ 12000/15000 – PA 5500.

CHAMUSCA 2140 Santarém 𝟒𝟒𝟎 N 4 – 13 151 h. – ☎ 049.

◀ Largo 25 de Abril ℰ 76206.

Lisboa 121 – Castelo Branco 136 – Leiria 79 – Portalegre 118 – Santarém 31.

no cruzamento das estradas N 118 e N 243 NE : 3,5 km – ✉ 2140 Chamusca – ☎ 049 :

✗ Paragem da Ponte, Ponte da Chamusca ℰ 76 04 06 – 🍽 ⓟ.

CHAVES 5400 Vila Real 𝟒𝟒𝟎 G 7 – 13 027 h. alt. 350 – ☎ 076 – Termas.

Ver : Igreja da Misericordia★.

Excurs. : O : Cávado (Vale sup. do)★ : estrada de Chaves a Braga pelas barragens do Alto
Rabagão★ (≤★), da Paradela★ (local★) e da Caniçada★ (≤★).

↓ de Vidago SO : 20 km ℰ 971 06.

◀ Terreiro de Cavalaría ℰ 210 29.

Lisboa 475 – Orense/Ourense 99 – Vila Real 66.

🏨 **Aquae Flaviae,** Praça do Brasil ℰ 264 96, Telex 25078, Fax 264 97, ≤, %% – ⓼ ▤ 📺 ☎
⇦⇨ ⓟ – 🔬 25/1000. 𝔸𝔼 ⓞ E _VISA_. ⤢
Ref 2500 – **170 qto** ⊇ 12100/14300.

🏨 **Trajano,** Travessa Cândido dos Reis ℰ 33 24 15, Telex 26214, Fax 270 02 – ⓼ 📺 ☎ 🚗. 𝔸𝔼
ⓞ E _VISA_. ⤢
Ref 1750 – **39 qto** ⊇ 5800/7000.

🏠 **Estal. Santiago,** Rua do Olival ℰ 225 45, ≤ – 🚗. ⤢
Ref 2000 – **32 qto** ⊇ 6000/6900 – PA 4000.

🏠 **Brites** sem rest, Av. Duarte Pacheco-Estrada de Espanha ℰ 33 27 77, Fax 33 22 21, ≤ –
📺 ☎ ⓟ. 𝔸𝔼 E _VISA_. ⤢
28 qto ⊇ 6000/8000.

🏠 **São Neutel** sem rest, Estrada de Outeiro Seco-junto ao Estadio Municipal ℰ 256 32,
Fax 276 20, ≤ – 📺 ☎ ⇦⇨ ⓟ. 𝔸𝔼. ⤢
31 qto ⊇ 4000/7000.

🏠 **Jardim das Caldas e Rest. Chave d'Ouro 2,** Alameda do Tabolado 5 ℰ 33 11 89 – 📺
☎. 𝔸𝔼 E _VISA_. ⤢
Ref 1200 – **13 qto** ⊇ 5000/9000.

🏠 **4 Estações** sem rest, Av. Duarte Pacheco-Estrada de Espanha ℰ 239 86 – 📺 🚗 ⓟ. E _VISA_
20 qto ⊇ 4000/5500.

🏡 Pica Pedra sem rest, Rua Cândido Sotto Mayor - 1° ℰ 241 58 – 📺 🚗
7 qto.

COIMBRA 3000 🅿 𝟒𝟒𝟎 L 4 – 79 799 h. alt. 75 – ☎ 039.

Ver : Local★ – Museu Machado de Castro★★ (estátua equestre★) Z **M1** Velha Universidade★★
ⵕ : biblioteca★★, capela★ (órgão★★), ≤★ – Sé Velha (retábulo★, capela★) Z **E** – Mosteiro de
Santa Cruz (púlpito★) Y **L** – Mosteiro de Celas (retábulo★) X **P** – Convento de Santa Clara-a-Nova
(túmulo★) X **V.**

Arred. : Ruínas de Conímbriga★ (Casa dos jogos de água★★ : mosaicos★★, Casa de Cantaber★)
17 km por ③ – Miradouro de Na. Sra. da Piedade ≤★ 27 km por ② e N 237.

🛫 ℰ 349 98.

◀ Largo da Portagem ℰ 238 86 – A.C.P. Rua da Sofia 173 e 175, ℰ 268 13, Fax 350 03.

◆Lisboa 200 ③ – ◆Cáceres 292 ② – ◆Porto 118 ① – ◆Salamanca 324 ②.

Plano página seguinte

🏨 **Tívoli Coimbra,** Rua João Machado 4 ℰ 269 34, Telex 52240, Fax 268 27, 𝓕ᵟ, ◼ – ⓼ ▤
📺 ☎ – 🔬 25/120. 𝔸𝔼 ⓞ E _VISA_. ⤢ rest   Y **e**
Ref lista 3400 a 4700 – **90 qto** ⊇ 15500/18000, 10 suites.

🏨 **Dona Inês,** Rua Padre Estêvão Cabral ℰ 257 91, Fax 256 11, ≤, 😚, %% – ⓼ ▤ 📺 ☎ ᵹ
⇦⇨ – 🔬 25/300. 𝔸𝔼 ⓞ E _VISA_. ⤢   X **a**
Ref *(fechado domingo)* 2500 – **72 qto** ⊇ 10400/11900, 12 suites – PA 5000.

🏨 **Almedina Coimbra H.** sem rest, av. Fernão de Magalhães 199 ℰ 291 61, Telex 52118,
Fax 299 06 – ⓼ ▤ 📺 ☎ – 🔬 25/70. 𝔸𝔼 ⓞ E _VISA_. ⤢   Y **b**
75 qto ⊇ 9000/11000.

🏨 **Bragança,** Largo das Ameias 10 ℰ 221 71, Telex 52609, Fax 361 35 – ⓼ ▤ 📺 ☎. ⓞ E _VISA_. ⤢
Ref 2150 – **81 qto** ⊇ 8400/10500, 2 suites.   Z **t**

511

COIMBRA

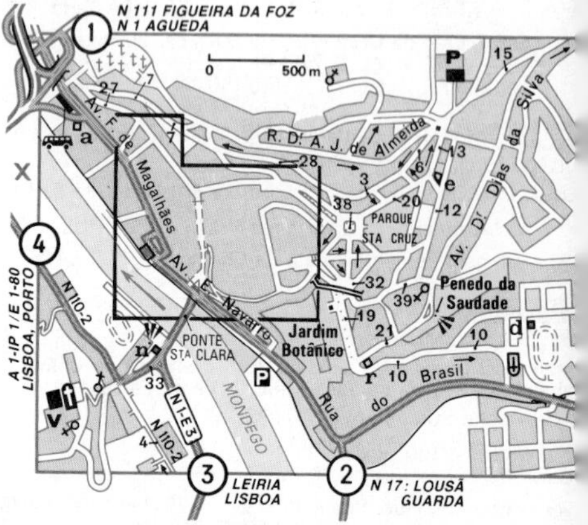

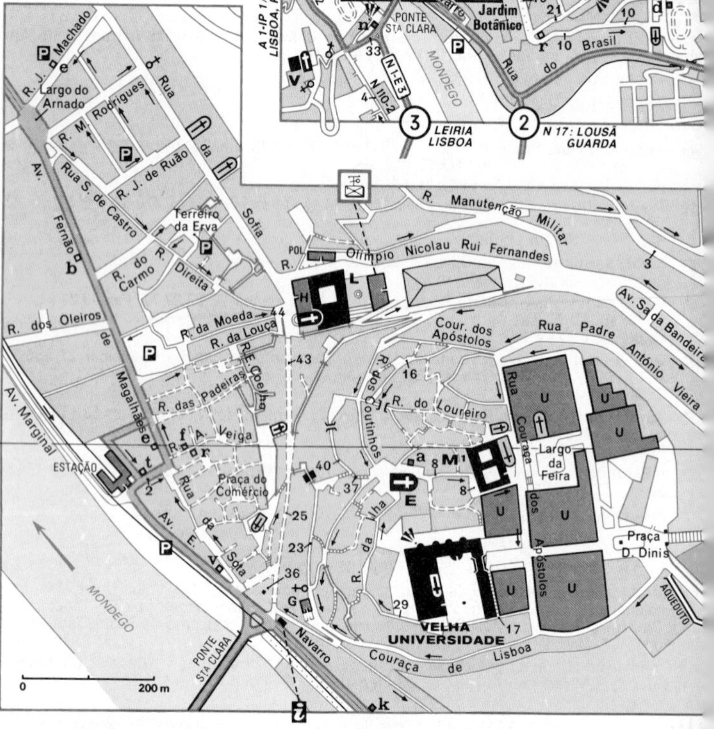

Astória, Av. Emídio Navarro 21 ☎ 220 55, Telex 42859, Fax 220 57, ≤ – |♦| ▤ rest 📺 ☎. AE ◑ E VISA. ✗ rest – Ref 3300 – **64 qto** ⊒ 13000/16000 – PA 6600. Z

Oslo sem rest, av. Fernão de Magalhães 25 ☎ 290 71, Telex 52126, Fax 206 14 – |♦| ▤ 📺 ☎. AE ◑ E VISA. ✗ – **33 qto** ⊒ 11000/13000. YZ

Botánico sem rest, Rua Combatentes da Grande Guerra (Ao cimo) - Bairro Sao José 1 ☎ 71 48 24, Fax 40 51 24 – |♦| ▤ qto 📺 ☎. E VISA. ✗ **24 qto** ⊒ 5500/7500. X

Alentejana sem rest, Rua Dr. António Henriques Seco 1 ☎ 259 03, Fax 40 51 24 – ▤ ☎ E VISA. ✗ – **15 qto** ⊒ 4500/6000. X

Moderna sem rest, Rua Adelino Veiga 49 - 2° ☎ 254 13 – 📺 ☎. ✗ **17 qto** ⊒ 5000/6000. Z

Domus sem rest, Rua Adelino Veiga 62 ☎ 285 84 – ☎ ⊒ 300 – **20 qto** 4500/7100. YZ

XX **Piscinas,** Rua D. Manuel 2º ℘ 71 70 13, Telex 52425, Fax 71 41 64 – ▤. AE ① E VISA JCB
fechado 2ª feira e feriados – Ref lista 2200 a 3520. X **d**

XX **Dom Pedro,** Av. Emídio Navarro 58 ℘ 291 08, Fax 246 11 – ▤. AE ① E VISA. ✻ Z **k**
Ref lista aprox. 3000.

X Trovador, Largo da Sé Velha, 17 ℘ 254 75 Z **a**

X **O Alfredo,** Av. João das Regras 32 ℘ 44 15 22, Fax 44 15 22 – ▤. E VISA. ✻ X **n**
Ref lista 2400 a 4150.

na estrada N I por ③ : 2,5 km – ✉ 3000 Coimbra – ✆ 039 :

D. Luís, Santa Clara ℘ 44 25 10, Telex 52426, Fax 81 31 96, ≤ cidade e rio Mondego – |‡| ▤ TV ☎ P – 🏛 25/200. AE ① E VISA. ✻
Ref lista 2300 a 4100 – **98 qto** ☕ 11300/12700, 2 suites.

na antiga estrada de Lisboa pela Av. João das Regras : 2 km X – ✉ 3000 Coimbra – ✆ 039 :

X **Real das Canas,** Vila Méndes 7 ℘ 81 48 77, Fax 524 25, ≤ – ▤. AE ① E VISA
fechado 4ª feira e feriados – **Refeição** lista 2060 a 3380.

COLARES Lisboa 440 P 1 – 6 921 h. alt. 50 – ✉ 2710 Sintra – ✆ 01.
Arred. : Azenhas do Mar★ (local★) NO : 7 km 🛈 Alameda Coronel Linhares de Lima (Várcea de Colares) ℘ 929 26 38.
Lisboa 36 – Sintra 8.

Quinta do Conde 🐚 sem rest, Quinta do Conde ℘ 929 16 52, Fax 929 16 02, ≤ – ☎. ✻
16 fevereiro-outubro – **11 qto** ☕ 10000.

na estrada da Praia das Maçãs NO : 2 km – ✉ 2710 Sintra – ✆ 01 :

Miramonte 🐚, Av. do Atlántico 155 ℘ 929 12 30, Telex 13221, Fax 929 14 80, « Terraços floridos », 🏊 – ☎ – 🏛 25/50. E VISA. ✻
fechado janeiro – Ref (só jantar) 2800 – **89 qto** ☕ 12500/16000.

em Azoia-estrada do Cabo da Roca SO : 10 km – ✉ 2710 Sintra – ✆ 01 :

X **Refúgio da Roca,** ℘ 929 08 98, Fax 929 17 52, Decoração rústica, Rest. típico – ▤. AE ① E VISA JCB. ✻
fechado 3ª feira, 15 dias em julho e 15 dias em novembro – **Refeição** lista 3040 a 3870.

CONSTÂNCIA **2250** Santarém 440 N 4 – 4 160 h. alt. 74 – ✆ 049.
Lisboa 131 – Castelo Branco 124 – Leiria 70.

Albergaria João Chagas 🐚 sem rest, Rua João Chagas ℘ 994 03, Fax 993 78 – ▤ TV ☎. AE ① E VISA. ✻
7 qto ☕ 6000/7000.

COSTA DA CAPARICA Setúbal 440 Q 2 – 9 796 h. – ✉ 2825 Monte da Caparica – ✆ 01 – Praia.
🛈 Praça da Liberdade ℘ 290 00 71.
Lisboa 21 – Setúbal 51.

Maia sem rest., Av. Dr. Aresta Branco 22 ℘ 290 12 76, Fax 290 12 76 – |‡| ▤ TV ☎
28 qto.

Praia do Sol sem rest, Rua dos Pescadores 12 A ℘ 290 00 12, Telex 639 84, Fax 290 25 41 – |‡| TV ☎. AE ① E VISA. ✻
☕ 450 – **53 qto** 6750/8500.

Real sem rest, Rua Mestre Manuel 18 ℘ 290 17 13, Fax 290 17 01 – TV ☎
10 qto.

X **Maniés,** Av. General Humberto Delgado 7 E ℘ 290 33 98, 🍴 – AE ① E VISA JCB. ✻
Ref lista 1950 a 4250.

X O Lavrador, Av. General Humberto Delgado 7 D ℘ 290 43 83, 🍴 – ▤.

em São João da Caparica N : 2,5 km – ✉ 2825 Monte da Caparica – ✆ 01 :

XX **Centyonze,** Estrada N 10-1, 111 ℘ 290 39 68, 🍴 – ▤. E VISA. ✻
fechado domingo noite, 2ª feira e setembro – Ref lista 3000 a 4500.

COVA DA IRIA Santarém – ver Fátima.

Ne confondez pas :

Confort des hôtels	: 🏨🏨🏨🏨🏨 ... 🏨, 🏨
Confort des restaurants	: XXXXX ... X
Qualité de la table	: ✿✿✿, ✿✿, ✿

COVILHÃ 6200 Castelo Branco **440** L 7 – 21 689 h. alt. 675 – © 075 – Desportos de inver■ na Serra da Estrela : ≰3.

Arred. : Estrada★★ da Covilhã a Seia (≤★, Torre ☀★★★, estrada ≤★★) 49 km – Estrada★★ ◀ Covilhã a Gouveia (vale glaciário de Zêzere★ (≤★), Poço do Inferno★ : cascata★, (≤★) por Ma▪ teigas : 65 km – Unhais da Serra (local★) SO : 21 km – Belmonte : castelo ≤★ NE : 20 km – Tor▪ romana de Centum Céllas★ NE : 24 km.

🛈 Praça do Município ℘ 32 21 70.

♦Lisboa 301 – Castelo Branco 62 – Guarda 45.

  🏠 **Santa Eufêmia** sem rest, Sítio da Palmatória ℘ 31 33 08, Fax 31 41 84, ≤ – 🛗 ☰ 📺 ◼
    🅿
    77 qto ☲ 4500/6000.

CURIA Aveiro **440** K 4 – 2 704 h. alt. 40 – ⊠ 3780 Anadia – © 031 – Termas.

🛈 Largo da Rotunda ℘ 522 48.

♦Lisboa 229 – ♦Coimbra 27 – ♦Porto 93.

  🏨 **Das Termas** ⌕, ℘ 51 21 85, Telex 53054, Fax 51 58 38, « Num parque com árvores
    ⊿ – 🛗 ☰ 📺 ☎ ⟿ 🅿 – 🔬 25/100. 🆎 ◑ ⋿ 𝘝𝘐𝘚𝘈. ⅏
    Ref 2500 – **56 qto** ☲ 11000/16000.

  🏨 **Grande H. da Curia** ⌕, ℘ 51 57 20, Telex 52053, Fax 51 53 17, « Instalado num singul▪
    edifício de fins do século XIX », ⍙, 🔲, ⚞ – 🛗 ☰ 📺 ☎ 🅿 – 🔬 25/200. 🆎 ◑ ⋿ 𝘷𝘴
    ⅏
    Ref 3000 – **84 qto** ☲ 15000/19000 – PA 5000.

  🏠 **Do Parque** ⌕ sem rest, ℘ 51 20 31 – ⟿ 🅿. 🆎 ◑ ⋿ 𝘝𝘐𝘚𝘈
    maio-setembro – **22 qto** ☲ 3000/5000.

  🏠 **Lourenço** ⌕, Curia ℘ 51 22 14 – ☰ rest. ⅏
    Ref (junho-setembro) 2000 – **38 qto** ☲ 4000/6000.

DOMINGUISO Castelo Branco **440** L 7 – ⊠ 6205 Tortosendo – © 075.

♦ Lisboa 304 – Castelo Branco 65 – Covilhã 10 – Guarda 55.

  🏠 **Fonte Nova** sem rest, Rua Pinhos Mansos ℘ 95 97 77, Fax 95 97 78 – 📺 ☎
    16 qto.

ELVAS 7350 Portalegre **440** P 8 – 13 507 h. alt. 300 – © 068.

Ver : Muralhas★★ – Aqueduto da Amoreira★ – Largo de Santa Clara★ (pelourinho) – Igreja c▪ Na. Sra. da Consolação★ (azulejos★).

🛈 Praça da República ℘ 62 22 36 – A.C.P. Estrada N 4 – Caia ℘ 641 27.

♦Lisboa 222 – Portalegre 55.

  🏨 **D. Luís**, Av. de Badajoz-Estrada N 4 ℘ 62 27 56, Telex 42473, Fax 62 07 33 – 🛗 ☰ 📺 ☀
    🆎 ◑ ⋿ 𝘝𝘐𝘚𝘈. ⅏
    Ref 2500 – **90 qto** ☲ 10000/12500 – PA 5000.

  🏠 **Estal. D. Sancho II,** Praça da República 20 ℘ 62 26 86, Fax 62 47 17 – 🛗 ⟿. 🆎 ◑ ▶
    𝘝𝘐𝘚𝘈
    Ref 1800 – **26 qto** ☲ 5500/7500 – PA 3600.

  XXX **Pousada de Santa Luzia**, Av. de Badajoz-Estrada N 4 ℘ 62 21 94, Telex 1246▪
    Fax 62 21 27 – ☰ ⟿ 🅿. 🆎 ◑ ⋿ 𝘝𝘐𝘚𝘈. ⅏
    Ref lista aprox. 3500 – **16 qto** ☲ 16500/18600.

  X **Flor do Jardim,** Jardim Municipal-Estrada N 4 ℘ 62 31 74, ⇌ – ☰. 🆎 ◑ ⋿ 𝘝𝘐𝘚𝘈. ⅏▪
    Ref lista 2330 a 4170.

    na estrada de Portalegre N : 2 km – ⊠ 7350 Elvas – © 068 :

  ⌂ **Luso-Espanhola** sem rest, Rui de Melo ℘ 62 30 92 – ☰ ⟿. ⅏
    14 qto ☲ 6000/7000.

    na estrada N 4 – ⊠ 7350 Elvas – © 068 :

  🏨 **Albergaria Elxadai Parque,** Varche, O : 5 km ℘ 62 30 36, Fax 62 37 29, ≤ Elvas, Badajo▪
    e Olivença, ⊿ – 🛗 ☰ 📺 ☎ 🅿 – 🔬. 🆎 ◑ ⋿ 𝘝𝘐𝘚𝘈. ⅏
    Ref (ver rest. **Guadicaia**) – **28 qto** ☲ 8000/10000.

  XX **Guadicaia,** Varche O : 5 km ℘ 62 31 98, Fax 62 37 29, ≤, ⊿ – ☰ 🅿. 🆎 ◑ ⋿ 𝘝𝘐𝘚𝘈. ⅏▪
    Ref lista 2900 a 4900.

  X **Dom Quixote,** O : 3 km ℘ 62 20 14 – ☰ 🅿. 🆎 ◑ ⋿ 𝘝𝘐𝘚𝘈. ⅏
    Ref lista 3100 a 5100.

ENTRE-OS-RIOS 4575 Porto **440** I 5 – alt. 50 – © 055 – Termas.

♦Lisboa 331 – ♦Porto 49 – Vila Real 96.

  X Miradouro, Estrada N 108 ℘ 624 22, ≤, ⇌, Lampreia.

ENTRONCAMENTO 2330 Santarém 440 N 4 – 11 976 h. – ۞ 049.

Praça da República, ✆ 69229.

Lisboa 127 – Castelo Branco 132 – Leiria 55 – Portalegre 114 – Santarém 45.

🏨 **Gameiro** sem rest, Rua Abílio César Afonso (frente à Estação dos Caminhos de Ferro) ✆ 668 34, Fax 71 87 08 – ⊠ 🌐 **℗**. **E** *VISA*. ⋙
34 qto � 4600/6900.

ERICEIRA 2655 Lisboa 440 P 1 – 4 604 h. – ۞ 061 – Praia.

Rua Mendes Leal ✆ 631 22.

Lisboa 51 – Sintra 24.

🏨 **Morais** sem rest, Rua Dr Miguel Bombarda 3 ✆ 86 42 00, Fax 86 43 08, ⌁ – ⊠ 📺 ☞. 🖭
⑩ E *VISA*
fechado novembro – **40 qto** ⊒ 7500/12500.

🏨 **Vilazul e Rest. O Poço,** Calçada da Baleia 10 ✆ 86 41 01, Fax 629 27 – 🖭 ⑩ **E** *VISA*. ⋙
Ref lista 2350 a 3150 – **21 qto** ⊒ 8500/11200.

🏨 **Pedro o Pescador,** Rua Dr Eduardo Burnay 22 ✆ 86 40 32, Fax 623 21, 🏡 – ⊠ ▤ rest
☞. 🖭 ⑩ **E** *VISA*
Ref *(maio-15 outubro)* 1500 – **25 qto** ⊒ 7000/9000.

✗ **O Barco,** Capitão João Lopes ✆ 627 59, ≼ – ▤. **E** *VISA*
fechado 5ª feira, novembro e dezembro – Ref lista 2600 a 4050.

na estrada N 247 N : 2 km – ⊠ 2655 Ericeira – ۞ 061 :

✗ **Cesar,** ✆ 629 26, ≼, Mariscos-Viveiro proprio – **℗**. 🖭 *VISA*. ⋙
fechado 3ª feira, 15 dias em maio e 15 dias em outubro ou novembro – Ref lista 2450
a 3750.

ESPINHO 4500 Aveiro 440 I 4 – 12 865 h. – ۞ 02 – Praia.

ᵇ Oporto Golf Club ✆ 72 20 08.

Ⓘ Ângulo das Ruas 6 e 23 ✆ 72 09 11.

Lisboa 308 – Aveiro 54 – ◆Porto 16.

🏨 **Praiagolfe,** Rua 6 ✆ 72 06 30, Telex 23727, Fax 72 08 88, ≼, **₤ẞ**, ⌁ – ⊠ ▤ 📺 ☎ ♿ –
🔬 25/300. ⋙
Ref 2900 – **133 qto** ⊒ 15500/19500, 6 suites – PA 5800.

🏨 **Aparthotel Solverde** sem rest, Rua 21-77 ✆ 72 28 19, Telex 27920, Fax 72 33 46, ≼ – ⊠
📺 ☎ ⇦. 🖭 ⑩ **E** *VISA*. ⋙
Ref 2400 – ⊒ 850 – **83 apartamentos** 13200 – PA 4800.

🏨 **Néry** sem rest, Av. 8 - 826 ✆ 72 73 64, Fax 72 85 96, ≼ – ⊠ ▤ 📺 ☞. 🖭 ⑩ **E** *VISA*.
⋙
43 qto ⊒ 8000/10000.

✗✗ A Cabana com snack-bar, Av. 8 - Rotunda da Praia da Seca ✆ 72 19 66, ≼, 🏡 – ▤ **℗**.

✗ **Aquário,** Praceta Dr. Francisco Sá Carneiro ✆ 72 03 77, Fax 72 87 62, 🏡 – ▤. 🖭 ⑩ **E**
VISA. ⋙
Ref lista 1850 a 3980.

✗ Avenida, Avenida 8 ✆ 72 01 11, 🏡 – ▤.

ESPOSENDE 4740 Braga 440 H 3 – 2 185 h. – ۞ 053 – Praia.

Ⓘ Rua 1º de Dezembro ✆ 96 13 54.

◆Lisboa 367 – Braga 33 – ◆Porto 49 – Viana do Castelo 21.

🏨 **Suave Mar** ⑤, Av. Eng. Arantes e Oliveira ✆ 96 54 45, Telex 32362, Fax 96 52 49, ≼, ⌁,
⋙ – ⊠ ▤ rest ☞ **℗**. 🖭 ⑩ **E** *VISA*. ⋙ rest
Ref 2000 – **66 qto** ⊒ 11000/12000 – PA 4000.

🏨 **Nélia,** Av. Valentin Ribeiro ✆ 96 55 28, Telex 32855, Fax 96 48 20, ⌁ – ⊠ ▤ rest 📺 ☞.
🖭 ⑩ **E** *VISA*. ⋙
Ref 2200 – **42 qto** ⊒ 11000/12500 – PA 4500.

🏨 Estal. Zende e Rest. Martins, Estrada N 13 ✆ 96 18 55, Fax 96 50 18, Música ao jantar –
▤ 📺 ☎ **℗** – 🔬
25 qto.

🏨 **Acropole** sem rest, Praça D. Sebastião ✆ 96 19 41, Fax 96 42 38 – ⊠ 📺 ☎. **E** *VISA*.
⋙
30 qto ⊒ 5500/8000.

ESTEFÂNIA Lisboa – ver Sintra.

ESTÓI Faro – ver Faro.

ESTORIL 2765 Lisboa 𝟰𝟰𝟬 P 1 – 25 230 h. – ۞ 01 – Praia.

Ver : Estância balnear★.

🏌 🏌 Club de Golf do Estoril ℘ 268 01 76.

🎋 Arcadas do Parque ℘ 468 01 13.

✦Lisboa 28 ② – Sintra 13 ①.

Ver plano de Cascais

🏨🏨🏨 **Palácio,** Rua do Parque ℘ 468 04 00, Telex 12757, Fax 468 48 67, ≼, �ﾞ, 🎗 – 🛗 🗏 ▯
　　☎ ℗ – 🔬 25/120. 🖭 ◍ 🖻 𝗩𝗜𝗦𝗔 𝗝𝗖𝗕. ✿ rest
　　Ref (ver também rest. **Four Seasons**) lista 3600 a 6000 – 🖵 1750 – **162 qto** 23000/2800　　BY

🏨🏨 **Estal. Lennox Country Club** ⌕, Rua Eng. Álvaro Pedro de Sousa 5 ℘ 468 04 2
　　Telex 13190, Fax 467 08 59, 🏛, « Terraços floridos - Bonita decoração interior
　　�ﾞ climatizada – ☎ ℗. 🖭 ◍ 🖻 𝗩𝗜𝗦𝗔. ✿
　　Ref 2900 – **34 qto** 🖵 14000/20000 – PA 5800.　　BY

🏨 **Alvorada** sem rest, Rua de Lisboa 3 ℘ 468 00 70, Fax 468 72 50 – 🛗 🗏 📺 ☎ – 🔬 2
　　🖭 ◍ 🖻 𝗩𝗜𝗦𝗔. ✿
　　55 qto 🖵 9300/16200.　　BY

🏨 **Estal. Belvedere** ⌕, Rua Dr. António Martins 8 ℘ 466 02 08, Fax 467 14 33, �ﾞ – 🛗 ▯
　　☎. 🖻 𝗩𝗜𝗦𝗔. ✿
　　Ref lista aprox. 4050 – **24 qto** 🖵 9500/14500.　　BY

🏨 **Estal. Fundador** ⌕ sem rest, Rua D. Afonso Henriques 161 ℘ 468 23 46, Fax 468 87 7
　　�ﾞ – 📺 ☎. 🖭 ◍ 🖻 𝗩𝗜𝗦𝗔. ✿
　　10 qto 🖵 9700/13000.　　BX

🏨 São Mamede sem rest, Av. Marginal ℘ 467 10 74, Fax 467 14 18 – 🛗 📺 ☎　　BY
　　43 qto.

🍴🍴🍴🍴 **Four Seasons,** Rua do Parque ℘ 468 04 00, Telex 12757, Fax 468 48 67 – 🗏 ℗. 🖭 ◍
　　🖻 𝗩𝗜𝗦𝗔 𝗝𝗖𝗕. ✿
　　Ref (só jantar) lista 3500 a 6450.　　BY

no Monte Estoril - BX – ✉ 2765 Estoril – ۞ 01 :

🏨🏨 **Atlántico,** Estrada Marginal 7 ℘ 468 02 70, Telex 18125, Fax 468 36 19, ≼, �ﾞ – 🛗 🗏 qt
　　📺 ☎ ℗. 🖭 ◍ 🖻 𝗩𝗜𝗦𝗔. ✿
　　Ref 3000 – **175 qto** 🖵 15000/20000 – PA 6000.　　BX

🏨🏨 Aparthotel Clube Mimosa ⌕, Av. do Lago 4 ℘ 467 00 37, Telex 44308, Fax 467 03 74, 🎗
　　�ﾞ, 🏊, ✿ – 🛗 🗏 📺 ☎ – 🔬 25/100
　　59 apartamentos.　　BX

🏨🏨 **Aparthotel Estoril Eden,** Av. Saboia 209 ℘ 467 05 73, Telex 42093, Fax 468 01 57, ≼, �ﾞ
　　�ﾞ – 🛗 🗏 📺 ☎ ⇔ – 🔬 25/180. 🖭 ◍ 🖻 𝗩𝗜𝗦𝗔. ✿
　　Ref 3500 – 🖵 1200 – **162 apartamentos** 21500/25500 – PA 7000.　　BX

🏨 **Zenith,** Rua Belmonte 1 ℘ 468 11 22, Telex 44870, Fax 468 11 17, ≼, �ﾞ – 🛗 ▧ – 🔬 25/4(
　　🖭 ◍ 🖻 𝗩𝗜𝗦𝗔. ✿
　　Ref 1750 – **48 qto** 🖵 7000/12000 – PA 3500.　　BX

🍴🍴🍴 **English-Bar,** Estrada Marginal ℘ 468 04 13, Fax 468 12 54, ≼, « Decoração inglesa » – 🗏
　　℗. 🖭 ◍ 🖻 𝗩𝗜𝗦𝗔
　　fechado domingo – Ref lista 3900 a 6500.　　BX

em São João do Estoril por ② : 2 km – ✉ 2765 Estoril – ۞ 01 :

🍴🍴🍴 A Choupana, Estrada Marginal ℘ 468 30 99, Fax 468 25 04, ≼ – 🗏 ℗.

ESTRELA (Serra da) Castelo Branco 𝟰𝟰𝟬 K y L 7.

Ver : ★ (Torre★★★, ⁂★★★, ≼★★).

　　Hotéis e restaurantes ver Covilhã

---

*POUR VOYAGER EN **EUROPE** UTILISEZ :*

les cartes Michelin grandes routes ;

les cartes Michelin détaillées ;

les guides Rouges Michelin *(hôtels et restaurants) :*

**Benelux - Deutschland - España Portugal - Main Cities Europe - France -
Great Britain and Ireland, Italia, Suisse.**

les guides Verts Michelin *(curiosités et routes touristiques) :*

**Allemagne - Autriche - Belgique - Canada - Espagne - Grèce - Hollande - Irlande - Italie -
Londres - Maroc - New York - Nouvelle Angleterre - Portugal - Rome - Suisse,**
... et la collection sur la France.

ESTREMOZ 7100 Évora 𝟒𝟒𝟎 P 7 – 7 869 h. alt. 425 – ✪ 068.

r : ≼★.

ed. : Evoramonte : Local★, castelo★ (⚓★) SO : 18 km.

Largo da República 26 ℘ 22 538.

Lisboa 179 – ◆Badajoz 62 – Évora 46.

▥ **Pousada da Rainha Santa Isabel** ⬙, Largo D. Diniz - Castelo de Estremoz ℘ 226 18, Telex 43885, Fax 239 82, ≼, « Luxuosa pousada instalada num belo castelo medieval » – ▮ ▤ 𝗧𝗩 ☎. 🜇 ⓪ 𝗘 𝘝𝘐𝘚𝘈. ⚘
Ref lista 3100 a 4650 – **33 qto** ☲ 23000/26200.

▥ **D. Dinis** sem rest, Rua 31 de Janeiro 46 ℘ 33 27 17, Fax 226 10 – ▤ 𝗧𝗩 ☎. 𝗘 𝘝𝘐𝘚𝘈.
⚘
☲ 1500 – **8 qto** 12500/15000.

✗ **Águias d'Ouro**, Rossio Marquês de Pombal 27 ℘ 221 96 – ▤. 🜇 ⓪ 𝗘 𝘝𝘐𝘚𝘈. ⚘
Ref lista 2800 a 4200.

ÉVORA 7000 𝐏 𝟒𝟒𝟎 Q 6 – 35 117 h. alt. 301 – ✪ 066.

r : Sé★★ BZ : interior★ (cúpula★), tesouro★ (Virgem★★), claustro★, cadeiras de coro★ – Convento dos Lóios★ : igreja★, dependências do convento (porta★) BCY – Museu de Évora (baixo-relevo★, Anunciação★) BZ **M1** – Templo romano★ BY **A** – Largo das Portas de Moura★ (fonte)★ CZ – Igreja de São Francisco (Casa dos Ossos★) BZ **N** – Fortificações★.

red. : Convento de São Bento de Castris (claustro★) 3 km por ⑤.

Praça do Giraldo 71 ℘ 226 71 e Av. de São Sebastião, Estrada N 114 por ④, ℘ 312 96 CZ – A.C.P. la Alcarcova de Baixo 7 e 9, ℘ 275 33, Fax 296 96.

Lisboa 153 ④ – Badajoz 102 ① – Portalegre 105 ① – Setúbal 102 ④.

Plano página seguinte

▥ **Pousada dos Lóios** ⬙, Largo Conde de Vila Flor ℘ 240 51, Telex 43288, Fax 272 48, « Instalada num convento do século XVI », ⨪ – 🜇 ⓪ 𝗘 𝘝𝘐𝘚𝘈. ⚘   BY **a**
Ref lista 2800 a 5100 – **32 qto** ☲ 23000/26000.

▥ **Dom Fernando**, av. Dr. Barahona 2 ℘ 74 17 17, Fax 74 17 16, ⨪ – ▮ ▤ 𝗧𝗩 ☎ ⇌ –
🜇 25/200. 🜇 ⓪ 𝗘 𝘝𝘐𝘚𝘈. ⚘ rest
Ref lista aprox. 4150 – **102 qto** ☲ 10000/14000, 2 suites.

▥ **Albergaria Vitória**, Rua Diana de Lis 5 ℘ 271 74, Telex 44875, Fax 209 74, ≼ – ▮ ▤ 𝗧𝗩 ☎ – 🜇 25/55. 🜇 ⓪ 𝗘 𝘝𝘐𝘚𝘈. ⚘   AZ **y**
Ref 2500 – **48 qto** ☲ 8800/11300.

▥ **Planície** sem rest, Rua Miguel Bombarda 40 ℘ 240 26, Telex 13500, Fax 298 80 – ▮ ▤ 𝗧𝗩 ☎ – 🜇 25/100. 🜇 ⓪ 𝗘 𝘝𝘐𝘚𝘈. ⚘   BZ **z**
33 qto ☲ 11000/13500.

▥ **Riviera** sem rest, Rua 5 de Outubro 49 ℘ 233 04, Fax 204 67 – ▤ 𝗧𝗩 ☎. 🜇 ⓪ 𝗘
𝘝𝘐𝘚𝘈   BZ **r**
22 qto ☲ 8000/14000.

▥ **Santa Clara**, Travessa da Milheira 19 ℘ 241 41, Telex 43768, Fax 265 44 – ▤ 𝗧𝗩 ☎. 🜇 ⓪ 𝗘 𝘝𝘐𝘚𝘈. ⚘ rest   AZ **p**
Ref 2100 – **51 qto** ☲ 7000/9000 – PA 4200.

✗ **Cozinha de Sto. Humberto**, Rua da Moeda 39 ℘ 242 51, Fax 74 23 67, Decoração original com motivos regionais – ▤. 🜇 ⓪ 𝗘 𝘝𝘐𝘚𝘈. ⚘   BZ **b**
fechado 5ª feira e novembro – Ref lista 2200 a 3600.

✗ **Fialho**, Travessa das Mascarenhas 14 ℘ 230 79, Decoração regional – ▤. 🜇 ⓪ 𝗘 𝘝𝘐𝘚𝘈. ⚘   AY **h**
fechado 2ª feira, do 1 ao 22 setembro e 24 dezembro-fevereiro – Ref lista 4035 a 6290.

✗ **Guião**, Rua da República 81 ℘ 224 27, Decoração regional – 🜇 ⓪ 𝗘 𝘝𝘐𝘚𝘈. ⚘   BZ **s**
fechado 2ª feira e dezembro – Ref lista 2700 a 3700.

✗ **Cozinha Alentejana**, Rua 5 de Outubro 51 ℘ 227 72 – ▤. 🜇 ⓪ 𝗘 𝘝𝘐𝘚𝘈   BZ **r**
fechado 4ª feira e novembro – Ref lista 2350 a 3100.

pela estrada de Alcáçovas por ③ e desvio particular : 6 km – ✉ 7000 Évora – ✪ 066 :

▥ **Estal. Monte das Flores** ⬙, Monte das Flores ℘ 254 90, Telex 44036, Fax 275 64, « Conjunto de estilo alentejano em pleno campo », ⨪, ⚒ – ▤ ☎ ⓟ. 🜇 ⓪ 𝗘 𝘝𝘐𝘚𝘈 𝗝𝗖𝗕. ⚘ rest
Ref 2600 – **17 qto** ☲ 13300/14900.

na estrada N 114 por ④ – ✉ 7000 Évora – ✪ 066 :

▥ **Évorahotel**, Quinta do Cruzeiro, 2,5 km ℘ 73 48 00, Telex 44279, Fax 73 48 06, ≼ – ▮ ▤ 𝗧𝗩 ☎ ⓟ – 🜇 25/100. 🜇 ⓪ 𝗘 𝘝𝘐𝘚𝘈. ⚘
Ref lista 2750 a 5450 – **114 qto** ☲ 11800/13900.

▥ **Estal. Poker**, Quinta do Vale de Vazios, 3,5 km ℘ 73 46 96, Fax 337 10, ≼, 🝆, ⨪, ⚒ – ▤ 𝗧𝗩 ☎ ⓟ – 🜇 25/70. ⓪ 𝗘 𝘝𝘐𝘚𝘈
fechado 2ª feira – Ref 2000 – **15 qto** ☲ 10500/12600.

517

ÉVORA

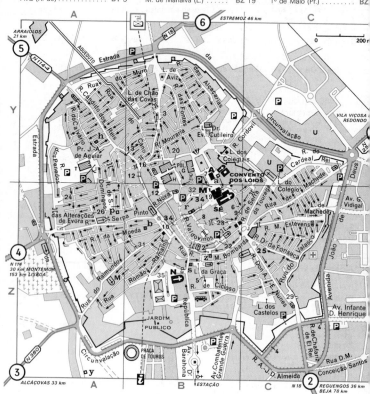

☞ *Para estar inscrito no **Guia Michelin** :*

– nada de cunhas,

– nada de gratificações !

FAIAL Madeira – ver Madeira (Arquipélago da).

FÃO Braga 440 H 3 – 2 185 h. – ⊠ 4740 Esposende – ☎ 053 – Praia.
◆Lisboa 365 – Braga 35 – ◆Porto 47.

na Praia de Ofir – ⊠ 4740 Esposende – ☎ 053 :

🏨 Sopete Ofir ⤳, Av. Raul Sousa Martins ℘ 98 13 83, Telex 32492, Fax 98 18 71, ≤, ⤳, ⤳
– 🛗 📺 ☎ 🅿 – 🔬 25/600
200 qto.

🏨 **Estal. Parque do Rio** , ℘ 98 15 21, Telex 32066, Fax 98 15 24, Num pinhal , ⤳, ⤳
⤳ – 🛗 🍽 rest ☎ 🅿 🝙 ⓪ 🝙 🝙 ⤳
abril-outubro – Ref 2650 – **36 qto** ⊑ 10000/14850 – PA 5300.

em Apúlia S : 6,3 km pela estrada N 13 – ⊠ 4740 Esposende – ☎ 053 :

🏠 San Remo sem rest, Av. da Praia 45 ℘ 98 15 85, Fax 98 15 86 – ☎
29 qto.

518

ARO 8000 🅿 440 U 6 – 28 622 h. – 🕿 089 – Praia.

r : Miradouro de Santo António ❋★ B **F.**

red. : Praia de Faro ≤★ 9 km por ① – Olhão (campanário da igreja ❋★) 8 km por ③.

Club Golf de Vilamoura 23 km por ① 🕿 336 52 Quarteira – 🖪 Club Golf do Vale do Lobo
 km por ① 🕿 941 45 Almancil – 🖪, 🖪 Campo de Golf da Quinta do Lago 16 km por ①
945 29.

✈ de Faro 7 km por ① 🕿 81 82 81 – T.A.P., Rua D. Francisco Gomes 8 🕿 221 41.

Rua da Misericórdia 8 a 12 🕿 80 36 04 – **A.C.P.** Rua Francisco Barreto 26 A, 🕿 80 57 53,
x 80 21 32.

isboa 309 ② – Huelva 105 ③ – Setúbal 258 ②.

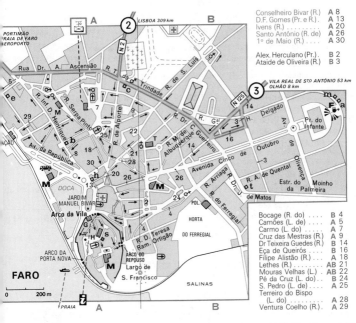

🏨 **Faro,** Praça D. Francisco Gomes 2 🕿 80 32 76, Telex 56108, Fax 80 35 46 – 🛗 🗐 ☏. 🖭 ⓪ 🇪 VISA. ✸ — A **h**
Ref 2350 – **52 qto** ⥺ 7000/10000 – PA 4700.

🏨 **Dom Bernardo** sem rest, Rua General Teófilo da Trindade 20 🕿 80 68 06, Fax 80 68 00 – 🛗 🗐 📺 ☎ ⇔. 🖭 🇪 VISA. ✸ — A **c**
43 qto ⥺ 9680/10660.

🏨 **Afonso III** sem rest, Rua Miguel Bombarda 64 🕿 80 35 42, Fax 80 51 85 – 🛗 🗐 📺 ☎. 🖭 ⓪ 🇪 VISA. ✸ — A **e**
40 qto ⥺ 7000/9250.

🏨 **Solar do Alto** 🕭 sem rest, Rua de Berlim 55 🕿 80 58 75, ≤ – 📺 ☏ — B **a**
20 qto.

🏨 **York** 🕭 sem rest, Rua de Berlim 39 🕿 82 39 73 – 📺 ☎ — B **m**
21 qto ⥺ 11000.

🏨 **O Faraó** sem rest, Largo da Madalena 4 🕿 82 33 56 – ☎. — A **b**
30 qto

🏨 **Alameda** sem rest, Rua Dr. José de Matos 31 🕿 80 19 62 – ☎ — B **t**
14 qto ⥺ 6500/8500.

XX **Cidade Velha,** Rua Domingos Guieiro 19 🕿 271 45 – 🗐. 🇪 VISA. ✸ — A **s**
fechado domingo – Ref lista 2440 a 4750.

na Estrada N 125 por ① : 2,5 km – ✉ 8000 Faro – 🕿 089 :

🏨 **Ibis,** Pontes de Marchil 🕿 80 67 71, Telex 56168, Fax 80 69 30, 🍽, 🛋 – 🛗 🗐 📺 ☎ 🕭 🅿 – 🔬 25/75. 🖭 ⓪ VISA
Ref 1450 – ⥺ 810 – **81 qto** 8500.

na Praia de Faro por ① : 9 km – ⊠ 8000 Faro – ✪ 089 :

🏨 **Estal. Aeromar,** av Nascente 1 ℘ 81 75 42, Fax 81 75 12, ≤, 斎 – 🔟 ☎ 🖭 ⓞ 🗲 🆅🆂
✻ rest
Ref 2600 – **23 qto** ⊇ 10500/12500.

em Estói por ② : 11 km – ⊠ 8000 Faro – ✪ 089 :

🏨 **Monte do Casal** ≫, Estrada de Moncarapacho SE : 3 km ℘ 915 03, Fax 913 41, ≤, 斎
Antiga casa de campo, 🔟 climatizada – ☎ 🅟 🗲 🆅🆂🅰. ✻
fechado 4 dezembro-4 fevereiro – Ref *(fechado 2ª feira)* 4200 – **12 qto** ⊇ 14500/19500

🏨 **Estal. Moleiro** ≫, Estrada N 2 NO : 1,5 km (Quinta da Bemposta) ℘ 914 95, Telex 5668
Fax 913 47, ≤ campo, colinas e orla marítima, 🔟, ✻ – |✿| 🧵 ☎ 🅟. 🖭 ⓞ 🗲 🆅🆂🅰. ✻
Ref 2500 – **36 qto** ⊇ 12500/15500.

em Santa Bárbara de Nexe por ① : 12 km – ⊠ 8000 Faro – ✪ 089 :

🏨 **La Réserve** ≫, Estrada de Esteval ℘ 904 74, Telex 56790, Fax 904 02, ≤, « Extenso e belo
jardim com 🔟 », ✻ – 🧵 🔟 ☎ 🅟.
Ref (ver em continuação rest. La Réserve) – **20 apartamentos** ⊇ 30000/40000.

XXX ✪ **La Réserve,** Estrada de Esteval ℘ 902 34, Telex 56790, Fax 904 02, 斎 – 🧵 🅟. ✻
fechado 3ª feira – Ref (só jantar) lista 5400 a 8300
Espec. Camarão à oriental, Pato assado Vendôme, Codornizes com trufa Don Quijote.

FÁTIMA 2495 Santarém 🄼🄿🄾 N 4 – 7 298 h. alt. 346 – na Cova da Iria – ✪ 049.
Arred.: SO : Grutas de Mira de Aire✱ o dos Moinhos Velhos.
🛈 Av. D. José Alves Correia da Silva ℘ 53 11 39.
◆Lisboa 135 – Leiria 26 – Santarém 64.

XX ✪ **Tía Alice,** Rua do Adro ℘ 53 17 37 – 🖿. 🗲 🆅🆂🅰
fechado domingo noite, 2ª feira e julho – Ref lista 2850 a 4600
Espec. Açorda de camarão, Arroz de pato, Bolo do convento.

na Cova da Iria NO : 2 km – ⊠ 2495 Fátima – ✪ 049 :

🏨 **De Fátima,** João Paulo II ℘ 53 33 51, Telex 43750, Fax 53 26 91 – |✿| 🖿 🔟 ☎ ⟵⟶ 🅟
🛗 25/500. 🖭 ⓞ 🗲 🆅🆂🅰. ✻ rest
Ref 3000 – **133 qto** ⊇ 10000/12000 – PA 6000.

🏨 **Santa Maria,** Rua de Santo António ℘ 53 30 15, Telex 43108, Fax 53 21 97 – |✿| 🖿 res
🔟 ☎ 🅟. 🖭 🗲 🆅🆂🅰. ✻ – Ref 2300 – **60 qto** ⊇ 6850/8800 – PA 4600.

🏨 **Três Pastorinhos,** Rua João Paulo II ℘ 53 34 29, Telex 61550, Fax 53 24 49 – |✿| 🖿 res
⟶ 🅟. 🖭 ⓞ 🗲 🆅🆂🅰. ✻ rest
Ref 2300 – **92 qto** ⊇ 7500/9500.

🏨 **Dom Gonçalo,** Rua Jacinta Marto 100 ℘ 53 30 62, Telex 43838, Fax 53 20 88 – |✿| 🖿 🔟
☎ 🅟 – 🛗 25/220. 🖭 ⓞ 🗲 🆅🆂🅰. ✻ rest
Ref lista 3500 a 4500 – **41 qto** ⊇ 8500/11200.

🏨 **São José,** Av. D. José Alves Correia da Silva ℘ 53 22 15, Telex 43279, Fax 53 21 97 – |✿|
🖿 rest 🔟 ⟶ 🅟. 🖭 🗲 🆅🆂🅰. ✻ – Ref 2300 – **63 qto** ⊇ 6850/8800 – PA 4600.

🏨 **Regina,** Rua Dr. Cónego Manuel Formigão ℘ 53 23 03, Telex 17118, Fax 53 26 63 – |✿|
🖿 rest ☎. 🖭 ⓞ 🆅🆂🅰. ✻
Ref 3500 – ⊇ 1000 – **90 qto** 7250/9250 – PA 7000.

🏨 **Cinquentenário,** Rua Francisco Marto 175 ℘ 53 34 65, Telex 44288, Fax 53 29 92 – |✿| 🖿
🔟 ☎ 🅟 – 🛗 25/80. 🖭 ⓞ 🗲 🆅🆂🅰. ✻
Ref 2500 – **132 qto** ⊇ 6950/9300 – PA 4700.

🏨 **Católica,** Rua de Santa Isabel ℘ 53 23 55, Telex 63216 – |✿| 🖿 rest ⟶
55 qto.

🏨 **Casa Beato Nuno,** Av. Beato Nuno 51 ℘ 53 30 69, Telex 43273, Fax 53 27 57 – |✿| 🖿 res
☎ 🅟 – 🛗 25/200. 🗲 🆅🆂🅰. ✻
Ref 1800 – **135 qto** ⊇ 4600/5600 – PA 3600.

🏨 **Alecrim,** Rua Francisco Marto 84 ℘ 53 13 87, Telex 61230, Fax 53 28 17 – |✿| ☎. 🖭 🗲 🆅🆂🅰
✻ rest – *fechado janeiro* – Ref 2100 – **52 qto** ⊇ 4250/8000.

🏨 **Casa das Irmãs Dominicanas,** Rua Francisco Marto 50 ℘ 53 33 17, Fax 53 26 88 – |✿|
⟶ 🅟 – 🛗 25/60. ✻
Ref 1600 – **101 qto** ⊇ 4250/6000 – PA 3100.

🏨 **Cruz Alta** sem rest, Rua Dr. Cónego Manuel Formigão ℘ 53 14 81, Telex 44376
Fax 53 21 60 – |✿| 🔟 ⟶ 🅟. 🖭 ⓞ 🗲 🆅🆂🅰. ✻
22 qto ⊇ 8000/9000.

🏨 **Floresta,** Estrada da Batalha ℘ 53 14 66, Fax 53 31 38 – |✿| 🖿 rest ⟶ 🅟. 🖭 ⓞ 🗲 🆅🆂🅰. ✻
Ref 1700 – **31 qto** ⊇ 6500/9500.

🏨 **São Paulo** sem rest, Rua de São Paulo ℘ 53 15 72, Fax 53 32 57 – |✿| ⟶ 🅟. ✻
55 qto ⊇ 3900/5400.

🏨 **Estrela de Fátima,** Rua Dr Cónego Manuel Formigão ℘ 53 11 50, Telex 44376
Fax 53 21 60 – 🅟. 🖭 ⓞ 🗲 🆅🆂🅰. ✻
Ref 2100 – **57 qto** ⊇ 8000/9000.

ELGUEIRAS 4610 Porto 🗺️ H 5 – 165 h. – 😊 055.

isboa 379 – Braga 38 – ◆Porto 65 – Vila Real 57.

Horus sem rest, Av. Dr. Leonardo Coimbra 𝒫 31 24 00, Telex 25962, Fax 31 23 22, *Ⅰ₅*, 🔲 – ‖ 🗏 📺 🕿 ⅄ 🤝 – ⅍ 25/100. ⅀ⅇ ⓞ Ε 𝓥𝓘𝓢𝓐. ⅍
46 qto ⇆ 9000/10500, 12 apartamentos.

ERMENTELOS Aveiro 🗺️ K 4 – 2 183 h. – ⊠ 3770 Oliveira do Bairro – 😊 034.

isboa 244 – Aveiro 20 – ◆Coimbra 42.

na margem do lago NE : 1 km – ⊠ 3770 Oliveira do Bairro – 😊 034 :

Estal. da Pateira 🦢, 𝒫 72 12 19, Fax 72 21 81, ≼ – ‖ 🗏 📺 🕾 ⓟ
14 qto.

ERNÃO FERRO Setúbal 🗺️ Q 2 – ⊠ 2840 Seixal – 😊 01.

isboa 26 – Sesimbra 16 – Setúbal 34.

Orión e Rest. Ibérico, Estrada N 378 𝒫 212 18 34, Fax 212 10 13, 🔲 – ‖ 🗏 📺 🕾 ⓟ – ⅍ 25/80. ⅀ⅇ ⓞ 𝓥𝓘𝓢𝓐. ⅍
Ref lista aprox. 3500 – **34 qto** ⇆ 9000/10500.

FERRAGUDO 8400 Faro 🗺️ U 4 – 1 911 h. – 😊 082 – Praia.

em Vale de Areia S : 2 km – ⊠ 8400 Lagoa – 😊 082 :

Casabela H. 🦢, Praia Grande 𝒫 46 15 80, Telex 57100, Fax 46 15 81, ≼ Praia da Rocha e mar, 🍽️, ⊿, 🐎, ℀ – ‖ 🗏 📺 🕿 ⓟ – ⅍ 25. ⅍ rest
Ref 3000 – **63 qto** ⇆ 27500.

FERREIRA DO ZÊZERE 2240 Santarém 🗺️ M 5 – 1 974 h. – 😊 049.

isboa 166 – Castelo Branco 107 – ◆Coimbra 61 – Leiria 66.

na margem do rio Zêzere pela N 348 SE : 8 km – ⊠ 2240 Ferreira do Zêzere – 😊 049 :

Estal. Lago Azul 🦢, 𝒫 36 14 45, ≼, « Na margem do río Zêzere », ⊿, ℀ – ‖ 🗏 📺 🕾 ⓟ – ⅍ 25/90
20 qto.

FIGUEIRA DA FOZ 3080 Coimbra 🗺️ L 3 – 13 397 h. – 😊 033 – Praia.

er : Localidade★.

rred. : Montemor-o-Velho : castelo★ (❄★) 17 km por ②.

🛫 𝒫 276 83.

Av. 25 de Abril 𝒫 226 10 – **A.C.P.** Av. Saraiva de Carvalho 140, 𝒫 241 08, Fax 293 18.

isboa 181 ② – ◆Coimbra 44 ②.

Plano página seguinte

Grande H. da Figueira, Av. 25 de Abril 𝒫 221 46, Telex 53086, Fax 224 20, ≼ – ‖ 🗏 rest 📺 🕿. ⅀ⅇ ⓞ. ⅍   A **v**
Ref 3000 – **91 qto** ⇆ 7700/9500 – PA 6000.

Wellington sem rest, Rua Dr Calado 25 𝒫 267 67, Fax 275 93 – ‖ 🗏 📺 🕿. ⅀ⅇ ⓞ Ε 𝓥𝓘𝓢𝓐   A **b**
34 qto ⇆ 7000/8000.

Internacional, Rua da Liberdade 20 𝒫 220 51, Telex 53086, Fax 224 20 – ‖ 🕿 –   A **a**
⅍ 25/100. ⅀ⅇ ⓞ Ε 𝓥𝓘𝓢𝓐. ⅍
Ref 3000 – **50 qto** ⇆ 6000/7700 – PA 6000.

Nicola sem rest, Rua Bernardo Lopes 83 𝒫 223 59, Fax 223 59 – ‖ 📺 🕿. ⅀ⅇ ⓞ Ε 𝓥𝓘𝓢𝓐   A **b**
⇆ 400 – **24 qto** 7500/8200.

Universal sem rest, Rua Miguel Bombarda 50 𝒫 262 28, Fax 229 62 – 📺 🕿   A **c**
32 qto.

Bela Vista sem rest, Rua Joaquim Sotto Maior 6 𝒫 224 64 – Ε 𝓥𝓘𝓢𝓐   A **g**
18 qto ⇆ 6500.

em Buarcos A – ⊠ 3080 Figueira da Foz – 😊 033 :

Clube de Vale de Leão 🦢, Estrada do Cabo Mondego NO : 6 km 𝒫 330 57, Telex 53011, Fax 325 71, ≼, « Em moradias independentes », *Ⅰ₅*, ⊿, ℀ – 📺 🕾 ⓟ – ⅍ 25/60. ⅀ⅇ ⓞ Ε 𝓥𝓘𝓢𝓐 – Ref 3700 – ⇆ 750 – **24 apartamentos** 18900.

Atlântida, Estrada do Cabo Mondego NO : 4,5 km 𝒫 219 97, Telex 52958, Fax 210 67, ≼, ⊿, ℀ – ‖ 🗏 📺 🕾 ⓟ – ⅍ 25/400. ⅀ⅇ ⓞ Ε 𝓥𝓘𝓢𝓐. ⅍
Ref 2500 – ⇆ 750 – **146 qto** 11500/12500 – PA 5000.

Tamargueira sem rest, Estrada do Cabo Mondego NO : 3 km 𝒫 325 14, ≼ – ‖ 📺 🕾 ⓟ. ⅀ⅇ ⓞ Ε 𝓥𝓘𝓢𝓐. ⅍
⇆ 750 – **87 qto** 10500/11500.

Teimoso com qto, Estrada do Cabo Mondego, NO : 5 km 𝒫 327 85, Fax 210 17, ≼ – 🗏 rest ⓟ. ⅀ⅇ Ε 𝓥𝓘𝓢𝓐. ⅍
Ref lista 1800 a 3400 – ⇆ 400 – **14 qto** 7000.

FIGUEIRA DA FOZ

Alfândega (Cais da)	B 2	Bernardo Lopes (R.)	A 3	
Cândido dos Reis (R.)	A 6	Bombeiros Voluntários		
Eng. Silva (R.)	A 8	(R.)	B 4	
Infante D. Henrique (P.)	A 11	Brasil (Av. do)	A 5	
Luís de Camões (Largo)	B 14	C. da Grande Guerra (R.)	B 7	
República (R. da)	B	Fernandes Tomás (R.)	B 9	
5 de Outubro (R.)	AB 16	Fonte (R. da)	A	
8 de Maio (Praça)	B 17	Liberdade (R. da)	A	
		Luís Carriço (R.)	A	
		Viso (R. do)	A	

ao Sul - em Santa Luzia de Lavos por ① : 11 km – ⊠ 3080 Figueira da Foz – ✿ 033

XX **O Solar de Lavos,** ℘ 94 67 87, ☜ – ▤ ℗, ⴺ 𝑉𝐼𝑆𝐴
fechado do 10 ao 21 de janeiro – Ref lista 2600 a 2950.

FIGUEIRÓ DOS VINHOS 3260 Leiria ④④⓪ M 5 – 4 662 h. alt. 450 – ✿ 036.

Arred. : Percurso★ de Figueiró dos Vinhos a Pontão 16 km – Barragem do Cabril★ (desfiladeiro★
≼★) E : 22 km – N : Estrada da Lousã (≼★, descida★).

🛈 Av. Padre Diogo de Vasconcelos ℘ 521 78.

◆Lisboa 205 – ◆Coimbra 59 – Leiria 74.

X **Panorama,** Rua Major Neutel de Abreu 24 ℘ 521 15 – ▤, ⴹⴱ ⑪ ⴺ 𝑉𝐼𝑆𝐴
fechado 4ª feira, do 1 ao 15 de setembro e do 1 ao 15 de julho – Ref lista 2100
a 3100.

FOZ DO ARELHO 2500 Leiria ④④⓪ N 2 – ✿ 062.

◆Lisboa 101 – Leiria 62 – Nazaré 27.

🏠 **Penedo Furado** sem rest, Rua dos Camarções 3 ℘ 97 96 10, Fax 97 98 32 – 📺 ☎ ℗. ▮
𝑉𝐼𝑆𝐴. ⵣⵣ
28 qto ⴼ 7000/8000.

FOZ DO DOURO Porto – ver Porto.

FRANQUEADA Faro – ver Loulé.

FUNCHAL Madeira – ver Madeira (Arquipélago da).

FUNDÃO 6230 Castelo Branco ④④⓪ L 7 – 6 004 h. – ✿ 075.

🛈 Av. da Liberdade ℘ 527 70.

◆Lisboa 303 – Castelo Branco 44 – ◆Coimbra 151 – Guarda 63.

🏛 **Samasa** sem rest, Rua Vasco da Gama ℘ 712 99, Telex 53112, Fax 718 09 – 🛗 ▤ 📺 ☜
ⴱ ⑪ ⴺ 𝑉𝐼𝑆𝐴
50 qto ⴼ 8000/11000.

na estrada N 18 N : 2,5 km – ⊠ 6230 Fundão – ✿ 075 :

🏠 O Alambique, ℘ 741 69, Fax 740 21, 🏊 – ▤ 📺 ☎ ℗
100 qto.

ERÊS 4845 Braga 𝟒𝟒𝟎 G 5 - alt. 400 - 🕾 053 - Termas.
🇹 : Parque Nacional da Penedagerês★★.
curs. : NO : Serra do Gerês★★ - Barragem de Vilarinho das Furnas : local★ - Miradouro da Fraga
gra★ (corrente da rocha★).
Av. Manuel Ferreira da Costa 𝄐 651 33.
Lisboa 412 - Braga 44.

ONDARÉM Viana do Castelo - ver Vila Nova da Cerveira.

OUVEIA 6290 Guarda 𝟒𝟒𝟎 K 7 - 603 h. alt. 650 - 🕾 038.
red. : Estrada★★ de Gouveia a Covilhã (≼★, Poço do Inferno★ : cascata★, vale glaciário do
zere★, ≼★) por Manteigas : 65 km.
Av. dos Bombeiros Voluntarios 𝄐 421 85.
Lisboa 310 - ◆Coimbra 111 - Guarda 59.

🏨 **De Gouveia e Rest. O Foral,** Av. 1º de Maio 𝄐 49 10 10, Fax 413 70, ≼ - 🛗 ▤ rest 📺
🕾 🅿 - 🔬 25. 🆎 ⓞ 🇪 𝘝𝘐𝘚𝘈. ⋘
Ref *(fechado do 15 ao 30 de outubro)* lista 1700 a 2500 - **31 qto** � 6500/10000.

es prix
Pour toutes précisions sur les prix indiqués dans ce guide,
reportez-vous aux pages de l'introduction.

GOUVEIA Lisboa 𝟒𝟒𝟎 P 1 - ⊠ 2710 Sintra - 🕾 01.
Lisboa 29 - Sintra 6.

✗ **A Lanterna,** Estrada N 375 𝄐 929 21 17 - 🅿. 🇪 𝘝𝘐𝘚𝘈. ⋘
fechado 2ª feira - Ref lista aprox. 2500.

GRÁNDOLA 7570 Sétubal 𝟒𝟒𝟎 R 4 - 10 461 h. - 🕾 069.
Jardín do Dr. J. Jacinto Nunes 𝄐 420 51 - ext. 138.
Lisboa 121 - Beja 69 - Setúbal 75.

🏨 Vila Morena sem rest, Av. Jorge Nunes 𝄐 420 95 - 🛗 🕾 ⟵⟶
23 qto.

GRANJA Porto 𝟒𝟒𝟎 I 4 - ⊠ 4405 Valadares - 🕾 02 - Praia.
Lisboa 317 - Amarante 79 - Braga 69 - ◆Porto 17.

🏨 **Solverde,** Estrada N 109 𝄐 72 66 66, Telex 25982, Fax 72 62 36, ≼, 🛋, 🏊, 🏊, ⋇ - 🛗
▤ 📺 🕾 🕹 ⟵⟶ 🅿 - 🔬 25/500. 🆎 ⓞ 🇪 𝘝𝘐𝘚𝘈. ⋘
Ref lista 4100 a 6900 - **174 qto** ⊟ 21000/24500.

GUARDA 6300 ℙ 𝟒𝟒𝟎 K 8 - 14 803 h. alt. 1 000 - 🕾 071.
er : Catedral★.
🇹 Praça Luís de Camões, Edifício da Câmara Municipal 𝄐 22 22 51.
Lisboa 361 - Castelo Branco 107 - Ciudad Rodrigo 74 - ◆Coimbra 161 - Viseu 85.

🏨 **De Turismo,** Praça do Municipio 𝄐 22 33 66, Telex 53760, Fax 22 33 99, ≼, 🏊 - 🛗 ▤ rest
📺 🕾 ⟵⟶ - 🔬 25/300. 🆎 ⓞ 🇪 𝘝𝘐𝘚𝘈 𝘑𝘊𝘉. ⋘
Ref 3500 - ⊟ 900 - **103 qto** 13400/16500, 2 suites - PA 7000.

✗✗ **O Telheiro,** Estrada N 16, E : 1,5 km 𝄐 21 13 56, Fax 22 17 27, ≼, ⋰ - 🅿. 🇪 𝘝𝘐𝘚𝘈
Refeição lista 2950 a 3550.

✗ D'Oliveira, Rua do Encontro 1-1º 𝄐 21 44 46 - ▤.

na Estrada N 16 NE : 7 km - ⊠ 6300 Guarda - 🕾 071

✗ Pombeira, 𝄐 23 96 95, Fax 23 95 18 - ▤ 🅿.

GUARDEIRAS Porto 𝟒𝟒𝟎 I 4 - ⊠ 4470 Maia - 🕾 02.
Lisboa 326 - Amarante 76 - Braga 43 - ◆Porto 12.

✗ Estal. Lidador com qto, Estrada N 13 𝄐 948 11 09 - ▤ rest 🕾 🅿
7 qto.

GUIMARÃES 4800 Braga 𝟒𝟒𝟎 H 5 - 22 092 h. alt. 175 - 🕾 053.
Ver : Paço dos Duques★ (tectos★, tapeçarias★) - Castelo★ - Igreja de São Francisco (azulejos★,
sacristia★) - Museu Alberto Sampaio★ (ourivesaria★, cruz★, tríptico★).
Arred. : Penha ⋇★ SE : 8 km.
🇹 Av. da Resistência ao Fascismo 83 𝄐 412 450.
◆Lisboa 364 - Braga 22 - ◆Porto 49 - Viana do Castelo 70.

523

🏨 **De Guimarães,** Rua Eduardo de Almeida $\mathscr{S}$ 51 58 88, Telex 33836, Fax 51 62 34, ≤, *Ⅰ↴*
🔲, 🛲 – |💺| 🔳 📺 ☎ ⟲ 🄿 – 🏄 25/250. 🄰🄴 ⓪ 🄴 ᐯᴵˢᴬ. ⋙
Ref lista 2600 a 4500 – **72 qto** ⊑ 15000/17000.

🏨 **Pousada de Santa Maria da Oliveira,** Rua de Santa Maria $\mathscr{S}$ 51 41 57, Telex 32875
Fax 51 42 04 – |💺| 🔳 rest 🄿. 🄰🄴 ⓪ 🄴 ᐯᴵˢᴬ.
Ref 3100 – **16 qto** ⊑ 14600/16900.

🏨 **Fundador Dom Pedro** sem rest, Av. Afonso Henriques 740 $\mathscr{S}$ 51 37 81, Telex 32866
Fax 51 37 86, ≤ – |💺| 🔳 📺 ☎ ⟲. 🄰🄴 ⓪ 🄴 ᐯᴵˢᴬ
63 qto ⊑ 10000/12000.

🏨 **Toural** sem rest, Largo do Toural $\mathscr{S}$ 51 71 84, Fax 51 71 49 – |💺| 🔳 📺 ☎ 🄿 – 🏄 25/40
🄰🄴 ⓪ 🄴 ᐯᴵˢᴬ. ⋙
30 qto ⊑ 11000/13000.

🏨 **Albergaria Palmeiras** sem rest, Rua Gil Vicente (Centro Comercial das Palmeiras
$\mathscr{S}$ 41 72 61 – |💺| 🔳 📺 ☎ ⟲. 🄰🄴 ⓪ 🄴 ᐯᴵˢᴬ. ⋙
22 qto ⊑ 7000/8000.

✕✕ Vira Bar com snack-bar, Alameda 25 $\mathscr{S}$ 41 41 16 – 🔳.

na estrada da Penha E : 2,5 km – ✉ 4800 Guimarães – 🟢 053 :

🏨 **Pousada de Santa Marinha** ≫, $\mathscr{S}$ 51 44 53, Telex 32686, Fax 51 44 59, ≤ Guimarães
« Instalado num antigo convento », 🛲 – |💺| 🔳 📺 ☎ 🄿. 🄰🄴 ⓪ 🄴 ᐯᴵˢᴬ. ⋙ rest
Ref lista 4500 a 5500 – **48 qto** ⊑ 17400/20400, 2 suites.

LAGOA 8400 Faro 🄼🄿🄾 U 4 – 6 353 h. – 🟢 082 – Praia.

Arred. : Silves (Castelo★) N : 6,5 km – Carvoeiro : Algar Sêco : sítio marinho★★ S : 6 km.

🄱 Largo da Praia, Praia do Carvoeiro $\mathscr{S}$ 35 77 28.

♦Lisboa 300 – Faro 54 – Lagos 26.

na estrada N 125 SE : 1,5 km – ✉ 8400 Lagoa – 🟢 082 :

🏨 Motel Parque Algarvío, $\mathscr{S}$ 522 65, Fax 522 78, 🏖, 🏊, 🛲 – ☎ 🄿 – **42 qto.**

na Praia do Carvoeiro S : 5 km – ✉ 8400 Lagoa – 🟢 082 :

🏨 **Almansor,** Estrada do Farol $\mathscr{S}$ 35 80 26, Telex 57194, Fax 35 87 70, ≤, 🏖, « Relvado com
🏊 e belos socalcos ajardinados » – |💺| 🔳 📺 ☎ 🄿 – 🏄 350/700. 🄰🄴 ⓪ 🄴 ᐯᴵˢᴬ
Ref - **A Varanda** *(só jantar)* lista aprox. 4800 – **290 qto** ⊑ 26000/29000.

🏨 **Aparthotel Cristal** ≫, Vale Centianes $\mathscr{S}$ 35 86 01, Telex 58705, Fax 35 86 48, ≤, 🏖, *Ⅰ↴*
🏊, 🔲, ✕ – |💺| 🔳 📺 ☎ 🄿. 🄰🄴 ⓪ 🄴 ᐯᴵˢᴬ. ⋙
Ref **Grill Saveiro** *(só jantar)* lista 2200 a 3500 - **Gaivota** lista aprox. 2500 – **117 aparta
mentos** ⊑ 17250/23000.

✕✕ **Centianes,** Vale Centianes $\mathscr{S}$ 35 87 24, Fax 35 81 00, 🏖 – 🔳. 🄰🄴 ⓪ 🄴 ᐯᴵˢᴬ 🄹🄲🄱
fechado domingo e 15 janeiro-15 fevereiro – Ref (só jantar) lista 3430 a 7080.

✕✕ **O Castelo,** Rua do Casino $\mathscr{S}$ 35 72 18, ≤, 🏖 – 🄰🄴 ⓪ 🄴 ᐯᴵˢᴬ. ⋙
fechado 2ª feira e 10 janeiro-fevereiro – Ref (só jantar) lista 2700 a 5230.

✕ **O Pátio,** Largo da Praia 6 $\mathscr{S}$ 35 62 46, Fax 35 62 47, 🏖, Decoração rústica – 🔳. 🄴 ᐯᴵˢᴬ
março-outubro – Ref lista 2850 a 4500.

✕ **A Rede,** Estrada do Farol $\mathscr{S}$ 35 85 13, Fax 31 36 51, 🏖 – 🔳. 🄴 ᐯᴵˢᴬ 🄹🄲🄱. ⋙
Ref lista aprox 4200.

✕ **Togi,** Rua das Flores 12-Algar Sêco $\mathscr{S}$ 35 85 17, Decoração regional – ⋙
março-15 novembro – Ref (só jantar) lista 2665 a 3400.

LAGOS 8600 Faro 🄼🄿🄾 U 3 – 10 054 h. – 🟢 082 – Praia.

Ver : Local ≤★ – Museo regional (interior★ da igreja de Santo Antonio) Z **M.**

Arred. : Ponta da Piedade★★ (local★ ≤★), Praia de Dona Ana★ S : 3 km – Barragem de Bravura★
15 km por ②.

🄸🄱 Campo de Palmares Meia Praia por ② – $\mathscr{S}$ 76 29 53.

🄱 Largo Marquês de Pombal $\mathscr{S}$ 76 30 31.

♦Lisboa 290 ① – Beja 167 ① – Faro 82 ② – Setúbal 239 ①.

Plano página seguinte

🏨 De Lagos, Rua Nova da Aldeia $\mathscr{S}$ 76 99 67, Telex 57477, Fax 76 99 20, 🏖, *Ⅰ↴*
🏊 climatizada, 🔲, 🛲 – |💺| 🔳 📺 ☎ ⟲ – 🏄 25/150 – **317 qto.**   Y e

🏨 **Marina Rio** sem rest, av. dos Descobrimentos $\mathscr{S}$ 76 98 59, Telex 58760, Fax 76 99 60, ≤
🏊 climatizada – |💺| 🔳 📺 ☎. 🄴 ᐯᴵˢᴬ. ⋙   Y a
fechado 23 novembro-25 dezembro – **36 qto** ⊑ 14600/15000.

🏨 **Montemar** sem rest., Rua da Torraltinha Lote 33 $\mathscr{S}$ 76 20 85, Telex 57454, Fax 76 20 88
– |💺| 🔳 📺 ☎ ⟲. 🄰🄴 ⓪ 🄴 ᐯᴵˢᴬ. ⋙   Z a
65 qto ⊑ 9500/13500.

LAGOS

Afonso de Almeida (Rua)	Y 3
Cândido dos Reis (Rua)	Z 10
Garrett (Rua)	Y 26
Gil Eanes (Praça)	Y 28
Marquês de Pombal (Rua)	Y 42
Porta de Portugal (R. da)	Y 45
Adro (Rua do)	Z 2
Atalaia (Rua da)	Z 4
Capelinha (Rua da)	Y 12
Cardeal Netto (Rua)	Z 13
Castelo dos Governadores	Z 14
Cemitério (Rua do)	Y 15
Conselheiro J. Machado (Rua)	Y 16
Conv. da Sra da Glória (R.)	Y 17
Dr Joaquim Tello (Rua)	Z 20
Dr Mendonça (R.)	Z 22
Forno (Travessa do)	Z 24
Gen. Alberto Silveira (Rua)	Z 27
Henrique C. da Silva (Rua)	Z 31
Infante de Sagres (Rua)	YZ 33
João Bonança (Rua)	Z 34
João de Deus (Pr.)	Z 35
Lançarote de Freitas (Rua)	Z 36
Luís de Camões (Praça)	Y 37
Luís de Azevedo (Rua)	Z 38
Marreiros Netto (Rua)	YZ 43
República (Praça da)	Z 46
Silva Lopes (Rua da)	Z 49
5 de Outubro (Rua)	Z 50
25 de Abril (Rua)	Z 51

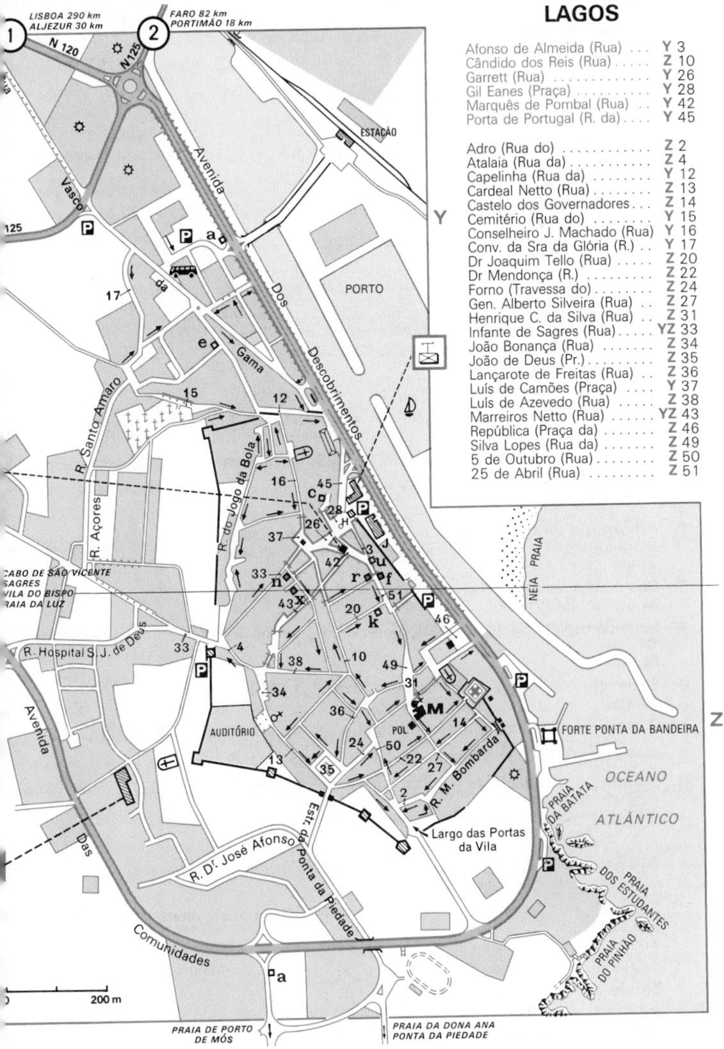

Lagosmar sem rest, Rua Dr. Faria e Silva 13 ☎ 76 37 22, Fax 76 73 24 – TV ☎. ⓓ E VISA. ✗ — Y **c**
45 qto 8000/10000.

Cidade Velha sem rest, Rua Dr. Joaquim Tello 7 ☎ 76 20 41 – |‡| ☎. ✗ — Z **k**
17 qto 7000/8500.

Marazul sem rest, Rua 25 de Abril 13 ☎ 76 91 43, Telex 58760, Fax 76 99 60 – ☎. ✗ — Y **u**
fechado 23 novembro-26 dezembro – **18 qto** 8200/8500.

O Castelo, Rua 25 de Abril 47 ☎ 76 09 57 – ▤ — Y **f**

Dom Sebastião, Rua 25 de Abril 20 ☎ 76 27 95, Telex 58760, Fax 76 99 60, 余, Decoração rústica – ▤. AE ⓓ E VISA. ✗ — Y **r**
fechado 23 novembro-25 dezembro – Ref lista 1850 a 2950.

O Galeão, Rua da Laranjeira 1 ☎ 76 39 09 – ▤. AE ⓓ E VISA. ✗ — YZ **x**
fechado domingo e 27 novembro-27 dezembro – Ref lista 2060 a 3230.

A Lagosteira, Rua 1° de Maio 20 ☎ 76 24 86 – ▤. AE E VISA — YZ **n**
fechado sábado meio-dia, domingo meio-dia e 10 janeiro-10 fevereiro – Ref lista 1700 a 3700.

na Praia de Dona Ana S : 2 km – ✉ 8600 Lagos – ☎ 082 :

Golfinho, ✆ 76 99 00, Telex 57497, Fax 76 99 99, ←, ⛱, 🏊 – |♦| ▤ TV ☎ 🚗 P 25/400. AE ⓓ E VISA JCB. ✗
Ref 2800 – **262 qto** ☐ 18100/21600 – PA 5600.

na estrada da Meia Praia – ✉ 8600 Lagos – ☎ 082 :

Meia Praia ⚲, NE : 3,8 km ✆ 76 20 01, Telex 57489, ←, « Jardim com árvores », ⛱, – |♦| ☎ P
temp. – **66 qto.**

Marina São Roque, NE : 1,5 km ✆ 76 37 61, Telex 58754, Fax 76 39 76, ⛱ – |♦| ▤ ☎. AE ⓓ E VISA. ✗
Ref (só jantar) 2600 – **21 qto** ☐ 9800/12800.

☞ *Pour voyager rapidement, utilisez les cartes Michelin "Grandes Routes" :*

970 Europe, 980 Grèce, 984 Allemagne, 985 Scandinavie-Finlande, 986 Grande-Bretagne-Irlande, 987 Allemagne-Autriche-Benelux, 988 Italie, 989 France, 990 Espagne-Portugal, 991 Yougoslavie.

LAMEGO 5100 Viseu 440 I 6 – 9 942 h. alt. 500 – ☎ 054.

Ver : Museo regional★ de Lamego (pinturas sobre madeira★, tapeçarias★) – Igreja do Dester (tecto★).

Arred. : Miradouro da Boa Vista★ N : 5 km – São João de Tarouca : Igreja (S. Pedro★) SE : 15,5 km

ℹ Av. Visconde Guedes Teixeira ✆ 620 05.

♦Lisboa 369 – Viseu 70 – Vila Real 40.

Albergaria do Cerrado sem rest, com snack-bar, (Estrada do Peso da Régua – Lugar do Cerrado) ✆ 631 64, Telex 20590, Fax 654 64, ← – |♦| ▤ TV ☎ 🚗. AE ⓓ E VISA. ✗
30 qto ☐ 13200/15400.

São Paulo sem rest, Av. 5 de Outubro ✆ 631 14 – |♦| ☎ 🚗. ✗
34 qto ☐ 4500/6500.

Solar do Espírito Santo sem rest, Alexandro Herculano 1 ✆ 644 70, Fax 628 86 – |♦| ▤ ☎ 🚗
28 qto.

Solar sem rest, av. Visconde Guedes Teixeira ✆ 620 60 – ☎
30 qto.

O Marquês, (Estrada do Peso da Régua – Urb. da Ortigosa) ✆ 644 88, 🏖.

pela estrada N 2 S : 1,5 km – ✉ 5100 Lamego – ☎ 054 :

Parque ⚲, Santuario de Na. Sra. dos Remédios ✆ 621 05, Telex 27723, Fax 652 03, 🏖 – TV ☎ P – 25/130. AE ⓓ E VISA. ✗ rest
Ref 3600 – **38 qto** ☐ 7300/9000 – PA 6200.

LEÇA DA PALMEIRA Porto 440 I 3 – ✉ 4450 Matosinhos – ☎ 02.

♦Lisboa 322 – Amarante 76 – Braga 55 – ♦Porto 8.

XXX **Garrafão,** Rua António Nobre 53 ✆ 995 16 60, 🏖, Peixes e mariscos – ▤. AE ⓓ E VISA JCB. ✗
fechado domingo e do 15 ao 31 de agosto – Ref lista 4200 a 8900.

XXX O Chanquinhas, Rua de Santana 243 ✆ 995 18 84, Fax 996 06 19 – ▤ P.

XX **Conde de Leça,** Rua Pinto de Araújo 110 ✆ 995 89 63 – ▤. AE ⓓ E VISA JCB. ✗
Ref lista 3150 a 5800.

X Fonte do Mar, Largo da Fonte Seca 4 ✆ 995 24 39 – ▤.

LEIRIA 2400 P 440 M 3 – 12 428 h. alt. 50 – ☎ 044.

Ver : Castelo★ (local★).

ℹ Jardim Luís de Camões ✆ 82 37 73, Fax 335 33 – A.C.P. Rua do Município, Lote B/1, Loja C ✆ 82 36 32, Fax 81 22 22.

♦Lisboa 129 – ♦Coimbra 71 – Portalegre 176 – Santarém 83.

Eurosol e Eurosol Jardim, Rua D. José Alves Correia da Silva ✆ 81 22 01, Telex 4203 Fax 81 12 05, ←, ⛱ – |♦| ▤ TV ☎ 🚗 P – 25/400. AE ⓓ E VISA JCB. ✗
Ref 3100 – ☐ 800 – **135 qto** 6800/10500 – PA 6200.

Dom João III, Av. D. João III ✆ 81 25 00, Telex 12567, Fax 81 22 35, ← – |♦| ▤ TV ☎ 🚗 – 25/350. AE ⓓ E VISA. ✗ rest
Ref 2500 – **64 qto** ☐ 8500/10500.

Albergaria do Terreiro sem rest, Largo Cândido dos Reis 17 ✆ 81 35 80, Fax 351 90 |♦| ▤ TV ☎ P – 25. AE ⓓ E VISA. ✗
31 qto ☐ 7000/9000.

🏨 **S. Luís** sem rest, Rua Henrique Sommer 🖉 81 31 97, Telex 44051, Fax 81 38 97 – |‡| 🖬 📺
☎. 🖭 ⑩ 🖿 *VISA*. 🛠
47 qto ⊑ 6000/7500.

🏨 **S. Francisco** sem rest, Rua São Francisco 26 - 9° 🖉 82 31 10, Fax 81 26 77, ⩽ – |‡| 🖬 📺
☎. 🖿 *VISA*
18 qto ⊑ 8000/10000.

🏨 **Ramalhete** sem rest, Rua Dr. Correia Mateus 30 - 2° 🖉 81 28 02, Telex 16084, Fax 81 50 99
– 📺 ☎. 🖭 ⑩ 🖿 *VISA* ᴊᴄʙ
28 qto ⊑ 6000/7500.

✗ **Reis,** Rua Wenceslau de Morais 17 🖉 248 34 – *VISA*
fechado domingo – Ref lista 1700 a 3150.

✗ **Aquário,** Rua Capitão Mouzinho de Albuquerque 17 🖉 247 20 – 🖭 ⑩ 🖿 *VISA*. 🛠
fechado 5ª feira e do 1 ao 20 de outubro – Ref lista 1900 a 2850.

em Marrazes na estrada N 109 N : 1 km – ✉ 2400 Leiria – 🕾 044 :

✗ **Tromba Rija,** Rua Professores Portelas 🖉 32072, Rest. típico – 🗐. 🖭 ⑩ 🖿 *VISA*
fechado domingo, 2ª feira meio-dia, feriados e agosto – Ref lista 3150 a 4250.

pela estrada N I SO : 4,5 km – ✉ 2400 Leiria – 🕾 044 :

✗✗ **O Casarão,** Cruzamento de Azóia 🖉 87 10 80, Fax 87 21 55 – 🅿. 🖭 ⑩ 🖿 *VISA*. 🛠
fechado 2ª feira e do 1 ao 15 de outubro – Ref lista 3100 a 4550.

Lisboa

1100 **P** 440 P 2 – 826 140 h. alt. 111 – ✿ 01.

Ver : Vista sobre a cidade : ★★ da Ponte 25 de Abril BV, ★★ do Cristo-Rei por ②.

CENTRO
Ver : Rossio★ (Praça) p. 5 GY – Avenida da Liberdade★ FX – Parque Eduardo VII★ (Estufa fria★) EX – Igreja São Roque★ FY **M1** (intérior★, Capela de São João Batista★★ – Museu de São Roque★ (ornamentos sacardotais★ Virgem com O Menino★ – Igreja do Carmo (ruínas★) – Terreiro do Paço★ (Praça) GZ – Miradouro de São Pedro de Alcântara★ FY **A**.

CIDADE MEDIEVAL
Ver : Castelo de São Jorge★★ GY – Sé★ GZ (túmulos★, claustro : gelosia★ da capela) – Miradouro de Santa Luzia★ JY – Alfama★★ (Beco do Carneiro★ e Rua de São Pedro★) JYZ.

CIDADE MANUELINA
Ver : Mosteiro dos Jerónimos★★ (igreja★★, claustro★★★) AV – Torre de Belém★★ AV – Padrão dos Descobrimentos★ AV **F**.

MUSEUS
Nacional de Arte Antiga★★ (poliptico de Nuno Conçalves★★★, colecções de primitivos portugueses★★) BV **M6** – Calouste-Gulbenkian★★★ (coleções de arte) CU **M7** – do Azulejo★ – Nacional dos Coches★★ AV **M12** – da Marinha★★ AV **M4** – de Arte Popular★ AV **M5**.

Outras curiosidades : Igreja da Madre de Deus★★ (interior★★, altar★, sala capitular★★, quadros★) DUN Igreja Nossa Senhora da Conceição (fachada Sul★) – Centro de Arte Moderna★ CU **M14** – Jardim zoológico e de aclimatização★★ BU – Jardim botânico★ EX – Parque de Monsanto★ AUV – Jardim do Palácio Fronteira★ BU – Aqueduto das Águas Livres★ BU.

⛳, ⛳ Club de golf do Estoril 25 km por ③ 𝒫 468 01 76 Estoril – ⛳ Lisbon Sports Club 20 km por ⑤ 𝒫 431 00 77 – ⛳ Club de Campo de Lisboa 15 km por ② 297 13 14 Aroeira, Monte da Caprica.

✈ de Lisboa, N : 8 km 𝒫 848 11 01 (CDU) – T.A.P., Praça Marquês de Pombal 3, ✉ 1200, 𝒫 54 40 80 e no aeroporto 𝒫 848 91 81.

🚗 𝒫 87 75 09.

🚢 para a Madeira : E.N.M., Rua de São Julião 5-1°, ✉ 1100, 𝒫 87 01 21 e Cais Rocha Conde de Obidos, ✉ 1300 𝒫 396 25 47.

🅱 Palácio Foz, Praça dos Restauradores 𝒫 346 63 07, e no aeroporto 𝒫 89 42 48 – A.C.P., Rua Rosa Araújo 24, ✉ 1200, 𝒫 356 39 31, Telex 12581, Fax 57 47 32.

♦Madrid 658 ① – ♦Bilbao/Bilbo 907 ① – ♦Paris 1820 ① – ♦Porto 314 ① – ♦Sevilla 417 ②.

LISBOA

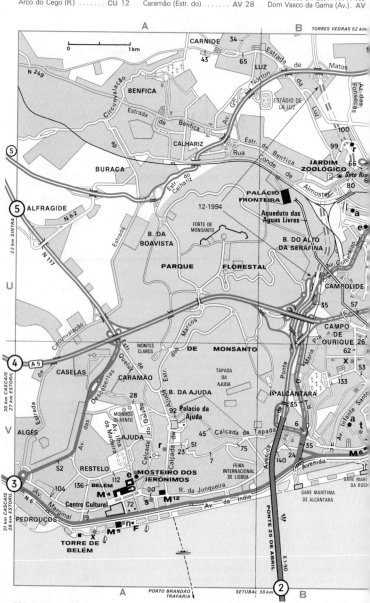

530

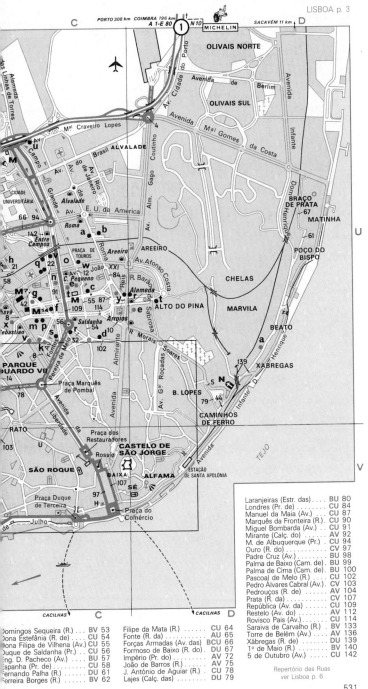

Repertório das Ruas
ver Lisboa p. 6

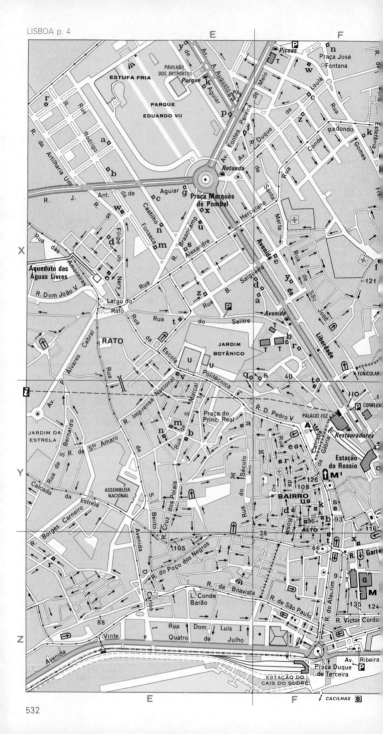

LISBOA

Repertório das Ruas
ver Lisboa p. 6

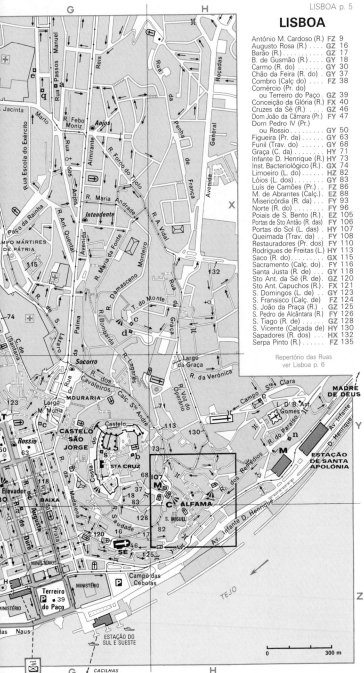

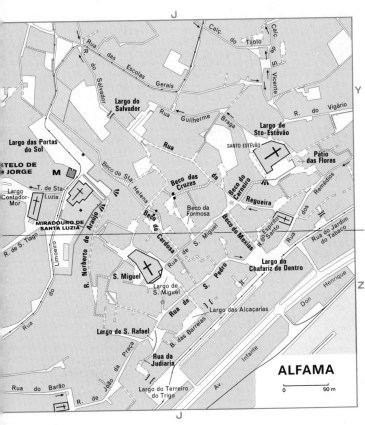

ALFAMA

0   50 m

Para percorrer a Europa,
utilize os Mapas Michelin Estradas Principais a 1/1 000 000.

LISTA ALFABÉTICA DE HOTÉIS E RESTAURANTES

Ritz, Rua Rodrigo da Fonseca 88, ⌧ 1093, 𝒞 69 20 20, Telex 12589, Fax 69 17 83, ≤, 🌇 – 🛗 🗏 📺 📽 ⟷ 🅿 – 🅰 25/600. 🆎 ⓞ 🗲 𝗩𝗜𝗦𝗔 ᴊᴄʙ. 🍴 rest EX **b**
Ref **Varanda** lista 3250 a 4700 - The Grill – ⟳ 2000 – **264 qto** 42000/44500, 40 suites.

Sheraton Lisboa H., Rua Latino Coelho 1, ⌧ 1097, 𝒞 57 57 57, Telex 12774, Fax 54 71 64, ≤, ⌧ climatizada – 🛗 🗏 📺 📽 ⟷ – 🅰 25/550. 🆎 ⓞ 🗲 𝗩𝗜𝗦𝗔 ᴊᴄʙ. 🍴 CU **s**
Ref **Alfama Grill** *(fechado sábado e feriados)* lista 7200 a 12500 - **Caravela** lista 4200 a 6400 – **377 qto** ⟳ 44000/50000, 7 suites.

Le Méridien Lisboa, Rua Castilho 149, ⌧ 1000, 𝒞 69 09 00, Telex 64315, Fax 69 32 31, ≤, – 🛗 🗏 📺 📽 & ⟷ – 🅰 25/480. 🆎 ⓞ 🗲 𝗩𝗜𝗦𝗔. 🍴 EX **a**
Ref lista aprox. 4300 Atlantic - Brasserie des Amis – ⟳ 2000 – **309 qto** 35000/37000, 22 suites.

Da Lapa 🖐, Rua do Pau de Bandeira, ⌧ 1200, 𝒞 395 00 05, Fax 395 06 65, ≤, 🌇, « Belo jardim entre árvores com cascata e Piscine », 🛋 – 🛗 🗏 📺 📽 & ⟷ 🅿 – 🅰 25/226. 🆎 ⓞ 🗲 𝗩𝗜𝗦𝗔 ᴊᴄʙ. 🍴 BV **a**
Ref lista 6400 a 7300 – ⟳ 2600 – **86 qto** 35000/37000, 8 suites.

Tívoli Lisboa, Av. da Liberdade 185, ⌧ 1200, 𝒞 52 11 01, Telex 12588, Fax 57 94 61, 🌇, « Terraço com ≤ cidade », ⌧ climatizada, 🍴 – 🛗 🗏 📺 📽 ⟷ – 🅰. 🆎 ⓞ 🗲 𝗩𝗜𝗦𝗔. 🍴
Ref **Grill Terraço** lista 4900 a 6200 - **Zodíaco** lista 3500 a 5600 – ⟳ 28500/32000, 30 suites. FX **d**

Alfa Lisboa, Av. Columbano Bordalo Pinheiro, ⌧ 1000, 𝒞 726 21 21, Telex 18477, Fax 726 30 31, ≤, – 🛗 🗏 📺 📽 ⟷ – 🅰 25/250. 🆎 ⓞ 🗲 𝗩𝗜𝗦𝗔. 🍴 BU **a**
Ref **A Aldeia** lista 3900 a 4750 - **Grill Pombalino** *(fechado sábado, domingo e agosto)* lista 5100 a 6500 – **307 qto** ⟳ 27500/33000, 48 suites.

Altis, Rua Castilho 11, ⌧ 1200, 𝒞 52 24 96, Telex 13314, Fax 54 86 96, 𝖋ᶜ, 🖾 – 🛗 🗏 📺 📽 ⟷ – 🅰 🆎 ⓞ 🗲 𝗩𝗜𝗦𝗔. EX **z**
Ref **Girasol** *(só almoço, buffet)* 4500 - **Grill Dom Fernando** *(fechado domingo)* lista 4300 a 6250 – **294 qto** ⟳ 22000/26000, 13 suites.

Continental, Rua Laura Alves 9, ⌧ 1000, 𝒞 793 50 05, Telex 65632, Fax 797 36 69 – 🛗 🗏 📺 📽 ⟷ – 🅰 25/180. 🆎 ⓞ 🗲 𝗩𝗜𝗦𝗔 ᴊᴄʙ. 🍴 CU **q**
Ref 4300 **D. Miguel** *(fechado domingo)* lista aprox 5700 - **Coffee Shop Continental** lista aprox 5700 – **210 qto** ⟳ 25900/29200, 10 suites – PA 7700.

Lisboa Penta, Av. dos Combatentes, ⌧ 1600, 𝒞 726 40 54, Telex 18437, Fax 726 42 81, ≤, ⌧ – 🛗 🗏 📺 📽 ⟷ 🅿 – 🅰 25/600. 🆎 ⓞ 🗲 𝗩𝗜𝗦𝗔 ᴊᴄʙ. 🍴 rest BU **r**
Ref – **Grill Passarola** lista aprox. 7210 - **Verde Pino** lista aprox. 3400 – **584 qto** ⟳ 19400/23600, 4 suites.

Holiday Inn Crowne Plaza, Av. Marechal Craveiro Lopes 390, ⌧ 1700, 𝒞 759 96 39, Telex 61170, Fax 758 66 05, 𝖋ᶜ – 🛗 🗏 📺 📽 & ⟷ – 🅰 25/200. 🆎 ⓞ 🗲 𝗩𝗜𝗦𝗔 ᴊᴄʙ. 🍴 CU **u**
Ref lista 4920 a 8100 – **205 qto** ⟳ 31500/38000, 16 suites – PA 8400.

Sofitel Lisboa, Av. da Liberdade 125, ⌧ 1200, 𝒞 342 92 02, Telex 42557, Fax 342 92 22 – 🛗 🗏 📺 📽 & ⟷ – 🅰 25/300. 🆎 ⓞ 🗲 𝗩𝗜𝗦𝗔 ᴊᴄʙ. 🍴 rest FX **r**
Ref 3000 – ⟳ 1400 – **166 qto** ⟳ 22500, 4 suites.

Holiday Inn Lisboa, Av. António José de Almeida 28 A, ⌧ 1000, 𝒞 793 52 22, Telex 60330, Fax 793 66 72 – 🛗 🗏 📺 📽 ⟷ – 🅰. 🆎 ⓞ 🗲 𝗩𝗜𝗦𝗔 ᴊᴄʙ. CU **c**
Ref 3850 – **160 qto** ⟳ 29000/34000, 9 suites – PA 8400.

Novotel Lisboa, Av. José Malhoa 1642, ⌧ 1000, 𝒞 726 60 22, Telex 40114, Fax 726 64 96, ≤, ⌧ – 🛗 🗏 📺 📽 & ⟷ – 🅰 25/300. 🆎 ⓞ 🗲 𝗩𝗜𝗦𝗔. 🍴 rest BU **e**
Ref 3850 – ⟳ 1100 – **242 qto** ⟳ 13800, 4 suites.

Lisboa Plaza, Travessa do Salitre 7, ⌧ 1200, 𝒞 346 39 22, Telex 16402, Fax 347 16 30 – 🛗 🗏 📺 📽. 🆎 ⓞ 🗲 𝗩𝗜𝗦𝗔 ᴊᴄʙ. 🍴 FX **b**
Ref 3500 – **87 qto** ⟳ 24000/26000, 6 suites.

Fénix e Rest. El Bodegón, Praça Marqués de Pombal 8, ⌧ 1200, 𝒞 386 21 21, Telex 12170, Fax 386 01 31 – 🛗 🗏 📺 📽 & – 🅰 25/100. 🆎 ⓞ 🗲 𝗩𝗜𝗦𝗔 ᴊᴄʙ. 🍴 EX **g**
Ref lista 3100 a 4800 – **119 qto** ⟳ 17500/19500, 4 suites.

Zurique, Rua Ivone Silva, ⌧ 1000, 𝒞 793 71 11, Fax 793 72 90, ⌧ – 🛗 📺 📽 ⟷ – 🅰 25/150. 🆎 ⓞ 🗲 𝗩𝗜𝗦𝗔. CU **q**
Ref 3000 – **248 qto** ⟳ 13000/15000, 4 suites.

Lutécia, Av. Frei Miguel Contreiras 52, ⌧ 1700, 𝒞 80 31 21, Telex 12457, Fax 80 78 18, ≤, – 🛗 🗏 📺 📽. 🆎 ⓞ 🗲 𝗩𝗜𝗦𝗔 ᴊᴄʙ. 🍴 CU **b**
Ref 4000 – **142 qto** ⟳ 18000/21500, 8 suites.

Tívoli Jardim, Rua Julio Cesar Machado 7, ⌧ 1200, 𝒞 353 99 71, Telex 12172, Fax 355 65 66, ⌧ climatizada, 🍴 – 🛗 🗏 📺 📽 🅿. 🆎 ⓞ 🗲 𝗩𝗜𝗦𝗔. 🍴 FX **a**
Ref 3500 – **119 qto** ⟳ 21500/26500 – PA 7000.

Diplomático, Rua Castilho 74, ⌧ 1200, 𝒞 386 20 41, Telex 13713, Fax 386 21 55 – 🛗 🗏 📺 📽 – 🅰. 🆎 ⓞ 🗲 𝗩𝗜𝗦𝗔. EX **c**
Ref 4000 – **73 qto** ⟳ 13970/16250, 17 suites – PA 8000.

Flórida sem rest, Rua Duque de Palmela 32, ⌧ 1200, 𝒞 57 61 45, Telex 12256, Fax 54 35 84 – 🛗 🗏 📺 📽 – 🅰 25/100. 🆎 ⓞ 🗲 𝗩𝗜𝗦𝗔 ᴊᴄʙ. EX **x**
108 qto ⟳ 15000/18000.

Mundial, Rua D. Duarte 4, ⊠ 1100, ℰ 886 31 01, Telex 12308, Fax 87 91 29, ← - |＄| 国
📺 ☎ 🅟 - 🛦 25/140. 🆀 ⓪ 🗲 𝘝𝘐𝘚𝘈 𝗃ᴄв. ❀
Ref 3550 - **136 qto** ⊒ 13000/15000, 11 suites - PA 7100.
GY

Barcelona sem rest, Rua Laura Alves 10, ⊠ 1000, ℰ 795 42 73, Fax 795 42 81, 𝟓 - |＄|
国 📺 ☎ ⇦ - 🛦 25/300. 🆀 ⓪ 🗲 𝘝𝘐𝘚𝘈.
120 qto ⊒ 13000/16000, 5 suites.
CU

Dom Manuel I sem rest, Av. Duque d'Ávila 189, ⊠ 1000, ℰ 57 61 60, Telex 43558
Fax 57 69 85, « Bela decoração » - |＄| 国 📺 ☎. 🆀 ⓪ 🗲 𝘝𝘐𝘚𝘈
64 qto ⊒ 11500/13000.
CU

Dom Rodrigo Suite H. sem rest, Rua Rodrigo da Fonseca 44, ⊠ 1200, ℰ 386 38 00
Fax 386 30 00, 🛴 - |＄| 国 📺 ☎ ⇦. 🆀 ⓪ 🗲 𝘝𝘐𝘚𝘈 𝗃ᴄв. ❀
⊒ 800 - **57 apartamentos** 18000/22000.
EX n

Lisboa Alif H., Campo Pequeno 51, ⊠ 1000, ℰ 795 24 64, Telex 64460, Fax 795 41 16
|＄| 国 📺 ☎ ⇦ - 🛦 25/40. 🆀 ⓪ 🗲 𝘝𝘐𝘚𝘈.
Ref 2000 - **106 qto** ⊒ 12900/14500, 9 suites.
CU v

Sol Lisboa, Av. Duque de Loulé 41, ⊠ 1000, ℰ 353 21 08, Telex 65522, Fax 353 18 65, 🛴
- |＄| 国 📺 ☎ 🕭 ⇦. 🆀 ⓪ 🗲 𝘝𝘐𝘚𝘈.
Ref 3200 - **79 qto** ⊒ 17600/18800, 4 suites.
FX

Lisboa sem rest, Rua Barata Salgueiro 5, ⊠ 1100, ℰ 355 41 31, Telex 60228, Fax 355 41 31
- |＄| 国 📺 ☎ ⇦. 🆀 ⓪ 🗲 𝘝𝘐𝘚𝘈 𝗃ᴄв. ❀
55 qto ⊒ 15750/18750, 6 suites.
FX

Veneza sem rest, Av. da Liberdade 189, ⊠ 1200, ℰ 352 26 18, Fax 352 66 78, « Instalade
num antigo palacete » - |＄| 国 📺 ☎ 🅟. 🆀 ⓪ 🗲 𝘝𝘐𝘚𝘈. ❀
38 qto ⊒ 13000/16000.
FX

Lisboa Carlton sem rest, Av. Conde Valbon 56, ⊠ 1000, ℰ 795 11 57, Telex 65618
Fax 795 11 66 - |＄| 国 📺 ☎ ⇦. 🆀 ⓪ 🗲 𝘝𝘐𝘚𝘈. ❀
72 qto ⊒ 12000/14000.
CU

Amazónia H., Travessa Fábrica dos Pentes 12, ⊠ 1200, ℰ 387 70 06, Telex 66361
Fax 387 90 90, 🛴 climatizada - |＄| 国 📺 ☎ ⇦ - 🛦 25/150. 🆀 ⓪ 🗲 𝘝𝘐𝘚𝘈. ❀ EX
Ref *(fechado sábado noite e domingo)* 3000 - **192 qto** ⊒ 9900/11400.

Roma, Av. de Roma 33, ⊠ 1700, ℰ 796 77 61, Telex 16586, Fax 793 29 81, ←, 🖾 - |＄|
📺 ☎ - 🛦 25/230. 🆀 ⓪ 🗲 𝘝𝘐𝘚𝘈 𝗃ᴄв. ❀
Ref 3000 - **265 qto** ⊒ 12500/15000 - PA 5400.
CU

Eduardo VII, Av. Fontes Pereira de Melo 5, ⊠ 1000, ℰ 353 01 41, Telex 18340
Fax 353 38 79, ← - |＄| 国 📺 ☎ - 🛦 25/60. 🆀 ⓪ 🗲 𝘝𝘐𝘚𝘈.
Ref 3600 - ⊒ 1000 - **118 qto** 12500/14700, 3 suites - PA 7200.
EX

Nacional sem rest, Rua Castilho 34, ⊠ 1200, ℰ 355 44 33, Fax 356 11 22 - |＄| 国 📺 ☎
⇦. 🆀 ⓪ 🗲 𝘝𝘐𝘚𝘈. ❀
59 qto ⊒ 12000/14000, 2 suites.
EX

A. S. Lisboa sem rest, av. Almirante Reis 188, ⊠ 1000, ℰ 847 30 25, Fax 847 30 34 - |＄|
国 📺 ☎ - 🛦 25/80. 🆀 ⓪ 🗲 𝘝𝘐𝘚𝘈. ❀
75 qto ⊒ 9700/12500.
DU

Miraparque, Av. Sidónio Pais 12, ⊠ 1000, ℰ 57 80 70, Telex 16745, Fax 57 89 20 - |＄| 国
📺 ☎. 🆀 ⓪ 🗲 𝘝𝘐𝘚𝘈. ❀
Ref 3000 - **101 qto** ⊒ 10250/11500.
EX

Príncipe Real, Rua da Alegria 53, ⊠ 1200, ℰ 346 01 16, Telex 44571, Fax 342 21 04 - |＄|
国 📺 ☎. 🆀 ⓪ 🗲 𝘝𝘐𝘚𝘈 𝗃ᴄв. ❀
Ref 2500 - **24 qto** ⊒ 15000/18000 - PA 4500.
EX

Britânia sem rest, Rua Rodrigues Sampaio 17, ⊠ 1100, ℰ 315 50 16, Telex 13733
Fax 315 50 21 - |＄| 国 📺 ☎. 🆀 ⓪ 🗲 𝘝𝘐𝘚𝘈. ❀
30 qto ⊒ 13900/17400.
FX

York House, Rua das Janelas Verdes 32, ⊠ 1200, ℰ 396 25 44, Telex 16791, Fax 397 27 93
🕭, « Instalado num convento do século XVI decorado num estilo português » - 📺 ☎
🆀 ⓪ 🗲 𝘝𝘐𝘚𝘈 𝗃ᴄв. ❀
Ref lista 3500 a 5000 - **32 qto** ⊒ 20100/22200, 2 suites.
BV

As Janelas Verdes sem rest, Rua das Janelas Verdes 47, ⊠ 1200, ℰ 396 81 43
Telex 16791, Fax 397 27 93 - 国 📺 ⇦. 🆀 ⓪ 🗲 𝘝𝘐𝘚𝘈 𝗃ᴄв. ❀
17 qto ⊒ 20100/22200.
BV

Botánico sem rest, Rua Mãe de Água 16, ⊠ 1200, ℰ 342 03 92, Fax 342 01 25 - |＄| 国
📺 ☎. 🆀 ⓪ 🗲 𝘝𝘐𝘚𝘈 𝗃ᴄв. ❀
30 qto ⊒ 10500/12000.
FX

Da Torre, Rua dos Jerónimos 8, ⊠ 1400, ℰ 363 62 62, Fax 364 59 95 - |＄| 📺 ☎ - 🛦
🆀 ⓪ 🗲 𝘝𝘐𝘚𝘈 𝗃ᴄв.
Ref (ver rest. **São Jerónimo**) - **44 qto** ⊒ 11850/14700, 6 suites.
AV

Flamingo, Rua Castilho 41, ⊠ 1200, ℰ 386 21 91, Telex 14736, Fax 386 12 16 - |＄| 国 📺
☎. 🆀 ⓪ 🗲 𝘝𝘐𝘚𝘈. ❀
Ref 3000 - **39 qto** ⊒ 13500/16500 - PA 6000.
EX

Berna sem rest, Av. António Serpa 13, ⊠ 1000, ℰ 793 67 67, Telex 62516, Fax 793 62 78
- |＄| 国 📺 ☎ ⇦ - 🛦 25/140. 🆀 ⓪ 🗲 𝘝𝘐𝘚𝘈. ❀
238 qto ⊒ 8000/9000, 2 suites.
CU

Albergaria Senhora do Monte sem rest, Calçada do Monte 39, ✉ 1100, ✆ 886 60 02, Fax 87 77 83, ≤ Castelo de São Jorge, cidade e o rio Tejo – |‡| ▤ TV ☎. AE ⓓ E VISA. ✂ GX c
24 qto ☐ 12000/15000, 4 suites.

Vip sem rest, Rua Fernão Lopes 25, ✉ 1000, ✆ 352 19 23, Telex 14194, Fax 315 87 73 – |‡| ▤ TV ☎. AE ⓓ VISA. ✂ CU r
52 qto ☐ 7000/8000, 2 suites.

Capitol, Rua Eça de Queiroz 24, ✉ 1000, ✆ 353 68 11, Telex 13701, Fax 352 61 65 – |‡| ▤ TV ☎. AE ⓓ E VISA. ✂ EX f
Ref 2500 – **52 qto** ☐ 15650/18800, 5 suites – PA 5000.

Príncipe, Av. Duque d'Ávila 201, ✉ 1000, ✆ 353 61 51, Telex 43565, Fax 353 43 14 – |‡| ▤ TV ☎ P. AE ⓓ E VISA JCB. ✂ CU m
Ref 2500 – **68 qto** ☐ 11000/13000 – PA 5000.

Fonte Luminosa sem rest., Alameda D. Afonso Enriques 70-6°, ✉ 1000, ✆ 80 81 69, Telex 15063, Fax 80 90 03 – |‡| ▤ TV ☎. E VISA. ✂ CU y
31 qto ☐ 7400/10000.

D. Afonso Henriques sem rest, Rua Cristóvão Falcão 8, ✉ 1900, ✆ 814 65 74, Telex 64952, Fax 82 33 75 – |‡| ▤ TV ☎ ⇔ – 🔑 25/80. AE ⓓ E VISA JCB DU t
39 qto ☐ 8750/10500.

Nazareth sem rest, Av. António Augusto de Aguiar 25, ✉ 1000, ✆ 54 20 16, Fax 356 08 36 – |‡| TV ☎. AE ⓓ E VISA. ✂ EX y
32 qto ☐ 6500/8500.

São Pedro sem rest, Rua Pascoal de Melo 130, ✉ 1000, ✆ 57 87 65, Fax 57 88 65 – |‡| ☏. ⓓ VISA. ✂ CU d
48 qto ☐ 7600/8900.

Insulana sem rest, Rua da Assunção 52, ✉ 1100, ✆ 342 76 25 – |‡| ▤ TV ☎. AE ⓓ E VISA. ✂ GY e
32 qto ☐ 8000/9500.

Dom João sem rest, Rua José Estêvão 43, ✉ 1100, ✆ 54 30 64 – |‡| TV ☎. AE ⓓ E VISA. ✂ GX e
14 qto ☐ 7500/8500, 4 suites.

Alicante sem rest, Av. Duque de Loulé 20, ✉ 1000, ✆ 53 05 14, Fax 352 02 50 – |‡| TV ☎. AE ⓓ E VISA. ✂ FX c
42 qto ☐ 6900/8400.

Imperador sem rest, Av. 5 de Outubro 55, ✉ 1000, ✆ 352 48 84, Fax 352 65 37 – |‡| TV ☎. AE ⓓ E VISA JCB. ✂ CU f
43 qto ☐ 7500/8500.

Residencia Roma sem rest, Travessa da Glória 22 A, ✉ 1200, ✆ 346 05 57, Fax 346 05 57 – TV ☎. E VISA. ✂ FXY t
24 qto ☐ 7000/9500.

Albergaria Pax sem rest, Rua José Estêvão 20, ✉ 1100, ✆ 356 18 61, Telex 65417, Fax 315 57 55 – |‡| ▤ ☏. AE ⓓ E VISA. ✂ GX q
32 qto ☐ 7000/9000.

Americano sem rest, Rua 1° de Dezembro 73, ✉ 1200, ✆ 347 49 76 – |‡| ▤ ☎. E VISA FY c
49 qto ☐ 7000/10000.

XXX **Tágide,** Largo da Academia Nacional de Belas Artes 18, ✉ 1200, ✆ 342 07 20, Fax 347 18 80, ≤ – ▤. AE ⓓ E VISA JCB. ✂ FZ z
fechado sábado e domingo – Ref lista 6200 a 7600.

XXX **Antonio Clara - Clube de Empresários,** Av. da República 38, ✉ 1000, ✆ 796 63 80, Telex 62506, Fax 797 41 44, « Instalado num antigo palacete » – ▤ P. AE ⓓ E VISA JCB. ✂ CU t
fechado domingo – Ref lista aprox. 7200.

XXX **Clara,** Campo dos Mártires da Patria 49, ✉ 1100, ✆ 355 73 41, Fax 54 20 82, 🏠 – ▤. AE ⓓ E VISA. ✂ FX f
fechado sábado meio-dia, domingo e do 1 ao 15 de agosto – Ref lista aprox. 6300.

XXX **Aviz,** Rua Serpa Pinto 12-B, ✉ 1200, ✆ 342 83 91, Fax 342 53 72 – ▤. AE ⓓ VISA FZ x
fechado domingo – Ref lista 5150 a 7950.

XXX **Tavares,** Rua da Misericórdia 37, ✉ 1200, ✆ 342 11 12, Fax 347 81 25, Estilo fim do século XIX – ▤. AE ⓓ E VISA. ✂ FZ t
fechado sábado e domingo ao meio-dia – Ref lista 5300 a 8300.

XXX ✿ **Casa da Comida,** Travessa das Amoreiras 1, ✉ 1200, ✆ 388 53 76, Fax 387 51 32, « Patio com plantas » – ▤. AE ⓓ E VISA. ✂ EX e
fechado sábado meio-dia, e domingo – Ref lista 6100 a 10900
Espec. Sopa de amêijoas, Caçarola de marisco, Perdiz ou faisão à Convento de Alcântara.

XXX **Gambrinus,** Rua das Portas de Santo Antão 25, ✉ 1100, ✆ 342 14 66, Fax 346 50 32 – ▤. AE VISA. ✂ GY n
Ref lista 10000 a 13000.

XXX **Escorial,** Rua das Portas de Santo Antão 47, ✉ 1100, ✆ 346 44 29, Fax 346 37 58 – ▤. AE ⓓ E VISA JCB GY n
Ref lista 5200 a 6040.

XXX **Mister Cook** com snack-bar, Av. Guerra Junqueiro 1, ✉ 1000, ☎ 80 72 37, Fax 793 71
– 🍽, AE ① E VISA. ⁓
fechado domingo – Ref lista aprox. 6200.
CU

XXX **Pabe,** Rua Duque de Palmela 27-A, ✉ 1200, ☎ 353 74 84, Fax 353 64 37, Pub inglês –
AE ① E VISA JCB. ⁓
Ref lista 5300 a 6100.
EX

XXX **Chester,** Rua Rodrigo da Fonseca 87-D, ✉ 1200, ☎ 65 73 47, Fax 388 78 11, Carnes –
AE ① E VISA JCB. ⁓
fechado domingo – Ref lista 5050 a 6980.
EX

XXX **Braseiro Grande,** av. Elias García 13, ✉ 1000, ☎ 797 70 77 – 🍽, AE ① E VISA. ⁓
fechado sábado meio-dia, domingo e agosto – Ref lista aprox. 4100.
CU

XXX **Saraiva's,** Rua Eng. Canto Resende 3, ✉ 1000, ☎ 353 19 87, Fax 353 19 87, Decoraçã
moderna – 🍽, AE ① E VISA JCB. ⁓
Ref lista 3630 a 5850.
CU

XXX **Bachus,** Largo da Trindade 9, ✉ 1200, ☎ 342 28 28, Fax 342 12 60 – 🍽, AE ① E VIS
⁓
fechado domingo – Ref lista 4700 a 5900.
FY

XXX ❀ **Conventual,** Praça das Flores 45, ✉ 1200, ☎ 60 91 96 – 🍽, AE ① E VISA
fechado sábado meio-dia, e domingo – Ref lista 3580 a 6100
Espec. Ostras gratinadas, Lombo de linguado com molho de marisco, Pato com champagne
pimenta rosa.
EY

XXX **O Faz Figura,** Rua do Paraíso 15 B, ✉ 1100, ☎ 886 89 81, ≼, 🌳 – 🍽, AE ① E VISA. ⁓
fechado domingo – Ref lista 5500 a 6500.
HY

XX **Via Graça,** Rua Damasceno Monteiro 9 B, ✉ 1100, ☎ 87 08 30, Fax 87 03 05, ≼ Castel
de São Jorge, cidade e rio Tejo – 🍽, AE ① E VISA JCB. ⁓
fechado sábado meio-dia e domingo – Ref lista 3250 a 4480.
GX

XX **Casa do Leão,** Castelo de São Jorge, ✉ 1100, ☎ 87 59 62, Fax 87 63 29, ≼ – 🍽, AE ①
VISA. ⁓
Ref lista aprox. 4600.
GY

XX **Santa Cruz - Michel,** Largo de Santa Cruz do Castelo 5, ✉ 1100, ☎ 86 43 38 – 🍽,
① E VISA
fechado sábado meio-dia, domingo e agosto – Ref lista aprox. 4800.
GY

XX **São Jerónimo,** Rua dos Jerónimos 12, ✉ 1400, ☎ 64 87 96 – 🍽, AE ① E VISA JCB. ⁓
fechado domingo – Ref lista 3550 a 5900.
AV

XX **Espelho d'Água,** Av. de Brasilia, ✉ 1400, ☎ 301 73 73, Fax 363 26 92, ≼, 🌳, Situac
num pequeno lago artificial. Decoração moderna – 🍽, AE ① E VISA JCB. ⁓
fechado domingo – Ref lista 4030 a 6350.
AV

XX **Vela Latina,** Doca do Bom Sucesso, ✉ 1400, ☎ 301 71 18, Fax 301 93 11, « Agradáv
terraço » – 🍽, AE ① E VISA. ⁓
fechado domingo – Ref lista 4450 a 6600.
AV

XX **Arlecchino,** Rua Fialho de Almeida 6B, ✉ 1000, ☎ 387 81 50 – 🍽, AE ① E VISA JCB
⁓
fechado sábado, domingo e agosto – Ref lista 3500 a 5600.
CU

XX **Sancho,** Travessa da Glória 14, ✉ 1200, ☎ 346 97 80 – 🍽, AE E VISA. ⁓
fechado domingo – Ref lista 2500 a 4280.
FY

XX **Saddle Room,** Praça José Fontana 17C, ✉ 1000, ☎ 352 31 57, Fax 54 09 61, Música e
jantar, Decoração rústica-inglesa – 🍽, AE ① E VISA
fechado sábado meio-dia e domingo – Ref lista 3700 a 5350.
FX

XX **O Polícia,** Rua Marquês Sá da Bandeira 112, ✉ 1000, ☎ 796 35 05, Fax 796 02 19 –
E VISA. ⁓
fechado sábado noite e domingo – Ref lista aprox. 4100.
CU

XX **Adega Tía Matilde,** Rua da Beneficência 77, ✉ 1600, ☎ 797 21 72 – 🍽, AE ① E VIS
⁓
fechado sábado noite e domingo – Ref lista 4575 a 6175.
CU

XX **O Nobre,** Rua das Mercês 71, ✉ 1300, ☎ 363 38 27 – 🍽, E VISA. ⁓
fechado sábado meio-dia e domingo – Ref lista 4110 a 6340.
AV

XX **Forno da Brites,** Rua Tomás Ribeiro 75, ✉ 1000, ☎ 54 27 24 – 🍽, AE ① E VISA. ⁓
fechado sábado – Ref lista 2730 a 3650.
CU

X **Páginas Tantas,** Rua do Diário de Noticias 85, ✉ 1200, ☎ 346 54 95 – 🍽, AE ① E VIS
⁓
fechado domingo e do 15 ao 31 de dezembro – Ref lista aprox. 4450.
FY

X **Frei Papinhas,** Rua D. Francisco Manuel de Melo 32, ✉ 1000, ☎ 65 87 57, Fax 69 14
– 🍽, AE ① E VISA JCB. ⁓
Ref lista aprox. 3750.
EX

X **O Funil,** Av. Elias Garcia 82 A, ✉ 1000, ☎ 796 60 07 – 🍽, E VISA. ⁓
fechado domingo noite e 2ª feira – Ref lista 2500 a 4300.
CU

X **Xêlê Bananas,** Praça das Flores 29, ✉ 1200, ☎ 395 25 15, Inspiração decorativa tropic
– 🍽, AE ① E VISA
fechado sábado meio-dia e domingo – Ref lista 3350 a 4800.
EY

✗ **Sua Excelencia,** Rua do Conde 42, ⊠ 1200, ℰ 60 36 14 – ▤. 🅰🅴 ⓪ 🇪 *VISA*   BV **t**
fechado sábado meio-dia, domingo meio-dia, 4ª feira e setembro – Ref lista aprox. 4750.

✗ **Chez Armand,** Rua Carlos Mardel 38, ⊠ 1900, ℰ 847 57 70, Fax 847 52 57, Rest. francês,
Carnes – ▤. 🅰🅴 ⓪ 🇪 *VISA*   DU **e**
fechado sábado meio-dia, domingo e agosto-9 Setembro – Ref lista 3150 a 4780.

✗ **Monique's,** Rua de São Marçal 94, ⊠ 1200, ℰ 347 59 22, Fax 452 20 63 – ▤. 🇪 *VISA*. 🍴
fechado sábado meio-dia e domingo – Ref lista 2450 a 3550.   EY **d**

✗ **Pap'Açorda,** Rua da Atalaia 57, ⊠ 1200, ℰ 346 48 11, Fax 346 48 11 – ▤. 🅰🅴 ⓪ 🇪 *VISA*.
                                                                                    FY **d**
fechado domingo, 2ª feira, do 1 ao 15 de julho e do 1 ao 15 de outubro – Ref lista aprox.
4100.

✗ **Campo de Ourique,** Rua Tomás da Anunciação 52-A, ⊠ 1300, ℰ 397 17 94, Fax 395 56 09
– ▤. 🇪 *VISA*. 🍴   BV **x**
fechado sábado meio-dia e domingo – Ref lista aprox. 3800.

✗ **António,** Rua Tomás Ribeiro 63, ⊠ 1000, ℰ 353 87 80, Fax 54 91 76 – ▤. 🇪 *VISA*. 🍴
Ref lista 3540 a 5950.   CU **k**

✗ **Celta,** Rua Gomes Freire 148-C e D, ⊠ 1100, ℰ 57 30 69 – ▤. 🅰🅴 ⓪ 🇪 *VISA*. 🍴 FX **k**
fechado domingo – Ref lista 2200 a 4140.

✗ **Porta Branca,** Rua do Teixeira 35, ⊠ 1200, ℰ 32 10 24 – ▤. 🅰🅴 ⓪ 🇪 *VISA*. 🍴   FY **e**
fechado domingo e julho – Ref lista 4050 a 5000.

✗ **Vasku's Grill,** Rua Passos Manuel 30, ⊠ 1100, ℰ 54 22 93, Grelhados – ▤. 🅰🅴 ⓪ 🇪 *VISA*.
🍴   GX **a**
fechado sábado meio-dia, domingo e agosto – Ref lista aprox. 4500.

✗ **D'Avis,** Rua do Grilo 98, ⊠ 1900, ℰ 858 13 54, Fax 858 13 54 – ▤. 🇪 *VISA* 🇯🇨🇧 DU **a**
fechado domingo e agosto – Ref lista aprox. 3100.

✗ **Comida de Santo,** Calçada do Eng. Miguel Pais 39, ⊠ 1200, ℰ 396 33 39, Cozinha brasileira – ▤. 🅰🅴 ⓪ *VISA*   EX **v**
Ref lista 3200 a 4700.

✗ **Patchuka,** Rua do Século 149 A, ⊠ 1200, ℰ 346 45 78 – ▤. 🅰🅴 ⓪ 🇪 *VISA*. 🍴   EY **a**
fechado domingo e 15 agosto-14 setembro – Ref lista aprox. 3600.

✗ **Mercado de Santa Clara,** Campo de Santa Clara (no mercado), ⊠ 1100, ℰ 87 39 86, ≤
– ▤. 🅰🅴 ⓪ 🇪 *VISA*. 🍴   HY **c**
fechado domingo noite, 2ª feira e 15 agosto-15 setembro – Ref lista 3100 a 4200.

✗ **Paris,** Rua dos Sapateiros 126, ⊠ 1100, ℰ 346 97 97 – ▤. 🅰🅴 ⓪ 🇪 *VISA*. 🍴   GZ **a**
Ref lista 2550 a 4100.

✗ **Delfim,** Rua Nova de São Mamede 25, ⊠ 1200, ℰ 69 05 32 – ▤. 🅰🅴 ⓪ 🇪 *VISA*.
🍴   EX **t**
fechado sábado – Ref lista 2460 a 4620.

✗ **Caseiro,** Rua de Belém 35, ⊠ 1300, ℰ 363 88 03, Decoração rústica – ▤. 🅰🅴 ⓪ 🇪 *VISA*
🇯🇨🇧. 🍴   AV **s**
fechado domingo e agosto – Ref lista 2820 a 3820.

RESTAURANTES TÍPICOS

✗✗ **Arcadas do Faia,** Rua da Barroca 56, ⊠ 1200, ℰ 342 67 42, Telex 13649, Fax 342 19 23,
Fados – ▤. ⓪ *VISA* 🇯🇨🇧   FY **f**
fechado domingo – Ref (só jantar) lista 6500 a 10200.

✗✗ **Sr. Vinho,** Rua do Meio -à- Lapa 18, ⊠ 1200, ℰ 397 74 56, Fax 395 20 72, Fados – ▤. 🅰🅴
⓪ 🇪 *VISA* 🇯🇨🇧. 🍴   EZ **r**
fechado domingo – Ref (só jantar) lista 7350 a 9980.

✗✗ **A Severa,** Rua das Gáveas 51, ⊠ 1200, ℰ 342 83 14, Fax 346 40 06, Fados ao jantar – ▤.
🅰🅴 ⓪ 🇪 *VISA* 🇯🇨🇧. 🍴   FY **b**
fechado 5ª feira – Ref lista 5200 a 8600.

✗ **Adega Machado,** Rua do Norte 91, ⊠ 1200, ℰ 342 87 13, Fax 346 75 07, Fados – ▤. 🅰🅴
⓪ 🇪 *VISA* 🇯🇨🇧. 🍴   FY **k**
fechado 2ª feira – Ref lista 5850 a 8250.

✗ **O Forcado,** Rua da Rosa 221, ⊠ 1200, ℰ 346 85 79, Fax 347 48 87, Fados – ▤. 🅰🅴 ⓪
🇪 *VISA*. 🍴   FY **r**
fechado 4ª feira – Ref lista 5050 a 6250.

Ver também : *Cascais* por ④ : 30 km.
            Estoril por ④ : 28 km.
            Queluz por ⑤ : 12 km.
            Sintra por ⑤ : 28 km.

MICHELIN, Companhia Luso-Pneu, Lda Edificio Michelin, Quinta do Marchante/Prior-Velho,
SACAVÉM por ①, ⊠ 2685 ℰ 941 13 09, Fax 941 12 90

EUROPE on a single sheet
Michelin map n° 970.

LOMBO DE BAIXO Madeira – ver Madeira (Arquipélago da) : Faial.

LOULÉ 8100 Faro 🔢🔢🔢 U 5 – 8 595 h. – 🔴 089.
🚪 Edifício do Castelo 𝓕 639 00.
◆Lisboa 299 – Faro 16.

🏨 **Loulé Jardim H.** sem rest, Praça Manuel de Arriaga 𝓕 41 30 94, Fax 631 77, 🏊 – 📶 📺
☎ 🔂 – 🔧 25/40. 🆎 ⓪ 🅴 🚾
52 qto ☲ 8800/11000.

🏨 **Ibérica** sem rest, Av. Marçal Pacheco 157 𝓕 41 41 00 – 📶 ☎ 🅿. 🅴 🚾. ⛄
54 qto ☲ 4000/6500.

🏠 D. **Payo** sem rest, Rua Projectada à Antero de Quental 𝓕 41 44 22, Fax 41 64 53 – 📶 📺
26 qto.

✗ **Bica Velha,** Rua Martin Moniz 17 𝓕 633 76, Decoração rústica – 🆎 ⓪ 🅴 🚾. ⛄
fechado domingo salvo julho e agosto e do 1 ao 15 de novembro – Ref lista 2150 a 3380

✗ **O Avenida,** av. José da Costa 𝓕 621 06 – 🍽. 🆎 ⓪ 🅴 🚾. ⛄
fechado domingo e novembro – Ref lista 2150 a 3150.

em Franqueada - na estrada N 396 SO : 4,5 km – ✉ 8100 Loulé – 🔴 089 :

✗ **O Carcavai,** 𝓕 41 35 65, 🎋, Cozinha belga e francêsa, Decoração rústica – 🍽 🅿. 🆎 ⓪
🅴 🚾. ⛄
fechado sábado, domingo e dezembro-fevereiro – Ref (só jantar) lista 2200 a 5300.

LOURINHÃ 2530 Lisboa 🔢🔢🔢 O 2 – 8 253 h. – 🔴 061 – Praia.
🏌 Club Golf Vimeiro, S : 11 km 𝓕 281 57.
🚪 Praia da Areia Branca 𝓕 421 67.
◆Lisboa 74 – Leiria 94 – Santarém 81.

🏨 **Estal. Bela Vista** ⛺, Rua D. Sanchol-Santo André 𝓕 41 41 61, Fax 41 41 38, 🏊, ⛵ – 📺
☎ 🅿. ⛄ rest
Ref 2100 – **30 qto** ☲ 8000/9500.

🏠 **Figueiredo** ⛺ sem rest, Largo Mestre Anacleto Marcos da Silva 𝓕 42 25 37
☲ 300 – **18 qto** 5000/5500.

na Praia da Areia Branca NO : 3,5 km – ✉ 2530 Lourinhã – 🔴 061 :

🏨 **São João** ⛺ sem rest e sem ☲, 𝓕 42 24 91, Fax 41 30 20, 🏊 – ☞ 🅿
34 apartamentos.

🏨 **Estal. Areia Branca** ⛺, 𝓕 41 24 91, Fax 41 31 43, ≤, 🏊 – 📺 ☎ 🅿. 🆎 ⓪ 🅴 🚾. ⛄ rest
Ref 2000 – **29 qto** ☲ 9100/11700 – PA 4000.

🏠 **Dom Lourenço,** 𝓕 42 28 09 – 🅴 🚾. ⛄ rest
Ref *(fechado do 1 ao 22 de outubro)* 1500 – **11 qto** ☲ 4500/6000 – PA 3000.

LOUSÃ 3200 Coimbra 🔢🔢🔢 L 5 – alt. 200 – 🔴 039.
◆Lisboa 212 – ◆Coimbra 36 – Leiria 83.

🏠 **Martinho,** sem rest, Rua Movimento das Forças Armadas 𝓕 99 13 97 – 📺 ☎ 🅿
13 qto.

LUSO Aveiro 🔢🔢🔢 K 4 – 2 726 h. alt. 200 – ✉ 3050 Mealhada – 🔴 031 – Termas.
🚪 Rua Emídio Navarro 𝓕 93 91 33.
◆Lisboa 230 – Aveiro 44 – ◆ Coimbra 28 – Viseu 69.

🏨 **Grande Hotel das Termas do Luso** ⛺, 𝓕 93 04 50, Telex 53342, Fax 93 03 50, 🏊, 🖾
🍃, ⛵ – 📶 🍽 rest 🅿 – 🔧 25/205. 🆎 ⓪ 🅴 🚾. ⛄
Ref 2800 – **171 qto** ☲ 11300/14200 – PA 5400.

🏨 **Eden,** Rua Emídio Navarro 𝓕 93 01 91, Telex 53655, Fax 93 01 93 – 📶 🍽 rest 📺 🔂 🅿
🔧 – **58 qto.**

MACEDO DE CAVALEIROS 5340 Bragança 🔢🔢🔢 H 9 – 4 353 h. alt. 580 – 🔴 078.
◆Lisboa 510 – Bragança 42 – Vila Real 101.

🏨 **Estal. do Caçador,** Largo Manuel Pinto de Azevedo 𝓕 42 13 54, Fax 42 13 81, 🎋, 🏊
📶 📺 🔂 🔛. 🆎 ⓪ 🅴 🚾. ⛄
Ref 2500 – ☲ 800 – **25 qto** 8500/12300 – PA 5000.

🏠 **Muchacho,** Pereira Charula 𝓕 42 16 40 – 📺 ☎ – **20 qto.**

na estrada de Mirandela NO : 1,7 km – ✉ 5340 Macedo de Cavaleiros – 🔴 078 :

🏠 **Costa do Sol,** 𝓕 42 13 75, Fax 42 13 76 – 📺 ☎ 🅿 – **42 qto.**

MACHICO Madeira – ver Madeira (Arquipélago da).

ADEIRA

Caniço – 7 249 h. – ⊠ 9125 Caniço – ☎ 091.
Funchal 8.

✗ A Lareira com qto, Sítio da Vargem ℘ 93 44 94 – |‡| ☎
17 qto.

em Caniço de Baixo S : 2,5 Km. – ⊠ 9125 Caniço – ☎ 091 :

Ondamar ⑤, ℘ 93 45 66, Telex 72397, Fax 93 45 55, ≤, ⌇ climatizada – |‡| ⊡ ☎ ℗. ℀
① ℇ 𝘝𝘐𝘚𝘈. ✼
Ref 2500 – **53 qto** ⊂⊃ 9500/13500.

Roca Mar ⑤, ℘ 93 43 34, Telex 72391, Fax 93 40 44, ≤, ♨, ⌇ – ⊡ ☎
100 qto.

Galomar e Rest. O Galo ⑤, ℘ 93 44 10, Telex 72397, ≤, ℔ – |‡| ☎. ℀ ① ℇ 𝘝𝘐𝘚𝘈.
✼
Ref 1900 – **45 qto** ⊂⊃ 7500/9500.

Faial – 2 622 h. – ⊠ 9225 Porto da Cruz – ☎ 091.
Arred. : Santana★★ (estrada ≤★) NO : 8 km – Estrada do Porto da Cruz (≤★) SE : 8 km.
Funchal 54.

em Lombo de Baixo – na Estrada do Funchal S : 2,5 km – ⊠ 9225 Porto da Cruz – ☎ 091 :

✗ Casa de Chá do Faial, ℘ 57 22 23, ≤ vale e montanha, ♨ – ℗.

Funchal – 48 239 h. – ⊠ 9000 – ☎ 091.
Ver : Sé★ (tecto★) Z **B** – Museu de Arte Sacra★ (colecção de quadros★)Y **M1** – Quinta das Cruzes★ Y **M3** – Capela da Nazaré★ (azulejos★) por ③ – Pontinha ⁂★★ X – Jardim Botânico
≤★ V.
Arred. : Miradouro do Pináculo★★ 4 km por ② - Pico dos Barcelos ★★ (⁂ ★★) 3 km por
③ - Monte (localidade★) 5 km por ① – Quinta do Palheiro Ferreiro★ (parque★) 5 km por
② pela estrada de Camacha - Terreiro da Luta ≤★ 7 km por ① – Câmara de Lobos (local
★, estrada ≤★) 9 km X – Eira do Serrado ⁂★★★ (estrada ≤★★, ≤★) NO : 13 km pelo
Caminho de Santo António – Flora da Madeira (jardim botânico ★) 15 km por ① – Curral
das Freiras (local ★, ≤★) NO : 17 km pelo Caminho de Santo António.
Excurs. : Pico Ruivo★★★ (⁂★★★) 21 km por ① e 3 h a pé.
⌖ do Santo da Serra 25 km por ② ℘ 551 39.
✈ do Funchal 23 km por ② - T.A.P. Av. do Mar 8 ℘ 52 49 41.
⚓ para Lisboa : E.N.M Rua da Praia 45 ℘ 301 95 e 301 96, Telex 72184.
🅑 Av. Arriaga 18 ℘ 22 90 57 e 22 56 58 – A.C.P. Rua Dr. Antonio José de Almeida 17, ℘ 236 59,
Fax 22 05 52.

Plano página seguinte

Reid's H., Estrada Monumental 139 ℘ 76 30 01, Telex 72139, Fax 76 44 99, ≤ baía do
Funchal, « Magnífico jardim semi-tropical sob um promontório rochoso », ⌇ climatizada,
✼ – |‡| ⊞ ☎ ℗. ℀ 𝘝𝘐𝘚𝘈 𝘑𝘊𝘉. ✼ rest   z
Ref **Garden** *(só almoço)* lista aprox. 6700 - **Villa Cliff** lista aprox. 3800 - **Les Faunes** *(só
jantar, fechado domingo)* lista aprox. 8200 – **148 qto** ⊂⊃ 39000/51000, 21 suites.

Savoy, Av. do Infante ℘ 22 20 31, Telex 72153, Fax 22 31 03, ≤, ♨, « Terraço com ⌇
climatizada à beira-mar », ℔, ♒, ✼ – |‡| ⊞ ⊡ ☎ ℗ – 🈺 25/300. ℀ ① ℇ 𝘝𝘐𝘚𝘈.
✼   X n
Ref lista aprox. 6100 Grill Fleur de Lys - Bellevue – **350 qto** ⊂⊃ 36300/60500.

Madeira Carlton H., Largo António Nobre ℘ 23 10 31, Telex 72122, Fax 22 33 77, ≤,
♨, ℔, ⌇ climatizada, ✼ – |‡| ⊞ ⊡ ☎ ℗ – 🈺 25/450. ℀ ① ℇ 𝘝𝘐𝘚𝘈.
✼ rest   X s
Ref 4200 - **Taverna Grill** *(só jantar)* lista 4100 a 5650 - **Os Arcos** *(só almoço)* lista 2850
a 4430 - **Buffet Garden Pool** *(só almoço)* buffet 2250 – **374 qto** ⊂⊃ 20000/29000.

Casino Park H., Av. do Infante ℘ 23 31 11, Telex 72118, Fax 23 31 53, ≤ montanha, cidade
e mar, « Jardim florido », ℔, ⌇ climatizada, ✼ – |‡| ⊞ ⊡ ☎ ℗ – 🈺 25/650. ℀ ①
ℇ 𝘝𝘐𝘚𝘈. ✼ rest   X y
Ref **Chez Oscar** lista 3300 a 4450 - **Panorámico** lista 2800 a 4100 - **Coffee Shop** *(só
almoço)* lista aprox. 3800 – **400 qto** ⊂⊃ 23000/25500.

Quinta do Sol, Rua Dr Pita 6 ℘ 76 41 51, Telex 72182, Fax 76 62 87, ≤, ⌇ climatizada –
|‡| ⊞ ⊡ ☎ ℗. ℀ ① ℇ 𝘝𝘐𝘚𝘈. ✼   X x
Ref 3500 – **151 qto** ⊂⊃ 15000/24000 - PA 7000.

Do Carmo, Travessa do Rego 10 ℘ 22 90 01, Telex 72447, Fax 239 19, ⌇ – |‡| ⊞ rest ⊡
☎   Y f
80 qto.

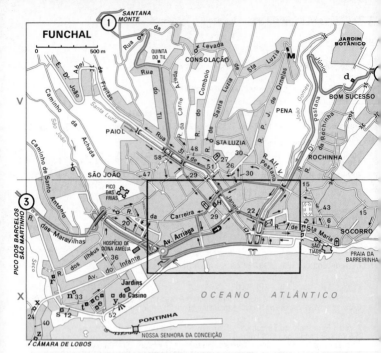

FUNCHAL

SANTANA
MONTE

0   500 m

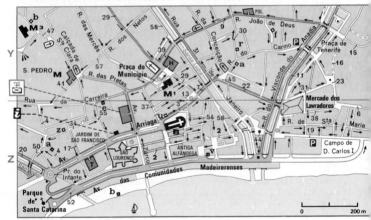

0   200 m

544

🏨 **Windsor** sem rest, com snack-bar, Rua das Hortas 4-C ✆ 233 081, Telex 72 551, Fax 233 080, ⅃ – 📳 📺 ☎ 🅟. ✛ Y r
67 qto ⊑ 7800/10400.

🏨 **Madeira** sem rest, Rua Ivens 21 ✆ 23 00 71, Telex 72242, Fax 22 90 71, ⅃ – 📳 ☎. 🖭 ⓞ 🇪 𝗩𝗜𝗦𝗔. ✛ Z z
31 qto ⊑ 7500/9000.

🏨 **Quinta da Penha de França** ⑤ sem rest, com snack-bar, Rua da Penha de França 2 ✆ 290 87, Fax 292 61, « Jardim », ⅃ – ☎ 🅟. 🖭 ⓞ 🇪 𝗩𝗜𝗦𝗔. ✛ X e
41 qto ⊑ 17800.

🏩 Albergaria Catedral sem rest, Rua do Aljube 13 ✆ 23 00 91, Fax 351 80 – 📳 ☎ Z u
25 qto.

🏩 **Santa Clara** ⑤ sem rest, Calçada do Pico 16-B ✆ 74 21 94, Fax 74 32 80, ≤, ⅃, 🌳 – 📳 ☎ Y b
15 qto ⊑ 5500/7000.

🏩 **Greco** sem rest, com snack-bar, Rua do Carmo 16 ✆ 230 081, Telex 72551, Fax 233 080 – 📳 🕾. ✛ Y a
28 qto ⊑ 5400/7400.

XXX **Casa Velha,** Rua Imperatriz D. Amélia 69 ✆ 22 57 49, Telex 72601, Fax 22 46 29 – 🍽. 🖭 ⓞ 🇪 𝗩𝗜𝗦𝗔. ✛ X c
Ref lista 3200 a 3700.

XX **Caravela,** Rua das Comunidades Madeirenses 15 ✆ 22 84 64, Fax 22 20 57, ≤ – 🖭 ⓞ 🇪 𝗩𝗜𝗦𝗔. ✛ Z v
Ref lista aprox 3500.

XX **O Solar do F,** Av. Luís de Camões 19 ✆ 202 12, Fax 74 32 95, 🍴 – 🖭 ⓞ 🇪 𝗩𝗜𝗦𝗔 ᴊᴄʙ X r
Ref (só jantar) lista aprox. 3300.

XX **Casa Dos Reis,** Rua Imperatriz D. Amélia, 101 ✆ 22 51 82, Fax 388 18, 🍴 – 🍽. 🖭 ⓞ 🇪 𝗩𝗜𝗦𝗔. ✛ X t
Ref lista 3400 a 4350.

XX **Dona Amélia,** Rua Imperatriz D. Amélia 83 ✆ 22 57 84, Fax 22 46 29 – 🍽. 🖭 ⓞ 🇪 𝗩𝗜𝗦𝗔. ✛ X c
Ref lista 3100 a 3550.

X O Celeiro, Rua Dos Aranhas 22 ✆ 23 06 22, Decoração rústica – 🍽 Z a

X **Solar da Santola,** Marina do Funchal ✆ 22 72 91, Fax 74 32 95, ≤, 🍴 – 🍽. 🖭 ⓞ 🇪 𝗩𝗜𝗦𝗔
Ref lista aprox. 2600. Z b

X O Espadarte, Estrada da Boa Nova 5 ✆ 22 80 65 – 🍽 V d

X O Arco, Rua da Carreira, 63-A ✆ 22 01 34 – 🍽 Z e

ao Suloeste da cidade – ✉ 9000 Funchal – ❸ 091 :

🏨🏨 **Madeira Palácio,** Estrada Monumental, 4,5 km ✆ 76 44 76, Telex 72156, Fax 76 44 77, ≤, ⅃ climatizada, 🌳, ❊ – 📳 🍽 📺 ☎ 🅟 – 🕍 25/220. 🖭 ⓞ 🇪 𝗩𝗜𝗦𝗔. ✛
Ref 5000 - **Vice Rei** (só jantar) lista 4600 a 7700 - **Cristovão Colombo** (só jantar) lista aprox. 5000 - **Coffee Shop Le Terrace** lista 2450 a 5400 – **253 qto** ⊑ 25000/32000 – PA 9500.

🏨🏨 **Vila Ramos** ⑤, Azinhaga da Casa Branca 7, 3 km ✆ 76 41 81, Telex 72168, Fax 76 41 56, ≤, ⅃ climatizada, ❊ – 📳 🍽 📺 ☎ 🅟. 🖭 ⓞ 🇪 𝗩𝗜𝗦𝗔. ✛
Ref lista aprox. 4100 – **116 qto** ⊑ 11900/24500.

🏨🏨 Eden Mar, Rua do Gorgulho 2, 2,7 Km. ✆ 76 22 21, Telex 72672, Fax 76 19 66, ≤, 🍴, 🕳, ⅃ climatizada, ☒ – 📳 🍽 ☎ 🅟 – 🕍 25/120
140 apartamentos.

🏨🏨 **Monumental Lido,** Estrada Monumental 284, 2,7 km ✆ 76 64 66, Fax 76 63 45, ≤, ⅃ climatizada – 📳 🍽 rest 📺 ☎ 🥢. 🖭 ⓞ 🇪 𝗩𝗜𝗦𝗔. ✛
Ref 2600 – **201 qto** ⊑ 9500/12500 – PA 5000.

🏨🏨 **Baia Azul,** Estrada Monumental, 3,5 km ✆ 76 62 60, Telex 72675, Fax 76 42 45, ≤, 🕳, ⅃ climatizada – 📳 🍽 📺 ☎ 🅟 – 🕍 25/400. 🖭 ⓞ 🇪 𝗩𝗜𝗦𝗔. ✛
Ref 3500 – **215 qto** ⊑ 23650/25850 – PA 7000.

🏨🏨 Alto Lido, Estrada Monumental 316, 3,3 km ✆ 76 51 97, Telex 72453, Fax 76 59 50, ≤, ⅃ climatizada – 📳 🍽 rest 📺 ☎ 🥢
115 apartamentos.

🏨🏨 **Girassol,** Estrada Monumental 256, 2,5 km ✆ 76 40 51, Telex 72176, Fax 76 54 41, ≤, ⅃ climatizada – 📳 🍽 rest 📺 ☎ 🅟. 🖭 ⓞ 🇪 𝗩𝗜𝗦𝗔. ✛
Ref 3500 – **132 qto** ⊑ 10000/14000 – PA 7100.

🏨 Atlantic Gardens ⑤ sem rest, com snack-bar, Praia Formosa, 5,8 km ✆ 76 21 11, Telex 72223, Fax 76 67 33, ⅃ – 📳 📺 ☎ 🅟
51 apartamentos.

🏨 Do Mar, Estrada Monumental, 3,5 km, Quinta Calaça ✆ 76 10 01, Telex 72255, Fax 76 21 92, ≤ mar, ⅃ climatizada – 📳 🕾 🅟
134 apartamentos.

XX Sol e Mar com snack-bar, Estrada Monumental 314 B, 3,2 km ✆ 76 20 30, 🍴 – 🍽.

X **Solar da Ajuda,** Caminho Velho da Ajuda, 2,7 km ✆ 623 18, Fax 74 32 95 – 🍽. 🖭 ⓞ 🇪 𝗩𝗜𝗦𝗔
Ref lista aprox. 2550.

em São Gonçalo E : 5 km – ⊠ 9000 Funchal – ☻ 091 :

ⵝⵝⵝ Estal. da Montanha com churrascaria e qto, 🏖 79 35 00, Fax 79 36 79, ⩽ mar e Funcha
🏠 – 🍽 🕿 ➋   por Rua do Conde Carvalhal   X
10 qto.

Machico – 12 129 h. – ⊠ 9200 Machico – ☻ 091.
Arred. : Miradouro Francisco Álvares da Nóbrega★ SO : 2 km – Santa Cruz (Igreja d
S. Salvador★) S : 6 km.
🛈 Rua do Ribeirinho - Edifício Paz 🏖 96 27 12.
Funchal 29.

🏛 Dom Pedro Baia, 🏖 96 57 51, Telex 72135, Fax 96 68 89, ⩽ mar e montanha, ⊼ climatizad
🍽 – 🛗 🍽 rest ☎ ➋ – 🛎 25/80 – **218 qto.**

Pico do Arieiro – ⊠ 9006 Funchal – ☻ 091.
Ver : Mirador (★★) Excuts. : Pico Ruivo ★★★ (vue panoramique★★★) ☀★★★ : 3 h a pé.
Funchal 23.

🏛 **Pousada do Pico do Arieiro** 🠦, alt. 1 818 🏖 23 01 10, Fax 22 86 11, ⩽ montanhas e m
– ☎ ➋. 🜨 ⓞ 🄴 𝘝𝘐𝘚𝘈. 🛇
Ref 2750 – **21 qto** 🍽 10600/12600 – PA 5500.

Poiso alt. 1 412 – ☻ 091.
Funchal 15.

X Casa de Abrigo do Poiso, Estrada Conde de Carvalhal 237, ⊠ 9000 apartado 2522 Sã
Gonçalo, 🏖 78 22 69 – ➋.

Porto Moniz – 3 920 h. – ⊠ 9270 Porto Moniz – ☻ 091.
Ver : Recifes★.
Arred. : Estrada de Santa ⩽★ SO : 6 km – Seixal (local★) SE : 10 km – Estrada escarpada
(⩽★) de Seixal a São Vicente SE : 18 km.
Funchal 106.

🠦 Calhau 🠦 sem rest, 🏖 85 21 04, ⩽ – **15 qto.**
X **Cachalote,** 🏖 85 21 80, Fax 85 27 25, ⩽ – 🜨 ⓞ 🄴 𝘝𝘐𝘚𝘈
Ref (só almoço) lista 2100 a 3050.
X Orca 🠦 com qto, 🏖 85 23 59, ⩽ – 🕿
12 qto.

Ribeira Brava Ribeira Brava 6 084 h. – ⊠ 9350 Ribeira Brava – ☻ 091.
Funchal 30.

🏛 Bravamar, Rua Gago Coutinho 🏖 95 22 20, Telex 72258, Fax 95 11 22, ⩽ – 🛗 🕿
70 qto.

São Vicente – 4 374 h. – ⊠ 9240 São Vicente – ☻ 091.
Funchal 55.

🏛 **Estal. Do Mar** 🠦, Estrada da Ponte Delgada 🏖 84 26 15, Fax 84 27 65, ⩽, ⊼, ℅ – 🛭
☎ ➋ – 🛎 25/150. 🄴 𝘝𝘐𝘚𝘈. 🛇
Ref 2250 – **45 qto** 🍽 8000/10000 – PA 5000.
X Quebra-Mar, Sítio do Calhão 🏖 84 23 38, ⩽ – ➋.
X Calamar, Estrada da Ponte Delgada 🏖 84 22 18, ⩽ – ➋.

Serra de Água – 1 426 h. – ⊠ 9350 Ribeira Brava – ☻ 091.
Ver : Emprazamento★.
Funchal 9.

na estrada de São Vicente N : 2,2 km – ⊠ 9350 Ribeira Brava – ☻ 091 :

🏛 Pousada dos Vinháticos 🠦, 🏖 95 23 44, Fax 95 25 40, ⩽ montanhas, 🏠 – ➋
15 qto.

PORTO SANTO

Vila Baleira – ⊠ 9400 Porto Santo – ☻ 091 – Praia.
🛫 do Porto Santo, 🏖 98 23 54.
🛈 Av. Vieira de Castro 🏖 98 23 62 (ext. 203).

🏛 Praia Dourada, Rua D. Estêvão d'Alencastre 🏖 98 23 15, Telex 72389, Fax 98 24 87, ⊼
🍽 rest ☎ – **110 qto.**

ao suloeste : 2 km – ⊠ 9400 Porto Santo – 🕻 091.

🏨 **Porto Santo** ⟋, ℰ 98 23 81, Telex 72210, Fax 98 26 11, ≤, 🏖, ⟁, 🐎, ✗ – 🗏 rest ☎
🅿 ᴁ 🆗 🅴 𝚅𝙸𝚂𝙰. ✗
Ref 3750 – **97 qto** � 18500/25000 – PA 7500.

MAFRA 2640 Lisboa 🔢🔢🔟 P 1 – 10 153 h. alt. 250 – 🕻 061.
er : Basílica do Mosteiro (cúpula★).
Av. 25 de Abril ℰ 81 20 23.
Lisboa 40 – Sintra 23.

🏨 **Castelão,** Av. 25 de Abril ℰ 81 20 50, Telex 43488, Fax 516 98 – 🢓 🗏 rest 📺 ☎. ᴁ 🆗
🅴 𝚅𝙸𝚂𝙰. ✗
Ref 2600 – **35 qto** � 9000/11000.

MAIA 4470 Porto 🔢🔢🔟 I 4 – 6 734 h. – 🕻 02.
Lisboa 326 – Amarante 56 – Braga 39 – ◆Porto 12.

✗ **Don Nuno II,** Parque Nossa Senhora do Bom Despacho ℰ 948 67 00, 🏖 – ᴁ 𝚅𝙸𝚂𝙰
fechado 2ª feira – Ref lista 3900 a 4500.

MALVEIRA DA SERRA Lisboa 🔢🔢🔟 P 1 – ⊠ 2750 Cascais – 🕻 01.
Lisboa 37 – Sintra 13.

✗✗ Adega do Zé Manel, Estrada de Alcabideche ℰ 487 06 38, Decoração rústica.
✗ Quinta do Farta Pão, Estrada de Cascais N 9-1 S : 1,7 km ℰ 487 05 68, Rest. típico, Decoração
rústica – 🅿.
✗ O Camponés, ℰ 487 01 16, Rest. típico, Decoração rústica.

MANGUALDE 3530 Viseu 🔢🔢🔟 K 6 – 8 055 h. alt. 545 – 🕻 032.
er : Palácio dos Condes de Anadia★ (azulejos★★).
Lisboa 317 – Guarda 67 – Viseu 18.

🏨 **Estal. Casa d'Azurara,** Rua Nova 78 ℰ 61 20 10, Fax 62 25 75, Antiga casa solarenga, 🐎
– 🢓 🗏 📺 ☎ 🅿 🅴 𝚅𝙸𝚂𝙰. ✗
Ref 3000 – **15 qto** � 17000/17500.

pela estrada N 16 E : 2,8 km – ⊠ 3530 Mangualde – 🕻 032 :

🏨 **Senhora do Castelo** ⟋, Monte da Senhora do Castelo ℰ 61 16 08, Telex 53563,
Fax 62 38 77, ≤ Serras da Estrela e Caramulo, ⟁, ⊠ – 🢓 🗏 ☎ 🅿 – 🏛 25/150. ᴁ 🆗
𝚅𝙸𝚂𝙰. ✗
Ref 2250 – **85 qto** � 8500/10500.

MANTEIGAS 6260 Guarda 🔢🔢🔟 K 7 – 3 026 h. alt. 775 – 🕻 075 – Termas – Desportos de Inverno
a Serra da Estrela : 🎿3.
rred. : Poço do Inferno★ (cascata★) S : 9 km – S : Vale glaciário do Zêzere★★, ≤★.
Rua Dr. Esteves de Carvalho ℰ 98 11 29.
Lisboa 355 – Guarda 49.

pela estrada das Caldas S : 2 km e desvio a esquerda 1,5 km – ⊠ 6260 Manteigas – 🕻 075

🏨 **Albergaria Berne** ⟋, Santo António ℰ 98 13 51, Fax 98 21 14, ≤, 🏖 – 🢓 🗏 rest ☎ 🅿.
🆗 🅴 𝚅𝙸𝚂𝙰
Ref 1600 – **17 qto** � 4500/7000 – PA 3200.

na estrada de Gouveia N : 13 km – ⊠ 6260 Manteigas – 🕻 075 :

🏨 **Pousada de São Lourenço** ⟋, ℰ 98 24 50, Telex 53992, Fax 98 24 53, ≤ vale e montanha
– ☎ 🅿. ᴁ 🆗 🅴 𝚅𝙸𝚂𝙰. ✗
Ref lista aprox. 3500 – **20 qto** � 16500/18600.

MARCO DE CANAVESES 4630 Porto 🔢🔢🔟 I 5 – 46 131 h. – 🕻 055.
Lisboa 383 – Braga 72 – ◆Porto 53 – Vila Real 83.

🏨 Marco sem rest, Rua Dr. Sá Carneiro 684 ℰ 52 20 93 – 🢓
20 qto.

MARINHAIS 2125 Santarém 🔢🔢🔟 O 3 – 🕻 063.
Lisboa 72 – Caldas da Rainha 84 – Coruche 20 – Santarém 31 – Vila Franca de Xira 37.

na Estrada N 118 NO : 2,7 km – ⊠ 2125 Marinhais – 🕻 063 :

✗ **A Grelha,** ℰ 555 55, Grelhados – 🗏 🅿 ᴁ 🆗 🅴 𝚅𝙸𝚂𝙰 🅹🅲🅱. ✗
fechado 2ª feira – Ref lista aprox. 2800.

MARINHA GRANDE 2430 Leiria **440** M 3 – 25 429 h. alt. 70 – **☺** 044 – Praia em São Pedro de Moel.

🖪 av. José Henriques Vareda *ℰ* 591 52.

◆Lisboa 143 – Leiria 12 – ◆Porto 199.

🏠 Cristal, Estrada de Leiria (Embra) *ℰ* 56 01 00, Fax 56 00 65 – |≡| 🖿 🆀 ☎ **🅿** – **🔏** 25/40.
Œ ⓞ E VISA JCB. ✷
Ref 1750 – **60 qto** ⊆ 7000/10300 – PA 3500.

🏠 Paris sem rest, Av. do Vidreiro 13 *ℰ* 56 98 21, Fax 56 94 52 – ☎
27 qto.

MARRAZES Leiria – ver Leiria.

MARVÃO 7330 Portalegre **440** N 7 – 309 h. alt. 865 – **☺** 045.
Ver : Local★★ – Aldeia★ (balaustradas★) – Castelo★ (≤★★).

🖪 Rua Dr. Matos Magalhães *ℰ* 932 26.

◆Lisboa 226 – ◆Cáceres 127 – Portalegre 22.

🏠 Pousada de Santa Maria ⌖, *ℰ* 932 01, Telex 42360, Fax 934 40, ≤ vale, Santo António das Areias e Espanha, Decoração regional – 🖿 🖿 ☎. **Œ ⓞ E VISA**. ✷
Ref lista aprox. 5200 – **29 qto** ⊆ 18000/20800.

🏠 Estal. Dom Dinis ⌖, Rua Dr. Matos Magalhães *ℰ* 932 36 – **Œ ⓞ E VISA**. ✷
Ref 2100 – **8 qto** ⊆ 8000.

MATOSINHOS Porto – ver Porto.

MEALHADA 3050 Aveiro **440** K 4 – 3 097 h. alt. 60 – **☺** 031.
◆Lisboa 221 – Aveiro 35 – ◆Coimbra 19.

na estrada N 1 N : 1,5 km – ⊠ 3050 Mealhada – **☺** 031 :

🏠 Quinta dos 3 Pinheiros, *ℰ* 223 91, Telex 53233, Fax 234 17, ⌀ – 🖿 rest 🖿 ☎ **🅿**
🔏 25/250. **Œ ⓞ E VISA**. ✷
Ref lista aprox. 3450 – **54 qto** ⊆ 9800/11800.

✗ Pedro dos Leitões, *ℰ* 220 62, Leitão assado – 🖿 **🅿**. **ⓞ E VISA**. ✷
fechado 2ª feira, 15 dias em abril e 15 dias em setembro – Ref lista 3580 a 4500.

MESÃO FRIO 5040 Vila Real **440** I 6 – **☺** 054.
◆Lisboa 391 – ◆Porto 90 – Vila Real 36 – Viseu 97.

🏠 Panorama ⌖, Av. Conselheiro Alpoim 525 *ℰ* 995 85, Telex 25916, Fax 43 29 91, ≤, 🏞
– |≡| 🖿 🖿 🖿 – **🔏** 25/200. **Œ ⓞ E VISA**
Ref *(fechado 2ª feira e outubro-maio)* 2500 – **31 qto** ⊆ 6500/8000.

MIRA 3070 Coimbra **440** K 3 – 13 023 h. – **☺** 031 – Praia.
Arred. : Varziela : Capela (retábulo★) SE : 11 km.
◆Lisboa 221 – ◆Coimbra 38 – Leiria 90.

🏠 Canhota, Rua Dr. Antonio José Almeida 104 *ℰ* 45 14 48, Fax 45 12 86, 🏞 – ☎ **🅿**. **E VISA**
✷ rest
Ref 1100 – **16 qto** ⊆ 6000/7000 – PA 3000.

na praia NO : 7 km – ⊠ 3070 Mira – **☺** 031 :

🏠 Do Mar sem rest, Av. do Mar *ℰ* 47 11 44, Fax 47 11 44, ≤ – 🖿. **Œ E VISA**
15 março-outubro – **14 qto** ⊆ 6000/8000.

MIRANDA DO DOURO 5210 Bragança **440** H 11 – 1 841 h. alt. 675 – **☺** 073.
Ver : Antiga Catedral (retábulos★).
Arred. : Barragem de Miranda do Douro★ E : 3 km – Barragem de Picote★ SO : 27 km.
◆Lisboa 524 – Bragança 85.

🏠 Pousada de Santa Catarina ⌖, *ℰ* 422 55, Telex 22388, Fax 426 65, ≤ – ☎ **🅿**. **Œ ⓞ**
E VISA. ✷ rest
Ref 3000 – **12 qto** ⊆ 16500/18600 – PA 6000.

MIRANDELA 5370 Bragança **440** H 8 – 8 192 h. – **☺** 078.
◆Lisboa 475 – Bragança 67 – Vila Real 71.

🏠 Miratua sem rest, Rua da República 42 *ℰ* 224 03, Fax 226 49 – |≡| 🖿. **Œ ⓞ E VISA**
33 qto ⊆ 5200/7500.

🏠 Globo, Rua Cidade de Ortez 35 *ℰ* 282 10, Fax 288 71 – |≡| 🖿 rest 🖿 **🅿**. **E VISA**. ✷
Ref *(fechado domingo)* 1500 – **40 qto** ⊆ 3000/6000.

na estrada N 15 NE : 1,3 km – ⌧ 5370 Mirandela – ✪ 078 :

🏠 Jorge V sem rest, 𝒫 231 26, Fax 241 27 – 📺 ☎ 🛏 🅿
32 qto.

MOGADOURO 5200 Bragança **440** H 9 – 2 720 h. – ✪ 079.
Lisboa 471 – Bragança 94 – Guarda 145 – Vila Real 153 – Zamora 97.

🍴 **A Lareira** com qto, av. Nossa Senhora do Caminho 58 𝒫 323 63
fechado janeiro – Ref *(fechado 2ª feira)* lista 2050 a 6450 – **10 qto** ⌷ 3000/6000.

MOIMENTA DA BEIRA 3620 Viseu **440** J 7 – 1 987 h. – ✪ 054.
Lisboa 352 – Guarda 83 – Vila Real 74 – Viseu 58.

🏨 **Novo Horizonte** sem rest e sem ⌷, Rua Dr. Sá Carneiro (Estrada N 226) 𝒫 524 32 – 🅿.
🎯
9 qto 3000/4600.

MONÇÃO 4950 Viana do Castelo **440** F 4 – 2 687 h. – ✪ 051 – Termas.
Largo do Loreto 𝒫 65 27 57.
Lisboa 451 – Braga 71 – Viana do Castelo 69 – ◆ Vigo 48.

🏨 **Albergaria Atlântico** sem rest, Rua General Pimenta de Castro 13 𝒫 65 23 55,
Fax 65 23 76 – 🛗 🍴 📺 ☎. 🅰🅴 ① 🅴 𝘝𝘐𝘚𝘈. 🎯
24 qto ⌷ 6500/9500.

🏠 **Mané** sem rest, Rua General Pimenta de Castro 5 𝒫 65 24 90, Fax 65 23 76 – ☎. 🅰🅴 ①
🅴 𝘝𝘐𝘚𝘈. 🎯
8 qto ⌷ 5000/7000.

🏠 Esteves sem rest, Rua General Pimenta de Castro 𝒫 65 23 86
22 qto.

MONCHIQUE 8550 Faro **440** U 4 – 6 765 h. alt. 458 – ✪ 082 – Termas.
rred. : Estrada★ de Monchique à Fóia ≤★ – Percurso★ de Monchique à Nave Redonda.
Lisboa 260 – Faro 86 – Lagos 42.

na estrada da Fóia SO : 2 km – ⌧ 8550 Monchique – ✪ 082 :

🍴🍴 **Estal. Abrigo da Montanha** 🍃 com qto, 𝒫 921 31, Fax 936 60, ≤ vale, montanha e mar,
🍴, « Terraços floridos », 🌲 – ☎. 🅰🅴 ① 🅴 𝘝𝘐𝘚𝘈. 🎯
Ref lista 3100 a 4300 – **5 qto** ⌷ 14000, 5 suites.

nas Caldas de Monchique S : 6,5 km – ⌧ 8550 Monchique – ✪ 082 :

🏨 **Albergaria do Lageado** 🍃, 𝒫 926 16, 🍴, 🌲 – ☎. 🎯
maio-outubro – Ref 2000 – **20 qto** ⌷ 5500/8000.

MONFORTINHO (Termas de) 6075 Castelo Branco **440** L 9 – 879 h. alt. 473 – ✪ 077 – Termas.
rred. : Monsanto : Aldeia★, Castelo ✳★★ NO : 23 km.
█ Termas 𝒫 442 23.
Lisboa 310 – Castelo Branco 70 – Santarém 229.

🏨 **Fonte Santa** 🍃, 𝒫 441 04, Telex 53812, Fax 442 44, « Num parque », 🌲, 🍴 – 🍴 📺 ☎
🅿. 🅰🅴 ① 🅴 𝘝𝘐𝘚𝘈. 🎯
Ref 3500 – **47 qto** ⌷ 9000/12000.

🏠 Portuguesa 🍃, 𝒫 442 21, 🌲
temp. – **63 qto**.

MONSANTO Castelo Branco **440** L 8 – alt. 758 – ⌧ 6085 Medelim – ✪ 077.
er : Povoação★, Castelo : ✳★★.
Madrid 328 – Castelo Branco 73 – Ciudad Rodrigo 132 – Guarda 90.

🏨 **Pousada de Monsanto** 🍃, Rua da Capela 1 𝒫 344 71, Fax 344 81, ≤ – 🛗 🍴 📺 ☎ 🅿.
🅰🅴 ① 🅴 𝘝𝘐𝘚𝘈. 🎯
Ref 3450 – **10 qto** ⌷ 10900/12700.

MONTARGIL 7425 Portalegre **440** O 5 – 4 587 h. – ✪ 042.
Lisboa 131 – Portalegre 104 – Santarém 72.

🏨 **Barragem e Rest. A Panela** 🍃, Estrada N 2 𝒫 941 75, Fax 942 55, ≤ barragem, 🍴, 🌲,
🍴 – 🍴 📺 ☎ 🅿 – 🔒 25/180. 🅰🅴 ① 🅴 𝘝𝘐𝘚𝘈. 🎯
Ref lista 2250 a 3250 – ⌷ 350 – **21 qto** 10450/12100.

MONTECHORO Faro – ver Albufeira.

MONTE DO FARO Viana do Castelo – ver Valença do Minho.

MONTE ESTORIL Lisboa – ver Estoril.

MONTE GORDO Faro – ver Vila Real de Santo António.

MONTEMOR-O-NOVO 7050 Évora 🔢🔢🔢 Q 5 – 6 458 h. alt. 240 – 🕿 066.
◆Lisboa 112 – ◆Badajoz 129 – Évora 30.

 ⚘ **Sampaio,** Av. Gago Coutinho 12, 🖉 822 37 – 🗐 🕾. 🖭 ⑩ 🗲 𝓥𝓘𝓢𝓐. ✖
   Ref (ver rest Sampaio) – ☲ 300 – **7 qto** 5000/6500.

 ✗ Sampaio, Rua Leopoldo Nunes 2, 🖉 822 37, Decoração rústica regional – 🗐.

   na estrada N 4 O : 7,5 km – ✉ 7050 Montemor-o-Novo – 🕿 066 :

 ✗ **O Chaparral,** 🖉 824 84 – 🗐 🕑. 🖭 🗲 𝓥𝓘𝓢𝓐
   fechado 2ª feira – Ref lista 3100 a 4500.

MONTEMOR-O-VELHO 3140 Coimbra 🔢🔢🔢 L 3 – 2 355 h. – 🕿 039.
◆Lisboa 206 – Aveiro 61 – ◆Coimbra 29 – Figueira da Foz 16 – Leiria 77.

 🏛 **Abade João** sem rest, Rua dos Combatentes da Grande Guerra 15 🖉 68 94 58, ⩽ – ⫦ 📺
   🕾 🕑. 🗲 𝓥𝓘𝓢𝓐. ✖
   ☲ 400 – **14 qto** 5000/7000.

 ✗ ✿ **Ramalhão,** Rua Tenente Valadim 24 🖉 68 94 35, « Decoração rústica » – 𝓥𝓘𝓢𝓐
   fechado domingo noite, 2ª feira e outubro – Ref lista 2950 a 3450
   Espec. Lampreia á moda de Montemor (janeiro-maio), Arroz malandrinho de galinha vadia, pato
   ou coelho, Doces caseiros.

MONTE REAL 2425 Leiria 🔢🔢🔢 M 3 – 2 549 h. alt. 50 – 🕿 044 – Termas.
🄳 Parque Municipal 🖉 61 21 67.
◆Lisboa 147 – Leiria 16 – Santarém 97.

 🏛 **D. Afonso,** Estrada de Vieira 🖉 61 12 38, Fax 61 13 22, ✖ – ⫦ 🗐 rest 📺 🕾 🚗 –
   🛗 25/600. ✖
   Ref 2300 – **74 qto** ☲ 8650/9650 – PA 4600.

 🏛 **Flora,** Rua Duarte Pacheco 🖉 61 21 21, Telex 16084, Fax 81 50 99 – ⫦ 📺 🕾 🕑. 🖭 ⑩
   🗲 𝓥𝓘𝓢𝓐
   abril-outubro – Ref 2000 – **35 qto** ☲ 6000/8000 – PA 4000.

 🏛 **Santa Rita,** Rua de Leiria 🖉 61 21 72, Fax 61 21 72, ⅃ – 🕾 🕑. ✖
   15 abril-outubro – Ref 2000 – **42 qto** ☲ 7000/8000 – PA 3800.

 🏛 Colmeia sem rest, Estrada da Base Aérea 5 🖉 61 25 33 – 🕾 🕑
   30 qto.

   em Ortigosa na Estrada N 109 SE : 4 km – ✉ 2425 Monte Real – 🕿 044 :

 ✗✗ **Saloon,** 🖉 61 34 38, Fax 61 34 38, 🏠, Rest. típico, Decoração rústica – 🕑. 🖭 ⑩ 🗲 𝓥𝓘𝓢𝓐
   ✖
   Ref lista aprox. 3050.

MONTE-SÃO PEDRO DA TORRE Viana do Castelo – ver Valença do Minho.

MURTOSA 3870 Aveiro 🔢🔢🔢 J 4 – 3 233 h. – 🕿 034 – Praia.
Arred. : Bico : porto★ SO : 2 km.
◆Lisboa 283 – Aveiro 30.

NAZARÉ 2450 Leiria 🔢🔢🔢 N 2 – 10 265 h. – 🕿 062 – Praia.
Ver : O Sítio ⩽★★ A, Farol : sítio marinho★★ A – Bairro dos pescadores★ B.
🄳 av. da República 🖉 56 11 94.
◆Lisboa 123 ② – ◆Coimbra 103 ① – Leiria 32 ①.

Plano página seguinte

 🏛 **Praia** sem rest, Av. Vieira Guimarães 39 🖉 56 14 23, Telex 16329, Fax 56 14 36 – ⫦ 📺 🕾
   🚗. 🖭 ⑩ 🗲 𝓥𝓘𝓢𝓐 𝓙𝓒𝓑
   40 qto ☲ 16800/17500.   B

 🏛 **Da Nazaré,** Largo Afonso Zuquete 🖉 56 13 11, Telex 16116, Fax 56 12 38, ⩽ – ⫦ 🗐 📺
   🕾. 🖭 ⑩ 🗲 𝓥𝓘𝓢𝓐 𝓙𝓒𝓑. ✖ rest   B
   fechado janeiro – Ref 2400 – **52 qto** ☲ 12020/12500 – PA 4800.

550

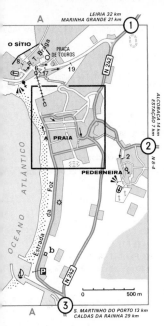

NAZARÉ

República (Av. da) . . B
Sousa Oliveira (Pr.) . B 16
Sub-Vila (R.) . . . . B
Vieira Guimarães (Av.) B

Abel da Silva (R.) . . A 2
Açougue (Trav. do) . B 3
Adrião Batalha (R.) . B 4

Azevedo e Sousa (R.) A 6
Carvalho Laranjo (R.) . B 7
Dom F. Roupinho (R.) A 8
Dr Rui Rosa (R.) . . . . B 9
Gil Vicente (R.) . . . . . B 10
M. de Arriaga (Pr.) . . B 12
M. de Albuquerque
   (R.) . . . . B 14
Vasco da Gama (Pr.) . A 17
28 de Maio (R.) . . . . A 19

🏠 **Maré,** Rua Mouzinho de Albuquerque 8 ℘ 56 12 26, Telex 15245, Fax 56 17 50 – |☆| 📺 ☎.
   🗚 ⓄⒹ 🄴 𝗩𝗜𝗦𝗔 JCB. ⏦   B **r**
   Ref 1700 – **36 qto** � 10500/13750 – PA 3300.

🏠 **Dom Fuas,** Av. Manuel Remigio ℘ 56 13 51, Fax 56 15 00, ⇐ – |☆| 📺 ☎ ℗. 🗚 Ⓞ 🄴 𝗩𝗜𝗦𝗔
   JCB. ⏦   A **b**
   Ref (só jantar) 2200 – **32 qto** ⊑ 8000/14200.

🏠 **Ribamar,** Rua Gomes Freire 9 ℘ 55 11 58, Telex 43383, ⇐, Decoração regional – 🗚 Ⓞ
   🄴 𝗩𝗜𝗦𝗔 JCB. ⏦   B **b**
   Ref 2400 – **23 qto** ⊑ 7000/11500.

🏠 **A Cubata** sem rest, Av. da República 6 ℘ 56 17 06 – ☎. 🄴 𝗩𝗜𝗦𝗔   B **n**
   21 qto ⊑ 10000.

XXX **Arte Xávega,** Calçada do Sítio ℘ 55 21 36, Fax 55 21 36, ⇐, 🌤 – ▤. 🗚 Ⓞ 𝗩𝗜𝗦𝗔 JCB. ⏦
   fechado 3ª feira e novembro – Ref lista aprox. 2850.   B **c**

X **Beira Mar** com qto, Av. da República 40 ℘ 56 13 58 – 🗚 Ⓞ 🄴 𝗩𝗜𝗦𝗔 JCB   B **h**
   março-novembro – Ref lista 1630 a 2800 – **15 qto** ⊑ 7500/11000.

NELAS 3520 Viseu 𝟜𝟜𝟘 K 6 – 3 339 h. alt. 441 – ✪ 032.
◖ Largo Dr. Veiga Simão ℘ 943 18.
Lisboa 289 – Guarda 80 – Viseu 22.

   pela estrada N 234 NE : 1,5 km – ⊠ 3520 Nelas – ✪ 032 :

🏠 **São Pedro** ⏚, Rua 4 Bairro das Toiças ℘ 94 95 85, Fax 94 02 00 – |☆| ▤ rest ☎ ℗ –
   ♨ 25/100. 🄴 𝗩𝗜𝗦𝗔 ⏦ rest
   Ref lista aprox. 1700 – **69 qto** ⊑ 6300/8400.

ÓBIDOS 2510 Leiria 𝟜𝟜𝟘 N 2 – 825 h. alt. 75 – ✪ 062.
Ver : A Cidadela★★ (muralhas★★, Rua Principal★) – Igreja de Sta Maria (túmulo★).
Arred. : Lagúna de Óbidos ⇐★ N : 21 km.
◖ Rua Direita ℘ 95 92 31.
Lisboa 92 – Leiria 66 – Santarém 56.

🏠 **Estal. do Convento** ⏚, Rua Dom João de Ornelas ℘ 95 92 16, Telex 44906, Fax 95 91 59,
   « Decoração estilo antigo » – ☎ 🗚 🄴 𝗩𝗜𝗦𝗔 JCB. ⏦ rest
   Ref 2500 – **31 qto** ⊑ 12500/14500 – PA 6000.

🏠 **Albergaria Josefa d'Óbidos,** Rua D. João de Ornelas ℘ 95 92 28, Fax 95 95 33 – ▤ 📺
   ☎. 🗚 Ⓞ 🄴 𝗩𝗜𝗦𝗔 JCB. ⏦
   Ref (fechado 3ª feira) lista aprox 2650 – **38 qto** ⊑ 7500/9500.

🏛 **Albergaria Rainha Santa Isabel** 🦢 sem rest, Rua Direita 𝒫 95 93 23, Telex 14069
Fax 95 91 15 – |≒| 📺 ☎ – ♨ 25/60
20 qto.

🛖 **Martim de Freitas** sem rest, Estrada Nacional 8 𝒫 95 91 85 – ⌘
6 qto ☡ 6000/7500.

XXX **Pousada do Castelo** 🦢 com qto, Paço Real 𝒫 95 91 05, Telex 15540, Fax 95 91 48
« Belas instalações nas muralhas do castelo - Mobiliário de estilo » – 🍴 📺 ☎ . AE ① E
VISA. ⌘
Ref lista 3500 a 5250 – **9 qto** ☡ 23000/26200.

XX **A Ilustre Casa de Ramiro,** Rua Porta do Vale 𝒫 95 91 94 – 🍴. AE ① E VISA. ⌘
fechado 5ª feira e 7 janeiro-6 fevereiro – Ref lista 3450 a 5050.

X **Alcaide,** Rua Direita 𝒫 95 92 20, ≤, 🍴 – AE ① E VISA
fechado 2ª feira e novembro – Ref lista 2100 a 3150.

na estrada de Caldas da Rainha N : 2,5 km – ✉ 2510 Óbidos – ☎ 062 :

🏨 **Mansão da Torre** 🦢, 𝒫 95 97 47, Fax 95 90 51, 🏊, 🎾, 🍴 – |≒| 🍴 📺 ☎ 🅿 – ♨ 25/40
AE ① VISA. ⌘
Ref 2000 – **41 qto** ☡ 6500/9500 - PA 4000.

OEIRAS 2780 Lisboa 440 P 2 – 40 149 h. – ☎ 01 – Praia.
🛈 Jardim Municipal de Santo Amaro de Oeiras 𝒫 442 39 46.
◆ Lisboa 16 – Cascais 8 – Sintra 16.

em Santo Amaro de Oeiras – ✉ 2780 Oeiras – ☎ 01 :

XX Rota do Colombo, Jardim Municipal 𝒫 442 77 93, Fax 441 78 33, ≤ – 🍴.
X **Saisa Praia,** 𝒫 443 06 34, ≤, 🍴, Peixes e mariscos – 🍴. AE ① E VISA JCB. ⌘
fechado 2ª feira – Ref lista aprox. 3900.

na Autoestrada A 5 N : 4 km – ✉ 2780 Oeiras – ☎ 01 :

🏛 **Ibis** sem rest, Área de Serviço 𝒫 421 62 15, Fax 421 70 39 – 🍴 📺 ☎ 🕭 🅿 – ♨ 25. AE
① E VISA
☡ 810 – **61 qto** 7200/7500.

OLHÃO 8700 Faro 440 U 6 – 34 573 h. – ☎ 089 – Praia.
🛈 Largo Martins Mestre 𝒫 71 39 36.
◆Lisboa 313 – Faro 8 – Huelva 105.

🏛 **Ria-Sol** sem rest, Rua General Humberto Delgado 37 𝒫 70 52 67, Telex 56923 – |≒| ☎. AE
① E VISA. ⌘
52 qto ☡ 4970/8180.

OLIVEIRA DE AZEMÉIS 3720 Aveiro 440 J 4 – 8 609 h. – ☎ 056.
🛈 Praça José da Costa 𝒫 67 44 63.
◆Lisboa 275 – Aveiro 38 – ◆Coimbra 76 – ◆Porto 40 – Viseu 98.

🏨 **Dighton,** Rua Dr. Albino dos Reis 𝒫 68 21 91, Telex 23343, Fax 68 22 48 – |≒| 🍴 📺 ☎ 🕭
🛁 – ♨ 25/200. AE ① E VISA JCB. ⌘
Ref lista 2300 a 4000 – **100 qto** ☡ 10000/12000.

XX **Diplomata,** Rua Dr. Simões dos Reis 125 𝒫 68 25 90 – 🍴. AE ① E VISA. ⌘
fechado de 15 ao 30 agosto – Ref lista 3500 a 4300.

X O Camponês com snack-bar, Rua Dr. Albino dos Reis 𝒫 68 21 55.

pela estrada de Carregosa NE : 2 km – ✉ 3720 Oliveira de Azeméis – ☎ 056 :

🏨 **Estal. S. Miguel** 🦢, Parque de la Salette 𝒫 68 10 49, Telex 27969, Fax 68 51 41, ≤ vila
vale e montanha, 🍴, « Num parque » – 🍴 📺 ☎ 🅿. AE ① E VISA JCB. ⌘
Ref 2500 – **14 qto** ☡ 9400/12800 – PA 5000.

pela antiga estrada N 1 N : 2 km e desvío a direita 1 km – ✉ 3720 Oliveira de Azeméi
– ☎ 056 :

🏨 **Albergaria do Campo** 🦢 sem rest, Rua de S. Miguel (Outeiro) 𝒫 68 27 45, Fax 68 23 8
– 🍴 📺 ☎ 🕭 🅿. E VISA. ⌘
14 qto ☡ 7500/9000.

OLIVEIRA DO BAIRRO 3770 Aveiro 440 K 4 – 4 351 h. – ☎ 034.
◆Lisboa 233 – Aveiro 23 – ◆Coimbra 40 – ◆Porto 88.

🏛 **Paraiso** sem rest, Estrada N 235 𝒫 74 83 36, Fax 74 73 56, ≤ – |≒| 📺 ☎ 🅿. AE ① E VISA. ⌘
30 qto ☡ 4500/6000.

na estrada N 235 NO : 1,5 km – ✉ 3770 Oliveira do Bairro – ☎ 034 :

🏛 A Estância, 𝒫 74 71 15, Telex 37177, Fax 74 83 62 – ☎ 🅿
15 qto.

OLIVEIRA DO HOSPITAL 3400 Coimbra **440** K 6 – 3 074 h. alt. 500 – ☎ 038.

r : Igreja Matriz★ (estátua★, retábulo★).

Edifício da Câmara ℰ 595 22.

•Lisboa 284 – ◆Coimbra 82 – Guarda 88.

🏨 **São Paulo,** Rua Dr. Antunes Varela 3 ℰ 590 00, Telex 53640, Fax 590 01, ≤ – 🛗 🗏 📺
☎ 🅿 – 🔏 25/80. **E** 🎫 . ⅌ rest
Ref 2500 – **43 qto** ⏛ 7500/9500 – PA 4000.

na Póvoa das Quartas – na estrada N 17 E : 7 km – ⊠ 3400 Oliveira do Hospital – ☎ 038 :

🏨 **Pousada de Santa Bárbara** ⑤, ℰ 596 52, Telex 53794, Fax 596 45, ≤ vale e Serra da
Estrela, ⤬, ⅌ – ☎ ⇌ 🅿 . 🆎 ⓞ **E** 🎫 . ⅌
Ref lista aprox. 3500 – **16 qto** ⏛ 16500/18600.

ORTIGOSA Leiria – ver Monte Real.

OURÉM 2490 Santarém **440** N 4 – 4 466 h. – ☎ 049.

Praça do Municipio ℰ 421 94.

•Lisboa 140 – Leiria 25 – Santarém 63.

em Pinhel O : 3 km – ⊠ 2490 Ourém – ☎ 049 :

✕ **Cruzamento,** ℰ 54 45 88 – 🅿 . **E** 🎫 . ⅌
fechado 2ª feira e do 1 ao 15 outubro – Ref lista 1750 a 2850.

OVAR 3880 Aveiro **440** J 4 – 16 004 h. – ☎ 056 – Praia.

Rua Elías García, ℰ 57 22 15.

•Lisboa 294 – Aveiro 36 – ◆ Porto 40.

🏨 **Meia-lua** ⑤, sem rest, Quinta das Luzes ℰ 57 50 31, Fax 57 52 32, ≤, ⤬ – 🛗 🗏 📺 ☎
⇌ – 🔏 25. 🆎 ⓞ **E** 🎫 . ⅌
54 qto ⏛ 11500/12900.

🏨 **Albergaria São Cristóvão,** Rua Aquilino Ribeiro 1 ℰ 57 51 05, Telex 20512, Fax 57 51 07
– 🛗 🗏 rest 📺 ☎ ⇌ – 🔏 25/150. 🆎 ⓞ **E** 🎫 . ⅌ rest
Ref *(fechado 2ª feira)* (só jantar) 2000 – **57 qto** ⏛ 7000/8000 – PA 4000.

PAÇO DE ARCOS Lisboa **440** P 2 – ⊠ 2780 Oeiras – ☎ 01 – Praia.

•Lisboa 18.

✕ Os Arcos, Rua Costa Pinto 47 ℰ 443 33 74, Peixes e mariscos – 🗏 .

PALMELA 2950 Setúbal **440** Q 3 – 14 444 h. – ☎ 01.

er : Castelo★ (⧎★), Igreja de São Pedro (azulejos★).

Largo do Chafariz ℰ 235 00 89.

•Lisboa 43 – Setúbal 8.

🏨 **Pousada de Palmela** ⑤, Castelo de Palmela ℰ 235 12 26, Telex 42290, Fax 233 04 40,
≤, «Num convento do século XV, nas muralhas dum antigo castelo » – 🛗 📺 ☎ 🅿 . 🆎
ⓞ **E** 🎫 . ⅌
Ref lista 3150 a 5250 – **28 qto** ⏛ 23000/26200.

PARADELA Vila Real **440** G 6 – 214 h. – ⊠ 5470 Montalegre – ☎ 076.

er : Barragem★ : local★.

•Lisboa 437 – Braga 70 – ◆Porto 120 – Vila Real 136.

🏠 **Pousadinha Paradela** ⑤, ℰ 561 65 – 🅿 . ⅌
Ref 1400 – **7 qto** ⏛ 5500 – PA 2800.

PARCHAL Faro – ver Portimão.

PAREDE 2775 Lisboa **440** P 1 – 19 960 h. – ☎ 01 – Praia.

•Lisboa 22 – Cascais 7 – Sintra 15.

✕✕ **Dom Pepe,** Av. Marginal ℰ 457 06 36, ≤ – 🗏 . 🆎 ⓞ **E** 🎫 . ⅌
fechado 2ª feira – Ref lista 3980 a 6700.

PAREDES DE COURA 4940 Viana do Castelo **440** G 4 – ☎ 051.

🛈 Largo Visconde de Moselos ℰ 78 35 92.

•Lisboa 427 – Braga 59 – Viana do Castelo 49.

✕ O Conselheiro, Largo Visconde de Moselos ℰ 78 26 10.

em Resende S : 1 km – ⊠ 4940 Paredes de Coura – ☎ 051 :

☆ **Joaquim Lopes** ⑤, Estrada de Ponte de Lima N 306 ℰ 78 23 54, Fax 78 23 54, ≼ – Ref 1300 – **16 qto** ⊐ 2000/4000.

PEGO Santarém 440 N 5 – ⊠ 2201 Abrantes – ☎ 041.
◆ Lisboa 152 – Castelo Branco 102 – Leiria 91.

na estrada N 118 E : 2,5 km – ⊠ 2201 Abrantes – ☎ 041 :

🏨 **Abrantur** ⑤, ℰ 934 64, Fax 932 87, ≼, ⤳, ⚒ – ▮ ▤ 🖵 ☎ 🅿 – 🔬 25/200. 🆎 ⓪ 🅴 𝘝𝘐𝘚𝘈
Ref 1500 – **54 qto** ⊐ 8000/11100.

PENAFIEL 4560 Porto 440 I 5 – 7 105 h. alt. 323 – ☎ 055.
◆Lisboa 352 – ◆Porto 38 – Vila Real 69.

🏨 Pena H. sem rest, Parque do Sameiro ℰ 71 14 20, Fax 71 14 25, ⤳, ⚒ – ▮ ▤ 🖵 ☎
– 🔬 25/150
50 qto.

PENAMACOR 6090 Castelo Branco 440 L 8 – 9 524 h. – ☎ 077.
🖪 Estrada N 233 ℰ 943 16.
◆Lisboa 306 – Castelo Branco 50 – Ciudad Rodrigo 110 – Guarda 67.

na estrada N 233 SO : 1,5 km – ⊠ 6090 Penamacor – ☎ 077 :

🏨 **Estal. Vila Rica** ⑤, ℰ 943 11, Fax 943 21, ≼, « Num edifício solarengo do final
século XIX » – ☎ 🅿. 🅴 𝘝𝘐𝘚𝘈. ⚘
Ref *(fechado 3ª feira)* 2000 – **10 qto** ⊐ 5000/7500.

PENHAS DA SAÚDE Castelo Branco 440 L 7 – ⊠ 6200 Covilhã – ☎ 075 – Desportos
inverno na Serra da Estrela ⚐ 3.
◆Lisboa 311 – Castelo Branco 72 – Covilhã 10 – Guarda 55.

🏨 **Serra da Estrela** ⑤, alt. 1550, ⊠ apartado 314, ℰ 31 38 09, Telex 53829, Fax 32 37 8
≼, 🎔, ⚒ – ▤ rest 🖵 ☎ 🅿 – 🔬 25/300. 🆎 ⓪ 🅴 𝘝𝘐𝘚𝘈. ⚘
Ref 3000 – **40 qto** ⊐ 11200/13500 – PA 5000.

PENICHE 2520 Leiria 440 N 1 – 15 267 h. – ☎ 062 – Praia.
Ver : O Porto : volta da pesca★.
Arred. : Cabo Carvoeiro★ – Papoa (✱★) – Remédios (Nossa Senhora dos Remédios : azulejos★
Excurs. : Ilha Berlenga★★ : passeio em barco★★★, passeio a pé★★ (local★, ≼★) 1 h. de barc
⤶. para a Ilha Berlenga : Viamar, no porto de Peniche ℰ 721 53.
🖪 Rua Alexandre Herculano ℰ 795 71.
◆Lisboa 92 – Leiria 89 – Santarém 79.

na estrada N 114 E : 2 km – ⊠ 2520 Peniche – ☎ 062 :

🏨 **Da Praia Norte,** ℰ 78 11 66, Telex 15541, Fax 78 11 65, ≼, ⤳, ⚒ – ▮ 🖵 ⊛ 🅿
🔬 25/300. 🆎 ⓪ 🅴 𝘝𝘐𝘚𝘈 𝗝𝗖𝗕. ⚘ rest
Ref lista 2600 a 3300 – **92 qto** ⊐ 10900/15800.

PERNES 2035 Santarém 440 N 4 – ☎ 043.
◆ Lisboa 106 – Abrantes 54 – Caldas da Rainha 72 – Fátima 35.

na Auto-estrada A 1 N : 9 km – ⊠ 2035 Pernes – ☎ 043 :

🏨 **Do Prado** ⑤, Área de Serviço ℰ 44 03 02, Fax 44 03 40, ⤳ – ▤ 🖵 ☎ 🕭 🅿 – 🔬 25/40
⓪ 🅴 𝘝𝘐𝘚𝘈. ⚘
Ref 2000 – **30 qto** ⊐ 8200/8900.

PESO DA RÉGUA 5050 Vila Real 440 I 6 – 5 685 h. – ☎ 054.
🖪 Largo da Estação ℰ 228 46.
◆Lisboa 379 – Braga 93 – ◆Porto 102 – Vila Real 25 – Viseu 85.

🏨 **Império** sem rest, Rua Vasques Osório 8 ℰ 32 23 98, ≼ – 🖵 ⊛ ⤶. 🅴 𝘝𝘐𝘚𝘈
35 qto ⊐ 3500/4500.

XX **Rosmaninho,** Av. de Ovar - Lote 3 ℰ 223 10 – ▤. 🆎 ⓪ 🅴 𝘝𝘐𝘚𝘈
fechado 2ª feira e 15 janeiro-15 fevereiro – Ref lista 3400 a 4200.

na estrada N 108 O : 1 km – ⊠ 5050 Peso da Régua – ☎ 054 :

🏨 **Columbano** sem rest, Av. Sacadura Cabral ℰ 32 37 04, Fax 249 45, ≼, ⤳ – ▤ 🖵 ☎ 🅿
🆎 ⓪ 🅴 𝘝𝘐𝘚𝘈. ⚘
70 qto ⊐ 5000/6000.

X Arco Iris, Av. Sacadura Cabral ℰ 235 24 – ▤ 🅿.

ICO DO ARIEIRO Madeira – ver Madeira (Arquipélago da).

INHANÇOS Guarda 440 K 6 – ⊠ 6270 Seia – 🕿 038.
isboa 302 – ◆Coimbra 102 – Guarda 63.

🏠 **Sra. da Lomba** sem rest, Estrada 17 ℰ 48 10 51, Fax 48 10 90 – ▤ 📺 🕿 🅿. VISA. ⌘
20 qto, ⌸ 4500/8000.

INHÃO 5085 Vila Real 440 I 7 – 831 h. alt. 120 – 🕿 054.
red. : N : Estrada de Sabrosa ≤★ – São João da Pesqueira (Praça Principal★) SE : 20 km.
isboa 399 – Vila Real 30 – Viseu 100.

🏠 **Douro,** Largo da Estação ℰ 724 04 – **E**
fechado dezembro – Ref (fechado domingo) 1500 – ⌸ 250 – **14 qto** 3500/4000.

INHEL 6400 Guarda 440 J 8 – 3 237 h. – 🕿 071.
Lisboa 382 – ◆Coimbra 186 – Guarda 37 – Viseu 105.

🏠 Falcão, Av. Presidente Carneiro de Gusmão ℰ 430 04, Fax 422 17 – ▤ rest 📺 🅿
32 qto.

INHEL Santarém – ver Ourém.

OISO Madeira – ver Madeira (Arquipélago da).

OMBAL 3100 Leiria 440 M 4 – 12 469 h. – 🕿 036.
Largo do Cardal ℰ 232 30.
Lisboa 153 – ◆Coimbra 43 – Leiria 28.

🏦 **Do Cardal** sem rest, Largo do Cardal ℰ 281 36, Telex 53238, Fax 281 36 – 🛗 📺 🕿 🚗.
🖭 ⓞ **E** VISA
25 qto ⌸ 4500/8000.

🏠 **Sra. de Belém** ⅍ sem rest, Av. Heróis do Ultramar - urb. Sra. de Belém ℰ 281 85,
Fax 255 33 – 🛗 📺 🕿. VISA. ⌘
26 qto ⌸ 4500/7000.

na estrada N 1 – ⊠ 3100 Pombal – 🕿 036 :

ⅩⅩ **O Manjar do Marqués** com snack-bar, NO : 2 km ℰ 231 94, Telex 53951 – 🅿. 🖭 ⓞ VISA. ⌘
Ref lista aprox. 2500.

Ⅹ **São Sebastião** com snack-bar, SO : 3 km ℰ 287 45 – ▤ 🅿. **E** VISA. ⌘
Ref lista 1810 a 3100.

PONTE DA BARCA 4980 Viana do Castelo 440 G 4 – 🕿 058.
Lisboa 412 – Braga 32 – Viana do Castelo 40.

🏠 **San Fernando** sem rest, Rua de Santo António ℰ 425 80, Fax 437 66 – 🚗 🅿. 🖭 ⓞ **E** VISA. ⌘
24 qto ⌸ 4750/4850.

PONTE DE LIMA 4990 Viana do Castelo 440 G 4 – 2 438 h. alt. 22 – 🕿 058.
er : Igreja-Museu de São Francisco★ (trabalhos en madeira★).
Praça da República ℰ 94 23 35, Fax 94 23 35.
Lisboa 392 – Braga 33 – ◆ Porto 85 – Vigo 70.

🏦 **Império do Minho,** Av. dos Plátanos ℰ 74 15 10, Fax 94 25 67, ⅀ – 🛗 ▤ 📺 🕿 🅿 – 🔬 25.
🖭 ⓞ **E** VISA. ⌘
Ref 1750 – **50 qto** ⌸ 7500/9000 – PA 3200.

PORTALEGRE 7300 🅿 440 O 7 – 15 876 h. alt. 477 – 🕿 045.
Arred. : Pico São Mamede ⚹★ – Estrada★ escarpada de Portalegre a Castelo de Vide por Carreiras
N : 17 km – Flor da Rosa (Antigo Convento★ : igreja★) O : 23 km.
Estrada de Santana 25 ℰ 218 15 Telex 61442 Fax 240 53.
◆Lisboa 238 – ◆Badajoz 74 – ◆Cáceres 134 – Mérida 138 – Setúbal 199.

Ⅹ O Tarro, Av. do Movimento das Forças Armadas ℰ 243 45 – ▤.

PORTIMÃO 8500 Faro 𝟒𝟒𝟎 U 4 – 26 172 h. – 🌢 082 – Praia.

Ver : ⩽★ da ponte sobre o rio Arade X.

Arred. : Praia da Rocha★★ (miradouro★ Z A).

⌷₁₈, ⌷₉ Golf Club Penina por ③ : 5 km 🕿 220 51.

🚩 Largo 1º de Dezembro 🖉 236 95 e Av. Tomás Cabreira (Praia da Rocha) 🖉 222 90.

◆ Lisboa 290 ③ – Faro 62 ② – Lagos 18 ③.

Plano página seguinte

🏨 **Globo** sem rest, Rua 5 de Outubro 26 🖉 41 63 50, Telex 57306, Fax 831 42, ⩽ – 📳 ⌧
⌂ 25/80. 🆎 ⓪ 🅴 𝘝𝘐𝘚𝘈. ⋙
fechado dezembro – **71 qto** ⮒ 10000/19000.　　　　　　　　　　　　　X

🏨 **Nelinanda** sem rest, Rua Vicente Vaz das Vacas 22 🖉 41 78 39, Fax 41 78 43 – 📳 📺 ⌧
⓪ 🅴 𝘝𝘐𝘚𝘈. ⋙
32 qto ⮒ 4500/8500.　　　　　　　　　　　　　　　　　　X

🏨 Mira Foia sem rest, Rua Vicente Vaz das Vacas 33 🖉 41 78 52, Fax 41 78 54 – 📳 🅴
🕿
26 qto.　　　　　　　　　　　　　　　　　　　　　X

🏨 **Miradoiro** sem rest, Rua Machado Santos 13 🖉 230 11, Fax 41 50 30 – ⌧. ⋙　　X
32 qto ⮒ 4000/7500.

🏨 Arabi sem rest, Praça Manuel Teixeira Gomes 13 🖉 260 06 – ⌧　　　　　X
17 qto.

🍴 **O Bicho,** Largo Gil Eanes 12 🖉 229 77, Peixes e mariscos – 🆎 ⓪ 🅴 𝘝𝘐𝘚𝘈 𝗝𝗖𝗕
⋙　　　　　　　　　　　　　　　　　　　　　X
fechado domingo meio-dia e 15 janeiro-15 fevereiro – Ref lista 2500 a 3500.

　em Parchal por ② : 2 km – ✉ 8500 Portimão – 🌢 082 :

🍴 O Buque, Estrada N 125 🖉 246 78 – 🍽.

🍴 **A Lanterna,** Estrada N 125 - cruzamento de Ferragudo 🖉 239 48 – 🍽. 🅴 𝘝𝘐𝘚𝘈
fechado domingo e dezembro – Ref (só jantar) lista aprox. 3990.

　na Praia da Rocha S : 2,3 km – ✉ 8500 Portimão – 🌢 082 :

🏨🏨 **Algarve,** Av. Tomás Cabreira 🖉 41 50 01, Telex 57347, Fax 41 59 99, ⩽ praia, 𝗜𝗲
🦶 climatizada, 🐾, ⌖, 🞈 – 📳 🍽 📺 🕿 🅿 – ⌂ 25/120. 🆎 ⓪ 🅴 𝘝𝘐𝘚𝘈
⋙ rest　　　　　　　　　　　　　　　　　　　Z
Ref - **Das Amendoeiras** *(só jantar)* lista 3200 a 4200 - **Grill Azul** *(fechado domingo, só*
jantar) lista 6060 a 7460 – **220 qto** ⮒ 28000/36000.

🏨🏨 **Aparthotel Oriental,** Av. Tomás Cabreira 🖉 41 30 00, Telex 58788, Fax 41 34 13, ⩽ praia
🦶 – 📳 🍽 📺 🕿 – ⌂ 25/100. 🆎 ⓪ 🅴 𝘝𝘐𝘚𝘈. ⋙
Ref 3600 – **85 apartamentos** ⮒ 29800/35000.　　　　　　　Z

🏨🏨 **Júpiter,** Av. Tomás Cabreira 🖉 41 50 41, Telex 57346, Fax 41 53 19, ⩽, ⌖, 🔲 – 📳 🍽 📺
🕿 ⇌ – ⌂ 25/450. 🆎 ⓪ 🅴 𝘝𝘐𝘚𝘈. ⋙ rest
Ref lista 4100 a 5500 – **180 qto** ⮒ 14000/18500.　　　　　Z

🏨🏨 **Bela Vista** sem rest, Av. Tomás Cabreira 🖉 240 55, Telex 57386, Fax 41 53 69, ⩽ rochedo
e mar, « Instalado numa antiga casa senhorial » – 📳 📺 🕿 🅿. 🆎 ⓪ 🅴 𝘝𝘐𝘚𝘈
⋙
14 qto ⮒ 22000/23000.　　　　　　　　　　　　　Z

🏨 **Avenida Praia** sem rest, Av. Tomás Cabreira 🖉 41 77 40, Telex 56448, Fax 41 77 42, ⩽
– 📳 📺 🕿. 🆎 ⓪ 🅴 𝘝𝘐𝘚𝘈. ⋙
fechado dezembro – **61 qto** ⮒ 11900/12900.　　　　　　Z

🏨 **Albergaria Vila Lido** sem rest, Av. Tomás Cabreira 🖉 241 27, Fax 242 46, ⩽ – 🍽 🕿. 🅴
𝘝𝘐𝘚𝘈. ⋙
fechado 15 dezembro-15 janeiro – **10 qto** ⮒ 11000/11500.　　Z

🏨 Albergaria 3 Castelos, sem rest, Estrada da Praia do Vau 🖉 240 87 – 🅿　　Z
temp. – **10 qto.**

🏨 **Toca** sem rest, Rua Engenheiro Francisco Bivar 🖉 240 35 – 🅿. ⋙　　Z
abril-outubro – **14 qto** ⮒ 7500/8500.

🍴 Titanic, Rua Engenheiro Francisco Bivar 🖉 223 71 – 🍽　　　　Z
Ref só jantar.

🍴 **Falésia,** Av. Tomás Cabreira 🖉 235 24, ⩽, 🍴 – 🍽. 🆎 ⓪ 🅴 𝘝𝘐𝘚𝘈. ⋙　　Z
fechado janeiro – Ref lista aprox. 3500.

　na estrada de Alvor - Y – ✉ 8500 Portimão – 🌢 082 :

🍴 O Gato, Urb. da Quintinha-Lote 10-R-C - O : 1 km 🖉 276 74 – 🍽.

🍴 **Por-do-Sol,** O : 4 km 🖉 45 95 05, 🍴 – 🅿. 🆎 ⓪ 🅴 𝘝𝘐𝘚𝘈
Ref lista 2080 a 3720.

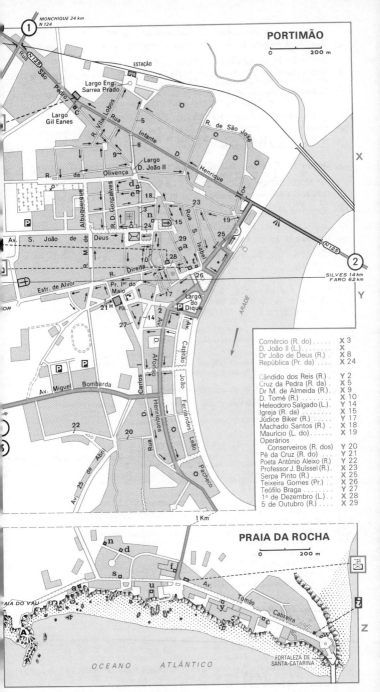

PORTIMÃO

0   200 m

MONCHIQUE 24 km
N 124

ESTAÇÃO

Largo Eng.
Sarrea Prado

Largo
Gil Eanes

Largo
D. João II

Av. S. João de Deus

Estr. de Alvor

Pr. 1º do Maio

Largo do Dique

SILVES 14 km
FARO 62 km

ARADE

Av. Miguel Bombarda

Av. 25 de Abril

1 Km

Comércio (R. do)	X 3
D. João II (L.)	X
Dr João de Deus (R.)	X 8
República (Pr. da)	X 24

Cândido dos Reis (R.)	Y 2
Cruz da Pedra (R. da)	X 5
Dr M. de Almeida (R.)	X 9
D. Tomé (R.)	X 10
Heleodoro Salgado (L.)	Y 14
Igreja (R. da)	X 15
Júdice Biker (R.)	Y 17
Machado Santos (R.)	X 18
Maurício (L. do)	X 19
Operários Conserveiros (R. dos)	Y 20
Pé da Cruz (R. do)	Y 21
Poeta António Aleixo (R.)	Y 22
Professor J. Buíssel (R.)	X 23
Serpa Pinto (R.)	X 25
Teixeira Gomes (Pr.)	X 26
Teófilo Braga	Y 27
1º de Dezembro (L.)	X 28
5 de Outubro (R.)	X 29

PRAIA DA ROCHA

0   200 m

PRAIA DO VAU

OCEANO ATLÂNTICO

FORTALEZA DE
SANTA-CATARINA

Z

557

na Praia do Vau SO : 3 km – ⊠ 8500 Portimão – 🖲 082 :

🏨 **Vau'Hotel,** Encosta do Vau 🏖 41 15 92, Telex 58775, Fax 41 15 94, 🏊 – 🛗 📺 🕿. 🖭 🛈
E 𝘝𝘐𝘚𝘈. ⛝
Ref 2000 – **74 apartamentos** ⊊ 13000/16000.

🏨 **Rochavau** sem rest. 🏖 261 11, Telex 57415, Fax 261 13, 🏊 – 🛗 🗉 ⊛ ⟺ 🅿. 🖭 🛈 **E** 𝘝𝘐𝘚𝘈. ⛝
fechado novembro e dezembro – **56 qto** ⊊ 10000/12000.

✗✗ **D. António,** Encosta do Vau 🏖 41 31 94, Fax 40 10 43, 😤 – 🗉. 🖭 🛈 **E** 𝘝𝘐𝘚𝘈 𝘫𝘤𝘣. ⛝
fechado 2ª feira, janeiro e fevereiro – Ref lista 2100 a 3150.

na Praia dos Três Irmãos SO : 4,5 km – ⊠ 8500 Portimão – 🖲 082 :

🏨 **Alvor Praia** ⪦, 🏖 45 89 00, Telex 57611, Fax 45 89 99, ⪜ praia e baía de Lagos, 😤
🏊 climatizada, 🐾, ☞, ✗ – 🛗 🗉 📺 🕿 🅿 – 🏛 25/400. 🖭 🛈 **E** 𝘝𝘐𝘚𝘈. ⛝
Ref 4800 - **Grill Maisonette** *(só jantar)* lista 5500 a 6150 – **217 qto** ⊊ 32600/38500
PA 9600.

🏨 **Delfim** ⪦, 🏖 45 89 01, Telex 57620, Fax 45 89 70, ⪜ praia e baía de Lagos, 𝘧𝘰, 🏊, 🐾
✗ – 🛗 🗉 📺 🕿 🅿. 🖭 🛈 **E** 𝘝𝘐𝘚𝘈. ⛝
Ref 2800 – **312 qto** ⊊ 20400/24300 – PA 5600.

✗✗ **O Búzio,** Aldeamento da Prainha 🏖 45 85 61, Telex 57314, Fax 45 95 69, ⪜, 😤 – 🗉. 🖪
🛈 **E** 𝘝𝘐𝘚𝘈. ⛝
fechado novembro - março – Ref (só santar) lista 2600 a 4600.

na Praia de Alvor SE : 5 km – ⊠ 8501 Portimão – 🖲 082 :

🏨 **D. João II** ⪦, 🏖 45 91 35, Telex 57321, Fax 45 93 63, ⪜ praia e baía de Lagos
🏊 climatizada, 🐾, ☞ – 🛗 🗉 📺 🕿 🅿 – 🏛 25/100. 🖭 🛈 **E** 𝘝𝘐𝘚𝘈. ⛝
Ref 2800 - **Grill Pavilhâo do Rei** lista 2850 a 6600 – **220 qto** ⊊ 20400/24300
PA 5600.

na estrada N 125 por ③ : 5 km – ⊠ 8502 Portimão – 🖲 082 :

🏨 **Penina,** 🏖 41 54 15, Telex 57307, Fax 41 50 00, ⪜ golfe e campo, 🏊, ☞, ✗ ⑱ 🈁 🛗 🗉
📺 🕿 🅿 – 🏛 25/350. 🖭 🛈 **E** 𝘝𝘐𝘚𝘈. ⛝
Ref - **Sagres** *(só jantar)* lista aprox. 4100 - **Grill** *(só jantar)* lista aprox. 5500 – **192 qt**
⊊ 24750/37000.

☞ *When in a hurry use the Michelin Main Road Maps:*

🔢 **970** Europe, **980** Greece, **984** Germany, **985** Scandinavia-Finland,
986 Great Britain and Ireland, **987** Germany-Austria-Benelux, **988** Italy,
989 France, **990** Spain-Portugal *and* **991** Yugoslavia.

☞ *Per spostarvi più rapidamente utilizzate le carte Michelin "Grandi Strade":*

*n° **970** Europa, n° **980** Grecia, n° **984** Germania, n° **985** Scandinavia-Finlanda,
n° **986** Gran Bretagna-Irlanda, n° **987** Germania-Austria-Benelux, n° **988** Italia,
n° **989** Francia, n° **990** Spagna-Portogallo, n° **991** Jugoslavia.*

PORTO 4000 🄿 **440** I 3 – 335 916 h. alt. 90 – 🖲 02.

Ver : Local★ – A vista★ – As Pontes (ponte da Maria Pia★) BCX – Igreja São Francisco★ (interior★★
AZ – Sé (altar★) BZ **A** – Palácio da Bolsa (salão árabe★) AZ **B** – Igreja dos Clérigos (⚗★) BZ **C**
– Museu Soares dos Reis (primitivos★, obras de Soares dos Reis★) AYZ **M1** - Museu António de
Almeida (moedas★) BV **M4** – Igreja Santa Clara (talhas★) BZ **E** – Antigo Convento de Na Sra. da
Serra do Pilar (claustro★) CX **K.**

Arred. : Leça do Balio (Igreja do Mosteiro★ : pia baptismal★) 8 km por ②.

🅸🅶 Oporto Golf Club por ⑥ : 17 km Espinho 🏖 72 00 08 – 🅸🅶 Club Golf Miramar por ⑥ : 9 km
Miramar 🏖 762 20 67.

✈ do Porto-Pedras Rubras, 17 km por ①, 🏖 948 21 41 – T.A.P., Praça Mouzinho de Albuquerque
105 - Rotunda da Boavista, ⊠ 4100, 🏖 69 60 41 e 69 98 41.

🚃 🏖 56 41 41 e 56 56 45.

🅱 Rua do Clube Fenianos 25, ⊠ 4000, 🏖 31 27 40 Praça D. João I-43, ⊠ 4000, 🏖 31 75 14 –
A.C.P. Rua Gonçalo Cristovão 2, ⊠ 4000, 🏖 31 67 32, Fax 31 66 98.

◆Lisboa 314 ⑥ – ◆La Coruña/A Coruña 305 ② – ◆Madrid 591 ⑥.

Planos páginas seguintes

🏨 **Ipanema Park H.,** Rua Serralves 124, ⊠ 4100, 🏖 610 41 74, Fax 610 28 09, ⪜, 𝘧𝘰, 🏊
🄽 – 🛗 🗉 📺 🕿 🕭 ⟺ 🅿 – 🏛 25/300. 🖭 🛈 **E** 𝘝𝘐𝘚𝘈 𝘫𝘤𝘣. ⛝ rest   AX **b**
Ref lista 4500 a 6500 – **270 qto** ⊊ 28000/30000.

🏨 **Le Méridien Porto,** Av. da Boavista 1466, ⊠ 4100, 🏖 600 19 13, Telex 27301,
Fax 600 20 31, 😤 – 🛗 🗉 📺 🕿 🕭 ⟺ – 🏛 25/650. 🖭 🛈 **E** 𝘝𝘐𝘚𝘈. ⛝ rest   BV **a**
Ref 3650 – ⊊ 1900 – **226 qto** 26000/28000, 6 suites – PA 9200.

🏨 **Sheraton Porto H.,** Av. da Boavista 1269, ⊠ 4100, 🏖 606 88 22, Telex 22723,
Fax 609 14 67, ⪜, 𝘧𝘰, 🄽 – 🛗 🗉 📺 🕿 🕭 ⟺ – 🏛 25/300. 🖭 🛈 **E** 𝘝𝘐𝘚𝘈. ⛝   BX **e**
Ref 3500 – **234 qto** ⊊ 27000/30000, 17 suites – PA 3800.

Infante de Sagres, Praça D. Filipa de Lencastre 62, ⊠ 4000, ℰ 201 90 31, Telex 26880, Fax 31 49 37, « Bela decoração interior » – 🛗 ☰ 📺 ☎   BZ **b**
68 qto, 6 suites.

Grande H. da Batalha, Praça da Batalha 116, ⊠ 4000, ℰ 200 05 71, Telex 25131, Fax 200 24 68, ≼ – 🛗 ☰ 📺 ☎ – 🔬 25/40. 🕮 ⓞ 🗲 𝒱𝒮𝒜 ᴶᶜᴮ. ⅏   BZ **f**
Ref 2900 – **141 qto** � 14000/18000, 9 suites – PA 5600.

Tivoli Porto sem rest., Rua Afonso Lopes Vieira 66, ⊠ 4100, ℰ 69 49 41, Telex 23159, Fax 606 74 52, ⌶ᵟ, 🟰, 🔲 – 🛗 ☰ 📺 ☎ – 🔬 25/100. 🕮 ⓞ 🗲 𝒱𝒮𝒜. ⅏   AV **z**
58 qto ⊐ 27500/32000.

Dom Henrique, Rua Guedes de Azevedo 179, ⊠ 4000, ℰ 200 57 55, Telex 22554, Fax 200 24 51, ≼ – 🛗 ☰ 📺 ☎ – 🔬 25/80. 🕮 ⓞ 🗲 𝒱𝒮𝒜 ᴶᶜᴮ. ⅏   CY **b**
Ref **Coffee-Shop Tábula** lista 1510 a 2460 - **Grill Navegador** *(fechado domingo e agosto)*
lista 2800 a 3950 – **92 qto** ⊐ 21700/24400, 20 suites.

Ipanema Porto H., Rua Campo Alegre 156, ⊠ 4100, ℰ 606 80 61, Telex 27212, Fax 606 33 39 – 🛗 ☰ 📺 ☎ ☻ – 🔬 25/350. 🕮 ⓞ 🗲 𝒱𝒮𝒜 ᴶᶜᴮ. ⅏   BX **s**
Ref lista 2700 a 4500 – **140 qto** ⊐ 23000/25000, 10 suites.

Beta-Porto, Rua do Amial 601, ⊠ 4200, ℰ 82 50 45, Telex 27108, Fax 82 52 20, ⌶ᵟ, 🔲 – 🛗 ☰ 📺 ☎ ☻ – 🔬 25/100. 🕮 ⓞ 🗲 𝒱𝒮𝒜 ᴶᶜᴮ. ⅏   CV **b**
Ref 2300 – **120 qto** ⊐ 15000/19000, 6 suites – PA 4600.

Inca, Praça Coronel Pacheco 52, ⊠ 4000, ℰ 208 41 51, Telex 23816, Fax 31 47 56 – 🛗 ☰ 📺 ☎ – 🔬 25/35. 🕮 ⓞ 🗲 𝒱𝒮𝒜. ⅏   BY **r**
Ref lista aprox. 2050 – **62 qto** ⊐ 14000/15200.

Castor, Rua das Doze Casas 17, ⊠ 4000, ℰ 57 00 14, Telex 22793, Fax 56 60 76, Mobiliário antigo – 🛗 ☰ 📺 ☎ – 🔬 25/80. 🕮 ⓞ 🗲 𝒱𝒮𝒜. ⅏   CY **g**
Ref 2700 – **63 qto** ⊐ 12800/14500.

Grande H. do Porto, Rua de Santa Catarina 197, ⊠ 4000, ℰ 200 81 76, Telex 22553, Fax 31 10 61 – 🛗 ☰ 📺 ☎ – 🔬 25/150. 🕮 ⓞ 🗲 𝒱𝒮𝒜. ⅏   CZ **q**
Ref 2700 – **100 qto** ⊐ 11600/13200 – PA 5400.

Albergaria São José sem rest, Rua da Alegria 172, ⊠ 4000, ℰ 208 02 61, Fax 32 04 46 – 🛗 ☰ 📺 ☎ ☜. 🕮 ⓞ 🗲 𝒱𝒮𝒜. ⅏   CY **a**
43 qto ⊐ 9000/11500.

Albergaria Miradouro, Rua da Alegria 598, ⊠ 4000, ℰ 57 07 17, Fax 57 02 06, ≼ cidade e arredores – 🛗 ☰ 📺 ☎ ☻   CY **d**
Ref (ver rest. Portucale) – **30 qto.**

Internacional, Rua do Almada 131, ⊠ 4000, ℰ 200 50 32, Telex 21076, Fax 200 90 63 – 🛗 ☰ 📺 ☎ – 🔬 25/42   BZ **a**
35 qto.

Menfis sem rest., Rua da Firmeza 13, ⊠ 4000, ℰ 58 00 03, Fax 208 38 82 – 🛗 ☰ 📺 ☎ ☜   CY **k**
26 qto.

São João sem rest, Rua do Bonjardim 120 - 4°, ⊠ 4000, ℰ 200 16 62, Fax 31 61 14 – 🛗 📺 ☜   BZ **r**
14 qto.

Do Vice-Rei sem rest, Rua Júlio Dinis 779 - 4°, ⊠ 4000, ℰ 69 53 71, Telex 25373, Fax 69 26 97 – 🛗 ☰ 📺 ☎   BX **c**
45 qto.

Nave, Av. Fernão de Magalhães 247, ⊠ 4300, ℰ 57 61 31, Telex 22188, Fax 56 12 16 – 🛗 ☰ 📺 ☎ ☜. 🕮 ⓞ 🗲 𝒱𝒮𝒜. ⅏   CY **m**
Ref 2500 – **81 qto** ⊐ 6600/8600.

Antas, Rua Padre Manuel da Nóbrega 111, ⊠ 4300, ℰ 48 50 00, Telex 29036, Fax 410 05 03 – 🛗 ☰ rest 📺 ☎ ☜. 🕮 ⓞ 𝒱𝒮𝒜. ⅏   CV **n**
Ref 2500 – **30 qto** ⊐ 10800/12000 – PA 5000.

Malaposta sem rest, Rua da Conceição 80, ⊠ 4000, ℰ 200 62 78, Telex 20898, Fax 200 62 95 – 🛗 ☰ 📺 ☎   BY **e**
37 qto.

Solar São Gabriel sem rest, Rua da Alegria 98, ⊠ 4000, ℰ 200 54 99, Fax 32 39 57 – 🛗 ☰ 📺 ☎ ☜   CZ **s**
28 qto.

Universal sem rest, Av. dos Aliados 38, ⊠ 4000, ℰ 200 67 58, Fax 200 10 55 – 🛗 📺 ☎. 🕮 ⓞ 🗲 𝒱𝒮𝒜 ᴶᶜᴮ.   BZ **u**
46 qto ⊐ 6500/7500.

Rex sem rest, Praça da República 117 ℰ 200 45 48, Telex 20899, Fax 208 38 82, Antiga moradía particular conservando os bonitos tectos originais – 🛗 📺 ☎ ☻   BY **u**
21 qto.

Escondidinho sem rest, Rua de Passos Manuel 135, ⊠ 4000, ℰ 200 40 79 – 🛗 📺 ☜. 🕮 ⓞ 🗲 𝒱𝒮𝒜 ᴶᶜᴮ   CZ **w**
23 qto ⊐ 7000/8000.

PORTO

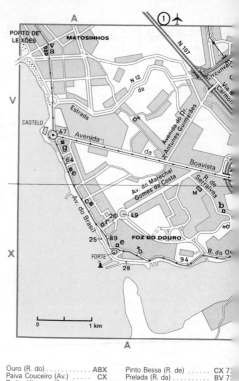

XXX **Churrascão do Mar,** Rua João Grave 134, ✉ 4100, ✆ 69 63 82, Fax 600 43 37, Peixes ◄ mariscos-Cozinha brasileira, « Antiga e senhorial moradia » – 🗐 **℗**. 🆎 **⓪** **E** 𝘝𝘐𝘚𝘈 JCB
⁂
   BX ◄
fechado domingo e agosto – Ref lista 4540 a 5540.

XXX **Portucale,** Rua da Alegria 598, ✉ 4000, ✆ 57 07 17, Fax 57 02 06, ≤ cidade e arredores – 🗐 **℗**
   CY ◄

XXX **Lima 5,** Ângulo das Ruas Alegria e Constituição, ✉ 4200, ✆ 49 23 60 – 🗐
   CV ◄

XX **O Escondidinho,** Rua Passos Manuel 144, ✉ 4000, ✆ 200 10 79, Decoração regional – 🗐. **E** 𝘝𝘐𝘚𝘈. ⁂
   CZ r
fechado domingo – Ref lista 4750 a 6450.

XX **Churrascão Gaúcho,** Av. da Boavista 313, ✉ 4000, ✆ 609 17 38, Fax 600 43 37 – 🗐. 🆎 **⓪** **E** 𝘝𝘐𝘚𝘈 JCB. ⁂
   BX ◄
fechado domingo e agosto – Ref lista 3450 a 4940.

XX **D. Tonho,** Cais da Ribeira 13, ✉ 4000, ✆ 200 43 07, Fax 208 57 91 – 🗐. 🆎 **⓪** **E** 𝘝𝘐𝘚𝘈 ⁂
   BZ ◄
Ref lista 2750 a 4150.

XX **Lider,** Alameda Eça de Queiroz 126, ✉ 4200, ✆ 48 00 89 – 🗐. 🆎 **⓪** **E** 𝘝𝘐𝘚𝘈 ⁂
   CV ◄
fechado sábado – Ref lista 3400 a 4600.

XX **King Long,** Largo Dr Tito Fontes 115, ✉ 4000, ✆ 31 39 88, Rest. chinês – 🗐. 🆎 **⓪** **E** 𝘝𝘐𝘚𝘈 ⁂
   BY p
Ref lista 1660 a 3080.

XX **Mesa Antiga,** Rua de Santo Ildefonso 208, ✉ 4000, ✆ 200 64 32 – 🗐. **E** 𝘝𝘐𝘚𝘈
   CZ x
fechado sábado e do 1 ao 15 outubro – Ref lista 2500 a 4300.

X **Chez Albert,** Rua da Constituição 1365 ✆ 49 23 18 – 🗐. **E** 𝘝𝘐𝘚𝘈
   BV e
fechado domingo – Ref lista 3200 a 3950.

X **Orfeu** com snack-bar, Rua de Júlio Dinis 928, ✉ 4000, ✆ 606 43 22 – 🗐. 🆎 **⓪** **E** 𝘝𝘐𝘚𝘈
   BX a
fechado domingo (maio-setembro) – Ref lista 3300 a 4200.

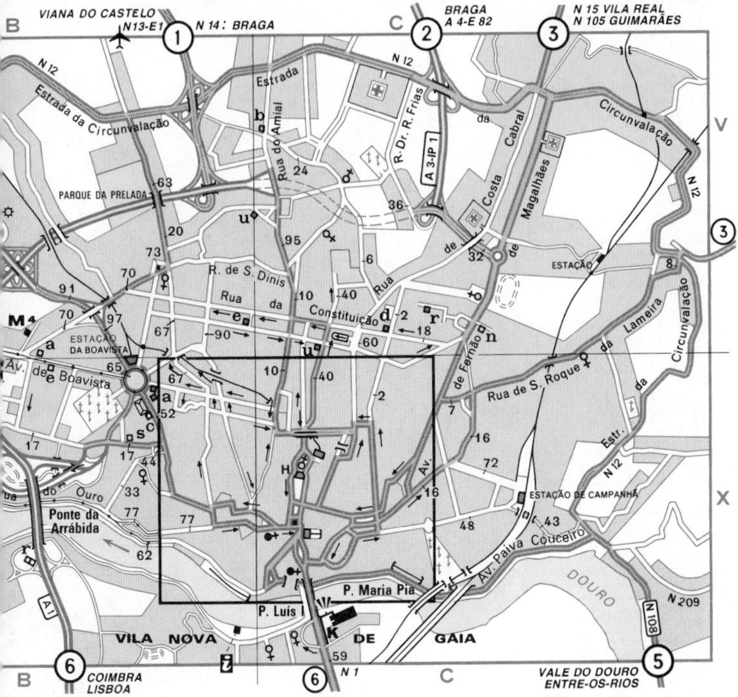

X Dom Castro, Rua do Bonjardim 1078 ✆ 31 11 19, Taberna regional — CV **u**

X **Chinês,** Av. Vimara Peres 38, ✉ 4000, ✆ 200 89 15, Rest. chinês – ▤. AE ① E VISA. ✗ — BZ **y**
Ref lista 1650 a 2770.

X **Casa Victorino,** Rua dos Canastreiros 44, ✉ 4000, ✆ 208 06 68, Peixes e mariscos – ▤. AE ① E VISA. ✗ — BZ **v**
fechado domingo – Ref lista aprox. 5100.

X **Bom Pastor,** Rua Nicolau Marquês Guedes 109, ✉ 4200, ✆ 82 42 53 – AE E VISA. ✗ — BV **u**
fechado agosto – Ref lista 2700 a 5200.

X **Aquário Marisqueiro,** Rua Rodrigues Sampaio 179, ✉ 4000, ✆ 200 22 31 – ▤. E VISA. ✗ — BY **a**
Ref lista 2350 a 3800.

X Taverna do Bebobos, Cais da Ribeira 25, ✉ 4000, ✆ 31 35 65, Rest. típico — BZ **x**

na Foz do Douro – ✉ 4100 Porto – ✪ 02 :

⌂ **Boa Vista,** Esplanada do Castelo 58 ✆ 618 31 75, Telex 25574, Fax 617 38 18, ⛱, ☐ – |◆| ▤ TV ☎. AE ① E VISA. ✗ rest — AX **e**
Ref 2500 – **39 qto** ☐ 13100/14850.

⌂ **Portofoz** sem rest, Rua do Farol 155-3º ✆ 617 23 57, Telex 24425, Fax 617 08 87 – |◆| TV ☎. AE ① E VISA. ✗ — AX **r**
19 qto ☐ 10000/11000.

XXX **Don Manoel,** Av. Montevideu 384 ✆ 617 01 79, Fax 610 44 37, ⩽, Instalado num antigo palacete – ▤ Ⓟ. AE ① E VISA. ✗ — AV **e**
fechado domingo – Ref lista 6180 a 7750.

XX Portofino, Rua do Padrão 103 ✆ 617 73 39, ⛱ – ▤ — AX **c**

XX O Bule, Rua do Timor 128 ✆ 618 87 77, ⛱, « Terraço junto do jardim » , ⛱ – — AV **g**

PORTO

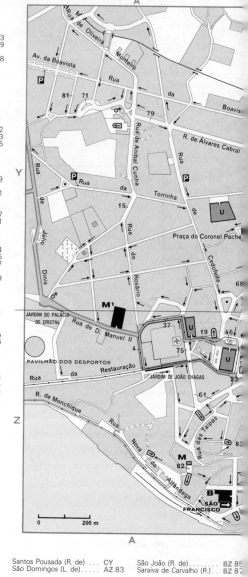

em Matosinhos – ⊠ 4450 Matosinhos – ☎ 02 :

✗ **O Gaveto** com snack-bar, Rua Roberto Ivens 826 ℰ 937 87 96 – ▤   AV **a**

✗ **Esplanada Marisqueira Antiga,** Rua Roberto Ivens 628 ℰ 938 06 60, Fax 937 89 12,
Peixes e mariscos – ▤, 𝔸𝔼 ⓞ 𝖤 𝗩𝗜𝗦𝗔 𝖩𝖢𝖡. ⅋
fechado 2ª feira – Ref lista 3050 a 5150.   AV **v**

✗ **Marujo** com snack-bar, Rua Tomaz Ribeiro 284 ℰ 938 37 32 – ▤. 𝔸𝔼 ⓞ 𝖤 𝗩𝗜𝗦𝗔
⅋
fechado 3ª feira – Ref lista 2100 a 6650.   AV **a**

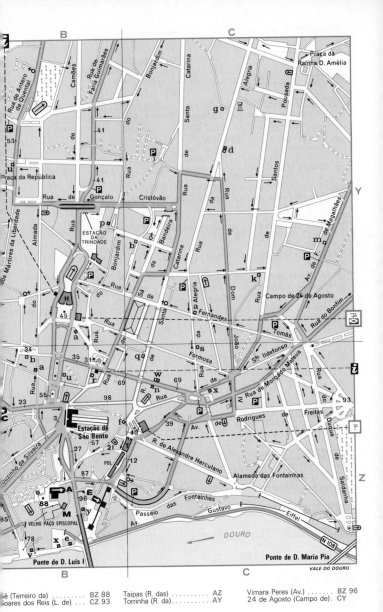

Ver também : *Leça da Palmeira* NO : 11,5 km
Vilanova de Gaia, por ⑥ : 2 km

PORTO MONIZ Madeira – ver Madeira (Arquipélago da).

PORTO SANTO Madeira – ver Madeira (Arquipélago da).

PÓVOA DAS QUARTAS Coimbra – ver Oliveira do Hospital.

PÓVOA DE VARZIM 4490 Porto 𝟺𝟺𝟶 H 3 – 23 846 h. – ✪ 052 – Praia.
Ver : Porto de pesca★ – **Arred.** : Rio Mau : Igreja de S. Cristóvão (capitéis★) O : 12 km.
🖪 Av. Mouzinho de Albuquerque 160 ✆ 62 46 09 – ◆Lisboa 348 – Braga 40 – ◆Porto 30.

🏨🏨 **Vermar,** Rua Alto de Martín Vaz NO : 1,5 km ✆ 61 55 66, Telex 25261, Fax 61 51 15, ◄
⤒ climatizada, ⚒ – 📶 🖃 📺 ☎ ⇦⇨ 🅟 – 🖄 25/700. 🆀 ⑩ 🅴 𝘝𝘐𝘚𝘈. ⚒
Ref 3600 – **208 qto** ⚏ 15750/19000.

🏨 **Grande H.,** Largo do Passeio Alegre 20 ✆ 61 54 64, Fax 61 55 65, ⬳ – 📶 📺 ☏
🖄 25/150. 🆀 ⑩ 🅴 𝘝𝘐𝘚𝘈. ⚒
Ref 2100 – **92 qto** ⚏ 13500/16000 – PA 4200.

🏨 **Luso-Brasileiro** sem rest, Rua dos Cafés 16 ✆ 61 51 61, Fax 62 47 13 – 📶 📺 ☎. 🆀 ⑩
🅴 𝘝𝘐𝘚𝘈. ⚒
62 qto ⚏ 6500/9000.

🏨 **Costa Verde** sem rest, Av. Vasco da Gama 56 ✆ 61 55 31, Telex 27698, Fax 61 59 31, ◄
– 📶 📺 ☏. 🆀 ⑩ 🅴 𝘝𝘐𝘚𝘈. ⚒
50 qto ⚏ 6000/7500.

🏠 **Gett** sem rest, Av. Mouzinho de Albuquerque 54 – 📶 📺 ☏. 🅴 𝘝𝘐𝘚𝘈. ⚒
22 qto ⚏ 7000/9000.

🏠 Avô Velino, sem rest, Av. Vasco da Gama ✆ 68 16 28 – 📺 ☏ – **10 qto.**

✗✗ **Euracini,** Av. Mouzinho de Albuquerque 29 ✆ 62 71 36, Fax 62 71 36 – 🖃. 🅴 𝘝𝘐𝘚𝘈. ⚒
fechado do 8 ao 25 de agosto – Ref lista 2950 a 4750.

✗ **Leonardo,** Rua Tenente Valadim 75 ✆ 62 23 49, Peixes e mariscos – 🖃. 🆀 𝘝𝘐𝘚𝘈. ⚒
fechado 2ª feira – Ref lista 1950 a 2650.

✗ Chelsea, na estrada N 13 - NO : 2 km ✆ 68 15 22 – 🖃 🅟.

pela estrada N 13 – ✉ 4490 Póvoa de Varzim – ✪ 052 :

🏨🏨 **Estal. Santo André** ⬳, Aguçadoura NO : 7 km ✆ 61 56 66, Telex 28339, Fax 61 58 66
⬳, ⤒ – 📺 🅟. 🆀 ⑩ 🅴 𝘝𝘐𝘚𝘈. ⚒
Ref 2200 – **49 qto** ⚏ 14500/16000 – PA 4400.

🏨 **Estal. Estela Sol,** N : 8,7 km ✆ 60 21 88, Fax 60 21 12 – 📶 📺 ☎ ⇦⇨ 🅟 – 🖄 25. 🆀
⑩ 🅴 𝘝𝘐𝘚𝘈. ⚒
Ref 2000 – **38 qto** ⚏ 6000/12000.

✗✗ **O Marinheiro,** NO : 2 km ✆ 68 21 51, Fax 68 21 51, Imitação dum barco, Peixes e marisco
– 🖃 🅟. 🆀 ⑩ 🅴 𝘝𝘐𝘚𝘈. ⚒
Ref lista 3600 a 5200.

PRAIA DA AGUDA 4405 Porto 𝟺𝟺𝟶 I 4 – ✉ 4405 Valadares – ✪ 02 – Praia.
◆Lisboa 303 – ◆Porto 15.

✗✗ **Dulcemar,** ✆ 762 40 77 – 🖃. 🆀 ⑩ 🅴 𝘝𝘐𝘚𝘈
fechado 4ª feira – Ref lista 2700 a 5450.

PRAIA DA ALAGOÃ Faro – ver Altura.

PRAIA DA AMOROSA Viana do Castelo – ver Viana do Castelo.

PRAIA DA AREIA BRANCA Lisboa – ver Lourinhã.

PRAIA DA BARRA Aveiro – ver Aveiro.

PRAIA DA FALÉSIA Faro – ver Albufeira.

PRAIA DA GALÉ Faro – ver Albufeira.

PRAIA DA OURA Faro – ver Albufeira.

PRAIA DA ROCHA Faro – ver Portimão.

PRAIA DA SENHORA DA ROCHA Faro – ver Armação de Pera.

PRAIA DAS MAÇÃS Lisboa 440 P 1 - 606 h. - ⊠ 2710 Sintra - 🕿 01 - Praia.
Lisboa 38 - Sintra 10.

🏦 **Océano,** Av. Eugenio Levy 52 𝒫 929 23 99 - 🕿 🅿. 🖭 ⓞ 🅴 𝘝𝘐𝘚𝘈
fechado novembro - Ref *(fechado 3ª feira)* 1800 - **26 qto** ⌿ 8500/9500 - PA 3600.

🏠 **Real** sem rest, Rua Fernão de Magalhães 𝒫 929 20 02 - ⓞ 🅴 𝘝𝘐𝘚𝘈 𝘑𝘊𝘉. 🕸
fechado janeiro-fevereiro - **13 qto** ⌿ 8500/9000.

PRAIA DA VIEIRA Leiria 440 M 3 - ⊠ 2430 Marinha Grande - 🕿 044 - Praia.
Lisboa 152 - ◆ Coimbra 95 - Leiria 24.

🏦 Ouro Verde ⥂ sem rest, Rua D. Dinis 𝒫 69 71 56, Fax 69 54 04 - 📺 🕿 🅿
32 qto.

🏦 Estrela do Mar ⥂ sem rest, Rua José Loureiro Botas 𝒫 69 57 62, Fax 69 54 04, ≤ - 🕿
24 qto.

PRAIA DA SALEMA Faro - ver Budens.

PRAIA DE DONA ANA Faro - ver Lagos.

PRAIA DE FARO Faro - ver Faro.

PRAIA DE LAVADORES Porto - ver Vila Nova de Gaia.

PRAIA DE OFIR Braga - ver Fão.

PRAIA DE SANTA CRUZ Lisboa 440 O 1 - 615 h. - ⊠ 2560 Torres Vedras - 🕿 061 - Praia.
Lisboa 70 - Santarém 88.

🏨 **Santa Cruz,** Rua José Pedro Lopes 𝒫 93 71 48, Fax 93 25 85 - 📳 🕿 🅿 - 🔏 25/150. 🖭
ⓞ 🅴 𝘝𝘐𝘚𝘈. 🕸
Ref 1750 - **32 qto** ⌿ 7000/8500 - PA 3500.

PRAIA DO CARVOEIRO Faro - ver Lagoa.

PRAIA DO MARTINHAL Faro - ver Sagres.

PRAIA DO GUINCHO Lisboa - ver Cascais.

PRAIA DO PORTO NOVO Lisboa - ver Vimeiro (Termas do).

PRAIA DOS TRES IRMÃOS Faro - ver Portimão.

PRAIA DO VAU Faro - ver Portimão.

QUARTEIRA 8125 Faro 440 U 5 - 8 905 h. - 🕿 089 - Praia.
🔗 Club Golf de Vilamoura NO : 6 km 𝒫 336 52 - 🔗 Club Golf Dom Pedro.
◀ Av. Infante de Sagres 53 𝒫 31 22 17.
Lisboa 308 - Faro 22.

🏨 **Atis,** Av. Dr. Sá Carneiro 𝒫 38 97 71, Telex 56802, Fax 38 97 74, ⤋ - 📳 🗏 📺 🕿 🅿. 🖭
ⓞ 🅴 𝘝𝘐𝘚𝘈. 🕸
Ref 2200 - **89 qto** ⌿ 12200/16500 - PA 3800.

🏨 Zodíaco, Estrada de Almansil 𝒫 38 95 89, Telex 56703, Fax 38 81 58, ⤋, 🕸 - 📳 🗏 📺 🕿
🅿
60 qto.

🕾🕾 **Alphonso's,** Centro Comercial Abertura Mar 𝒫 31 46 14, 🍴 - 🗏. 🖭 ⓞ 🅴 𝘝𝘐𝘚𝘈. 🕸
Ref lista aprox.3600.

em Vilamoura - ⊠ 8125 Quarteira - 🕿 089 :

🏨🏨🏨 **Vilamoura Marinotel** ⥂, O : 3,5 km 𝒫 38 99 88, Telex 58827, Fax 38 98 69, ≤, 𝓕𝓈, ⤋,
🕸 - 📳 🗏 📺 🕿 🅿 - 🔏 25/500. 🖭 ⓞ 🅴 𝘝𝘐𝘚𝘈 𝘑𝘊𝘉. 🕸
Ref - **Aries** lista 3500 a 6500 - **Grill Sirius** *(só jantar)* lista 6000 a 8500 - **385 qto**
⌿ 28500/30000.

🏨🏨 **Atlantis Vilamoura** ⥂, O : 3 km 𝒫 38 99 37, Telex 56838, Fax 38 99 62, ≤, « Relvado
repousante com ⤋ », 🔲, 🕸 - 📳 🗏 📺 🕿 - 🔏. 🖭 ⓞ 🅴 𝘝𝘐𝘚𝘈 𝘑𝘊𝘉. 🕸
Ref 3500 - **310 qto** ⌿ 27300/36750.

🏨🏨 **Ampalius** ⥂, O : 3,5 km 𝒫 38 80 19, Telex 56992, Fax 38 09 11, ≤, 𝓕𝓈, ⤋, 🕸 - 📳 🗏
📺 🕿 🛬 🅿 - 🔏 25/200. 🖭 ⓞ 🅴 𝘝𝘐𝘚𝘈. 🕸
Ref 3000 - **357 qto** ⌿ 24000/25000 - PA 6000.

🏨 **Dom Pedro Marina** ⑤, O : 3,5 km 🖉 38 98 02, Telex 56307, Fax 31 32 70, ≤, �# ⏄ climatizada – 🛗 ⊟ 📺 ☎ 🅿 – 🛦 25/150. 🖭 ⓪ Ɛ 𝑽𝑰𝑺𝑨. ⚘
Ref 4200 – **155 qto** ⊊ 30000/32000.

🏨 **Dom Pedro Golf** ⑤, O : 3 km 🖉 38 96 50, Telex 56870, Fax 31 54 82, ≤, �# , « Relva● repousante com ⏄ », ⚘ – 🛗 ⊟ 📺 ☎ 🅿 – 🛦 25/700. 🖭 ⓪ 𝑽𝑰𝑺𝑨. ⚘
Ref 3500 – **262 qto** ⊊ 22000/26500.

🏨 **Motel Vilamoura Golf** ⑤, NO : 6 km 🖉 30 29 77, Telex 15872, Fax 38 00 23, ⏄, ⟦⟧ – ● 🖭 ⓪ Ɛ 𝑽𝑰𝑺𝑨 ᴊᴄʙ. ⚘
Ref 2600 – ⊊ 685 – **52 qto** 11500/13650 – PA 5200.

🍴 **Casa da Madeira,** O : 2,5 km, Edifício Delta Marina 🖉 30 17 54, �# – ⊟. 🖭 ⓪ Ɛ 𝑽𝑺 ⚘
fechado 4ª feira – Ref (só jantar) lista aprox 4500.

QUELUZ 2745 Lisboa 𝟰𝟰𝟬 P 2 – 47 864 h. alt. 125 – ✆ 01.

Ver : Palácio Real★ (sala do trono★) – Jardins do Palácio★ (escada dos Leões★).

⟦⟧ Lisbon Sport Club 🖉 96 00 77.

◆Lisboa 12 – Sintra 15.

XXX Cozinha Velha, Largo do Palácio 🖉 435 02 32, Fax 436 22 34, « Instalado nas antigas coz● nhas do palácio ».

em Tercena O : 4 km – ⊠ 2745 Queluz – ✆ 01 :

🏨 **Poma e Rest. Via Prado,** Estrada N 117 🖉 437 27 45, Fax 560 81 86 – 🛗 ⊟ 📺 ☎ 🅿 🛦 25/300. 🖭 ⓪ Ɛ 𝑽𝑰𝑺𝑨. ⚘
Ref 2500 – **50 qto** ⊊ 11000/12500.

QUINTA DO LAGO Faro – ver Almansil.

REBOREDA Viana do Castelo – ver Vila Nova de Cerveira.

REDONDO 7170 Évora 𝟰𝟰𝟬 Q 7 – 3 596 h. alt. 306 – ✆ 066.

🚩 Praça da República 🖉 991 12, Fax 990 39.

◆ Lisboa 179 – ◆ Badajoz 69 – Estremoz 27 – Évora 34.

na estrada N 381 N : 10 km – ⊠ 7170 Redondo – ✆ 066 :

🏨 **Convento de São Paulo** ⑤, Aldeia da Serra 🖉 99 91 00, Fax 99 91 04, ≤, « Antig● convento », ⏄, �# – 🛗 ⊟ 📺 ☎ 🕭 🅿 – 🛦 25/100. 🖭 ⓪ Ɛ 𝑽𝑰𝑺𝑨. ⚘ rest
Ref lista 3200 a 4600 – **16 qto** ⊊ 25000/29000.

RESENDE Viana do Castelo – ver Paredes de Coura.

RETAXO 6000 Castelo Branco 𝟰𝟰𝟬 M 7 – ✆ 072.

◆ Lisboa 240 – Castelo Branco 13 – Castelo de Vide 81.

🏨 **Motel da Represa** ⑤, N : 1,5 km 🖉 999 21, Telex 52731, Fax 986 68, ≤, �# , Típica ambien● tação exterior, ⏄, ⚘ – ⊟ ☞ 🅿 – 🛦 25/200. 🖭 ⓪ Ɛ 𝑽𝑰𝑺𝑨. ⚘ rest
Ref 1800 – ⊊ 450 – **42 qto** 5500/6800 – PA 3600.

RIBEIRA BRAVA Madeira – ver Madeira (Arquipélago da).

RIBEIRA DE SÃO JOÃO Santarem – ver Rio Maior.

RIO DE MOINHOS Santarém 𝟰𝟰𝟬 N 5 – 1 882 h. – ⊠ 2200 Abrantes – ✆ 041.

◆Lisboa 137 – Portalegre 88 – Santarém 69.

🍴 **Cristina,** Estrada N 3 🖉 981 77, Fax 983 43 – ⊟ 🅿. 🖭 Ɛ 𝑽𝑰𝑺𝑨. ⚘
fechado 2ª feira, março e setembro – Ref lista 2350 a 3650.

RIO MAIOR 2040 Santarém 𝟰𝟰𝟬 N 3 – 10 793 h. – ✆ 043.

◆Lisboa 77 – Leiria 50 – Santarém 31.

🏨 R. M. sem rest, Rua Dr. Francisco Barbosa 🖉 920 87 – 🛗 ☞
36 qto.

em Ribeira de São João SE : 8,5 km – ⊠ 2040 Rio Maior – ✆ 043 :

🏨 **Quinta da Ferraria** ⑤, Estrada N 114 🖉 950 01, Fax 956 96, Antigo moinho de água ● museu rural, ⏄, �# – ⊟ ☎ 🅿 – 🛦 25/200. 🖭 ⓪ Ɛ 𝑽𝑰𝑺𝑨. ⚘
Ref (fechado 2ª feira) lista 3000 a 4100 – **13 qto** ⊊ 11000/13000, 2 apartamentos.

ROMEU 5370 Bragança **440** H 8 – 936 h. – **☺** 078.

Lisboa 467 – Bragança 59 – Vila Real 85.

⚡ **Maria Rita,** Rua da Capela ℰ 931 34, Telex 29626, Fax 931 33, Decoração rústica regional
– ▤. ÆE **E** 𝗩𝗜𝗦𝗔
Refeição lista 2000 a 2300.

SABUGO 2715 Lisboa **440** P 2 – **☺** 01.

Lisboa 11 – Sintra 14.

em Vale de Lobos SE : 1,7 km – ✉ 2715 Sabugo – **☺** 01 :

🏨 Vale de Lobos ⌖, ℰ 927 34 19, Telex 44564, Fax 927 46 56, ≼, 🔄, 🐎, ⚡ – 🛗 📺 ☎ 🅿
– 🔏 25/200 – **52 qto.**

SAGRES Faro **440** U 3 – 2 032 h. – ✉ 8650 Vila do Bispo – **☺** 082 – Praia.

arred. : Ponta de Sagres★★ SO : 1,5 km, Alcantilado de Cartelejo ≼★ – Cabo de São Vicente★★
≼★).

Promontório de Sagres ℰ 641 25.

Lisboa 286 – Faro 113 – Lagos 33.

🏨 **Pousada do Infante** ⌖, ℰ 642 22, Telex 57491, Fax 642 25, ≼ falésias e mar, 🔄 – ▤
📺 ☎ 🅿. ÆE ⓞ **E** 𝗩𝗜𝗦𝗔. 🍴
Ref lista 2100 a 6450 – **39 qto** ⌸ 18000/20800.

🏨 Aparthotel Navigator ⌖ sem rest, Rua Infante D. Henrique ℰ 643 54, Telex 57179,
Fax 643 60, ≼ falésias e mar, 🔄 – 🛗 ▤ 📺 ☎ ⟵ 🅿
56 apartamentos.

🏨 **Baleeira** ⌖, ℰ 642 12, Telex 57467, Fax 644 25, ≼ falésias e mar, 🏯, 🔄, ⚡ – ▤ rest
☎ 🅿. ÆE ⓞ **E** 𝗩𝗜𝗦𝗔. 🍴 rest
Ref 2300 – **120 qto** ⌸ 8100/13200 – PA 4600.

na Praia do Martinhal NE : 3,5 km – ✉ 8650 Vila do Bispo – **☺** 082 :

🏨 **Motel Os Gambozinos** ⌖, ℰ 643 18, Fax 643 48, ≼ praia, falésias e mar, 🏯 – ☎ 🅿.
🍴 rest
Ref *(fechado 4ª feira, 5ª feira e setembro-abril)* 2900 – **17 qto** ⌸ 14900.

na estrada do Cabo São Vicente NO : 5 km – ✉ 8650 Vila do Bispo – **☺** 082 :

⚡ **Fortaleza do Beliche** ⌖ com qto, ℰ 641 24, « Instalado numa fortaleza sobre uma falésia
dominando o mar » – ▥. 🍴
fechado dezembro-janeiro – Ref lista aprox 3500 – **4 qto** ⌸ 10900/12700.

SAMEIRO Braga – ver Braga.

SANGALHOS Aveiro **440** K 4 – 4 067 h. – ✉ 3780 Anadia – **☺** 034.

Lisboa 234 – Aveiro 25 – ◆Coimbra 32.

🏨 Estal. Sangalhos ⌖, ℰ 74 36 48, Telex 37784, Fax 74 32 74, ≼ vale e montanha, 🔄, ⚡
– ▤ rest 📺 ☜ 🅿 – **32 qto.**

SANTA BÁRBARA DE NEXE Faro – ver Faro.

SANTA-CLARA-A-VELHA 7665 Beja **440** T 4 – 1 662 h. alt. 50 – **☺** 083.

Lisboa 222 – Beja 96 – Faro 115.

na Barragem de Santa Clara SE : 5 km – ✉ 7665 Santa Clara-a-Velha – **☺** 083 :

⚡⚡ **Pousada de Santa Clara** ⌖ com qto, ℰ 982 50, Telex 56231, Fax 984 02, ≼ Barragem
e montanhas, 🏯, « Parque com árvores » – ▥ 🅿. ÆE ⓞ **E** 𝗩𝗜𝗦𝗔. 🍴
Ref lista aprox. 3600 – **6 qto** ⌸ 10900/12700.

SANTA EULÁLIA Faro – ver Albufeira.

SANTA LUZIA Viana do Castelo – ver Viana do Castelo.

SANTA LUZIA DE LAVOS Coimbra – ver Figueira da Foz.

SANTA MARIA DA FEIRA 4520 Aveiro **440** J 4 – 4 877 h. alt. 125 – **☺** 056.

Ver : Castelo★.

▤ Rua dos Descubrimentos ℰ 37 20 32.

Lisboa 291 – Aveiro 47 – ◆Coimbra 91 – ◆Porto 20.

🏨 **Novacruz** sem rest, Rua S. Paulo da Cruz ℰ 37 23 11, Fax 37 23 16 – 🛗 ▤ 📺 ☎ 🕭 🅿
– 🔏 25/130. ÆE ⓞ **E** 𝗩𝗜𝗦𝗔. 🍴
60 qto ⌸ 10500/11500, 5 suites.

na estrada N 1 - ⊠ 4520 Santa Maria da Feira – ✿ 056 :

🏨 **Pedra Bela,** NE : 5 km ℰ 91 15 13, Fax 91 15 95, ⅍ – 🛗 📺 ☎ ⇦ 🅿. ⓪ Ɛ 𝑉𝐼𝑆𝐴
Ref (ver rest. Pedra Bela) – **50 qto** ⊊ 5000/7500.

⅍ Pedra Bela, NE : 5 km ℰ 91 13 38, Fax 91 15 95 – 🍽 🅿.

⅍ **Tigre** com snack-bar, Lugar de Albarrada - São João de Ver NE : 5,5 km ℰ 31 22 04, Mari
cos – 🍽 🅿. ⅍Ɛ ⓪ Ɛ 𝑉𝐼𝑆𝐴. ⅍
Ref lista 3925 a 5250.

SANTANA Setúbal – ver Sesimbra.

SANTARÉM 2000 ℙ 🚦 O 3 – 20 034 h. alt. 103 – ✿ 043.

Ver : Miradouro de São Bento ⅍⋆ в **C** – Igreja de São João de Alporão (museu arqueológico⋆
в **M1** – Igreja da Graça (nave⋆) в **F.**

Arred. : Alpiarça : Museu⋆ (tapeçarias⋆, faianças e porcelanas⋆) 10 km por ②.

🛈 Rua Capelo Ivens 63 ℰ 231 40.

♦Lisboa 80 ③ – Évora 115 ② – Faro 330 ② – Portalegre 158 ② – Setúbal 130 ③.

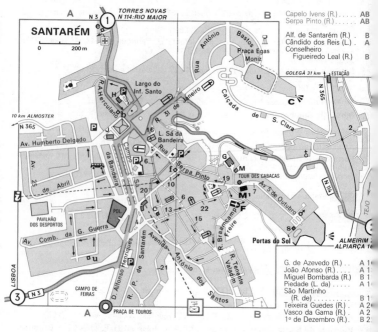

G. de Azevedo (R.) . . A 1
João Afonso (R.) . . . . A 1
Miguel Bombarda (R.) B 1
Piedade (L. da) . . . . A 1
São Martinho
(R. de) . . . . B 1
Teixeira Guedes (R.) . A 2
Vasco da Gama (R.) . . A 2
1º de Dezembro (R.) . B 2

🏨 **Alfageme** sem rest, av. Bernardo Santareno 38 ℰ 37 08 70, Fax 37 08 50 – 🛗 🍽 📺 ☎
🅿 – 🅰 25/200. ⓪ Ɛ 𝑉𝐼𝑆𝐴
67 qto ⊊ 7200/8400.   A

🏨 **O Beirante,** Rua Alexandre Herculano 5 ℰ 22547 – 🛗 ☎. 𝑉𝐼𝑆𝐴   A
Ref (fechado domingo) 1500 – **32 qto** ⊊ 3750/5000 – PA 3000.

🏨 Abidis sem rest, Rua Guilherme de Azevedo 4 ℰ 220 17, Decoração regional – ☎
28 qto.   AB

🏨 **Victoria** sem rest, Rua 2º Visconde de Santarém 21 ℰ 225 73 – 📺 ☎. Ɛ 𝑉𝐼𝑆𝐴   A
23 qto ⊊ 5000/8000.

⅍ **Solar,** Largo Emilio Infante da Câmara 9 ℰ 222 39 – ⅍   A
fechado sábado e agosto – Ref lista 1410 a 2600.

⅍ Portas do Sol, Jardim das Portas do Sol ℰ 295 20, ⅍, « Jardim »   B

em Alto do Bexiga por ① : 2,5 km – ⊠ 2000 Santarém – ✿ 043 :

🏨 **Jardim** ⅍ sem rest, com snack-bar, Rua Florbela Espanca 1 ℰ 33 35 54, Telex 18393
Fax 33 34 77 – 🍽 ☎. Ɛ 𝑉𝐼𝑆𝐴
40 qto ⊊ 5000/7500.

7540 Setúbal 🔢🔢🔢 R 3 – 6 777 h. alt. 225 – 🕲 069.

er : Á saída sul da Vila ≼⋆.

Lisboa 146 – Setúbal 98.

🏦 **Albergaria D. Nuno** sem rest, Av. D. Nuno Álvares Pereira 88 ℰ 233 25, Fax 233 28, ≼ – 🛗 📺 ☎ 🅿. 🖭 ⓪ E 𝘝𝘐𝘚𝘈. ⅍
75 qto ⊊ 7000/12000.

🏠 **Gabriel** sem rest, Rua Professor Egas Moniz 24 ℰ 222 45 – ☎. ⓪ E 𝘝𝘐𝘚𝘈. ⅍
23 qto ⊊ 5000/9100.

XX **Pousada de Santiago** com qto, Estrada de Lisboa ℰ 224 59, Telex 16166, Fax 224 59, ≼, 🍴, Decoração regional, 🏊, 🎾 – 🕾 🅿. 🖭 ⓪ E 𝘝𝘐𝘚𝘈. ⅍
Ref lista aprox. 3600 – **8 qto** ⊊ 10900/12700.

Lisboa – ver Oeiras.

Un conseil Michelin :

pour réussir vos voyages, préparez-les à l'avance.

Les cartes et guides Michelin vous donnent toutes indications utiles sur :
itinéraires, visite des curiosités, logement, prix, etc.

4780 Porto 🔢🔢🔢 H 4 – 11 708 h. alt. 75 – 🕲 052.

🛈 Praça do Município ℰ 510 91 (ext. 33).

Lisboa 345 – Braga 29 – ◆Porto 22.

X **São Rosendo,** Praça do Municipio 6 ℰ 530 54, Fax 530 54 – 🗏. 🖭 ⓪ E 𝘝𝘐𝘚𝘈
fechado 2ª feira de junho-setembro – Ref lista 2250 a 2950.

na Auto-estrada A 3 O : 4 km – ✉ 4785 Trofa – 🕲 052 :

🏠 **Ibis** ⑤ sem rest, Área de Serviço ℰ 982 50 00, Fax 982 50 01 – 🗏 📺 ☎ ⅙ 🅿 – 🔬 25. 🖭 ⓪ E 𝘝𝘐𝘚𝘈
⊊ 810 – **61 qto** 6500.

8150 Faro 🔢🔢🔢 U 6 – 7 499 h. – 🕲 089.

🛈 Rua Dr. Evaristo Sousa Gago ℰ 84 22 11.

Lisboa 293 – Faro 19 – Portimão 63.

na estrada N 2 N : 2 km – ✉ 8150 São Brás de Alportel – 🕲 089 :

🏦 **Pousada de São Brás** ⑤ (possível fecho para obras), ℰ 84 23 05, Telex 56945, Fax 84 23 05, ≼ cidade, campo e colinas, 🏊, 🎾 – 🗏 qto ☎ 🅿. 🖭 ⓪ E 𝘝𝘐𝘚𝘈. ⅍
Ref lista aprox. 3500 – **25 qto** ⊊ 16500/18600.

Madeira – ver Madeira (Arquipé – lado da) : Funchal.

Setúbal – ver Costa da Caparica.

3700 Aveiro 🔢🔢🔢 J 4 – 16 239 h. alt. 205 – 🕲 056.

◆Lisboa 286 – Aveiro 46 – ◆Porto 32.

XXX **O Executivo,** Rua Oliveira Júnior 918 ℰ 83 27 85, Fax 83 27 86, 🍴, « Instalado num belo palacete do início de século », 🌱 – 🗏 🅿. 🖭 ⓪ E 𝘝𝘐𝘚𝘈. ⅍
fechado 4ª feira e agosto – Ref lista 2700 a 4200.

Lisboa – ver Estoril.

2465 Leiria 🔢🔢🔢 N 2 – 2 318 h. – 🕲 062 – Praia.

Ver : ≼⋆.

🛈 Av. 25 de Abril ℰ 98 91 10.

◆Lisboa 108 – Leiria 51 – Santarém 65.

🏦 **Parque** sem rest, Av. Marechal Carmona 3 ℰ 98 95 05, Fax 98 91 05, « Antiga casa se-nhorial rodeada dum jardim », 🎾 – 🕾 🅿. 🖭 ⓪ E 𝘝𝘐𝘚𝘈. ⅍
março-outubro – **36 qto** ⊊ 7500/12000.

🏦 **Albergaria São Pedro** sem rest, Largo Vitorino Frois 7 ℰ 98 93 28, Fax 98 93 27 – 🛗 🗏 📺 ☎. 𝘝𝘐𝘚𝘈. ⅍
25 qto ⊊ 9200/12000.

🏦 **Concha** sem rest, Largo Vitorino Frois 21 ℰ 98 92 20, Fax 98 98 35 – 🛗 🗏 📺 ☎ – 🔬 25/35. E 𝘝𝘐𝘚𝘈. ⅍
31 qto ⊊ 7000/12000.

X **A Casa,** Av. Marginal ℰ 98 96 33, Fax 98 99 89, ≼ – 🗏. 🖭 ⓪ E 𝘝𝘐𝘚𝘈 𝙅𝘾𝘽
Ref lista 2700 a 3650.

SÃO PEDRO DE MOEL Leiria 440 M 2 – ⊠ 2430 Marinha Grande – 🟢 044 – Praia.

🖪 Praça Eng. José Lopes Viera 🖉 59 91 52.

◆Lisboa 135 – ◆Coimbra 79 – Leiria 22.

- 🏨 **Mar e Sol,** Av. da Liberdade 1 🖉 59 91 82, Telex 15529, Fax 59 94 11, ≼ – 🗐 rest 📺 🗟
  – 🔏 25/100. 🗲 🖾
  Ref *(fechado 2ª feira)* 2500 – **63 qto** ☲ 7500/14000.

- 🏨 São Pedro, Rua Dr. Adolfo Leitão 22 🖉 59 91 20, Telex 18136 – 🗐 rest 🕾 🟢 – 🔏
  53 qto.

- 🏠 **Santa Rita** sem rest, Praceta Pinhal do Rei 1 🖉 59 94 98
  9 qto ☲ 9500.

SÃO PEDRO DE SINTRA Lisboa – ver Sintra.

SÃO PEDRO DO SUL 3660 Viseu 440 J 5 – 3 513 h. alt. 169 – 🟢 032 – Termas.

🖪 Estrada N 16 🖉 71 13 20.

◆Lisboa 321 – Aveiro 76 – Viseu 22.

nas termas SO : 3 km – ⊠ 3660 São Pedro do Sul – 🟢 032 :

- 🏨 **Do Parque** 🦢, 🖉 72 34 61, Telex 52977, Fax 72 30 47 – 🛗 📺 ☎ ⇦ 🟢 – 🔏 25/70. 🗚
  🕕 🗲 🖾 . 🌿
  Ref lista 2200 a 3450 – **56 qto** ☲ 8000/12000.

- 🏨 Das Termas 🦢, 🖉 72 34 42, Telex 53595, Fax 71 10 11, ≼, 🗐 – 🛗 📺 ☎ ⇦
  64 qto.

- 🏠 G.H. Lisboa, Estrada N 16 🖉 72 33 60 – 🛗 🗐 📺 ☎ 🟢
  100 qto.

- 🏠 Lafões, sem rest, Rua do Correio 🖉 71 16 16 – 🛗 📺
  21 qto.

- ✗ **Adega da Ti Fernanda,** Av. da Estação 🖉 71 24 68, 🛱, Decoração rústica – 🌿
  fechado 2ª feira – Refeição lista 2000 a 3100.

SÃO VICENTE Madeira – ver Madeira (Arquipélago da).

SEIA 6270 Guarda 440 K 6 – 5 653 h. alt. 532 – 🟢 038.

Arred.: Estrada★★ de Seia à Covilhã (≼★★, Torre ⁂★★★, ≼★) 49 km.

🖪 Largo do Mercado 🖉 222 72.

◆Lisboa 303 – Guarda 69 – Viseu 45.

- 🏨 **Camelo,** Av. 1º de Maio 16 🖉 255 55, Telex 53630, Fax 255 50, ≼ – 🛗 🗐 📺 ☎ 🟢 –
  🔏 25/50. 🗚 🕕 🗲 🖾
  Ref 1800 – **74 qto** ☲ 6500/9900.

- 🏨 Estal. de Seia, Av. Dr. Afonso Costa 🖉 258 66, Fax 255 38, 🗐 – 🛗 🗐 📺 ☎ 🟢 – 🔏 25/30
  34 qto.

na estrada N 339 E : 6 km – ⊠ 6270 Seia – 🟢 038 :

- 🏠 Albergaria Senhora do Espinheiro e Rest. Cabana do Pastor 🦢, 🖉 220 73, ≼ vale – ☎ 🟢
  24 qto.

SEIXAS Viana do Castelo – ver Caminha.

SERPA 7830 Beja 440 S 7 – 4 941 h. alt. 230 – 🟢 084.

🖪 Largo D. Jorge de Melo 2 e 3 🖉 903 35.

◆Lisboa 221 – Beja 29 – Évora 111.

- 🏨 **Pousada de São Gens** 🦢, S : 1,5 km 🖉 537 24, Telex 43651, Fax 533 37, « Terraço com
  ≼ oliveiras e campo », 🗐 – 🗐 ☎ 🟢 🗚 🕕 🗲 🖾 . 🌿 rest
  Ref lista aprox. 3850 – **18 qto** ☲ 16500/18600.

SERRA DE ÁGUA Madeira – ver Madeira (Arquipélago da).

SERTÃ 6100 Castelo Branco 440 M 5 – 🟢 074.

◆Lisboa 248 – Castelo Branco 72 – ◆Coimbra 86.

- ✗ **Lagar,** Rua 1º de Dezembro 🖉 635 86, 🛱, Rest. típico instalado numa prensa de azeite
  – 🟢
  fechado 3ª feira e outubro – Ref lista 1230 a 3600.

r : Porto★.

red. : Castelo ⩽★ NO : 6 km – Cabo Espichel★ (local★) O : 15 km.

Largo da Marinha 🖉 223 57 43.

isboa 43 – Setúbal 26.

- **Do Mar,** Rua Combatentes de Ultramar 10 🖉 223 33 26, Telex 13883, Fax 223 38 88, ⩽ mar, « Relvado com 🌲 rodeado de árvores », 🏊, ⚒ – 📶 🔲 📺 🅿 – 🔬 25/40. 🖭 ⓞ 🅴 ᴠɪsᴀ. ⚒
  Ref lista 4400 a 7200 – **168 qto** 🛏 15900/25000.

- **Villas de Sesimbra** ⋗, Altinho de São João 🖉 223 27 75, Telex 16190, Fax 223 15 33, ⩽, « Relvado com 🌲 », 🎣, 🏊, ⚒ – 📶 🔲 📺 ⟺ – 🔬 25/100. 🖭 ⓞ 🅴 ᴠɪsᴀ ᴊᴄʙ. ⚒
  Ref 2100 – 🛏 1000 – **207 apartamentos** 7500/30000 – PA 7000.

- **Ribamar,** Av. dos Náufragos 🖉 223 48 53, Fax 223 43 17, 🍴, Peixes e mariscos – 🔲. 🅴 ᴠɪsᴀ. ⚒
  Ref lista 3600 a 5100.

- **O Pirata,** Rua Heliodoro Salgado 3 🖉 223 04 01, ⩽, 🍴 – 🔲 ⓞ 🅴 ᴠɪsᴀ
  fechado 4ª feira – Ref lista 2650 a 3500.

  em Santana N : 3,5 km – ✉ 2970 Sesimbra – ⚫ 01 :

- **Angelus,** 🖉 223 13 40 – 🔲. 🅴 ᴠɪsᴀ. ⚒
  Ref lista 3900 a 5100.

er : Museu da Cidade★ (quadros★) M1 – Igreja de Jesus★ A – Castelo de São Filipe ⚹★ por ua São Filipe.

rred. : Serra da Arrábida (estrada escarpada★★) por ② – Palmela (castelo★ ⚹★ – Igreja de São edro : azulejos★) por N 252 : 7,5 km – Quinta da Bacalhoa : jardins (azulejos★) por ③ : 12 km.

Club de Golf de Tróia, Torralta Tróia 🖉 441 51.

para Tróia, Cais de Setúbal 36 🖉 351 01.

Rua do Corpo Santo 🖉 295 07 – A.C.P. Rua Joao Elói do Amaral 152, 🖉 392 37, Fax 39237.

Lisboa 55 ① – ◆Badajoz 196 ① – Beja 143 ① – Évora 102 ① – Santarém 130 ①.

Plano página seguinte

- **Albergaria Laitau** sem rest., Av. General Daniel de Sousa 89 🖉 534 031, Telex 43006, Fax 360 95 – 📶 🔲 📺 ☎ ⟺ – 🔬 25/200. 🖭 ⓞ 🅴 ᴠɪsᴀ. ⚒   **b**
  41 qto 🛏 9500/11000.

- **Esperança,** Av. Luisa Todi 220 🖉 52 51 51, Fax 302 83, ⩽ – 📶 ®. 🖭 ⓞ 🅴 ᴠɪsᴀ ᴊᴄʙ. ⚒   **s**
  Ref 3000 – **76 qto** 🛏 8800/10000 – PA 6000.

- **Albergaria Solaris** sem rest., Praça Marquês de Pombal 12 🖉 52 21 89, Fax 52 20 70 –   **c**
  📶 🔲 📺 ☎. 🖭 ⓞ 🅴 ᴠɪsᴀ. ⚒
  24 qto 🛏 7750/9500.

- **Bocage** sem rest, Rua de São Cristóvão 14 🖉 215 98, Fax 218 09 – 🔲 ®. 🖭 ⓞ 🅴 ᴠɪsᴀ.   **e**
  ⚒
  38 qto 🛏 5900/6900.

- **Mar e Sol** sem rest, Av. Luisa Todi 608 🖉 330 16, Fax 53 20 36, ⩽ – 📶 ®. ⚒   **r**
  70 qto 🛏 5300/8000.

- **Novoreno,** Av. Luisa Todi 440 🖉 301 15 – 🔲. 🖭 🅴 ᴠɪsᴀ. ⚒   **t**
  Ref lista aprox. 3050.

- **A Roda,** Travessa Postigo do Cais 7 🖉 292 64, 🍴 – 🔲. 🖭 🅴. ⚒   **v**
  fechado domingo – Ref lista aprox. 3050.

- **O Beco,** Rua da Misericórdia 24 🖉 52 46 17 – 🔲. 🖭 ⓞ 🅴 ᴠɪsᴀ   **a**
  fechado 3ª feira e do 15 ao 30 setembro – Ref lista 2150 a 3350.

- O Capote, Largo do Carmo 6 🖉 202 98, 🍴   **n**

  na estrada N 10 por ① – ✉ 2900 Setúbal – ⚫ 065 :

- **Novotel Setúbal,** Monte Belo 2,5 km 🖉 52 28 09, Telex 43470, Fax 52 29 12, 🌲 – 📶 🔲 📺 🅿 ⓱ 🅿 – 🔬 25/250. 🖭 ⓞ 🅴 ᴠɪsᴀ ᴊᴄʙ. ⚒ rest
  Ref lista 2700 a 5900 – 🛏 1100 – **105 qto** 10500.

- **Ibis,** Vale da Rosa 5,5 km 🖉 77 22 00, Telex 42746, Fax 77 24 47, 🍴 – 🔲 📺 ☎ ⓱ 🅿 – 🔬 25/60. 🖭 ⓞ 🅴 ᴠɪsᴀ
  Ref 2000 – 🛏 810 – **102 qto** 7300/7900 – PA 4000.

  na estrada de Algeruz por ① : 5 km – ✉ 2900 Setubal – ⚫ 065 :

- **Campanile,** 🖉 75 26 72, Fax 77 24 64 – 🔲 📺 ☎ ⓱ 🅿 – 🔬 25. 🖭 ⓞ 🅴 ᴠɪsᴀ
  Ref 1700 – 🛏 540 – **70 qto** 6500.

  no Castelo de São Filipe O : 1,5 km – ✉ 2900 Setúbal – ⚫ 065 :

- **Pousada de São Filipe** ⋗, 🖉 52 38 44, Telex 44655, Fax 53 25 38, ⩽ Setúbal e Foz do Sado, Decoração rústica, « Dentro das muralhas de uma antiga fortaleza » – 🔲 📺. 🖭 ⓞ 🅴 ᴠɪsᴀ. ⚒
  Ref 3300 – **14 qto** 🛏 23000/26200 – PA 6600.

SETÚBAL

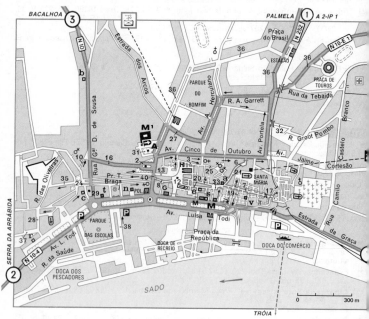

Pour les grands voyages d'affaires ou de tourisme,
Guide Rouge MICHELIN : main cities EUROPE.

SILVES 8300 Faro **440** U 4 – 10 205 h. – ☎ 089.
◆ Lisboa 17 – Faro 62 – Lagos 33.

🏨 **Albergaria Solar da Moura,** Horta do Pocinho Santo ⊠ apartado 146 ℘ 44 31 06
Fax 44 31 08, ≤, 🏤 – 🛗 ▤ 📺 ☎ 🅿 E 𝘝𝘐𝘚𝘈 . ⋘
Ref 1250 – **22 qto** ⊇ 6000/8000.

SINES 7520 Setúbal **440** S 3 – 12 206 h. – ☎ 069 – Praia.
Arred. : Santiago do Cacém ≤★.

🛈 Av. General Humberto Delgado - Mercado Municipal Loja 4 ℘ 63 44 72.
◆Lisboa 165 – Beja 97 – Setúbal 117.

🏨 **Aparthotel Sinerama** sem rest., Rua Marquês de Pombal 167 ℘ 63 38 45, Telex 12671
Fax 63 45 51, ≤ – 🛗 📺 ☎ 🅿 – 🕍 , 🖭 ① E 𝘝𝘐𝘚𝘈 . ⋘
⊇ 900 – **105 apartamentos** 12200/14500.

🏨 **Búzio** sem rest., Av. 25 de Abril 14 ℘ 63 21 14, Fax 63 51 51 – 📺 ☎ . 🖭 ① E 𝘝𝘐𝘚𝘈 . ⋘
⊇ 400 – **43 qto** 9000/12000.

SINTRA 2710 Lisboa **440** P 1 – 20 574 h. alt. 200 – ☎ 01.
Ver : Palácio Real★ (azulejos★★, tecto★★) Y.
Arred. : S : Parque da Pena★★ Z, Cruz Alta★★ Z, Castelo dos Mouros★ (≤★) Z, Palácio da Pena★
≤★ Z – Parque de Monserrate★ O : 3 km – Peninha ≤★★ SO : 10 km – Azenhas do Mar★ (local)★
16 km por ①.
🅵 Golf Estoril Sol por ④ ℘ 923 24 61 – 🛈 Praça da República 3 ℘ 923 11 57.
◆Lisboa 28 ③ – Santarém 100 ③ – Setúbal 73 ③.

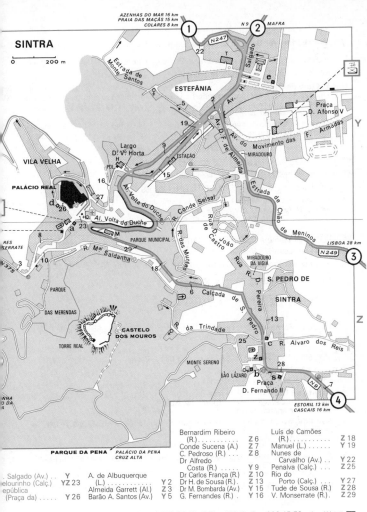

SINTRA

0   200 m

AZENHAS DO MAR 16 km
PRAIA DAS MAÇÃS 15 km
COLARES 8 km

N9   MAFRA

N247

Estrada de Monte Santos

ESTEFÂNIA

Praça D. Afonso V

Largo D.º V.º Horta

VILA VELHA

PALÁCIO REAL

Al. Volta do Duche

MIRADOURO

Estrada de Chão de Meninos

R. Conde Seisal

Al. Volta do Duche

PARQUE MUNICIPAL

R. M.ª Saldanha

R. das Murtas

LISBOA 28 km

N249

MIRADOURO DA VIGIA

S. PEDRO DE

SINTRA

Calçada de S. Pedro

PARQUE DAS MERENDAS

CASTELO DOS MOUROS

TORRE REAL

R. da Trindade

R. Alvaro dos Reis

MONTE SERENO

SÃO LÁZARO

Praça D. Fernando II

ESTORIL 13 km
CASCAIS 16 km

N9

PARQUE DA PENA   *PALÁCIO DA PENA*
CRUZ ALTA

. Salgado (Av.) . .	**Y**	A. de Albuquerque		
elourinho (Calç.)	**YZ** 23	(L.)	**Y** 2	
epública		Almeida Garrett (Al.)	**Z** 3	
(Praça da)	**Y** 26	Barão A. Santos (Av.)	**Y** 5	

Bernardim Ribeiro			Luís de Camões	
(R.)		**Z** 6	(R.)	**Z** 18
Conde Sucena (A.)		**Z** 7	Manuel (L.)	**Y** 19
C. Pedroso (R.) . . .		**Z** 8	Nunes de	
Dr Alfredo			Carvalho (Av.) . .	**Y** 22
Costa (R.)		**Y** 9	Penalva (Calç.) . . .	**Z** 25
Dr Carlos França (R.)		**Z** 10	Rio do	
Dr H. de Sousa (R.)		**Z** 13	Porto (Calç.) . . .	**Y** 27
Dr M. Bombarda (Av.)		**Y** 15	Tude de Sousa (R.)	**Z** 28
G. Fernandes (R.) .		**Y** 16	V. Monserrate (R.) .	**Z** 29

Tivoli Sintra, Praça da República ☎ 923 35 05, Telex 42314, Fax 923 15 72, ≤ – 📶 ☰ 📺
☎ 🚗 🅿 – 🛄 25/200. 🆎 ⓪ 🄴 𝘝𝘐𝘚𝘈. ℅ rest
Ref 4000 – **75 qto** ⇄ 16500/19800 – PA 8000.
   Y **d**

Tacho Real, Rua da Ferreira 4 ☎ 923 52 77, Fax 923 09 69, 🏛 – 🆎 ⓪ 🄴 𝘝𝘐𝘚𝘈. ℅
fechado 4ª feira e 15 outubro-15 novembro – Ref lista 2600 a 6300.
   Z **a**

em São Pedro de Sintra – ✉ 2710 Sintra – ✪ 01 :

Solar S. Pedro, Praça D. Fernando II-12 ☎ 923 18 60, Fax 924 06 78 – ☰. 🆎 ⓪ 🄴 𝘝𝘐𝘚𝘈
JCB. ℅
fechado 4ª feira – Ref lista 3100 a 6500.
   Z **s**

Dos Arcos, Rua Serpa Pinto 4 ☎ 923 02 64 – 🆎 ⓪ 🄴 𝘝𝘐𝘚𝘈. ℅
fechado 5ª feira, 31 maio-15 junho e do 3 ao 17 de outubro – Ref lista 3200 a
4500.
   Z **z**

Cantinho de S. Pedro, Praça D. Fernando II-18 ☎ 923 02 67 – 🅿. 🆎 ⓪ 🄴 𝘝𝘐𝘚𝘈.
℅
fechado domingo meio-dia e 2ª feira – Ref lista 2850 a 4850.
   Z **b**

D. Fernando, Rua Higino de Sousa 6 ☎ 923 33 11, Fax 923 33 11 – 🆎 ⓪ 🄴 𝘝𝘐𝘚𝘈 JCB.
℅
fechado 3ª feira – Ref lista 3800 a 5900.
   Z **c**

na Estefânia – ⊠ 2710 Sintra – 🕙 01 :

XX **Wiesbaden,** Av. General J.E. Morais Sarmento 1 🖋 923 52 68, Fax 923 52 68 – 🅿. 🖭 ●
Ⓔ 𝗩𝗜𝗦𝗔. 🦐 Y
fechado domingo noite no inverno e 2ª feira resto do ano – Ref lista 2200 a 3630.

na estrada de Colares pela N 375 – ⊠ 2710 Sintra – 🕙 01 :

🏰 **Palácio de Seteais** 🦐, Rua Barbosa do Bocage 8 - O : 1,5 km 🖋 923 32 00, Telex 1441
Fax 923 42 77, ≤ campos em redor, « Luxuosas instalações num palácio do século XV
rodeado de jardins », 🦯 climatizada, 🦐 – 📶 ▤ qto 🕿 🅿. 🖭 ● Ⓔ 𝗩𝗜𝗦𝗔. 🦐
Ref 5500 – **30 qto** ⊒ 37000/40000 – PA 11000.

🏰 **Quinta da Capela** 🦐 sem rest, O : 4,5 km 🖋 929 34 05, Fax 929 34 25, ≤, « Instalado num
quinta », 🛋, 🦐 – 🕿 🅿. 🖭 ● Ⓔ 𝗩𝗜𝗦𝗔
10 qto ⊒ 18000/21000.

SOUSEL 7470 Portalegre 𝟰𝟰𝟬 P 6 ⊠ – 🕙 068.

♦ Lisboa 185 – Badajoz 73 – Évora 63 – Portalegre 59.

ao Noroeste : 3,5 km – ⊠ 7470 Sousel – 🕙 068

🏰 **Pousada de São Miguel** 🦐, Estrada Particular 🖋 55 11 60, Fax 55 11 55, ≤ oliveiras
▤ 🖭 🕿 🅿 – 🦯 25/40. 🖭 ● Ⓔ 𝗩𝗜𝗦𝗔. 🦐
Ref 4000 – **28 qto** ⊒ 16500/18600, 4 suites.

TÁBUA 3420 Coimbra 𝟰𝟰𝟬 K 5 – 2 416 h. alt. 225 – 🕙 035.

♦ Lisboa 254 – ♦ Coimbra 52 – Viseu 47.

🏰 **Tábua,** Rua Profesor Dr. Caeiro da Mata 🖋 426 40, Fax 431 66 – 📶 🕿. 🖭 ● Ⓔ 𝗩𝗜𝗦
🦐
Ref 2400 – **68 qto** ⊒ 5000/8500, 2 suites.

TALEFE Lisboa 𝟰𝟰𝟬 O 1 – ⊠ 2640 Mafra – 🕙 061.

♦ Lisboa 60 – Sintra 33.

🏰 **Estal. D. Fernando** 🦐, Quinta da Calada 🖋 85 52 04, Fax 85 52 64, ≤ – 🦐
Ref 3000 – **12 qto** ⊒ 9500/11000 – PA 6000.

TAVIRA 8800 Faro 𝟰𝟰𝟬 U 7 – 7 282 h. – 🕙 081 – Praia.

🛈 Praça da República 🖋 225 11.

♦ Lisboa 314 – Faro 31 – Huelva 72 – Lagos 111.

🏰 **Quinta do Caracol** 🦐 sem rest, Bairro de São Pedro 🖋 224 75, Fax 231 75, « Bungalow
num jardim com 🦯 », 🦐 – 🅿. 🖭 ● Ⓔ 𝗩𝗜𝗦𝗔
⊒ 800 – **7 apartamentos** 12000.

X **Avenida,** av. Dr. Mateus T. de Acevedo 🖋 811 13, 🌲 – ▤. 🖭 ● Ⓔ 𝗩𝗜𝗦𝗔. 🦐
fechado 3ª feira e maio – Ref lista 1550 a 2670.

na estrada N 125 – ⊠ 8800 Tavira – 🕙 081 :

🏰 **Eurotel Tavira,** Quinta das Oliveiras NE : 3 km 🖋 32 43 24, Telex 56218, Fax 32 55 71, ≤
🦯, 🦐 – 📶 🅿. 🖭 ● Ⓔ 𝗩𝗜𝗦𝗔. 🦐
abril-outubro – Ref (só jantar) lista 2400 a 3700 – **80 qto** ⊒ 8000/11500.

X **Da Bairrada,** NE : 2,5 km 🖋 32 44 67, Espec. em leitão assado – ▤. Ⓔ 𝗩𝗜𝗦𝗔. 🦐
*fechado 4ª feira, última semana de janeiro, 2 semanas em outubro e 1ª semana de dezen
bro* – Ref lista 2200 a 2600.

TERCENA Lisboa – ver Queluz.

TOLEDO Lisboa – ver Vimeiro (Termas do).

TOMAR 2300 Santarém 𝟰𝟰𝟬 N 4 – 14 821 h. alt. 75 – 🕙 049.

Ver : Convento de Cristo★★ : dependências do convento★ (janela★★), Igreja (charola dos
Templários★★) – Igreja de São João Baptista (portal★).
Arred. : Barragem do Castelo do Bode★ SE : 15 km – Atalaia (azulejos★) SO : 16 km.
🛈 Av. Dr Cândido Madureira 🖋 31 32 37.

♦ Lisboa 145 – Leiria 45 – Santarém 65.

🏰 **Dos Templários,** Largo Cândido dos Reis 1 🖋 32 17 30, Telex 14434, Fax 32 21 91, ≤, 🦯
– 📶 ▤ 🖭 ☎ 🅿. 🖭 ● Ⓔ 𝗩𝗜𝗦𝗔. 🦐 rest
Ref 3000 – **84 qto** ⊒ 8700/13500.

🏰 **Estal. de Santa Iria,** Parque do Mouchão 🖋 31 33 26, Fax 32 10 82, « Num parque » –
🖭 🕿 🅿 – 🦯 25/70. Ⓔ 𝗩𝗜𝗦𝗔. 🦐 qto
Ref 2000 – **14 qto** ⊒ 2000/3500.

🏛 **Sinagoga** sem rest, Rua Gil Avo 31 ℰ 32 30 83, Fax 32 21 96 – 🛗 🗐 📺 ☎. 🖪 𝘝𝘐𝘚𝘈
24 qto ⊊ 5000/7800.

🏛 **Trovador** sem rest, Rua 10 de agosto de 1385 ℰ 32 25 67, Fax 32 21 94 – 🛗 🗐 📺 ☎.
𝔸𝔼 ⓞ 🖪 𝘝𝘐𝘚𝘈. 🛠
30 qto ⊊ 6000/9000.

🏛 **Cavaleiros de Cristo** sem rest, Rua Alexandre Herculano 7 ℰ 32 12 03, Fax 32 11 92 –
🛗 🗐 📺 ☎. 𝔸𝔼 ⓞ 🖪 𝘝𝘐𝘚𝘈. 🛠 – **17 qto** ⊊ 5000/8000.

✗ **Bela Vista,** Fonte do Choupo 6 - Ponte Velha ℰ 31 28 70, 🍴 – 🛠
fechado 2ª feira noite, 3ª feira e novembro – Refeição lista aprox. 2500.

em Castelo de Bode SE : 14 km – ✉ 2300 Tomar – ✆ 049 :

🏩 Pousada de São Pedro ⑤, ℰ 38 11 59, Fax 38 11 76 – 🗐 📺 ☎ ⓟ – **25 qto.**

ONDELA 3460 Viseu 𝟜𝟜𝟘 K 5 – 3 346 h. – ✆ 032.
isboa 271 – ◆Coimbra 72 – Viseu 24.

🏛 **Tondela** sem rest, Rua Dr. Simões de Carvalho ℰ 82 24 11 – ⓟ. 🛠
29 qto ⊊ 3500/4500.

ORRE DE MONCORVO 5160 Bragança 𝟜𝟜𝟘 I 8 – 2 457 h. alt. 399 – ✆ 079.
ɜr : ≤★ desde a Estrada N 220.
Rua Manuel Seixas, ℰ 222 89, Fax 227 28.
Lisboa 403 – Bragança 98 – Vila Real 109.

🏨 **Brasília** sem rest, Estrada N 220 ℰ 234 56, Fax 234 55, ⊼ – 🛗 🗐 📺 ☎ ⓟ. 🖪 𝘝𝘐𝘚𝘈. 🛠
29 qto ⊊ 7500/13500, 1 suite.

ORREIRA Aveiro 𝟜𝟜𝟘 J 3 – ✉ 3870 Murtosa – ✆ 034 – Praia.
Av. Hintze Ribeiro, ℰ 482 50.
Lisboa 290 – Aveiro 42 – ◆ Porto 54.

🏨 **Estal. Riabela** ⑤, Estrada N 327 ℰ 481 37, Telex 37243, Fax 481 47, ≤ ria de Aveiro, ⊼,
🛠 – 🗐 rest 📺 ☎ ⓟ – 🔏 25/150. 𝔸𝔼 ⓞ 🖪 𝘝𝘐𝘚𝘈. 🛠
Ref 2400 – **37 qto** ⊊ 9500/12000.

na estrada N 327 S : 5 km – ✉ 3870 Murtosa – ✆ 034 :

🏩 **Pousada da Ria** ⑤, ℰ 483 32, Telex 37061, Fax 483 33, ≤ ria de Aveiro, 🍴, ⊼, 🛠 –
📺 ☎ ⓟ. 𝔸𝔼 ⓞ 🖪 𝘝𝘐𝘚𝘈. 🛠
Ref lista aprox. 3500 – **19 qto** ⊊ 16500/18600.

TORRES NOVAS 2350 Santarém 𝟜𝟜𝟘 N 4 – 37 399 h. – ✆ 049.
Largo do Paço ℰ 24910.
Lisboa 118 – Castelo Branco 138 – Leiria 52 – Portalegre 120 – Santarém 38.

🏨 **Dos Cavaleiros,** Praça 5 de Outubro ℰ 81 24 20, Telex 61238, Fax 81 20 52 – 🛗 🗐 rest
☎. 𝔸𝔼 ⓞ 🖪 𝘝𝘐𝘚𝘈. 🛠
Ref *(fechado domingo)* 2000 – **60 qto** ⊊ 6000/8500 – PA 4000.

✗ O Vintém, Rua Miguel Arnide 73 ℰ 23667.

TORRES VEDRAS 2560 Lisboa 𝟜𝟜𝟘 O 2 – 10 997 h. alt. 30 – ✆ 061 – Termas.
Club Golf Vimeiro NO : 16 km ℰ 981 57.
Rua 9 de Abril ℰ 230 94.
Lisboa 55 – Santarém 74 – Sintra 62.

🏛 **Imperio Jardim,** Praça 25 de Abril ℰ 31 42 32, Telex 61445, Fax 32 19 01 – 🛗 🗐 rest 📺
☎ ⇔ – 🔏 25/180. 𝔸𝔼 ⓞ 🖪 𝘝𝘐𝘚𝘈. 🛠
Ref 1700 – **47 qto** ⊊ 5000/7000 – PA 3400.

🏛 **Dos Arcos** sem rest, Bairro Arenes - pela Estrada do Cadaval ℰ 31 24 89, Fax 238 70 –
🛗 ☎ ⇔ – 🔏 25/40. 𝔸𝔼 ⓞ 🖪 𝘝𝘐𝘚𝘈
28 qto ⊊ 5000/7500.

🏠 Moderna sem rest e sem ⊊, Av. Tenente Valadim 18 ℰ 31 41 46 – **28 qto.**

✗ **O Barrete Preto,** Rua Paiva de Andrada 9-A ℰ 220 63 – 🖪 𝘝𝘐𝘚𝘈. 🛠
fechado 5ª feira e do 1 ao 15 de agosto – Ref lista 1700 a 3500.

TRÓIA Setúbal 𝟜𝟜𝟘 Q 3 – ✉ 2900 Setúbal – ✆ 065 – Praia.
Club de Golf de Tróia ℰ 441 51.
⚓ para Setúbal, Ponta do Adoxe ℰ 443 24.
Lisboa 181 – Beja 127 – Setúbal 133.

no Clube de Golf - estrada N 253-1 S : 1,5 km – ✉ 2900 Setúbal – ✆ 065 :

✗✗✗ Bar Golf, ℰ 441 51, ≤, 🍴, « Ao pé do campo de golf » – 🗐 ⓟ.

TUIDO - GANDRA Viana do Castelo – ver Valença do Minho.

VAGOS 3840 Aveiro 𝟰𝟰𝟬 K 3 – 🌼 034.
◆Lisboa 233 – Aveiro 12 – ◆Coimbra 43.

🏨 **Santiago** sem rest, Rua Padre Vicente Maria da Rocha ✆ 79 11 73, Fax 79 11 73 – 🛗 ≋
  🖭 ⓞ Ɛ 𝘝𝘐𝘚𝘈
  24 qto ☑ 5400/7000.

VALE DA TELHA Faro – ver Aljezur.

VALE DE AREIA Faro – ver Ferragudo.

VALE DE LOBOS Lisboa – ver Sabugo.

VALE DO LOBO Faro – ver Almancil.

VALENÇA DO MINHO 4930 Viana do Castelo 𝟰𝟰𝟬 F 4 – 2 474 h. alt. 72 – 🌼 051.
Ver : Fortificações★ (⩽★).
Arred. : Monte do Faro★★ (𝔵★★) E : 7 km e 10 mn a pé.
🅱 Estrada N 13 ✆ 233 74 – **A.C.P.** Estrada N 13 ✆ 224 68.
◆Lisboa 440 – Braga 88 – ◆Porto 122 – Viana do Castelo 52.

🏨 **Lara**, São Sebastião ✆ 82 43 48, Telex 33363 – 🛗 🖭 ☎
  53 qto.

🏨 **Val - Flores** sem rest, Esplanada ✆ 82 41 06, Fax 82 41 29 – 🛗 ☎
  31 qto.

🏤 **Ponte Seca** sem rest, Av. Tito Fontes - estrada Monte do Faro ✆ 225 80
  10 qto.

🏯 **Pousada do São Teotónio** ⤸ com qto, ✆ 82 42 42, Telex 32837, Fax 82 43 97, ⩽ va
  do Minho, Tuy e montanhas de Espanha, 🍴 – 🍽 rest 🖭 ☎. 🖭 ⓞ Ɛ 𝘝𝘐𝘚𝘈. 𝔵
  Ref lista aprox. 3950 – **16 qto** ☑ 18000/20800.

  na estrada N 13 S : 1 km – ✉ 4930 Valença do Minho – 🌼 051 :

🏨 Valença do Minho, Av. Miguel Dantas ✆ 82 41 44, Telex 33470, Fax 82 43 21, ⤴ – 🛗 🍽 re
  🖭 ☎ ⇌ 🅿
  36 qto.

  em Tuído-Gandra S : 3 km – ✉ 4930 Valença do Minho – 🌼 051 :

🍴🍴 **Lido,** Estrada N 13 ✆ 226 31, Telex 32852 – 🍽 🅿. 🖭 ⓞ Ɛ 𝘝𝘐𝘚𝘈. 𝔵
  fechado 3ª feira – Ref lista 2190 a 3340.

  no Monte do Faro E : 7 km – ✉ 4930 Valença do Minho – 🌼 051 :

🍴 **Monte do Faro** ⤸ com qto, ✆ 224 11, 🍴, « Num parque » – 🅿. 🖭 ⓞ Ɛ 𝘝𝘐𝘚.
  𝔵
  Ref lista 3700 a 4450 – **4 qto** ☑ 7500/9900.

  em Monte-São Pedro da Torre SO : 7 km – ✉ 4930 Valença do Minho – 🌼 051 :

🏨 **Padre Cruz** sem rest, Estrada N 13 ✆ 83 92 39, Fax 83 96 47 – 🅿. 𝔵
  31 qto ☑ 3500/6000.

VIANA DO CASTELO 4900 🅿 𝟰𝟰𝟬 G 3 – 15 336 h. – 🌼 058 – Praia.
Ver : Praça da República★ B – Museu Municipal★ (azulejos★) A **M.**
Arred. : Monte de Santa Luzia★★, Basílica de Santa Luzia 𝔵★★ N : 6 km – Ponte de Lima : Igrej
- Museu São Francisco★ (forros de madeira★) por ① : 23 km.
🅱 Rua do Hospital Velho ✆ 226 20.
◆Lisboa 388 ② – Braga 53 ② – Orense/Ourense 154 ③ – ◆Porto 74 ② – ◆Vigo 83 ③.

Plano página seguinte

🏨🏨 **Do Parque,** Parque da Galiza ✆ 82 86 05, Telex 32511, Fax 82 86 12, ⩽, ⤴ – 🛗 🖭
  🛅 25/180. 🖭 ⓞ Ɛ 𝘝𝘐𝘚𝘈. 𝔵   B
  Ref 3250 – ☑ 1350 – **123 qto** 12500/16500.

🏨🏨 **Alfonso III,** Av. Afonso III - 494 ✆ 82 90 01, Telex 32599, Fax 266 38, ⩽ – 🛗 🍽 rest 🖭
  🖭 ⓞ Ɛ 𝘝𝘐𝘚𝘈. 𝔵   B
  Ref 2400 – **89 qto** ☑ 8900/12000.

🏨🏨 **Viana Sol** sem rest, Largo Vasco da Gama ✆ 82 89 95, Telex 32790, Fax 82 89 97, 🖾
  🛗 🖭 ☎ – 🛅 25/145. 🖭 ⓞ Ɛ 𝘝𝘐𝘚𝘈. 𝔵   B
  65 qto ☑ 9700/11500.

🏨 **Rali** sem rest, Av. Afonso III - 180 ✆ 82 97 70, 🖾 – 🛗 🕾 🅿. Ɛ 𝘝𝘐𝘚𝘈. 𝔵   B
  38 qto ☑ 6800/10000.

576

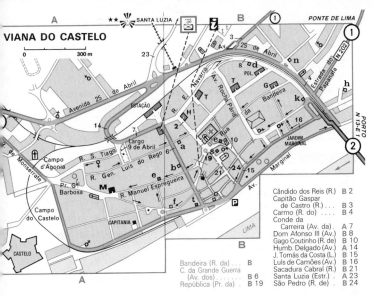

VIANA DO CASTELO

0   300 m

Cândido dos Reis (R.) . . B 2
Capitão Gaspar
  de Castro (R.) . . . B 3
Carmo (R. do) . . . . B 4
Conde da
  Carreira (Av. da) . A 7
Dom Afonso III (Av.) B 8
Gago Coutinho (R. de) B 10
Humb. Delgado (Av.) A 14
J. Tomás da Costa (L.) B 15
Luís de Camões (Av.) B 16
Sacadura Cabral (R.) B 21
Santa Luzia (Estr.) . A 23
São Pedro (R. de) . B 24

Bandeira (R. da) . . . B
C. da Grande Guerra
  (Av. dos) . . . . . . B 6
República (Pr. da) . B 19

🏠 **Albergaria Calatrava** sem rest, Rua M. Fiúza Júnior 157 ℰ 82 89 11, Fax 82 86 37 – 📺
☎   B **n**
15 qto.

🏠 **Jardim** sem rest, Largo 5 de Outubro 68 ℰ 82 89 15, Fax 82 89 17, ≤ – ▮ 📺 ☎. 🖭 ①
🗲 🎟. 🛇   B **c**
20 qto ⌸ 6250/9000.

🏠 **Laranjeira** sem rest, Rua General Luís do Rego 45 ℰ 82 22 61, Fax 82 19 02 – 🖭 ① 🗲
🎟. 🛇   B **a**
27 qto ⌸ 6000/8000.

🏠 Viana Mar sem rest, Av. dos Combatentes da Grande Guerra 215 ℰ 82 89 62, Fax 82 89 62
– ☎   B **b**
36 qto.

XX **Casa d'Armas,** Largo 5 de Outubro 30 ℰ 249 99 – 🍽. ① 🗲 🎟. 🛇   B **t**
fechado domingo – Ref lista 3300 a 4100.

XX **Cozinha das Malheiras,** Rua Gago Coutinho 19 ℰ 82 36 80 – 🍽. 🖭 ① 🗲 🎟.
🛇   B **e**
fechado 3ª feira – Ref lista 2525 a 4525.

X **Os 3 Potes,** Beco dos Fornos 7 ℰ 82 99 28, Fax 252 50, Decoração rústica regional – 🍽.
🗲 🎟   B **s**
Ref lista 1990 a 2900.

X Alambique, com qto, Rua Manuel Espregueira 86 ℰ 82 38 94, Decoração rústica regional
24 qto.   A **e**

em Santa Luzia N : 6 km – ⊠ 4900 Viana do Castelo – ✆ 058 :

🏨 **Santa Luzia** 🦢, ℰ 82 88 89, Telex 32420, Fax 82 88 92, « Bela situação com ≤ mar, vale
e estuário do Lima », 🏊, 🛋, 🎾 – ▮ 🅿 🖭 ① 🗲 🎟. 🛇
Ref 3000 – **55 qto** ⌸ 16500/18600 – PA 6000.

na Praia da Amorosa por ② : 8,5 km – ⊠ 4900 Viana do Castelo – ✆ 058 :

🏠 **Amorosa** 🦢 sem rest, ℰ 35 10 14, ≤ – ☎. 🖭 🗲 🎟. 🛇
20 qto ⌸ 8000/9000.

Com este guia, utilize os Mapas Michelin :

n° **990** ESPANHA-PORTUGAL Estradas Principais a 1/1 000 000,

n°⁵ **441**, **442**, **443**, **444**, **445** e **446** ESPANHA
  (mapas pormenorizados) a 1/400 000,

n° **448** Ilhas CANÁRIAS (mapas/guia) a 1/200 000,

n° **440** PORTUGAL a 1/400 000.

VIEIRA DO MINHO 4850 Braga **440** H 5 – 2 229 h. alt. 390 – 🌣 053.

◆Lisboa 402 – Braga 34 – ◆Porto 84.

em Caniçada - na estrada N 304 NO : 7 km – ⊠ 4850 Vieira do Minho – 🌣 053 :

🏨 **Pousada de São Bento** ☜, ℰ 64 71 90, Telex 32339, Fax 64 78 67, ≼ serra do Gerês rio Cávado, ☞ – 🔲 ☎ 🅿. 🆎 ⓪ 🗲 𝘝𝘐𝘚𝘈.
Ref lista aprox. 3500 – **29 qto** � 18000/20800.

em Cerdeirinhas - na estrada N 103 NO : 5 km – ⊠ 4850 Vieira do Minho – 🌣 053

🏠 **Mosteiro** sem rest, ℰ 64 77 77 – ☜ 🅿. 🆎 ⓪ 🗲 𝘝𝘐𝘚𝘈. ✻
18 qto ⊇ 6200/8200.

VILA BALEIRA Madeira – ver Madeira (Arquipélago da) : Porto Santo.

VILA DO CONDE 4480 Porto **440** H 3 – 20 245 h. – 🌣 052 – Praia.
Ver : Mosteiro de Santa Clara★ (túmulos★).
🔏 Rua 25 de Abril 103 ℰ 63 14 72.
◆Lisboa 342 – Braga 40 – ◆Porto 27 – Viana do Castelo 42.

✗ **Le Villageois,** Praça da República 94 ℰ 63 11 19 – 🆎 ⓪ 🗲 𝘝𝘐𝘚𝘈 🄹🄲🄱. ✻
fechado 2ª feira, setembro e outubro – Ref lista 1700 a 2600.

em Azurara pela estrada N 13 SE : 1 km – ⊠ 4480 Vila do Conde – 🌣 052 :

🏨 **Motel Sant'Ana** ☜, ℰ 64 17 17, Telex 27695, Fax 64 26 93, ≼, 🔳 – 📺 ☜ 🅿. 🆎 ⓪ 🗲
𝘝𝘐𝘚𝘈. ✻ – Ref 2200 – ⊇ 600 – **35 qto** 12600.

VILA FRANCA DE XIRA 2600 Lisboa **440** P 3 – 19 823 h. – 🌣 063.
🔏 Av. Almirante Cândido dos Reis 147, ℰ 317 66.
◆Lisboa 31 – Évora 111 – Santarém 49.

🏨 **Lezíria Parque,** Estrada N 10 N : 1 km ℰ 266 70, Fax 269 90 – 🛗 🔲 📺 ☎ 🕭 🅿
🅰 25/200. 🆎 ⓪ 🗲 𝘝𝘐𝘚𝘈. ✻
Ref 2500 – **71 qto** ⊇ 10800/12700 – PA 5000.

🏠 **Flora,** Rua Noel Perdigão 12 ℰ 27 12 72, Fax 265 38 – 🔲 rest 📺. 🆎 ⓪ 🗲 𝘝𝘐𝘚𝘈. ✻
Ref *(fechado domingo e setembro)* 2500 – **21 qto** ⊇ 5800/6750.

✗✗ **O Redondel,** Estrada de Lisboa, Praça de Touros ℰ 229 73, Debaixo das bancadas da Praça de Touros – 🔲. 🆎 ⓪ 🗲 𝘝𝘐𝘚𝘈. ✻
fechado 2ª feira – Ref lista 3100 a 4250.

✗ **O Forno,** Rua Dr. Miguel Bombarda 143 ℰ 321 06 – 🔲. 🆎 🗲 𝘝𝘐𝘚𝘈. ✻
Ref lista 2700 a 3500.

pela estrada do Miradouro de Monte Gordo N : 2 km – ⊠ 2600 Vila Franca de Xira –
🌣 063 :

🏠 **São Jorge** ☜, Quinta de Santo André ℰ 221 43, ≼, « Bela decoração », 🛱, ☞ – 🚗
🅿. ✻
Ref (só jantar) 2500 – **6 qto** ⊇ 6000/10000.

VILAMOURA Faro – ver Quarteira.

VILA NOGUEIRA DE AZEITÃO 2925 Setúbal **440** Q 2 – 🌣 01.
◆Lisboa 37 – Sesimbra 13 – Setúbal 24.

✗ S. Lourenço, Estrada N 10 ℰ 219 10 56 – 🔲 🅿.

VILA NOVA DE CERVEIRA 4920 Viana do Castelo **440** G 3 – 1 034 h. – 🌣 051.
🔏 Praça da Liberdade ℰ 957 87.
◆Lisboa 425 – Viana do Castelo 37 – ◆Vigo 46.

🏨 **Pousada D. Diniz** ☜, Praça da Liberdade ℰ 79 56 01, Telex 32821, Fax 79 56 04
« Instalações dentro dum conjunto amuralhado » – 🔲 📺 ☎. 🆎 ⓪ 🗲 𝘝𝘐𝘚𝘈. ✻ rest
Ref 3000 – **28 qto** ⊇ 18000/20800 – PA 6000.

em Reboreda estrada N 13 NE : 3 km – ⊠ 4920 Vila Nova de Cerveira – 🌣 051 :

🏡 **Calisto** sem rest, ℰ 79 55 60, Fax 79 55 61 – 🅿. ✻ – **36 qto** ⊇ 5000/6500.

em Gondarem pela estrada N 13 SO : 4 km – ⊠ 4920 Vila Nova de Cerveira – 🌣 051

🏠 **Estal. da Boega** ☜, Quinta do Outeiral ℰ 79 52 31, ≼ rio Minho, « Antiga casa senhorial rodeada duma quinta », 🛱, ☞, ✗ – 🅿. 🆎 ⓪ 𝘝𝘐𝘚𝘈. ✻
Ref *(fechado domingo noite)* 2500 – **30 qto** ⊇ 11000/12000 – PA 5000.

ILA NOVA DE FAMALICÃO 4760 Braga 440 H 4 – 4 201 h. alt. 88 – © 052.

isboa 350 – Braga 18 – ◆Porto 32.

🏨 **Francesa** sem rest, Av. General Humberto Delgado ℰ 31 12 41 – 🛗 ⬛. 🖿 𝘝𝘐𝘚𝘈
⚏ 300 – **38 qto** 5600/8000.

XX **Iris**, Rua Adriano Pinto Basto ℰ 31 10 22, Fax 763 68 – ⬛. 𝘝𝘐𝘚𝘈. ⅙
fechado domingo e agosto – Ref lista 3350 a 4900.

X **Tanoeiro**, Campo Mouzinho de Albuquerque 207 ℰ 32 21 62 – ⬛. 🖿 𝘝𝘐𝘚𝘈. ⅙
fechado domingo – **Refeição** lista 2400 a 3950.

VILA NOVA DE GAIA 4400 Porto 440 I 4 – 63 177 h. – © 02.

Av. Diego Leite 242 ℰ 30 19 02.

Lisboa 316 – ◆Porto 2.

Ver plano de Porto aglomeração

🏨🏨 **Gaiahotel,** Av. da República 2038 ℰ 379 60 51, Telex 24957, Fax 370 24 35, 𝕝6 – 🛗 ⬛ 📺
🕿 ⟵ – 🏛 25/200. 🖭 ⓞ 🖿 𝘝𝘐𝘚𝘈 𝘫𝘤𝘣. ⅙ rest
Ref 3300 – **90 qto** ⚏ 17500/20500.

🏨 **Davilla,** Av. da República 1571 ℰ 30 75 96, Fax 30 75 71 – 🛗 ⬛ rest ⬚
29 qto.

na Autoestrada A 1 – ⊠ 4400 Vila Nova de Gaia – © 02 :

🏨🏨 **Novotel Porto Gaia,** Lugar Das Chas - Afurada ℰ 781 42 42, Telex 28872, Fax 781 45 73,
⩽, 𝕁, – 🛗 ⬛ 📺 🕿 ⅋ 🅟 – 🏛 25/200. 🖭 ⓞ 🖿 𝘝𝘐𝘚𝘈   BX r
Ref lista aprox. 3500 – ⚏ 1100 – **93 qto** 11500.

🏨 **Ibis,** Lugar das Chas - Afurada ℰ 772 07 72, Telex 26544, Fax 772 07 88 – 🛗 ⬛ 📺 🕿 ⅋
🅟 – 🏛 25/80. 🖭 ⓞ 🖿 𝘝𝘐𝘚𝘈   BX r
Ref 1975 – ⚏ 810 – **108 qto** 8300/8900 – PA 4000.

na Praia de Lavadores O : 7 km – ⊠ 4400 Vila Nova de Gaia – © 02 :

🏨🏨 **Casa Branca** ⩘, Rua da Bélgica 98 ℰ 781 35 16, Telex 20811, Fax 781 36 91, « Ambiente acolhedor em elegantes instalações », 𝕝6, 🏊, ⅙ – 🛗 ⬛ 📺 🕿 ⟵ – 🏛 25/150. 🖭 ⓞ
🖿 𝘝𝘐𝘚𝘈 𝘫𝘤𝘣
Ref (ver rest. **Casa Branca**) – **56 qto** ⚏ 11000/13000.

XX **Casa Branca**, av. Beira Mar 413 ℰ 781 02 69, Telex 20811, Fax 781 36 91, ⩽, Colecção de estatuetas de terracota – ⬛. 🖭 ⓞ 🖿 𝘝𝘐𝘚𝘈 𝘫𝘤𝘣. ⅙
fechado 2ª feira – Ref lista 2900 a 5500.

VILA PRAIA DE ÂNCORA 4915 Viana do Castelo 440 G 3 – 3 801 h. – © 058 – Termas - Praia.

🖪 Rua Miguel Bombarda ℰ 91 13 84.

◆Lisboa 403 – Viana do Castelo 15 – ◆Vigo 68.

🏨 **Meira,** Rua 5 de Outubro 56 ℰ 91 11 11, Telex 32619, Fax 91 14 89, 🏊 – 🛗 ⬛ rest 🕿 🅟.
🖿 𝘝𝘐𝘚𝘈
fechado novembro – Ref 2000 – **45 qto** ⚏ 8000/11000 – PA 4000.

🏨 **Albergaria Quim Barreiros** sem rest, Rua Dr. Ramos Pereira ℰ 95 12 18, Fax 95 12 20,
⩽ – 🛗 ⬛ 📺 🕿. 🖭 ⓞ 🖿 𝘝𝘐𝘚𝘈. ⅙
28 qto ⚏ 14000.

VILAR DO PINHEIRO 4480 Porto 440 I 4 – © 02.

◆Lisboa 330 – Braga 43 – ◆Porto 16.

X **Rio de Janeiro,** Estrada N 13 NO : 1 km ℰ 927 02 04, Fax 600 43 37, Cozinha brasileira
– ⬛ 🅟. 🖭 ⓞ 🖿 𝘝𝘐𝘚𝘈 𝘫𝘤𝘣. ⅙
fechado 2ª feira – Ref lista 3050 a 4600.

VILA REAL 5000 ℙ 440 I 6 – 13 876 h. alt. 425 – © 059.

Ver : Igreja de São Pedro (tecto★).

Arred. : Mateus★ (solar★ dos Condes de Vila Real : fachada★★) E : 3,5 Km – Estrada de Vila Real
a Amarante ⩽★ – Estrada de Vila Real a Mondim de Basto (⩽★, descida escarpada ★).

🖪 Av. Carvalho Araujo ℰ 228 19 – A.C.P. Av. 1º de Maio 199, ℰ 756 50, Fax 756 50.

◆Lisboa 400 – Braga 103 – Guarda 156 – Orense/Ourense 159 – ◆ Porto 119 – Viseu 108.

🏨 **Mira Corgo** sem rest, Av. 1º de Maio ℰ 250 01, Telex 27725, ⩽, 🏊 – 🛗 ⬚ 🅟. 🖭 ⓞ 🖿
𝘝𝘐𝘚𝘈. ⅙
76 qto ⚏ 6500/9000.

🏨 **Cabanelas,** Rua D. Pedro de Castro ℰ 32 31 53, Telex 24580, Fax 741 81 – 🛗 ⬛ rest ⬚
⟵. 🖭 ⓞ 🖿 𝘝𝘐𝘚𝘈 𝘫𝘤𝘣. ⅙ qto
Ref 2350 – **24 qto** ⚏ 6500/9000.

🏨 **Real** sem rest, Rua Serpa Pinto ℰ 738 78, Fax 741 13 – 🕿. ⅙
12 qto ⚏ 4500/6500.

XX Espadeiro, Av. Almeida Lucena ℰ 32 23 02, Fax 724 22, �́ – ⬛.

579

VILA REAL DE SANTO ANTÓNIO 8900 Faro 440 U 7 - 13 379 h. - ☎ 081 - Praia.
⛴ para Ayamonte (Espanha), Av. da República 115 ☎ 431 52.
ℹ Av. da República ☎ 432 72 e Av. Infante Dom Henrique (em Monte Gordo) ☎ 444 95.
♦ Lisboa 314 - Faro 53 - Huelva 50.

Guadiana sem rest, Av. da República 94 ☎ 51 14 82, Fax 51 14 78 - |♦| ▤ TV ☎. AE VISA. ✻
37 qto ☕ 7000/9000.

Apolo, Av. dos Bombeiros Portugueses ☎ 51 24 48, Telex 56902, Fax 51 24 50 - |♦| ▤ rest TV ☎ P. AE ⓓ E VISA. ✻
Ref 1500 - **42 qto** ☕ 10000/12000.

em Monte Gordo O : 4 km - ✉ 8900 Vila Real de Santo António - ☎ 081 :

Dos Navegadores, ☎ 51 24 90, Telex 56054, Fax 51 28 72, ≤, ▣ - |♦| ▤ rest ☎. AE ⓓ E VISA. ✻
Ref 1450 - **344 qto** ☕ 13000/19000.

Casablanca sem rest, Rua 7 ☎ 51 14 44, Telex 56939, Fax 51 19 99, ⛱, ▣ - |♦| ▤ ☎
42 qto.

Paiva sem rest, Rua Onze ☎ 51 11 87, Fax 51 16 68 - TV ☎. E VISA. ✻
fechado 15 novembro-15 janeiro - **26 qto** ☕ 7200/11000.

Copacabana, Av. Infante Dom Henrique 13 ☎ 415 36, Telex 56054, Fax 51 28 72, ☂ Grelhados - AE ⓓ E VISA. ✻
fechado novembro-março - Ref lista aprox. 3850.

*Todas as localidades de **Portugal** mencionadas neste guia estão sublinhadas em vermelho no **mapa Michelin** nº 440 a 1/400 000.*

VIMEIRO (Termas do) Lisboa 440 O 2 - 1 146 h. alt. 25 - ✉ 2560 Torres Vedras - ☎ 06 - Termas.
⛳ na Praia do Porto Novo ☎ 981 57.
♦Lisboa 67 - Peniche 28 - Torres Vedras 12.

Das Termas ⛰, Maceira ☎ 98 41 03, ⛱ de água termal, ✻ - |♦| ☎ P
temp. - **90 qto.**

Rainha Santa sem rest, Estrada de A.Dos-Cunhados - Quinta da Piedade ☎ 98 42 34 Fax 98 42 76 - P. ✻
fechado do 15 ao 31 outubro - **19 qto** ☕ 4600/5500.

na Praia do Porto Novo O : 4 km - ✉ 2560 Torres Vedras - ☎ 061 :

Golf Mar ⛰, ☎ 98 41 57, Telex 43353, Fax 986 21, ≤, ⛱, ▣, ✻, ⛳ - |♦| P - ⛰
300 qto.

em Toledo - na estrada de Lourinhá NE : 2,5 km - ✉ 2530 Lourinhá - ☎ 061 :

O Pão Saloio, ☎ 98 43 55, Fax 98 47 32, Rest. típico, Grelhados - ▤. AE ⓓ E VISA. ✻
fechado 2ª feira e 20 setembro-20 outubro - **Refeição** lista 2500 a 3350.

VISEU 3500 P 440 K 6 - 21 454 h. alt. 483 - ☎ 032.
Ver : Cidade Antiga★ : Museu Grão Vasco★★ Y **M** (Trono da Graça★, primitivos★★) - Sé★ Y A (liernes★, retábulo★) - Adro da Sé★ Y - Igreja de São Bento (azulejos★) Y **F.**
ℹ Av. Gulbenkian ☎ 42 20 14 - A.C.P. Rua da Paz 36, ☎ 42 24 37, Fax 45 24 37.
♦Lisboa 292 ④ - Aveiro 96 ① - ♦Coimbra 92 ④ - Guarda 85 ② - Vila Real 108 ①.

Plano página seguinte

Grão Vasco, Rua Gaspar Barreiros ☎ 42 35 11, Telex 53608, Fax 270 47, ☂, « Relvado com ⛱ » - |♦| ▤ TV ☎ P - ⛰ 25/180. AE ⓓ E VISA. ✻ rest Z u
Ref lista aprox. 3400 - **110 qto** ☕ 13650/15750.

Moinho de Vento sem rest, Rua Paulo Emilio 13 ☎ 42 41 16, Telex 52698, Fax 42 96 62 - |♦| ▤ TV ☎. AE VISA. ✻ Z a
30 qto ☕ 8500/10000.

Avenida, Av. Alberto Sampaio 1 ☎ 42 34 32, Telex 52522, Fax 267 43 - |♦| ☎. AE ⓓ E VISA. ✻ rest Z z
Ref 1950 - ☕ 950 - **30 qto** 7000/9500.

Infante, Av. Infante D. Henrique 87 ☎ 278 39, Fax 42 15 53 - ▤. AE VISA. ✻ Z c
fechado 2ª feira - Ref lista aprox. 2500.

Trave Negra, Rua dos Loureiros 40 ☎ 261 38, Fax 42 48 53 - ▤ P Y b

Varanda da Sé, Rua Augusto Hilário 55 ☎ 42 11 35 - AE ⓓ E VISA Y t
Ref lista 1850 a 3000.

O Cortiço, Rua Augusto Hilário 43 ☎ 42 38 53, Rest. típico - ▤ Y t

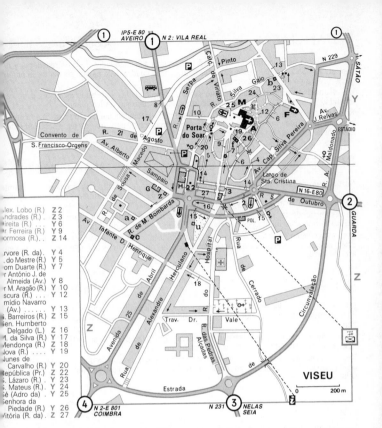

na estrada N 16 por ② : 4 km – ⊠ 3500 Viseu – ✆ 032 :

🏠 **Maná,** Via Caçador ✆ 47 92 43, Telex 53444, Fax 47 87 44 – 🛗 ■ 📺 ☎ 🅿 – 🔏 25/600.
🅰🅴 ⑩ 🇪 𝑉𝐼𝑆𝐴.
Ref 1900 – **73 qto** ⊡ 6500/9000.

🗙🗙 **Quinta da Magarenha,** Via Caçador ✆ 47 91 06, Fax 47 94 22 – ■ 🅿. 🇪 𝑉𝐼𝑆𝐴. 🦐
fechado 2ª feira e do 15 ao 30 de junho – Ref lista 2200 a 3500.

na estrada de Coimbra IP 3 por ④ – ⊠ 3500 Viseu – ✆ 032 :

🏠 **Primevère Viseu,** 4 km ✆ 45 12 76 – ■ 📺 ☎ 🅿 – 🔏 25/40. 🅰🅴 ⑩ 🇪 𝑉𝐼𝑆𝐴
Ref 2200 – ⊡ 700 – **60 qto** 8250/13500 – PA 4860.

🗙 **Churrasqueria Santa Eulália,** Bairro de Santa Eulália - 1,5 km ✆ 262 83 – ■. 🇪 𝑉𝐼𝑆𝐴
fechado 5ª feira – Ref lista 1770 a 2800.

DISTANCIAS

En el texto de cada localidad encontrará la distancia a las ciudades de los alrededores y a capital del estado. Cuando estas ciudades figuran en el cuadro de la página siguiente, su nomb viene precedido de un rombo negro ♦.

Las distancias entre capitales de este cuadro completan las indicadas en el texto de cac localidad. Utilice también las distancias marcadas al margen de los planos.

El kilometraje está calculado a partir del centro de la ciudad por la carretera más cómoda o sea la que ofrece las mejores condiciones de circulación, pero que no es necesariamente más corta.

DISTÂNCIAS

No texto de cada localidade encontrará a distância até às cidades dos arredores e à capit do pais. Quando estas cidades figuram no quadro da página seguinte, o seu nome aparec precedido dum losango preto ♦.

As distâncias deste quadro completam assim as que são dadas no texto de cada localidad Utilize também as indicações quilométricas inscritas na orla dos planos.

A quilometragem é contada a partir do centro da localidade e pela estrada mais prática, que dizer, aquela que oferece as melhores condições de condução, mas que não é necessàriament a mais curta.

DISTANCES

Au texte de chaque localité vous trouverez la distance des villes environnantes et de sa capital d'état. Lorsque ces villes sont celles du tableau ci-contre, leur nom est précédé d'un losang noir ♦.

Les distances intervilles de ce tableau complètent ainsi celles données au texte de chaque localit Utilisez aussi les distances portées en bordure des plans.

Les distances sont comptées à partir du centre-ville et par la route la plus pratique, c'est-à-di celle qui offre les meilleures conditions de roulage, mais qui n'est pas nécessairement la plu courte.

DISTANZE

Nel testo di ciascuna località troverete la distanza dalle città viciniori e dalla capitale. Quand queste città sono quelle della tabella a lato, il loro nome é preceduto da una losanga ♦.

Le distanze fra le città di questa tabella completano cosi quelle indicate nel testo di ciascun località. Utilizzate anche le distanze riportate a margine delle piante.

Le distanze sono calcolate a partire dal centro delle città e seguendo la strada più pratica, ossi quella che offre le migliori condizioni di viaggio ma che non é necessariamente la più breve

ENTFERNUNGEN

In jedem Ortstext finden Sie die Entfernungsangaben nach weiteren Städten in der Umgebun und nach der Landeshauptstadt. Wenn diese Städte auf der nebenstehenden Tabelle aufgeführ sind, sind sie durch eine Raute ♦ gekennzeichnet.

Die Kilometerangaben dieser Tabelle ergänzen somit die Angaben des Ortstextes. Eine weiter Hilfe sind auch die am Rande der Stadtpläne erwähnten Kilometerangaben.

Die Entfernungen gelten ab Stadtmitte unter Berücksichtigung der günstigsten (nicht imme Kürzesten) Strecke.

DISTANCES

The text on each town includes its distance from its immediate neighbours and from the capital Those cited opposite are preceded by a lozenge ♦ in the text.

The kilometrage in the table completes that given under individual town headings in calculating total distances. Note also that some distances appear in the margins of town plans.

Distances are calculated from centres and along the best roads from a motoring point of view - not necessarily the shortest.

Distancias entre las ciudades principales
Distances entre as cidades principais
Distances entre principales villes
Distanze tra le principali città
Entfernungen zwischen den grösseren Städten
Distances between major towns

Madrid - Vigo 603 km — Vigo · Vitoria/Gasteiz · Valladolid · Zaragoza

	Albacete	Alicante	Almería	Andorra la Vella	Badajoz	Barcelona	Bayonne	Bilbao/Bilbo	Burgos	Cáceres	Cádiz	Coimbra	Córdoba	La Coruña/A Coruña	Granada	León	Lérida/Lleida	Lisboa	Logroño	Madrid	Málaga	Murcia	Oviedo	Pamplona/Iruñea	Perpignan	Porto	Salamanca	San Sebastián/Donostia	Santander	Segovia	Sevilla	Valencia	Valladolid	Vigo	Vitoria/Gasteiz
Alicante	167																																		
Almería	348	288																																	
Andorra la Vella	665	680	930																																
Badajoz	604	771	629	1018																															
Barcelona	517	532	782	190	1014																														
Bayonne	639	806	945	397	1058	814																													
Bilbao/Bilbo	751	773	1058	547	773	702	154																												
Burgos	481	788	602	542	397	598	276	164																											
Cáceres	507	674	921	1005	95	917	893	700	510																										
Cádiz	584	637	451	1239	290	1103	1127	814	623	392																									
Coimbra	763	933	927	1130	275	1126	814	780	583	328	638																								
Córdoba	349	514	329	1005	275	868	1005	893	623	239	283	726																							
La Coruña/A Coruña	864	1032	1133	712	573	1129	737	583	510	684	1076	320	953																						
Granada	331	758	164	861	506	991	926	843	445	468	191	843	164	1032																					
León	591	758	790	756	467	890	393	331	237	414	788	506	636	342	756																				
Lérida/Lleida	491	506	160	154	861	205	456	474	331	764	1084	154	953	861	506	160																			
Lisboa	845	820	1259	1255	239	1012	739	898	724	216	635	239	618	618	860	622	1103																		
Logroño	549	654	478	474	730	137	206	137	137	582	918	612	751	669	322	316	465	632																	
Madrid	249	417	553	621	397	617	507	394	237	300	624	389	389	612	423	342	465	618	333																
Málaga	442	470	205	1111	427	963	1037	924	767	480	249	167	123	1143	123	870	870	725	751	532															
Murcia	147	83	218	725	567	789	809	789	216	249	567	1020	303	870	280	407	167	936	316	400	445														
Oviedo	701	725	1001	745	567	917	477	292	216	583	914	303	837	119	837	119	705	952	445	451	981	868													
Pamplona/Iruñea	617	712	907	577	712	481	116	292	216	772	1091	723	785	705	785	407	324	1015	119	407	929	762	515												
Perpignan	697	962	1188	401	1036	116	432	583	550	1300	1429	1159	992	992	837	992	311	929	407	791	1143	852	515	1143											
Porto	811	745	481	1169	424	710	823	710	550	765	1009	116	874	116	684	309	992	311	672	648	852	762	343	705	1343										
Salamanca	459	800	962	820	394	507	235	235	216	216	606	307	628	307	628	198	468	505	356	210	739	681	210	447	994	385									
San Sebastián/Donostia	698	648	649	761	308	100	55	100	152	669	1075	1091	681	413	681	413	413	936	150	453	984	769	90	90	769	480	769								
Santander	632	600	667	710	393	255	102	152	152	575	1009	723	557	557	557	280	557	863	239	388	919	783	195	262	681	376	202	162							
Segovia	348	505	713	709	356	469	356	199	99	301	718	469	487	630	280	318	557	630	318	92	628	466	376	472	883	472	116	331	244						
Sevilla	492	600	414	1148	217	1036	923	766	582	124	124	588	140	924	256	681	991	330	531	537	212	531	924	609	1315	609	424	915	887	470					
Valencia	184	177	505	742	610	391	589	650	350	753	866	965	489	965	422	693	165	965	350	350	612	116	802	472	537	609	338	424	557	338	662				
Valladolid	442	610	747	713	424	279	119	117	119	332	826	578	578	452	578	140	560	620	241	193	593	578	258	331	887	347	104	348	244	112	599	543			
Vigo	856	1024	1156	1141	713	682	522	578	391	272	919	272	826	96	452	165	468	272	603	603	1007	919	583	734	1315	117	583	663	557	557	741	957	444		
Vitoria/Gasteiz	592	760	564	1145	795	157	67	117	117	578	969	751	624	308	624	407	407	851	89	348	879	663	104	104	844	583	347	96	162	310	878	583	104	635	
Zaragoza	415	498	748	306	935	297	307	292	297	935	954	804	804	487	804	153	173	954	173	316	845	543	519	176	264	804	408	519	408	408	844	259	412	816	259

583

0   50   100 km

Gándara
Viveiro
152
N 642
Ribao
A CORUÑA/Ferrol
LA CORUÑA
38
C 641
67
Villalba
73
N 634 - E 70
87
15
Betanzos
96
64
Carballo
N VI
35
Corcubión C 552
65
A 9-E1
E 70
74
SANTIAGO
DE COMPOSTELA
C 540
55
Lugo
C 630
114
C 550
52
Noia C 543
N 547
Becerr
125
Rio Miño
59
96
108
Cambados
111
N 540
C 531
N 525
N 541
Sanxenxo
Pontevedra
100
N 120
49
53
N 120
VIGO
N 120
86
C 536
102
O Bar
C 560
34
Ourense/
Orense
15
Baiona
Tui
17 *Rio Miño*
96
C 533
57
23
Vila Nova da Cerveira
N 202
18
Valença do Minho
69
N 525
Verín
36
48
51
72
N 101
127
N 525
Viana do Castelo
53
26
96
N 103
Ofir
N 103
Vidago
Bragança
Braga
Vieira do Minho
64
22
Pedras
Salgadas
Pôvoa de Varzim
N 103
Guimarães
IP 4-E 82
Macedo d
Cavaleiro
Vila do Conde
51
24
Vila Real
131
Matosinhos
Amarante
IP 4-E 82
57
49
Alijó
100
IP 802
106
PORTO
RIO DOURO
Lamego
Espinho
56
RIO DOURO
N 2
N 220
133
64
Torreira
147
E 80
IP 5
108
N 226
81
12
70/28
Aveiro
Albergaria-
a-Velha
Viseu
Mangualde
N 102
Almeida
58
Caramulo
38
46
IP 5
Vilar
Formoso
64
92
30
E 80
41
Guarda
Fuentes
27
de Oñoro
Rio Mondego
85
Manteigas
Pôvoa das
Quartas
Figueira da Foz
45 *N 111*
108
N 17
Covilhã
COIMBRA
Zêzere
54
N 2
Rio
59
103
Monsanto
Leiria
60
80
155
N 239
Nazaré
Batalha
16
52
N 240
23
Castelo Branco
Fátima
Tomar
65

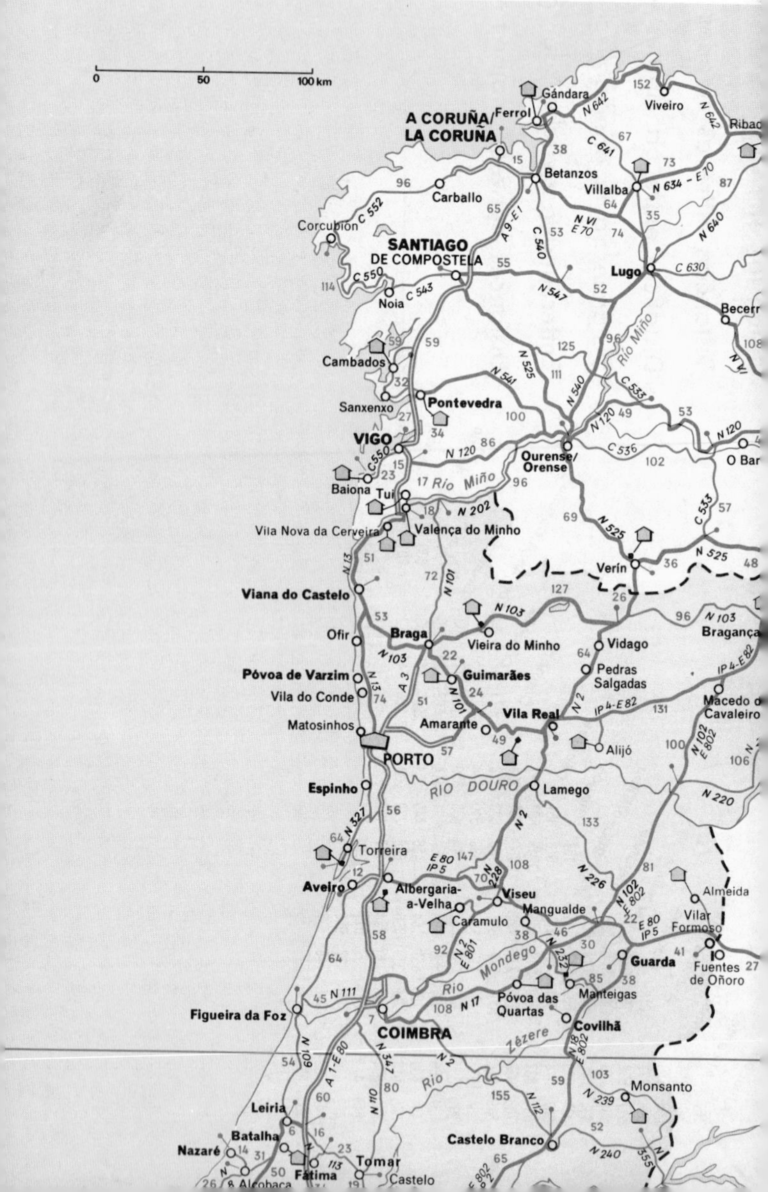

PRINCIPALI STRADE

di strada .... N 63.C 535

tanza chilometrica 12

ercizi gestiti dallo
ato :
ador (Spagna), Pousada (Portogallo)

riodo approssimativo
nnevamento-(esempio :
vembre-Aprile) 11-4

HAUPTVERKEHRSSTRASSEN

Straßennummer .... N 63.C 535

Entfernung in Kilometern 12

Staatlich geleitete
Hotels :
Parador (Spanien), Pousada (Portugal)

Voraussichtliche Wintersperre
(z.B. Nov.-April) 11-4

MAIN ROADS

Road number .... N 63.C 535

Distance in kilometres 12

State operated
hotels :
Parador (Spain), Pousada (Portugal)

Period when roads are likely
to be blocked by snow
(11-6 : Nov.-April) 11-4

MAR

CANTÁBRICO

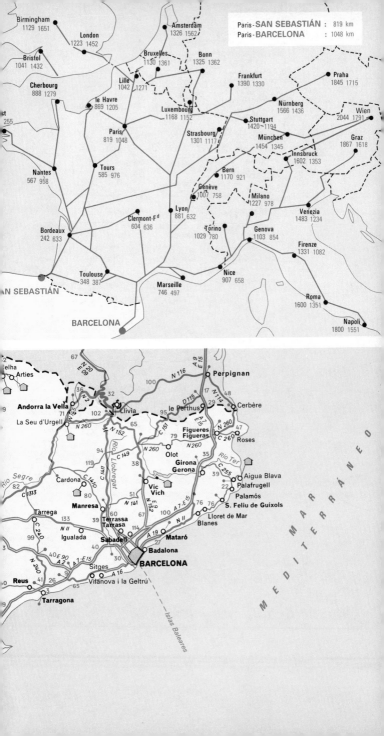

Paris - **SAN SEBASTIÁN** : 819 km
Paris - **BARCELONA** : 1048 km

Birmingham 1129 1651
London 1223 1452
Bristol 1041 1432
Cherbourg 888 1279
Amsterdam 1326 1562
Bruxelles 1130 1361
Bonn 1325 1362
Frankfurt 1390 1330
Praha 1845 1715
Lille 1042 1271
le Havre 869 1205
Luxembourg 1168 1152
Nürnberg 1566 1436
Wien 2044 1791
st 255
Paris 819 1048
Strasbourg 1301 1117
Stuttgart 1420~1194
München 1454 1345
Graz 1867 1618
Innsbruck 1602 1353
Nantes 567 958
Tours 585 976
Bern 1170 921
Clermont-Fᵈ 604 636
Lyon 881 632
Genève 1007 758
Milano 1227 978
Venezia 1483 1234
Bordeaux 242 633
Torino 1029 780
Genova 1103 854
Firenze 1331 1082
Toulouse 348 387
Nice 907 658
Marseille 746 497
Roma 1600 1351
AN SEBASTIÁN
BARCELONA
Napoli 1800 1551

elha
Arties
67
N 20 m 09
N 116
Perpignan
36
32
100
17 N 114
N 2
102
Llivia
le Perthus
29
48
Cerbère
Andorra la Vella
71
95
D 115
Figueres
N 260
47
La Seu d'Urgell
N 260
65
C 151
Figueres
C 260
Roses
94
N 152
Rio Llobregat
N 260
79
N 260
Olot
35
Rio Ter
C-255
Aigua Blava
119
C 1411
Rio Segre
82
C 1313
Cardona
C 1410
38
Girona
Gerona
39
Palafrugell
80
51
Vic
Vich
22
Palamós
Manresa
N 141
N 152
76
S. Feliu de Guixols
Tàrrega
133
60
39
Terrassa
Tarrasa
100
A 7-E 15
Lloret de Mar
Blanes
99
C 240
N II
Igualada
114
A 19
Mataró
40
Sabadell
27
40 E 90
A 2
A 1-E 15
30
Badalona
3
N 240
Sitges
A 16
BARCELONA
Reus
41
26
Vilanova i la Geltrú
9
65
Tarragona
Islas Baleares
MAR MEDITERRÁNEO

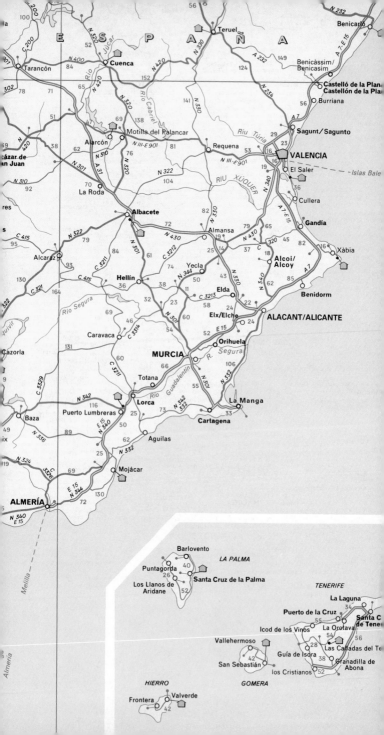

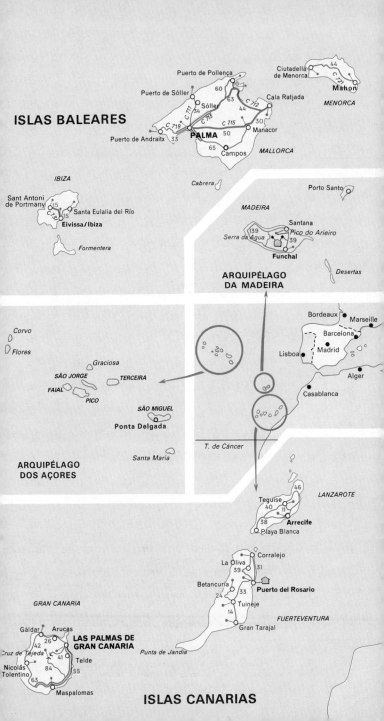

ISLAS BALEARES

Puerto de Pollença
Puerto de Sóller
Sóller
C 711
C 719
Puerto de Andraitx
33
54
60
PALMA
C 713
C 715
50
65
Campos
63
44
C 712
Cala Ratjada
30
Manacor

Ciutadella
de Menorca
44
C 721
Mahon
MENORCA

MALLORCA

IBIZA
Sant Antoni
de Portmany
15
C 731
15
Santa Eulalia del Río
Eivissa/Ibiza

Formentera

Cabrera

Porto Santo

MADEIRA
Santana
139
Serra da Agua
Pico do Arieiro
39
Funchal

ARQUIPÉLAGO
DA MADEIRA

Desertas

Corvo
Flores

Graciosa
SÃO JORGE
TERCEIRA
FAIAL
PICO
SÃO MIGUEL
Ponta Delgada

Santa Maria

ARQUIPÉLAGO
DOS AÇORES

Bordeaux
Marseille
Barcelona
Lisboa
Madrid
Alger
Casablanca

T. de Cáncer

46
Teguise
40
11
38
Playa Blanca
Arrecife
LANZAROTE

Corralejo
La Oliva
39
31
Betancuria
33
24
Puerto del Rosario
Tuineje
14
Gran Tarajal
FUERTEVENTURA

Punta de Jandia

GRAN CANARIA
Gáldar
Arucas
26
42
Cruz de Tejeda
41
LAS PALMAS DE
GRAN CANARIA
Nicolás
Tolentino
84
Telde
63
55
Maspalomas

ISLAS CANARIAS

MANUFACTURE FRANÇAISE DES PNEUMATIQUES MICHELIN

Société en commandite par actions au capital de 2 000 000 000 de francs.

Place des Carmes-Déchaux – 63 Clermont-Ferrand (France)

R.C.S. Clermont-Fd B 855 200 507

© MICHELIN et Cⁱᵉ, propriétaires-éditeurs, 1994

Dépôt légal : 3-94 – ISBN 2-06-006339-6

Printed in France 2-94-75

Photocomposition : MAURY-Imprimeur SA – Malesherbes

Impression : ISTRA B.L. Strasbourg – KAPP, LAHURE, JOMBART, Évreux

Reliure : MAME Imprimeur, Tours

MAPAS REGIONALES

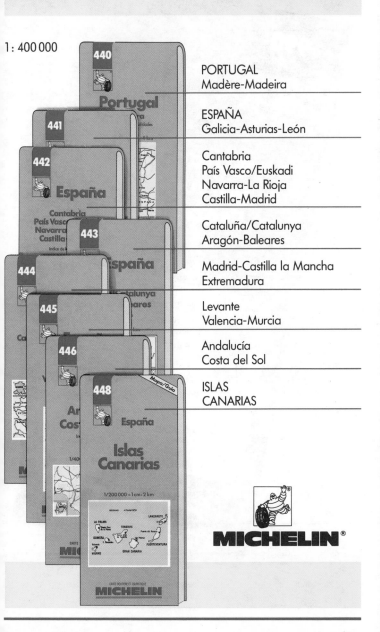

1: 400 000

440

PORTUGAL
Madère-Madeira

441

ESPAÑA
Galicia-Asturias-León

442

Cantabria
País Vasco/Euskadi
Navarra-La Rioja
Castilla-Madrid

443

Cataluña/Catalunya
Aragón-Baleares

444

Madrid-Castilla la Mancha
Extremadura

445

Levante
Valencia-Murcia

446

Andalucía
Costa del Sol

448

ISLAS
CANARIAS

MICHELIN®

990

España
Portugal
Espagne

1/1000000 – 1cm:10 km

CARTE ROUTIÈRE ET TOURISTIQUE

MICHELIN®

46,Av. de Breteuil 75324 PARIS CEDEX 07 – Doctor Esquerdo,157-28007 MADRID